L'homme sans qualités

Des écrivains tels qu'André Gide, Thomas Mann ou Hermann Broch se sont accordés pour reconnaître en Robert Musil l'un des maîtres de la littérature contemporaine. Marcel Proust, James Joyce sont les noms que l'on cite le plus souvent à son propos. Cependant, Musil — né en Autriche en 1880 et mort en Suisse en 1942 — est à peu près inconnu du grand public, et tout particulièrement du public de langue française. Son œuvre la plus importante *l'Homme sans qualités* qui compte 1 600 pages, à laquelle il travailla plus de vingt ans sans avoir pu l'achever et dont les Éditions du Seuil ont publié pour la première fois en 1956 la traduction, admirable, de Philippe Jaccottet, est une peinture des milieux d'aristocrates, de grands bourgeois et d'intellectuels autrichiens. Mais elle est aussi, et surtout, une critique éblouissante de notre temps.

Issu d'une vieille famille de fonctionnaires, d'ingénieurs et d'officiers, Robert Musil est né le 6 novembre 1880, à Klagenfurt en Autriche. Destiné à la carrière des armes, il l'abandonne pour des études d'ingénieur. Puis, nanti de son diplôme, part étudier la philosophie et la psychologie à Berlin. En 1906, il publie son premier roman, les Désarrois de l'élève Törless, *remarquable et remarqué. Il décide alors de se consacrer entièrement à la littérature. Il publie deux recueils de nouvelles, deux pièces de théâtre mal accueillies, puis attaque une vaste fresque romanesque. En 1933, il quitte Berlin pour Vienne. En 1938, il s'exile en Suisse, à Zurich puis à Genève où il meurt subitement en 1942, pauvre, oublié, et sans avoir pu achever ce grand roman auquel il travaillait depuis vingt ans:* l'Homme sans qualités. *Il a laissé également un important Journal, des* Aphorismes, Discours *et* Essais.

Du même auteur

AUX MÊMES ÉDITIONS

Les désarrois de l'élève Törless
roman, 1960

Les exaltés, *suivi de*
Vincent et l'amie des personnalités
théâtre, 1961

Trois femmes, *suivi de* Noces
nouvelles, 1963

Œuvres pré-posthumes
prose, 1965

Journaux
2 tomes, 1981

COLLECTION POINTS-romans

Les désarrois de l'élève Törless
1980

Œuvres pré-posthumes
à paraître en 1982

Robert Musil

L'homme sans qualités

tome II

TRADUIT DE L'ALLEMAND
PAR PHILIPPE JACCOTTET

Éditions du Seuil

TEXTE INTÉGRAL.

ISBN 2-02-006075-2 édition complète;
ISBN 2-02-006074-4 tome II.

(ISBN 1re publication : 2-02-005191 éd. complète;
2-02-005190-7 tome II.)

Titre original : *Der Mann ohne Eigenschaften*.
Rowohlt, Hambourg.

TROISIÈME PARTIE

VERS LE RÈGNE MILLÉNAIRE OU LES CRIMINELS

1. *La sœur oubliée.*

Le soir du même jour, quand Ulrich arriva à X... et sortit de la gare, il trouva devant lui une large place sans profondeur, terminée en rue à chaque extrémité, qui impressionna presque douloureusement sa mémoire, comme il arrive à des paysages que l'on a vus souvent, puis oubliés.

« Je vous assure que les revenus ont baissé de vingt pour cent et que la vie a augmenté d'autant : cela fait quarante pour cent! — Je vous assure qu'une course comme les Six-Jours fait beaucoup pour la paix internationale! » : ces voix lui sortaient maintenant de l'oreille; voix de compartiment. Puis il entendit très distinctement ces phrases : « Moi, malgré tout, je n'aime rien tant que l'opéra! — C'est sans doute un sport, chez vous? — Non, une passion! »

Il pencha la tête comme s'il avait eu de l'eau dans les oreilles : le train était bondé, le voyage avait été long; des gouttes de la conversation générale qui avaient pénétré en lui au cours du trajet remontaient à la surface. Au milieu de la gaieté et de la hâte des arrivants que la haute porte de la gare, telle la bouche d'une fontaine, déversait dans la tranquillité de la place, Ulrich avait attendu qu'ils ne s'écoulent plus que goutte à goutte; il était maintenant debout dans cette espèce de chambre d'aspiration que forme le silence après le vacarme. En même temps que le trouble créé dans ses oreilles par ce silence, une tranquillité insolite frappa ses yeux. Dans cette tranquillité, le monde visible avait plus de force qu'à l'ordinaire : quand le regard d'Ulrich franchit la place, de banales croisées en face de lui apparurent si noires dans le crépuscule sur la lividité des vitres qu'on eût dit les croix du Golgotha. Dans les rues, le mobile avait une façon de trancher sur l'immobile que les toutes grandes villes ignorent. Visiblement, l'un comme l'autre, ici, avait assez de place pour étaler son importance. Ulrich nota ces faits avec la curiosité qu'éveillent les revoirs et considéra la grande ville de province où il avait passé de brèves, mais peu agréables périodes de sa vie.

C'était une ville à certains égards coloniale, apatride, il le savait : une graine de bourgeoisie allemande tombée en terre slave plusieurs siècles auparavant s'était altérée là au point que presque plus rien, hors quelques églises et quelques patronymes, ne la rappelait, de même que, de l'antique siège des États provinciaux abrité plus tard par la ville, n'avait guère survécu qu'un beau palais. Sur ce passé, au temps de l'absolutisme, était venue camper la grande armée d'un gouvernement impérial avec son administration, ses grandes et ses hautes écoles, ses casernes, ses tribunaux, ses prisons, son évêché, sa forteresse, son théâtre, les personnes qui en dépendent ainsi que les commerçants et artisans qui s'ensuivent; si bien qu'en fin de compte s'y était encore adjointe, animée par des entrepreneurs du dehors, une industrie dont les fabriques peuplèrent bientôt les banlieues et influencèrent beaucoup plus que le reste, au cours des dernières générations, le destin de ce coin de terre. Cette ville avait une histoire. Elle avait aussi un visage, mais dans lequel les yeux juraient avec la bouche (ou peut-être le menton avec les cheveux). On y devinait partout les traces d'une vie très animée, mais qui sonnait creux. Il se pouvait que ce fait, dans certaines circonstances personnelles, favorisât de grandes singularités.

Usons d'une expression plus brève, encore que non moins sujette à caution : Ulrich, devant cette ville, sentait un « défaut de substance intérieure » qui, si l'on y sombrait, devait encourager le dérèglement de l'imagination. Il avait dans sa poche l'étrange télégramme de son père, et le savait par cœur : « Te fais part de mon décès », voilà ce que le vieux monsieur lui avait fait écrire, ou devrait-on dire « écrit » ? Le télégramme lui-même répondait à cette question, puisqu'il était signé « Ton Père ». Son Excellence le Conseiller intime en titre ne plaisantait jamais dans les heures graves; la bizarre conformation du message était d'ailleurs diaboliquement logique, puisque c'était bien le vieillard lui-même qui informait son fils quand, dans l'attente de sa fin, il écrivait ou dictait à quelqu'un ce texte, et le déclarait recevable à partir de l'instant où il aurait rendu son dernier soupir. C'était difficile à exprimer, mais, de cette opération grâce à laquelle le présent cherchait à maîtriser un avenir qu'il ne pourrait plus vivre, émanait le souffle pestilentiel d'une volonté rageusement réfractaire à la putréfaction !

Devant ce comportement qui, par on ne sait quel rapprochement, lui rappelait l'aspect, si l'on peut dire, *longuement irréfléchi* des petites villes, Ulrich songeait non sans appréhension à sa sœur, mariée en province, qu'il allait sans doute rencontrer dans quelques minutes. Au cours du voyage, déjà, il avait songé à cette jeune femme, presque une inconnue pour lui. De loin en loin, les lettres de son père lui avaient apporté les réglementaires nouvelles de famille : « Ta sœur Agathe s'est mariée » (cette annonce complétée de quelques précisions, parce que Ulrich, cette fois-là, avait été empêché de retourner chez lui). Une année plus tard, il avait reçu le faire-part de décès du jeune époux; et trois ans après, s'il ne faisait erreur, une autre nouvelle : « Ta sœur Agathe s'est décidée, pour ma plus grande satisfaction, à se remarier ». Il avait assisté à ce second mariage, cinq ans plus tôt, et avait vu sa sœur un ou deux jours; il se rappelait seulement que ces journées avaient ressemblé à une gigantesque roue de lingerie blanche tournant sans discontinuer. Il se souvenait du mari, qui ne lui plaisait point. Agathe devait avoir alors vingt-deux ans, lui-même en comptait vingt-sept, puisqu'il venait d'obtenir son doctorat; sa sœur avait donc maintenant vingt-sept ans. Pas plus qu'ils ne s'étaient revus depuis lors, ils n'avaient échangé la moindre lettre. Il se rappelait seulement que son père, plus tard, lui avait écrit de temps en temps : « Dans le mariage de ta sœur, Dieu m'entende ! tout ne semble pas aller comme cela devrait, bien que son mari soit un homme remarquable. » Ou encore : « Les derniers succès du mari de ta sœur Agathe m'ont fait le plus grand plaisir. » Du moins était-ce à peu près ce que lui annonçaient des lettres auxquelles, malheureusement, il n'avait jamais accordé aucune attention; mais dans l'une, Ulrich s'en souvenait maintenant très précisément, son père, tout en déplorant qu'Agathe n'eût pas d'enfants, avait exprimé l'espoir qu'elle fût tout de même heureuse en ménage, encore qu'elle n'eût pas un caractère à l'avouer jamais. « Comment peut-elle bien être, maintenant ? » songea-t-il. L'une des originalités du vieux monsieur qui les informait si soigneusement l'un de l'autre avait été de les éloigner de la maison très jeunes, aussitôt après la mort de leur mère. Ils avaient été élevés dans des institutions différentes. Ulrich, indiscipliné, était souvent privé de sorties, de sorte qu'en réalité, il n'avait pas revu sa sœur depuis l'enfance, époque où ils avaient eu beaucoup d'affection l'un pour l'autre, si l'on excepte un unique séjour un peu long en commun lorsqu'Agathe avait dix ans.

Dans ces circonstances, il semblait naturel à Ulrich qu'ils ne correspondissent point. Qu'auraient-ils eu à s'écrire ? Lorsque Agathe s'était mariée pour la première fois, il était lieutenant, s'il se rappelait bien, et un duel l'avait fait échouer à l'hôpital : bon dieu, quel âne il était! Et combien d'ânes divers à la fois, tout bien compté! Il s'aperçut en effet que cette histoire de blessure n'avait rien à faire avec le mariage; il devait être, alors, presque ingénieur, et des travaux « importants » l'avaient retenu loin de la fête familiale! Et de sa sœur, plus tard, on racontait qu'elle avait beaucoup aimé son premier mari : il ne se rappelait plus qui le lui avait appris, mais que signifient ces mots : « Elle avait beaucoup aimé ? » Ce sont des choses qu'on dit. Elle s'était remariée, Ulrich ne pouvait pas sentir le second mari : telle était l'unique certitude! Cette antipathie ne provenait pas seulement de l'impression que lui avait faite sa personne, mais aussi des quelques livres de cet homme qu'il avait lus : il n'était pas impossible qu'il eût perdu sa sœur de vue, depuis lors, plus ou moins intentionnellement. Conduite certes peu reluisante! Mais il était obligé de s'avouer que, même en cette dernière année où il avait pensé à tant de choses, jamais il n'avait pensé à elle, et pas davantage quand il avait appris le décès. A la gare, en revanche, il avait demandé au vieux domestique venu le chercher si son beau-frère était déjà là. Lorsqu'il apprit que le professeur Hagauer n'était attendu que pour l'enterrement, il en fut heureux : quoiqu'il ne pût y avoir plus de deux ou trois jours d'ici là, ce délai lui sembla une clôture d'une durée illimitée qu'il partageait avec sa sœur comme s'ils étaient les personnes les plus intimes du monde. Inutile de se demander comment cette pensée se justifiait : l'idée d'une « sœur inconnue » était probablement de ces abstractions spacieuses où beaucoup de sentiments peuvent trouver place, qui ne se sentent nulle part chez eux.

Tandis qu'il retournait ces problèmes en esprit, Ulrich avait pénétré lentement dans la ville à la fois étrange et familière qui s'ouvrait maintenant devant lui. Il commanda une voiture pour son bagage dans lequel il avait glissé juste avant le départ un assez grand nombre de livres, et pour le vieux domestique appartenant déjà à ses souvenirs d'enfance, qui était venu le chercher et cumulait les fonctions de maire du palais, de concierge et d'appariteur selon un système dont les divisions s'étaient effacées à mesure que les années passaient. C'était probablement à cet homme modeste et réservé que le père d'Ulrich avait dicté le télégramme mortuaire, et les pieds d'Ulrich suivaient avec un plaisir étonné le chemin qui les conduisait à la maison, cependant que ses sens, ayant retrouvé toute leur curiosité, accueillaient les fraîches impressions dont nous surprend toujours une ville en pleine croissance quand nous ne l'avons pas revue depuis longtemps. A un endroit précis dont ils se souvinrent avant lui, les pieds d'Ulrich quittèrent la grand'rue, et il se retrouva peu après dans une ruelle encaissée entre des murs de jardin. Brusquement, la maison se dressa aux yeux de l'arrivant avec ses seuls deux étages, le corps de bâtiment un peu plus élevé, la vieille écurie d'un côté, et toujours, adossée au mur du jardin, la petite maison où le domestique vivait avec sa femme : on aurait dit que le vieux monsieur, en dépit de la confiance qu'il leur portait, avait voulu les éloigner autant que possible tout en les gardant prisonniers de ses murs. Plongé dans ses pensées, Ulrich avait atteint l'entrée du jardin et fait retentir le grand heurtoir suspendu en guise de cloche à la porte basse noircie par le temps, avant que son guide n'accourût pour corriger son erreur. Ils durent contourner le mur pour retrouver l'entrée principale où la voiture s'était arrêtée; alors seulement, au moment où il eut devant lui la surface fermée de la maison, Ulrich prit conscience que sa sœur n'était pas venue l'accueillir à la gare. Le domestique lui annonça que madame avait souffert de migraine et s'était retirée après manger en demandant qu'on l'éveillât quand monsieur arriverait. Ulrich demanda encore si sa sœur était sujette aux migraines, puis regretta presque aussitôt une maladresse qui découvrait son ignorance à un vieux familier de la maison paternelle et touchait à des relations privées sur lesquelles il vaut toujours mieux faire le silence. « Madame a demandé qu'on serve le thé dans une demi-heure » répliqua le vieux avec ce visage de domestique, poliment aveugle, qui voulait dire très prudemment : « je ne comprends que ce qui touche à mon service. »

Involontairement, Ulrich leva les yeux vers les fenêtres dans l'idée qu'Agathe serait peut-être derrière à observer son arrivée. Il se demanda si elle était jolie et constata sans joie que le séjour serait singulièrement fâcheux si elle ne lui plaisait pas. Qu'elle ne fût venue ni à la gare ni à l'entrée lui semblait à vrai dire de bon augure, en quelque façon conforme à ses sentiments : à tout prendre elle n'avait pas plus de raisons de courir au-devant de lui que lui de se précipiter, à peine arrivé, au chevet du défunt. Il annonça qu'il serait prêt dans une demi-heure et fit un peu de toilette. La chambre mansardée où il avait trouvé abri était au second étage du corps principal; c'était son ancienne chambre d'enfant, complétée curieusement, depuis lors, par les quelques aménagements, visiblement hâtifs, qu'exige le confort des adultes. « Sans doute ne peut-on rien y changer tant que le mort est dans la maison », pensa Ulrich; il s'installa non sans difficultés sur les décombres de son enfance, tandis qu'un rien de plaisir, pourtant, montait de ce parquet comme un brouillard. Il voulut se changer, et l'idée lui vint de passer une sorte de pyjama d'intérieur qui lui tomba dans les mains comme il défaisait ses valises. « Elle aurait pu au moins m'accueillir dans l'appartement! » pensa-t-il. Il y avait dans le choix négligent de ce vêtement comme un vague désir de faire la leçon à sa sœur, bien que le sentiment qu'elle aurait, pour défendre son attitude, quelque raison qui lui agréerait, ne l'eût pas quitté et prêtât à ce changement de tenue un peu de la courtoisie qui accompagne toujours l'expression sans contrainte de la confiance.

C'était un grand pyjama de laine moelleuse, une sorte de costume de Pierrot, carrelé de gris et de noir, noué aux poignets et aux chevilles comme à la ceinture: il l'aimait pour son confort, confort qu'une nuit d'insomnie et un long voyage lui firent ressentir avec plaisir comme il descendait l'escalier. Mais lorsqu'il pénétra dans la chambre où l'attendait sa sœur, il s'émerveilla de s'être ainsi vêtu. Par une mystérieuse disposition du hasard, il se trouva en effet devant un grand Pierrot blond, enveloppé de rayures et de carreaux d'un gris et d'un rouille subtils, qui, au premier coup d'œil, paraissait tout semblable à lui.

« Je ne savais pas que nous fussions jumeaux ! » dit Agathe, et son visage s'éclaira de gaieté.

2. *Confiance.*

Ils ne s'étaient pas embrassés. Ils restèrent simplement debout amicalement l'un devant l'autre, puis changèrent de position, si bien qu'Ulrich put observer sa sœur. Leurs tailles s'accordaient. Les cheveux d'Agathe étaient plus clairs que les siens, mais sa peau avait une sécheresse parfumée, la seule chose qu'il aimât dans son propre corps. La poitrine de la jeune femme ne se perdait pas en rondeurs, elle était mince et vigoureuse, et ses membres semblaient avoir cette forme longue et fuselée qui unit la puissance naturelle à la beauté.

« J'espère que ta migraine est passée, on n'en voit plus trace, dit Ulrich.

— Je n'avais pas la moindre migraine, c'est une histoire que j'ai imaginée pour plus de simplicité, expliqua-t-elle. Il m'était difficile de confier au domestique une communication plus compliquée : à savoir que je me sentais, tout bonnement, paresseuse. J'ai dormi. J'ai pris l'habitude, ici, de dormir chaque fois que j'ai une minute libre. D'ailleurs, je suis foncièrement paresseuse : peut-être par désespoir. Quand j'ai appris que tu venais, je me suis dit : espérons que je me sens ensommeillée pour la dernière fois, et je me suis accordé une sorte de sommeil de guérison. Voilà ce qu'après mûre réflexion j'ai appelé migraine à l'usage du domestique.

— Tu ne fais donc pas de sport ? demanda Ulrich.

— Un peu de tennis. Mais j'ai horreur du sport. »

Tandis qu'elle parlait, il examina une nouvelle fois son visage. Il ne lui paraissait pas très semblable au sien ; mais peut-être se trompait-il, peut-être ce visage ressemblait-il au sien comme un pastel à une gravure sur bois, de sorte que la différence de technique faisait oublier l'accord des lignes et des surfaces. Il y avait quelque chose, dans ce visage, qui l'inquiétait. Au bout d'un moment, il comprit simplement qu'il ne pouvait pas déceler ce que ce visage exprimait. Il y manquait ce qui permet, d'ordinaire, de tirer des conclusions sur la personne. C'était un visage plein de sens, mais où rien nulle part n'était souligné ou résumé, comme c'est l'habitude, en traits de caractère.

« Comment se fait-il que tu te sois aussi habillée de la sorte ? demanda Ulrich.

— Je n'ai pu me l'expliquer, repartit Agathe. J'ai pensé que ce serait joli.

— C'est très joli ! dit Ulrich en riant. Néanmoins, un véritable tour de passe-passe du hasard ! A ce que je vois, la mort de père ne t'a pas ébranlée beaucoup non plus ? »

Agathe se souleva lentement sur la pointe des pieds et se laissa non moins lentement retomber.

« Ton mari est-il déjà ici ? demanda Ulrich pour dire quelque chose.

— Le professeur Hagauer ne viendra que pour l'enterrement. »

Elle semblait heureuse de pouvoir prononcer ce nom si officiellement, de l'écarter comme un objet étranger.

Ulrich ne sut que répondre.

« Oui, on me l'a dit », répliqua-t-il.

Ils se regardèrent. Puis ils se rendirent, comme la coutume le recommande, dans la petite pièce où se trouvait le mort. Toute la journée déjà, cette pièce avait été artificiellement obscurcie; elle était rassasiée de noir. Des fleurs, des cierges ardents y luisaient et embaumaient. Les deux Pierrots se tenaient très droit devant le mort et paraissaient le regarder avec attention.

« Je ne retournerai plus chez Hagauer ! » dit Agathe une fois pour toutes. On aurait presque pu croire que cette phrase était aussi pour le mort.

Celui-ci était étendu sur un lit de parade ainsi qu'il l'avait ordonné : en habit, le linceul à mi-hauteur de la poitrine, plus haut la chemise empesée, les mains jointes sans crucifix, les décorations à leur place. Arcades sourcilières petites et dures, joues creuses, lèvres affaissées. Cousu dans cette effrayante et aveugle peau des morts qui fait encore partie de l'être et déjà lui est étrangère : le sac de voyage de la vie. Ulrich se sentit involontairement ébranlé à la racine de l'existence, là où il n'y a plus ni sentiment ni pensée; mais nulle part ailleurs.

S'il avait dû exprimer ce qu'il ressentait, il aurait seulement pu dire que des relations importunes et sans amour avaient pris fin. Un mauvais mariage rend mauvais les êtres qui ne réussissent pas à s'en libérer : ainsi fait tout lien trop pesant, prévu pour l'éternité, quand le temporel se retire sous lui.

« J'aurais aimé que tu viennes plus vite, poursuivit Agathe, mais papa s'y est opposé. Il a organisé lui-même tout ce qui concernait sa mort. Je crois qu'il lui aurait été pénible de mourir sous tes yeux. Je suis ici depuis deux semaines déjà : c'était atroce.

— T'aimait-il au moins, toi ?

— Il a confié toutes ses dispositions à son vieux domestique; après quoi, il donnait l'impression d'un homme qui n'a plus rien à faire et se sent privé de destinée. Tous les quarts d'heure environ, il levait la tête et regardait si j'étais dans la pièce. Cela les premiers jours. Les jours suivants, ces quarts d'heure sont devenus des demi-heures, plus tard des heures entières, et pendant l'atroce dernier jour cela ne s'est produit que deux ou trois fois en tout. De tous ces jours, il ne m'a pas adressé la parole, sauf si je l'interrogeais. »

Ulrich, tout en l'écoutant, se disait : « Elle est profondément dure. Tout enfant déjà, elle pouvait faire preuve d'une extraordinaire, mais tranquille obstination. Et pourtant, elle semble souple ? » Tout à coup, il se remémora une avalanche. Un jour, il avait failli perdre la vie dans une forêt envahie par une avalanche. C'était un tendre nuage de neige poudreuse qui, emporté par une violence incessante, devenait dur comme une montagne qui s'écroule.

« Est-ce toi qui m'as envoyé le télégramme ? demanda-t-il.

— Le vieux Franz, bien sûr! Tout était prévu. Père ne s'est pas non plus laissé soigner par moi. Il ne m'a certainement jamais aimée, et je ne sais pourquoi il m'a fait venir. Je ne me suis pas sentie très bien et je me suis enfermée dans ma chambre chaque fois que je l'ai pu. C'est dans un de ces moments qu'il est mort.

— Probablement voulait-il te prendre en faute! Viens! dit Ulrich amèrement en la tirant en arrière. Mais peut-être aurait-il voulu que tu lui caresses le front ? Ou que tu t'agenouilles à son chevet ? Simplement parce qu'il avait toujours lu que les choses se passent ainsi quand un père s'en va ? Et il n'aura pu prendre sur soi de te le demander!

— Peut-être », dit Agathe.

Ils s'étaient arrêtés de nouveau et le regardaient.

« Réellement, tout cela est atroce! dit Agathe.

— Oui, dit son frère. Et on en sait si peu de chose... »

Lorsqu'ils quittèrent la pièce, Agathe s'arrêta encore une fois et interpella Ulrich :

« Je vais t'asséner une nouvelle qui, bien entendu, t'intéresse fort peu : je me suis décidée, pendant la maladie même de père, à ne retourner à aucun prix chez mon mari! »

L'obstination d'Agathe fit sourire involontairement son frère, car elle avait une ride verticale entre les deux yeux et s'exprimait avec véhémence; elle semblait craindre qu'il ne se rangeât pas de son côté et faisait penser à un chat terrorisé qui, pour cette raison même, passe hardiment à l'attaque.

« Est-il d'accord ?

— Il ne sait encore rien, dit Agathe. Mais il ne sera pas d'accord! »

Le frère considéra sa sœur d'un œil interrogatif. Mais elle secoua violemment la tête : « Oh non! ce n'est pas ce que tu penses : il n'y a pas de troisième larron! »

Là s'acheva provisoirement la conversation. Agathe s'excusa de ne s'être pas souciée davantage de la faim et de la fatigue de son frère, elle le conduisit dans une pièce où le thé était servi et, comme quelque chose manquait, elle sortit. Ulrich profita de ce moment de solitude pour se remémorer autant que possible la figure de ce mari, afin de mieux comprendre sa sœur. C'était un homme de taille moyenne avec le derrière effacé, des jambes carrément plantées dans des pantalons de coupe grossière, des lèvres un peu renflées sous une moustache en brosse, et une prédilection pour les cravates à motifs voyants qui devaient sans doute prouver qu'il n'était pas un maître d'école ordinaire, mais un « progressiste ». Ulrich sentit se réveiller sa vieille méfiance à l'égard du choix d'Agathe; mais que cet homme dissimulât des vices secrets était exclu quand on se rappelait la lumière loyale qui rayonnait du front et des yeux de Gottlieb Hagauer. « C'est tout simplement l'homme laborieux, éclairé, bien intentionné, qui s'efforce de faire progresser l'humanité dans son propre domaine sans se mêler de ce qui le dépasse », constata Ulrich; là-dessus, il se remémora les écrits d'Hagauer, et sombra dans des réflexions qui n'étaient pas particulièrement agréables.

Ce genre d'individus est reconnaissable dès l'école. Ils apprennent moins consciencieusement (comme on dit, confondant la conséquence avec la cause), que méthodiquement et pratiquement. Ils commencent par mettre leurs tâches en ordre, de même qu'il faut mettre en ordre le soir ses vêtements du lendemain, boutons compris, si l'on veut être prêt rapidement et sans fausse manœuvre. Il n'est pas d'enchaînement d'idées qu'ils ne puissent, avec cinq ou dix boutons préparés de la sorte, fixer solidement dans leur entendement, et il faut avouer qu'après cela celui-ci n'a plus à craindre l'inspection. Par ce moyen, ces individus deviennent des élèves modèles sans déplaire à leurs camarades, et des hommes comme Ulrich, que leur nature entraîne tantôt légèrement au-dessus, tantôt non moins légèrement au-dessous de la moyenne, se voient dépassés par eux, d'une manière furtive comme le destin, même quand ils sont plus doués. Ulrich remarqua qu'il avait une véritable crainte inavouée de cette espèce privilégiée d'humains; leur précision mentale rendait un tant soit peu dérisoire son culte de la précision. « Ils n'ont pas *ça* d'âme, se dit-il, mais ce sont des hommes débonnaires. Vers seize ans, à l'âge où les jeunes gens commencent à s'exciter sur les problèmes intellectuels, ils semblent rester un peu en arrière des autres, peu accessibles aux pensées ou aux sentiments nouveaux; mais, là encore, ils font travailler leurs dix boutons, et le jour vient où ils peuvent produire les preuves qu'ils ont toujours tout compris (ne parlons pas, bien sûr, des hypothèses extrêmes et insoutenables!). En définitive, ce sont eux qui ouvrent l'accès de la vie aux idées nouvelles, au moment où celles-ci ne sont plus pour les autres que de vagues souvenirs de jeunesse ou des extravagances de solitaire! » Ainsi, lorsque sa sœur revint, Ulrich ne pouvait toujours pas se représenter ce qui lui était arrivé exactement, mais il sentait qu'un combat de sa sœur contre son mari, fût-il injuste, était de nature à lui procurer de basses satisfactions.

Agathe semblait juger tout à fait impossible de donner à sa décision une apparence de raison. Son mariage, ainsi qu'on pouvait s'y attendre avec un homme du caractère d'Hagauer, était, extérieurement, dans un ordre parfait. Aucune querelle, à peine quelques divergences d'opinion; ne serait-ce que parce que Agathe, ainsi qu'elle l'expliquait à son frère, ne confiait jamais à son mari son opinion personnelle. Bien entendu aucun excès, ni boissons, ni jeu. Même pas d'habitudes de célibataire. Une juste répartition des revenus. Une économie ordonnée. Le cours parfaitement régulier d'une cohabitation souriante à plusieurs, et morose à deux.

« Si donc tu l'abandonnes sans le moindre motif, dit Ulrich, c'est toi qui auras les torts; supposé qu'il demande le divorce.

— Il faut qu'il le demande! dit Agathe impérieusement.

— Peut-être serait-il indiqué de lui accorder un petit avantage financier au cas où il accepterait une solution à l'amiable ?

— Je n'ai strictement emporté avec moi, répliqua-t-elle, que ce dont on a besoin pour un voyage de trois semaines, outre quelques puérils objets et souvenirs du temps d'avant Hagauer. Il gardera le reste, je n'en veux pas. Mais il n'obtiendra pas de moi le plus petit avantage pour l'avenir! »

De nouveau, elle avait dit cela avec une surprenante véhémence. On pouvait peut-être le comprendre en se disant qu'Agathe désirait se venger de tous les avantages accordés naguère à ce mari. La combativité, l'esprit sportif, l'invention dont faisait toujours preuve Ulrich pour surmonter les difficultés se réveillèrent en lui, mais il s'en aperçut sans plaisir : c'était comme l'effet d'un excitant qui déclenche les émotions extérieures sans que les intérieures soient touchées le moins du monde. Il détourna la conversation et, un peu hésitant, chercha à prendre une vue d'ensemble.

« J'ai lu un ou deux de ses livres et entendu parler de lui, dit-il. Autant que je sache, dans le domaine de l'enseignement et de l'éducation, il passe pour un homme d'avenir!

— En effet, répondit Agathe.

— Autant que je connaisse ses écrits, ce n'est pas simplement un maître d'école capable de courir à toutes selles : il est également intervenu très tôt pour la réforme de notre enseignement supérieur. Je me souviens d'avoir lu un livre de lui où il était question d'une part de l'irremplaçable valeur de l'enseignement historico-humaniste pour la culture morale, d'autre part de l'irremplaçable valeur de l'enseignement scientifico-mathématique pour la culture intellectuelle, et troisièmement de l'irremplaçable valeur du sport et de l'éducation militaire pour la culture de l'énergie et de l'action. Est-ce bien cela ?

— Ce doit être cela, dit Agathe. Mais as-tu remarqué sa manière de citer?

— Sa manière de citer ? Attends : il me semble vaguement en avoir été frappé. Il cite beaucoup. Il cite les vieux maîtres. Il cite... bien entendu aussi les contemporains... Ah! je sais : d'une manière réellement révolutionnaire pour un maître d'école, il cite non seulement les célébrités scolaires, mais les constructeurs aéronautiques, les hommes politiques et les artistes du jour... Mais, somme toute, c'est là ce que je viens de dire ?... » conclut-il dans le sentiment de gêne avec lequel un souvenir mal aiguillé va heurter le butoir.

« Il cite de telle sorte, précisa Agathe, qu'en musique par exemple, il ira sans inquiétude jusqu'à Richard Strauss, et en peinture jusqu'à Picasso; mais jamais il ne citera, fût-ce comme exemple d'aberration, un nom qui n'aurait pas déjà obtenu un certain droit de cité dans les journaux, au moins pour y avoir été condamné! »

C'était cela. Voilà ce qu'Ulrich avait cherché dans son souvenir. Il leva les yeux. La réponse d'Agathe l'enchantait par le goût et le don d'observation qu'elle révélait.

« Ainsi est-il devenu un guide avec le temps, pour avoir été l'un des premiers à le suivre! conclut-il en riant. Tous ceux qui arrivent plus tard encore le voient déjà devant eux! Mais nos têtes de file, les aimes-tu ?

— Je ne sais. En tous cas, je ne cite pas.

— Néanmoins, soyons modestes, reprit Ulrich. Le nom de ton mari représente un programme que beaucoup considèrent, aujourd'hui déjà, comme le summum. Son action signifie un solide petit progrès. Son ascension sociale ne peut plus tarder. Il fera tôt ou tard au moins un professeur d'université, malgré les années qu'il aura traîné comme maître de lycée; et moi qui n'avais rien d'autre à faire que ce qui se trouvait sur ma véritable voie, j'en suis au point que je ne serai probablement même pas privat-docent! C'est déjà quelque chose! »

Agathe fut déçue, et c'est sans doute pourquoi son visage prit l'expression insignifiante d'une dame en porcelaine fine, tandis qu'elle répliquait aimablement :

« Peut-être dois-tu ménager Hagauer ?

— Quand arrivera-t-il ? demanda Ulrich.

— Pour l'enterrement seulement; il ne s'accorde pas plus de temps. Mais en aucun cas il ne logera ici, je ne l'admettrai pas!

— Comme tu voudras! dit Ulrich avec une décision surprenante. J'irai le chercher et le descendrai devant un hôtel.

Et là, comme tu le désires, je lui dirai : « La chambre de Monsieur est avancée! »

Agathe fut surprise et brusquement enthousiasmée.

« Il sera furieux parce que cela lui coûtera de l'argent et qu'il compte sûrement pouvoir loger ici! »

Son visage avait changé en un instant et pris une sauvagerie enfantine, comme à l'idée d'une polissonnerie.

« Quelles sont donc les dispositions ? demanda Ulrich. Cette maison est-elle à toi, à moi, ou à nous deux ? Y a-t-il un testament ?

— Papa m'a fait remettre un gros dossier qui contient tout ce que nous devons savoir. »

Ils gagnèrent le cabinet de travail qui se trouvait au-delà de la chambre mortuaire. Ils glissèrent à nouveau à travers l'éclat des cierges, le parfum des fleurs, dans le rayon de ces deux yeux qui ne voyaient plus rien. Une seconde, dans la pénombre vacillante, Agathe ne fut plus qu'un miroitant brouillard or, gris et rose. Le testament était là, mais ils retournèrent avec les papiers à leur table à thé, où ils oublièrent de les ouvrir.

Lorsqu'ils se furent rassis, en effet, Agathe apprit à son frère qu'elle vivait autant dire séparée de son mari, bien que toujours sous le même toit; elle ne précisa pas depuis combien de temps cette situation durait.

Cet aveu fit d'abord une mauvaise impression sur Ulrich. Quand des femmes mariées pensent qu'un homme pourrait devenir leur amant, nombre d'entre elles se plaisent à lui confier ce conte; bien que sa sœur eût parlé avec embarras et hésitation, maladroitement résolue à créer un choc, quel qu'il fût, ainsi qu'il était facile de s'en apercevoir, Ulrich fut chagriné qu'elle n'eût rien imaginé de mieux à lui faire accroire, et crut à une exagération. Il s'écria avec franchise : « Au reste, je n'ai jamais compris comment tu pouvais vivre avec un homme pareil! »

Agathe dit que c'était le père qui en avait ainsi décidé, et demanda comment elle eût pu s'y opposer.

« Tu étais tout de même une veuve, et non plus une mineure!

— Justement! J'étais retournée chez papa; on disait un peu partout que j'étais encore trop jeune pour vivre indépendante, puisque j'étais une veuve de dix-neuf ans; ensuite, je n'ai plus supporté de vivre ici.

— Pourquoi ne t'es-tu pas cherché quelqu'un d'autre ? Ou alors, pourquoi n'as-tu pas fait des études pour t'assurer une existence indépendante ? » demanda brutalement Ulrich.

Agathe se contenta de secouer la tête. Après un bref silence, elle répondit : « Je t'ai déjà expliqué que j'étais paresseuse. »

Ulrich sentit que ce n'était pas une réponse.

« Tu as donc eu une raison particulière d'épouser Hagauer ?

— Oui.

— Tu aimais quelqu'un d'autre, et quelqu'un d'inaccessible ? »

Agathe hésita.

« J'aimais mon défunt mari. »

Ulrich regretta d'avoir recouru aussi banalement au mot amour, comme s'il tenait pour sacrée l'importance de l'institution sociale que ce terme désigne. « Quand on veut répandre des consolations, autant commencer par fonder une soupe populaire ! » pensa-t-il. Néanmoins, il fut tenté de poursuivre sur le même ton.

« Tu as compris alors ce qui t'arrivait, et compliqué la vie d'Hagauer.

— Oui, dit sa sœur. Mais pas tout de suite, seulement plus tard. Très tard même. »

Ils eurent alors une toute petite dispute.

Il était visible que ces aveux coûtaient à Agathe, bien qu'elle les fît sans y être invitée et vît dans l'organisation de la vie sexuelle un sujet de conversation important pour chacun, ainsi qu'il est naturel à son âge. Elle semblait vouloir tout de suite ramener son problème à une question de compréhension ou d'incompréhension, elle quêtait la confiance et se montrait résolue, non sans franchise et passion, à conquérir son frère. Mais Ulrich, toujours en humeur de moraliste, ne pouvait pas aller du premier coup au-devant d'elle. Malgré la force de son âme, il n'était nullement débarrassé de tous les préjugés que son esprit rejetait, parce qu'il avait trop souvent laissé aller sa vie dans le sens où elle voulait, et son esprit dans un autre. Et parce qu'il avait abusé trop souvent de son influence sur les femmes avec le plaisir du chasseur qui épie et capture, il avait presque toujours eu devant les yeux l'image correspondante, c'est-à-dire la femme proie qui se rompt sous la lance amoureuse du mâle; il gardait en mémoire la volupté de l'humiliation à laquelle se soumet la femme amoureuse, alors que l'homme reste très éloigné d'un semblable abandon. Cette conception virile de la faiblesse féminine est encore très répandue aujourd'hui, bien que les jeunes générations qui se sont succédé aient apporté des opinions différentes; le naturel avec lequel Agathe parlait de sa soumission à Hagauer offensait Ulrich. Il lui semblait que sa sœur, en se soumettant à l'influence d'un homme qui lui déplaisait et en s'y maintenant obstinément pendant des années, avait essuyé un affront dont elle n'avait pas été bien consciente. Il n'exprima pas sa pensée, mais Agathe dut en lire l'équivalent sur son visage, car elle dit tout à coup : « Bien que je l'eusse épousé, je ne pouvais tout de même pas le quitter tout de suite : ç'aurait été extravagant ! »

Ulrich, toujours dans le rôle du frère aîné et abêti comme tout donneur de conseils, fut violemment choqué et s'écria : « Aurait-ce été vraiment extravagant d'éprouver du dégoût et d'en tirer immédiatement toutes les conséquences ? »

Il essaya d'adoucir ses propos par un sourire et un regard aussi affectueux que possible. Agathe le regarda aussi; son visage était comme grand ouvert par l'effort qu'elle faisait pour déchiffrer celui d'Ulrich. Elle répéta : « Un être sain n'est tout de même pas si sensible à des ennuis! Quelle importance cela a-t-il, en fin de compte ? »

La suite fut qu'Ulrich se ressaisit et ne voulut pas abandonner plus longtemps ses pensées à un moi si partiel. Il redevint l'homme de la compréhension fonctionnelle, et dit : « Tu as raison, qu'importent en fin de compte les événements en tant que tels! Ce qui compte, c'est le système de représentations à travers lequel on les observe, et le système personnel dans lequel on les insère.

— Comment dis-tu cela ? » demanda Agathe méfiante.

Ulrich s'excusa de parler si abstraitement, mais comme il cherchait une comparaison facilement accessible, sa jalousie fraternelle reparut et influença son choix : « Supposons qu'une femme qui ne nous est pas indifférente ait été violentée, expliqua-t-il. Dans un système héroïque, il faudrait s'attendre qu'elle se venge ou se suicide; dans un système empirico-cynique, qu'elle fasse tomber cet outrage comme une poule qui s'ébroue. Et aujourd'hui, on verrait sans doute un composé des deux systèmes : cette incertitude intérieure est plus odieuse que tout. »

Agathe n'approuva pas non plus cette manière de poser le

problème. Elle demanda simplement : « La chose te semble-t-elle donc si terrible ?

— Je ne sais. Il me semblait qu'il était humiliant de vivre avec un être qu'on n'aime pas. Mais maintenant... comme tu voudras !

— Est-ce pire que le fait qu'une femme qui veut se remarier moins de trois mois après son divorce doit accepter qu'un médecin, commis par l'État, examine sa matrice, en vertu du droit successoral, pour savoir si elle est enceinte ? C'est tout à fait vrai, je l'ai lu ! »

Dans sa colère défensive, le front d'Agathe parut s'arrondir, elle eut de nouveau sa petite ride verticale entre les sourcils.

« Et toutes les femmes passent là-dessus quand il le faut ! dit-elle avec mépris.

— Je ne te contredirai pas, repartit Ulrich. Tous les événements, une fois qu'ils sont vraiment là, passent comme la pluie et le beau temps. Tu es probablement plus raisonnable que moi en voyant les choses si naturellement ; mais la nature de l'homme n'est pas naturelle, elle veut modifier la Nature, c'est pourquoi elle est parfois extrême. »

Son sourire quémandait l'amitié, son œil découvrit la jeunesse du visage d'Agathe. Quand ce visage s'animait, il n'avait presque plus de plis, mais était lissé par ce qui se passait à l'intérieur comme un gant dans lequel on fait le poing.

« Je n'ai jamais réfléchi à cela d'une manière aussi générale, répliqua-t-elle. Mais maintenant que je t'écoute, je comprends dans quelle effroyable injustice j'ai vécu !

— Tout cela vient, dit son frère pour solder plaisamment cette confession réciproque, de ce que tu m'as avoué tant de choses sans jamais dire l'essentiel. Comment toucherais-je juste si tu ne me confies rien de l'homme pour qui, en fin de compte, tu veux quitter Hagauer ! »

Agathe regarda son frère comme un enfant ou un écolier que son éducateur a blessé : « Faut-il absolument qu'il y ait un homme ? La chose ne peut-elle pas se faire d'elle-même ? Ai-je donc mal agi parce que je m'en suis sortie sans avoir d'amant ? Peut-être te mentirais-je si j'affirmais que je n'en ai jamais eu : je ne tiens pas à être pareillement ridicule. Mais je n'en ai aucun, et je t'en voudrais de croire que j'en aie besoin pour quitter Hagauer ! »

Son frère l'assura que les femmes passionnées échappent à

leur mari même sans amant, et que lui-même jugeait cette manière plus digne. Le thé pour lequel ils s'étaient réunis était devenu un dîner prématuré et impromptu parce qu'Ulrich, recru de fatigue, l'avait souhaité ainsi : il voulait se coucher tôt et récupérer dans le sommeil les forces dont il aurait sans doute besoin le lendemain. Ils achevèrent leur cigarette avant de se séparer, et Ulrich demeura déconcerté par sa sœur. Elle n'avait rien d'une femme émancipée ou bohême, bien qu'elle fût assise là dans ses amples pantalons telle qu'elle avait l'instant d'avant accueilli son frère inconnu. Plutôt quelque chose d'hermaphrodite, pensa-t-il soudain. Dans l'animation du dialogue, le léger vêtement masculin laissait pressentir, avec la demi-transparence d'un miroir d'eau, la forme délicate cachée dessous, et Agathe, si elle avait les jambes libres comme un homme, n'en portait pas moins les cheveux très fémininement relevés. Mais le centre de cette impression ambiguë restait toujours le visage, qui exprimait à un très haut degré le charme de la femme, avec pourtant comme une déduction ou une restriction dont il n'arrivait pas à deviner la nature.

Qu'il sût si peu de choses sur elle et qu'il fût assis en face d'elle si familièrement et néanmoins tout autrement qu'avec une femme pour laquelle il eût été un homme, était quelque chose d'extrêmement agréable dans la fatigue à laquelle il commençait à céder.

« Une grande transformation depuis hier ! » pensa-t-il.

Il en était reconnaissant et s'efforça, pour prendre congé d'Agathe, de lui dire quelques mots cordialement fraternels. Comme il n'en était pas coutumier, il ne trouva rien. Il se contenta de la prendre dans ses bras, et lui donna un baiser.

3. *Matin dans la maison mortuaire.*

Le lendemain matin, Ulrich bondit hors du sommeil comme un poisson hors de l'eau; un sommeil sans rêves et sans reste avait complètement absorbé la fatigue du jour précédent.

Cherchant de quoi déjeuner, il parcourut la maison. Le deuil n'y était pas encore définitivement déclenché, il y avait simplement un parfum de deuil dans toutes les pièces : cela le fit penser à un magasin qui a ouvert ses volets au petit jour, quand la rue est encore vide. Puis il alla chercher ses travaux scientifiques dans sa malle et gagna le cabinet de travail paternel. Cette pièce, maintenant qu'il y était assis et qu'un feu brûlait dans le poêle, paraissait plus humaine que la veille; bien qu'un esprit pédant, soucieux de toujours peser le pour et le contre, l'eût organisée jusque dans la symétrie des bustes de plâtre sur la bibliothèque, les nombreux petits objets personnels qui y étaient restés (des crayons, une loupe, un thermomètre, un livre ouvert, un plumier, bien d'autres encore) lui donnaient ce vide émouvant des coquillages que leur habitant vient de quitter. Ulrich était assis au centre, plus exactement dans le voisinage de la fenêtre, mais devant le bureau qui était le point d'orgue de la pièce; il ressentait une étrange lassitude de la volonté. Des portraits de ses ancêtres étaient accrochés aux parois, une partie des meubles datait encore de leur époque; celui qui habitait ici avait façonné son œuf avec les coquilles de leur vie; maintenant il était mort, toutes ses affaires étaient encore là très précises, comme s'il avait été expulsé de la pièce, mais déjà leur ordre était prêt à se défaire, à s'adapter au successeur, et on sentait la durée plus longue des objets qui recommençait à sourdre, à peine visible, derrière leur rigide masque de deuil.

C'est avec ces dispositions d'esprit qu'Ulrich se replongea dans les travaux qu'il avait interrompus des semaines et des mois auparavant, et son regard tomba tout de suite sur le passage des équations de l'eau qu'il n'avait pas réussi à dépasser. Il se rappelait vaguement avoir pensé à Clarisse lorsqu'il avait tiré des trois états principaux de l'eau un exemple sur lequel appuyer une nouvelle hypothèse mathématique; Clarisse, alors, l'en avait détourné. Il est une mémoire qui ne se rappelle pas les mots, mais l'air dans lequel ils ont été prononcés; Ulrich pensa brusquement : « Carbone... », et il éprouva le sentiment, né de rien, qu'il pourrait aller plus loin s'il réussissait à savoir tout de suite en combien d'états le carbone apparaissait; mais aucun chiffre ne lui vint à l'esprit, et il pensa en lieu et place : « L'être humain apparaît sous deux états : homme et femme. » Il pensa cela un long moment, apparemment immobilisé par la stupeur, comme si c'était une découverte extraordinaire que ces deux états de l'être humain.

Sous cet arrêt de sa réflexion se dissimulait un autre phénomène. On peut être dur, égoïste, appliqué, extraverti, et se sentir en même temps, sans cesser d'être le nommé Ulrich Untel, plongé en soi-même, tel un être heureux de son détachement parmi des choses elles-mêmes détachées et infiniment réceptives. « Y a-t-il longtemps que j'ai éprouvé cela pour la dernière fois ? » se demanda-t-il. Or, à sa grande surprise, il n'y avait guère plus de vingt-quatre heures. Le silence qui entourait Ulrich était rafraîchissant, et l'état auquel il se voyait ramené par la pensée ne lui paraissait plus aussi insolite qu'à l'accoutumée. « Nous sommes tous, en fin de compte, pensa-t-il rassuré, des organismes contraints de mettre toute leur énergie et toute leur convoitise à s'imposer les uns aux dépens des autres dans un monde hostile. Mais chacun, avec ses ennemis et ses victimes, est néanmoins une petite partie, un enfant de ce monde; peut-être moins détaché d'eux, moins indépendant qu'il ne se l'imagine. » Cela admis, il ne lui parut nullement incompréhensible qu'émanât quelquefois du monde un pressentiment d'unité et d'amour, presque la certitude que l'évidente misère de la vie, en certaines circonstances, ne laissait apparaître qu'une seule moitié de la combinaison totale des êtres. Cette pensée n'avait rien qui pût blesser un esprit de formation scientifique et toujours soucieux d'exactitude : elle rappela même à Ulrich les travaux d'un psychologue auquel il était personnellement attaché. Celui-ci concevait deux groupes principaux de représentations opposés l'un à l'autre; l'un où l'homme était entouré par le contenu de ses expériences, l'autre où il l'entourait. Il laissait entendre d'autre part que cette « Présence dans les choses » et cette « Vision des choses de l'extérieur », que ces « Sensations concaves ou convexes », que cet état « spatial ou objectif », que cette « Vue intérieure » et ces « Conceptions extérieures » se retrouvaient dans d'innombrables oppositions vécues ainsi que dans leur expression parlée, au point que l'on était en droit d'y pressentir un très ancien dualisme de l'expérience humaine. Ce n'était pas là une analyse strictement objective, mais une de ces recherches que l'imagination rend aventureuses te qui doivent le jour à une impulsion extérieure à l'activité scientifique quotidienne; pourtant ses bases étaient solides, et d'une grande vraisemblance ses conclusions qui s'orientaient vers une unité primitive et cachée de la sensation, unité dont les ruines, cent fois bouleversées, avaient peut-être vu naître en fin de compte (Ulrich en venait à le croire) l'attitude actuelle qui s'organise inconsciemment autour d'une opposition de l'expérience mâle et de l'expérience femelle, à l'ombre mystérieuse des rêves immémoriaux.

A ce point de ses réflexions, il voulut s'assurer (exactement comme l'alpiniste, descendant une paroi scabreuse, recourt à la corde et aux crampons). Il commença une méditation plus poussée :

« Les traditions philosophiques les plus anciennes, déjà presque indéchiffrables pour nous, parlent souvent d'un principe mâle et d'un principe femelle! » pensa-t-il.

« A vrai dire, les déesses que les religions primitives plaçaient aux côtés de leurs dieux ne sont plus accessibles à notre sensibilité. Des relations avec ces femmes d'une force surhumaine seraient à nos yeux du masochisme! » pensa-t-il encore.

« Pourtant, la Nature donne à l'homme des mamelons et à la femme un rudiment de sexe viril sans qu'on en puisse conclure que nos ancêtres aient été hermaphrodites. Psychiquement non plus, ce n'étaient pas des androgynes. Il faut donc que la double possibilité de la vision « donnante » et de la vision « prenante » ait été reçue du dehors, telle une sorte de double-face de la Nature; de toutes manières, cela est beaucoup plus ancien que la différence des sexes qui en ont tiré plus tard leur vêtement... psychique »

Ainsi songeait-il. Mais la suite voulut qu'il se rappelât un détail de son enfance et en fût distrait, parce qu'il y avait longtemps qu'il n'avait pas éprouvé de plaisir à se souvenir. Il faut préciser d'abord que son père, autrefois, était monté à cheval, qu'il avait même possédé des chevaux, ce dont l'écurie vide contre le mur du jardin, la première chose qu'Ulrich eût aperçue à son arrivée, témoignait encore aujourd'hui. C'était probablement le seul penchant aristocratique que son père, dans son admiration pour ses amis féodaux, se fût jamais permis; mais Ulrich était alors un petit garçon, et le caractère infini, démesuré en tous cas, qu'un haut cheval musclé possède aux yeux de l'enfant qui l'admire se reformait maintenant dans sa sensibilité telle une terrifiante montagne de conte, avec cette crinière à la crête où passe le frémissement de la peau comme une risée. C'était là, observa-t-il, un de ces souvenirs qui tirent leur éclat de l'impuissance où est l'enfant d'exaucer ses désirs; mais c'est encore bien peu dire, comparé à la grandeur quasi surnaturelle de cet éclat, ou encore à l'éclat non moins merveilleux que le petit Ulrich toucha du doigt un peu plus tard, comme il poursuivait le premier. A cette époque en effet, on avait placardé dans la ville les affiches d'un cirque sur lesquelles apparaissaient non seulement des chevaux, mais encore des lions, des tigres et même de grands et magnifiques chiens qui vivaient en amitié avec eux; il y avait déjà longtemps qu'Ulrich dévorait des yeux ces affiches lorsqu'il réussit à se procurer l'un de ces papiers multicolores et à y découper les animaux auxquels de petits montants de bois vinrent donner de la consistance et un aplomb. Ce qui se produisit ensuite ne peut être comparé qu'à la passion d'un buveur dont la soif reste perpétuellement inassouvie; cela ne connut en effet ni suspens ni progrès pendant des semaines, ce fut un continuel transport à l'intérieur de ces bêtes admirées qu'Ulrich, maintenant qu'il les regardait avec l'indicible bonheur de l'enfant solitaire, s'imaginait posséder aussi intensément qu'il ressentait dans ce bonheur un dernier manque irrémédiable, ce manque même qui donnait au désir le pouvoir de rayonner merveilleusement dans tout son corps. Avec ce souvenir curieusement illimité, un autre événement, à peine plus tardif, de l'enfance d'Ulrich émergea tout naturellement de l'oubli et s'empara, malgré sa puérile fragilité, du grand corps qui rêvait les yeux ouverts. C'était l'histoire de la petite fille qui n'avait que deux particularités : celle de devoir appartenir à Ulrich, et celle de l'entraîner dans des combats terribles avec les autres garçons. De ces deux particularités, seuls les combats étaient réels, car la petite fille n'existait pas. Singulière époque où, tel un chevalier errant, il sautait à la gorge d'adversaires inconnus et stupéfaits, de préférence lorsqu'ils étaient plus grands que lui et le croisaient dans une rue solitaire où le mystère pouvait se loger! Elle lui avait valu maint horion et quelquefois de grandes victoires, mais quelle que fût l'issue, il se sentait toujours frustré. Jamais l'idée, pourtant simple, ne lui fût venue que les petites filles qu'il connaissait fussent les mêmes que celle pour laquelle il se battait. Pareil en cela à tous les garçons de son âge, il ne savait qu'être timide et gauche dans la société des demoiselles; jusqu'à ce qu'un jour une exception se produisît. Ulrich se rappelait maintenant, aussi nettement que si l'image apparaissait dans l'oculaire d'un télescope rapprochant les années, un soir où Agathe s'était costumée pour une fête d'enfants. Elle portait une robe de velours et ses cheveux se répandaient dessus comme des vagues de velours clair, de sorte qu'à sa vue soudain, bien que lui-même portât un terrifiant costume de chevalier, il désira être une fille aussi indiciblement qu'il avait désiré les animaux sur les affiches du cirque. A cette époque, il était encore assez ignorant de la différence des sexes pour ne pas croire sa transformation tout à fait impossible, et en savait néanmoins assez pour ne pas faire comme les enfants en ont l'habitude, c'est-à-dire essayer sur le champ de réaliser de force son désir; son savoir et son ignorance se mêlèrent de telle sorte que ce fut (il essayait aujourd'hui de traduire ainsi ses sensations d'alors) comme s'il cherchait une porte à tâtons dans le noir, butait sur un obstacle tiède de sang ou chaud et doux à la fois, et se pressait sans relâche contre cet obstacle qui venait tendrement au-devant de son désir de le pénétrer, mais sans jamais lui faire place. Peut-être cela ressemblait-il aussi à une espèce innocente de vampirisme, au désir d'aspirer en soi l'être convoité; pourtant, ce petit homme ne voulait pas attirer cette petite femme à lui, mais bien se substituer à elle, et tout cela dans cette tendresse aveuglante qui n'appartient qu'aux premières émotions de la vie du sexe.

Ulrich se leva et s'étira, surpris de sa rêverie. A moins de dix pas de lui, derrière la cloison, le cadavre de son père était couché; alors seulement, il remarqua que depuis un moment déjà autour d'eux semblait monter du sol un fourmillement de gens qui s'affairaient dans la demeure défunte et survivante. De vieilles femmes posaient des tapis et allumaient de nouveaux cierges, les marteaux sonnaient dans les escaliers, on apportait des fleurs, on cirait des parquets, et cette activité devait maintenant monter jusqu'à lui, car on commençait à lui annoncer des gens qui ne s'étaient levés si tôt que parce qu'ils désiraient avoir ou savoir quelque chose de lui; et leur file, dès cette heure, ne s'interrompit plus.

L'Université envoyait aux renseignements pour l'enterrement, un fripier vint quêter timidement des habits, un antiquaire de la ville, au nom d'une maison allemande, s'annonça non sans mille excuses préalables et fit une offre pour une œuvre juridique rarissime qui devait se trouver dans la bibliothèque du défunt, un vicaire désirait s'entretenir avec Ulrich, au nom de la paroisse, de quelque point demeuré obscur, un représentant d'assurances-vie débita d'interminables explications, quelqu'un cherchait un piano à bon marché, un agent immobilier donna sa carte au cas où l'on désirerait vendre l'immeuble, un employé sans travail s'offrit à écrire des adresses, et tout ce monde, sans relâche, en ces heures propices du petit matin, allait, venait, questionnait, souhaitait, bâtissait objectivement sur le décès, réclamait, oralement ou par écrit, son droit à l'existence; aussi bien à l'entrée, où le vieux domestique s'essayait, dans la mesure de ses forces, à disperser les gens, qu'à l'étage, où Ulrich était obligé de recevoir ceux qui avaient réussi à se faufiler. Il n'avait jamais songé combien d'hommes attendent poliment la mort des autres, combien de cœurs on met en branle dans le moment où le sien cesse de battre. Avec un peu de surprise, il découvrait cette image : un insecte mort dans la forêt, et d'autres insectes, des fourmis, des oiseaux, des papillons voletant accourent vers lui.

A cet affairement intéressé s'ajoutait en effet de tous côtés une vacillation, un volètement d'ombres comme au plus sombre d'une forêt. Le profit personnel luisait derrière les vitres des yeux émus comme une lanterne qu'on laisse brûler en plein jour, lorsqu'un monsieur entra, avec du crêpe noir sur un vêtement noir qui tenait de l'habit de deuil et du costume de bureau, s'arrêta sur le seuil et parut attendre qu'Ulrich ou lui-même éclatât en sanglots. Mais au bout de quelques secondes, comme ni l'un ni l'autre n'éclatait, il parut s'en accommoder; il entra cette fois résolument dans la pièce et, tout comme l'aurait fait n'importe quel voyageur de commerce, se présenta comme le directeur de l'entreprise des Pompes funèbres venu s'informer si Ulrich était satisfait du travail réalisé jusqu'alors. Il donna l'assurance que la suite serait également organisée d'une manière telle que feu Monsieur son papa n'aurait pu que l'agréer, lui qui pourtant, comme chacun savait, n'était pas facile à contenter. Il fourra dans la main d'Ulrich une feuille de papier divisée en nombreuses rubriques à quoi correspondait chaque fois un rectangle vide, et l'obligea à lire, dans le projet de contrat prévu pour toutes les classes de cérémonie, des vocables isolés tels que : « à huit chevaux et à deux chevaux... voitures pour les couronnes... nombre... attelage à la... avec piqueurs, plaqué d'argent... escorte à la... flambeaux façon Marienburg... façon Admont... nombre des ordonnateurs... mode d'éclairage... durée de l'éclairage... bois du cercueil... décoration florale... nom, lieu de naissance, sexe, profession... la société décline toute responsabilité en cas d'imprévu... » Ulrich n'avait aucune idée d'où pouvaient provenir ces désignations en partie archaïques; il le demanda, le directeur le regarda avec étonnement, lui-même n'en avait aucune idée. Il était devant Ulrich comme un arc diastaltique reliant l'excitation et l'action sans qu'aucune conscience en naquît. Une histoire vieille de plusieurs siècles avait été confiée à ce marchand de deuil, il pouvait en disposer comme marque de fabrique, il avait le sentiment qu'Ulrich venait d'ouvrir une fausse porte et il s'efforça de la refermer rapidement d'une remarque qui devait le ramener à la réalisation de la commande. Il expliqua que toutes ces nuances étaient malheureusement prescrites par le contrat-type de l'Association royale des Entrepreneurs de Pompes funèbres, mais il était tout à fait sans importance qu'on ne s'y tînt pas, personne ne le faisait d'ailleurs, et si Ulrich signait (Madame sa sœur n'avait pas voulu le faire la veille en l'absence de son frère), cela signifierait simplement que Monsieur était d'accord avec les dispositions prises par son père, et Monsieur ne trouverait sans doute rien à reprendre à l'organisation de la Première Classe.

Tout en signant, Ulrich demanda à l'homme s'il avait déjà vu en ville de ces machines électriques à faire les saucisses que surmontait une image de saint Luc, patron des équarrisseurs; lui-même en avait vu une à Bruxelles... mais il ne put attendre la réponse, car à cet homme en avait déjà succédé un autre qui désirait lui parler : un journaliste en quête de renseignements pour l'article nécrologique de la feuille régionale. Ulrich les donna et prit congé du croque-mort. Mais, comme on lui demandait ce qui avait été le plus important dans la vie de son père, il ne sut que répondre, et son visiteur dut lui venir en aide. Alors seulement, quand la curiosité d'un esprit formé professionnellement à discerner ce qui vaut la peine d'être su eut saisi la conversation dans les pinces du questionnaire, celle-ci alla de l'avant. Ulrich crut assister à la création du monde. Le journaliste, un jeune homme, lui ayant demandé si le décès de son père était survenu après de longues souffrances ou subitement, et Ulrich ayant répondu que son père avait continué à donner ses cours jusque dans la dernière semaine de sa vie, le journaliste façonna ces mots : « ayant conservé toute la jeunesse et la vigueur de son esprit. » Puis la vie du vieux monsieur, hormis quelques rares nœuds et nervures, vola en copeaux : Né à Protiwin en 1844, fréquenté telle et telle école, nommé ceci, nommé à cela... Cinq nominations et distinctions, et l'essentiel était déjà presque épuisé. Un mariage entre-temps. Quelques livres. A failli devenir ministre de la Justice; seule l'opposition d'un quelconque parti l'en empêcha. Le journaliste écrivait, Ulrich donnait son avis, l'accord se faisait. Le journaliste était satisfait, il avait sa ration de lignes. Ulrich s'étonna de ce petit amas de cendres que laisse une vie d'homme. Le journaliste avait eu sous la main, pour tous les renseignements qu'il recevait, des formules à six ou à huit chevaux : grand savant, humaniste européen, politicien inventif et prudent à la fois, dons universels, et ainsi de suite; il devait y avoir quelque temps déjà que personne n'était mort, les mots étaient restés longtemps inutilisés et brûlaient de trouver un emploi. Ulrich réfléchit; il aurait aimé dire encore une bonne chose sur son père, mais le chroniqueur, qui rangeait son nécessaire à écrire, lui avait déjà demandé toutes les choses certaines, et pour le reste, c'était comme si on voulait prendre dans sa main le contenu d'un verre d'eau sans le verre.

Les allées et venues entre-temps s'étaient espacées : la veille, Agathe avait renvoyé tout le monde à son frère, ce surplus maintenant s'était écoulé, et Ulrich resta seul lorsque le reporter prit congé. On ne sait quoi avait assombri son humeur. Son père n'avait-il pas vécu justement, lui qui avait traîné les sacs du savoir, remué un peu de sa pelle le tas de grain du savoir et qui s'était soumis ainsi à la vie dont il croyait qu'elle était la seule puissante ? Ulrich pensa à son travail dans le secrétaire, auquel il n'avait pas touché. De lui, probablement, on ne pourrait même pas dire, comme de son père, qu'il avait été un pelleteur. Ulrich entra dans la petite pièce où le mort était exposé. Cette cellule rigide aux parois droites au milieu de l'affairement et de l'agitation qu'elle suscitait, était étrangement inquiétante. Raide comme un bout de bois, le mort flottait sur les flots de cette activité, mais cette image par instants pouvait s'inverser : alors le monde vivant semblait rigide, et lui, glisser d'un mouvement terriblement tranquille.

« Qu'importent au voyageur, disait-il alors, les villes qu'il laisse derrière lui aux escales : j'ai habité ici, je m'y suis conduit comme on l'exigeait, mais maintenant je repars!... » L'insécurité de l'homme qui, parmi les autres, cherche autre chose qu'eux oppressa le cœur d'Ulrich : il regarda son père en face. Peut-être tout ce qu'il tenait pour sa singularité personnelle n'était-il qu'une révolte, puérilement opposée un jour à ce visage et donc dépendante de lui ? Il chercha un miroir, mais il n'y en avait point, seul ce visage aveugle renvoyait la lumière. Il y épia des ressemblances. Peut-être étaient-elles là. Peut-être tout y était-il, la race, la dépendance, l'impersonnel, le courant de l'hérédité dans lequel on n'est plus qu'une ride, la limitation, le découragement, l'éternel recommencement, l'éternelle marche en rond de l'esprit, tout ce que sa volonté de vivre haïssait le plus!

Atteint soudain par ce découragement, il se demanda s'il n'allait pas boucler ses malles et repartir dès avant l'enterrement. S'il pouvait vraiment réaliser encore quelque chose dans la vie, qu'avait-il à faire ici ?

Mais lorsqu'il eut franchi le seuil, il se heurta dans la pièce voisine à sa sœur qui venait le chercher.

4. « *Ich hatt'einen Kameraden.* »

Pour la première fois, Ulrich la voyait avec des vêtements de femme, et après l'impression éprouvée la veille, il eut celle qu'elle était travestie. Par la porte ouverte, la lumière artificielle tombait dans le gris tremblant du petit matin, et la figure noire aux blonds cheveux semblait debout dans une grotte d'air qu'emplissait un éclat rayonnant. Agathe avait les cheveux coiffés plus serrés, ce qui rendait son visage plus féminin que la veille; sa tendre gorge de femme se logeait dans le noir d'une robe stricte avec cet équilibre absolument parfait entre l'abandon et le refus qui est proche de la dureté de plume des perles, et devant les hautes jambes minces, pareilles aux siennes, qu'Ulrich avait vues la veille, une jupe s'était fermée comme un rideau. Parce que l'apparition dans son ensemble, aujourd'hui, lui ressemblait moins, il remarqua la ressemblance du visage. C'était comme si lui-même était entré par la porte et marchait à sa rencontre; mais plus beau que lui, enfoui dans un éclat où il ne se voyait jamais. Pour la première fois, l'idée lui vint que sa sœur était une répétition, une modification irréelle de lui-même; comme cette impression ne dura qu'un instant, il eut vite fait de l'oublier.

Agathe était accourue pour rappeler hâtivement à son frère des devoirs qu'elle-même avait failli oublier en dormant : elle avait le testament dans les mains et rendit Ulrich attentif à des décisions urgentes. Avant tout, il fallait tenir compte d'une disposition saugrenue sur les décorations du vieux monsieur, disposition que connaissait aussi Franz le domestique; Agathe avait souligné en rouge, avec plus de zèle que de piété, ce passage des dernières volontés. Le défunt voulait être enterré avec toutes ses décorations (il n'en possédait pas peu), mais comme il ne le désirait pas par vanité, il avait ajouté une longue et profonde justification dont sa fille n'avait lu que le début, laissant à son frère le soin de lui expliquer la suite.

« Comment dois-je te l'expliquer ? dit Ulrich après s'être renseigné. Papa voudrait être enterré avec ses décorations parce qu'il condamne la théorie individualiste de l'État! Il nous recommande la théorie universaliste : l'homme ne trouve un but supra-personnel, sa bonté et sa justice que dans la communauté créatrice de l'État; seul, il n'est rien, et c'est pourquoi le monarque est un symbole spirituel. En d'autres termes, il faut que l'homme, à sa mort, s'enroule en quelque sorte dans ses décorations, de même qu'on ne jette pas un marin mort à la mer sans l'avoir enroulé dans le pavillon!

— Mais n'ai-je pas lu quelque part qu'il fallait rendre les décorations ? demanda Agathe.

— Les décorations doivent être restituées par les héritiers à la Chancellerie impériale. C'est pourquoi papa s'est procuré des duplicata. Mais sans doute les décorations achetées chez le bijoutier ne lui semblent-elles pas les bonnes, et il veut que nous ne procédions à la substitution qu'une fois le cercueil fermé : chose difficile! Qui sait, peut-être est-ce une protestation muette contre le règlement, protestation qu'il n'a pas voulu traduire autrement...

— Mais d'ici là il y aura foule, et nous l'oublierons!

— Nous pouvons aussi bien le faire tout de suite!

— Nous n'en avons pas le temps; il faut que tu lises la suite, ce qu'il dit du professeur Schwung. Le professeur Schwung peut arriver d'un moment à l'autre, je l'ai déjà attendu hier toute la journée!

— Eh bien! faisons-le dès que Schwung sera parti.

— Il est bien déplaisant, objecta Agathe, de ne pas exaucer son vœu.

— De toutes façons, il ne peut plus s'en rendre compte. »

Elle le regarda d'un air de doute :

« En es-tu bien sûr ?

— Quoi ? s'écria Ulrich en riant, penserais-tu que ce n'est pas sûr ?

— Je ne suis sûre de rien.

— Et même si ce n'était pas sûr : il n'a jamais été content de nous.

— C'est juste, dit Agathe. Nous le ferons donc plus tard. Mais dis-moi quelque chose, ajouta-t-elle : ne te soucies-tu jamais de ce qu'on exige de toi ? »

Ulrich hésita. « Elle sait faire travailler son argent, pensa-t-il. Je n'avais pas besoin de redouter une petite provinciale! » Mais parce qu'à ces paroles, d'une manière ou d'une autre, toute la soirée de la veille était attachée, il souhaita donner une réponse qui fût durable et pût être utile à sa sœur; il ne sut comment s'y prendre pour qu'elle ne le comprît pas de travers, et finit par dire, avec une ardeur juvénile qu'il n'avait pas désirée :

« Ce n'est pas seulement le père qui est mort, mais aussi les cérémonies qui l'entourent. Son testament est mort. Les gens qui viennent ici sont morts. Je ne veux dire par là rien de méchant : Dieu sait quelle reconnaissance nous devons peut-être aux créatures qui contribuent à la solidité de la terre. Toutefois, c'est là non point la mer, mais le calcaire de la vie! »

Ulrich surprit un regard perplexe de sa sœur et sentit combien ses propos étaient incompréhensibles.

« Les vertus de la société sont des vices pour le saint! » ajouta-t-il en riant.

Dans un geste de protecteur ou d'exalté, il lui posa le bras sur les épaules : tout simplement par embarras. Agathe, sérieuse, recula et n'entra pas dans son jeu.

« Est-ce toi qui as trouvé cela ? demanda-t-elle.

— Non, mais un homme que j'apprécie beaucoup. »

Elle avait quelque chose de la mauvaise humeur d'un enfant que tourmente l'obligation de réfléchir lorsqu'elle résuma les réponses d'Ulrich en cette phrase :

« Ainsi, tu hésiterais à juger bon quiconque est honnête par habitude ? Mais d'un voleur qui vole pour la première fois, de sorte que le cœur lui éclate, tu dirais au contraire qu'il est bon ? »

Ulrich fut surpris par ces paroles un peu étranges et se fit plus grave.

« Je ne le sais vraiment pas, répondit-il brièvement. Pour ma part, à vrai dire, il est des circonstances où je ne me soucie pas beaucoup de savoir si une chose passe pour juste ou pour injuste, mais je serais incapable de te donner une règle qui permette de se diriger dans ces cas-là. »

Agathe détacha lentement de lui son regard interrogatif et reprit le testament : « Il faut que nous continuions à lire, il y a encore un passage souligné ici », dit-elle pour s'encourager.

Avant de se coucher pour la dernière fois, le vieux monsieur avait rédigé toute une série de lettres. Son testament donnait des éclaircissements sur leur sens et des indications sur leurs destinataires respectifs. Les passages soulignés se rapportaient au professeur Schwung. Le professeur Schwung était ce vieux collègue qui avait empoisonné la dernière année du père avec la querelle de la Responsabilité restreinte, alors même qu'ils avaient été des amis de toute une vie. Ulrich reconnut aussitôt les longues explications, qu'il connaissait bien, sur la Représentation et la Volonté, la rigueur du Droit et l'imprécision de la Nature, explications dont son père lui donnait un ultime résumé avant de quitter ce monde. Rien ne semblait l'avoir plus préoccupé, dans ses derniers jours, que l'accusation portée contre l'École sociale à laquelle il s'était rattaché d'être une émanation de l'esprit prussien. Il avait même commencé à rédiger une brochure qui devait s'intituler « L'État et le Droit, ou Logique et Dénonciation », lorsqu'il se sentit faiblir et vit non sans amertume son rival occuper seul le champ de bataille. En termes solennels, tels que seule l'approche de la mort et la lutte pour le trésor sacré de la réputation en inspirent, il engageait ses enfants à sauvegarder son œuvre, et son fils en particulier à utiliser les hautes relations qu'il devait aux exhortations infatigables de son père pour anéantir définitivement l'espoir que le professeur Schwung pouvait nourrir de réaliser ses desseins.

De telles phrases n'excluent pas que l'on éprouve le besoin, une fois le travail fait ou plus exactement préparé, de pardonner à un ancien ami des erreurs imputables à une basse vanité. Tant qu'on souffre beaucoup et qu'on sent en soi l'enveloppe terrestre se détisser doucement, on est enclin à pardonner et à demander pardon; dès qu'on se sent mieux, on reprend son pardon, parce que le corps en santé est intransigeant de nature : le vieux monsieur, dans les vicissitudes de ses derniers moments, avait sans doute dû passer par ces deux états, et l'un avait dû lui paraître aussi justifié que l'autre. Mais, pour un juriste en vue, cette oscillation est intolérable ; aussi avait-il inventé, grâce à son habitude de la logique, un moyen de soustraire ses dernières volontés à d'éventuelles corrections ultérieures du sentiment : il écrivit une lettre de pardon qu'il ne signa ni ne data, chargeant Ulrich d'y inscrire la date de sa mort et d'y apposer sa signature, en même temps que sa sœur, à titre de témoins, comme cela peut se produire pour un testament oral que le mourant n'a plus la force de signer lui-même. Bien qu'il ne voulût pas en convenir, ç'avait été somme toute un vieux renard, ce petit homme qui s'était soumis aux hiérarchies de l'existence et les avait défendues en zélé serviteur tout en dissimulant au fond de lui toutes sortes de révoltes auxquelles il n'avait jamais pu donner expression dans la carrière qu'il s'était choisie. Ulrich ne put pas ne pas penser au faire-part qu'il avait reçu et qui avait été conçu probablement dans le même état d'esprit; il fut même tenté de voir là une affinité avec lui-même, et cette fois avec plus de compassion que de colère, en ce sens du moins que cette rage de s'exprimer lui faisait comprendre la haine du père pour un fils qui s'était facilité la vie par toutes sortes de libertés inconvenantes. Telles apparaissent toujours aux pères, en effet, les solutions des fils, et un sentiment de piété effleura Ulrich quand il pensa à tout ce qu'il avait encore en lui-même de non résolu. Mais il ne trouva pas le temps de donner à ce sentiment une forme juste et qui fût compréhensible aussi pour Agathe : il s'y essayait, lorsque la pénombre qui les entourait, dans un grand élan, déposa quelqu'un dans la pièce. L'homme s'avança, projeté par son propre mouvement, dans la lueur des cierges, et porta la main à ses yeux d'un geste large, à un pas du lit de parade, avant que le domestique débordé eût pu le rattraper pour l'annoncer. « Noble ami ! » s'écria le visiteur d'une voix soutenue : et le petit vieillard se trouva étendu, les mâchoires serrées, devant son ennemi, le professeur Schwung.

« Mes jeunes amis : la majesté du ciel constellé est au-dessus de nous, la majesté de la Loi morale en nous ! » poursuivit celui-ci en considérant d'un œil voilé de crêpe son camarade de Faculté. « Dans cette poitrine maintenant glacée, la majesté de la Loi morale a trôné ! » Alors seulement, il fit pivoter son corps et secoua les mains du frère et de la sœur.

Mais Ulrich profita de cette première occasion pour se débarrasser de sa mission. « Monsieur le Conseiller et mon père ont été malheureusement en désaccord ces derniers temps, si je ne me trompe ? »

On eut l'impression que la barbe blanche faisait un effort pour comprendre. « Quelques divergences d'opinion indignes qu'on en parle ! » répondit Schwung magnanime en considérant le défunt avec ferveur. Mais quand Ulrich insista courtoisement et laissa entendre qu'il s'agissait des dernières volontés paternelles, la situation dans la pièce se tendit brusquement, comme dans une caverne quand tout le monde devine que le couteau est sous la table et que, d'un moment à l'autre, ça va *barder*.

Ainsi, le vieux avait été assez malin pour embarrasser Schwung jusqu'à son dernier souffle ! Bien entendu, une vieille inimitié comme celle-là n'était plus depuis longtemps un sentiment, mais une habitude de pensée : quand rien de précis ne venait réveiller les mouvements affectifs de l'hostilité, ceux-ci étaient complètement endormis, et la totalité des petites contrariétés passées s'étaient condensée sous la forme d'une dépréciation réciproque aussi indépendante des oscillations du sentiment qu'une vérité exempte de préjugés. Le professeur Schwung éprouvait exactement le même sentiment que son adversaire défunt avait éprouvé ; il lui paraissait tout à fait superflu et puéril de pardonner, car ce mouvement d'indulgence ultime, simple sentiment et non rétractation scientifique, n'avait bien entendu aucune force démonstrative comparé aux expériences d'une dispute longue de plusieurs années et devait simplement et impudemment servir, ainsi que Schwung le constatait maintenant, à le gêner dans l'exploitation de la victoire. Que le professeur Schwung éprouvât le besoin de prendre congé de son ami mort, c'était naturellement tout autre chose. Mon Dieu! on se connaissait déjà quand on était privat-docent et encore célibataire... Te rappelles-tu, au parc du Burg, notre toast au soleil couchant et notre dispute sur Hegel ? Que de soleils se sont couchés depuis, et pourtant je n'ai pas oublié celui-là! Te rappelles-tu notre première dispute scientifique, qui déjà avait failli nous brouiller ? Que tout cela était beau! Maintenant tu es mort, et à ma joie je suis encore debout, bien qu'au pied de ton cercueil! Tels sont, comme chacun sait, les sentiments des gens âgés à la mort de leurs contemporains. Quand survient la vieillesse glacée, la poésie s'épanouit. Beaucoup d'hommes qui n'avaient plus écrit de poèmes depuis leur dix-septième année en composent soudain un dans leur soixante-dix-septième, en rédigeant leur testament. De même que les morts, au Jugement dernier, seront appelés un à un (bien qu'ils reposent avec leurs siècles au fond du temps comme la cargaison des navires engloutis), les choses, dans le testament, sont appelées par leur nom et retrouvent leur personnalité disparue à l'usage. On peut lire, dans ces ultimes manuscrits, des phrases de ce genre : « Le tapis de Boukhara à trou de cigare qui se trouve dans mon cabinet de travail », ou encore : « le parapluie à manche de rhinocéros que j'ai acheté en mai 1887 chez Sonnenschein & Winter »; les liasses d'actions elles-mêmes sont interpellées et nommées par leur numéro.

Ce n'est pas un hasard si avec cette dernière lumière jetée sur chaque objet s'éveille le désir de leur attacher une morale, un avertissement, une bénédiction, une loi qui puissent conjurer d'une puissante formule la multiplicité inattendue qui émerge une dernière fois autour de la mort. En même temps que la poésie de l'heure testamentaire s'éveille donc la philosophie : c'est le plus souvent, on le comprendra aisément, une vieille et poussiéreuse philosophie que l'on ressuscite après cinquante ans d'oubli. Ulrich comprit tout d'un coup qu'aucun de ces deux vieillards n'avait pu céder. « Que la vie en fasse à sa guise, pourvu que les principes demeurent intacts! » : voilà un besoin fort raisonnable quand on sait que dans quelques mois ou dans quelques années vos principes vous survivront. Il était très visible que les deux impulsions, chez le vieux conseiller aulique, se combattaient encore : son romantisme, sa jeunesse, sa poésie exigeaient un grand et beau geste, une parole noble; sa philosophie, en revanche, exigeait qu'il affirmât l'intangibilité de la loi rationnelle à travers les brusques inspirations du cœur et les passagères faiblesses sentimentales telles que celles où son ennemi défunt avait encore tenté de le faire tomber. Depuis deux jours déjà Schwung se disait : le voilà mort, aucun obstacle n'arrêtera plus le progrès de la conception schwungienne de la Responsabilité restreinte; ses sentiments avaient donc reflué en larges vagues vers le vieil ami, et il avait élaboré le plan de la scène des adieux comme un plan de mobilisation extrêmement soigné qui n'attend plus qu'un signe pour entrer en action. Mais du vinaigre était tombé sur cette scène, et l'éclaircissait. Schwung avait débuté dans un mouvement large, il ressemblait maintenant à quelqu'un qui redevient raisonnable au beau milieu d'un poème, et plus moyen de trouver les derniers vers. Tels ils étaient l'un en face de l'autre, la barbe blanche à poils raides et les raides poils blancs de la barbe, tous deux les mâchoires implacablement serrées.

« Que va-t-il donc faire ? » se demanda Ulrich qui observait la scène avec passion. Finalement, dans l'esprit du conseiller Schwung, la joyeuse certitude que le § 318 du Code pénal serait accepté dans la forme qu'il avait proposée l'emporta sur l'irritation. Comme il n'avait plus de mauvaises pensées, il aurait aimé entonner « Ich hatt'einen Kameraden... » pour traduire son sentiment désormais unique et débonnaire. Ne le pouvant pas, il se tourna vers Ulrich et dit : « Croyez-moi, jeune fils de mon ami, c'est la crise morale qui est la cause : le déclin social n'est que la conséquence! » Puis il se tourna vers Agathe et poursuivit : « Ce qu'il y avait de grand chez votre père, c'est qu'il était toujours prêt à collaborer au triomphe d'une conception idéaliste dans le domaine des fondements du droit! » Puis il prit une des mains d'Agathe et une des mains d'Ulrich, les secoua et s'écria : « Votre père a donné beaucoup trop d'importance à de petites divergences d'opinion inévitables lorsqu'on travaille longtemps ensemble dans un même domaine! J'ai toujours eu la conviction qu'il devait le faire pour éviter les reproches d'un sens juridique extrêmement susceptible. Beaucoup de professeurs viendront prendre congé de lui demain, mais aucun d'eux ne sera comparable à lui! »

Ainsi la scène se termina dans la conciliation. Schwung

avait encore assuré Ulrich, au moment de partir, qu'il pouvait compter sur les amis de son père au cas où il se déciderait pour une carrière universitaire.

Agathe avait suivi la conversation avec de grands yeux et considéré l'étrange sclérose que la vie impose à l'homme. « On aurait dit une forêt d'arbres en plâtre ! » dit-elle après coup à son frère.

Ulrich sourit et repartit : « Je me sens plus sentimental qu'un chien au clair de lune ! »

5. *Les coupables.*

« Te souviens-tu, lui demanda Agathe au bout d'un moment, du jour où, lorsque j'étais encore toute petite, tu étais tombé à l'eau jusqu'à mi-corps en jouant avec d'autres gamins ? Voulant le cacher, tu t'étais mis à table avec ta moitié supérieure sèche, mais le claquement de tes dents avait fait découvrir l'autre moitié... »

Quand Ulrich, jeune garçon, revenait de l'institut pour passer les vacances à la maison (ce qui ne s'était produit, pendant assez longtemps, que cette unique fois-là), et lorsque le petit cadavre ratatiné était encore pour tous deux un homme presque tout-puissant, il n'était pas rare qu'Ulrich ne voulût pas reconnaître une faute et se refusât à la regretter, bien qu'il ne pût la nier. Ainsi avait-il attrapé cette fois-là une sacrée fièvre; on l'avait mis au lit en toute hâte : « Et tu n'as eu que de la soupe pour tout repas ! ajouta Agathe.

— C'est vrai ! » confirma son frère en souriant. Le souvenir d'avoir été puni, ce fait qui ne le concernait plus, fut pour lui, en cet instant, comme s'il découvrait sur le parquet ses petits souliers d'enfant, qui eux aussi ne le concernaient plus.

« De toute façon, tu n'aurais eu que de la soupe à cause de la fièvre, répéta Agathe. N'empêche qu'on te l'avait ordonnée aussi par punition !

— C'est vrai ! confirma Ulrich encore une fois. Mais bien entendu, ce n'était pas de la méchanceté : simplement l'accomplissement d'un prétendu devoir. » Il ne savait pas où sa sœur voulait en venir. Lui-même continuait à voir ses souliers d'enfant. Ou plutôt, les voyait comme s'il les voyait. Et ressentait de la même manière ces affronts pour lesquels il était maintenant trop grand. Et pensait : « Dans cette indifférence s'exprime d'une façon ou d'une autre le fait qu'en aucun temps de notre vie nous ne sommes entièrement en nous-mêmes! »

« De toute façon tu n'aurais pu manger que de la soupe! » répéta une fois de plus Agathe, qui ajouta : « Je crois que toute ma vie, j'ai craint d'être la seule et unique personne incapable de comprendre cela! »

Les souvenirs de deux êtres qui parlent d'un passé qu'ils connaissent tous deux peuvent-ils non seulement se compléter, mais encore se fondre avant même d'être exprimés ? Quelque chose d'analogue se produisait à ce moment! Un état commun surprenait, troublait même le frère et la sœur comme des mains qui sortent d'un manteau à des endroits où on ne les attendrait jamais, et se serrent à l'improviste. Chacun d'eux, brusquement, savait du passé plus qu'il n'avait cru en savoir, et Ulrich sentait de nouveau la lumière de la fièvre qui avait rampé alors le long des parois un peu comme le faisait maintenant, dans la pièce où ils se trouvaient, la lueur des cierges; puis son père était venu, avait passé à gué le cône lumineux de la lampe de chevet et s'était assis au bord du lit. « Si ta conscience était gravement lésée par la portée de l'acte, ce dernier pourrait apparaître sous un jour plus doux, à condition que tu en sois convenu d'abord! » Peut-être étaient-ce là des termes du testament ou des lettres sur le § 318 qui se glissaient dans sa mémoire. D'ordinaire, il avait peu de mémoire pour les détails et la teneur d'un texte; aussi y avait-il quelque chose d'insolite à ce que brusquement des paragraphes entiers fussent debout devant lui dans son souvenir, et cela se rattachait à sa sœur, qui était aussi debout devant lui, comme si c'était sa proximité qui provoquait en lui ce changement. « Si tu as eu la force de te déterminer de toi-même, indépendamment de toute nécessité contraignante, pour une mauvaise action, tu dois également reconnaître que tu as mal agi! » poursuivit-il en se tournant vers Agathe : « Il t'a sûrement parlé sur ce ton!

— Peut-être pas exactement, dit Agathe. Ordinairement, il m'accordait, « vu mes dispositions intérieures, des excuses conditionnées ». Il m'a toujours affirmé qu'un acte voulu était un acte fondé en réflexion, et non pas un acte instinctif.

— C'est la volonté, cita Ulrich, qui, grâce au développement progressif de l'intelligence et de la raison, se soumet les désirs, c-à-d. l'instinct, par le moyen de la réflexion et de la décision qui s'ensuit !

— Est-ce vrai ?

— Pourquoi le demandes-tu ?

— Probablement parce que je suis bête.

— Tu n'es pas bête.

— J'ai toujours eu de la peine à apprendre, et j'ai toujours compris de travers.

— Cela ne prouve pas grand'chose.

— Je suis donc probablement mauvaise, puisque je n'assimile pas ce que je comprends. »

Ils étaient debout l'un près de l'autre, appuyés aux montants de la porte qui conduisait à la pièce voisine et qui était restée ouverte après la sortie du professeur Schwung ; la lumière du jour et celle des cierges jouait sur leurs visages, et leurs voix s'entrelaçaient comme en des répons. Ulrich continuait à psalmodier, et les lèvres d'Agathe suivaient avec tranquillité. L'ancien tourment des semonces reçues, cette imposition d'un ordre dur, étranger, au cerveau tendre et sourd de l'enfance, leur donnait du plaisir, et ils en jouaient tous les deux.

Et tout à coup, sans que les phrases précédentes l'y eussent immédiatement incitée, Agathe s'écria : « Imagine cet état d'esprit étendu à toutes choses, et tu auras Gottlieb Hagauer ! » Et de singer alors son mari comme une écolière : « *Vraiment, tu ne sais pas que* lamium album, *c'est le lamier blanc ?... Et comment progresserions-nous autrement qu'en suivant, à l'aide d'un guide fidèle, le pénible chemin de l'induction, celui-là même qui a conduit l'humanité pas à pas, par un travail pénible et séculaire, semé d'erreurs, au stade actuel de la connaissance ? Ne peux-tu donc pas comprendre, chère Agathe, que la réflexion est aussi un devoir moral ? Se concentrer, c'est surmonter perpétuellement ses aises... La discipline intellectuelle est un dressage de l'esprit grâce auquel l'homme est progressivement mis en état d'élaborer rationnellement, c'est-à-dire par le moyen de syllogismes impeccables, de polysyllogismes, de sorites et d'inductions, en se défendant constamment contre ses propres idées, de longues séries de raisons, et de soustraire le jugement ainsi obtenu à la vérification jusqu'à ce que toutes les pensées se soient ajustées parfaitement les unes aux autres.* » Ulrich s'émerveilla de cet exploit mnémotechnique. Agathe semblait prendre un plaisir sauvage à débiter sans faute ces phrases de maître d'école qu'elle s'était appropriées Dieu sait comment, peut-être dans un livre. Elle affirmait qu'ainsi parlait Hagauer. Ulrich ne la crut pas.

« Comment pourrais-tu te rappeler des phrases aussi longues et aussi compliquées simplement pour les avoir entendues ?

— Elles se sont gravées en moi, repartit Agathe. Je suis comme ça.

— D'ailleurs, sais-tu ce que c'est, demanda Ulrich surpris, qu'un polysyllogisme et une vérification ?

— Aucune idée, dit Agathe en riant. Peut-être lui-même répétait-il quelque livre. Mais il parle comme ça. Je l'ai appris par cœur, de sa bouche, comme une suite de mots dépourvus de sens. De rage, peut-être, justement parce qu'il parle comme ça. Tu es fait autrement que moi : en moi les choses demeurent parce que je ne sais qu'en faire, voilà ma bonne mémoire! J'ai une mémoire terrible parce que je suis idiote! » Elle faisait comme s'il y avait là une triste vérité dont elle devait se défaire pour continuer dans l'insolence : « Chez Hagauer, cela contamine jusqu'au tennis : *Si, apprenant à jouer au tennis, je donne pour la première fois intentionnellement à ma raquette une position déterminée afin d'imposer à ma balle, dont le trajet me satisfaisait jusqu'alors, une direction également déterminée, j'interviens dans le déroulement du phénomène : j'expérimente!*

— Est-il bon joueur ?

— Je le bats six à zéro! »

Ils rirent.

« Sais-tu qu'Hagauer, dit Ulrich, avec tout ce que tu lui fais dire, a tout à fait raison objectivement ? C'est seulement un peu comique.

— Il se peut qu'il ait raison, repartit Agathe, de toutes façons je ne comprends pas. Mais un jour, écoute bien, un gamin de ses élèves a traduit un passage de Shakespeare mot à mot, comme ça :

Les lâches meurent souvent avant leur mort;
Les braves ne goûtent jamais de la mort qu'une fois.
De toutes les merveilles que j'ai encore entendues,
Il semble pour moi très étrange que les hommes doivent avoir peur,
Voyant que la mort, une fin nécessaire,
Viendra quand elle voudra venir.

Et lui a corrigé, j'ai vu le cahier :
Le lâche meurt déjà souvent avant qu'il meure!
Les braves, eux, ne goûtent qu'une fois la mort.
De toutes les merveilles que j'ouïs jamais,
La plus grande me semble..., et ainsi de suite, le ronron de la traduction de Schlegel!

« Et il y a un autre passage dont je me souviens! Pindares je crois, dit quelque part : *La loi de la nature, le roi de tous les mortels et de tous les immortels, règne, agréant l'extrême violence d'une toute-puissante main!* Et Hagauer, donnant à ce passage le « dernier coup de lime » : *La loi de la nature, qui règne sur tous les mortels et tous les immortels, gouverne d'un bras tout-puissant, agréant même la violence.*

« Pourtant, n'était-ce pas beau que le petit élève dont il n'était pas content eût traduit ainsi littéralement et sinistrement les mots tels qu'il les avait trouvés, un tas de pierres écroulées ? » Et elle répéta : « *Les lâches meurent souvent avant leur mort / Les braves ne goûtent jamais de la mort qu'une fois / De toutes les merveilles que j'ai encore entendues / Il semble pour moi très étrange que les hommes doivent avoir peur / Voyant que la mort, une fin nécessaire / Viendra quand elle voudra venir...!* »

Elle avait posé la main sur le chambranle comme sur le tronc d'un arbre et récitait ces vers grossièrement taillés dans toute leur sauvagerie et toute leur beauté, sans se laisser troubler par le fait qu'un malheureux ratatiné était couché sous le regard de ses yeux qui reflétaient la fierté de la jeunesse.

Ulrich regardait fixement sa sœur, le front ridé. « L'homme qui n'éprouve pas le besoin de polir un vieux poème, mais l'abandonne dans la désagrégation de son sens à demi ruiné est le frère de celui qui refuse de mettre un nez nouveau à une statue antique qui a perdu le sien, pensa-t-il. On pourrait évoquer le sentiment du style, mais ce n'est pas cela. Ce n'est pas non plus que son imagination soit assez vive pour que les manques ne le gênent pas. C'est bien plutôt qu'il n'accorde aucune valeur au fait d'être ou non complet, et qu'il n'exigera donc pas de ses sensations qu'elles soient *totales*. Sans doute Agathe aura-t-elle embrassé, conclut-il par une transition un peu brusque, sans que son corps tout entier fonde aussitôt! » En cet instant, il lui semblait qu'il n'avait pas besoin de savoir de sa sœur autre chose que ces quelques vers passionnés pour comprendre qu'elle « n'y était jamais tout entière », qu'elle aussi, comme lui, était l'être du « fragment passionné ». Il en oublia même l'autre moitié de sa nature, celle qui aspirait à la mesure et à la maîtrise. Maintenant, il aurait pu dire à sa sœur, avec assurance, qu'aucune de ses actions ne convenait à son entourage immédiat, mais que toutes dépendaient d'un entourage bien plus vaste et hautement sujet à caution, même d'un entourage qui ne commence nulle part et n'est nulle part limité; les impressions contradictoires de la première soirée y eussent trouvé une explication favorable. La réserve à laquelle il s'était habitué fut néanmoins plus forte. Il attendit avec curiosité, et même un peu de scepticisme, de voir comment Agathe redescendrait de la haute branche où elle s'était envolée. Elle était toujours debout, la main levée et appuyée au chambranle, et un petit moment de trop suffirait à tout gâter. Il avait horreur des femmes qui se conduisent comme si un peintre ou un metteur en scène les avait mises au monde, ou qui, après une exaltation pareille à celle d'Agathe, s'abandonnent à un decrescendo subtil. « Peut-être pourrait-elle se laisser glisser soudain de la cime de son enthousiasme, réfléchissait-il, avec l'expression un peu sotte, somnambulique, du médium qu'on a réveillé; sans doute ne lui reste-t-il rien d'autre à faire, et cela aussi sera un peu pénible! » Mais Agathe paraissait l'avoir compris ou avoir deviné dans le regard de son frère le danger qui la menaçait : elle sauta joyeusement sur ses deux pieds du haut de son enthousiasme et tira la langue à Ulrich.

Là-dessus, elle redevint grave et taciturne, ne prononça plus un mot et sortit chercher les décorations. Le frère et la sœur se disposèrent ainsi à accomplir la dernière volonté de leur père.

Agathe s'en chargea. En Ulrich se manifestait une certaine crainte de toucher le vieillard étendu là sans défense, tandis qu'Agathe avait une manière de faire le mal qui excluait la pensée même du mal. Les mouvements de son regard et de ses mains ressemblaient à ceux d'une femme qui soigne un malade, et quelquefois ils avaient aussi la touchante naïveté des jeunes animaux qui s'arrêtent de jouer pour s'assurer que le maître les regarde. Celui-ci recevait les décorations enlevées et passait les doubles. Il se rappela l'histoire du voleur dont le cœur est près d'éclater. Et s'il avait, ce faisant, l'impression que les étoiles et les croix brillaient plus vivement dans la main de sa sœur que dans la sienne, qu'elles y devenaient même des objets de magie, il se pouvait que dans cette chambre presque noire, comblée par les reflets des grandes plantes vertes, ce fût vraiment le cas, mais cela pouvait tenir aussi au fait qu'il devinait la volonté de sa sœur qui guidait avec hésitation et juvénilement empoignait la sienne; et comme aucune intention précise n'y était décelable, ces instants d'un contact auquel rien ne se mêlait suscitèrent un sentiment presque sans étendue, et par conséquent terriblement fort, de leur présence à tous deux.

Agathe s'interrompit, sa besogne achevée. Quelque chose cependant devait se produire encore. Après un petit temps de réflexion elle dit en souriant : « Et si nous lui écrivions chacun une belle phrase sur un billet que nous lui glisserions dans la poche ? » Cette fois, Ulrich comprit tout de suite à quoi elle pensait, car ils n'avaient pas tant de ces souvenirs communs. Il se rappela qu'à un certain âge ils avaient eu une nette prédilection pour les poésies et les histoires tristes dans lesquelles quelqu'un mourait oublié de tous. La cause en était peut-être la détresse de leur enfance. Souvent aussi, ils imaginaient ensemble une histoire; Agathe, alors déjà, tendait à passer à l'action, alors qu'Ulrich ne commandait que dans les entreprises plus viriles, où régnaient la hardiesse et l'insensibilité. C'est pourquoi la décision qu'ils avaient prise un jour de se couper chacun un ongle pour l'enfouir dans le jardin, était venue d'Agathe; elle avait encore ajouté aux ongles une petite boucle de sa blonde chevelure. Ulrich déclara fièrement que quelqu'un, cent ans plus tard, découvrirait peut-être ce trésor et se demanderait avec étonnement qui en avait été le propriétaire : le désir de passer à la postérité l'influençait; pour la petite Agathe importait davantage l'enfouissement comme tel, elle avait le sentiment de cacher une partie d'elle-même, de la dérober pour longtemps à la surveillance d'un monde dont les exigences pédagogiques l'intimidaient, bien qu'elle ne les respectât guère. Comme on était justement en train de construire la petite maison des domestiques à la lisière du jardin, ils convinrent d'un exploit exceptionnel. Ils voulaient couvrir deux billets de vers sublimes, les signer, puis les enfouir dans le mur en construction. Lorsqu'ils essayèrent d'écrire ces vers qui devaient être si beaux, ils n'en trouvèrent pas le premier malgré des jours d'attente, et déjà on voyait les murs émerger des fouilles. Comme le temps pressait, Agathe finit par recopier une phrase de son livre d'arithmétique, Ulrich écrivit : « Je suis... », puis son nom. Néanmoins, leur cœur battait violemment lorsqu'ils passèrent devant les deux maçons qui travaillaient au jardin; Agathe se contenta de jeter son billet dans la fouille où les ouvriers se trouvaient, et s'enfuit. Ulrich qui, dans son rôle d'homme et d'aîné, craignait encore bien plus que les maçons ne l'arrêtassent et ne lui demandassent, surpris, ce qu'il voulait, ne pouvait plus faire un mouvement tant il se sentait excité; si bien qu'Agathe, reprenant courage en voyant qu'il ne lui était rien arrivé, revint sur ses pas et lui prit aussi son billet. Puis, le billet dans la main, elle passa, promeneuse innocente, avisa une brique à l'extrémité d'une rangée qui venait d'être posée, la souleva et glissa le nom de son frère dans le mur avant que personne eût pu l'éloigner, tandis qu'Ulrich lui-même la suivait en hésitant et sentait, pendant l'acte, l'anxiété qui l'oppressait affreusement se changer en une roue de couteaux tranchants, laquelle tournait si rapidement dans sa poitrine qu'un instant plus tard elle était devenue un de ces soleils jaillissants que l'on allume dans les feux d'artifice.

Voilà à quoi Agathe avait fait allusion. Ulrich resta un long moment sans répondre, souriant simplement comme pour se défendre, car recommencer ce jeu avec un mort ne laissait pas de lui sembler coupable.

Agathe, cependant, s'était déjà penchée en avant; elle avait enlevé une large jarretelle de soie qu'elle portait pour soulager sa ceinture, soulevait la couverture d'apparat et glissait la jarretelle dans la poche de son père.

Ulrich, devant ce souvenir soudain ressuscité, commença par n'en pas croire ses yeux. Puis il faillit bondir pour empêcher le geste de sa sœur; simplement parce que ce geste était contraire à toute règle. Ensuite, il découvrit dans les yeux de sa sœur, tel un éclair, cette pure fraîcheur du matin que le travail du jour n'a pas encore troublée, et cela le retint. « Que fais-tu là ? » dit-il à mi-voix sur un ton de reproche. Il ne savait pas si elle voulait apaiser le mort parce que du mal lui avait été fait, ou si elle désirait lui donner une sorte de cadeau parce que lui-même avait fait tant de mal : Ulrich aurait pu poser la question, mais cette idée barbare de donner au mort refroidi une jarretelle encore chaude de la jambe de sa fille lui serra la gorge de l'intérieur et jeta le trouble dans son cerveau.

6. *Où on laisse enfin le vieux Monsieur tranquille.*

Le peu de temps qui restait jusqu'à l'enterrement avait été rempli par d'innombrables petits devoirs inhabituels et passa rapidement. Finalement, les visiteurs dont le cortège courait comme un fil noir à travers toutes les heures étaient devenus, dans la dernière demi-heure avant le départ du corps, une sombre fête. Les employés des Pompes funèbres avaient fait plus de bruit encore qu'avant de leurs marteaux et de leurs pieds (avec la même gravité qu'un chirurgien à qui l'on a confié sa vie et qui, dès lors, ne vous laisse plus le droit d'intervenir); ils avaient dressé, à travers le quotidien intact des autres parties de la maison, une passerelle de solennité qui conduisait, par l'escalier, de l'entrée à la chambre mortuaire. Les fleurs et les plantes vertes, les tentures de drap et de crêpe noir, les chandeliers d'argent et les petites langues dorées et vacillantes des flammes qui attendaient les visiteurs connaissaient leur devoir mieux qu'Ulrich et Agathe qui devaient accueillir au nom de la famille chaque visiteur venu rendre les derniers honneurs au défunt, et la plupart du temps ignoraient de qui il s'agissait, sauf quand le vieux domestique de leur père les rendait discrètement attentifs à des hôtes particulièrement haut placés. Tous les arrivants glissaient devant eux, s'éloignaient en glissant et jetaient l'ancre quelque part dans la pièce, seuls ou par petits groupes, observant le frère et la sœur sans faire un mouvement. Le masque de la contention la plus grave leur couvrait le visage à tous deux de sa raideur, jusqu'à ce qu'enfin le maître des cérémonies, ou le représentant de l'entreprise des Pompes funèbres (l'homme qui avait présenté ses rubriques à Ulrich et avait couru du haut en bas de l'escalier au moins vingt fois durant cette dernière demi-heure), bondît latéralement vers Ulrich et lui annonçât, avec une gravité prudemment spectaculaire, comme un adjudant le fait pour son général à la parade, que tout était prêt.

Comme le convoi devait traverser solennellement la ville, on n'emprunterait les voitures que plus tard. Ulrich dut marcher le premier devant tous les autres, au côté du représentant impérial et royal qui était venu en personne honorer le dernier sommeil d'un membre de la Chambre des seigneurs; et de l'autre côté d'Ulrich marchait un non moins haut personnage, doyen d'une délégation composée de trois membres de la Chambre des seigneurs; derrière venaient les deux autres membres, puis le recteur et le sénat de l'Université, et seulement ensuite, mais devant le flot interminable des hauts-de-forme de divers officiels dont l'importance décroissait en proportion de la distance, Agathe s'avançait, encadrée de femmes en noir et marquant le lieu, entre les sommités officielles, où la part admise de douleur privée avait sa place. La participation libre de la « simple sympathie » ne commençait qu'après les présences officielles, et il était même possible qu'elle se réduisît au seul couple de vieux domestiques qui marchait, isolé, en queue du convoi. Ainsi, ce cortège était surtout un cortège d'hommes, et au côté d'Agathe ce n'était pas Ulrich qui marchait, mais son mari le professeur Hagauer dont le visage rouge comme une pomme avec la moustache en brosse lui était devenu étranger entre-temps et paraissait bleu sombre à travers l'épais voile noir qui permettait à Agathe de l'observer en cachette. Ulrich lui-même, qui n'avait presque pas quitté sa sœur de toutes les heures précédentes, eut tout à coup le sentiment que l'antique ordonnance funèbre qui remontait aux temps de la fondation de l'Université la lui avait enlevée, elle lui manquait, et il n'avait même pas le droit de se retourner vers elle; il chercha une plaisanterie pour la saluer quand ils se reverraient, mais sa liberté de pensée était réduite par le représentant de l'Empereur qui marchait à son côté, taciturne et souverain, et parfois, néanmoins, lui adressait à mi-voix un mot qu'il devait écouter; d'ailleurs, toutes ces Excellences, Magnificences et Respectabilités avaient de grands égards pour lui, car il passait pour l'ombre du comte Leinsdorf, et la méfiance que l'on éprouvait peu à peu à l'égard de l'Action patriotique lui valait de la considération.

De plus, sur les trottoirs et derrière les fenêtres, des curieux s'étaient amassés. Bien qu'Ulrich sût, comme pour une représentation théâtrale, que dans une heure tout serait fini, il était, ce jour-là, particulièrement sensible, et la participation générale à son destin pesait à ses épaules comme un manteau lourdement chamarré. Pour la première fois il éprouvait la rigueur de la tradition. Il y avait, précédant comme une vague leur cortège, l'émotion de la foule qui bavardait sur les bords, se taisait, puis respirait de nouveau, la magie du clergé, le choc sourd des mottes de terre sur le bois dont on pressentait l'imminence, l'épais silence du convoi qui tournait les chevilles de l'être comme s'il s'était agi d'un violon primitif. Ulrich devinait en lui-même un retentissement indescriptible dans les vibrations duquel son corps se redressait, comme si ce style soutenu le soutenait littéralement. Et parce qu'il était vraiment, ce jour-là, plus proche d'autrui, il songea combien tout serait différent encore s'il était réellement en cet instant, conformément au sens premier de cette cérémonie ressuscitée plus ou moins consciemment par le présent, l'héritier de quelque grand pouvoir. Par cette pensée, la tristesse se trouvait absorbée, et la mort, d'affreuse épreuve privée devenait une transition qui s'effectuait sous la forme d'une cérémonie publique; on ne voyait plus bâiller l'horrible trou que tout homme à l'existence duquel on était accoutumé laisse derrière soi dans les premiers jours qui suivent sa disparition; déjà le successeur s'avançait à la place du défunt, la foule le portait sur son souffle, les funérailles étaient une fête de la virilité pour celui qui reprenait le glaive et pour la première fois marchait seul, sans prédécesseur, vers sa propre fin. « J'aurais dû lui fermer les yeux, pensa Ulrich sans le vouloir. Non pas pour lui ou pour moi, mais... » Il fut incapable d'achever cette pensée; mais qu'il n'eût pas aimé son père et que son père ne l'eût pas aimé lui semblait, devant cette ordonnance, une mesquine surestimation de leur importance personnelle. De toutes façons, devant la mort, la pensée personnelle avait un fade parfum d'insignifiance, alors que tout ce qui importait en cet instant semblait émaner du gigantesque corps que formait le convoi progressant lentement entre les murailles humaines, même si la flânerie, la curiosité et l'indifférence s'y entremêlaient.

Pourtant, la musique continuait, la journée était légère, claire, superbe, et les sentiments d'Ulrich oscillaient de-ci de-là comme le dais qu'on porte au-dessus du Saint-Sacrement dans les processions. Parfois, Ulrich jetait les yeux sur les glaces du corbillard qui le précédait et y voyait sa tête, son chapeau, ses épaules; puis il remarquait sur le plancher du véhicule, à côté du cercueil armorié, les petites croûtes de cire des enterrements précédents qu'on n'avait pas soigneusement nettoyées : alors son père lui faisait franchement pitié, comme un chien qui a été écrasé dans la rue. Ses yeux se mouillaient, et quand, au-delà de tout ce noir, il regardait les spectateurs sur les bords de la rue, ils lui apparaissaient telles des fleurs multicolores et humides; l'idée que c'était lui, Ulrich, qui voyait maintenant tout cela, et non pas celui qui avait vécu toute sa vie dans cette ville et qui aimait tellement plus que lui la solennité, cette idée était si singulière qu'il lui semblait absolument impossible que son père n'eût pas le droit d'être là, au moment où il prenait congé d'un monde qu'en gros, il avait trouvé bon. Cela l'émouvait profondément. Cependant, il ne lui échappait pas que le représentant ou le directeur des Pompes funèbres qui conduisait ce catholique cortège au cimetière et le maintenait dans l'ordre était un grand Juif robuste de quelque trente ans : paré d'une longue moustache blonde, il portait des papiers dans sa poche comme un organisateur de voyages accompagnés, s'empressait d'un bout à l'autre du convoi, corrigeait hâtivement le harnais d'un cheval ou chuchotait deux mots à l'oreille des musiciens. Alors, Ulrich se rappela que le cadavre de son père n'était pas à la maison le dernier jour, qu'il n'y était revenu que peu avant l'enterrement, conformément à une disposition testamentaire, inspirée par l'esprit de recherche, qui l'avait mis à la disposition de la science; il était vraisemblable qu'après cette intervention anatomique, on n'avait recousu le vieux monsieur que sommairement. Ainsi, derrière les glaces qui renvoyaient l'image d'Ulrich, une chose mal recousue roulait, centre d'une grande, superbe et solennelle fantasmagorie. « Avec ou sans décorations ? » pensa Ulrich troublé; il n'y avait plus pensé et ne savait pas si l'on avait rhabillé son père, dans l'amphithéâtre d'anatomie, avant de ramener le cercueil fermé à la maison. Sur le destin de la jarretière d'Agathe planait également un doute; on pouvait l'avoir trouvée, Ulrich imaginait sans peine les plaisanteries des étudiants. Tout cela était extrêmement pénible; les objections du présent pulvérisaient de nouveau sa sensibilité qui, un instant, avait failli atteindre à la sphéricité lisse d'un rêve vivant. Maintenant, il n'éprouvait plus que l'absurdité, l'oscillation confuse de l'ordre humain et de lui-même. « Me voilà seul au monde, pensa-t-il, une amarre est rompue, et je m'envole! » Ce rappel de la première impression qu'il avait éprouvée à la nouvelle de la mort de son père vint recouvrir son émotion, tandis qu'il continuait à marcher entre les murailles humaines.

7. *Arrive une lettre de Clarisse.*

Ulrich n'avait donné son adresse à aucune de ses connaissances, mais Clarisse la tenait de Walter à qui elle était aussi familière que sa propre enfance.

Elle écrivait :

Mon mign*ard*, mon cou*ard*, mon *ard!*

Sais-tu ce que c'est qu'un *ard*? Je n'arrive pas à le découvrir. Walter est peut-être un faibl*ard*. (Le suffixe *ard* était partout pesamment souligné.)

Crois-tu que je sois venue ivre chez toi? Je ne *peux* pas m'enivrer! (Les hommes s'enivrent plus vite que moi. Curieux.)

Mais je ne sais ce que je t'ai dit; je ne puis me le rappeler. J'ai peur que tu t'imagines avoir entendu des choses que je ne t'ai pas dites. Je ne les ai pas dites.

Mais ceci doit devenir une lettre... tout à l'heure! Auparavant : tu sais comment les rêves s'ouvrent. Tu sais ce qui se produit parfois quand on rêve : tu t'es déjà trouvé en cet endroit, tu as déjà parlé avec cet homme, ou encore... C'est comme si tu retrouvais ta mémoire.

Je vois à merveille que j'ai su veiller!

(J'ai des amis de sommeil.)

Mais sais-tu encore qui est Moosbrugger? Il faut que je te raconte quelque chose :

Tout à coup, son nom était là de nouveau.

Ses trois syllabes musicales.

Mais la musique est vertige. J'entends, quand elle est seule. La musique seule est de l'esthétisme ou quelque chose d'analogue : une faiblesse dans la vie. Mais quand la musique s'associe à la vision, les murs chancellent, et la vie des hommes à venir se dresse hors du tombeau du présent. Ces trois syllabes musicales, je ne les ai pas seulement entendues, je les ai vues. Elles ont *émergé* dans le souvenir. Brusquement, tu comprends :

là où elles émergent, il y a encore autre chose! Oui, j'ai écrit une lettre un jour à ton comte, au sujet de Moosbrugger : comment peut-on oublier ces choses-là! Maintenant, je *vois-entends* un monde où les choses et les hommes, celles-là immobiles et ceux-ci en mouvement, sont tels que tu les a toujours connus, mais *sonores-visibles*. Je ne puis décrire cela plus précisément, et seules les trois syllabes ont émergé d'abord. Comprends-tu cela ? Peut-être est-il trop tôt encore pour en parler.

J'ai dit à Walter : « Je veux faire la connaissance de Moosbrugger! »

Walter m'a demandé : « Qui donc est Moosbrugger ? »

J'ai répondu : « L'ami d'Ulo, l'assassin. »

Nous lisions le journal; c'était le matin, Walter devait partir pour le bureau. Te rappelles-tu le temps où nous lisions le journal tous les trois ? (Tu as la mémoire *courte*, tu ne te rappelleras pas!) J'avais donc déplié la partie du journal que Walter m'avait donnée, un bras à gauche, un bras à droite : tout à coup je sens le bois dur, je suis clouée à la croix. Je demande à Walter : « Ne parlait-on pas, dans le journal d'hier, d'un accident de chemin de fer près de Budweis ?

« Oui, répond-il. Pourquoi me le demandes-tu ? Un petit accident, un ou deux morts. »

Au bout d'un moment je dis : « Parce qu'il y a eu un autre accident en Amérique. Où se trouve la Pennsylvanie ? »

Il ne le sait pas. Il dit : « En Amérique. »

Je dis : « Jamais les chauffeurs ne lancent intentionnellement leurs machines l'une contre l'autre! »

Il me dévisage. Visiblement, il ne me comprend pas. « Bien sûr que non », dit-il.

Je lui demande quand Siegmund vient. Il ne le sait pas en toute certitude.

A toi maintenant : bien sûr, les chauffeurs ne lancent pas malignement les trains l'un contre l'autre; *mais pourquoi donc le font-ils ?* Je vais te le dire : dans l'immense réseau de rails, d'aiguillages et de signaux qui s'étend autour de la terre, nous perdons tous la force de la conscience. Si nous avions la force de nous mettre une fois de plus à l'épreuve et d'envisager notre devoir, nous ferions toujours le nécessaire et nous éviterions l'accident. *L'accident, c'est notre arrêt sur l'avant-dernier pas!*

Naturellement, on ne peut s'attendre que Walter comprenne

cela du premier coup. Je crois que je puis atteindre à cette force immense de la conscience, et j'ai dû fermer les yeux pour que Walter n'y décèle pas l'éclair.

Pour toutes ces raisons, je considère que mon devoir est de faire la connaissance de Moosbrugger.

Tu sais que mon frère Siegmund est médecin. Il m'aidera.

Je l'ai attendu.

Dimanche, il est venu nous voir.

Quand on le présente à quelqu'un, il dit : « Mais je ne suis ni..., ni musicien. » C'est sa plaisanterie. Il ne veut pas qu'on le prenne pour un Juif ou pour un musicien parce qu'il s'appelle Siegmund. *Il a été engendré dans l'ivresse wagnérienne.* Il est impossible de tirer de lui une réponse raisonnable. Tout le temps que j'essayais de le convaincre, il marmonnait des absurdités. Il lançait une pierre à un oiseau, il faisait des trous dans la neige avec sa canne. Il voulait déblayer un chemin; il vient souvent « travailler » chez nous, comme il dit, parce qu'il n'aime pas rester chez lui avec la femme et les enfants. C'est extraordinaire que tu ne l'aies jamais rencontré. « Vous avez les Fleurs du mal et un jardin potager! » dit-il. Je lui ai tiré les oreilles, je l'ai bourré de coups, rien n'y a fait.

Alors nous sommes allés retrouver Walter, qui naturellement était au piano; Siegmund a roulé son pardessus sous son bras, il avait les mains toutes sales.

« Siegmund, lui ai-je dit devant Walter, quand comprends-tu un morceau de musique ? »

Il a ricané et répliqué : « Au grand jamais. »

« Quand tu le refais intérieurement, ai-je dit. Quand comprends-tu un être humain ? Tu dois participer à son être. » *Participer!* C'est un grand mystère, Ulrich! Tu dois être comme lui : non pas *pénétrer* en lui, mais le faire *sortir* de lui-même pour entrer en toi! Nous délivrons par *l'extériorisation :* c'est la forme *forte!* Nous nous engageons *dans* les actions des hommes, mais nous les remplissons, puis en *sortons* pour nous élever au-dessus d'elles!

Pardonne-moi de t'écrire si longuement sur ce sujet. Mais les trains entrent en collision parce que notre conscience refuse de faire le dernier pas. Les mondes n'émergent pas quand on ne tire pas sur eux. Un autre jour plus longuement sur ce point. *L'être génial a le devoir de passer à l'attaque!* Il en a le mystérieux pouvoir! Mais Siegmund, le lâche, a regardé sa montre et parlé du dîner qui l'attendait chez lui. Siegmund se tient toujours à mi-chemin de l'indifférence blasée du médecin expérimenté qui ne se fait pas beaucoup d'illusions sur l'efficacité de sa profession, et de l'indifférence blasée de l'homme contemporain qui, rompant avec les traditions intellectuelles, revient à l'hygiène de la vie simple et des travaux de jardin. Mais Walter s'est écrié : « Pour l'amour de Dieu, pourquoi parlez-vous de cela ? Qu'attendez-vous donc, en fin de compte, de ce Moosbrugger ? » Et cela m'a rendu service.

Siegmund a dit en effet : « Ou c'est un aliéné, ou c'est un criminel, d'accord. Mais si Clarisse croit vraiment pouvoir l'améliorer ? Je suis médecin, et je suis bien obligé d'autoriser l'aumônier de l'hôpital à le croire aussi! Elle parle de le sauver ? Eh bien! pourquoi n'aurait-elle pas au moins le droit de le voir ? »

Il a brossé son pantalon, il s'est lavé les mains, il a feint le calme; nous avons tout combiné pendant le dîner.

Nous avons déjà vu le docteur Friedenthal; c'est l'assistant qu'il connaît. Siegmund a carrément déclaré qu'il prenait la responsabilité de m'introduire sous une fausse identité quelconque, de dire que j'étais écrivain et que je désirais voir le personnage.

C'était une faute : ainsi ouvertement questionné, l'autre ne pouvait que répondre non. « Si vous étiez Selma Lagerlöf, je serais enchanté de votre visite (même ainsi, bien entendu, j'en suis ravi), mais on ne reconnaît ici, malheureusement, que les intérêts scientifiques! »

C'était charmant de passer pour un écrivain. Je l'ai considéré avec fermeté et je lui ai dit : « Dans ce cas, je suis plus que Madame Lagerlöf, puisque je ne viens pas ici pour étudier un cas! »

Il m'a regardée, puis : « La seule chose possible serait que vous veniez avec une recommandation de votre ambassade pour le chef de clinique. » Il croyait que j'étais un écrivain étranger et ne comprenait pas que j'étais la sœur de Siegmund.

Nous sommes convenus enfin que je ne verrais pas Moosbrugger le malade, mais Moosbrugger le détenu. Siegmund m'a procuré une recommandation de quelque association charitable et une autorisation du tribunal. Ensuite, Siegmund m'a raconté que le docteur Friedenthal tenait la psychiatrie pour une science à demi artistique; il l'appelle « le Directeur du Cirque des Démons ». Mais cela me plairait, à moi.

Le plus beau, ce fut que la clinique est installée dans un ancien cloître. Nous avons dû attendre dans le corridor, et l'amphithéâtre est dans une chapelle. Il a de grandes fenêtres d'église, et j'en voyais l'intérieur au-delà de la cour. Les malades ont des vêtements blancs et sont assis auprès du professeur dans sa chaire. Celui-ci se penche très amicalement au-dessus d'eux. Je me suis dit : maintenant, on va peut-être amener Moosbrugger. J'avais le sentiment que je volerais alors dans la salle à travers la haute verrière. Tu me diras que je ne peux pas voler; que j'aurais donc sauté par la fenêtre? Non, je n'aurais certainement pas sauté, parce que cela, je ne le sentais pas.

J'espère que tu reviendras bientôt. On ne peut *jamais* exprimer quoi que ce soit. Surtout pas par lettre. »

Et il y avait au-dessous, souligné avec force : « Clarisse ».

8. *Famille à deux.*

Ulrich dit : « Quand deux hommes, ou deux femmes, doivent partager pendant quelque temps un espace donné (en voyage, dans un wagon-lit ou une auberge bondée), il n'est pas rare que naisse entre eux une singulière amitié. Chacun a sa façon de se rincer la bouche, de se pencher pour enlever ses souliers ou de plier la jambe quand il se met au lit. La lingerie et les vêtements, en gros pareils, révèlent brusquement à l'œil mille différences de détail. Au début (sans doute à cause de l'individualisme crispé de notre mode de vie actuel), on constate une résistance qui ressemble à une légère répulsion et préserve de tout rapprochement, de toute atteinte à la personnalité; cette résistance surmontée, la communauté qui se forme porte comme une cicatrice la marque de son origine inhabituelle. Beaucoup d'hommes, après cette transformation, se montrent plus gais qu'ils ne sont d'ordinaire; la plupart plus insouciants; beaucoup, plus loquaces; presque tous, plus affectueux. La personnalité est changée, on pourrait presque dire troquée, sous la peau, contre une autre moins originale : à la place du Moi apparaît la première ébauche, visiblement ressentie comme un désagrément et une diminution, d'un Nous. »

Agathe répond : « Cette aversion dans la cohabitation se voit surtout entre femmes. Je n'ai jamais pu m'habituer aux femmes.

— Elle existe aussi entre homme et femme, dit Ulrich. Elle est seulement recouverte par les obligations du commerce amoureux qui revendiquent aussitôt l'attention. Mais il n'est pas rare que les êtres ainsi entrelacés se réveillent brusquement et voient alors (avec stupeur, ironie ou désir de fuite, selon la nature de chacun) une créature parfaitement étrangère prendre ses aises à leur côté; pour beaucoup d'hommes, cela se produit même après plusieurs années. Alors, ils sont incapables de dire ce qui est le plus naturel, de leur alliance avec l'autre ou du retrait blessé de leur Moi qui bondit hors de cette alliance dans l'illusion de son unicité : les deux choses sont dans notre nature. Et toutes deux se confondent dans l'idée de famille! La vie dans la famille n'est pas la vie pleine; les jeunes gens se sentent frustrés, diminués, distraits d'eux-mêmes quand ils sont dans le cercle de famille. Considère certaines vieilles filles : la famille leur a bu le sang; elles sont devenues d'étranges composés de Moi et de Nous. »

Ulrich a été troublé par la lettre de Clarisse. Les éclats et les bonds de la pensée l'y inquiètent moins que le travail paisible et d'apparence presque raisonnable qu'elle accomplit au fond d'elle-même pour un plan évidemment insensé. Ulrich s'est promis d'en parler avec Walter dès son retour; depuis lors, intentionnellement, il parle d'autre chose.

Agathe, étendue sur le divan, a replié un genou et l'interpelle vivement : « En parlant ainsi, tu donnes le pourquoi de mon remariage! dit-elle.

— Pourtant, il y a une valeur dans ce prétendu *sentiment sacré de la famille*, dans cette fusion les uns dans les autres, ces services mutuels, ce mouvement désintéressé en cercle fermé », poursuit-il sans se soucier de l'intervention de sa sœur; et Agathe s'étonne que les paroles si souvent s'éloignent d'elle, alors qu'elles étaient déjà toutes proches. « D'ordinaire, ce Moi collectif n'est qu'un égoïsme collectif : alors, un sens familial développé est la chose la plus odieuse que l'on puisse imaginer. Mais je puis aussi me représenter cette aide mutuelle inconditionnelle, cette lutte, cette patience en commun comme un sentiment essentiellement agréable, profondément enraciné dans l'histoire humaine, et même déjà gravé dans la horde animale », l'entendit-elle dire. Ces mots ne lui inspirent pas grand'chose, pas plus que la phrase suivante : « Cet état dégénère facilement, comme tous les états anciens dont l'origine s'est perdue. » C'est seulement quand il conclut : « Il faut sans doute que les individus soient déjà chacun une architecture pour que l'ensemble qu'ils composent ne soit pas une absurde caricature », c'est alors seulement qu'elle se sent de nouveau en de bonnes mains dans la proximité d'Ulrich et qu'elle voudrait ne pas permettre à ses yeux, tandis qu'elle le regarde, de se fermer, afin qu'il ne disparaisse pas entre-temps, tant il est merveilleux qu'il soit assis là et dise ces choses qui se perdent dans la hauteur et tout à coup retombent, comme une balle qui s'est égarée dans les branches.

Le frère et la sœur s'étaient rencontrés à la fin de l'après-midi dans le salon, plusieurs jours s'étaient déjà écoulés depuis l'enterrement.

Ce salon de forme oblongue était installé non seulement dans le goût, mais encore avec l'authentique mobilier de l'Empire bourgeois; entre les fenêtres étaient accrochés les hauts rectangles des glaces encadrées de lisses baguettes d'or, et les chaises modérément raides étaient poussées contre les parois de sorte que le parquet vide semblait avoir inondé la pièce de l'éclat assombri de ses dessins et remplir un bassin peu profond dans lequel on hésitait à poser le pied. Sur le bord de cette noble et froide austérité (Ulrich ayant gardé le cabinet de travail où il s'était installé le premier matin), à peu près à l'endroit où, dans une niche d'angle, le poêle se dressait tel un sévère pilier, surmonté d'un vase et portant, sur un rebord qui le ceinturait à la hauteur des hanches, exactement dans la ligne médiane de sa face antérieure, un unique chandelier, Agathe s'était créé une presqu'île strictement personnelle. Elle avait fait apporter un divan et avait étendu à ses pieds un tapis dont le vieux bleu-rouge, comme le dessin oriental du divan qui se répétait avec une abondance dépourvue de sens, représentait un voluptueux défi au gris délicat et aux lignes raisonnables que cette pièce avait adoptées de par une ancestrale volonté. Cette volonté de discipline et de distinction fut offensée encore par le moyen d'une plante verte à grandes feuilles, aussi haute qu'un homme, qu'Agathe avait gardée de la décoration mortuaire et installée à son chevet, avec le vase, en guise de « forêt »; de l'autre côté se dressait la grande lampe à pied qui devait lui permettre de lire étendue et qui, dans le paysage classique de la chambre, faisait l'effet d'un projecteur ou d'un mât à antenne. Ce salon, avec son plafond à compartiments, ses pilastres et les étroits placards qu'ils dissimulaient, n'avait guère changé depuis cent ans parce qu'il servait rarement et n'était jamais entré réellement dans la vie de ses propriétaires ultérieurs; peut-être, au temps des ancêtres, de fines étoffes avaient-elles recouvert encore les cloisons au lieu de cette claire peinture, peut-être les chaises étaient-elles recouvertes un peu différemment, mais Agathe connaissait ce salon tel quel depuis son enfance et ne savait même pas si c'étaient ses arrière-grands-parents qui l'avaient ainsi aménagé, ou des inconnus : elle avait grandi dans cette maison, et tout ce qu'elle en savait de précis se réduisait au souvenir d'avoir toujours pénétré dans cette pièce avec la crainte que l'on inocule aux enfants devant ce qu'ils auraient trop vite fait d'abîmer ou de salir.

Elle avait maintenant quitté le dernier symbole du passé, ses vêtements de deuil, et remis son pyjama; elle était couchée sur le divan qu'une volonté de rébellion avait implanté là et, depuis le début de la journée, lisait de bons et de mauvais livres qu'elle avait réunis un peu au hasard, s'interrompant parfois pour manger ou dormir. Lorsque la journée ainsi occupée tira à sa fin, elle regarda, à travers la chambre de plus en plus sombre, les clairs rideaux, déjà entièrement baignés par la pénombre, qui se gonflaient devant les fenêtres comme des voiles; elle s'imagina ainsi qu'elle avait voyagé, sous le dur rayonnement de la lampe, dans la pièce à la fois délicate et rigide, et qu'elle venait de faire halte. C'est ainsi qu'elle avait été surprise par son frère qui embrassa d'un coup d'œil sa brillante installation. Lui aussi connaissait ce salon; il put même raconter que le premier propriétaire de la maison était un riche marchand dont les affaires avaient mal tourné, de sorte que leur arrière-grand-père, le notaire impérial, s'était trouvé sans plus d'effort en mesure d'acquérir la charmante demeure. Ulrich savait encore bien d'autres choses sur ce salon qu'il avait examiné dans tous ses détails, et sa sœur fut particulièrement frappée de l'entendre dire qu'au temps de leurs bisaïeux, un aménagement aussi rigide avait paru parfaitement et même particulièrement naturel; chose difficile à comprendre pour elle qui y voyait le produit d'un cauchemar géométrique. Il fallut quelque temps avant que lui devînt perceptible au moins vaguement la mentalité d'une époque à tel point saturée de l'indiscrétion baroque que sa propre attitude, toute de symétrie et de raideur, fut atténuée par la douce illusion d'agir dans le sens d'une nature purifiée, débarrassée de ses entrelacs et réputée éminemment raisonnable. Mais, quand elle se fut enfin représenté cette évolution des concepts avec tous les détails qu'Ulrich put ajouter, savoir beaucoup de choses lui sembla charmant, après lui avoir paru si longtemps, à cause des expériences de sa vie, méprisable; lorsque son frère voulut connaître ce qu'elle lisait, elle couvrit rapidement de son corps sa provision de livres, bien qu'elle affirmât hardiment goûter indifféremment les bonnes et les mauvaises lectures.

Ulrich avait travaillé le matin, puis il était sorti. Son espoir de concentration ne s'était pas encore réalisé, et l'influence stimulante qu'on pouvait attendre d'une interruption de la routine avait été compensée par les diversions qu'avait entraînées sa nouvelle situation. Il fallut attendre le lendemain de l'enterrement, quand les relations avec le monde extérieur, si animées en apparence pendant quelques jours, se rompirent comme d'un seul coup, pour qu'un changement se produisît. Le frère et la sœur, qui n'avaient été le centre de l'intérêt général que parce qu'ils représentaient le défunt, et avaient éprouvé la multiplicité des liens qui tenaient à leur situation, ne connaissaient personne en cette ville, hormis le vieux père de Walter, qu'ils eussent désiré voir; par égard pour leur deuil, personne ne vint les voir non plus, sauf le professeur Schwung qui était apparu non seulement à l'enterrement mais le lendemain encore, afin de s'informer si son ami défunt n'avait pas laissé, en vue d'une publication posthume, quelque manuscrit sur le problème de la Responsabilité restreinte. Ce brusque passage de l'effervescence perpétuelle au calme plat donna au frère et à la sœur un choc proprement physique. A cela s'ajouta qu'ils continuaient à dormir dans leurs anciennes chambres d'enfant (la maison n'ayant pas de chambres d'amis), c'est-à-dire dans des mansardes, sur des lits de fortune, au milieu des biens minables de l'enfance qui évoquent un peu l'inconfort d'une cellule de frénétique et qui s'insinuent jusque dans les rêves, avec l'éclat honteux de la toile cirée sur les tables ou du linoléum sur le plancher, désert dans lequel le jeu de constructions, naguère, projetait ses obsessions architecturales. Ces souvenirs, absurdes et infinis comme la vie à laquelle ils étaient censés les préparer, firent mieux sentir au frère et à la sœur l'agrément d'avoir leurs chambres à coucher voisines, séparées qu'elles étaient seulement par une espèce de garde-robe ou de débarras. La salle de bains se trouvant à l'étage inférieur, ils étaient encore livrés à eux-mêmes au moment du réveil : dès le matin, ils se croisaient dans le vide des escaliers et de la demeure, ils étaient obligés d'avoir des égards l'un pour l'autre et devaient assumer ensemble tous les problèmes que leur posait la reprise si soudaine d'un train de maison étranger. Ils aperçurent aussi, bien entendu, le comique dont cette association si étroite et si imprévue n'était pas exempte : c'était un peu le comique romanesque d'un naufrage qui les eût fait échouer sur l'île déserte de leur enfance. Pour l'une et l'autre de ces raisons, sitôt passés les premiers jours qui avaient échappé à leur contrôle, ils recherchèrent l'indépendance, mais davantage par égard pour l'autre que pour soi.

C'est pourquoi Ulrich était levé déjà avant qu'Agathe créât sa presqu'île dans le salon, et s'était glissé sans bruit dans le cabinet de travail où il avait repris son analyse mathématique interrompue, à vrai dire plus pour passer le temps que dans l'espoir de réussir. A sa vive surprise, les quelques heures de la matinée lui avaient suffi pour mener à bonne fin, à quelques détails près, tout ce à quoi il n'osait plus toucher depuis des mois. A cette solution inespérée avait contribué une de ces pensées irrégulières dont on pourrait dire, non pas tant qu'elles naissent une fois qu'on ne les attend plus, mais plutôt que leur flamboiement subit rappelle celui de la bien-aimée qui était dans le cercle des autres jeunes filles longtemps avant que le prétendant confus cesse de comprendre comment il a pu lui en comparer d'autres. A de telles inspirations, la raison n'est pas seule intéressée, mais toujours aussi, quelque condition passionnelle. Pour Ulrich, ce fut comme s'il avait dû absolument être libre, en avoir fini à ce moment-là. Il eut même le sentiment, en l'absence de tout motif, de tout but visibles, d'en avoir fini trop tôt, et l'énergie qu'il avait de reste ne put plus que se répandre en rêveries.

Il entrevit la possibilité d'étendre à des problèmes plus vastes la pensée qui lui avait donné la solution, il esquissa par jeu la première ébauche d'une telle méthode et se sentit même tenté, en cet instant d'heureuse détente, d'écouter l'insinuation du professeur Schwung, de revenir à sa profession et de chercher le chemin de l'influence et des honneurs. Ce bien-être intellectuel ne dura que quelques minutes. Quand Ulrich se fut représenté lucidement les conséquences qu'entraîneraient cette concession à l'ambition et cet engagement tardif dans la carrière universitaire, il lui arriva pour la première fois de sa vie de se sentir trop vieux pour quelque chose. Depuis son adolescence, il n'avait plus jamais senti dans la notion à demi impersonnelle des « années » la présence d'un contenu vivant, et il ne savait pas davantage ce que c'était que de se dire : désormais, tu ne peux plus faire ceci ou cela...

A la fin de l'après-midi, quand Ulrich rapporta ses réflexions à sa sœur, il se servit par hasard du mot destin, qui piqua la curiosité d'Agathe. Elle voulut savoir ce que c'était.

« Un intermédiaire entre *mes rages de dents* et *les filles du roi Lear!* repartit Ulrich. Je ne suis pas de ceux qui aiment fréquenter ce mot. »

Pour les jeunes gens, il est inséparable de la musique de la vie; ils voudraient avoir un destin et ne savent pas ce que c'est.

Ulrich répondit à Agathe : « Plus tard, dans une époque mieux informée, le mot destin prendra probablement un sens statistique. »

Agathe avait vingt-sept ans. Assez jeune pour avoir conservé quelques-unes des formes de sensibilité vides que l'on se crée pour commencer; assez âgée pour pressentir déjà celles que nourrit la réalité. Elle répliqua : « Vieillir est sans doute à soi seul un destin! » Elle fut très mécontente de cette réponse où sa mélancolie juvénile s'exprimait d'une manière qui lui parut insignifiante.

Son frère n'y prêta pas attention et donna un exemple : « Lorsque je suis devenu mathématicien, je désirais le succès scientifique et j'engageai toute mon énergie pour y atteindre, bien que je considérasse cela comme un prélude à autre chose. Mes premiers travaux contenaient réellement (imparfaitement bien sûr, comme tous les commencements) des pensées neuves pour l'époque : ou bien elles passèrent inaperçues, ou bien elles se heurtèrent à quelque résistance, tandis que pour tout le reste mon travail était bien accueilli. On pourrait peut-être appeler destin le fait que j'ai bientôt perdu la patience de continuer à pousser de toutes mes forces sur ce coin.

— Ce coin ? » demanda Agathe en l'interrompant, comme si l'emploi de ce mot ouvrier et viril ne pouvait créer que des ennuis. « Pourquoi parles-tu de coin ?

— Parce que l'unique but que j'avais au début, c'était de pousser ma recherche comme un coin; puis je perdis patience. Aujourd'hui que j'ai terminé peut-être mon dernier travail, qui remonte encore à cette époque, j'ai compris que je pourrais me considérer, avec quelque raison, comme un chef de file, si j'avais eu alors plus de chance ou plus d'opiniâtreté.

— Mais tu pourrais rattraper ton retard! reprit Agathe. Un homme devient moins rapidement qu'une femme trop vieux pour quelque chose!

— Non, repartit Ulrich, je ne rattraperai pas mon retard. Car il est surprenant, mais vrai, que rien n'aurait été changé objectivement au cours des choses ni à l'évolution de la science. Je puis avoir eu quelque dix années d'avance sur mon temps; un peu plus lentement, par d'autres voies, d'autres gens ont atteint sans moi le point où je les aurais, au mieux, conduits plus vite. Tandis qu'on peut se demander si un tel changement dans ma vie eût suffi à m'emporter d'un nouvel élan au-delà du but. Voilà un aspect de ce que l'on appelle le destin personnel : il se réduit à quelque chose d'évidemment impersonnel.

« De toutes façons, poursuivit-il, plus je vieillis, plus souvent je me surprends à avoir détesté des choses qui ont retrouvé plus tard, par un détour, l'orientation de ma démarche propre, de sorte que tout d'un coup je ne puis plus leur refuser une raison d'être. Ou bien, je découvre les dommages subis par les idées, les événements pour lesquels je m'étais enthousiasmé. Ainsi, sur des distances plus longues, il semble tout à fait indifférent qu'on s'enthousiasme ou non, et qu'on ait engagé son enthousiasme dans un sens ou un autre. Tout aboutit au même but, tout sert à une évolution infaillible et parfaitement opaque.

— Jadis, on attribuait cela aux décrets insondables de

Dieu », répondit Agathe en fronçant les sourcils, sur le ton de qui évoque sans beaucoup de respect une expérience vécue.

Ulrich se souvint qu'elle avait été élevée au couvent. Elle était étendue dans son long pantalon noué aux chevilles, sur le divan au bas duquel il était assis lui-même, et la lampe à pied les éclairait tous deux, dessinant sur le parquet une grande feuille de lumière où ils s'inscrivaient en noir. « Aujourd'hui, le destin ferait plutôt penser au mouvement d'une masse, mouvement auquel nous serions soumis, dit-il. On est pris dedans et emporté avec lui. » Il se souvint avoir pensé une fois que chaque vérité, de nos jours, venait au monde divisée en demi-vérités et que néanmoins, de cette manière changeante et frivole, on atteignait au total une productivité plus grande que si chaque individu s'efforçait d'accomplir son devoir entier dans la solitude et le sérieux. Cette pensée qu'il portait comme une écharde dans le sentiment de son existence mais qui n'était pas sans possibilité de grandeur, il en avait tiré une fois la conclusion, par plaisanterie, qu'on pouvait faire ce qu'on voulait. Rien ne lui était plus étranger que cette conclusion, et au moment précis où son destin semblait l'avoir déposé et ne lui laissait plus rien à faire; en cet instant, dangereux pour son ambition, où, étrangement stimulé, il avait bouclé les derniers comptes qui le rattachaient encore à son passé (ce travail en retard); en ce moment donc où sa personne était pour ainsi dire nettoyée, il éprouvait, au lieu d'une abdication de lui-même, la tension nouvelle qui s'était créée en lui depuis son départ. Elle n'avait pas de nom: provisoirement, on aurait pu dire qu'un être jeune, proche de lui, cherchait son conseil, mais aussi bien tout autre chose. Cependant, il voyait avec une extraordinaire acuité la rayonnante natte d'or clair sur le vert sombre de la chambre, avec dessus les carreaux délicats du costume de folie d'Agathe, puis lui-même et le hasard très précisément délimité, arraché à l'ombre, de leur présence à tous deux.

« Comment as-tu dit cela ? demanda Agathe.

— Ce qu'on appelle encore, de nos jours, destin personnel, est évincé par des événements d'ordre collectif qui relèvent de la statistique. »

Agathe réfléchit, puis ne put s'empêcher de rire : « Je ne te comprends pas, bien entendu, mais ne serait-ce pas merveilleux d'être sauvé par la statistique ? Puisque l'amour n'en est plus capable depuis longtemps! »

Alors, Ulrich raconta à sa sœur ce qui lui était arrivé après l'achèvement de son travail, quand, sorti de la maison, il avait gagné le centre de la ville pour meubler d'une façon ou d'une autre ce qui restait en lui d'indétermination. Il n'avait pas voulu en parler parce que cela lui semblait trop personnel. Chaque fois que ses voyages le conduisaient dans des villes auxquelles nulle affaire ne le rattachait, il goûtait profondément le sentiment de solitude qui en naissait, et jamais le sentiment n'avait été aussi fort. Il avait considéré les couleurs des tramways, des voitures, des vitrines, des portails, les formes des clochers, des visages et des façades. Bien qu'on y retrouvât l'air de famille européen, le regard volait au-dessus d'eux comme un insecte qui s'est égaré au-dessus d'un champ émaillé de couleurs attrayantes inconnues, et qui ne peut s'y poser, quoiqu'il le désire. Cette marche sans but ni destination précise dans une ville tout occupée d'elle-même, cette tension accrue de la sensibilité dans un éloignement accru qui fortifie encore la conviction que comptent non pas l'individu, mais seulement cette somme de visages, ces mouvements détachés du corps, groupés et hiérarchisés en armées de bras, de jambes ou de dents auxquelles l'avenir appartient, un tel état peut éveiller en celui qui flâne ainsi refermé sur lui-même le sentiment d'être devenu presque un asocial ou un criminel. Mais que l'on continue à céder à ce sentiment, il peut entraîner à l'improviste un bien-être, une irresponsabilité physique insensée, comme si le corps n'appartenait plus à un monde où le Moi sensoriel est pris dans de petits vaisseaux et cordons nerveux, mais à un monde qu'irrigue une douceur aux yeux fermés.

C'est en ces termes qu'Ulrich décrivait à sa sœur ce qui était peut-être la conséquence d'une humeur sans but et sans ambition, ou celle d'une illusion d'effacement de la personnalité, mais peut-être aussi, rien de moins que le « mythe primitif des dieux », cette « double-face de la nature », cette vision « prenante » et cette vision « donnante » qu'il serrait enfin de près, tel un chasseur. Il attendait maintenant, curieux de voir si Agathe manifesterait son accord ou l'expérience de telles impressions; comme elle n'en donnait pas le moindre signe, il reprit son explication : « C'est comme une légère scission de la conscience. On se sent enlacé, enveloppé et pénétré jusqu'au cœur par une dépendance délicieuse à force d'être involontaire; d'autre part, on garde l'esprit en éveil, on demeure capable d'esprit critique et même prêt à chercher querelle à ces choses et à ces êtres qui n'ont pas encore dépouillé leur présomption. C'est comme s'il y avait en nous deux couches de vie relativement indépendantes, et qui d'ordinaire s'équilibrent dans les profondeurs. Puisque nous avons parlé de destin, c'est aussi comme si on avait deux destins : l'un actif et secondaire, qui s'accomplit, l'autre inactif mais essentiel, que l'on ne connaît jamais. »

Agathe, qui avait écouté longtemps sans faire un geste, brusquement dit : « C'est comme quand on embrasse Hagauer! »

Elle s'était appuyée sur un coude et riait; ses jambes étaient toujours allongées sur le divan. Elle ajouta : « Bien entendu, ce n'était pas aussi beau que tes descriptions! » Ulrich rit de concert. On ne savait pas très bien pourquoi ils riaient. Ce rire devait leur être venu de l'air ou de la maison, ou encore des traces de surprise et de malaise qu'avaient laissées en eux les événements solennels et inutilement liés à l'Au-delà, des derniers jours, ou peut-être du plaisir insolite qu'ils prenaient à leur conversation; tout usage humain, quand il est développé à l'extrême, porte déjà en soi le germe du changement, et toute excitation qui dépasse l'ordinaire se recouvre bientôt d'un voile de tristesse, d'absurdité, de satiété.

C'est de cette manière et par ce détour qu'ils avaient abouti enfin, ensemble, à la détente d'un entretien plus insouciant sur le Moi, le Nous et la famille, et à cette découverte mi-railleuse, mi-étonnée, qu'ils formaient à eux deux une famille. Tandis qu'Ulrich parle du désir de communauté (avec la passion d'un homme qui s'impose un tourment dirigé contre sa nature, mais il ne sait pas s'il est dirigé contre sa nature vraie ou contre sa nature d'emprunt), Agathe écoute ses mots se rapprocher d'elle puis s'éloigner, et Ulrich constate que, selon sa malencontreuse habitude, il a cherché longtemps dans cette figure, pourtant si désarmée devant lui dans la claire lumière et son fantasque vêtement, quelque chose qui le choquât, mais qu'il n'y a rien trouvé de tel; et il en rend grâce par une affection simple et pure qu'il n'éprouve jamais d'ordinaire. La conversation le ravit. Lorsqu'elle s'achève, Agathe demande inconsciemment : « Alors, es-tu pour ou contre ce que tu appelles la famille ? »

Ulrich réplique qu'il ne s'agit pas de cela, qu'il a parlé d'une perplexité du monde et non de l'indécision de sa propre personne.

Agathe réfléchit.

Elle s'écrie enfin, brusquement : « Je ne suis pas capable d'en juger! Mais j'aimerais bien être une fois tout à fait d'accord avec moi-même, absolument une, et aussi... oui : vivre comme ça! N'aimerais-tu pas essayer encore? »

9. *Agathe, quand elle ne peut causer avec Ulrich.*

A l'instant où Agathe était montée dans le train et avait entrepris ce voyage inattendu, quelque chose s'était produit qui ressemblait beaucoup à une brusque déchirure; les deux morceaux en quoi le moment du départ éclata furent projetés aussi loin l'un de l'autre que s'ils n'avaient jamais été unis. Son époux l'avait conduite à la gare, il avait soulevé son chapeau et le tenait obliquement devant lui comme cela se doit pour des adieux, ce chapeau noir, rond et dur qui devenait de plus en plus petit, tandis qu'Agathe s'éloignait avec l'impression que le hall de la gare filait aussi rapidement en arrière que son train avançait. En cet instant, bien qu'un peu avant elle crût encore ne pas rester absente plus longtemps que les circonstances ne l'exigeraient, elle se proposa de ne plus revenir, et sa conscience se troubla comme un cœur qui se voit soustrait tout d'un coup à un danger qu'il avait ignoré.

Quand Agathe, plus tard, réfléchissait à sa décision, elle était loin d'en être entièrement satisfaite. Elle reprochait à son comportement de lui rappeler, par sa forme, une étrange maladie dont elle avait souffert enfant, peu après son entrée à l'école. Pendant plus d'un an, elle avait été sujette à une fièvre assez sérieuse qui ne montait ni ne baissait, et elle avait maigri au point d'inquiéter ses médecins, incapables d'en déceler la cause. Sans doute Agathe avait-elle pris plaisir à voir que les grands professeurs de la Faculté qui, la première fois, entraient dans sa chambre armés de dignité et de sagesse, perdaient de semaine en semaine un peu de leur assurance; bien qu'elle prît docilement tous les remèdes prescrits, qu'elle eût même guéri volontiers puisqu'on le lui demandait, elle ne s'en réjouissait pas moins de voir les médecins, avec toutes leurs ordonnances, incapables d'y parvenir, et elle se sentait transportée dans un monde surnaturel ou en tout cas extraordinaire, cependant qu'elle diminuait à vue d'œil. Elle était fière de penser que l'ordre des grandes personnes n'avait aucun pouvoir sur elle aussi longtemps qu'elle resterait malade, et elle se demandait comment son petit corps obtenait ce résultat. Elle finit cependant par guérir volontairement et d'une manière apparemment non moins étrange.

Aujourd'hui, elle n'en savait guère plus que ce que les domestiques lui avaient raconté plus tard, qui affirmaient qu'elle avait été ensorcelée par une mendiante chassée un peu brutalement d'une maison où elle venait souvent. Agathe n'avait jamais pu découvrir ce qu'il y avait de vrai dans cette histoire, parce que les domestiques, s'ils lâchaient volontiers une allusion, se refusaient toujours aux explications précises et semblaient redouter un interdit sévère que le père d'Agathe devait avoir prononcé. Elle-même ne gardait de cette époque qu'une seule image, mais très nette : son père devant elle, fonçant dans une flamboyante colère sur une femme d'apparence suspecte et lui frappant la joue de sa main à plusieurs reprises; seule fois de sa vie où Agathe eût aperçu le petit défenseur de la raison, si méticuleusement équitable d'ordinaire, à ce point transformé et hors de lui. Autant qu'elle se souvenait, cela ne s'était pas produit avant, mais pendant sa maladie, car elle croyait savoir qu'elle était au lit et que ce lit, au lieu d'être dans la chambre des enfants, se trouvait un étage plus bas, « chez les adultes », dans l'une des pièces où la domesticité n'aurait pas dû laisser entrer la mendiante, celle-ci eût-elle été familière de l'office ou des escaliers. Il semblait même à Agathe que cet incident avait dû se produire plutôt à la fin de sa maladie, que quelques jours plus tard elle s'était trouvée guérie et arrachée à son lit par cette remarquable impatience avec laquelle sa maladie s'acheva, aussi brusquement qu'elle avait commencé.

A vrai dire, elle se demandait si tous ces souvenirs étaient le fruit de la réalité ou un produit de la fièvre. « Le seul intérêt de toute cette histoire, songea-t-elle découragée, c'est probablement que ces images aient pu se conserver en moi entre vérité et illusion sans que j'y aie rien vu d'extraordinaire! »

Les secousses du taxi qui suivait des rues mal pavées excluaient toute conversation. Ulrich avait proposé de profiter du temps sec de l'hiver pour faire une excursion, et il avait découvert un but, qui sans doute était moins un but qu'une incursion dans des paysages flottants de la mémoire. Ils se trouvaient maintenant dans une voiture qui devait les conduire à la périphérie de la ville.

« Sans doute en est-ce le seul intérêt! » dit Agathe, se répétant la pensée qu'elle venait d'avoir. Ainsi avait-elle étudié à l'école, de sorte qu'elle ne savait jamais si elle était sotte ou intelligente, bien ou mal disposée : les réponses qu'on exigeait d'elle s'inscrivaient aisément dans son esprit, mais sans que lui apparût jamais le but de ces questions pédagogiques dont elle se sentait protégée par une profonde indifférence intérieure. Après sa maladie, elle était retournée à l'école aussi volontiers qu'avant. Un médecin s'étant avisé qu'il pourrait être profitable de l'arracher à la solitude de la maison paternelle et de lui donner des camarades de son âge, on l'avait mise dans une institution religieuse : là encore, elle fut jugée gaie et docile; plus tard, elle fréquenta le gymnase. Quand on lui disait que quelque chose était vrai ou nécessaire, elle se guidait là-dessus et acceptait de bonne grâce tout ce qu'on exigeait d'elle, parce qu'agir ainsi lui semblait correspondre à la loi du moindre effort, et qu'elle eût jugé absurde d'entreprendre quoi que ce fût contre des institutions solides qui n'avaient aucun rapport avec sa vie et appartenaient visiblement à un monde bâti selon la volonté des parents et des maîtres. Mais elle ne croyait pas un mot de ce qu'elle apprenait. Comme, en dépit de sa conduite apparemment docile, elle n'était nullement une élève-modèle et que, partout où ses désirs contredisaient ses convictions, elle faisait tranquillement ce qu'elle voulait, elle jouissait de l'estime de ses camarades, même de cette sympathie admirative que conquièrent à l'école ceux qui savent se faciliter les choses. Il était même possible que son étrange maladie d'enfant fût un arrangement de cet ordre : à cette exception près, elle avait toujours été en bonne santé et nullement nerveuse. « Ainsi, tout bonnement un caractère paresseux et nul, observa-t-elle avec quelque incertitude. Elle se rappelait combien plus violemment qu'elle ses amies s'étaient révoltées contre la rigide discipline de l'internat, et de quels principes d'indignation elles avaient armé leurs attaques contre l'ordre établi; néanmoins, dans la mesure où elle avait pu l'observer, c'étaient justement celles qui s'étaient rebellées le plus passionnément contre des détails qui, plus tard, s'étaient le mieux accommodées de l'ensemble de leur vie; ces jeunes filles avaient donné des femmes bien mariées qui n'élevaient pas leurs enfants autrement qu'elles ne l'avaient été. C'est pourquoi, en dépit de son insatisfaction d'elle-même, elle n'était nullement convaincue qu'il valût mieux être bonne et active.

Agathe avait horreur du féminisme autant qu'elle méprisait le besoin de couver de celles qui laissent à l'homme le soin de fournir le nid. Elle aimait se rappeler l'époque où elle avait senti sa poitrine tendre pour la première fois l'étoffe de sa robe, où elle avait porté ses lèvres brûlantes dans l'air rafraîchissant des rues. Mais toute sa vie elle n'avait eu que dédain pour l'affairement érotique de la femme qui pointe hors de l'adolescence tel un genou poli hors du tulle rose. Quand elle se demandait de quoi elle était vraiment convaincue, un sentiment lui répondait qu'elle était élue pour vivre une aventure extraordinaire ou différente; et cela déjà au temps où elle ne savait autant dire rien du monde, et ne croyait pas le peu qu'on lui avait enseigné. Elle avait toujours jugé mystérieusement conforme à ce sentiment de se laisser faire provisoirement, quand il le fallait, par les événements, sans les surestimer aussitôt.

Agathe, obliquement, regardait Ulrich qui oscillait, grave et raide, dans la voiture; elle se rappela quelle peine il avait eue à comprendre, le premier soir, qu'elle ne se fût pas sauvée dès la nuit de noce, puisqu'elle n'aimait pas son mari. Aussi longtemps qu'elle l'avait attendu, elle avait éprouvé à l'endroit de son grand frère une vénération sans bornes; maintenant elle souriait et se rappelait en cachette l'impression que lui avaient faite, les premiers mois, les grosses lèvres d'Hagauer quand elles s'arrondissaient amoureusement sous les piquants de la barbe : le visage tout entier, alors, convergeait vers les commissures en rides épaisses, et un sentiment pareil à la satiété l'emplissait : Dieu que cet homme est laid! Même sa douce vanité et sa douce bonté doctorales, elle les avait supportées comme une simple nausée, plus extérieure qu'intérieure. La première surprise passée, elle l'avait trompé quelquefois avec d'autres : « Si on veut nommer ainsi, pensait-elle, le fait qu'à une créature sans expérience dont les sens ne sont pas éveillés, les efforts d'un homme qui n'est pas le sien apparaissent au premier abord tels des coups de tonnerre qui heurtent à la porte! » Elle s'était montrée peu douée pour l'infidélité : les amants, dès qu'elle les connaissait un peu, ne lui paraissaient pas plus décisifs que des maris. Il lui sembla bientôt qu'elle pourrait prendre au sérieux aussi bien les masques de danse d'une tribu nègre que les masques d'amour de l'homme européen. Non qu'elle n'eût jamais perdu la tête : mais dès les premières tentatives de recommencement, c'était fini! Le monde spectaculaire et théâtral de l'amour ne l'enivrait pas. Ces indications de mise en scène élaborées principalement par les hommes et qui tendaient toutes à obtenir de la dure vie, de loin en loin, une heure de faiblesse (avec les différents sous-genres de la faiblesse : sombrer, mourir, être prise, se donner, succomber, perdre la tête et ainsi de suite), ces indications lui semblaient du cabotinage, parce qu'en aucune heure elle ne s'était sentie autrement que faible, dans un monde admirablement organisé par la force des hommes.

La philosophie qu'Agathe acquit ainsi était simplement celle de l'être féminin qui refuse de s'en laisser conter et observe involontairement ce que l'être masculin essaie de lui faire accroire. En fait, ce n'était pas une philosophie, mais une déception fièrement dissimulée, et toujours mêlée à l'attente réservée d'une délivrance inconnue, attente qui augmentait peut-être même dans la mesure où la révolte extérieure décroissait. Comme Agathe avait de la lecture, mais n'était pas encline de nature à s'engager dans les théories, elle avait souvent l'occasion, lorsqu'elle comparait ses expériences avec les idéaux des livres et du théâtre, de s'étonner que ses séducteurs ne l'eussent pas paralysée comme le piège le fait du gibier, ce qui eût été conforme au portrait donjuanesque auquel les hommes s'efforçaient alors de ressembler, lorsqu'ils « chutaient » avec une femme; ou encore que sa vie avec son mari ne prît pas la forme strindbergienne d'un combat des sexes où la femme prisonnière, comme c'était aussi la mode, tourmentait jusqu'à la mort, par la ruse et la faiblesse, son tyran maladroit. Au contraire, ses relations avec Hagauer étaient toujours restées excellentes, malgré ses véritables sentiments pour lui. Ulrich, le premier soir, avait recouru à de grands mots comme terreur, choc et violence, qui ne convenaient nullement à sa situation. Agathe regrettait, songeait-elle contre son gré à ce souvenir, de ne pouvoir jouer le rôle d'un ange, mais tout, dans ce mariage, s'était passé avec beaucoup de naturel. Son père avait appuyé la demande en mariage avec de très solides raisons, elle-même avait décidé de se remarier : à Dieu vat! Il faut laisser faire ce qui se fait; ce n'est ni particulièrement beau, ni excessivement désagréable! Maintenant encore, elle souffrait d'offenser consciemment Hagauer, alors qu'elle le voulait absolument! Elle n'avait pas souhaité l'amour; elle s'était dit : ça ira toujours, c'est un brave homme.

A vrai dire, il devait être plutôt de ces êtres qui agissent toujours bien, mais chez qui il n'y a pas de bonté, songeait Agathe. Il semble que la bonté déserte l'homme dans la mesure où elle devient bonne volonté et bonnes actions. Comment Ulrich avait-il dit ? Une rivière qui alimente des fabriques perd sa pente. Sans doute, il avait dit cela aussi, mais ce n'était pas ce qu'elle cherchait. Plutôt ceci : « Il semble que les hommes qui ne font pas beaucoup de bien soient seuls en mesure de garder leur bonté! » Mais à l'instant où elle eut retrouvé cette phrase, aussi éclairante qu'Ulrich l'avait prononcée, elle lui parut parfaitement absurde. On ne pouvait l'arracher au contexte oublié de la conversation. Elle essaya de changer la place des mots ou de les remplacer par d'autres analogues; il apparut seulement que c'était la première phrase qui était la bonne, les autres avaient été prononcées en l'air et il n'en restait plus trace. Ulrich l'avait donc bien énoncée ainsi, mais, pensait-elle : « Comment peut-on appeler bons des hommes qui se conduisent mal ? C'est vraiment un non-sens! » Elle découvrit que cette affirmation, quand Ulrich l'avait prononcée, et sans qu'elle eût plus de contenu que maintenant, lui avait paru merveilleuse! Merveilleuse n'était pas le mot : Agathe s'était sentie presque mal de bonheur! De telles phrases expliquaient toute sa vie! Cette phrase, par exemple, était tombée dans leur dernière grande conversation, après l'enterrement, lorsque le professeur Hagauer était déjà reparti; elle avait brusquement pris conscience de l'indolence avec laquelle elle avait toujours agi, et déjà lorsqu'elle s'était dit qu'avec Hagauer « ça irait toujours », puisque c'était « un brave homme ». Ulrich faisait souvent de ces remarques, qui, pour quelques instants, la remplissaient de bonheur ou de malheur, bien que ces instants, elle ne pût jamais les conserver. Quand donc avait-il dit, par exemple, se demandait Agathe, qu'en certaines circonstances il pourrait aimer un voleur, mais un homme honnête par habitude, jamais ? Elle ne parvenait pas à se le rappeler sur l'instant, mais le merveilleux était qu'elle comprît très vite que ce n'était pas lui, mais elle-même qui avait affirmé cela. De toute façon, nombre de pensées qu'il exprimait étaient déjà venues à l'esprit d'Agathe; simplement sans paroles, car, réduite à elle-même comme elle l'avait été jusqu'alors, elle n'aurait jamais avancé d'affirmations aussi précises! Agathe, qui s'était d'abord sentie très à l'aise parmi les bonds et les heurts de la voiture qui roulait dans de cahoteuses rues de banlieue et enveloppait dans un filet d'ébranlements mécaniques le frère et la sœur incapables de parler, Agathe avait aussi utilisé dans ses pensées le nom de son mari sans y attacher aucun sentiment, comme une simple indication de temps et de contenu; mais maintenant, sans qu'aucun prétexte particulier eût été nécessaire, une terreur infinie l'envahissait lentement : Hagauer n'avait-il pas été en chair et en os auprès d'elle ? Elle oublia l'équité avec laquelle elle avait pensé à lui, et sa gorge se serra d'amertume.

Le professeur Hagauer était arrivé le matin de l'enterrement, il avait affectueusement insisté, malgré son retard, pour voir une dernière fois son beau-père, il s'était rendu à l'amphithéâtre d'anatomie, avait retardé la fermeture du cercueil, s'était montré discrètement, sincèrement, modérément bouleversé. Après l'enterrement, Agathe s'était retranchée derrière sa fatigue, et Ulrich avait dû manger en ville avec son beau-frère. Ainsi qu'il l'avait raconté ultérieurement, la présence continuelle de Hagauer l'avait exaspéré comme un col trop étroit, et il avait tout fait, ne fût-ce que pour cette seule raison, pour l'éloigner aussi rapidement que possible. Hagauer avait eu l'intention de gagner la capitale pour un congrès d'éducateurs, d'y consacrer un autre jour à des interventions au Ministère et quelques inspections, et avait réservé deux jours auparavant à passer auprès de sa femme en époux attentif et à s'occuper de sa part d'héritage; mais, comme c'était convenu avec sa sœur, Ulrich avait inventé une histoire qui rendait le séjour d'Hagauer chez eux impossible, et il lui avait annoncé qu'on lui avait réservé une chambre dans le premier hôtel de la ville. Hagauer, comme prévu, avait hésité; l'hôtel serait inconfortable, coûteux, la décence voudrait qu'il le payât de sa poche; d'autre part, il pourrait peut-être consacrer deux jours à ses interventions et inspections dans la capitale, et s'il voyageait de nuit, il économiserait une nuitée. Ainsi Hagauer, feignant le regret, avait-il laissé entendre qu'il lui était difficile de profiter de la sollicitude d'Ulrich, et finalement annoncé sa décision, désormais presque irrévocable apparemment, de partir le soir même. Il n'était plus resté à mettre au point que les questions d'héritage. Agathe maintenant souriait à nouveau : sur son désir, Ulrich avait expliqué à son mari que le testament ne pourrait être ouvert avant quelques jours. Agathe était là, lui dit-on, pour protéger ses droits, il recevrait d'ailleurs une notification en forme; pour ce qui était des meubles, des souvenirs et autres objets semblables, Ulrich, célibataire, n'élèverait aucune prétention qu'il ne fût prêt à subordonner aux désirs de sa sœur. Finalement, il avait demandé encore à Hagauer s'il serait d'accord, au cas où ils voudraient vendre la maison qui ne pouvait être utile à personne, sans engagement bien entendu, puisque aucun d'eux n'avait vu encore le testament; et Hagauer avait déclaré, sans engagement bien entendu, qu'il ne voyait aucune objection pour le moment, mais réservait naturellement son accord en cas de décision effective. Tout cela, Agathe l'avait proposé à son frère, et celui-ci l'avait répété parce qu'il n'y attachait aucune importance et désirait se débarrasser d'Hagauer. Mais, soudain, Agathe se sentit misérable à nouveau : après qu'ils eurent si heureusement combiné leur affaire, son mari était revenu en compagnie de son frère pour prendre congé d'elle. Agathe s'était montrée aussi peu aimable que possible et avait déclaré qu'il était absolument exclu de fixer déjà la date de son retour. Elle avait pu observer aussitôt, tel qu'elle le connaissait, qu'il ne s'était pas attendu à cela et s'irritait de jouer maintenant, avec sa décision de partir tout de suite, le rôle de celui qui n'aime pas; puis, brusquement, il se fâcha plus encore à l'idée qu'on avait prétendu le faire loger à l'hôtel et qu'on l'avait si fraîchement reçu. Comme c'était un homme organisé, il ne dit rien, décida de réserver ses reproches à plus tard et, après avoir pris son chapeau, embrassa sa femme réglementairement sur les lèvres. Maintenant, ce baiser qu'Ulrich avait surpris semblait anéantir Agathe. « Comment ai-je pu, se demanda-t-elle consternée, tenir si longtemps aux côtés de cet homme ? Mais n'avais-je pas déjà avalé ma vie entière sans résistance ? » Comme un reproche passionné, elle se dit : « Si j'avais seulement un tout petit peu de valeur, les choses n'en seraient jamais arrivées là ! »

Agathe détourna son visage d'Ulrich qu'elle avait observé jusqu'alors, et regarda par la portière. De basses maisonnettes de banlieue, une route glacée, des hommes emmitouflés : les impressions d'un affreux terrain vague roulaient devant elle, elles lui représentaient le désert de la vie dans laquelle elle était tombée par la faute de sa nonchalance. Elle avait cessé de se tenir droite; elle s'était laissée glisser le long des coussins, qui sentaient le vieux, pour voir plus commodément le paysage, et elle ne modifia plus cette position disgracieuse dans laquelle les secousses de la voiture l'empoignaient grossièrement au ventre et la ballottaient. Ce corps, godant ainsi comme un chiffon, lui causait une étrange impression, car c'était la seule chose qu'elle possédât. Parfois, au pensionnat, lorsqu'elle s'éveillait le matin dans la pénombre, elle avait eu le sentiment de flotter dans son corps à la rencontre de l'avenir, comme dans les planches d'un canot. Maintenant, elle était à peu près deux fois plus âgée qu'alors. La même pénombre régnait dans la voiture. Mais elle était toujours incapable de se représenter sa vie, et n'avait aucune idée de ce qu'elle devait être. Les hommes étaient un complément, un achèvement de son propre corps, non pas un contenu pour l'âme; on les prenait comme ils vous prenaient. Son corps lui disait qu'il suffirait de quelques années pour qu'il commencât à perdre sa beauté; donc à perdre les sentiments qui, immédiatement surgis de son assurance intime, ne pouvaient s'exprimer que très partiellement par des mots ou des pensées. Alors, tout serait passé sans que rien ne se fût passé. Elle se souvint qu'Ulrich avait parlé de la même manière de l'inutilité de son sport, et tandis qu'elle forçait son visage à rester tourné vers la portière, elle se proposa de l'interroger jusqu'au bout.

10. *Suite de l'excursion à la Schwedenschanze. La morale du deuxième pas.*

Le frère et la sœur avaient laissé la voiture à la limite de la ville, devant les dernières maisons basses et déjà tout à fait villageoises; ils montaient vers les hauteurs, suivant une large route ravinée qui s'élevait en pente douce et où les traces gelées des roues s'effritaient sous leurs pas. La misérable grisaille de ce parquet de cochers et de paysans avait bientôt couvert leurs chaussures, contrastant avec l'élégance de leurs vêtements de ville; bien qu'il ne fît pas froid, un vent aigu soufflait d'en haut, enflammant leurs joues, de sorte qu'une rigidité cassante comme du verre gênait l'émission de la parole.

Le souvenir d'Hagauer pressait Agathe de s'expliquer à son frère. Elle était convaincue que ce mariage manqué devait lui être de toute manière incompréhensible, même d'après les exigences sociales les plus simples; pourtant, bien que les mots fussent déjà tout prêts en elle, elle ne pouvait se résoudre à vaincre l'obstacle de la montée, du froid et de l'air qui lui claquait au visage. Ulrich marchait devant elle, dans un chemin de schlitte qui leur servait de sentier; Agathe voyait ses larges épaules minces, et hésitait. Elle se l'était toujours figuré dur, intolérant, une sorte d'aventurier, peut-être simplement à cause des critiques qu'elle entendait faire à son père, ou quelquefois à Hagauer, sur son compte, et devant ce frère qui avait échappé, qui était devenu étranger à la famille, elle avait honte de sa propre tolérance. « Il a eu raison de ne pas se soucier de moi! » pensait-elle, et sa consternation à voir qu'elle avait persévéré si longtemps dans des situations inacceptables revenait. En vérité, il y avait toujours en elle la même passion tempêtueuse, contradictoire, qui l'avait fait crier ces vers sauvages dans la porte de la chambre mortuaire de son père. Elle fit un effort pour rattraper Ulrich, en perdit le souffle, et soudain retentirent, prononcées avec difficulté, des questions telles que cette route utilitaire n'en avait sans doute jamais entendues ; le vent fut déchiré par des mots qu'aucun des frères de ce rustique vent des collines n'avait jamais perçus.

« Tu te souviens sans doute,... s'écria-t-elle en citant quelques exemples littéraires. Tu ne m'as pas dit si tu excuserais un voleur ; mais ces criminels, sans doute les trouverais-tu bons ?

— Bien sûr ! cria Ulrich en réponse. C'est-à-dire... non, attends un peu : peut-être ne sont-ils que des hommes de bon fond, des hommes de valeur. Cela leur reste même après le crime. Mais qu'ils restent bons, ça non !

— Pourquoi les aimes-tu même après leur forfait ? Ce n'est sûrement pas simplement à cause de leur bon fond antérieur, mais bien parce qu'ils continuent à te plaire !

— Il en va toujours ainsi, dit Ulrich. C'est l'homme qui donne à l'acte son caractère, et non l'inverse ! Nous séparons le Bon du Mauvais, mais nous savons bien qu'ils forment un tout ! »

Agathe avait réussi à rougir sous le rouge du froid lorsqu'elle n'avait trouvé, pour répondre à la passion des questions que ses mots à la fois exprimaient et cachaient, que des allusions littéraires. L'abus que l'on fait des « questions culturelles » est si grave qu'on serait presque tenté de les croire déplacées dans le vent et sous les arbres, comme si la culture humaine n'était pas la récapitulation de toutes les formations naturelles ! Mais elle avait lutté courageusement, mis son bras sous celui de son frère, et elle lui répliquait maintenant, tout près de son oreille de sorte qu'elle n'avait plus besoin de crier, avec une insolence particulière qui tremblait sur son visage : « C'est sans doute pourquoi nous n'anéantissons jamais les méchants sans leur offrir d'abord le repas du condamné ! »

Ulrich, qui devinait vaguement tant de passion à son côté, se pencha vers sa sœur et lui dit à l'oreille, néanmoins assez fort : « Chacun croit volontiers qu'il ne fera jamais de mal, puisqu'il est un brave homme ! »

Sur ces mots, ils étaient arrivés là où la route cessait de monter pour couper à travers les ondulations d'un vaste plateau sans arbres. Le vent était tombé tout d'un coup, il ne faisait plus froid, mais dans cet agréable calme la conversation tarit brusquement et n'arrivait pas à repartir.

« Comment as-tu pensé à Dostoievsky et à Stendhal dans tout ce vent ? demanda Ulrich un instant plus tard. Si on nous avait vus, on nous aurait pris pour des fous ! »

Agathe éclata de rire. « On ne nous aurait pas compris mieux que les cris des oiseaux!... D'ailleurs, il n'y a pas si longtemps que tu m'as parlé de Moosbrugger. »

Ils allongèrent le pas.

Un instant après, Agathe dit : « Mais je ne l'aime pas!

— Quant à moi, je l'avais presque oublié », répondit Ulrich.

Après qu'ils eurent marché de nouveau quelques instants sans parler, Agathe s'arrêta. « Voyons! dit-elle. Tu as sûrement commis nombre d'actes irresponsables? Par exemple, je me souviens que tu as été une fois à l'hôpital à la suite d'un duel. Sûrement, tu ne réfléchis pas non plus à tout, ni toujours à temps?...

— Tu en poses, des questions, aujourd'hui! Que faut-il donc que je réponde?

— Ne regrettes-tu jamais ce que tu fais? demanda Agathe rapidement. J'ai l'impression que tu ne regrettes jamais rien. D'ailleurs, tu as dit toi-même quelque chose comme ça.

— Mon Dieu! répondit Ulrich qui allongeait de nouveau le pas, dans tout moins il y a un plus. Peut-être ai-je dit en effet quelque chose comme ça, mais il ne faut pas tout prendre au pied de la lettre.

— Dans tout moins un plus?

— Dans toute mauvaise chose, quelque chose de bon. Ou du moins dans beaucoup de mauvaises choses. D'ordinaire il se cache dans toute variante humaine « moins », une variante « plus » méconnue : voilà probablement ce que j'ai voulu dire. Quand tu regrettes quelque chose, tu peux trouver dans l'acte même du regret la force de faire quelque chose de bien dont tu n'aurais pas été capable autrement. Ce n'est jamais ce qu'on fait qui est décisif, mais toujours ce qu'on fait après!

— Une fois que tu as tué quelqu'un, que peux-tu faire après? »

Ulrich haussa les épaules. Il eut envie de répondre, par simple goût de la logique : « Cela me donnerait peut-être le moyen d'écrire un poème qui offrirait la vie intérieure à des milliers d'hommes, ou de faire quelque grande découverte! » Mais il se retint. « Cela ne se produira jamais! Seul un aliéné pourrait se l'imaginer. Ou un esthète de dix-huit ans. Ce sont là, Dieu sait pourquoi, des pensées qui contredisent les lois de la nature. D'ailleurs, ajouta-t-il pour se corriger, il en allait ainsi chez le primitif : il tuait parce que le sacrifice humain était un grand poème religieux! »

Il ne prononça ni cette phrase, ni la précédente, mais Agathe poursuivit : « Je te fais peut-être des objections stupides, mais, quand je t'ai entendu dire pour la première fois que ce qui comptait n'était pas le pas que l'on hasarde, mais le suivant, je me suis dit : Si un homme pouvait voler intérieurement, moralement en quelque sorte et atteindre ainsi, avec une grande rapidité, des améliorations toujours nouvelles, il ne saurait pas ce que c'est que le remords! Je t'ai envié terriblement!

— C'est absurde, repartit Ulrich avec force. J'ai dit que ce qui comptait, ce n'était pas un faux-pas, mais le pas qui suit ce faux-pas. Mais qu'est-ce qui compte après le pas suivant ? Sans doute, bien sûr, celui qui suit ? Et après le ennième pas, le pas $n + 1$? Cet homme devrait donc vivre privé de fin et de décision, privé même, somme toute, de réalité. Pourtant, il est bien vrai que c'est toujours le pas suivant qui compte. La vérité est que nous ne disposons d'aucune méthode pour traiter comme il faudrait cette série infatigable. Chère Agathe, conclut-il brusquement, je regrette parfois toute ma vie!

— Cela non, tu ne le peux pas! dit sa sœur.

— Et pourquoi non ? Pourquoi pas cela ?

— Moi, répliqua Agathe, je n'ai jamais rien fait; j'ai donc toujours eu le temps de regretter mes rares entreprises. Je suis persuadée que tu n'as jamais connu cela : une pareille absence de lumière. Les ombres accourent, et ce qui fut m'en impose. C'est présent jusque dans ses moindres détails, je ne peux rien oublier et rien comprendre. C'est un état désagréable... »

Elle dit cela sans émotion, très humblement. Ulrich, en effet, ignorait ce reflux de la vie, parce que la sienne avait toujours été organisée pour l'extension; cela lui rappela seulement que sa sœur, plus d'une fois déjà, s'était ouvertement plainte d'elle-même.

Il remit ses questions à plus tard, car ils étaient arrivés sur une colline dont il avait fait le but de leur promenade, et ils s'avancèrent jusqu'au bord. C'était une puissante élévation de terrain que la légende rattachait à un siège des Suédois pendant la Guerre de Trente ans, parce qu'elle avait l'air d'un fort, bien qu'elle fût beaucoup trop grande pour cela : un vert bastion de la nature, sans arbres ni taillis, qui, du côté de la ville, formait une haute falaise blanche. Un espace de collines, profond et vide, entourait ce lieu; nul village, nulle maison n'étaient visibles, rien que l'ombre des nuages et des herbages gris. Ulrich fut de nouveau saisi par ce lieu dont il avait des souvenirs de jeunesse : la ville était toujours loin dans la profondeur, anxieusement serrée autour de quelques églises qui semblaient des poules avec leurs petits, de sorte qu'on éprouvait involontairement le désir de les atteindre d'un bond, de sauter parmi eux ou de les prendre entre ses doigts comme un géant. « Ces aventuriers suédois ont dû éprouver une émotion merveilleuse quand, après des semaines de cheval, ils ont atteint ce point et, descendus de leur selle, aperçu pour la première fois leur proie! dit-il après avoir expliqué à sa sœur la signification de l'endroit. Le poids de la vie, ce découragement qui pèse en secret sur nous à l'idée que nous devons tous mourir, que tout est si bref et probablement si vain, ne se détache de nous, finalement, qu'en ces instants!

— En quels instants, dis-tu ? » demanda Agathe.

Ulrich ne sut que répondre. Au fond, il ne voulait pas répondre. Il se souvenait que, jeune homme, il avait toujours éprouvé à cet endroit le besoin de serrer les dents et de se taire. Finalement, il répondit : « Dans les instants aventureux où le flux des événements nous emporte : somme toute, dans les instants dépourvus de sens! » Disant cela, il sentait sa tête sur son cou comme une noix creuse, avec dedans de vieilles formules : « Commère la Mort », ou « J'ai joué ma vie au hasard »; et, en même temps, le *fortissimo* évanoui des années où la frontière entre l'attente de la vie et la vie elle-même n'est pas encore ouverte. Il pensa : « Quelles expériences ai-je vécues depuis, qui fussent heureuses et sans équivoque ? Aucune. »

Agathe repartit : « J'ai toujours agi sans aucun sens, cela ne fait que vous rendre malheureux. »

Elle s'était avancée tout près du bord; les paroles de son frère arrivaient vides à son oreille, elle ne les comprenait pas et voyait devant elle un paysage grave et déshérité dont la tristesse s'accordait à la sienne. Lorsqu'elle se retourna, elle dit : « Un paysage à se tuer », puis elle sourit. « Le vide de ma tête se dissoudrait avec une infinie douceur dans le vide du panorama! » Elle fit quelques pas en arrière dans la direction d'Ulrich. « Toute ma vie, poursuivit-elle, on m'a reproché de n'avoir pas de volonté, de n'aimer rien, de ne rien respecter, en un mot, de n'être pas décidée à vivre. Papa me l'a reproché, Hagauer m'en blâmait : dis-moi donc, pour l'amour de Dieu, dis-moi une bonne fois à quels moments de la vie quelque chose peut nous paraître nécessaire ?

— Quand on se retourne dans son lit ! dit Ulrich maussade.

— Que veux-tu dire ?

— Pardonne-moi la banalité de l'exemple. Mais c'est bien cela : on est mécontent de sa position ; on pense continuellement à la modifier, on passe d'une décision à l'autre sans en mettre aucune à exécution ; enfin, on renonce : et d'un coup, on s'est retourné ! On devrait dire, en fait, qu'on a été retourné. On n'agit pas autrement dans la passion, et aussi bien dans la préméditation. » En disant cela il ne la regardait pas, il se répondait à lui-même. Il continuait à penser : « J'étais ici, jadis, avec un désir que je n'ai jamais satisfait. »

Maintenant, Agathe souriait aussi, mais il passa sur sa bouche comme un mouvement douloureux. Elle retourna au bord de la colline et considéra sans un mot les fabuleux lointains. Son manteau de fourrure se détachait en sombre sur le ciel, et son corps mince faisait un contraste frappant avec le vaste silence du paysage et les ombres des nuages qui le balayaient. A cette vue, Ulrich ressentit le mouvement de la vie avec une force indescriptible. Il eut presque honte d'être là en compagnie d'une femme, et non au côté d'un cheval sellé. Bien que la tranquillité d'image qui émanait en ce moment de sa sœur fût évidemment la cause de son émotion, il avait l'impression que quelque chose se passait non pas en lui, mais quelque part dans le monde, et qu'il le manquait. Il se moqua de lui-même. Pourtant, lorsqu'il avait affirmé sans plus réfléchir qu'il regrettait sa vie, il y avait eu quelque chose de juste dans son propos. Parfois, il rêvait d'être entortillé dans des événements comme on l'est dans un combat de lutte, et que ces événements fussent absurdes ou criminels, peu importait, pourvu qu'ils fussent authentiques. Définitivement authentiques, débarrassés de cet aspect provisoire prolongé qu'ils ont tant que l'homme reste supérieur à ce qu'il vit. « Oui, authentiques et définitifs en soi », se dit Ulrich qui cherchait sérieusement le terme exact ; et cette pensée, à l'improviste, cessa de s'égarer dans l'imaginaire et s'arrêta à l'aspect qu'Agathe elle-même, pur miroir d'elle-même, présentait à cet instant.

Ainsi le frère et la sœur restèrent assez longtemps séparés l'un de l'autre et chacun pour soi; une hésitation bourrée de contradictions ne leur permettait pas le moindre mouvement. Le plus remarquable était qu'Ulrich, en cette occasion, ne songeât pas le moins du monde qu'à ce moment déjà quelque chose s'était passé, puisque sur l'ordre d'Agathe et pour l'éloigner, il avait fait accroire à son beau-frère confiant qu'il existait un testament qui ne pourrait être ouvert que quelques jours plus tard, et puisqu'il lui avait encore affirmé, contre sa conviction une fois de plus, qu'Agathe veillerait à ses intérêts, ce qu'Hagauer qualifia plus tard de complicité.

N'importe comment, ils quittèrent ensemble ce lieu où chacun s'était plongé en soi, sans s'être tout dit. Le vent avait fraîchi de nouveau, et comme Agathe avouait de la fatigue, Ulrich proposa d'aller à la recherche d'une maison de bergers dont il savait la proximité. C'était une hutte de pierre qu'ils eurent bientôt trouvée. Ils durent pencher la tête pour entrer, la femme du berger les regardait fixement, embarrassée et sur la défensive. Dans le jargon germano-slave qu'on parle en ces pays et dont il se souvenait vaguement, Ulrich demanda pour tous deux la permission de se chauffer et de manger leurs provisions à l'abri; cette demande fut si spontanément appuyée d'une pièce d'argent que la peu spontanée hôtesse, effrayée, se mit à gémir de ne pouvoir mieux recevoir, dans sa rebutante misère, « de si beaux hôtes ». Elle passa un torchon sur la table graisseuse dressée près de la fenêtre, alluma un feu de brindilles dans l'âtre et servit du lait de chèvre. Agathe s'était tout de suite attablée près de la fenêtre et n'avait pas accordé la moindre attention à ces choses, comme s'il était tout naturel qu'on trouvât un abri quelque part, et que le lieu importât peu. Elle regardait, par le trouble petit carré des quatre vitres la contrée qui s'étendait vers l'intérieur du pays derrière le « fort » et qui, lorsque le regard était privé du vaste essor que celui-ci lui offrait, évoquait plutôt les sensations d'un nageur environné de vagues vertes. Sans doute le jour n'était-il pas encore près de finir, mais il avait dépassé son plus haut période et déjà perdu de sa clarté. Agathe, soudain, demanda : « Pourquoi ne parles-tu jamais sérieusement avec moi ? »

Comment Ulrich aurait-il pu donner plus juste réponse qu'un regard furtif qui devait signifier à la fois son innocence et son étonnement ? Il était occupé à étaler entre lui et sa sœur, sur un morceau de papier, du jambon, du saucisson et des œufs.

Agathe poursuivit : « Quand on se heurte à ton corps par mégarde, on se fait mal, on s'effraie de l'énorme différence. Mais quand je veux te poser une question décisive, tu te dissous en fumée ! » Elle ne touchait pas aux provisions qu'il poussait devant elle; elle s'était figée à tel point dans son refus de terminer cette journée par un festin rustique qu'elle évitait même de toucher la table. Alors, quelque chose se produisit de nouveau, qui ressemblait à leur montée sur la route. Ulrich écarta les bols de lait de chèvre qui venaient d'aboutir du foyer à leur table et faisaient monter aux narines ignorantes d'un tel plaisir un très désagréable parfum; le dégoût prosaïque qu'il en éprouva eut un effet purifiant, comme parfois une amertume soudaine. « Je t'ai toujours parlé sérieusement, répliqua-t-il. Si cela te déplaît, je n'y puis rien; car ce qui te déplaît dans mes réponses, c'est la morale même de notre temps. » A cet instant, il lui apparut qu'il était décidé à expliquer à sa sœur, d'une manière aussi complète que possible, tout ce qu'elle devait savoir pour se comprendre elle-même, et aussi pour le comprendre un peu, lui. Avec la résolution d'un homme qui tient toute interruption pour superflue, il commença un long exposé :

« La morale de notre temps, quoi qu'on puisse raconter, est une morale de la production. Cinq faillites plus ou moins frauduleuses sont justifiées pourvu que la cinquième soit suivie d'une époque de prospérité et de bénédictions. Le succès peut faire tout oublier. Quand on a atteint le stade où l'on peut accorder des subventions et acheter des tableaux, on gagne du même coup l'indulgence de l'État. Dans cette sorte de contrat, il est des règles non écrites : que quelqu'un dépense de l'argent pour l'Église, les œuvres ou les partis, il lui suffira de dépenser le dixième, au plus, de ce qu'il devrait donner s'il lui prenait envie de prouver sa bonne volonté en favorisant les Beaux-arts. De plus, il y a des limites imposées au succès : on ne peut obtenir n'importe quoi n'importe comment; quelques principes touchant la Couronne, la Noblesse et la Société exercent sur « l'homme nouveau » un certain effet de freinage. D'un autre côté, en tant que personne supra-personnelle, l'État adopte carrément le principe que l'on peut piller, massacrer et tromper s'il en résulte puissance, gloire et civilisation. Bien entendu, je ne prétends pas que cela soit reconnu théoriquement : théoriquement, tout cela reste dans le vague. Mais je ne te révèle ici que des faits parfaitement ordinaires. A l'endroit de ces faits, l'argumentation morale n'est qu'un moyen de plus pour arriver à ses fins, un moyen de combat auquel on recourt à peu près aussi fréquemment qu'au mensonge. Tel apparaît le monde créé par les hommes, et je voudrais bien être une femme, si les femmes... n'aimaient les hommes!

« Passe pour bon aujourd'hui tout ce qui donne l'illusion de nous faire aboutir à quelque chose : cette conviction, c'est ce que tu as appelé « l'homme qui vole sans remords », et ce que j'ai décrit comme un problème insoluble faute de méthode. Du fait de ma formation scientifique, j'ai en toute situation le sentiment que mes connaissances sont incomplètes, de simples jalons, et que je pourrais faire dès demain une nouvelle expérience qui m'obligerait à penser autrement qu'aujourd'hui. D'autre part, l'homme entièrement livré à son sentiment, « l'homme en ascension », ainsi que tu te l'es dépeint, éprouvera lui aussi chacune de ses actions comme un degré destiné à l'élever encore. Il y a donc quelque chose dans notre esprit et dans notre âme qu'on pourrait appeler une « morale du pas suivant »; mais est-ce simplement la morale des cinq faillites ? La morale d'entrepreneurs de notre époque pénètre-t-elle si profond en nous, ou n'est-ce là qu'une illusion de coïncidence ? La morale de ceux qui font carrière n'est-elle que la caricature, venue trop tôt à terme, de phénomènes plus profonds ? Pour le moment, je ne pourrais te donner aucune réponse à ces questions! »

Ulrich interrompit ses explications apparemment pour reprendre son souffle; ce n'était qu'une pause oratoire, car il avait l'intention de continuer à développer ses vues. Agathe, qui l'avait écouté jusque là de cette manière à la fois vivante et apathique qui lui était parfois particulière, alimenta la conversation dans un sens contraire à ce plan en remarquant simplement que cette réponse lui serait indifférente, qu'elle désirait seulement savoir ce qu'Ulrich pensait personnellement ; elle était incapable d'envisager l'ensemble des pensées possibles. « Mais si tu devais me demander, sous une forme quelconque, de produire quelque chose, je préférerais n'avoir pas de morale du tout, ajouta-t-elle.

— Dieu merci ! s'écria Ulrich. Chaque fois que je considère ta jeunesse, ta beauté, ta force, et que je t'entends dire que tu n'as aucune énergie, je me réjouis ! Notre époque ruisselle suffisamment d'énergie. On ne veut plus voir que des actes, et nulle pensée. Cette terrible énergie provient de ce que l'on n'a plus rien à faire. Intérieurement, je veux dire. Mais en fin de compte, même extérieurement, l'homme ne fait que répéter toute sa vie un seul et même acte : il entre dans une profession, puis y progresse. Je crois que nous retrouvons ici la question que tu m'as posée dehors. Il est si simple d'avoir la force d'agir, et si malaisé de trouver un sens à l'action ! Très peu de gens, aujourd'hui, le comprennent. C'est pourquoi les hommes d'action ressemblent à des joueurs de quilles qui emprunteraient des poses à la Napoléon pour renverser neuf machins de bois ! Je ne serais même pas surpris qu'ils finissent par en venir violemment aux mains, simplement pour voir passer par-dessus leur tête ce mystère incompréhensible : que toutes les actions du monde ne suffisent jamais ! » Il avait commencé à parler avec passion, puis était redevenu songeur et se tut même un instant. Finalement, il se contenta de lever les yeux en souriant : « Tu m'expliques que si j'exigeais de toi un effort moral, tu me décevrais. Je t'explique que si tu exigeais de moi des conseils de morale, c'est moi qui te décevrais. Je pense que nous n'avons rien de précis à exiger les uns des autres, je veux dire nous tous ; en fait, nous n'avons pas à attendre des actes les uns des autres, mais à créer d'abord leurs prémisses : tel est mon sentiment !

— Comment donc s'y prendrait-on ? » dit Agathe. Elle voyait bien qu'Ulrich s'était écarté du grand discours général par quoi il avait commencé, qu'il était tombé dans des considérations plus personnelles; mais, pour son goût, celles-ci étaient encore trop générales. Elle avait, comme on sait, un préjugé contre les analyses générales et considérait tout effort qui dépassait, pour ainsi dire, les limites de sa peau, comme à peu près sans issue; elle pensait ainsi, sans aucun doute, dans la mesure où l'effort aurait dû venir d'elle-même, mais probablement étendait-elle ce principe aux affirmations générales des autres. Pourtant, elle comprenait parfaitement Ulrich. Elle remarqua que son frère, tandis qu'il tenait la tête baissée et condamnait à mi-voix l'énergie, gravait des entailles et des raies dans la table avec son canif qu'inconsciemment il n'avait pas lâché, et que saillaient tous les tendons de sa main. Le mouvement irréfléchi, presque passionné de cette main et le fait qu'Ulrich eût dit sincèrement d'Agathe qu'elle était jeune et belle, c'était comme un duo concertant sur le tutti des autres mots, duo dépourvu de sens, et elle ne lui en prêtait d'ailleurs aucun, hormis qu'elle était assise là et regardait.

« Comment il faudrait s'y prendre ? répondit Ulrich sur le même ton qu'auparavant. Un jour, chez notre cousine, j'ai proposé au comte Leinsdorf de fonder un Secrétariat mondial de l'Ame et de la Précision, afin que même les gens qui ne vont pas à l'Église sachent ce qu'ils ont à faire. Bien entendu, ce n'était qu'une plaisanterie : pour la vérité, il y a longtemps que nous avons créé la science; si nous voulions exiger une institution analogue pour le reste, aujourd'hui, on nous aurait vite accusés de folie. Pourtant, tout ce dont nous avons parlé ensemble jusqu'ici nous ferait aboutir à ce Secrétariat! » Il avait donc renoncé à son discours et s'appuya, très droit, au dossier de son banc. « Sans doute sera-ce encore me dissoudre en fumée que d'ajouter : comment cela tournerait-il aujourd'hui ? » demanda-t-il. Comme Agathe ne répondait pas, le silence se fit. Un moment après, Ulrich dit : « Moi-même, d'ailleurs, je me dis quelquefois que je ne puis supporter cette conviction! Quand je t'ai vue devant moi, poursuivit-il à mi-voix, là-bas au Fort, je ne sais pourquoi, j'ai éprouvé un sauvage besoin de faire tout à coup quelque chose. Oui, il m'est arrivé parfois d'agir sans réfléchir; ce qu'il y avait de magique, c'était que quelque chose subsistât à mes côtés après que tout fut passé. Il m'arrive de penser qu'un homme pourrait trouver le bonheur même à travers un crime, parce que ce crime lui donnerait du lest, c'est-à-dire, peut-être, une navigation plus régulière. »

Là encore, sa sœur ne répondit pas immédiatement. Il la considérait calmement, peut-être même l'épiait-il, mais sans que l'expérience dont il venait de parler se reproduisît, bien plus, sans même qu'il pensât quoi que ce fût. Au bout d'un petit moment, elle lui demanda : « M'en voudrais-tu si je commettais un crime ?

— Que puis-je bien répondre ? dit Ulrich qui s'était de nouveau penché sur son couteau.

— N'y a-t-il aucune décision ?

— Non, il n'y a aujourd'hui aucune décision réelle. »

Agathe dit alors : « J'aimerais tuer Hagauer. »

Ulrich se força à ne pas lever les yeux. Les mots étaient passés dans son oreille légèrement et sans bruit, mais quand ils furent passés, ils laissèrent dans sa mémoire comme une large ornière. Il avait oublié tout de suite l'intonation, il aurait fallu qu'il vît le visage pour savoir comment interpréter ces paroles, mais de toutes façons, il ne voulait pas leur donner trop d'importance. « Bien, dit-il, et pourquoi donc ne le ferais-tu pas ? Y a-t-il quelqu'un, aujourd'hui, qui n'ait jamais fait ce souhait ? Fais-le donc, si vraiment tu le peux ! C'est exactement comme si tu avais dit : je voudrais l'aimer pour ses fautes ! » Alors seulement, il se redressa et regarda sa sœur en face. Le visage d'Agathe était obstiné, étonnamment animé. Laissant son regard posé sur le visage de sa sœur, Ulrich expliqua lentement : « Il y a là, vois-tu, quelque chose qui cloche ; à cette frontière entre ce qui se passe en nous et ce qui se passe hors de nous, il manque aujourd'hui un intermédiaire quelconque. Pour le moment, ces deux parts se mélangent et se métamorphosent avec d'immenses pertes : on pourrait presque dire que nos mauvais désirs sont la face d'ombre de la vie que nous menons réellement, et que la vie que nous menons réellement est la face d'ombre de nos bons désirs. Imagine que tu le fasses vraiment : ce ne serait pas du tout ce que tu avais cru, et tu serais, pour le moins, affreusement déçue...

— Je deviendrais peut-être tout d'un coup un être neuf : tu l'as toi-même reconnu ! » interrompit Agathe.

Quand Ulrich, à cet instant, tourna la tête, ce qu'il vit lui rappela qu'ils n'étaient pas seuls, mais que deux personnes écoutaient leur conversation. La vieille paysanne (qui pouvait d'ailleurs n'avoir guère plus de quarante ans, mais ses haillons et les marques de son humble vie la vieillissaient), la vieille paysanne s'était assise l'air bienveillant devant le foyer, et à côté d'elle avait pris place le berger qui était entré dans la cabane pendant la conversation sans que ses hôtes, trop occupés d'eux-mêmes, s'en fussent aperçu. Ces deux vieux avaient les mains posées sur les genoux et écoutaient, flattés et surpris semblait-il, l'entretien qui emplissait leur cabane, très satisfaits d'un pareil dialogue, même s'ils n'en comprenaient pas le premier mot. Ils voyaient qu'on n'avait touché ni au lait ni à la saucisse, c'était un spectacle, et, qui sait ? peut-être exaltant. Ils ne chuchotaient même pas. Le regard d'Ulrich plongea dans leurs yeux grand ouverts; embarrassé, il leur adressa un sourire que la femme seule rendit, tandis que l'homme, gravement, s'obstinait dans une respectueuse réserve.

« Il faut que nous mangions, dit Ulrich en anglais à sa sœur. Notre attitude étonne! »

Docilement, elle prit un peu de viande et de pain, et lui-même mangea résolument, buvant même une goutte de lait. Cependant, Agathe dit à voix haute, innocemment : « L'idée de le faire sérieusement souffrir m'est désagréable, lorsque je m'interroge franchement. Peut-être donc ne le tuerai-je pas. Mais j'aimerais l'éteindre! Le déchirer en petits morceaux, les écraser dans un mortier et verser cette poudre dans l'eau : voilà ce que j'aimerais! Anéantir définitivement tout ce qui a été!

— Tu sais que c'est plutôt comique, ce que nous racontons là », observa Ulrich.

Agathe se tut un moment, puis elle dit : « Tu m'as promis pourtant, le premier jour, de m'assister contre Hagauer.

— Bien sûr je le ferai. Mais pas comme ça. »

De nouveau, Agathe se tut. Puis, brusquement, elle dit : « Si tu voulais acheter ou louer une auto, nous pourrions aller chez moi par Iglau puis en revenir par le chemin le plus long, Tabor je crois. Il ne viendrait à l'idée de personne que nous ayons pu passer la nuit là-bas.

— Et les domestiques ? Par bonheur, je ne sais pas me servir d'une voiture! » Ulrich rit, puis secoua la tête avec colère : « Ce sont bien des idées d'aujourd'hui!

— Tu le dis », répondit Agathe. Pensive, avec son ongle, elle poussait un morceau de jambon de ci de là, on aurait dit que cet ongle, sur lequel il y avait maintenant une petite tache de graisse, faisait cela tout seul. « Mais tu dis aussi : les vertus de la société sont des vices pour le saint!

— Je n'ai pas dit que les vices de la société fussent des vertus pour le saint! » précisa Ulrich. Il rit, saisit la main d'Agathe et la nettoya avec son mouchoir.

« Et voilà : tu reviens toujours sur ce que tu as dit! » dit Agathe sur un ton de reproche et avec un sourire mécontent, tandis que le sang lui montait au visage, car elle essayait de reprendre son doigt.

Les deux vieux devant le foyer, qui continuaient à observer

exactement comme avant, souriaient maintenant de toute leur figure, en écho.

« Quand tu discutes ainsi avec moi, dit Agathe à voix basse, il me semble que je me regarde dans les débris d'une glace : avec toi, on ne se voit jamais en pied!

— Non, repartit Ulrich qui ne lâcha pas sa main, aujourd'hui on ne se voit jamais en pied, et on ne se déplace jamais en pied : tout est là! »

Agathe céda et se désintéressa brusquement de son bras. « Je suis sûrement très loin de la sainteté, expliqua-t-elle à voix basse. Avec mon indifférence, j'ai été peut-être pire qu'une entretenue. De plus, je ne suis certainement pas entreprenante, et peut-être ne pourrai-je jamais tuer personne. Mais la première fois que tu as parlé du saint, il y a quelque temps déjà, alors j'ai vu quelque chose en pied! » Elle baissa la tête, pour réfléchir ou pour qu'on ne vît pas son visage. « J'ai vu un saint qui était peut-être debout sur une fontaine. Pour dire la vérité, peut-être n'ai-je rien vu du tout, mais j'ai senti quelque chose qu'on pourrait traduire ainsi : L'eau coulait, et ce que le saint faisait coulait aussi par dessus le bord, comme s'il était un bassin de fontaine débordant doucement dans toutes les directions. Voilà comme on devrait être, pensé-je, alors tout ce qu'on ferait serait bien, et ce qu'on ferait serait complètement indifférent.

— Agathe se voit debout dans le monde dans la surabondance des saints et tremblant pour ses péchés; elle observe, incrédule, que les serpents et les rhinocéros, les montagnes et les abîmes se couchent à ses pieds, paisibles et plus petits encore qu'elle-même. Mais Hagauer, dans tout ça ? dit Ulrich taquin, à mi-voix.

— Tout est là, justement. Il ne peut pas en être. Il doit partir.

— Je vais aussi te raconter quelque chose, dit son frère. Chaque fois que j'ai dû participer à une entreprise commune, à quelque aventure bien humaine, je me suis trouvé comme celui qui sort du théâtre avant le dernier acte, pour prendre un peu l'air, et, apercevant le grand vide obscur avec toutes ses étoiles, abandonne chapeau, pardessus et tragédie pour s'en aller. »

Agathe le regarda d'un air interrogateur. C'était une réponse, et ce n'en était pas une.

Ulrich, lui aussi, la regarda en face. « Souvent, tu es tourmentée par une antipathie sans trouver la sympathie qui lui correspondrait », dit-il. Puis il pensa : « Me ressemble-t-elle vraiment ? » De nouveau, il se dit : comme un pastel à une gravure sur bois. Il se jugeait le plus solide des deux. Elle était plus belle que lui. Si agréablement belle. Du doigt, maintenant, il cherchait à prendre toute la main ; c'était une chaude et longue main pleine de vie, et jusque là il ne l'avait tenue dans la sienne que pour saluer Agathe. Sa jeune sœur était troublée, et s'il n'y avait pas de larmes dans ses yeux, on y voyait du moins de la buée. « Dans quelques jours, tu me quitteras moi aussi, dit-elle, et comment viendrai-je à bout de tout cela ?

— Nous pouvons rester ensemble, tu n'as qu'à me suivre.

— Comment te représentes-tu cela ? demanda Agathe avec son petit pli de réflexion entre les yeux.

— Je ne me le représente encore pas du tout ; c'est une idée qui m'est venue à l'instant même. » Il se leva et donna une autre pièce d'argent aux bergers, « pour la table entaillée ». Agathe, dans un nuage, vit les paysans grimacer, incliner la tête et faire quelque joyeuse protestation en termes brefs et incompréhensibles. Lorsqu'elle passa devant eux, elle sentit leurs yeux hospitaliers posés, nus et émus, sur son visage, et comprit qu'on les avait pris pour des amoureux qui s'étaient querellés et réconciliés. « Ils nous ont pris pour des amoureux ! » dit-elle. Avec exubérance, elle mit son bras sous le bras d'Ulrich, et toute sa joie éclata. « Tu devrais me donner un baiser ! » demanda-t-elle en riant et en serrant le bras d'Ulrich contre son corps lorsqu'ils furent sur le seuil de la cabane et que la porte basse s'ouvrit sur l'obscurité du soir.

11. *Conversations sacrées. Début.*

Durant le reste du séjour d'Ulrich, il ne fut plus guère question d'Hagauer ; mais le frère et la sœur ne revinrent pas non plus de longtemps sur l'idée qu'ils avaient eue de prolonger leur rencontre et de commencer une vie en commun. Néanmoins, le feu qui avait jailli en flamme vive dans le désir forcené d'Agathe d'éliminer son mari, continuait à couver sous la cendre. Il se déployait en conversations qui ne trouvaient jamais de fin et pourtant rebondissaient toujours; peut-être faudrait-il dire que l'âme d'Agathe cherchait une autre possibilité de brûler librement.

D'ordinaire, au début de ces conversations, elle posait une question précise et personnelle dont la forme intérieure était : « Ai-je ou n'ai-je pas le droit ? » L'anarchie de sa nature avait revêtu jusqu'alors la forme triste et lasse de cette conviction : « J'ai le droit de tout faire, mais il n'y a rien que je veuille faire ». Ainsi, les questions de sa jeune sœur faisaient quelquefois sur Ulrich, non sans raison, une impression analogue à celle que font les questions des enfants, aussi chaudes que les petites mains de ces êtres désarmés.

Ses propres réponses avaient un autre aspect, non moins caractéristique de sa nature : il lui dispensait toujours volontiers une part du butin de sa vie et de ses réflexions et, conformément à son habitude, il s'exprimait avec autant de franchise que de hardiesse intellectuelle. Il avait toujours tôt fait d'en revenir à la « morale » de l'histoire dont parlait sa sœur, frappait une formule, se prenait volontiers pour terme de comparaison et découvrait ainsi à Agathe beaucoup de choses sur lui-même, et particulièrement sur sa vie passée, qui avait été plus remplie que maintenant. Agathe ne lui racontait rien sur elle-même, mais elle admirait en lui cette faculté de parler de sa vie; il lui plaisait qu'il sût considérer toutes ses impulsions à elle sous l'angle de la morale. La morale n'est rien d'autre qu'un ordre de l'âme et des choses, embrassant l'un et l'autre domaine, et il n'est pas surprenant que les jeunes gens, dont la volonté de vivre n'est pas encore émoussée, en parlent beaucoup. C'est plutôt chez un homme de l'âge et de l'expérience d'Ulrich qu'une explication était nécessaire : les hommes faits ne parlent de morale que professionnellement, lorsque cela fait partie de leur langage officiel; sinon, ce mot a déjà été englouti par les activités quotidiennes et n'apparaît plus guère dans sa pureté. Qu'Ulrich parlât de morale trahissait donc un profond désordre qui attirait Agathe par la ressemblance qu'elle y voyait avec son cas. Maintenant, elle avait honte d'avoir avoué si naïvement qu'elle voulait vivre « en plein accord avec elle-même », car elle entrevoyait les conditions complexes qui se mettaient à la traverse. Pourtant, impatiente, elle souhaitait que son frère aboutît plus rapidement à un résultat : il lui semblait souvent que tous ses propos y tendaient, que chaque fois même, vers la fin, ils s'en rapprochaient un peu plus et ne s'arrêtaient qu'avant le tout dernier pas sur un seuil où Ulrich, chaque fois, abandonnait son entreprise.

Le lieu de ce changement d'orientation et de ces derniers pas, dont l'influence paralysante n'échappait pas non plus à Ulrich, peut être décrit d'une manière très générale par le fait que toutes les propositions de la morale européenne aboutissent à un point analogue, au-delà duquel on ne peut aller. De sorte qu'un homme qui rend compte de lui-même fait d'abord les gestes de quelqu'un qui barbote en eau basse, aussi longtemps qu'il sent sous ses pieds des convictions solides, puis tout à coup adopte ceux de la noyade affolée s'il s'éloigne davantage, comme si le fond de la vie, après avoir été très proche, faisait place brusquement à un abîme. Ce fait se traduisait aussi extérieurement chez le frère et la sœur, de la façon suivante : Ulrich pouvait parler tranquillement et clairement de tout ce qu'il exposait d'abord avec la participation de son intelligence, et Agathe éprouvait à l'écouter une ardeur égale; mais quand ils s'interrompaient et se taisaient, une passion bien plus vive envahissait leurs visages.

Ainsi arriva-t-il qu'un jour ils furent emportés au-delà de la limite à laquelle ils s'étaient tenus inconsciemment jusqu'alors. Ulrich avait affirmé : « La seule caractéristique essentielle de notre morale est que ses commandements se contredisent. La plus morale de toutes les propositions est celle-ci : l'exception confirme la règle! » Probablement cette phrase lui avait-elle été inspirée simplement par son aversion pour une méthode morale qui se prétend inflexible et se voit obligée, dans son application pratique, de céder à toutes les pressions, s'opposant rigoureusement ainsi au procédé exact qui veut que l'on s'attache d'abord à l'expérience, et qu'on tire les lois de son observation. Il connaissait évidemment la différence que l'on établit entre les lois naturelles et les lois morales : les unes seraient copiées de la nature sans morale, mais les autres devraient être imposées à la nature humaine, moins rétive. Pourtant, il était d'avis que quelque chose clochait, aujourd'hui, dans cette distinction. Il avait précisément voulu dire que la morale était en retard de cent ans sur la pensée, d'où la peine qu'elle avait à s'adapter à nos besoins nouveaux. Mais, avant qu'il eût poussé son explication aussi loin, Agathe l'interrompit par une réponse qui paraissait très simple, mais qui, sur l'instant, le déconcerta.

« N'est-il donc pas bon d'être bon ? » demanda-t-elle à son frère avec dans les yeux la même lueur que naguère, lorsqu'elle avait usé des décorations d'une manière que chacun n'aurait sans doute pas jugée bonne.

« Tu as raison, répliqua-t-il, stimulé. Ce sont de telles phrases qu'il faut former si l'on veut comprendre le sens premier des mots! Les enfants aiment être bons comme ils aiment les sucreries...

— Ils aiment aussi être méchants...

— Mais le désir d'être bon fait-il encore partie des passions des adultes ? demanda Ulrich. Non, être bon fait partie de leurs *principes!* Ils ne sont pas bons, cela leur semblerait puéril, ils agissent bien; un homme bon est un homme qui a de bons principes et qui fait de bonnes actions : que cela ne l'empêche pas d'être un salaud, c'est un secret de polichinelle!

— Voir Hagauer, dit Agathe.

— Il y a dans ces hommes bons une absurdité paradoxale. D'un état ils font une exigence, d'une grâce une règle, d'un être un but! Dans cette famille des bons, on ne mange toute sa vie que des restes, et c'est pourquoi le bruit court qu'il y eut jadis un jour de fête dont ils proviennent tous. Sans doute, une ou deux vertus reviennent-elles de loin en loin à la mode, mais dès que c'est passé, elles perdent vite leur fraîcheur.

— Tu as dit une fois que la même action pouvait être bonne ou mauvaise selon son contexte ? » demanda alors Agathe.

Ulrich le reconnut. Sa théorie était que les valeurs morales ne sont pas des grandeurs absolues, mais des notions fonctionnelles. Quand nous moralisons, quand nous généralisons, nous les détachons de leur ensemble naturel : « C'est là probablement que quelque chose cloche sur le chemin de la vertu, dit-il.

— Sinon, comment les êtres moraux pourraient-ils être aussi ennuyeux, ajouta Agathe, quand leur intention d'être bons devrait être la chose la plus délicieuse, la plus difficile et la plus divertissante que l'on puisse imaginer! »

Son frère hésita; mais, soudain, il laissa échapper l'affirmation qui devait les entraîner l'un et l'autre dans des domaines insolites. « Notre morale, expliqua-t-il, est la cristallisation d'un mouvement intérieur absolument différent d'elle ! Dans tout ce que nous disons, nous sommes trop loin de compte ! Prends n'importe quelle phrase, celle-ci par exemple qui me vient à l'esprit : Dans une prison doit régner le repentir ! C'est une phrase qu'on peut prononcer avec la meilleure conscience du monde ; mais personne ne la prend à la lettre, sinon les prisons deviendraient un enfer ! Comment donc la prend-on ? Il est sûrement peu de gens qui sachent ce qu'est le repentir, mais tous peuvent dire où il doit régner. Ou bien, pense simplement que quelque émotion t'élève l'âme : d'où cela s'est-il donc introduit dans la morale ? Quand avons-nous eu le visage si bien enfoncé dans la poussière que l'idée d'être élevés nous ait ravis ? Ou encore, prends à la lettre une expression telle que : être empoigné par une pensée ; dans l'instant où tu ressentirais cette rencontre physiquement, tu serais déjà aux frontières du royaume des fous ! Ainsi, tous les mots veulent être pris littéralement, sinon ils moisissent et deviennent mensongers ; mais on ne peut en prendre aucun au pied de la lettre, sous peine de voir le monde se changer en asile d'aliénés ! On ne sait quelle énorme ivresse émane, tel un obscur souvenir, de cette contradiction, et on en arrive quelquefois à penser que tout ce que nous vivons n'est que fragments détachés et détruits d'un Tout ancien que l'on aurait mal restauré. »

La conversation où tomba cette remarque avait lieu dans la bibliothèque-cabinet de travail. Tandis qu'Ulrich était assis devant les quelques œuvres qu'il avait emportées avec lui en voyage, sa sœur furetait dans le legs juridique et philosophique dont elle était la cohéritière, et elle en tirait parfois l'aliment de ses questions. Depuis leur excursion, le frère et la sœur avaient rarement quitté la maison. Ils passaient leur temps de la sorte. Parfois, ils descendaient se promener dans le jardin ; l'hiver avait dépouillé ses buissons, de sorte qu'apparaissait un peu partout la terre boursouflée par l'humidité. Ce spectacle était pénible. L'air était pâle comme ce qui a séjourné trop longtemps dans l'eau. Le jardin n'était pas vaste. Les chemins revenaient bientôt sur eux-mêmes. L'humeur que ces chemins inspiraient aux deux promeneurs tournait en rond comme le courant devant un barrage où il s'accumule. Lorsqu'ils regagnaient la maison, les chambres étaient sombres et protégées, et les fenêtres ressemblaient à de profonds puits de lumière à travers lesquels le jour pénétrait, délicat et rigide comme s'il eût été de mince ivoire.

Agathe, après la dernière exclamation d'Ulrich, était redescendue de l'échelle où elle était assise, et avait mis son bras sur l'épaule de son frère, sans répondre. C'était une marque de tendresse inhabituelle, car hors les deux baisers, celui du premier soir et celui de quelques jours auparavant, lorsqu'ils étaient sortis de la cabane du berger pour prendre le chemin du retour, la raideur naturelle aux frère et sœur ne leur avait guère autorisé encore que des paroles ou de petites attentions, et même ces deux fois-là, l'effet du contact familier avait été recouvert par celui de la surprise et de la témérité. Mais, cette fois, Ulrich pensa aussitôt à la jarretelle que sa sœur avait donnée au mort, encore toute chaude, en guise d'oraison funèbre. Une pensée lui vint : « Nul doute qu'elle n'ait un amant; mais elle ne semble pas s'en soucier beaucoup, sinon elle ne resterait pas ici aussi paisiblement! » On ne pouvait plus se cacher qu'elle était une femme qui avait mené une vie de femme indépendamment de lui, et qui continuerait à la mener. L'épaule d'Ulrich ressentait, à la seule calme répartition du poids, la beauté du bras d'Agathe, et du côté qui était tourné vers sa sœur, il devinait telle une ombre la proximité de son aisselle blonde et le profil de sa gorge. Pour ne pas rester livré sans défense à cette silencieuse étreinte, il prit dans sa main les doigts de celle d'Agathe posés près de son cou, et recouvrit par ce nouveau contact le premier. « Sais-tu que c'est un peu puéril, ce dont nous parlons là, dit-il non sans découragement. Le monde déborde de décisions actives, et nous, nous sommes assis, conversant dans une oisive abondance de la douceur d'être bon et des pots théoriques dans lesquels nous pourrions la verser! »

Agathe libéra ses doigts, mais laissa sa main revenir à la même place. « Que lis-tu donc là tous les jours? demanda-t-elle.

— Tu le sais bien, répondit-il, tu lis assez souvent par dessus mon épaule!

— Mais j'ai de la peine à m'y retrouver. »

Il ne pouvait se résoudre à lui en rendre raison. Agathe, qui avait apporté une chaise, s'accroupit derrière lui et laissa son visage reposer paisiblement dans les cheveux de son frère, comme pour y dormir. Cela rappela curieusement à Ulrich le moment où son ennemi Arnheim lui avait passé le bras autour du cou, et où le contact d'un autre être, tel un courant incontrôlé, avait pénétré en lui comme par une brèche. Cette fois, sa propre nature ne repoussait pas l'autre, mais quelque chose venait à sa rencontre, quelque chose qui avait été enfoui sous l'éboulis de méfiance et d'aversion qui s'accumule dans le cœur d'un homme d'un certain âge. Les relations d'Agathe avec lui, qui hésitaient entre celles de sœur et de femme, d'étrangère et d'amie, mais n'étaient comparables à aucune de celles-là, n'étaient pas faites non plus, il y avait souvent réfléchi, d'un accord de pensées ou de sentiments particulièrement profond; mais, ainsi qu'il le notait en cet instant avec une sorte de stupeur, ces relations s'étaient entièrement confondues avec le fait, produit en relativement peu de jours par d'innombrables impressions impossibles à énumérer brièvement, que la bouche d'Agathe était posée sans autre exigence dans ses cheveux, et que ses cheveux étaient chauds et humides de l'haleine d'Agathe. C'était spirituel et physique à la fois. Lorsque Agathe répéta sa question, Ulrich fut envahi par une gravité qu'il n'avait plus connue depuis les heures pleines de foi de sa jeunesse. Avant même que se dissipât ce nuage de gravité sans lourdeur qui, de l'espace dans son dos traversait son corps entier pour atteindre le livre sur lequel se posaient ses pensées, il avait donné une réponse qui le surprit plus par son ton absolument dépourvu d'ironie que par son contenu; il dit : « Je m'instruis des voies de la sainteté. »

Il s'était levé; non pour s'éloigner de sa sœur, mais, s'étant arrêté à quelques pas d'elle, pour la voir. « Il n'y a pas de quoi rire, dit-il. Je ne suis pas pieux; j'examine la voie de la sainteté en me demandant si l'on pourrait y circuler en automobile!

— Si j'ai ri, repartit Agathe, c'est tant je suis curieuse de savoir ce que tu vas dire. Les livres que tu as apportés me sont inconnus, mais il me semble que je pourrais les comprendre.

— Connais-tu cette expérience ? demanda son frère presque persuadé déjà qu'elle la connaissait. On peut se trouver pris dans le mouvement le plus violent, quand tout à coup le regard tombe sur le jeu d'un objet quelconque que Dieu et le monde ont abandonné, et on ne parvient plus à s'en arracher ? Tout à coup, on est porté par sa minuscule existence comme une plume qui vole au vent, délivrée de toute pesanteur, de toutes forces ?

— Hormis le mouvement violent sur lequel tu insistes si fort, je crois la reconnaître », dit Agathe. Elle ne put s'empêcher de sourire de l'embarras plein de véhémence qui se peignait sur le visage de son frère et s'accordait si mal avec ses tendres paroles. « On oublie parfois de voir et d'entendre, on perd la parole. Pourtant, c'est justement dans ces minutes-là qu'on a l'impression de s'être un instant retrouvé.

— Je dirais, poursuivit Ulrich avec animation, que c'est comme quand on laisse le regard errer sur une grande étendue d'eau miroitante : tout est si lumineux que l'œil ne croit saisir que de l'obscurité, et sur la rive, de l'autre côté, les choses paraissent n'être plus sur terre, mais flotter dans l'air avec une netteté exceptionnelle et subtile, presque douloureuse, presque troublante. On s'exalte et on sombre à la fois dans cette impression. On est lié à tout et on ne peut rien approcher. Tu es de ce côté-ci, le monde de ce côté-là, toi plus que subjectif, lui plus qu'objectif, mais tous deux presque péniblement nets; et ce qui sépare et lie ces deux éléments d'ordinaire entremêlés, c'est une sombre scintillation, un débordement et une extinction, un échange de vibrations. Vous flottez comme le poisson dans l'eau ou l'oiseau dans l'air, mais il n'y a ni rive ni rameau, plus rien que ce flottement! » Ulrich rêvait sans doute; pourtant, le feu et la fermeté de sa langue tranchaient comme du métal sur son thème subtil et flottant. Il semblait avoir dépouillé la prudence qui le retenait d'ordinaire; Agathe le considérait avec étonnement, mais aussi avec une joie fiévreuse.

« Tu penses qu'il y a quelque chose là-derrière ? demanda-t-elle. Plus qu'une simple velléité, ou je ne sais quel autre terme affreusement dégrisant ?

— Si je le pense! » Il se rassit à la même place qu'auparavant et feuilleta les livres qui s'y trouvaient, tandis qu'Agathe se levait pour lui laisser de l'espace. Puis il ouvrit une de ces œuvres en disant : « Les saints décrivent cela ainsi : *Tous ces jours j'étais extrêmement agité. Tantôt je m'asseyais un moment, tantôt j'errais au hasard dans la maison. C'était comme un tourment, et pourtant il faudrait dire plutôt douceur que tourment, car il ne s'y mêlait aucun déplaisir, mais bien un agrément rare et tout à fait surnaturel. J'avais surmonté tous mes pouvoirs sauf la force obscure. Alors j'entendis sans aucun son, alors je vis sans aucune lumière. Puis mon cœur n'eut*

plus de fond, mon esprit plus de forme, ma nature plus d'essence. »
Il leur parut à tous deux que ces mots offraient une ressemblance avec l'agitation qui les avait entraînés dans la maison et le jardin; Agathe fut surtout surprise que les saints aussi dissent que leur cœur était sans fond, leur esprit sans forme; mais Ulrich sembla bientôt repris par son ironie.

Il déclara : « Les saints disent : naguère j'étais enfermé, puis j'ai été tiré de moi-même et abîmé en Dieu sans connaissance. Les empereurs chassant que nous connaissons par nos livres de lecture décrivent la chose autrement : ils racontent qu'un cerf leur est apparu avec une croix dans la ramure, et qu'ils en ont lâché leur épieu; puis, qu'ils ont élevé une chapelle à cet endroit afin de pouvoir continuer à chasser. Et les dames riches et intelligentes que je hante te répondront aussitôt, si tu leur poses une question de ce genre, que le dernier homme qui ait peint de telles expériences est Van Gogh. Peut-être, au lieu de citer un peintre, évoqueront-elles les poèmes de Rilke; en général elles préfèrent Van Gogh qui représente un excellent placement et qui s'est coupé l'oreille parce que sa peinture, comparée à la ferveur des choses, le décevait. La majorité de nos compatriotes dirait, en revanche, que se couper l'oreille n'est pas l'expression d'un sentiment vraiment allemand : plutôt le vide indubitable que vous inspirent les panoramas des sommets. Pour eux, la solitude, les petites fleurs et le murmure des ruisseaux sont la quintessence de l'exaltation humaine; et l'on peut découvrir, jusque dans la complète niaiserie de cette adoration toute crue de la Nature, l'ultime reflet mal compris d'une mystérieuse seconde vie; finalement, il faut donc bien que celle-ci existe ou ait existé!

— Alors, tu ferais mieux de ne pas t'en moquer, objecta Agathe sombre de curiosité et rayonnante d'impatience.

— Je ne m'en moquerais pas si je ne l'aimais », répliqua brièvement Ulrich.

12. *Conversations sacrées. Suite variée.*

Dans la suite, il y eut toujours sur la table un grand nombre de livres, certains qu'Ulrich avait apportés avec lui et d'autres qu'il avait achetés ensuite. Tantôt il improvisait, tantôt, pour donner quelque preuve ou rendre une déclaration mot à mot, il les ouvrait à l'un des nombreux passages qu'il avait marqués d'un signet. C'étaient pour la plupart des autobiographies, des confessions de mystiques qu'il avait devant lui, ou des études scientifiques à leur propos; le plus souvent, il en faisait partir la conversation en disant : « Examinons une bonne fois aussi froidement que possible ce qui se produit là ». Attitude prudente qu'il n'abandonnait pas volontiers; c'est ainsi qu'il dit, cette fois encore : « Si tu pouvais parcourir en entier les descriptions que ces hommes et ces femmes des siècles passés ont laissées de leur naufrage en Dieu, tu découvrirais vérité et réalité entre toutes les lignes, et pourtant les affirmations constituées par ces mêmes lignes contrediraient violemment ta volonté d'actualité. » Il poursuivit : « Ils parlent d'un éclat surabondant. D'une étendue infinie, d'un infini royaume de lumière. D'une unité flottante du monde et des pouvoirs de l'âme. D'un élan merveilleux et indescriptible du cœur. De cognitions si rapides que tout y est instantané, et pareilles à des gouttes de feu tombant dans le monde. D'autre part, ils parlent d'un oubli absolu, d'une non-intelligence, même d'une abolition des choses. Ils parlent d'un repos immense, dérobé à toutes les passions. D'un mutisme soudain. D'un effacement des pensées et des intentions. D'un aveuglement dans lequel ils voient clair, d'une clarté dans laquelle ils sont morts et surnaturellement vivants. Ils appellent cet état une agonie[1] et affirment pourtant vivre plus pleinement que jamais : ne sont-ce pas là, encore qu'enveloppées dans l'obscurité flamboyante de l'expression, les sensations mêmes que l'on éprouve aujour-

1. Littéralement "cessation du devenir", "dé-vivre" *(Entwerden)*. *N. d. T.*

d'hui quand par hasard le cœur (*avide et rassasié*, comme ils disent!) pénètre dans ces régions utopiques qui s'étendent quelque part et nulle part entre une tendresse infinie et une infinie solitude ? »

Dans la brève pause qu'Ulrich se ménagea pour réfléchir, on entendit la voix d'Agathe : « C'est ce que tu as appelé une fois les deux couches qui se superposent en nous.

— Moi... quand ?

— Tu étais allé en ville sans but précis, et tu avais l'impression de te dissoudre en elle tout en la détestant; je t'ai dit que cela m'arrivait très souvent.

— Ah oui! Tu as même ajouté alors : *Hagauer!* s'écria Ulrich. Puis nous avons ri : je m'en souviens bien maintenant. D'ailleurs, je t'ai aussi parlé de la vision prenante et de la vision donnante, des principes mâle et femelle, de l'hermaphroditisme de l'imagination primitive et autres thèmes semblables : je puis parler des heures sur ces sujets! Comme si ma bouche était aussi éloignée de moi que la lune, qui est toujours à son poste, la nuit, quand on cherche un confident pour bavarder! Mais ce que ces âmes pieuses racontent des aventures de leur âme, poursuivit-il tandis qu'à l'amertume de ses paroles se mêlaient l'objectivité et aussi l'admiration, est écrit parfois avec la vigueur et la brutale conviction d'une analyse stendhalienne. Mais cela, il est vrai, (précisa-t-il en guise de restriction) ne dure qu'aussi longtemps qu'ils s'en tiennent strictement aux phénomènes et que ne s'y mêle pas leur jugement : celui-ci étant altéré par la flatteuse conviction d'avoir été élus par Dieu pour Le connaître sans intermédiaires. Dès cet instant, bien sûr, cessant d'évoquer ces perceptions difficiles à décrire dans lesquelles il n'y a ni substantifs ni transitifs, ils retrouvent les phrases avec sujet et objet, parce qu'ils voient en leur âme et en leur Dieu les deux montants de porte entre lesquels va surgir la merveille. Ainsi en arrivent-ils à prétendre que l'âme leur a été tirée du corps et plongée dans le Seigneur, ou que le Seigneur pénètre en eux comme un amant; ils sont saisis, engloutis, aveuglés, volés, violentés par Dieu, ou bien leur âme grandit jusqu'à Lui, pénètre en Lui, goûte de Lui, L'enlace et L'entend parler. Il est impossible de ne pas reconnaître ici le modèle terrestre; ces descriptions n'ont plus rien de découvertes inouïes, elles ressemblent aux images un peu monotones dont un poète de l'amour orne son thème, thème sur lequel il ne peut exister qu'une seule et unique opinion. Pour moi du moins, formé à la réserve, ces relations me mettent à la torture : au moment où les élus assurent que Dieu leur a parlé ou qu'ils ont compris le langage des arbres et des bêtes, ils omettent de me dire ce qui leur a été communiqué; s'ils le font, c'est pour produire de banales histoires personnelles ou de vieilles rengaines pieuses. On ne regrettera jamais assez que les maîtres des sciences exactes n'aient pas de visions! dit-il pour conclure sa longue réplique.

— Penses-tu qu'ils le pourraient ? » dit Agathe, tentatrice.

Ulrich hésita un instant. Puis il répondit, comme en une profession de foi :

« Je ne sais; peut-être cela pourrait-il m'arriver à moi! » Lorsqu'il entendit ses propres paroles, il sourit, pour en restreindre une fois de plus la portée.

Agathe sourit aussi; elle semblait avoir obtenu la réponse tant convoitée, et son visage refléta le petit instant de perplexe déconvenue qui succède à une brusque chute de tension. Aussi protesta-t-elle peut-être dans le seul désir de stimuler à nouveau son frère. « Tu sais, déclara-t-elle, que j'ai été élevée dans une institution fort pieuse : d'où en moi un goût de la caricature qui devient proprement scandaleux quand on me parle d'idéaux religieux. Nos éducatrices portaient un habit dont les deux couleurs formaient une croix, sans doute pour nous rappeler une très haute pensée que nous ne devions pas perdre des yeux de la journée; nous n'y pensions pas une seconde et nous nous contentions d'appeler nos mères les porte-croix, à cause de leur aspect et de leurs soyeux discours. Ainsi, lorsque tu me faisais la lecture, j'avais envie tantôt de rire, tantôt de pleurer.

— Sais-tu ce que cela démontre ? s'écria Ulrich. Tout simplement, que le pouvoir de faire le Bien qui doit loger en nous d'une manière ou d'une autre, ronge les parois dès qu'on essaie de l'enfermer dans une forme rigide et, par le trou ainsi ménagé, vole aussitôt vers le Mal! Cela me rappelle l'époque où j'étais officier, défendant avec mes camarades le Trône et l'Autel : de ma vie, je n'ai entendu parler de ces deux pouvoirs aussi librement! Les sentiments ne supportent pas d'être attachés, mais surtout certains d'entre eux. Je suis persuadé que vos braves éducatrices croyaient tout ce qu'elles vous prêchaient : mais la foi ne doit pas être vieille d'une seule heure! Tout est là! »

Agathe comprit d'elle-même, bien qu'Ulrich, dans sa hâte, ne se fût pas exprimé comme il l'eût désiré, que la foi de ces nonnes qui lui avaient ôté le goût de la foi, était simplement quelque chose de « confit ». Confit sans doute dans sa propre nature, si l'on peut ainsi parler, c'est-à-dire sans perdre aucune de ses qualités de foi, mais néanmoins une foi pas fraîche, sortie imperceptiblement de son état premier, lequel flottait sans doute en cet instant tel un pressentiment devant les yeux de l'indocile et récalcitrant apprenti à la sainteté.

Cela relevait, comme toutes leurs conversations précédentes sur la morale, des doutes bouleversants que son frère lui avait inspirés, et de cet état de réveil intérieur qu'elle éprouvait depuis sans parvenir à y voir clair. L'état d'indifférence qu'elle affichait consciencieusement et favorisait en elle-même n'avait pas toujours régné sur sa vie. Quelque chose s'était produit une fois, à l'occasion de quoi ce besoin d'auto-punition avait jailli tout droit d'un abattement profond qui l'humiliait à ses propres yeux, parce qu'elle ne se croyait plus le droit de rester fidèle à de nobles émotions; depuis lors, elle se méprisait pour la paresse de son cœur. Cet événement se situait entre sa vie de jeune fille dans la maison paternelle et son mariage incompréhensible avec Hagauer, et il s'inscrivait dans un espace de temps si court qu'Ulrich, malgré son intérêt, n'avait pas songé à interroger sa sœur là-dessus.

Le récit en sera bientôt fait : Agathe avait épousé à dix-huit ans un homme à peine plus âgé qu'elle. Lors d'un voyage qui commença par leur mariage et s'acheva par la mort de son mari, celui-ci lui fut arraché, avant même qu'ils eussent choisi leur future résidence, en l'espace de quelques semaines, par une maladie qui l'avait contaminé entre-temps. Les médecins parlèrent de typhus, Agathe les imita : elle y trouva une apparence d'ordre, c'était le côté de l'événement qu'on avait soigneusement poncé pour l'usage du monde. Sur le côté brut, c'était une autre affaire : Agathe avait vécu jusqu'alors aux côtés de son père que tout le monde estimait, de sorte qu'elle admettait, avec quelque hésitation, qu'elle agissait mal en ne l'aimant pas; au pensionnat, sa patiente attente d'elle-même dans l'incertitude, par la méfiance qu'elle suscitait en elle, n'avait pas contribué à renforcer ses relations avec le monde extérieur; plus tard en revanche, quand avec une soudaine vivacité et dans un effort commun avec le compagnon de sa jeunesse elle franchit en quelques mois tous les obstacles qui s'opposaient à un mariage du fait de leur âge à tous deux, bien que les familles n'eussent aucune objection à élever l'une contre l'autre, elle sortit brusquement de son isolement et du coup, se trouva elle-même. Sans doute est-ce là ce qu'on appelle l'amour; mais il est des amoureux qui regardent l'amour comme on regarde le soleil, ils n'y gagnent que d'être aveuglés, et il en est qui découvrent pour la première fois, stupéfaits, la vie illuminée par leur amour : c'est à cette espèce qu'appartenait Agathe; elle ne savait pas encore si elle aimait son compagnon ou autre chose lorsque survint ce qu'on appelait, dans le langage du monde non éclairé, une maladie infectieuse. Ce fut une brutale tempête d'horreur surgie des espaces inconnus de la vie, une flamme luttante, flamboyante et mourante, l'épreuve de deux êtres accrochés l'un à l'autre, le naufrage d'un monde insouciant dans les vomissements, les immondices et l'angoisse.

Agathe n'avait jamais voulu admettre cet événement qui l'avait anéantie. Égarée par le désespoir, elle s'était agenouillée au chevet du mourant et s'était persuadée qu'elle pourrait à nouveau évoquer la force avec laquelle, tout enfant, elle avait surmonté sa propre maladie; le déclin s'aggravant néanmoins et la conscience du malade déjà éteinte, Agathe, dans cet appartement d'un hôtel étranger, incapable de comprendre, avait regardé fixement le visage abandonné. Sans se soucier du danger, elle avait tenu le mourant étroitement embrassé et, négligeant la réalité sur laquelle veillait une infirmière indignée, elle n'avait fait que murmurer pendant des heures à l'oreille maintenant sourde : « Tu ne dois pas, tu n'as pas le droit, pas le droit, pas le droit! » Lorsque tout fut fini, elle s'était simplement relevée avec stupeur, et, sans croire ni penser quoi que ce fût de précis, à partir de ce moment d'étonnement vide, par le simple pouvoir de rêve et l'obstination d'une nature solitaire, elle traita ce qui s'était passé, à part soi, comme si ce n'était pas définitif. Sans doute, celui qui refuse de croire à une mauvaise nouvelle ou qui colore de consolations l'irréfutable témoigne-t-il d'une tendance analogue; mais ce qu'il y avait de particulier dans l'attitude d'Agathe, c'était la force et l'étendue de cette réaction, et surtout la brusque explosion en elle d'un violent mépris du monde. Désormais, consciencieusement, elle n'admit plus les événements nouveaux que comme s'ils étaient, non pas quelque chose de présent, mais une substance extrêmement irréelle : attitude qui lui fut grandement facilitée par la méfiance qu'elle avait toujours éprouvée à l'égard de la réalité. Le passé, en revanche, s'était figé sous l'effet du choc, et il fut érodé par le temps beaucoup plus lentement que ne le sont d'ordinaire les souvenirs. Cela n'avait rien à voir avec l'invasion des rêves, les obsessions et les troubles qui appellent l'intervention du médecin. Au contraire : Agathe survivait, extérieurement, d'une manière tout à fait limpide, modestement vertueuse, un peu ennuyée tout au plus, portée, allégée par sa répugnance à vivre, comme elle l'avait été enfant par la fièvre dont elle avait souffert si bizarrement de son plein gré. Que dans sa mémoire, qui répugnait d'ailleurs à dissoudre ses impressions en généralités, les terribles événements passés restassent présents heure après heure tel un cadavre dans un suaire blanc, cela l'emplissait de bonheur en dépit de tous les tourments liés à une telle précision du souvenir, car cela lui faisait le même effet que l'annonce, mystérieusement retardée, que tout n'était pas fini, et lui conservait, dans l'écroulement de son cœur, une tension incertaine, mais généreuse. En fait, tout cela signifiait simplement qu'elle avait perdu à nouveau le sens de sa vie et se transportait volontairement dans un état qui ne convenait pas à son âge; seuls les vieillards vivent ainsi arrêtés sur les expériences et les succès d'une époque révolue et parfaitement insensibles au présent. Par chance pour Agathe, si elle était à l'âge où l'on prend ses résolutions pour l'éternité, elle était aussi à l'âge où une année semble presque aussi lourde qu'une demi-éternité; il était donc inévitable que sa nature opprimée et son imagination enchaînée se libérassent violemment au bout de quelque temps. Comment se produisit cette libération, il est inutile de le savoir dans les détails; un homme dont les efforts n'auraient sans doute jamais pu lui faire perdre l'équilibre en d'autres circonstances, y parvint, devint son amant, et cette tentative de recommencement s'acheva, après une brève période d'espoir fanatique, dans un dégrisement passionné. Agathe, alors, se sentit vomie aussi bien par sa vie réelle que par sa vie irréelle, et indigne à tout jamais de nobles desseins. Elle était de ces êtres violents qui peuvent se garder longtemps immobiles, en attente, jusqu'à ce que brusquement, à un certain endroit, ils tombent dans tous les désordres; c'est pourquoi, désillusionnée, elle prit bientôt une nouvelle décision irréfléchie, celle, brièvement parlant, de se punir par où elle avait péché en se condamnant à partager sa vie avec un homme qui lui inspirait une légère répugnance. L'homme qu'elle s'était choisi pour se punir ainsi était Gottlieb Hagauer.

« A vrai dire, c'était montrer peu de justice et peu d'égards pour lui! » s'avoua Agathe, et il faut ajouter que c'était la première fois qu'elle faisait cet aveu; la justice et les égards ne sont pas des vertus très en faveur chez les jeunes gens. Néanmoins, son « auto-punition » par cette vie en commun n'avait pas été insignifiante, et Agathe réfléchissait maintenant à cette aventure. Son esprit était bien loin de tout, Ulrich lui-même cherchait on ne savait quoi dans ses livres et semblait avoir oublié de poursuivre la conversation. « Jadis, pensa-t-elle, une femme dans mon état d'esprit serait entrée au couvent »... et qu'elle se fût mariée au lieu de cela, la chose n'allait pas sans un comique naïf qui lui avait échappé jusqu'alors. Ce comique que son esprit juvénile n'avait pas remarqué plus tôt se confondait à vrai dire avec celui de notre époque : on apaise son besoin d'évasion, au pis aller, dans une auberge touristique, d'ordinaire dans un palace alpin, et on aspire à meubler coquettement même les pénitenciers. S'exprime là un besoin profondément européen, celui de ne rien exagérer. Il n'est plus un seul Européen, aujourd'hui, qui se flagelle, se farde de cendre, se coupe la langue, se donne réellement, ou qui se retire réellement de la société des hommes; plus un seul qui succombe à sa passion, qui impose le supplice du pal ou de la roue; mais chacun en éprouve quelquefois le besoin, de sorte qu'il est difficile de dire ce qu'il faut éviter, si c'est le désir, ou le renoncement à l'acte désiré. Pourquoi diable un ascète souffrirait-il de la faim ! C'est le bon moyen de lui donner des visions troublantes! L'ascèse raisonnable consiste à détester la nourriture en étant toujours bien nourri! Une telle ascèse promet de durer et laisse à l'esprit la liberté dont il est privé quand un refus trop passionné l'asservit à son corps. Ces explications pleines d'une amère ironie qu'elle tenait de son frère, faisaient le plus grand bien à Agathe en ce moment : elles divisaient le « tragique », à quoi son inexpérience lui avait fait longtemps le devoir de croire aveuglément, en ironie et en passion; une passion qui n'avait ni nom ni but et pour cette raison même ne s'achevait pas avec ce qu'elle avait vécu.

De la sorte, depuis qu'elle vivait avec son frère, elle avait pu constater que dans la grande scission dont elle avait souffert entre la vie irresponsable et la rêverie funèbre, était intervenu un mouvement qui la libérait tout en renouant les liens desserrés. Maintenant, par exemple, dans le silence approfondi par les livres et les souvenirs qui régnait entre elle et son frère, elle se rappelait la description qu'Ulrich lui avait faite de sa promenade sans but dans la ville, comment il y avait pénétré et comment la ville, à son tour, avait pénétré en lui : cela évoquait très exactement ses quelques semaines de bonheur. Il était également exact qu'elle avait ri, qu'elle avait même ri sans motif et absurdement lorsqu'il lui avait raconté cela, parce qu'elle avait remarqué qu'il y avait une trace de cette inversion du monde, de ce bienheureux et comique retournement dont il parlait, jusque dans les grosses lèvres d'Hagauer lorsqu'elles s'arrondissaient pour un baiser. Sans doute était-ce alors un frisson d'horreur; mais il y a aussi un frisson, pensait-elle, dans la claire lumière du midi, et à ce fait, on ne sait trop comment, elle avait senti que toutes les possibilités n'étaient pas épuisées pour elle. On ne sait quel rien, une solution de continuité qu'il y avait toujours eu entre le passé et le présent, avait disparu ces derniers temps. A la dérobée, elle jeta les yeux autour d'elle. La chambre où elle se trouvait avait été une partie de l'espace où son destin s'était formé; elle y songeait pour la première fois depuis qu'elle était là. C'est ici qu'elle avait retrouvé son compagnon d'enfance, quand elle savait son père absent, et qu'ils avaient pris la grande résolution de s'aimer, c'est ici qu'elle avait reçu quelquefois « l'indigne », qu'elle s'était tenue debout à la fenêtre avec des larmes furtives de rage ou de désespoir, et c'est ici, enfin, que la demande en mariage d'Hagauer, appuyée par son père, s'était jouée. Demeurés si longtemps le revers inaperçu des événements, les meubles, les parois, la lumière avec sa façon particulière d'être captive devenaient maintenant, dans cet instant de reconnaissance, bizarrement robustes, les aventures qui s'étaient passées là constituaient un passé aussi matériel, aussi peu équivoque que de la cendre ou du bois carbonisé. Seul le sentiment à la fois comique et fantômal de ce qui fut, ce bizarre chatouillement que l'on éprouve à la vue d'anciennes traces de soi-même à demi effacées, sentiment que l'on ne peut ni saisir ni chasser dans l'instant où on l'éprouve, seul ce sentiment avait subsisté, avec une intensité presque intolérable.

Agathe s'assura qu'Ulrich ne faisait pas attention à elle et ouvrit prudemment son corsage à l'endroit où elle gardait sur la peau, depuis des années, le pendentif avec le petit portrait. Elle gagna la fenêtre et feignit de regarder dehors. Prudemment, elle souleva le mince rebord de la minuscule huître dorée et considéra à la dérobée son bien-aimé mort. Il avait des lèvres pleines, une chevelure épaisse et souple, le hardi regard d'un garçon de vingt ans jaillissait d'un visage encore mal dégrossi. Elle resta longtemps sans savoir à quoi elle pensait, puis se dit tout à coup : « Mon Dieu, un garçon de vingt-et-un ans ! »

De si jeunes gens, de quoi peuvent-ils parler ? Quelle importance donnent-ils à leur vie ? Qu'ils sont comiques et prétentieux souvent ! Comme la vivacité de leurs idées les trompe sur la valeur de celles-ci ! Avec curiosité, Agathe tirait du papier de soie du souvenir de vieilles déclarations qu'elle y avait conservées comme des merveilles d'intelligence : Mon Dieu, ce n'était pas bien extraordinaire, pensa-t-elle; mais cela même, on ne pouvait l'affirmer avec certitude si on ne se représentait pas aussi le jardin où ces déclarations avaient été faites, avec les fleurs étranges dont ils ne savaient pas le nom, les papillons qui se posaient dessus tels des ivrognes fatigués, et la lumière qui ruisselait sur leur visage comme si le ciel et la terre s'étaient dissous en lumière. Mesurée à cette aune, elle était maintenant une vieille femme pleine d'expérience, quoique le nombre des années écoulées ne fût pas bien grand, et elle découvrit non sans trouble la bizarrerie du fait qu'elle avait continué à aimer, à vingt-sept ans, un garçon de vingt ans : il était devenu beaucoup trop jeune pour elle ! « Quels sentiments devrais-je donc éprouver si cet homme enfantin était vraiment pour moi, à mon âge, l'essentiel ? » Ç'aurait été sans doute des sentiments bien étranges; ils ne signifiaient rien pour elle, elle était incapable même de s'en former une idée exacte. Finalement, tout cela se défaisait en poussière.

Agathe reconnut, dans une grande marée d'émotion, que la seule passion fière de sa vie l'avait assujettie à une erreur; le noyau de cette erreur était un nuage de feu que l'on ne pouvait ni toucher ni saisir, soit qu'on pensât que la foi ne pouvait être vieille d'une heure, soit qu'on nommât autrement ce nuage; toujours, c'était ce dont lui parlait son frère depuis qu'ils étaient ensemble, et toujours c'était d'elle-même qu'il parlait, même s'il faisait toutes sortes de cérémonies abstraites et si sa prudence était beaucoup trop lente pour l'impatience d'Agathe. Ils en revenaient toujours à la même conversation, et Agathe elle-même brûlait du désir que la flamme de ce dialogue ne baissât point.

Lorsqu'elle interpella Ulrich à nouveau, celui-ci n'avait même pas remarqué la longueur de l'interruption. Mais que le lecteur qui n'a pas encore reconnu à ces signes ce qui se passait entre le frère et la sœur abandonne ce récit : une aventure est décrite ici qu'il ne pourra jamais approuver; un voyage aux confins du possible, qui leur faisait frôler les dangers de l'impossible, de l'anormal, du scandaleux même, et peut-être pas toujours frôler seulement; un « cas-limite », ainsi qu'Ulrich l'appela plus tard, d'une valeur limitée et particulière, rappelant la liberté avec laquelle les mathématiciens recourent à l'absurde pour atteindre à la vérité. Ulrich et Agathe étaient tombés sur un chemin qui évoquait souvent les préoccupations des possédés de Dieu, mais ils le suivaient sans être pieux, sans croire ni à Dieu ni à l'âme, même pas à un Au-delà ou à un Recommencement; ils étaient tombés sur ce chemin en hommes de ce monde, et ils le suivaient en tant que tels : tout l'intérêt de l'aventure était là. Ulrich, encore tout occupé de ses livres et des problèmes qu'ils lui posaient lorsque Agathe reprit la parole, n'en avait pas pour autant oublié un seul instant la conversation qui s'était arrêtée à l'hostilité de sa sœur pour la piété des nonnes et à son propre souhait de « visions exactes ». Il repartit aussitôt : « Il n'est aucun besoin d'être un saint pour faire une expérience analogue! Simplement assis sur un arbre foudroyé ou sur un banc dans la montagne et contemplant un troupeau de vaches au pâturage, on peut n'éprouver rien de moins que si l'on était transporté d'un coup dans une autre vie! On s'oublie et en même temps on se retrouve : toi-même en as déjà parlé.

— Mais qu'est-ce donc qui se produit ?

— Pour te l'expliquer, il faut d'abord, ô ma sœur, que je te dise ce qui se passe d'ordinaire! » dit Ulrich en essayant de freiner l'élan trop prompt de sa pensée par un ton de plaisanterie. « D'ordinaire, un troupeau n'est à nos yeux que de la viande de bœuf qui paît. Ou un sujet pittoresque sur un bel arrière-plan. Ou bien, on n'y fait presque pas attention. Les troupeaux de vaches sur les sentiers de montagnes font partie desdits sentiers, et l'on ne comprendrait ce qu'on éprouve à leur vue que s'il se trouvait à leur place une horloge régulatrice ou une maison de rapport. Généralement, on réfléchit s'il faut rester assis ou debout; on se plaint des mouches qui bourdonnent autour du troupeau; on s'assure qu'il n'y a pas un taureau au milieu; on se demande où le sentier conduit : innombrables petites intentions, petits soucis, petits calculs, petites perceptions qui forment comme le papier sur lequel se peint l'image du troupeau. On ne pense pas au papier, on voit seulement le troupeau dessus...

— Et soudain le papier se déchire!

— C'est cela. Ou plutôt : quelque tissu habituel en nous se déchire. Alors, plus rien de comestible ne broute; plus rien de pictural; plus rien ne nous barre le chemin. Tu ne peux même plus former les mots *paître* ou *brouter*, parce qu'il y faudrait une quantité de notions pratiques, utilitaires, que tu as perdues tout d'un coup. Ce qui reste à la surface pourrait être décrit plutôt comme un ondoiement d'émotions, montant et descendant, ou respirant et flamboyant, comme s'il remplissait tout le champ de la vision sans avoir aucun contour précis. Il va de soi qu'on trouve encore dans cet ondoiement d'innombrables perceptions isolées, couleurs, cornes, mouvements, odeurs, tout ce qui fait partie du réel; mais, si on les note encore, on ne les reconnaît plus. Je dirais que ces détails sont débarrassés de l'égoïsme grâce auquel ils attiraient notre attention, qu'ils sont liés les uns aux autres fraternellement et, au sens propre du mot, intimement. Naturellement, plus question de surface; on ne sait comment, toutes choses ont perdu leurs limites et sont passées en toi. »

Agathe reprit avec vivacité la description : « Tu n'as plus qu'à remplacer l'égoïsme des détails par l'égoïsme des hommes, s'écria-t-elle, pour trouver ce qu'il est si difficile d'exprimer : *Aime ton prochain!* ne signifie pas *Aime-le tel que tu es*, mais définit une sorte d'état de rêve!

— Tous les principes de la morale, confirma Ulrich, définissent une sorte d'état de rêve qui, pour peu qu'on essaie de l'enfermer dans des règles, s'évapore aussitôt!

— Alors, somme toute, il n'y a plus ni Bien ni Mal, seulement la foi... ou le doute! » s'écria Agathe qui semblait comprendre parfaitement, maintenant, l'état premier, autonome et puissant, de la foi, et non moins parfaitement sa dégradation dans la morale, cette perte dont son frère lui avait parlé quand il disait que la foi ne pouvait être vieille d'une heure.

« Oui, à l'instant où l'on échappe à la vie inessentielle, toutes choses inaugurent de nouvelles relations mutuelles, ajouta Ulrich. On pourrait presque dire qu'il n'est plus entre elles aucune relation. Car cette relation nouvelle est absolument inconnue, nous n'en avons pas la moindre expérience, et toutes les autres sont abolies; mais celle-ci est si évidente, en dépit de son obscurité, qu'il est impossible de la nier. Elle est intense, mais insaisissable. Évoquons-la encore autrement : d'ordinaire, quand on regarde quelque chose, le regard est comme un bâtonnet ou un fil tendu à chaque extrémité duquel s'appuient d'un côté l'œil et de l'autre l'objet regardé, et on ne sait quelle grande trame de ce genre appuie chaque seconde; alors qu'il y a plutôt, dans cette nouvelle relation, quelque chose de douloureusement doux qui tient séparés les rayons du regard.

— On ne possède plus rien au monde, on ne tient plus rien, on n'est plus tenu par rien, dit Agathe. Tout est pareil à un grand arbre dont aucune feuille ne bouge. Dans cet état, on ne peut rien faire de vil.

— On dit que rien ne peut se produire, dans cet état, qui ne soit en accord avec lui, reprit Ulrich. Un désir d'abandon à cet état est l'unique motif, l'unique forme, l'amoureuse détermination de tout acte et de toute pensée qui se produisent en son sein. Il est quelque chose d'infiniment tranquille et d'infiniment vaste, et tout ce qui se passe en lui accroît sa signification régulièrement, tranquillement grandissante. S'il ne l'accroît pas, c'est le mal, mais le mal ne peut pas se produire, parce qu'à l'instant même le silence et la clarté se déchirent, et l'état merveilleux se dissout. » Ulrich regarda sa sœur d'un œil interrogateur, mais discret; il persistait dans le sentiment qu'il faudrait bientôt s'arrêter. Le visage d'Agathe était clos; elle pensait à un très ancien passé. Elle répondit : « Je m'étonne moi-même, mais il y a vraiment eu une brève période où je n'ai connu ni l'envie, ni la méchanceté, ni la vanité, ni la cupidité, ni rien de pareil; c'est à peine croyable, il me semble que ces défauts avaient déserté d'un coup non seulement mon cœur, mais encore le monde lui-même! Alors, non seulement on ne peut pas se conduire bassement, mais les autres même ne le peuvent pas. Un homme bon rend bon tout ce qu'il touche, quoi que les autres puissent tenter contre lui : dans l'instant où leur geste entre dans son domaine, il est par lui modifié!

— Non, dit Ulrich, ce n'est pas exact; voilà plutôt, bien au contraire, un des plus anciens malentendus! Un homme bon ne rend nullement le monde bon, il n'a aucun effet sur le monde : simplement, il s'en isole!

— Il reste pourtant dans le monde ?

— Il reste dans le monde, mais il lui semble que l'espace a été retiré des choses, ou qu'il se passe on ne sait quoi d'imaginaire : c'est difficile à dire!

— Néanmoins, j'ai idée qu'un homme à l'âme haute (c'est l'expression qui me vient à l'esprit) ne rencontre jamais rien de vil sur son chemin; c'est peut-être une absurdité, mais c'est aussi une expérience.

— C'est peut-être une expérience, repartit Ulrich, mais l'expérience contraire a été faite également. Ou penses-tu que les soldats qui ont crucifié Jésus n'aient pas eu de sentiments vils ? Ils étaient pourtant des instruments de Dieu! De plus, à en croire les mystiques eux-mêmes, il existe de mauvais sentiments : ils se plaignent de tomber hors de l'état de grâce, d'éprouver alors un indicible chagrin, ils connaissent l'angoisse, le tourment, la honte, peut-être même la haine. Il faut que le feu silencieux reprenne pour que remords, colère, angoisse et tourment redeviennent béatitude. Il est si difficile de juger de tout cela!

— Quand as-tu connu pareil amour ? demanda Agathe brusquement.

— Moi ? Oh! je te l'ai déjà raconté : je m'étais enfui à mille kilomètres de ma bien-aimée, et quand je me suis senti à l'abri de toute possibilité d'étreinte réelle, j'ai hurlé vers elle comme un chien hurle à la lune! »

Alors Agathe lui confessa l'histoire de son amour. Elle était troublée. Déjà, elle avait lâché sa dernière question comme une corde excessivement tendue, et le reste suivit sur le même ton. L'intérieur de son être tremblait lorsqu'elle libéra le secret de plusieurs années.

Son frère n'en fut pas particulièrement secoué. « D'ordinaire, les souvenirs vieillissent avec les êtres, expliqua-t-il, et les épisodes les plus passionnés, avec la perspective du temps, prennent un côté comique, comme si on les apercevait à travers quatre-vingt-dix-neuf portes ouvertes les unes derrière les autres. Mais quelquefois, lorsque les souvenirs étaient liés à des sentiments très intenses, ils ne vieillissent pas et tiennent accrochées à eux-mêmes des couches entières de l'être. Ce fut ton cas. Il y a chez chaque individu, ou presque, de ces points qui altèrent légèrement la symétrie psychique; d'ordinaire, l'homme passe dessus comme un fleuve continue à couler sur un rocher invisible; chez toi, ç'a été particulièrement intense, de sorte qu'on a pu croire à une stagnation. Finalement tu t'es libérée quand même, tu te retrouves en mouvement! »

Il donna cette explication avec la sérénité d'une pensée presque professionnelle : comme il était vite distrait! Agathe fut malheureuse. Elle dit, avec obstination : « Bien sûr, je suis en mouvement, mais ce n'est pas de cela que je parle! Je veux savoir où j'ai failli aboutir! » Elle était irritée aussi, sans le vouloir, simplement parce que son excitation devait se manifester d'une manière ou d'une autre; néanmoins, elle continuait à parler dans la direction première de son mouvement, une sorte de vertige la prenait entre la tendresse de ses propos et l'irritation de l'arrière-plan. Elle parla de cet état particulier d'accroissement de la réceptivité et de la sensibilité qui produit, à la fois, une surabondance et un reflux des impressions, état d'où l'on retire le sentiment d'être lié à toutes les choses comme dans le fluide miroir d'une étendue d'eau, celui aussi de donner et de recevoir sans que la volonté y soit pour rien; ce sentiment merveilleux, commun à l'amour et à la mystique, que le dehors comme le dedans, ayant perdu leurs limites, sont devenus illimités. Agathe, naturellement, n'usait pas de ces termes qui supposent déjà une explication, elle se contentait d'aligner des fragments passionnés de souvenir. Ulrich lui-même, d'ailleurs, bien qu'il y eût réfléchi plus souvent, était incapable d'expliquer ces expériences; surtout, il ne savait pas s'il devait tenter leur explication sur leur mode particulier ou selon la méthode ordinaire de la raison; les deux voies le tentaient également, mais il n'en allait pas de même pour la passion tangible de sa sœur. C'est pourquoi ce qu'il exprima dans sa réplique ne fut qu'une médiation, une sorte d'examen des possibilités. Il évoqua la remarquable parenté qu'il y avait, dans l'état élevé dont ils parlaient, entre la pensée et la morale, de sorte que toute pensée, ressentie comme un bonheur, un événement et un cadeau, cessait de rôder dans les greniers à provisions et même de s'associer aux sentiments d'appropriation, de domination, de conservation et d'observation : dans la tête aussi bien que dans le cœur, le goût de la possession de soi était remplacé par un don de soi, un entrelacement de soi et d'autrui, illimités. « Pour une fois dans notre vie, répondit Agathe avec une résolution exaltée, tout ce que l'on fait se produit pour un autre. C'est pour lui qu'on voit le soleil briller. Il est partout, on n'est nulle part. Il ne s'agit pas pour autant d'un *égoïsme à deux*, puisqu'il en va exactement de même pour l'autre. Finalement, les deux sont à peine là l'un pour l'autre, il ne reste plus qu'un monde fait pour deux seuls êtres, un monde d'approbation, d'abandon, d'amitié et de désintéressement ! »

Dans l'obscurité de la chambre, sa joue brûlait d'enthousiasme comme une rose fleurie dans l'ombre. Ulrich lui dit : « Reprenons notre sang-froid : dans ces domaines, il y a beaucoup trop de poudre aux yeux ! » Agathe en convint. Peut-être était-ce son irritation, non encore entièrement disparue, qui faisait que la réalité évoquée eût légèrement altéré son ravissement; mais ce tremblement incertain des limites n'était pas désagréable.

Ulrich se mit à parler de l'erreur qu'il y avait à interpréter les expériences dont ils parlaient comme s'il ne se produisait pas simplement en elles une modification particulière de la pensée, mais bien comme si une pensée supra-humaine y prenait la place de la pensée ordinaire. Qu'on appelât cette pensée illumination divine ou seulement, à la mode de l'époque, intuition, il voyait là le premier obstacle à toute compréhension réelle. Il était convaincu qu'on ne pouvait rien gagner à céder à des imaginations qui ne résistaient pas à un examen attentif. C'était comme les ailes de cire d'Icare qui fondirent à l'altitude, s'écria-t-il; si on ne voulait pas voler seulement en rêve, il fallait apprendre à le faire avec des ailes de métal.

Montrant les livres devant lui, il poursuivit après une brève pause : « Il y a là des témoignages chrétiens, judaïques, hindous et chinois; plus d'un millénaire sépare certains d'entre eux. En chacun, néanmoins, on reconnaît à leur mouvement intérieur la même structure, différente de l'ordinaire mais cohé rente. Les seules différences qui les séparent résident presque toujours uniquement dans ce qu'ils doivent à leur association avec le système théologique ou cosmogonique à l'abri duquel ils se sont logés. Nous pouvons donc supposer l'existence d'un second état bien défini, extraordinaire, capital, auquel l'homme est capable d'accéder et qui est plus ancien que toute religion.

« Or, ajouta-t-il en guise de restriction, les Églises, c'est-à-dire les communautés civilisées d'individus religieux, ont toujours traité cet état avec la méfiance du bureaucrate pour l'entreprise privée. Elles n'ont jamais reconnu cette expérience exaltée sans restriction, tout au contraire; elles ont fait de grands efforts, apparemment justifiés, pour le remplacer par une morale compréhensible et bien réglée. Ainsi, l'histoire de cet état est l'histoire d'une négation et d'une raréfaction progressives qui évoquent l'assèchement d'un marais.

« Quant le régime ecclésiastique et son vocabulaire, conclut-il, eurent vieilli, il est compréhensible qu'on en soit venu à ne plus voir dans notre fameux état qu'une chimère. Pourquoi donc la civilisation bourgeoise, succédant à la civilisation religieuse, eût-elle été plus religieuse que celle-ci ? Cet autre état, pour elle, ce fut le chien qui rapporte, mais qui rapporte des « lumières ». Nombre d'hommes aujourd'hui accusent la raison et voudraient nous faire accroire qu'ils pensent, dans leurs moments de plus haute sagesse, à l'aide d'une capacité particulière et supérieure à la pensée : c'est là le dernier reste public, complètement rationalisé d'ailleurs, de notre état; la dernière étape de l'assèchement, c'est le gâchis! En dehors de la poésie, on ne permet donc plus l'ancien état qu'aux personnes incultes, dans les premières semaines de leur amour : c'est un désordre passager; ou encore, de jeunes pousses attardées qui s'ouvrent parfois sur le bois des lits et des chaires. Mais quand cet état voudrait retrouver sa grande croissance originelle, on le déterre et le déracine impitoyablement! »

Ulrich avait parlé à peu près aussi longuement qu'un chirurgien se lave les mains et les bras pour n'apporter aucun germe dans le champ opératoire; de même, avec la patience, le dévouement et la sérénité qui contrastent avec l'excitation qu'apportera le travail à accomplir. Mais, quand il se fut entièrement stérilisé, il eut comme une nostalgie d'un peu de fièvre et d'infection : il n'aimait pas l'objectivité pour elle-même.

Agathe était assise sur une échelle qui servait à descendre les livres des rayons supérieurs, et ne donna aucun signe d'attention, même lorsque son frère se tut; elle regardait le gris du ciel, infini comme la mer, et écoutait le silence comme elle avait écouté les paroles. Aussi Ulrich continua-t-il à parler, avec une légère diminution de hardiesse que cacha mal son ton plaisant.

« Retournons à notre banc dans la montagne et à notre troupeau, fit-il. Imagine-toi qu'y soit assis un quelconque chef de bureau en culotte de cuir flambant neuve, avec des bretelles vertes où sont brodés les mots *Grüss Gott* : il représente le côté solide, réel de la vie, surpris pendant ses vacances. De ce fait, naturellement, la conscience qu'il a de son existence est provisoirement modifiée. Quand il considère le troupeau, il ne compte pas, ne chiffre pas, il n'évalue pas le poids vif des bêtes qui broutent sous ses yeux, il pardonne à ses ennemis et se montre indulgent pour les siens. D'objet pratique qu'il était pour lui, le troupeau est devenu, si l'on peut dire, objet moral. Sans doute est-il possible qu'il évalue quand même un peu, qu'il calcule et ne pardonne pas absolument; n'empêche que les murmures de la forêt, le gazouillis du ruisseau et les rayons du soleil l'environnent. Une seule phrase suffit à résumer cela : ce qui forme d'ordinaire le contenu de sa vie lui paraît *lointain* et *somme toute sans importance*.

— C'est une humeur de jour férié, compléta mécaniquement Agathe.

— Très juste! Et si l'existence non fériée lui semble *somme toute sans importance*, c'est seulement pour la durée des vacances. Telle est aujourd'hui la vérité : l'homme a deux états d'existence, de conscience et de pensée. Il se protège contre la mortelle épouvante que ce fait devrait lui inspirer en considérant l'un de ces états comme les vacances de l'autre, son interruption, un repos, enfin un caractère de cet autre état qu'il croit connaître. La mystique, en revanche, serait liée à l'idée de vacances perpétuelles. Le chef de bureau jugerait cela déshonorant et aussitôt, il sentirait que la vie réelle gît dans son bureau bien en ordre. Nous-mêmes, sentons-nous différemment? Pour décider si quelque chose doit être mis en ordre ou non, on décide toujours en dernier lieu s'il faut le prendre ou non au sérieux; de ce point de vue, les expériences dont nous parlons n'ont pas eu beaucoup de chance, car les milliers d'années qui nous en séparent n'ont pas suffi à les faire sortir de leur désordre et de leur inachèvement originel. Pour elles d'ailleurs, on tient toute prête la notion de délire, délire religieux ou délire érotique, comme tu voudras. Sois-en bien persuadée : de nos jours, la plupart des esprits religieux sont à tel point contaminés par la pensée scientifique qu'ils n'osent pas examiner ce qui brûle tout au fond de leur cœur, et qu'ils seraient tout prêts, en bons médecins, à traiter cette ardeur de délire, même s'ils emploient, officiellement, un autre langage! »

Agathe jeta à son frère un regard qui crépitait comme un feu sous la pluie. « Une fois de plus, tu as réussi à nous égarer! » lui reprocha-t-elle, comme il ne poursuivait pas.

« Tu as raison. Mais voici bien le plus étrange : quoique nous ayons bouché tout cela comme un puits suspect, une goutte de cette eau miraculeuse et inquiétante a dû subsister et creuser un trou dans tous nos idéaux comme un acide. Aucun ne satisfait pleinement, aucun ne nous rend heureux; tous font allusion à quelque chose qui n'est pas là : nous en avons suffisamment discouru aujourd'hui. Notre culture est le temple de tout ce qui, à l'état de fraîcheur, serait appelé délire, mais c'est en même temps son dépôt, et nous ne savons plus si nous souffrons d'excès ou de défaut.

— Peut-être n'as-tu jamais eu le courage d'engager là tout ton être », dit Agathe sur un ton de regret en descendant de son échelle. En fait, ils s'occupaient de classer les papiers posthumes de leur père; simplement, les livres, et ensuite leur entretien, les avaient détournés de ce travail devenu urgent avec le temps. Ils recommencèrent donc à examiner les diverses dispositions et notes qui se rapportaient au partage de leur fortune, car le jour auquel on avait renvoyé Hagauer était proche; mais, avant même qu'ils s'y fussent mis sérieusement, Agathe leva la tête de ses paperasses et posa une nouvelle question : « Jusqu'à quel point crois-tu à ce dont tu m'as parlé ? »

Ulrich répondit sans lever les yeux. « Imagine qu'il y ait dans le troupeau, tandis que ton cœur s'est détaché du monde, un taureau méchant! Essaie de croire sincèrement que la maladie mortelle dont tu m'as fait le récit aurait eu un autre cours si ton cœur n'avait pas faibli une seule seconde! » Puis il leva la tête et désigna les papiers qu'il tenait. « Et la loi, le droit, la mesure ? Penses-tu que ce soit tout à fait superflu ?

— Jusqu'à quel point crois-tu donc ?

— Oui et non, dit Ulrich.

— Non, donc! » conclut Agathe.

A ce moment, un hasard intervint dans le dialogue. Quand Ulrich, qui n'était ni désireux de relancer la conversation, ni assez serein pour penser affaires, rassembla les papiers épars devant lui, quelque chose tomba à terre. C'était une liasse défaite de toutes sortes de choses, qui était sortie par mégarde avec le testament d'un coin du tiroir où elle devait être restée des dizaines d'années à l'insu de son propriétaire. Ulrich observa distraitement ce qu'il ramassait et reconnut sur quelques feuillets l'écriture de son père; ce n'était pas l'écriture de la vieillesse, mais celle de l'âge mûr. Ulrich se fit plus attentif, aperçut outre les feuillets manuscrits des cartes à jouer, des photographies, tout un bric-à-brac, et comprit rapidement ce qu'il avait découvert. C'était le tiroir secret du bureau. Il y avait là des plaisanteries soigneusement recopiées, obscènes pour la plupart; des photos de nus; des cartes postales à envoyer sous pli cacheté montrant des vachères rebondies dont on pouvait ouvrir les culottes par derrière; des jeux de carte d'apparence fort honnête qui, tenus à contre-jour, révélaient des choses effroyables; des bonshommes qui crachaient tout au monde quand on leur pressait sur le ventre; et bien d'autres mystères du même acabit. Il ne faisait pas de doute que le vieux monsieur avait complètement oublié ce qui se trouvait dans son tiroir, sinon il l'eût détruit à temps. Cela datait évidemment de l'âge mûr, où il n'est pas rare que des célibataires ou des veufs vieillissants s'échauffent à de telles ordures, mais Ulrich rougit de découvrir ainsi, mal conservée, la songerie de son père, que la mort avait détachée de la chair. Le rapport avec la conversation interrompue lui apparut immédiatement. Son premier mouvement fut de détruire ces documents avant qu'Agathe ne les vît. Mais Agathe avait remarqué déjà qu'il lui était tombé entre les mains quelque chose d'insolite, de sorte qu'il changea brusquement d'idée et l'appela.

Il voulait voir ce qu'elle dirait. Tout à coup, il était repris par l'idée qu'elle était une femme qui devait avoir eu des expériences, ce dont le thème plus profond de leurs entretiens lui avait fait perdre totalement conscience. Mais le visage d'Agathe ne trahissait nullement ses pensées; elle considérait avec une tranquille gravité le legs illégal de son père, et quelquefois elle souriait franchement, mais néanmoins avec une sorte d'indifférence. C'est pourquoi Ulrich, en dépit de son intention, reprit lui-même la parole. « Voilà le dernier reste de la mystique! dit-il avec une gaieté chagrine. Dans le même tiroir, les sévères exhortations morales du testament et cette sanie! » Il s'était levé et marchait de long en large dans la chambre. Il avait à peine commencé à parler que le silence de sa sœur l'incita à poursuivre.

« Tu m'as demandé ce que je crois, commença-t-il. Je crois que toutes les prescriptions de notre morale sont des concessions à une société de sauvages.

« Je crois qu'il n'en est pas une de juste.

« Un autre sens scintille derrière. Un feu qui devrait les refondre.

« Je crois que rien n'est achevé.

« Je crois que rien n'est en équilibre, mais que toutes choses devraient commencer par s'étayer l'une l'autre pour s'élever.

« Voilà ce que je crois; cette foi est née avec moi, ou je suis né avec elle. »

A la fin de chaque phrase, il s'était arrêté, car il ne parlait pas très haut, et il fallait bien que quelque chose donnât de la force à sa profession de foi. Ses regards restaient fixés maintenant sur les bustes de plâtre qui couronnaient la bibliothèque; il voyait une Minerve, un Socrate; il se rappela que Gœthe avait installé dans sa chambre une tête de Junon plus grande que nature. Cette prédilection lui parut angoissante à force d'être lointaine : ce qui avait été jadis idée en fleur était devenu classicisme glacé. C'était devenu cet ergotage tardif sur les droits et les devoirs des contemporains de son père. Tout cela avait été inutile. « La morale qu'on nous a transmise, c'est comme si on nous faisait marcher sur une corde vacillante au-dessus d'un abîme, dit-il, et qu'on nous ait donné pour tout conseil de nous tenir bien droit!

« Il semble que je sois né à mon insu avec une autre morale.

« Tu m'as demandé ce que je crois. Je crois que même si l'on me donnait les meilleures raisons du monde pour me prouver qu'une chose est bonne ou belle, cela me serait indifférent, et que je n'accepterais pour me diriger qu'un seul et unique critère : si la proximité de cette chose m'accroît ou me diminue.

« Si elle m'éveille ou non à la vie.

« Si c'est seulement ma langue, mon cerveau qui en parle, ou si c'est le frémissement rayonnant de la pointe des doigts.

« Mais je ne puis rien prouver non plus.

« Et je suis même persuadé qu'un homme qui cède à cette autre morale est perdu. Il entre dans le monde crépusculaire. Dans le brouillard et le gâchis. Dans un ennui invertébré.

« Si tu retires de notre vie ce qui est sans équivoque, il ne reste plus qu'une bergerie sans loup.

« Je crois même que l'abjection est notre ange gardien!

« Donc je ne crois pas!

« Avant tout, je ne crois pas que l'on puisse lier le Mal par le Bien comme le fait notre culture bâtarde : cela me répugne!

« Je crois donc, et je ne crois pas!

« Mais je crois peut-être que les hommes, dans quelque temps, seront les uns très intelligents, les autres des mystiques. Il se peut que notre morale dès aujourd'hui se divise en ces deux composantes. Je pourrais dire aussi : les mathématiques et la mystique. L'amélioration pratique et l'aventure inconnue! »

Il n'avait pas été aussi ouvertement excité depuis des années. Les « Peut-être » de ses propos ne le frappaient pas, ils lui paraissaient simplement naturels.

Agathe, cependant, s'était agenouillée devant le poêle; elle avait à côté d'elle, sur le parquet, la liasse d'images et de feuillets; elle considéra encore une fois chaque pièce l'une après l'autre puis les jeta dans le feu. Elle n'était pas complètement insensible à la grossière sensualité des obscénités qu'elle examinait. Elle sentait l'excitation de son corps. C'était aussi peu elle-même, lui semblait-il, que de voir tout à coup un lapin sautiller au milieu d'une lande déserte. Elle ne savait pas si elle devait avoir honte au cas où elle dirait cela à son frère; mais elle était profondément fatiguée et ne voulait plus parler. Elle n'écoutait pas non plus ce qu'il disait; son cœur avait été trop secoué par ces montagnes russes et ne pouvait plus suivre. D'ailleurs, les autres avaient toujours su mieux qu'elle ce qui était juste; elle pensait à cela, mais, peut-être parce qu'elle avait honte, avec un secret sentiment de défi. Suivre un chemin prohibé ou clandestin : c'était en quoi elle se sentait supérieure à Ulrich. Elle l'entendait constamment reprendre, avec prudence, tout à ce quoi il s'était d'abord laissé entraîner, et ses paroles frappaient à l'oreille d'Agathe comme de grosses gouttes de bonheur et de tristesse.

13. *Ulrich rentre chez lui et se voit informé par le général de tout ce qu'il a manqué.*

Vingt-quatre heures plus tard, Ulrich était debout dans son appartement désert. C'était tôt dans la matinée. L'appartement avait été soigneusement rangé, épousseté, poli. Lors de son départ hâtif, Ulrich avait laissé ses livres et ses papiers épars sur les tables et, grâce à la main du domestique, les retrouvait tels quels, ouverts et transpercés de signets devenus incompréhensibles; il y avait même ici ou là entre les pages d'un document un crayon tombé de sa main. Mais tout était refroidi et pétrifié comme le contenu d'un creuset sous lequel on a oublié d'alimenter le feu. Douloureusement dégrisé et incapable de comprendre, Ulrich considérait l'épreuve d'une heure passée, la matrice des excitations et des pensées intenses qui l'avaient emplie. Il éprouvait une répugnance indicible à entrer en contact avec ces restes de lui-même. « Cela s'étend maintenant, pensa-t-il, à travers les portes sur toute la maison, jusqu'à la sottise des bois de cerf en bas dans le hall. Quelle vie ai-je menée cette dernière année! » Toujours debout, il fermait les yeux pour n'être pas obligé de voir. « Une chance qu'elle doive arriver bientôt, nous changerons tout dans cette maison! » pensa-t-il. Puis, il eut tout de même envie de se remémorer les dernières heures qu'il avait passées là; il lui semblait être resté absent un temps infini, et il voulait comparer. Clarisse, ce n'était rien. Mais avant et après Clarisse : la singulière excitation qui l'avait fait se hâter de rentrer, puis cette longue nuit dans laquelle fondait le monde! « Comme du fer, quand une force irrésistible l'assouplit! réfléchit-il. Il se met à couler et c'est toujours du fer. Un homme pénètre avec force dans le monde, songeait-il, mais tout à coup le monde se referme sur lui, et tout change d'aspect. Plus de correspondances. Plus de chemin qu'il ait parcouru et qu'il doive poursuivre. Un enveloppement chatoyant au lieu même où il voyait encore l'instant d'avant un but, ou ce vide sans ivresse qui précède tous les buts. » Ulrich tenait toujours les yeux fermés. Lentement, telle une ombre, le sentiment revint. Ce fut comme s'il revenait à l'endroit où Ulrich s'était tenu alors et se retrouvait maintenant, ce sentiment qui était plus à l'extérieur, dans l'espace, qu'à l'intérieur, dans la conscience; au fond, ce n'était ni un sentiment ni une pensée, mais une mystérieuse opération. Surexcité et solitaire comme il l'était alors, Ulrich pouvait bien croire que l'essence du monde se retournait et s'ouvrait; et soudain, il lui apparut clairement (l'incompréhensible était seulement que cela se produisît si tard), comme en un tranquille et clair regard en arrière, que son sentiment d'alors lui annonçait déjà sa rencontre avec sa sœur; dès cet instant, son esprit avait été conduit par des forces miraculeuses, jusqu'à... mais alors, avant de pouvoir penser « hier », Ulrich se détourna hâtivement de ses souvenirs, touché comme s'il s'était heurté à quelque arête : il y avait là quelque chose à quoi il ne voulait pas penser encore!

Il s'approcha du secrétaire et feuilleta le courrier sans quitter son pardessus de voyage. Il fut déçu de n'y trouver aucun télégramme de sa sœur, bien qu'il n'eût pas à en attendre. A une montagne de condoléances se mêlaient des communications scientifiques et des annonces de libraires. Il y avait deux lettres de Bonadea, si épaisses au toucher qu'il renonça même à les ouvrir. Un message du comte Leinsdorf le priant instamment de venir le voir, et deux lettres flûtées de Diotime qui l'invitait également à se montrer dès son retour; lues plus attentivement, l'une, la dernière, faisait entendre des harmoniques extra-officielles qui étaient très amicales, mélancoliques et presque tendres. Ulrich se tourna vers les appels téléphoniques qu'on avait notés pendant son absence : le général von Stumm, le sous-secrétaire Tuzzi, deux fois le secrétaire privé du comte Leinsdorf, plusieurs fois une dame qui n'avait pas donné son nom et devait être Bonadea, le directeur Léon Fischel, et quelques communications d'affaires. Tandis qu'il lisait, toujours debout devant son bureau, le téléphone sonna; quand Ulrich prit l'écouteur, il entendit annoncer : « Ici le Ministère de la Guerre, Département de l'Éducation et de la Culture, Caporal Hirsch », celui-ci fort étonné de tomber à l'improviste sur la propre voix d'Ulrich, et déclarant avec empressement que le général avait donné l'ordre d'appeler tous les matins à dix heures, et qu'il serait immédiatement au bout du fil.

Cinq minutes plus tard, Stumm affirmait qu'il devait assister le matin même à « des conférences éminemment importantes » et qu'il lui fallait absolument voir Ulrich avant; comme celui-ci demandait de quoi il s'agissait et pourquoi Stumm ne pouvait régler la question au téléphone, le général soupira dans l'appareil et annonça « Communications importantes, soucis, problèmes » sans qu'on pût en tirer rien de plus précis. Vingt minutes plus tard, un fiacre du Ministère de la Guerre s'arrêtait devant la grille, et le général Stumm entrait dans la maison, suivi d'une ordonnance qui portait sur l'épaule un gros portefeuille de cuir. Ulrich, qui connaissait ce réceptacle des soucis intellectuels du général depuis les plans stratégiques et le cadastre des grandes idées, fronça les sourcils d'un air interrogatif. Stumm von Bordwehr sourit, renvoya l'ordonnance à la voiture, ouvrit sa tunique pour en tirer la petite clef de sûreté qu'il portait à une chaînette autour du cou, et sans prononcer une parole sortit de la serviette, qui ne contenait rien d'autre, deux miches de pain militaire.

« Notre nouveau pain, expliqua-t-il après un silence étudié, je te l'ai apporté pour que tu le goûtes!

— Après une nuit de voyage, fit Ulrich, c'est fort gentil à toi de m'apporter du pain au lieu de me laisser dormir.

— Si tu as de l'eau-de-vie chez toi, comme on peut le supposer, rétorqua le général, le pain et l'eau-de-vie sont le meilleur déjeûner qu'on puisse faire après une nuit blanche. Tu m'as raconté un jour que le pain militaire était la seule chose qui t'avait plu dans le service de l'Empereur, et j'affirmerais volontiers que l'armée autrichienne l'emporte sur toutes les autres pour la fabrication du pain, surtout depuis que l'intendance a sorti ce nouveau modèle « 1914 »! C'est une des raisons pourquoi je l'ai ici. Mais je te dirai que je le fais aussi, maintenant, par principe. Bien sûr, rien ne m'oblige à rester assis dans mon fauteuil toute la journée et à rendre compte du moindre pas que je fais hors du bureau; mais tu sais que l'État-major général ne s'appelle pas pour rien le Corps des Jésuites, on murmure toujours quand quelqu'un sort beaucoup, et Son Excellence von Frost n'a peut-être pas, en fin de compte, une vue très exacte de l'ampleur de l'esprit (de l'esprit civil, veux-je dire); c'est pourquoi, depuis quelque temps, quand je veux sortir un peu, je prends toujours avec moi serviette et ordonnance; et pour que l'ordonnance ne s'imagine pas que la serviette est vide, j'y fourre chaque fois deux miches de pain. »

Ulrich ne put se retenir de rire, et le général, satisfait, rit de concert. « Tu sembles avoir moins de goût que naguère pour les grandes idées ? demanda Ulrich.

— Tout le monde en est là, expliqua Stumm en attaquant la miche avec son couteau de poche. Le mot d'ordre de l'action a été donné.

— Il faudra que tu m'expliques ça.

— C'est bien pourquoi je suis ici. Tu n'es pas un véritable homme d'action.

— Non ?

— Non.

— Je n'en savais rien.

— Moi non plus. Mais on le dit.

— Qui est cet « on » ?

— Arnheim par exemple.

— Tu es très bien avec Arnheim ?

— Mais naturellement! Nous sommes éminemment bien ensemble. Si ce n'était un si grand esprit, peut-être nous tutoierions-nous déjà!

— As-tu aussi affaire avec les gisements de pétrole ? »

Le général but un coup de l'eau-de-vie qu'Ulrich avait fait apporter, et engouffra du pain pour gagner du temps. « Fameux! » dit-il non sans peine en continuant à mastiquer.

« Bien sûr que tu as affaire avec les gisements de pétrole! affirma Ulrich dans une brusque illumination. C'est une question qui intéresse la marine à cause du chauffage des vaisseaux, et si Arnheim veut acheter les gisements, il faut qu'il vous promette de vous livrer bon marché. D'autre part, la Galicie est zone militaire, c'est un glacis contre la Russie, vous devez donc prendre des mesures pour que l'extraction du pétrole qu'il veut y encourager soit, en cas de guerre, particulièrement protégée. Sa fabrique de plaques de blindage va donc vous faire de nouvelles avances pour les canons dont vous rêvez : que je n'aie pas prévu cela ! Mais vous êtes né l'un pour l'autre! »

Par mesure de prudence, le général avait engouffré un deuxième morceau de pain; mais il ne pouvait plus se contenir et s'écria, en faisant d'énormes efforts pour avaler tout ce qu'il avait dans la bouche : « Ah oui ! tu peux parler d'avances ! Tu n'imagines pas quel pingre c'est ! Je te demande pardon, dit-il pour corriger son expression, tu n'imagines pas avec quelle dignité morale il traite une affaire pareille ! Jamais je n'aurais cru, par exemple, que dix sous par tonne au kilomètre soient un problème de mentalité qui vous oblige à relire Gœthe ou une philosophie de l'histoire !

— C'est toi qui conduis les tractations ? »

Le général but une autre eau-de-vie. « Je n'ai jamais dit qu'il y eût des tractations en cours ! En ce qui me concerne, tu peux parler d'échanges de vues.

— C'est de cela que tu es chargé ?

— Personne n'est chargé de quoi que ce soit. On parle, c'est tout. On peut tout de même, ici ou là, parler d'autre chose que de l'Action parallèle. Et si quelqu'un était chargé de quelque chose, ce ne serait sûrement pas moi. Ce n'est pas une affaire pour le Département de l'Éducation et de la Culture. Cela concerne le bureau central ou tout au plus l'intendance. Si je m'en occupe le moins du monde, ce serait plutôt comme une sorte de conseiller technique pour les questions de l'esprit civil, un interprète, en quelque sorte : Arnheim est tellement cultivé...

— Et de plus, par Diotime et moi, tu le rencontres continuellement ! Mon cher Stumm, si tu veux que je continue à te prêter une oreille patiente, il faut me dire la vérité ! »

Mais à cela, Stumm s'était préparé entre-temps. « Pourquoi me la demandes-tu, puisque tu la sais déjà ? répliqua-t-il irrité. Crois-tu que tu puisses m'avoir, que je ne sache pas qu'Arnheim t'a mis dans la confidence ?

— Je ne sais absolument rien !

— Mais tu viens de raconter que tu le savais !

— Je sais l'histoire des gisements.

— Tu as dit aussi que nous avions avec Arnheim des intérêts communs sur ces gisements. Donne-moi ta parole d'honneur que tu sais cela, et je pourrai tout te dire. » Stumm von Bordwehr saisit la main hésitante d'Ulrich, le regarda dans le blanc des yeux et dit insolemment : « Eh bien ! puisque tu me donnes ta parole d'honneur que tu savais déjà tout, moi je te donne la mienne que tu sais tout ! D'accord ? Il n'y a rien de plus. Arnheim aimerait nous prévenir, et nous aussi. Écoute-moi :

j'ai quelquefois des conflits intérieurs terribles à cause de Diotime! Mais pas un mot là-dessus, c'est un secret militaire! » Le général retrouva sa gaieté. « Sais-tu ce que c'est qu'un secret militaire ? Il y a quelques années, comme il y avait la mobilisation en Bosnie, ils ont essayé de me scier au Ministère de la Guerre, j'étais alors colonel, et ils m'ont bombardé commandant d'un bataillon de *Landsturm;* naturellement, j'aurais pu aussi commander une brigade, mais parce que je suis soi-disant dans la cavalerie et qu'ils voulaient me scier, ils m'ont envoyé dans un bataillon. Et comme, pour faire la guerre, il faut de l'argent, on m'a donné aussi, dès mon arrivée, une caisse de bataillon. As-tu jamais vu un objet de ce genre dans ton temps de service ? C'est entre le cercueil et la caisse à fourrage, en bois dur, et tout cerclé d'acier comme la porte d'un château-fort. Cette caisse comporte trois serrures, trois hommes en portent les clefs sur eux, chacun une afin qu'aucun d'eux ne puisse l'ouvrir seul : ce sont le commandant et les deux co-verrouilleurs. Donc, lorsque je suis arrivé en bas, nous nous sommes réunis comme pour une prière, nous avons ouvert l'un après l'autre une serrure et sorti respectueusement les liasses de coupures; je me serais cru l'archiprêtre avec ses deux diacres, sauf qu'on ne récitait pas l'Évangile mais les numéros des procès-verbaux officiels. Quand nous avons eu fini, nous avons refermé la caisse, nous l'avons recerclée, reverrouillée, dans l'ordre inverse du premier, j'ai dû dire quelque chose que je ne parviens plus à me rappeler, et la cérémonie était terminée... du moins c'est ce que je me suis dit, ce que tu te serais dit aussi, et j'avais le plus grand respect pour l'inébranlable prudence de l'administration militaire en temps de guerre! Mais j'avais alors un petit fox, le prédécesseur de mon actuel, c'était une bête intelligente, et aucun règlement n'interdisait qu'il fût présent; la seule chose, c'est qu'il ne pouvait pas voir un trou sans fouiller aussitôt comme un forcené. Comme j'allais sortir, donc, je remarque que Spot, il s'appelait comme ça, c'était un Anglais, s'attaque à la caisse : pas moyen de le chasser. On raconte souvent que des chiens fidèles ont découvert les conjurations les plus secrètes, c'était presque la guerre, et je me dis : tâche de voir un peu ce qu'a Spot... et que crois-tu que Spot avait ? Tu le sais, l'intendance ne fournit pas précisément ce qu'elle a de plus neuf pour les bataillons de *Landsturm :* notre caisse était d'une antiquité vénérable, évidemment, mais je n'aurais jamais pensé que derrière, alors que, devant, nous la verrouillions à trois, elle avait près du fond un trou où passer le bras! C'était sans doute un nœud des planches qui avait dû tomber dans l'une des guerres précédentes. Qu'y faire ? L'alarme bosniaque était presque passée quand nous avons reçu la nouvelle caisse demandée, et en attendant nous avons pu reprendre chaque semaine notre cérémonie, sauf que j'ai dû laisser Spot chez moi pour qu'il ne révèle le secret à personne. Tu vois, à peu près, ce qu'est parfois un secret militaire!

— Ouais! j'ai l'impression que tu n'es toujours pas aussi ouvert que ton coffre, répondit Ulrich. Ferez-vous l'affaire, oui ou non ?

— Je ne sais pas. Je t'en fais mon grand serment d'État-major : les choses ne sont pas si avancées.

— Et Leinsdorf ?

— Il ne se doute de rien, bien entendu. Impossible de le gagner à la cause d'Arnheim. On raconte qu'il est furieux depuis la manifestation, à laquelle tu as assisté, d'ailleurs; il est complètement anti-allemand, maintenant.

— Tuzzi ? demanda Ulrich, poursuivant l'interrogatoire.

— C'est le dernier qui doive avoir vent de la chose! Il gâterait tout aussitôt. Bien entendu, nous voulons tous la paix, mais nous autres militaires avons une autre manière de la servir que les bureaucrates!

— Et Diotime ?

— Malheureux! Il s'agit là, rigoureusement, d'une affaire d'hommes, elle ne pourrait penser à rien de tel, même avec des gants! Je n'ai pas le courage de la tracasser avec la vérité. D'autre part, je comprends qu'Arnheim ne lui dise rien. Tu sais qu'il parle beaucoup et fort bien; ça doit être un plaisir de taire parfois quelque chose. Je me représente ça comme d'avaler sans mot dire un bitter...

— Sais-tu que tu es devenu un salaud ? A ta santé! dit Ulrich en levant son verre.

— Non, pas un salaud, protesta le général. Je participe à une conférence ministérielle. Dans une conférence, chacun propose ce qu'il voudrait obtenir et ce qu'il estime juste, et il en résulte pour finir quelque chose que personne n'avait vraiment voulu tel : le résultat, précisément! Je ne sais si tu suis, je ne puis m'expliquer mieux.

— Bien sûr que je suis. N'empêche que vous vous conduisez fort mal à l'égard de Diotime.

— Cela me ferait de la peine, dit Stumm. Mais tu le sais : un bourreau est un type méprisable, cela ne fait pas un pli; tandis que le fabricant de cordes qui se contente de livrer les cordes à l'administration des prisons peut être membre d'une Société des sciences morales. Tu n'y penses pas assez.

— Ça, c'est de l'Arnheim tout pur!

— Possible. Je ne sais pas. On s'entortille à tel point l'esprit, de nos jours, dit le général loyalement désolé.

— Et que dois-je faire dans tout ça ?

— Eh! tu vois... j'avais pensé, comme tu étais officier...

— Ça va. Mais quel rapport avec « homme d'action » ? demanda Ulrich blessé.

— Homme d'action ? répéta le général étonné.

— N'as-tu pas introduit ton histoire en disant que je n'étais pas un homme d'action ?

— Ah! oui. Bien entendu, aucun rapport. C'était histoire de commencer. Je pense qu'Arnheim ne te considère pas précisément comme un homme d'action; c'est ce qu'il a dit une fois. Tu n'as rien à faire, dit-il, et cela te donne des idées. Ou quelque chose comme ça.

— C'est-à-dire, des idées inutiles ? Des idées qu'on ne peut pas « porter dans les sphères du pouvoir » ? Des idées pour elles-mêmes ? En un mot, des idées justes et indépendantes! Quoi ? Ou peut-être les idées d'un « esthète éloigné du monde » ?

— Oui, répondit diplomatiquement Stumm von Bordwehr. A peu près.

— A peu près quoi ? Que crois-tu qui soit plus dangereux pour l'esprit : les rêves ou les gisements de pétrole ? Arrête donc de te bourrer la bouche de pain! Ce qu'Arnheim pense de moi m'est bien égal. Mais tu as dit en commençant : Arnheim, par exemple. Qui donc y a-t-il d'autre à penser que je ne suis pas suffisamment homme d'action ?

— Hé! dit Stumm, pas mal de gens. Je t'ai déjà dit qu'on avait donné le mot d'ordre de l'action.

— Qu'est-ce que ça signifie ?

— Je ne le sais pas au juste. Leinsdorf a dit que quelque chose devait se produire : c'est ainsi que ça a commencé.

— Et Diotime ?

— Diotime dit que c'est un esprit nouveau. Et beaucoup

de gens le disent, au concile. J'aimerais savoir si tu as fait cette expérience : une belle femme avec un cerveau pareil, ça vous retourne l'estomac !

— Je le crois volontiers, reconnut Ulrich qui ne voulait pas laisser échapper Stumm, mais j'aimerais savoir ce que Diotime dit de l'esprit nouveau.

— Ce que tout le monde dit, répondit Stumm. Les gens du concile prétendent que l'époque va être dotée d'un esprit nouveau. Pas tout de suite, mais dans quelques années; supposé qu'il ne se passe rien entre-temps. Cet esprit ne devra pas s'embarrasser de trop de pensées. Les sentiments eux aussi sont démodés. Pensées et sentiments, c'est plutôt pour les gens qui n'ont rien à faire. En un mot, l'esprit de l'action, je n'en sais pas davantage. Mais parfois, ajouta le général songeur, je me demande si ce n'est pas tout simplement, en fin de compte, l'esprit militaire ?...

— Un acte doit avoir un sens ! » dit Ulrich et, comme quelque chose de profondément sérieux qui se cachait très loin derrière cette conversation bariolée de folie, sa conscience lui rappela la première conversation qu'il avait eue avec Agathe à ce sujet, au Fort des Suédois.

Mais le général enchaîna : « C'est ce que j'ai dit, justement. Quand on n'a rien à faire et qu'on ne sait pas à quel saint se vouer, on se sent la force d'agir. On rugit, on se saoûle, on se bagarre, on embête hommes et chevaux. D'un autre côté, tu l'avoueras : quand on sait parfaitement ce qu'on veut, on devient un petit sournois. Regarde-moi un de ces jeunes officiers d'État-major, quand il serre les lèvres sans mot dire et fait une tête à la Moltke : dix ans plus tard, il a attrapé sous ses boutons un bidon de général, pas un brave bidon bedonnant comme le mien, non, un sac à poison ! Il est donc malaisé de définir exactement la quantité de sens que doit avoir un acte. » Il réfléchit et ajouta : « Quand on s'y prend comme il faut, on peut apprendre énormément de choses sous l'uniforme, j'en suis de plus en plus persuadé: mais ne penses-tu pas que le plus simple serait encore de trouver la grande idée ?

— Non, rétorqua Ulrich. C'était absurde.

— Alors, il ne reste vraiment plus que l'action, soupira Stumm. J'en suis presque venu à le proclamer moi-même. Je vous avais d'ailleurs avertis, si tu t'en souviens, que toutes ces sublimes pensées risquaient d'aboutir à un massacre. Voilà ce qu'il faudrait éviter! Pour cela, quelqu'un devrait prendre le commandement... ajouta-t-il tentateur.

— Et quelle tâche ta sollicitude m'a-t-elle réservée? demanda Ulrich en bâillant ouvertement.

— Je m'en vais, affirma Stumm. Mais maintenant que nous nous sommes si bien expliqués, tu aurais encore une tâche importante, si tu voulais être un vrai camarade : entre Arnheim et Diotime, il y a quelque chose qui cloche!

— Qu'est-ce que tu me racontes ? dit le maître de maison en s'animant un peu.

— Tu verras par toi-même, je n'ai pas besoin de rien te raconter! De toutes façons, elle se confie encore plus à toi qu'à moi.

— Elle se confie à toi ? Depuis quand ?

— Elle s'est un peu habituée à moi, dit le général fièrement.

— Félicitations.

— Merci. Ensuite, il faudra que tu ailles voir Leinsdorf. A cause de son aversion pour les Prussiens.

— Cela, je ne le ferai pas.

— Je sais bien que tu ne peux pas sentir Arnheim. Mais tu dois le faire quand même.

— Là n'est pas la raison. De toutes façons, je n'irai pas voir Leinsdorf.

— Et pourquoi pas ? C'est un vieux monsieur raffiné. Arrogant, certes, et je ne peux pas le souffrir, mais avec toi il est magnifique.

— Je me retire de toute l'histoire.

— Leinsdorf ne te lâchera pas. Diotime non plus. Et moi non plus! Tu ne vas pas me laisser seul ?

— Je trouve toute l'histoire par trop idiote.

— Là, comme toujours, tu as éminemment raison. Mais qu'est-ce qui n'est pas idiot ? Écoute, je suis tout à fait idiot, sans toi. Alors, pour l'amour de moi, tu iras chez Leinsdorf ?

— Mais qu'y a-t-il entre Arnheim et Diotime ?

— Je ne te le dirai pas, sinon tu n'iras pas non plus chez Diotime! » Le général eut une soudaine illumination : « Si tu veux, Leinsdorf peut te donner un aide-secrétaire qui te remplacera pour tous les travaux qui t'ennuient. Ou je t'en procurerai un du Ministère de la Guerre. Tu te retires tant que tu veux, mais ta main reste sur ma tête ?

— Laisse-moi d'abord dormir tout mon saoûl, fit Ulrich, implorant.

— Je ne m'en irai pas avant que tu ne m'aies dit oui.

— Bon, la nuit porte conseil, concéda Ulrich. N'oublie pas de remettre dans ta serviette le pain de la science militaire! »

14. *Du nouveau chez Walter et Clarisse. Un montreur et son public.*

Ce fut l'instabilité de son état qui poussa Ulrich, vers le soir, à se rendre chez Walter et Clarisse. En chemin, il chercha à se remémorer la lettre qu'il avait dû égarer ou trop bien cacher dans ses bagages, ne s'en rappela plus aucun détail mais seulement la dernière phrase (« J'espère que tu reviendras bientôt ») et, plus généralement, l'impression qu'il devait parler avec Walter, impression à quoi s'associaient non seulement du regret et du malaise, mais encore une sorte de plaisir méchant. Il s'attarda, au lieu de le chasser, à ce sentiment fugitif et involontaire qui n'avait pas grande signification, et ce fut un peu pour lui comme pour un homme sensible au vertige le soulagement de s'accroupir.

Lorsqu'il approcha de la maison, il vit Clarisse debout au soleil, contre le mur latéral où étaient les pêchers en espalier; elle avait les mains derrière elle, s'appuyait au souple branchage et regardait au loin sans apercevoir l'arrivant. Son attitude avait quelque chose de figé dans l'oubli de soi; en même temps quelque chose d'à peine théâtral, perceptible seulement à l'ami qui connaissait ses singularités : on aurait dit qu'elle jouait les imaginations profondes qui la préoccupaient intérieurement, que l'une d'elles l'avait empoignée pour ne plus la lâcher. Ulrich se rappela qu'elle lui avait dit : « J'aimerais que l'enfant soit de toi! » Ces paroles, aujourd'hui, ne lui étaient pas aussi désagréables qu'alors; il appela son amie à voix basse, et attendit.

Mais Clarisse pensait : « Cette fois, c'est chez nous que Meingast se métamorphosera! » La vie de Meingast comptait déjà plusieurs métamorphoses remarquables. Sans répondre à la réponse détaillée de Walter, un beau jour, il avait donné réalité à la nouvelle de sa venue. Clarisse était persuadée que le travail qu'il avait entrepris aussitôt installé chez eux était lié à une métamorphose. Le souvenir de ce dieu hindou qui, avant chaque purification, s'établissait quelque part, se mêlait à celui des animaux qui choisissent un lieu déterminé pour se transformer en chrysalide; de cette idée, qui lui faisait l'impression d'être extraordinairement saine et terrestre, elle en était venue au voluptueux parfum des pêches mûrissant contre un mur éclairé par le soleil : le résultat logique était qu'elle se tenait debout dans le rayon brûlant du soleil couchant sous la fenêtre, tandis que le prophète s'était retiré dans la grotte d'ombre creusée derrière. Il avait expliqué la veille à Clarisse et Walter que *Knecht, knight* (valet), signifiait primitivement jeune homme, garçon, varlet, homme et héros capable de porter les armes; Clarisse se disait maintenant : « Je suis son valet! » Elle le servait et protégeait son travail; il n'y avait pas besoin de plus de mots; simplement, immobile, le visage aveuglé, elle affrontait le soleil.

Lorsqu'Ulrich l'interpella, son visage se tourna lentement vers la voix inattendue, et il découvrit que quelque chose avait changé. Les yeux qui le regardaient recélaient une froideur telle qu'en irradient les couleurs du monde après que le jour s'est éteint; il comprit immédiatement que Clarisse n'attendait plus rien de lui. Il n'y avait plus dans son regard nulle trace de son désir de « l'aider à prendre forme dans son bloc de pierre », de l'idée qu'il était un diable ou un dieu, de ce qu'elle aurait aimé s'enfuir avec lui par « le trou de la musique », de ce qu'elle avait voulu le tuer parce qu'il ne l'aimait pas. Sans doute cela était-il indifférent à Ulrich; cette disparition dans un regard de la chaleur de l'égoïsme peut être une expérience très banale; néanmoins, c'était comme une petite déchirure dans le voile de la vie, à travers laquelle pointait le rien indifférent, et ce fut l'origine de maint événement postérieur.

Ulrich apprit la présence de Meingast, et comprit aussitôt. Ils entrèrent discrètement pour quérir Walter, et non moins discrètement ressortirent, afin de ne pas troubler le créateur. Ulrich, par deux fois, aperçut par une porte restée ouverte le dos de Meingast. Celui-ci logeait dans une chambre vide, indépendante, qui faisait partie de l'appartement. Clarisse et Walter avaient installé un lit de fer, un tabouret de cuisine et une écuelle tenaient lieu de table de toilette et de baignoire; outre cette installation sommaire, il n'y avait dans la pièce aux fenêtres sans rideaux qu'un vieux buffet avec des livres et une petite table de bois blanc non laqué. C'est à cette table que Meingast était assis et écrivait, sans tourner la tête vers les personnes qui passaient. Tout cela, Ulrich l'avait en partie vu, en partie appris de ses amis qui ne se faisaient aucun scrupule d'avoir installé le maître plus sommairement qu'eux-mêmes, mais étaient fiers, tout au contraire, pour on ne sait quelle raison, de le voir s'en contenter. C'était touchant, et commode pour eux; Walter assura que cette pièce, quand on y pénétrait en l'absence de Meingast, avait ce côté indescriptible de certains vieux gants hors d'usage, quand ils ont été portés par une main énergique et noble! Meingast éprouvait réellement beaucoup de satisfaction à travailler dans ce décor dont la simplicité guerrière le flattait. Là, il comprenait clairement la volonté qui formait les mots sur le papier. Et si Clarisse, de plus, se tenait sous sa fenêtre, comme l'instant d'avant, ou sur le palier, ou qu'elle fût même simplement assise dans sa chambre (« enveloppée dans le manteau d'une invisible lumière septentrionale », ainsi qu'elle le lui avait avoué), cette élève ambitieuse et qu'il paralysait accroissait encore sa joie. Alors, les idées coulaient de sa plume avec aisance, et ses grands yeux sombres étincelaient au-dessus du nez fin et frémissant. Le chapitre qu'il pensait terminer dans ces conditions devait être l'un des plus importants de son nouveau livre, cette œuvre ne devrait plus même s'appeler livre, mais ordre de mobilisation à l'Esprit des hommes nouveaux! Quand une voix d'homme inconnue était montée jusqu'à lui du poste de Clarisse, il s'était interrompu pour jeter un prudent coup d'œil; il ne reconnut pas Ulrich, mais se souvint vaguement de lui et ne jugea pas que les pas qui montaient l'escalier fussent une raison suffisante pour fermer sa porte ou détourner la tête de ses papiers. Il portait sous sa veste un épais lainage et prouvait son indifférence à l'égard du temps et des humains.

Ulrich fut emmené en promenade et eut le droit de savourer l'enthousiasme de ses amis pour le maître, tandis que celui-ci vaquait à son œuvre.

Walter dit : « Quand on est lié d'amitié avec un homme comme Meingast, on comprend enfin que l'on a toujours souffert de son aversion pour les autres! Dans son commerce, tout est peint, je dirais, en couleurs pures, sans le moindre gris. » Clarisse dit : « Dans son commerce, on a le sentiment d'avoir un destin; on se sent personnel, on se sent plein et comme illuminé. » Walter compléta : « Aujourd'hui, tout se divise en centaines de couches, tout est opaque et brouillé : son esprit est comme du verre! » Ulrich leur répliqua : « Il y a des boucs émissaires pour les vertus comme pour les péchés; et il y a des moutons qui ont besoin d'eux! »

Walter rétorqua : « On pouvait être sûr que cet homme ne te conviendrait pas! »

Clarisse s'écria : « Tu as prétendu un jour qu'on ne pouvait pas vivre selon l'idée : tu te souviens ? Meingast le peut !» Walter dit, plus prudemment : « Naturellement, je pourrais lui objecter bien des choses... » Clarisse l'interrompit : « Quand on l'écoute parler, on sent en soi des frissons de lumière. » Ulrich repartit : « Les têtes particulièrement belles sont d'ordinaire vides; les philosophes particulièrement profonds sont d'ordinaire de plats penseurs; dans la littérature, ce sont d'ordinaire les talents moyens que leurs contemporains jugent supérieurs. »

Étrange phénomène que l'admiration! Réduit à de simples « accès » dans la vie de l'individu, il forme dans celle de la communauté une institution permanente. A vrai dire, Walter eût trouvé plus satisfaisant d'être lui-même à la place de Meingast dans l'estime de Clarisse et la sienne propre, et il n'arrivait pas à comprendre que ce ne fût pas le cas; mais cela présentait aussi quelque petit avantage. Le sentiment ainsi économisé profitait à Meingast comme quand on adopte un enfant étranger à la place de celui qu'on n'a pas eu. D'autre part, pour cette raison même, cette admiration pour Meingast n'était pas un sentiment parfaitement pur ou sain, Walter lui-même le savait; c'était plutôt un désir exaspéré de s'abandonner à la foi en lui. Il y avait dans cette admiration quelque chose d'intentionnel. C'était un « sentiment de piano », une de ces tempêtes seulement à demi convaincues d'elles-mêmes. Ulrich le devina aussi. L'un des besoins primitifs de passion que la vie d'aujourd'hui découpe en petits morceaux mélangés jusqu'à en devenir méconnaissables, se cherchait là un chemin de retour : Walter louait Meingast avec la même fureur qu'un auditoire de théâtre met à applaudir, bien au-delà des limites de ses véritables opinions, les lieux-communs par lesquels on excite son besoin d'approbation; il le louait dans un de ces « états d'urgence » de l'admiration pour lesquels nous avons d'ordinaire les « grands contemporains » ou les « grandes idées » avec les honneurs qui leur sont rendus, les fêtes et les cérémonies à quoi chacun participe sans jamais savoir exactement de qui ou de quoi il s'agit et en se promettant bien d'être dès le lendemain deux fois plus banal que d'habitude, pour n'avoir rien à se reprocher. Voilà ce qu'Ulrich pensait de ses amis; par quelques pointes dirigées contre Meingast, il les maintenait en état d'excitation. Comme tout homme un peu plus renseigné que les autres, il avait dû s'irriter d'innombrables fois déjà de la capacité d'admiration de ses contemporains, admiration qui tombe presque toujours à faux et, de la sorte, réussit encore à anéantir ce que l'indifférence avait laissé subsister.

Le jour était déjà tombé lorsqu'ils regagnèrent, tout en conversant ainsi, la maison.

« Ce Meingast vit de l'actuelle confusion entre le pressentiment et la croyance, finit par dire Ulrich. Presque tout ce qui n'est pas science ne peut être que pressenti, et c'est quelque chose qui exige de la passion et de la prudence. Ainsi, une méthodologie de ce qu'on ne sait pas serait autant dire une méthodologie de la vie. Mais vous, il suffit qu'un type comme Meingast vous tombe du ciel pour que vous *croyiez* aussitôt! Et tout le monde fait comme vous. Or, cette *croyance* est une sorte de fatalité, un peu comme si vous vous avisiez, de toute votre précieuse personne, de vous asseoir dans un panier d'œufs pour couver son contenu inconnu! »

Ils étaient au pied de l'escalier. Tout d'un coup, Ulrich sut pourquoi il était venu et se retrouvait comme naguère parlant avec ses deux amis. Il ne fut pas surpris d'entendre Walter lui répondre : « Et le monde doit s'arrêter, je pense, en attendant que ta méthodologie soit au point ? » Tous le méprisaient sans doute parce qu'ils ne comprenaient pas combien ce domaine de la croyance qui s'étend entre l'assurance du savoir et les brouillards du pressentiment est négligé! De vieilles idées s'amassaient dans sa tête; leur pression étouffait presque la pensée. Mais il comprit aussi qu'il n'était plus nécessaire désormais de tout recommencer par le commencement comme un fabricant de tapis dont un rêve a brouillé l'esprit, et que c'était pour cette seule raison qu'il se retrouvait en ce lieu. Les derniers temps, tout était devenu plus facile. Les derniers quinze jours avaient affaibli tout le passé et noué en un nœud puissant les lignes de l'émotion intérieure.

Walter attendait qu'Ulrich lui fît une réponse dont il pût s'irriter. Il était prêt à la lui rendre au double! Il s'était proposé de lui dire que des hommes comme Meingast étaient des sauveurs : « *Sauf* ne signifie-t-il pas, à l'origine, quelque chose comme *entier ?* » pensa-t-il. « Les sauveurs peuvent se tromper, mais ils nous rendent entiers! » voulait-il dire. « Peux-tu seulement te figurer une chose pareille ? » voulait-il dire ensuite. Il éprouvait à l'égard d'Ulrich la même aversion que lorsqu'il devait se rendre chez le dentiste.

Mais Ulrich se borna à demander distraitement ce que Meingast avait écrit et fait les dernières années.

« Tu vois! dit Walter déçu. Tu vois! Tu ne le sais même pas, et tu l'insultes!

— Eh! fit Ulrich, je n'ai pas besoin de le savoir, quelques lignes me suffisent! » Il posa le pied sur l'escalier.

Clarisse le retint par son veston et chuchota : « Mais il ne s'appelle pas Meingast!

— Bien sûr qu'il ne s'appelle pas Meingast : est-ce là un secret ?

— Il est devenu Meingast un jour, et maintenant il se métamorphose de nouveau chez nous! » chuchota Clarisse avec violence et mystère. Ce chuchotement ressemblait un peu à une flamme brusquement jaillie. Walter se jeta dessus pour l'étouffer. « Clarisse! dit-il pour la conjurer, Clarisse, laisse cette folie! »

Clarisse se tut et sourit. Ulrich les précéda sur l'escalier; il voulait voir enfin cet apôtre descendu des montagnes de Zarathoustra dans la vie de famille de ses amis. Lorsqu'ils arrivèrent à l'étage, Walter était prêt à médire non seulement de lui, mais de Meingast.

Celui-ci reçut ses admirateurs dans son obscur logement. Il les avait vus venir, et Clarisse s'avança aussitôt vers lui devant la grise surface de la fenêtre, petite ombre pointue à côté de la sienne, maigre et grande; il n'y eut pas de présentations, ou plutôt il n'y en eut que dans un sens, le nom d'Ulrich étant rappelé au souvenir du maître. Puis tous se turent. Ulrich, parce qu'il était curieux de voir comment la scène évoluerait, se plaça devant la deuxième fenêtre libre, et Walter, chose surprenante, se joignit à lui, simplement attiré, sans doute, dans une répartition provisoirement égale de la répulsion, par la clarté des vitres moins offusquées qui éclairaient vaguement la pièce.

On était en mars. Mais la météorologie n'est pas toujours sûre, elle crée parfois des soirées de juin en avance ou en retard : ainsi songeait Clarisse, à qui l'obscurité du dehors semblait une nuit d'été. Là où tombait la lumière des becs-de-gaz, cette nuit était laquée de jaune clair. A côté, les buissons formaient une ruisselante masse noire. Là où elle pendait dans la lumière, elle devenait verte ou blanchâtre (il était difficile de le dire précisément), se découpait en feuilles et flottait dans la lumière des réverbères comme une lessive qu'on a rincée à l'eau courante. Un mince ruban de fer sur des piliers nains (simple rappel, ou exhortation à des pensées d'ordre) longeait un moment la pelouse oû se trouvaient les buissons, puis disparaissait dans l'obscurité : Clarisse savait qu'il s'interrompait réellement ensuite; on avait peut-être projeté un jour de donner à ces parages l'apparence d'un parc, puis on y avait bientôt renoncé. Clarisse se serra contre Meingast pour voir un aussi grand bout de chemin que possible de sa fenêtre; son nez était écrasé contre le carreau, et les deux corps avaient des contacts aussi durs et aussi multiples que si elle s'était étendue sur une échelle, ce qui lui arrivait parfois; sur son bras droit, qui devait céder la place, se posèrent alors, à l'endroit du coude, les longs doigts de Meingast, telles les serres tendineuses d'un aigle extrêmement distrait qui eût chiffonné un mouchoir de soie. Depuis un moment déjà, Clarisse avait aperçu un homme chez qui clochait quelque chose qu'elle n'arrivait pas à découvrir : il marchait, tantôt hésitant, tantôt inattentif; c'était comme si quelque chose s'enroulait autour de sa volonté de marcher; puis, quand il avait réussi à s'en débarrasser, il faisait quelques pas de nouveau, comme quelqu'un qui n'est ni pressé, ni hésitant. Le rythme de ce mouvement irrégulier avait saisi Clarisse; quand l'homme passait sous un réverbère, elle cherchait à distinguer son visage, et il lui parut creusé et indifférent. A l'avant-dernier, elle pensa que c'était un visage insignifiant, farouche et sans bonté; mais lorsqu'il atteignit le dernier, qui était presque sous la fenêtre de Clarisse, son visage était très pâle et flottait de-ci de-là dans la lumière comme la lumière flottait sur l'obscurité, de sorte qu'à côté de lui le mince pilier de fer du réverbère se détachait très droit, comme excité, et s'imposait au regard avec un vert clair beaucoup plus insistant que nature.

Tous les quatre s'étaient mis peu à peu à observer cet homme, qui s'imaginait à l'abri des regards. Il remarqua alors les buissons qui baignaient dans la lumière, et ils lui rappelèrent les dentelures d'un jupon de femme, plus épais qu'il n'en avait jamais vu, mais tel sans doute qu'il eût voulu en voir. A cet instant, une décision s'empara de lui. Il franchit la petite clôture, s'arrêta sur la pelouse qui lui rappela la laine de bois verte qu'on met sous les arbres d'une boîte de constructions, regarda un moment à ses pieds, déconcerté, fut réveillé par sa tête qui se tourna prudemment de tous les côtés, et se cacha dans l'ombre, comme c'était son habitude. Des promeneurs rentraient, que la chaleur avait attirés dans la campagne, on entendait de loin déjà leur vacarme et leur gaieté; cela emplissait l'homme d'anxiété, et il en cherchait une compensation sous le jupon des feuillages. Clarisse ne savait toujours pas ce que l'homme avait. Il sortait chaque fois qu'une bande de gens passait et que les yeux, éblouis par le réverbère, ne pouvaient plus déchiffrer l'obscurité. Puis il s'approchait, sans faire de pas, de ce cercle de lumière comme quelqu'un qui, sur un rivage en pente douce, n'entre pas dans l'eau au-delà des semelles. Clarisse fut frappée de voir l'homme si blême, son visage était devenu une grimaçante vitre blafarde. Elle éprouvait pour lui une intense compassion. Mais il se livrait à de curieux petits mouvements qu'elle fut longtemps sans comprendre, jusqu'à ce que soudain, épouvantée, elle dût chercher un appui pour sa main; et comme Meingast continuait à lui serrer le bras de sorte qu'elle ne pouvait faire de grands gestes, elle saisit son pantalon flottant et, cherchant protection, s'agrippa à l'étoffe qui tirait sur la jambe du maître comme un drapeau dans le vent. Tous deux restèrent ainsi sans se dégager.

Ulrich, qui croyait être le premier à avoir remarqué que l'homme caché sous leurs fenêtres était un de ces malades qui, par l'irrégularité de leur vie sexuelle, excitent fortement la curiosité des réguliers, se demanda un instant avec une inquiétude superflue comment Clarisse, mal assurée qu'elle était, réagirait à cette découverte. Puis il n'y pensa plus et aurait bien voulu savoir ce qui se passait, en fait, dans ce type. Dès l'instant où celui-ci enjambait la clôture, pensait-il, l'altération devait être si complète qu'il était impossible de la décrire en détail. Et aussi naturellement que si ç'avait été une comparaison idoine, Ulrich pensa à un chanteur qui vient de manger et de boire et s'avance au piano, croise les mains sur son ventre et, ouvrant la bouche pour chanter, partiellement change, et partiellement reste lui-même. Ulrich pensa aussi à Son Altesse le comte Leinsdorf, qui pouvait se brancher indifféremment sur le circuit « Religion-Morale » et sur le circuit « Grandes banques-Absence de préjugés ». Le caractère absolument total de cette métamorphose qui s'accomplit à l'intérieur mais se trouve ratifiée par la prévenance du monde extérieur, avait fasciné Ulrich : il lui était indifférent de savoir comment le type du parc, psychologiquement, en arrivait là, mais il ne pouvait pas ne pas se représenter sa tête s'emplissant peu à peu de tension, comme un ballon dans lequel on lâche du gaz, sans doute pendant plusieurs jours de suite et progressivement : il continue à osciller sur les amarres qui le rattachent à la terre ferme, jusqu'à ce qu'un ordre imperceptible, une cause arbitraire ou simplement l'écoulement d'un temps défini qui fait une cause de n'importe quoi, largue ces amarres; et que la tête, détachée du monde humain, flotte dans le vide de l'anormal. En fait, l'homme était debout à l'abri des buissons avec son visage creusé et insignifiant, aux aguets comme un fauve. Pour pouvoir réaliser ses desseins, il aurait dû attendre que les promeneurs se fissent plus rares et qu'ainsi la région devînt plus sûre pour lui; mais dès qu'entre les groupes une femme seule passait, ou même déjà quand au milieu d'un groupe, riant avec vivacité et protégée, une femme s'avançait de sa démarche dansante, les hommes n'étaient plus des hommes pour lui, mais des marionnettes que sa conscience arrangeait à sa guise, absurdement. La brutalité, la cruauté du meurtrier l'envahissait alors à leur égard, son angoisse mortelle ne devait plus lui importer; dans le même temps, il souffrait de légers tourments à l'idée qu'ils pourraient le découvrir et le chasser comme un chien avant qu'il n'eût atteint le sommet de l'égarement, et la langue lui tremblait d'angoisse dans la bouche. Il attendait, stupide, et peu à peu la dernière lueur du crépuscule s'éteignit. Une femme seule approcha alors de sa cachette, et il pouvait déjà deviner, alors que les réverbères les séparaient encore, comment, détachée de son entourage, elle plongeait puis émergeait dans le flot du clair-obscur, et qu'elle était, encore relativement éloignée, une masse noire qui dégouttait de lumière. Ulrich remarqua lui aussi que c'était une femme informe, d'âge moyen, qui s'approchait là. Elle avait un corps comme un sac bourré de cailloux, son visage n'irradiait aucune sympathie, mais était autoritaire et querelleur. Le pâle débile du buisson savait bien comment l'aborder pourtant à son insu, avant qu'il ne fût trop tard. Les mouvements émoussés des yeux et des jambes de la femme palpitaient sans doute déjà dans son corps, et il s'apprêtait à l'assaillir sans qu'elle pût rien faire pour se défendre, à l'assaillir de son regard qui pénétrerait dans la créature ainsi surprise et resterait accroché éternellement en elle, de quelque côté qu'elle se tournât. Cette excitation bourdonnait et tournoyait dans les genoux, les mains, le gosier; du moins Ulrich l'imaginait-il, tandis qu'il observait l'homme tâtonnant dans la partie du buisson déjà à demi éclairée et faisant ses préparatifs pour s'avancer au moment décisif, et se montrer. Pétrifié, l'infortuné, appuyé au léger et ultime obstacle des branchages, tenait ses regards attachés sur le disgracieux visage qui tanguait maintenant en pleine lumière, et le souffle de l'homme haletait docilement selon le rythme de l'inconnue. « Va-t-elle crier ? » se demanda Ulrich. Cette personne vulgaire était parfaitement capable, au lieu de s'effrayer, de se mettre en colère et de passer à l'attaque : le lâche fou devrait prendre la fuite, et la volupté troublée lui planterait ses couteaux émoussés dans la chair! Dans cet instant de tension, Ulrich entendit les voix innocentes de deux hommes qui suivaient le même chemin, et, de même qu'il les distinguait à travers la vitre, eux, en bas, pouvaient avoir deviné le sifflement de l'excitation, car le type sous la fenêtre laissa prudemment retomber le rideau déjà presque ouvert des buissons et se retira sans bruit dans l'obscurité.

« Le cochon! » chuchota alors Clarisse à son voisin, avec énergie, mais sans aucune indignation. Avant que Meingast se fût métamorphosé, il avait souvent entendu de la bouche de Clarisse de pareils termes, qui s'adressaient alors à l'excitante liberté de sa conduite : le mot pouvait donc passer pour historique. Clarisse supposait que Meingast lui aussi, en dépit de sa métamorphose, devait s'en souvenir, il lui sembla en tout cas que les doigts du penseur, en guise de réponse, effleuraient son bras. De toutes façons, rien n'était hasard ce soir-là; cet homme non plus n'avait pas choisi par hasard la fenêtre de Clarisse pour se poster au-dessous : elle croyait fermement qu'elle attirait cruellement les hommes chez qui quelque chose clochait, et le bien-fondé de cette croyance avait été avéré plus d'une fois. Tout bien considéré, ses idées étaient moins troublées qu'elles n'omettaient les termes intermédiaires; ou alors, en plus d'un endroit, des émotions les alimentaient pour lesquelles les autres hommes ne possédaient pas de pareille source. Sa conviction que c'était elle qui avait permis à Meingast, naguère, de se modifier complètement, n'était pas inacceptable en soi; si l'on considérait en outre le peu de rapports de cette transformation avec Clarisse, puisqu'elle s'était accomplie à l'étranger et en un temps où ils n'avaient plus aucun contact, et son importance (elle avait fait d'un viveur frivole un prophète), si l'on considérait enfin que peu après le départ de Meingast l'amour de Walter et de Clarisse s'était engagé dans ces sublimes combats qu'il poursuivait encore maintenant, l'hypothèse de Clarisse pensant que Walter et elle avaient dû prendre sur eux les péchés de Meingast non encore transformé pour lui permettre son ascension, cette hypothèse non plus n'était pas plus mal fondée que d'innombrables idées actuellement à la mode. De là que Clarisse se sentait « le féal serviteur » du revenant, et si elle parlait maintenant d'une « métamorphose », et non plus seulement d'une transformation, elle ne faisait qu'exprimer ainsi d'une manière adéquate l'état d'élévation où elle se trouvait. La conscience de se trouver engagée dans d'importantes relations pouvait élever Clarisse au sens propre du mot. On ne sait pas bien s'il faut représenter les saints avec un nuage sous les pieds ou simplement debout dans rien à un doigt au-dessus du sol; il en allait exactement de même pour Clarisse depuis que Meingast avait choisi sa maison pour y accomplir son grand travail, sans doute doté d'un profond arrière-plan. Elle n'était pas amoureuse de lui comme une femme, mais comme un garçon qui admire un homme fait; radieux s'il réussit à poser son chapeau sur la tête comme son idole, et tout plein du secret désir de le dépasser encore.

Cela, Walter le savait. Pas plus qu'il ne pouvait entendre ce que Clarisse et Meingast chuchotaient, ses regards ne pouvaient saisir du couple davantage qu'une masse noire confondue dans la pénombre de la fenêtre, mais il perçait tout à jour, sans exception. Lui aussi avait compris ce que le type des buissons avait, et le silence qui régnait dans la pièce lui pesait plus qu'à aucun des autres. Il pouvait deviner qu'Ulrich, immobile à côté de lui, regardait avec passion la fenêtre, et il supposait que les deux autres faisaient de même à la leur. « Pourquoi personne ne rompt-il le silence ? pensait-il. Pourquoi personne n'ouvre-t-il la fenêtre pour chasser ce monstre ? » Il se dit que son devoir serait d'appeler la police, mais il n'y avait pas de téléphone dans la maison, et il n'avait pas le courage d'entreprendre quelque chose qui risquait de se heurter au dédain de ses compagnons. Certes, il ne voulait pas passer pour un « bourgeois indigné », mais il était à bout de nerfs ! Il pouvait même très bien comprendre les « relations chevaleresques » de Clarisse et de Meingast, car il était impossible à sa femme, jusque dans l'amour, d'imaginer une élévation sans effort : elle ne devait pas ses élévations à la sensualité, mais à l'ambition. Il se rappelait quelle étrange ardeur elle avait pu avoir entre ses bras quand il s'occupait encore d'œuvres d'art; sans ce détour, il n'avait jamais réussi à l'échauffer. « Peut-être tout le monde doit-il ses exaltations réelles à l'ambition ? » se dit-il avec hésitation. Il ne lui avait pas échappé que Clarisse « montait la garde » quand Meingast travaillait, afin de protéger de son corps des pensées qu'elle ne connaissait d'ailleurs même pas. Douloureusement, Walter observait le solitaire égoïste dans son taillis, et cet infortuné était pour lui un avertissement, un exemple des dévastations qu'entraîne un excès d'isolement. En même temps, il se tourmentait à l'idée qu'il savait exactement ce que ressentait Clarisse à ce spectacle. « Elle doit être dans une légère excitation, comme si elle avait monté rapidement un escalier », pensa-t-il. Lui-même ressentait dans la scène qu'il avait sous les yeux une poussée, comme si quelque chose y était enveloppé qui cherchait à déchirer son cocon, et il devinait comment, dans cette mystérieuse poussée que Clarisse éprouvait aussi, la volonté se mouvait non seulement de regarder, mais encore de faire quelque chose tout de suite, n'importe comment, de se jeter soi-même dans le déroulement de la scène pour l'alléger. Chez les autres, les pensées sont le produit de la vie, mais chez Clarisse, ce qu'elle vivait naissait toujours de la pensée :

c'était insensé, mais si enviable! Walter se sentait plus enclin aux exagérations de sa femme, dont l'esprit était peut-être malade, qu'à la pensée de son ami Ulrich qui s'imaginait être à la fois hardi et prudent : d'une façon ou d'une autre, ce qui avait le moins de sens lui était plus agréable, cela le laissait peut-être intact, cela s'adressait à sa compassion. En tous cas, nombreux sont les hommes qui préfèrent aux pensées difficiles les pensées dépourvues de sens, et Walter éprouvait même une certaine satisfaction à voir que Clarisse chuchotait dans l'ombre avec Meingast alors qu'Ulrich était condamné à rester à côté de lui, telle une ombre muette; c'était comme s'il lui concédait généreusement d'être vaincu par Meingast. Mais de temps en temps, la crainte le tourmentait que Clarisse n'ouvrît brusquement la fenêtre ou ne descendît en courant l'escalier pour gagner les taillis; alors, il détestait les deux ombres viriles et leur présence indécemment muette : elle rendait la situation de minute en minute plus scabreuse pour le pauvre petit Prométhée par lui protégé, qui était exposé à toutes les tentations de l'esprit.

Dans ce même temps, la honte et le plaisir empêché, chez le malade qui s'était retiré sous le buisson, s'étaient fondus en une unité de déception qui coulait son creux visage en forme de masse amère. Quand il eut atteint le plus sombre du taillis, il chancela, s'écroula, sa tête lui pendait du cou telle une feuille. Le monde se dressait comme un juge devant lui, et il voyait sa situation à peu près comme elle serait apparue aux deux hommes s'ils l'avaient découvert. Mais, après que cet homme eut pleuré un moment sans larmes sur lui-même, l'altération première se reproduisit en lui, aggravée même, cette fois, par un aspect de défi et de vengeance. Une fois de plus, cela échoua. Une toute jeune fille d'environ quinze ans, qui devait s'être attardée quelque part, passa et lui parut belle, petit idéal plein de hâte : l'homme corrompu sentit qu'il lui faudrait cette fois sortir complètement et l'interpeller avec gentillesse, mais aussitôt, cela l'emplit d'une terreur sans bornes. Son imagination, prête à lui peindre toutes les possibilités que peut évoquer une femme, se trouva anxieusement désarmée devant la seule possibilité naturelle, qui était d'admirer dans sa beauté cette petite créature qui s'approchait sans défense. Elle donnait d'autant moins de plaisir à son être nocturne qu'elle semblait mieux apte à plaire à son être diurne, et, ne pouvant l'aimer, il cherchait en vain à la haïr. Ainsi s'arrêta-t-il, incertain, à la limite de l'ombre et de la lumière; il se montra. Lorsque la petite découvrit son secret, elle était déjà passée devant lui et se trouvait peut-être huit pas plus loin; d'abord, elle avait aperçu simplement un mouvement dans les feuilles, sans comprendre, et lorsqu'elle eut compris, elle pouvait déjà se sentir suffisamment à l'abri pour ne plus mourir de peur : sans doute sa bouche resta-t-elle un instant grande ouverte, mais ensuite elle poussa un grand cri et commença à courir; la drôlesse semblait même s'amuser à regarder autour d'elle, et le type sentit qu'on le laissait avec sa honte. Empli de rage, il espéra qu'une goutte de poison serait tombée tout de même dans les yeux de la passante, et qu'elle lui rongerait le cœur plus tard.

Ce dénouement relativement innocent et comique fut un soulagement pour l'humanité des spectateurs qui eussent sans doute pris parti, cette fois, si la scène ne s'était pas ainsi évaporée. Demeurant sous cette impression, ils remarquèrent à peine comment l'affaire à leurs pieds s'achevait; ils s'assurèrent seulement que tout était fini en observant que la « hyène » mâle, ainsi que s'exprima plus tard Walter, fut tout d'un coup définitivement invisible. C'était une créature moyenne à tous égards, celle sur qui l'homme réussit son coup, elle le regarda déconcertée avec répulsion, s'arrêta un instant involontairement, saisie par la crainte, de marcher, puis essaya de faire comme si elle n'avait rien remarqué. A cette seconde, le type se sentit glisser profondément, avec le toit de feuilles et tout le monde retourné dont il était sorti, dans le regard récalcitrant de la fillette sans défense. Les choses pouvaient s'être passées comme ça ou autrement. Clarisse n'avait pas fait attention. Respirant profondément, elle abandonna sa position courbée et se redressa; Meingast et elle s'étaient déjà lâchés un instant auparavant. Il lui sembla que ses semelles atterrissaient brusquement sur le plancher, un tourbillon de plaisir inexprimable et cruel s'apaisa dans son corps. Elle était fermement persuadée que tout ce qui s'était passé avait une signification particulière pour elle; et si étrange que cela puisse paraître, le répugnant incident lui donna l'impression qu'elle était une fiancée à qui l'on a donné une sérénade. Dans sa tête dansaient, en un désordre effréné, les projets anciens qu'elle voulait mener à bonne fin et les nouveaux qu'elle formait maintenant.

« Comique! dit soudain Ulrich dans l'ombre en rompant le premier le silence du quatuor. L'idée que tout le plaisir de ce type aurait été gâté s'il avait pu savoir qu'on l'observe à son insu, est vraiment une idée biscornue et risible! » L'ombre de Meingast se détacha du néant et se tourna dans la direction de la voix d'Ulrich, mince condensation des ténèbres. « On accorde beaucoup trop d'importance à la sexualité, dit le maître. En vérité, ce sont là des cabrioles de l'esprit du temps... » Il ne dit rien de plus. Mais Clarisse, qui avait tressailli involontairement à la voix d'Ulrich, sentit que les paroles de Meingast la faisaient avancer, même si, du fait de leur obscurité, on ne pouvait savoir dans quel sens.

15. *Le testament.*

Lorsque Ulrich rentra chez lui, plus contrarié encore qu'auparavant à cause de ce qu'il avait vu, il ne voulut pas se dérober plus longtemps à une décision et se remémora, aussi précisément qu'il le pouvait, « l'incident », euphémisme par lequel il désignait ce qui s'était passé dans les dernières heures de son séjour avec Agathe et peu de jours après leur grande conversation.

Ulrich avait terminé ses bagages pour prendre un train de nuit qui traversait la ville à une heure tardive. Le frère et la sœur s'étaient retrouvés pour dîner; il avait été convenu auparavant qu'Agathe le suivrait peu de temps après, ils supposaient que cette séparation durerait de cinq à quinze jours. A table, Agathe dit : « Mais, avant, nous avons encore quelque chose à faire!

— Quoi ? demanda Ulrich.

— Nous devons modifier le testament. »

Ulrich se souvenait qu'il avait regardé sa sœur sans surprise; en dépit de tout ce dont ils avaient déjà parlé ensemble, il s'était attendu qu'une plaisanterie suivît. Mais Agathe avait les yeux baissés sur son assiette et son fameux pli de réflexion à la racine du nez. « Il ne faut pas qu'il ait de moi davantage entre les doigts que si on y avait fait brûler un fil de laine!... »

Un violent travail devait s'être fait en elle les derniers jours. Ulrich voulut lui dire qu'il jugeait ces méditations sur la façon de léser Hagauer fort coupables, et qu'il désirait n'en plus parler : en cet instant, le vieux serviteur et appariteur de leur père, qui servait à table, entra, et ils ne purent plus s'exprimer qu'à mots couverts.

« Tante Malwine, dit Agathe en souriant à son frère, tu te souviens sans doute de tante Malwine ?... Elle avait destiné toute sa fortune à notre cousine; c'était une affaire réglée, dont tout le monde était au courant! En compensation, dans l'héritage paternel, notre cousine avait été réduite à la réserve, au profit de son frère, afin qu'aucun des deux frère et sœur, que leur père aimait d'une égale tendresse, ne reçût plus que l'autre. Tu t'en souviens, non ? La rente annuelle qu'Agathe... Alexandra, ta cousine (elle s'était corrigée en riant) a reçue depuis son mariage était calculée jusqu'à nouvel ordre sur cette réserve, c'était une histoire compliquée pour laisser à tante Malwine le temps de mourir...

— Je ne te comprends pas, avait grogné Ulrich.

— C'est pourtant simple! Aujourd'hui, tante Malwine est morte, mais elle avait perdu toute sa fortune dès avant sa mort; on dut même la secourir. Maintenant, il suffit que papa, pour une raison quelconque, ait oublié d'annuler sa propre modification à son testament pour qu'Alexandra ne reçoive rien du tout, même si elle s'est mariée sous le régime de la communauté de biens!

— Je ne sais pas, je crois que ce serait très risqué! dit involontairement Ulrich. Et il doit bien y avoir eu des assurances précises du père. Il est impossible que le père ait fait tout cela sans quelque explication avec son beau-fils! »

Oui, il ne se souvenait que trop bien d'avoir ainsi répondu, parce qu'il ne pouvait se taire devant la dangereuse erreur de sa sœur. Le sourire avec lequel elle l'avait regardé ensuite lui était également resté très présent à l'esprit : « Voilà comme il est! semblait-elle penser. Il suffit de lui présenter les choses non pas comme si elles étaient chair et sang, mais une quelconque généralité, pour pouvoir le mener par le bout du nez! » Puis elle avait demandé, brièvement : « Y avait-il ici de telles conventions écrites ? » et elle-même avait répondu : « Je n'en ai jamais entendu parler, et il me semble que je le saurais! Papa était si original en tout... »

On servit à cet instant, et elle profita de ce qu'Ulrich était sans défense pour ajouter : « On peut contester en tout temps des conventions orales. Mais si le testament a été modifié une deuxième fois après la ruine de tante Malwine, tout nous laisse croire que cette deuxième modification a été perdue! »

De nouveau, Ulrich se laissa entraîner à une correction et dit : « De toutes façons, il reste la réserve, qui n'était pas insignifiante; on ne peut tout de même pas l'enlever aux enfants en ligne directe!

— Mais je t'ai déjà dit que celle-ci avait été entièrement payée du vivant du père! Alexandra avait été deux fois mariée, ne l'oublie pas! » Ils restèrent seuls un instant, et Agathe ajouta hâtivement : « J'ai examiné ce passage de très près : il suffit de changer quelques mots pour que l'on comprenne que la réserve m'a été déjà entièrement payée. Qui peut le savoir, aujourd'hui ? Lorsque papa, après les pertes de tante Malwine, a refait de nous des héritiers à parts égales, cela s'est fait dans un codicille qu'on peut détruire; de plus, je pourrais fort bien avoir renoncé moi-même à ma réserve afin de te l'abandonner pour une raison ou pour une autre! »

Ulrich, interdit, considéra sa sœur et en oublia de donner à ses inventions la réponse que le devoir exigeait de lui; lorsqu'il voulut s'y mettre, ils étaient de nouveau trois, et il fut obligé de parler à mots couverts :

« En fait, commença-t-il avec quelque hésitation, des choses comme ça, on ne devrait même pas y penser!

— Et pourquoi pas ? » rétorqua Agathe.

De telles questions, quand elles ne se posent pas, sont très simples; mais qu'elles se posent vraiment, elles sont un énorme serpent roulé en forme de tache innocente. Ulrich se souvenait d'avoir répondu : « Nietzsche lui-même recommande aux *esprits libres*, pour l'amour de la liberté intérieure, de respecter certaines règles extérieures! » Il avait donné cette réponse en souriant, mais non sans éprouver qu'il était un peu lâche de se retrancher ainsi derrière les paroles d'un autre.

« C'est un principe de paralysie! trancha Agathe. C'est d'après ce principe que je me suis mariée! »

Ulrich pensait : « Oui, c'est vraiment un principe de paralysie. » Il semble que les hommes qui ont à donner à certaines questions une réponse neuve et révolutionnaire signent avec tout le reste un compromis qui laisse survivre partout ailleurs une brave morale pantouflarde; d'autant plus qu'un pareil procédé, où l'on tend à considérer comme des constantes toutes les conditions sauf celle que l'on désire modifier, correspond parfaitement à l'économie créatrice de la pensée familière à ces hommes. Ulrich lui-même avait toujours vu là plus de rigueur que de négligence, mais, lors de cette conversation avec sa sœur, il se sentit atteint; il ne supporta plus l'indécision qu'il avait aimée et il lui sembla que c'était précisément Agathe qui avait à charge de l'entraîner aussi loin. Comme, néanmoins, il lui exposait la règle des Esprit libres, elle sourit et lui demanda s'il ne s'apercevait pas qu'à l'instant où il cherchait à établir des règles générales, un autre homme prenait sa place.

« Et bien que tu l'admires sûrement à bon droit, au fond, il t'est parfaitement indifférent! » affirma-t-elle. Elle regarda son frère avec une pétulance pleine de défi. De nouveau, il se sentit empêché de répondre, se tut, s'attendant à être dérangé d'un moment à l'autre; pourtant il ne pouvait se résoudre à laisser tomber le dialogue. Cette situation encouragea Agathe. « Dans le peu de jours que nous avons passés ensemble, poursuivit-elle, tu m'as donné pour ma vie des conseils plus merveilleux que je n'en eusse jamais osé imaginer; mais c'était pour te demander ensuite, chaque fois, s'ils étaient vrais! Il me semble que la vérité, dans l'usage que tu en fais, est une force qui maltraite l'homme ? »

Elle ne savait pas où elle prenait le droit de lui faire de pareils reproches; sa propre vie lui semblait si vile qu'elle aurait dû plutôt se taire. Mais elle puisait son courage chez Ulrich lui-même, et cette façon de s'appuyer sur lui tout en l'attaquant était si curieusement féminine qu'il le sentit aussi.

« Tu ne peux comprendre le désir de ramener les idées à de grandes masses composées, les expériences que l'on fait dans la bataille de l'esprit te sont étrangères; tu ne vois là que je ne sais quelles colonnes marchant au pas cadencé, l'impersonnalité de ces pieds innombrables qui soulèvent la vérité comme un nuage de poussière! dit Ulrich.

— Mais ne m'as-tu pas décrit toi-même les deux états dans lesquels tu peux vivre avec une précision et une clarté dont j'eusse été incapable ? » répondit-elle.

Une bouffée brûlante dont les limites changèrent rapidement

envahit son visage. Elle éprouva le désir d'entraîner son frère si loin qu'il ne pût plus revenir en arrière. Elle s'enfiévra à cette idée, mais douta si elle aurait assez de courage, et fit traîner le repas en longueur.

Tout cela, Ulrich le savait, le devinait; mais il s'était secoué, et chercha à la persuader. Il était assis en face d'elle, les yeux absents, la bouche crispée pour la parole, et il avait l'impression de n'être pas en lui-même, mais en arrière de lui-même; ce qu'il dit, ce fut comme s'il se le criait dans son propre dos. « Suppose qu'au cours d'un voyage, dit-il, je vole à un inconnu son étui à cigarettes en or : la chose n'est-elle pas simplement impensable ? Aussi ne me demanderai-je pas maintenant si une décision comme celle qui te hante serait ou non justifiable avec une liberté d'esprit supérieure. Il se pourrait même qu'il fût juste de faire souffrir Hagauer. Mais imagine-moi à l'hôtel : je ne suis pas dans la misère, je ne suis ni un voleur professionnel ni un crétin affligé de déformations à la tête ou sur le corps; ma mère n'était pas hystérique, mon père ne buvait pas, il n'est absolument rien d'autre en moi qui m'égare ou me marque de ses stigmates, et néanmoins, je vole : je te répète qu'il n'existe pas au monde un cas pareil! Il ne se produit jamais! On peut carrément le déclarer impossible, c'est une certitude scientifique! »

Agathe éclata de rire. « Mais Ulo! Que se passe-t-il, si on vole quand même ? »

A cette réponse, qu'il n'avait pas prévue, Ulrich ne put s'empêcher de rire; il se leva et repoussa hâtivement sa chaise, afin que son agrément n'encourageât pas Agathe. Celle-ci se leva à son tour. « Tu ne dois pas faire cela! » dit-il, implorant. « Mais Uli, répliqua-t-elle, est-ce que tu penses donc en rêve, ou est-ce que tu rêves quelque chose qui se produit ? »

Cette question lui rappela ce qu'il avait affirmé quelques jours plus tôt, que toutes les exigences de la morale évoquaient une sorte d'état de rêve qui s'enfuyait d'elles aussitôt qu'elles se figeaient. Agathe, après avoir dit cela, avait gagné le cabinet de travail de leur père, qu'on apercevait maintenant éclairé derrière deux portes ouvertes, et Ulrich, qui ne l'avait pas suivie, la voyait debout dans cet encadrement. Elle tenait un papier à la lumière et le lisait. « N'a-t-elle vraiment aucune idée de ce qu'elle assume là ? » se demanda-t-il. Pourtant, le trousseau de clefs des notions modernes telles que déficience nerveuse, carence endocrinienne, débilité, etc., ne convenait pas. Dans le beau spectacle qu'Agathe offrait en son délit, il n'y avait pas non plus trace d'avidité, de vengeance ou d'une quelconque laideur morale. Quoique les actions d'un criminel ou d'un demi-fou, à travers ces notions, fussent encore apparues à Ulrich relativement disciplinées et civilisées (car dans leurs profondeurs flamboient, simplement défigurés et désajustés, les mobiles de la vie ordinaire), à cet instant, la résolution sauvage et douce de sa sœur, où se mêlaient indistinctement la pureté et le crime, lui firent perdre totalement contenance. Il ne pouvait donner accès à l'idée que cet être, si loyalement en train de commettre une mauvaise action, pût être mauvais, et il ne pouvait pas ne pas voir Agathe prenant un papier après l'autre sur le bureau, les parcourant, les mettant de côté, cherchant gravement un document précis. Sa résolution donnait l'impression d'être descendue d'un autre monde dans la plaine des décisions habituelles.

Pendant qu'il l'observait ainsi, autre chose encore inquiétait Ulrich : il se demandait pourquoi il avait persuadé Hagauer de partir en confiance. Il lui semblait avoir agi dès le tout début comme s'il était l'instrument de la volonté de sa sœur ; jusqu'au dernier moment, même quand il la contredisait, il lui avait donné des réponses qui l'aidaient dans le sens où elle désirait aller. Elle avait dit que la vérité maltraitait l'homme : « Fort bien dit, mais elle ne sait pas du tout ce que signifie la vérité! réfléchissait Ulrich. Avec les années, elle vous donne la goutte, mais dans la jeunesse c'est une vie de chasse et de voile! » Il s'était rassis. Soudain, il lui parut qu'Agathe non seulement avait dû recevoir de lui ce qu'elle disait de la vérité, mais encore que ce qu'elle faisait dans la chambre voisine avait été prescrit par lui à sa sœur. N'avait-il pas dit que dans le moment le plus haut d'un homme il n'y avait plus ni bien ni mal, mais seulement la foi ou le doute ; que les règles fixes contredisaient à l'essence de la morale et que la foi ne pouvait en aucun cas être vieille de plus d'une heure ; que, dans la foi, on ne pouvait rien faire de vil ; que le pressentiment était un état plus passionné que la vérité ? Or, Agathe était en passe d'abandonner le domaine clôturé de la morale pour s'aventurer dans cette profondeur sans limite où il n'est plus d'autre décision que de monter ou de descendre. Elle accomplissait cela comme, naguère, elle avait pris de la main hésitante d'Ulrich les décorations qu'il fallait échanger, et, en cet instant, en dépit de son absence de scrupules, il l'aimait avec le sentiment curieux que c'étaient ses propres pensées qui étaient allées de lui à elle, et revenaient maintenant d'elle à lui, plus pauvres en réflexion, mais parfumées de balsamique liberté comme des bêtes sauvages. Tandis qu'il tremblait dans son effort pour se maîtriser, il dit prudemment : « Je repousserai mon départ d'un jour et j'irai me renseigner auprès d'un notaire ou d'un avocat. Peut-être est-ce terriblement visible, ce que tu prépares! »

Mais Agathe avait déjà découvert que le notaire auquel leur père avait recouru en son temps n'était plus de ce monde. « Personne ne sait plus rien de l'affaire, dit-elle, ne t'en mêle pas! »

Ulrich remarqua qu'elle avait pris une feuille de papier et multipliait les essais pour imiter l'écriture paternelle.

Attiré par la curiosité, il s'était approché et se trouvait dans son dos. Il y avait d'une part, en tas, les feuillets sur lesquels avait vécu la main de leur père, dont le mouvement était encore presque sensible, et de l'autre, Agathe qui en suscitait presque l'équivalent, comme dans une parodie. Spectacle étrange. Le but de ces efforts, l'idée qu'ils tendaient à une falsification disparaissaient. En fait, Agathe elle-même n'y avait pas du tout réfléchi. Il planait autour d'elle une justice non plus logique, mais flamboyante. La bonté, la décence et l'équité, parce qu'elle avait découvert ces vertus chez les hommes qu'elle connaissait et surtout chez le professeur Hagauer, lui avaient toujours fait le même effet qu'une tache qu'on enlève sur son vêtement; tandis que l'injustice qui flottait en ce moment autour d'elle, c'était comme quand le monde sombre dans la lumière du soleil couchant. Il lui semblait que le juste et l'injuste ne fussent plus des concepts généraux, un compromis institué pour des millions d'hommes, mais une magique rencontre de Toi et de Moi, la démence de la première création, quand elle n'était encore comparable ni commensurable à rien. En réalité, elle faisait d'un crime un cadeau pour Ulrich en se livrant entre ses mains, sûre qu'il comprendrait son irréflexion, rappelant ces enfants qui, lorsqu'ils veulent faire un cadeau et ne possèdent rien, imaginent les choses les plus inattendues. Ulrich devinait presque tout cela. Ses yeux suivant les mouvements de sa sœur lui donnaient un plaisir qu'il n'avait jamais connu : céder une bonne fois complètement, et sans lui donner d'avertissement, à ce que faisait un autre être, cela évoquait l'absurdité des contes de fées. Même s'il se rappelait tout à coup que cet acte, du même coup, lésait un tiers, ce souvenir n'étincela qu'une seconde comme une hache, et Ulrich s'apaisa bientôt en se disant que ce que sa sœur faisait ne concernait encore personne; il n'était pas du tout dit que ces essais d'écriture fussent réellement utilisés, et ce qu'Agathe faisait entre ses quatre murs demeurait son affaire tant que l'action ne s'en faisait pas sentir hors de la maison.

Elle appela son frère, se retourna et fut surprise de le voir derrière elle. Elle s'éveilla. Elle avait écrit tout ce qu'elle voulait écrire et le brunissait maintenant résolument à la flamme d'une bougie, pour donner à l'écriture un aspect ancien. Elle tendit sa main libre à Ulrich, celui-ci ne la prit pas, mais ne fut pas capable non plus de froncer son visage avec une totale gravité. Puis elle dit : « Écoute! Quand on a affaire à une contradiction, et que cette contradiction on l'aime pour ses deux faces, mais qu'on l'aime vraiment! cela ne suffit-il pas à la résoudre, qu'on le veuille ou non ?

— Le problème est posé avec infiniment trop de légèreté », grogna Ulrich. Mais Agathe savait comment il en aurait jugé dans sa « seconde pensée ». Elle prit une feuille blanche et écrivit insolemment, de cette écriture démodée qu'elle savait si bien imiter : « Ma méchante fille Agathe ne me donne aucune raison de modifier les dispositions que j'ai prises naguère en faveur de mon bon fils Ulo! » Insatisfaite, elle écrivit encore sur une deuxième feuille : « Il faut que ma fille Agathe soit élevée quelque temps encore par mon bon fils Uli. »

. . . .

Voilà comment les choses s'étaient passées; mais quand Ulrich en eut bien repassé tous les détails, il ne sut pas plus qu'avant ce qu'il lui fallait faire.

Il n'aurait pas dû partir sans rétablir la situation : voilà qui était hors de doute! La superstition contemporaine, qui nous fait redouter de rien prendre trop au sérieux, lui avait évidemment joué un tour en lui suggérant d'abandonner provisoirement le champ de bataille et de ne pas accroître par une résistance sentimentale l'importance de l'incident litigieux. On ne mange pas les plats bouillants; les plus violents excès, quand on les abandonne à eux-mêmes, entraînent avec le temps une nouvelle médiocrité; on ne pourrait jamais prendre train, on ne pourrait jamais se promener dans la rue sans un pistolet chargé, si on ne se fiait à la loi de la moyenne qui veut que les possibilités surmontées deviennent d'elles-mêmes improbables : Ulrich, lorsqu'il était rentré chez lui en dépit de ses inquiétudes, avait obéi à cette croyance empirique des Européens. Au fond, il était même heureux qu'Agathe se fût montrée différente.

Légalement, néanmoins, cette histoire ne pouvait avoir qu'une issue : Ulrich devait rattraper aussi rapidement que possible le temps perdu. Il aurait dû, sans hésiter, envoyer à sa sœur une lettre-exprès ou un télégramme dont la teneur aurait été à peu près la suivante : « Je décline tout partage de responsabilité aussi longtemps que tu n'auras pas... » Mais d'écrire cela, il n'avait nullement l'intention, c'était tout bonnement impossible.

De plus, cette grave scène avait été précédée par leur décision de vivre, ou tout au moins d'habiter ensemble dans les semaines qui suivraient, et c'était de cela essentiellement qu'ils avaient dû parler dans le peu de temps qui leur était resté avant la séparation. Ils s'étaient d'abord entendus « pour la durée du divorce », afin qu'Agathe bénéficiât de ses conseils et de sa protection. Mais Ulrich, maintenant qu'il se le remémorait, se souvint aussi d'une remarque antérieure d'Agathe : elle voulait « supprimer Hagauer ». Évidemment, ce dessein avait évolué dans son esprit et pris une nouvelle forme. Elle avait beaucoup insisté pour qu'on vendît l'immeuble familial rapidement, ce qui signifiait sans doute qu'elle désirait rendre leurs biens moins visibles, quand même d'autres raisons auraient fait apparaître opportune une telle vente; en tous cas, le frère et la sœur avaient résolu de s'adresser à des courtiers, et ils avaient fixé leurs conditions. Aussi Ulrich devait-il songer à ce que deviendrait sa sœur lorsqu'il aurait retrouvé sa vie intérimaire d'autrefois, cette vie que lui-même n'admettait plus. La situation où Agathe se trouvait ne pouvait en aucun cas se prolonger indéfiniment. L'intimité à laquelle ils étaient parvenus en un temps si court (toute l'apparence d'une rencontre fatale, songeait Ulrich, encore que d'innombrables détails dispersés en fussent vraisemblablement la cause; tandis qu'Agathe en avait peut-être une conception plus romanesque), cette intimité était sans doute surprenante; la connaissance qu'ils avaient l'un de l'autre dans les diverses relations superficielles dont dépend une vie en commun, n'en était pas moins limitée. Quand il songeait sans parti-pris à sa sœur, Ulrich découvrait quantité de questions sans réponse, et il ne parvenait même pas à porter sur le passé de celle-ci un jugement assuré; l'hypothèse la plus éclairante semblait qu'elle traitait avec une grande indolence tout ce qui lui arrivait, qu'elle vivait, avec beaucoup d'incertitude et peut-être d'illusions, dans des espérances tangentes à sa vie réelle. Une telle explication était confirmée par le fait qu'elle avait vécu si longtemps, et rompu si brusquement avec Hagauer. L'irréflexion avec laquelle elle envisageait l'avenir s'accordait aussi à cette hypothèse : elle était partie de chez elle, cela semblait provisoirement lui suffire, et elle se dérobait aux problèmes du lendemain. Ulrich lui-même ne pouvait ni imaginer qu'elle restât privée d'homme et attendît dans le vague comme une jeune fille, ni se représenter l'espèce d'homme qui pouvait lui convenir; cela aussi, il le lui avait dit peu avant son départ.

Agathe, effrayée ou jouant peut-être la comédie de l'effroi, l'avait regardé en face, puis lui avait répondu tranquillement par une nouvelle question : « Ne puis-je donc pas simplement aller habiter chez toi ces prochaines semaines sans que nous décidions de tout ? »

Ainsi, et sans plus de précisions, s'était confirmée leur résolution de se retrouver. Ulrich comprit qu'avec cet essai devait s'achever son essai de « vie en congé ». Il ne voulait pas réfléchir encore aux conséquences, mais il n'était pas malheureux de penser que sa vie, désormais, serait soumise à certaines limitations; pour la première fois, il repensa au milieu, et surtout aux femmes de l'Action parallèle. L'idée de rompre avec tout cela, idée inséparable de ce nouveau changement, lui paraissait merveilleuse. De même qu'il suffit parfois de changer un petit détail dans une pièce pour que, d'éclats sans gaieté, naisse une superbe résonance, sa petite demeure, dans son imagination, devenait un coquillage où l'on entendait le bruit de la ville comme un fleuve lointain.

Puis, il y avait eu tout de même, dans la dernière partie de cette conversation, une petite conversation particulière :

« Nous vivrons comme des ermites, dit Agathe avec un sourire joyeux, mais naturellement, question amour, chacun reste libre. Toi du moins, tu n'auras pas d'entraves !

— Sais-tu, fit Ulrich en guise de réponse, que nous entrons dans le Règne millénaire ?

— Qu'est-ce que c'est que ça ?

— Nous avons suffisamment parlé de cet amour qui, loin de courir comme un ruisseau vers son but, constitue, comme la mer, un état ! Maintenant, sois sincère : quand on te racontait à l'école que les anges du Paradis ne faisaient pas autre chose que de se tenir en face du Seigneur et de chanter ses louanges, pouvais-tu te représenter cette bienheureuse absence d'action et de pensée ?

— Je me la suis toujours imaginée légèrement ennuyeuse, ce qui tient sans doute à mon imperfection, répondit Agathe.

— Après tout ce dont nous sommes convenus, tu dois te représenter maintenant cette mer comme une immobilité et un isolement emplis d'événements perpétuels purs comme des cristaux. Jadis, on a essayé d'imaginer cette vie sur la terre même : c'est le Règne millénaire, formé à notre ressemblance et pourtant différent de tous les règnes que nous connaissons ! C'est ainsi que nous vivrons ! Nous éloignerons de nous tout égoïsme, nous n'amasserons ni biens, ni connaissances, ni amours, ni amitiés, ni principes, nous ne nous concentrerons même pas nous-mêmes : alors, notre esprit s'ouvrira, se dénouera devant les hommes et les bêtes, s'épanouira de telle sorte que nous ne pourrons plus rester nous-mêmes, que nous ne nous maintiendrons debout qu'en étant confondus avec le monde ! »

Cette petite conversation dans la grande n'avait été qu'une plaisanterie. Ulrich tenait un papier et un crayon, prenait des notes et discutait entre-temps avec sa sœur de ce qui l'attendait si elle réalisait la vente de la maison et de son installation. Il était encore irrité et ne savait pas lui-même s'il blasphémait ou rêvait. Avec tout cela, ils n'avaient pu s'expliquer consciencieusement au sujet du testament.

Aujourd'hui encore, c'était sans doute la complexité de cette conclusion qui empêchait Ulrich d'aboutir à un remords actif. Le coup de main de sa sœur avait beaucoup pour lui plaire, bien que ce fût lui le frappé; il devait reconnaître que par là, l'homme vivant « selon la règle des Esprits libres » auquel il avait donné un peu trop de place en lui-même, se trouvait tout d'un coup dans une dangereuse contradiction avec l'homme profondément indéterminé dont provient le véritable sérieux. Il ne voulait pas non plus se dérober à cet événement en y remédiant rapidement et banalement : dès lors il n'y avait plus de règle, il fallait laisser les choses évoluer.

16. *Où l'on revoit l'époux diplomatique de Diotime.*

Le matin ne trouva pas Ulrich plus lucide. Tard dans la matinée, il décida (pour se soulager un peu des pensées graves qui l'oppressaient) de rendre visite à la dame qui s'occupait de délivrer l'âme de la civilisation, à savoir sa cousine Diotime.

A sa vive surprise, avant même que Rachel fût ressortie de la chambre de Diotime, il fut accueilli par le sous-secrétaire Tuzzi qui venait au-devant de lui. « Ma femme ne se sent pas très bien aujourd'hui », déclara l'époux routinier avec cette délicatesse indifférente dans la voix qui, à revenir chaque mois, n'est plus qu'une formule où le secret domestique s'expose en plein jour. « Je ne sais si elle pourra vous recevoir. » Il était habillé pour sortir, mais tint volontiers compagnie à Ulrich.

Celui-ci profita de l'occasion pour s'informer d'Arnheim.

« Arnheim était en Angleterre et se trouve maintenant à St-Pétersbourg », répondit Tuzzi. A cette nouvelle pourtant insignifiante et parfaitement naturelle, Ulrich, sous l'impression des graves moments qu'il avait vécus, eut le sentiment que le monde, la plénitude et le mouvement refluaient vers lui.

« C'est fort bien ainsi, fit le diplomate. Qu'il ne craigne pas de voyager beaucoup! On peut faire ses observations et apprendre toutes sortes de choses.

— Ainsi, vous croyez toujours qu'il est chargé par le Tsar de quelque mission pacifique ? demanda Ulrich, égayé.

— Je le crois plus que jamais », assura avec simplicité le chef de service responsable de l'application de la politique austro-hongroise. Ulrich douta soudain si Tuzzi était vraiment inconscient à ce point, ou s'il s'en donnait l'air et le dupait; un peu irrité, il abandonna Arnheim et dit : « J'ai ouï dire qu'ici, entre-temps, on avait donné le mot d'ordre de l'action ? »

Comme toujours, Tuzzi semblait prendre plaisir à jouer l'innocent et le rusé à l'égard de l'Action parallèle; il haussa les épaules et ricana : « Je ne veux pas empiéter sur le domaine de ma femme. Vous l'apprendrez de sa bouche dès qu'elle pourra vous recevoir! » Mais au bout d'un instant sa petite moustache se mit à trembler sur sa lèvre supérieure, et les grands yeux sombres dans le visage couleur de cuir étincelèrent d'une souffrance incertaine. « Vous êtes, n'est-ce pas, une espèce de docteur de la loi, dit-il hésitant, peut-être pourrez-vous m'expliquer ce qu'on veut dire quand on prétend qu'un homme a de l'âme ? »

Il semblait que Tuzzi voulût vraiment parler de ce problème, et son incertitude donnait ouvertement l'impression qu'il souffrait. Comme Ulrich ne répondait pas tout de suite, il poursuivit : « Quand on dit, c'est une bonne âme, on pense à un type fidèle, patient à son devoir, loyal... j'ai un chef de cabinet comme ça : mais finalement, c'est là une qualité subalterne! Ou bien, l'âme est une qualité de femme : cela revient à peu près à dire qu'elles pleurent ou rougissent plus facilement que les hommes...

— Madame votre épouse a de l'âme », corrigea Ulrich avec autant de gravité que s'il avait constaté qu'elle avait des cheveux bleu-nuit.

Une légère pâleur courut sur le visage de Tuzzi. « Ma femme a de l'esprit, dit-il lentement, elle passe à bon droit pour une femme d'esprit. Je la tourmente parfois et lui reproche d'être un bel-esprit. Elle se fâche. Mais ce n'est pas de l'âme... » Il réfléchit un peu. « Êtes-vous déjà allé chez une voyante ? demanda-t-il ensuite. Elle vous lit l'avenir dans la main ou dans un cheveu, quelquefois c'est étonnamment juste : ce sont là des dons ou des trucs. Mais pouvez-vous vous représenter quoi que ce soit de sensé quand quelqu'un vous dit, par exemple, que certains signes annoncent, aujourd'hui, la venue d'un temps où nos âmes pourront se voir presque sans l'intermédiaire des sens ? J'ajouterai aussitôt, compléta-t-il rapidement, que ces phrases ne doivent pas être prises simplement au figuré; si vous n'êtes pas bon, par exemple, vous aurez beau faire : cela sera beaucoup plus sensible qu'aujourd'hui, notre époque étant déjà une époque d'éveil, que dans les siècles précédents! Croyez-vous cela ? »

Avec Tuzzi, on ne savait jamais si le persiflage visait son interlocuteur ou lui-même; Ulrich répondit à tout hasard : « A votre place, j'en laisserais se faire l'essai!

— Ne plaisantez pas, très cher ami, quand on est en sécurité c'est un peu vil, soupira Tuzzi. Ma femme exige de moi une intelligence véritable de ces phrases, même si je ne les approuve pas : je suis réduit à capituler sans pouvoir me défendre. Je me suis donc souvenu, dans ma détresse, que vous étiez aussi une espèce de docteur de la loi...

— Ces deux affirmations sont de Maeterlinck, si je ne me trompe, dit Ulrich pour lui venir en aide.

— Ah! oui! De... ? En effet, c'est possible. C'est ce... Bon, bon. C'est peut-être lui aussi qui prétend qu'il n'y a pas de vérité ? Sinon pour l'homme aimant! Si j'aime un être, je participe immédiatement à une vérité mystérieuse, plus profonde que l'ordinaire. En revanche, toute affirmation fondée sur une connaissance et une observation précises de l'homme sera bien entendu sans valeur. Cela est-il aussi de ce Mae..., de ce maître ?

— Vraiment, je n'en sais rien. Peut-être. Cela lui irait.

— Je m'étais imaginé que c'était d'Arnheim.

— Arnheim lui a beaucoup emprunté, lui-même a beaucoup emprunté aux autres : ce sont deux éclectiques de talent.

— Ah oui ? Ce sont de vieilles histoires ? Expliquez-moi donc, au nom du ciel! comment on laisse encore imprimer des phrases de ce genre ? Quand ma femme me répond : « La raison ne prouve rien, les pensées n'atteignent pas à l'âme! » ou encore : « Au-dessus de la précision, il y a un royaume de sagesse et d'amour que des paroles réfléchies ne peuvent que profaner! », je comprends comment elle en arrive là : elle est femme, c'est sa manière de se défendre contre la logique masculine! Mais comment un homme peut-il dire cela ? » Tuzzi s'approcha et posa sa main sur le genou d'Ulrich. « La vérité nage comme un poisson dans un principe invisible; dès qu'on l'en retire, elle meurt : qu'en dites-vous ? Cela aurait-il un rapport avec la différence qui sépare l'homme *érotique* de l'homme *sexuel ?* »

Ulrich sourit. « Dois-je vraiment vous le dire ?

— Je brûle d'impatience.

— Je ne sais par où commencer.

— Bien sûr! Entre hommes, ces choses-là ont peine à passer

les lèvres. Si vous aviez une âme, vous vous contenteriez de contempler et d'admirer mon âme. Nous accéderions à des altitudes où il n'y a plus ni pensées, ni paroles, ni actions. Rien que de mystérieuses puissances, un silence bouleversant! Une âme a-t-elle le droit de fumer ? » demanda-t-il en allumant une cigarette; alors seulement, il se rappela ses devoirs et tendit l'étui à Ulrich. Au fond, il était fier d'avoir lu les livres d'Arnheim. Du fait même qu'ils continuaient à lui être intolérables, avoir reconnu l'avantage éventuel, pour les obscurs desseins de la diplomatie, de leur rhétorique abondante, le flattait comme une découverte personnelle.

En réalité, personne n'aurait voulu faire en vain un travail aussi pénible; tout le monde, à sa place, aurait commencé par railler un peu, selon les besoins, et rapidement, aurait cédé au désir de placer telle ou telle citation à l'essai dans la conversation, ou de donner à tout ce qu'on ne peut exprimer autrement avec précision le vêtement de ces pensées nouvelles, irritantes à force d'obscurité. Cette évolution ne va pas sans résistance, parce qu'on trouve l'habit neuf un peu ridicule; mais on s'y habitue vite. Ainsi, imperceptiblement, l'esprit du temps change dans ses applications; en particulier, il se pouvait qu'Arnheim eût conquis un nouvel admirateur. Tuzzi admettait déjà qu'on pouvait reconnaître dans le projet de fusion Ame-Affaires, en dépit de toutes les oppositions de principe, une sorte de psychologie économique; somme toute, pour le défendre sérieusement d'Arnheim, il n'avait plus que Diotime. Alors déjà, mais à l'insu de tous, un refroidissement commençait à s'opérer dans les relations d'Arnheim et de Diotime, refroidissement qui laissait supposer que tous les propos d'Arnheim sur l'âme n'avaient été qu'échappatoires; la conséquence fut que Tuzzi accueillit ces propos, qu'on lui jetait comme des reproches, avec plus d'irritation que jamais. Dans ces circonstances, il était pardonnable de croire que les relations de sa femme avec l'étranger s'amélioraient encore; ce n'était pas un amour contre lequel un mari pût prendre ses mesures, mais un « état », une « méditation » amoureuse tellement au-dessus de tout soupçon que Diotime elle-même parlait ouvertement des pensées que cet état lui inspirait, et qu'elle exigeait même de Tuzzi depuis quelque temps, non sans imprudence, qu'il y prît une part intellectuelle.

Il se sentait incroyablement borné et sensible, entouré par

cet état qui l'éblouissait comme la lumière du soleil quand elle brille de toutes parts et qu'on ne sait comment s'en protéger, ignorant la position de l'astre.

Il entendait Ulrich parler : « Je voudrais attirer votre attention sur les remarques suivantes. D'ordinaire, la vie, en nous, ressemble au passage perpétuel d'une eau qui afflue et s'écoule. Les excitations que nous subissons proviennent de l'extérieur et s'écoulent à nouveau vers l'extérieur sous forme de paroles ou d'actions. Imaginez une sorte de mécanisme. Puis imaginez qu'il se détraque : il doit alors se produire un barrage, une accumulation d'eau. Ou quelque inondation. Ou, dans certaines circonstances, une simple crue...

— Vous parlez au moins raisonnablement, même s'il s'agit d'absurdités... » reconnut Tuzzi. Il ne comprit pas tout de suite qu'une explication mûrissait là, mais il avait gardé sa réserve; tandis qu'il s'abîmait intérieurement dans sa détresse, le petit sourire méchant était demeuré si fier sur ses lèvres qu'il n'eut plus qu'à le ravaler.

« Si je ne me trompe, poursuivit Ulrich, les physiologistes disent que ce que nous appelons acte conscient provient de ce que l'excitation, loin de traverser simplement l'arc diastaltique, est obligée de faire un détour : le monde où nous ressentons et le monde où nous agissons ressembleraient donc, bien qu'ils nous semblent une seule et même chose, aux niveaux supérieur et inférieur d'un bief, reliés par une sorte de bassin d'accumulation de la conscience; de la hauteur, de la force et d'autres qualités analogues de ce bassin dépend la régularisation du débit de l'eau. Autrement dit : quand un trouble se produit d'un côté (indifférence au monde, dégoût de l'action), on pourrait parfaitement admettre qu'une deuxième conscience, plus haute, se constitue de la sorte ? Ou pensez-vous que non ?

— Moi ? dit Tuzzi. A vrai dire, je crois que cela m'est complètement égal. Que les professeurs en décident entre eux, s'ils le jugent important. Pour parler pratiquement... » Il écrasa pensivement sa cigarette dans le cendrier et leva des yeux irrités : « Sont-ce les êtres à deux barrages ou à un barrage qui décident du sort du monde ?

— Je croyais que vous désiriez savoir uniquement comment je me figure la naissance de telles pensées ?

— Si vous me l'avez dit, je ne l'aurai malheureusement pas compris, fit Tuzzi.

— C'est bien simple : vous ne possédez pas le second barrage, vous ne possédez donc pas le principe de la Sagesse, vous ne comprenez pas un traître mot à ce que disent les gens qui ont une âme. Et je vous en félicite! »

Ulrich s'était rendu compte peu à peu que les pensées qu'il exprimait sous une forme sarcastique et en étrange compagnie n'eussent été nullement incapables d'expliquer les sentiments dont son propre cœur était agité. L'idée qu'une réceptivité pût engendrer un débordement et un reflux d'émotion qui lieraient les sens, avec la souplesse illimitée d'une étendue marine, à l'univers, lui rappela ses grandes conversations avec Agathe, et son visage, involontairement, prit une expression à la fois plus dure et plus absente. Tuzzi l'observa sous ses paupières à demi baissées; au style des sarcasmes d'Ulrich, il devina qu'il n'était pas le seul, en ce lieu, à n'être pas entièrement satisfait de ses « barrages ».

Ni l'un ni l'autre n'avaient prêté attention à la durée de l'absence de Rachel. Celle-ci avait été retenue par Diotime pour l'aider rapidement à se donner, et à donner à la chambre de malade, une apparence de souffrance, un ordre assez souple et néanmoins suffisant pour accueillir Ulrich. La jeune fille vint annoncer qu'il ne devait pas se retirer, mais patienter encore un peu, puis elle rejoignit précipitamment sa maîtresse.

« Toutes les phrases que vous m'avez citées sont des allégories, bien entendu », poursuivit Ulrich après cette interruption, pour dédommager le maître de maison de son obligeance à lui tenir compagnie. « Une sorte de langage de papillons! Devant des gens comme Arnheim, j'ai l'impression que cet immatériel nectar suffit à leur donner du ventre! Ou plutôt... » ajouta-t-il rapidement en se rappelant juste à temps qu'il ne devait pas envelopper Diotime dans sa raillerie, « c'est Arnheim en personne qui me donne cette impression, de même que je le vois portant son âme sous son veston tel un portefeuille! »

Tuzzi reposa la serviette et les gants qu'il avait saisis à l'entrée de Rachel, et répliqua avec véhémence : « Savez-vous ce que c'est ? Je parle de ce que vous m'avez expliqué de si intéressante façon : rien d'autre que l'esprit du pacifisme! » Il ménagea une pause, afin que cette affirmation pût produire tout son effet. « Le pacifisme entre les mains des amateurs constitue sans aucun doute un grand danger », ajouta-t-il gravement.

Ulrich eut envie de rire, mais Tuzzi était terriblement sérieux. Il avait associé deux choses qui étaient en effet vaguement parentes, si comique qu'il pût être de voir l'amour et le pacifisme rapprochés par le fait qu'ils lui donnaient tous deux l'impression d'un libertinage d'amateurs. Ulrich ne sut que répondre et profita simplement de l'occasion pour revenir à l'Action parallèle en objectant qu'on venait précisément d'y donner la consigne de l'action.

« C'est une idée de Leinsdorf! dit Tuzzi dédaigneusement. Vous rappelez-vous encore notre dernière conférence ici, peu avant votre départ ? Leinsdorf avait dit : *Il faut que quelque chose se produise!* Tout est là : c'est ce qu'on appelle maintenant la consigne de l'action! Bien entendu, Arnheim cherche à glisser là-dessous son pacifisme russe. Vous souvenez-vous de ma mise en garde ? J'ai peur qu'on ne doive encore penser à moi! La politique étrangère n'est nulle part aussi difficile que chez nous, et je le disais alors déjà : quiconque prétend réaliser de grandes idées politiques aujourd'hui doit être un peu spéculateur, ou un peu criminel! »

Cette fois, Tuzzi s'ouvrait vraiment, sans doute parce que sa femme pouvait appeler Ulrich d'un instant à l'autre, ou parce qu'il ne voulait pas être le seul interlocuteur à qui cette conversation apprît quelque chose. « L'Action parallèle éveille une méfiance internationale, précisa-t-il, et son effet sur la politique intérieure, où elle est considérée à la fois comme antigermanique et antislave, se répercute sur la politique extérieure. Pour que vous compreniez parfaitement la différence entre le pacifisme amateur et le pacifisme des spécialistes, je vous expliquerai ceci : pour trente ans au moins, l'Autriche, en adhérant à l'Entente cordiale, pourrait empêcher quelque guerre que ce soit! L'Année jubilaire lui permettrait naturellement de le faire dans un magnifique geste de pacifisme, tout en assurant l'Allemagne de son fraternel amour, que celle-ci l'imite ou non. La plupart de nos nationalités seraient enthousiastes. Des crédits anglais et français, peu coûteux, nous permettraient de renforcer notre potentiel militaire au point que l'Allemagne ne nous ferait plus peur. Nous serions débarrassés de l'Italie. La France ne pourrait rien faire sans nous. En un mot, nous serions la clef de la paix comme de la guerre, ce serait la grosse affaire politique. Je ne vous trahis aucun secret : c'est un simple calcul diplomatique à la portée du premier attaché commercial venu. Pourquoi ne le met-on pas en pratique ? Il y a les impondérables de la Cour : on y supporte si mal S. M. qu'on jugerait indécent de Lui céder; les monarchies sont handicapées de nos jours, parce que surchargées de décence! Puis, il y a les impondérables de ce qu'on appelle l'opinion publique : je rejoins par là l'Action parallèle. Pourquoi ne forme-t-elle pas l'opinion ? Pourquoi ne lui fournit-elle pas des conceptions objectives ? Voyez-vous... » (à cet endroit, les explications de Tuzzi perdirent de leur crédibilité et donnèrent plutôt l'impression de vouloir cacher quelque peine) »... cet Arnheim me fait rire avec ses écritures! Se croirait-il le premier ? Récemment, comme j'avais peine à m'endormir, j'ai eu le temps d'y réfléchir un peu. Il y a toujours eu des hommes politiques qui écrivaient des romans ou des comédies, par exemple Clemenceau et même Disraeli; Bismarck non, mais Bismarck était un démolisseur. Et pensez à ces avocats français qui mènent actuellement la barque : ils sont dignes d'envie! Ce sont des spéculateurs politiques, mais conseillés par une excellente diplomatie de métier, qui leur donne les grandes lignes. Tous ont écrit une fois ou l'autre, sans la moindre gêne, des romans ou des pièces, au moins dans leur jeunesse, et ils publient encore des livres aujourd'hui. Croyez-vous que ces livres valent quelque chose ? J'en doute. Mais je vous le jure, je me suis dit hier soir : si quelque chose manque à notre diplomatie, c'est de produire elle aussi des livres, et je vais vous dire pourquoi : premièrement, parce qu'il est important pour un diplomate, autant que pour un sportif, de transpirer son eau. Deuxièmement, parce que cela accroît la sécurité publique. Savez-vous ce qu'est l'équilibre européen ?... »

Ils furent interrompus par Rachel venue annoncer que Madame attendait Ulrich. Tuzzi se fit donner son chapeau et son pardessus. « Si vous étiez un patriote... » dit-il en glissant ses bras dans les manches, tandis que Rachel tenait le pardessus.

« Que devrais-je faire ? demanda Ulrich en regardant les noires pupilles de Rachel.

— Si vous étiez un patriote, vous attireriez discrètement sur ces difficultés l'attention de ma femme ou du comte Leinsdorf. Je ne le puis, chez un mari cela aurait aisément l'air mesquin.

— Mais personne ne me prend au sérieux, ici, répliqua calmement Ulrich.

— Ah! ne dites pas cela! s'écria Tuzzi avec vivacité. On ne vous prend pas au sérieux de la même manière que les autres, mais il y a longtemps que tout le monde vous redoute. On craint que vous n'alliez donner au comte Leinsdorf un conseil tout à fait fou. Savez-vous ce qu'est l'équilibre européen ? demanda le diplomate avec insistance.

— A peu près, je suppose, fit Ulrich.

— En ce cas, je vous félicite! repartit Tuzzi irrité et malheureux. Nous autres diplomates de métier l'ignorons tous. C'est ce qu'il ne faut pas troubler si l'on ne veut pas que tout le monde se tombe dessus. Mais ce qu'il ne faut pas troubler, nul ne le sait exactement. Rappelez-vous donc un peu ce qui s'est passé autour de vous dans les dernières années : la guerre italo-turque, Poincaré à Moscou, la question de Bagdad, l'intervention armée en Libye, la tension austro-serbe, le problème de l'Adriatique... Est-ce là un équilibre ? Notre inoubliable baron Aehrental... mais je ne veux pas vous retenir plus longtemps!

— Dommage! dit Ulrich. S'il faut concevoir l'équilibre européen de la sorte, c'est en lui que s'exprime le mieux l'esprit européen!

— Oui, là est l'intérêt de la chose, répondit Tuzzi, déjà sur le seuil, avec un sourire courtois. Dans ce sens, le travail intellectuel de l'Action n'est pas à sous-estimer!

— Pourquoi n'empêchez-vous pas cela ? »

Tuzzi haussa les épaules. « Chez nous, quand un homme dans la situation de Son Altesse veut quelque chose, on ne peut pas s'y opposer. On peut seulement être sur ses gardes!... »

« Et vous, comment allez-vous ? » demanda Ulrich, après que Tuzzi fut parti, à la petite sentinelle noire et blanche qui le conduisait auprès de Diotime.

17. *Diotime a changé de lectures.*

« Cher ami, dit Diotime lorsque Ulrich entra, je ne voulais pas vous laisser partir sans vous avoir parlé, mais je dois vous recevoir ainsi! »

Elle portait un vêtement d'intérieur dans lequel la majesté de ses formes, par le hasard d'un pli, évoquait vaguement la grossesse, ce qui donnait à ce corps fier qui n'avait jamais enfanté un peu de l'impudeur délicieuse du mal d'enfant. Il y avait à côté d'elle, sur le sofa, une pelisse dont elle venait visiblement de se réchauffer le corps; elle portait sur le front une compresse contre la migraine qui avait pu rester à sa place parce que Diotime savait qu'elle ressemblait à un bandeau grec. Bien qu'il fût tard, la lumière n'était pas allumée, et l'odeur des remèdes, des rafraîchissements pour une douleur mystérieuse se mêlait dans l'air au parfum puissant qui avait été jeté comme une couverture sur toutes les autres odeurs.

Ulrich s'inclina très bas en baisant la main de Diotime, comme s'il cherchait à deviner dans le parfum du bras les modifications qui s'étaient produites durant son absence. La peau n'exhalait que le parfum ample, comblé, baigné, de tous les jours.

« Ah cher ami! répéta Diotime, quel bonheur que vous soyez rentré... Oh! gémit-elle soudain en souriant, j'ai de telles crampes d'estomac! »

Cette communication, qui de la part d'un être naturel, est aussi naturelle qu'un bulletin météorologique, prenait dans la bouche de Diotime le poids d'un aveu et d'un écroulement.

« Cousine ! » s'écria Ulrich en se penchant avec un sourire pour voir son visage. En cet instant, les allusions délicates de Tuzzi au mal-être de sa femme se mêlèrent en Ulrich à l'idée que Diotime était enceinte et que la « décision » avait fondu sur la demeure.

Le devinant à demi, Diotime eut un geste de lasse dénégation. En fait, elle souffrait simplement de douleurs menstruelles. Il est vrai que cela ne s'était jamais produit auparavant et que ces inconvénients, depuis quelques mois, semblaient obscurément liés à ses hésitations entre Arnheim et son mari. Lorsque Diotime apprit le retour d'Ulrich, elle y trouva une consolation : c'est pourquoi, saluant en lui le confident de ses combats, elle l'avait laissé entrer. Elle était là, ne gardant qu'à moitié la position assise, et devant lui, livrée aux douleurs qui la travaillaient, elle était un fragment de nature sans barrières et sans « défense de passer », ce qui lui arrivait assez rarement. Sans doute avait-elle supposé qu'il la croirait si elle parlait de crampes nerveuses, que ce serait même le signe d'une nature sensible; sinon, elle ne se serait pas montrée à Ulrich en cet état.

« Prenez donc quelque chose, proposa Ulrich.

— Ah! soupira Diotime, ce sont les émotions! Mes nerfs ne le supporteront pas plus longtemps! »

Il y eut alors une petite pause : Ulrich aurait dû s'informer d'Arnheim, mais il était curieux d'apprendre quelque chose sur les événements qui le touchaient personnellement, et il ne trouva pas le joint tout de suite. Finalement, il demanda : « Votre projet de libérer l'âme de la civilisation vous crée sans doute des difficultés ? » Il ajouta : « Je puis malheureusement me flatter de vous avoir prédit il y a fort longtemps que vos efforts pour frayer à l'esprit un chemin dans le monde échoueraient douloureusement! »

Diotime se rappela comment elle avait fui ses hôtes pour s'asseoir avec Ulrich sur le coffre à souliers, dans l'antichambre : son abattement, alors, était presque égal à celui d'aujourd'hui, et pourtant il y avait eu entre deux les innombrables hauts et bas de l'espoir. « Que c'était merveilleux, mon ami, dit-elle, quand nous croyions encore à la grande idée! Aujourd'hui, je puis bien dire que le monde a été attentif, mais comme je suis déçue!

— Et pourquoi donc ?

— Je ne sais. C'est sans doute ma faute. »

Elle voulut ajouter quelque chose sur Arnheim, mais Ulrich désirait savoir comment on s'était accommodé de la manifestation; son dernier souvenir en était qu'il n'avait pas trouvé Diotime lorsque le comte Leinsdorf l'avait envoyé chez elle pour la préparer à une intervention énergique et en même temps la tranquilliser.

Diotime eut un geste hautain : « La police a arrêté puis relâché quelques jeunes gens. Leinsdorf est furieux, mais que pouvait-on faire d'autre ? Maintenant, il s'accroche résolument à Wisnietzky et déclare qu'il doit se produire quelque chose : mais Wisnietzky ne peut faire aucune propagande si on ne sait pas pourquoi!

— J'ai entendu dire qu'il s'agissait de la consigne de l'action », intervint Ulrich. Le nom du baron Wisnietzky qui, au ministère, s'était heurté à la résistance des partis allemands et qui de ce fait, à la tête du comité pour la grande Idée inconnue de l'Action, devait éveiller une méfiance considérable, remit sous les yeux d'Ulrich, avec intensité, l'action politique de Son Altesse dont c'était le plus grand succès. A ce qu'il semblait, la marche sereine des pensées leinsdorfiennes, encouragée peut-être par l'échec prévu de tous les efforts pour secouer l'esprit autrichien et même celui de l'Europe par la collaboration de ses plus grands hommes, avait conduit à penser finalement que le mieux à faire était de donner à cet esprit un choc, et peu importait d'où il vînt. Dans les méditations de Son Altesse, cela s'appuyait peut-être aussi sur les expériences que l'on a faites avec des possédés, lesquels se sont parfois fort bien trouvés d'un traitement brutal, qu'on les insultât ou qu'on les battît; mais cette conjecture, à laquelle Ulrich courut avant que Diotime pût répliquer, fut interrompue néanmoins par la réponse de celle-ci.

De nouveau, s'adressant à son cousin, la souffrante recourut au « cher ami ». « Cher ami, il y a là quelque chose de vrai! Notre siècle aspire à un acte. Un acte...

— Mais quel acte ? Quelle espèce d'acte ?

— Peu importe! Il y a dans l'acte un pessimisme grandiose à l'égard des paroles. Ne nions pas qu'on n'ait jamais fait, dans le passé, que parler. Nous avons vécu pour de grands mots, pour des idéaux éternels; pour un accroissement de l'humain; pour notre plus grande intériorité; pour une plénitude croissante de l'existence. Nous avons rêvé d'une synthèse, nous avons vécu pour de nouvelles jouissances esthétiques, de nouvelles valeurs hédoniques; je ne nierai pas que la recherche de la vérité ne soit un jeu d'enfant, comparée au désir infiniment grave de devenir soi-même vérité. C'était néanmoins, si l'on considère le médiocre contenu réel de l'âme aujourd'hui, une exagération, et dans cette ardente nostalgie de rêve, nous avons, pour ainsi dire, vécu pour rien! » Diotime s'était redressée sur son coude avec énergie. « C'est un signe de santé que de renoncer aujourd'hui à chercher l'accès éboulé de l'âme, et de s'efforcer plutôt de s'accommoder de la vie telle qu'elle est! » conclut-elle.

Ainsi, outre celle présumée leinsdorfienne, Ulrich disposait maintenant d'une nouvelle interprétation officielle du « mot d'ordre de l'action ». Diotime semblait avoir changé de lectures; il se souvint qu'il l'avait trouvée, en entrant, tout entourée de livres, mais il faisait déjà trop sombre pour en déchiffrer les titres; d'autre part, le corps de la pensive jeune femme en couvrait un certain nombre, tel un gros serpent qui s'était maintenant redressé encore un peu plus et observait Ulrich, comme en attente. Après s'être nourrie avec prédilection, depuis son adolescence, de livres sensibles et romantiques, Diotime, visiblement (Ulrich en jugeait par ses propos), était emportée par cette force de renouvellement qui est constamment à l'œuvre pour ne pas trouver, avec les idées des vingt prochaines années, ce qu'elle n'avait pas trouvé déjà avec celles des vingt dernières. Finalement, c'est peut-être ainsi que naissent ces grands changements du climat historique, ces oscillations de l'humanité à la cruauté, de la tempête à l'indifférence pour lesquelles il n'y a jamais de raison tout à fait suffisante. Ulrich pensa soudain que ce petit reste inexpliqué d'indétermination qui demeure attaché à toutes les expériences morales et dont il avait tant parlé avec Agathe, devait être la vraie cause de cette incertitude humaine; mais, parce qu'il ne voulait pas se permettre le bonheur de se rappeler ces dialogues, il obligea ses pensées à s'en détourner pour rejoindre le général qui, le premier, lui avait dit que notre époque allait gagner un esprit nouveau, et qui le lui avait dit avec une mauvaise humeur si salubre qu'elle vous interdisait de goûter plus longtemps aux charmes du doute. Puisqu'il en était au général, il se souvint que celui-ci l'avait prié de prendre soin des relations endommagées d'Arnheim et de sa cousine. Aussi répondit-il tout simplement à ce discours d'adieu à l'âme : « L'amour illimité ne vous a donc pas réussi ?...

— Ah vous ! vous êtes toujours le même ! » soupira la cousine en se laissant retomber dans les coussins où elle ferma les yeux : déshabituée par l'absence d'Ulrich de questions aussi directes, elle devait retrouver jusqu'où elle s'était confiée à lui. Soudain, la proximité d'Ulrich réveilla le passé oublié. Elle se rappela vaguement une conversation sur « l'amour passionné » qui avait eu une suite lors de leur dernière ou avant-dernière rencontre : elle avait juré que les âmes pouvaient sortir de la prison du corps, ou tout au moins, si l'on peut dire, se pencher au dehors; Ulrich lui avait répondu que c'étaient là les délires de la faim amoureuse et qu'il fallait qu'elle « laissât faire » quelqu'un, lui, Arnheim, n'importe qui; il avait même cité Tuzzi dans ce contexte, cela lui revenait maintenant : on se rappelle plus aisément des conseils de cet ordre que les autres propos d'un homme comme Ulrich. Sans doute avait-elle eu raison d'y voir alors une insolence; mais, comme la souffrance passée, comparée à la présente, est une vieille amie inoffensive, ce propos avait l'avantage, aujourd'hui, d'être devenu un souvenir familier, presque un camarade. Diotime rouvrit donc les yeux et dit : « Sans doute ne peut-on aimer pleinement ici-bas... »

Elle souriait, mais il y avait sous son bandeau des rides soucieuses qui donnaient au visage, dans la pénombre, une expression curieusement grimaçante. Dans les questions qui la touchaient de près, Diotime était assez encline à croire aux possibilités surnaturelles. Même l'apparition inattendue du général von Stumm au concile l'avait épouvantée comme l'œuvre de quelque esprit, et, tout enfant, dans sa prière, elle demandait de ne jamais mourir. Cela l'avait aidée à vouer à ses relations avec Arnheim une foi surnaturelle, ou, plus exactement, cette incroyance limitée, cette façon de « ne pas tenir pour exclu », qui sont devenues aujourd'hui la forme fondamentale de la foi. Si Arnheim n'avait pas été seulement capable de tirer de leurs deux âmes quelque chose d'invisible qu'on pouvait toucher dans l'air à cinq mètres d'eux, ou si les regards de Diotime avaient été capables de faire de même, mais de telle manière qu'il en fût demeuré, après, un grain de café ou de semoule, une tache d'encre, la moindre trace d'usage ou ne fût-ce qu'un progrès, alors, elle n'eût pas douté de s'élever un jour plus haut encore, jusqu'à ces rapports supra-terrestres, guère plus aisés d'ailleurs à imaginer exactement que la plupart des rapports terrestres. Elle supportait patiemment qu'Arnheim, dans les derniers temps, eût été plus souvent en voyage, plus longtemps absent que naguère, et que même aux jours de présence, il fût singulièrement sollicité par ses affaires. Elle ne se permettait pas de douter un instant que l'amour d'Arnheim pour elle ne fût demeuré le grand événement de la vie de l'industriel; quand ils se retrouvaient seuls, l'élévation du niveau des âmes était immédiatement si nette, leur contact si substantiel, que le cœur effrayé se taisait, que même, si l'occasion de parler de n'importe quoi ne s'offrait pas, un vide se produisait qui les laissait amèrement épuisés. Il n'était nullement exclu que ce fût là de la passion; Diotime, habituée par son époque à voir tout ce qui n'était pas purement pratique devenir l'objet d'une foi, ou précisément de cette incroyance hésitante, ne pouvait donc pas plus exclure qu'il dût s'ensuivre quelque chose qui contredirait toutes les hypothèses raisonnables. Mais en cette minute où elle avait ouvert les yeux et les dirigeait franchement sur Ulrich dont on ne voyait plus qu'une obscure silhouette qui ne répondait pas, elle se demanda : « Qu'est-ce que j'attends ? Que va-t-il se produire ? »

Enfin Ulrich répondit : « Arnheim voulait pourtant vous épouser, non ? »

Diotime se redressa de nouveau sur son bras et dit : « Peut-on résoudre le problème de l'amour en divorçant ou en se mariant ? »

« Pour la grossesse, je me suis trompé », constata tranquillement Ulrich qui ne savait absolument pas quoi répondre à l'exclamation de sa cousine. Brusquement, sans raison, il s'écria : « Je vous avais mise en garde contre Arnheim ! » Peut-être se sentit-il alors tenu de lui apprendre ce qu'il savait, que le nabab avait associé leurs deux âmes à ses affaires, mais il y renonça aussitôt. Il pensait que tous les mots, dans cette conversation, avaient gardé leur ancienne place, tels les objets de sa chambre qu'il avait retrouvés soigneusement époussetés à son retour comme s'il avait été mort une minute. Diotime le tança : « Ne prenez pas les choses si légèrement. Il y a toujours entre Arnheim et moi une amitié profonde; et s'il y a aussi, parfois, comme un grande angoisse, cela tient à notre sincérité. Je ne sais si vous avez déjà vécu, si vous êtes capable de vivre cette expérience : entre deux êtres qui atteignent une certaine altitude d'émotion, le mensonge devient impossible au point d'exclure toute conversation ! »

Ulrich avait l'ouïe fine : à ces blâmes, il comprit que l'accès de l'âme de sa cousine lui était moins fermé que d'ordinaire; extrêmement égayé par ce qu'elle lui avait involontairement avoué, qu'elle ne pouvait parler avec Arnheim sans mentir, il tint à prouver sa sincérité un instant en gardant lui aussi le silence. Puis, comme Diotime s'était de nouveau étendue, il se pencha sur son bras pour en baiser la main avec une amicale douceur. Elle reposa, légère comme moëlle de sureau, dans la sienne, et s'y attarda après le baiser. Le pouls battait sous la pointe des doigts d'Ulrich. Le parfum poudré de la proximité s'attarda tel un petit nuage sur son visage. Bien que ce baise-main n'eût été qu'une plaisanterie galante, il avait en commun avec une infidélité cet amer héritage que laisse le plaisir de s'être penché si près d'un autre être qu'on s'y est abreuvé comme une bête et que votre propre visage s'est noyé dans les eaux.

« A quoi pensez-vous ? » demanda Diotime. Ulrich se contenta de hocher la tête et lui donna ainsi (dans l'obscurité que n'éclairait plus qu'une ultime lueur de velours) une nouvelle occasion de faire des études comparées sur le silence. Diotime se souvint d'une phrase merveilleuse : « Il y a des êtres avec lesquels le plus grand héros n'oserait pas se taire. » C'était du moins à peu près cela. Elle croyait se rappeler qu'il s'agissait d'une citation; Arnheim y avait recouru, elle se l'était appliquée. Hors la main d'Arnheim, depuis les premières semaines de son mariage, elle n'avait gardé aucune main d'homme plus de deux secondes dans la sienne; il avait fallu la main d'Ulrich. Trop préoccupée d'elle-même, elle ne vit pas l'instant se prolonger.

Un peu plus tard, elle se trouva agréablement convaincue qu'elle avait eu raison de ne pas rester inactive dans l'attente de l'heure (peut-être à venir, peut-être impossible) de l'amour suprême, mais d'employer le temps de l'hésitation à se consacrer un peu plus à son mari. Les gens mariés ont de la chance : là où d'autres seraient infidèles à ceux qu'ils aiment, ils peuvent dire qu'ils songent à leur devoir. Comme Diotime se disait que provisoirement, quoi qu'il arrivât, elle devait faire son devoir à la place où le destin l'avait mise, elle avait entrepris de compenser les défauts de son mari et de lui donner un peu plus d'âme. De nouveau, le mot d'un poète lui revint : disant à peu près qu'il n'était pas de misère plus désespérée que d'être associée pour un destin commun à un être que l'on n'aime pas; cela aussi prouvait qu'elle devait s'efforcer d'éprouver quelque chose pour Tuzzi aussi longtemps que leur destin ne les aurait pas séparés. Par un contraste prudent avec les mouvements incalculables de l'âme qu'elle ne voulait pas lui faire payer plus longtemps, elle s'était mise systématiquement à la tâche. Elle sentait avec fierté sous elle les livres que dissimulait son corps, des traités de physiologie et de psychologie du mariage, et ce sentiment se complétait d'une certaine manière par le fait qu'il faisait sombre, qu'Ulrich lui tenait la main, qu'elle lui avait fait comprendre ce pessimisme grandiose qu'il lui faudrait peut-être bientôt traduire dans son activité officielle par un renoncement aux idéaux. A ces pensées, Diotime pressait de temps en temps la main d'Ulrich, comme si, tout à côté, les valises étaient prêtes pour prendre congé du passé. Puis elle gémit doucement, une imperceptible vague de souffrance passa en guise d'excuse sur son corps; Ulrich l'apaisa d'une pression de la pointe des doigts. Quand cela se fut répété une ou deux fois, Diotime dut penser que c'était excessif, mais elle n'osa plus retirer sa main, parce qu'elle était si légère, si sèche, parfois si frémissante dans celle d'Ulrich qu'elle semblait à Diotime elle-même une inadmissible allusion à la physiologie de l'amour, allusion qu'elle ne voulait trahir à aucun prix par quelque maladroit mouvement de recul.

Ce fut « Rachelle », ayant trouvé à s'occuper dans la chambre voisine et depuis quelque temps curieusement impertinente, qui mit fin à cette scène en allumant brusquement au-delà de la porte de communication ouverte. Diotime retira rapidement sa main; un espace, gardant la trace de la légèreté qui l'avait empli, demeura un instant dans celle d'Ulrich. « Rachelle! dit Diotime à voix basse, allume aussi ici! » Quand ce fut fait, les têtes éclairées parurent émerger de quelque eau, comme si elles n'avaient pas encore entièrement essuyé l'obscurité d'où elles sortaient. Des ombres, autour de la bouche de Diotime, la faisaient humide et gonflée; les petits bourrelets ivoire de son cou et du bas des joues, qui d'ordinaire semblaient faits pour les amateurs de riches friandises, étaient durs comme un lino et férocement ombrés d'encre. La tête d'Ulrich, elle aussi, se détachait sur la brusque lumière, peinte en noir et blanc, un primitif sur le chemin de la guerre. Il cligna des yeux et s'efforça de déchiffrer les titres des œuvres dont Diotime était entourée; il ne fut pas peu surpris de découvrir dans ce choix les préoccupations psychologiques et physiologiques de sa cousine. « Il va de nouveau me faire un affront! » pensa-t-elle soudain. Mais ce n'est pas sous la forme de cette phrase qu'elle en prit conscience; elle se sentit simplement, telle qu'elle était étendue sous les yeux d'Ulrich en pleine lumière, trop exposée à son cousin, et elle éprouva le besoin de se donner un air d'assurance. D'un geste qui devait être supérieur, comme il convient à une femme « indépendante », elle montra ses lectures et dit sur un ton aussi objectif que possible : « Me croirez-vous, si je vous dis que l'adultère me semble parfois une solution beaucoup trop simple des conflits matrimoniaux ?

— C'est en tous cas la plus inoffensive! répondit Ulrich sur un ton railleur qui l'irrita. Je dirais qu'elle ne nuit en aucun cas... »

Diotime lui jeta un regard chargé de reproches et lui fit signe que Rachel, de la chambre voisine, pouvait écouter. Puis elle dit à haute voix : « Ce n'est certes pas mon avis! » Elle appela la jeune fille qui apparut, revêche, pour apprendre avec une amère jalousie qu'on la priait de se retirer. Cet incident, cependant, avait mis de l'ordre dans les cœurs; l'idée, encouragée par l'obscurité, de commettre ensemble une petite infidélité, même si celle-ci était pour ainsi dire insaisissable et sans objet, s'évanouit à la lumière. Ulrich s'efforça de traduire en mots les quelques considérations d'affaires qui, une fois dites, lui permettraient de décamper.

« Je ne vous ai pas encore annoncé que j'abandonnais mon poste de secrétaire », commença-t-il.

Mais Diotime était renseignée et déclara qu'il devait rester, qu'on ne pouvait faire autrement. « Le travail que nous devons accomplir demeure considérable, dit-elle. Ayez encore un peu de patience, la solution ne tardera pas! On mettra à votre disposition un secrétaire de métier. »

Le vague de ce « on » frappa Ulrich, et il voulut en savoir plus.

« Arnheim s'est offert à vous prêter son secrétaire.

— Non merci! repartit Ulrich. J'ai le sentiment que ce ne serait pas entièrement désintéressé. »

A ce moment, de nouveau, il eut assez envie d'expliquer à Diotime la très simple histoire des gisements, mais celle-ci n'avait même pas remarqué le caractère dubitatif de sa réponse, et continua :

« En outre, mon mari s'est également déclaré prêt à vous passer un employé de ses bureaux.

— Cela vous agréerait-il ?

— A vrai dire, cela ne me plairait pas beaucoup, dit Diotime avec plus de précision cette fois. D'autant plus que ce n'est pas le choix qui manque : votre ami le général m'a affirmé qu'il se ferait un plaisir de vous fournir des renforts de son département.

— Et Leinsdorf ?

— Ces trois offres m'ont été faites spontanément, c'est pour quoi je n'avais aucune raison d'interroger Leinsdorf : mais il est certain qu'il ne craindrait pas un sacrifice.

— On me gâte ». C'est ainsi qu'Ulrich résuma le surprenant empressement d'Arnheim, de Tuzzi et de Stumm à s'assurer à peu de frais un certain contrôle sur l'Action parallèle. « Mais le plus sage serait peut-être que je prenne l'homme de confiance de votre mari.

— Cher ami ?... » dit Diotime en refusant toujours cette possibilité. Elle ne sut trop comment continuer, ce pourquoi, sans doute, il s'ensuivit une déclaration fort compliquée. Elle s'appuya de nouveau sur son coude et dit avec vivacité : « Je refuse l'adultère que je considère comme une solution trop grossière des conflits matrimoniaux : je vous l'ai dit ! Néanmoins, rien n'est plus difficile que d'être associée pour un même destin à un être que l'on n'aime pas suffisamment ! »

C'était là un cri du cœur tout ce qu'il y a de moins spontané. Parfaitement insensible, Ulrich persista dans sa résolution. « Il est certain que le sous-secrétaire Tuzzi désire contrôler ainsi vos entreprises : mais les autres le voudraient aussi ! expliqua-t-il. Tous trois vous aiment, et chacun doit combiner cet amour avec son devoir. » Il fut vraiment surpris que Diotime ne comprît ni le langage des faits ni celui des remarques qu'il leur adjoignait et il conclut, tout en se levant pour prendre congé, sur un ton plus ironique encore : « Le seul qui vous aime gratuitement, c'est moi : parce que je n'ai strictement rien à faire et pas le moindre devoir. Mais les sentiments sans dérivatif sont destructeurs : vous en avez fait l'expérience vous-même, et vous m'avez toujours manifesté une méfiance justifiée, encore que purement instinctive. »

Sans savoir pourquoi, peut-être simplement parce qu'il lui était agréable de voir Ulrich, sur la question du secrétaire, prendre le parti de sa maison, Diotime n'abandonna pas la main qu'il lui avait tendue.

« Et comment accordez-vous cela avec votre liaison avec *cette* femme ? » demanda-t-elle en répondant non sans impertinence à sa remarque (dans la mesure où elle était capable d'impertinence : c'était un peu comme un poids-lourd jouant avec une plume).

Ulrich ne comprenait pas qui elle voulait dire.

« La femme de ce président du tribunal que vous m'avez présentée !

— Vous avez remarqué cela, cousine ?

— Le Dr. Arnheim m'y a rendue attentive.

— Tiens! Je suis très flatté qu'il pense me nuire de la sorte à vos yeux. Bien entendu, mes relations avec cette dame sont absolument irréprochables! » répondit Ulrich en défendant comme il se devait l'honneur de Bonadea.

« Pendant votre absence, elle n'est allée que deux fois chez vous! » Diotime rit. « Nous l'avons observé la première fois par hasard, la seconde nous l'avons appris par une autre source. Votre discrétion est donc inutile. En revanche, j'aimerais bien vous comprendre, vous. Je n'y parviens pas!

— Mon Dieu, comment expliquer cela, et à vous surtout ?

— Faites-le! » ordonna Diotime. Elle avait pris son expression « d'impudeur officielle », une sorte d'air à lunettes qu'elle adoptait quand son esprit lui commandait d'écouter ou de dire des choses qui étaient interdites à son âme de dame. Ulrich refusa et répéta que, sur la nature de Bonadea, il en était réduit aux suppositions.

« Bon! concéda Diotime. A vrai dire, votre amie, de son côté, n'a pas été avare d'allusions! Elle semble croire qu'elle doit me défendre contre quelque injustice. Enfin, si vous préférez, faites comme si vous supposiez seulement... »

Ulrich se sentit plein de curiosité et apprit que Bonadea avait été reçue déjà quelquefois par Diotime, et pas seulement dans des occasions en rapport avec l'Action parallèle ou la situation de son mari. « Je dois reconnaître que je trouve cette femme belle, continua Diotime. De plus, elle est extraordinairement idéaliste. Je suis vraiment fâchée de vous voir réclamer ma confiance et toujours réserver la vôtre! »

En cet instant, Ulrich pensa à peu près : « Le diable vous emporte tous!... » Il voulut effrayer Diotime et faire payer à Bonadea son indiscrétion, à moins qu'il ne sentît pour un instant l'immense distance qui le séparait de la vie qu'il s'était laissé mener. « Eh bien! écoutez-moi, dit-il avec un regard faussement sombre. Cette femme est nymphomane, et c'est une chose à quoi je ne puis résister! »

Diotime, « professionnellement », savait ce qu'était la nymphomanie. Il y eut une pause, puis elle répondit lentement : « La pauvre femme! Et vous aimez ça ?...

— C'est tellement idiot! » fit Ulrich.

Diotime voulut « en savoir plus »; il dut lui expliquer ce « lamentable phénomène », le lui rendre « sensible au cœur ». Il ne donna pas beaucoup de détails; néanmoins, Diotime se sentit envahir peu à peu par un sentiment de satisfaction dont la base se fût sans doute exprimée par ces mots fameux : « Je remercie le Seigneur de n'être pas comme celle-là », mais dont le sommet se perdait dans la terreur et la curiosité, ce qui ne fut pas sans influencer dans la suite les relations des deux cousins. Songeuse, Diotime dit : « Ce doit être absolument affreux d'étreindre un être dont on n'est pas intimement persuadé...

— Vous trouvez ? » repartit son cousin ingénument. Diotime sentit l'indignation et l'humiliation, devant cette insolence, lui monter à la tête, mais elle n'avait pas le droit de le montrer; elle se contenta de dégager sa main et de retomber dans les coussins avec le geste de prendre congé. « Vous n'auriez jamais dû me raconter cela! dit-elle du fond des coussins. Vous venez de vous conduire fort vilainement à l'égard de cette femme, et vous manquez de discrétion!

— Je ne suis jamais indiscret! protesta Ulrich en ne pouvant s'empêcher de rire de sa cousine. Vous êtes vraiment injuste. Vous êtes la première femme à qui je fasse des confidences sur une autre, et c'est vous qui m'y avez induit! »

Diotime fut flattée. Elle voulut dire, à peu près, que, sans métamorphose spirituelle, on était frustré du meilleur; mais elle ne le fit pas, parce que cela, tout à coup, la toucha personnellement. Finalement, le souvenir d'un des livres qui l'entouraient l'aida à trouver une réponse anodine, comme protégée par des limites officielles : « Vous ne voyez pas dans le partenaire amoureux un égal, mais un simple complément de vous-même, en suite de quoi vous êtes déçu. Ne vous êtes-vous jamais demandé si le chemin d'une union ailée, harmonieuse, ne passait pas nécessairement par une ascèse personnelle ? »

Ulrich faillit rester bouche bée; mais, se défendant sans le vouloir contre cette docte attaque, il répondit : « Savez-vous que le sous-secrétaire Tuzzi, lui aussi, m'a interrogé aujourd'hui sur les possibilités d'éveil et d'éducation de l'âme ? »

Diotime bondit, stupéfaite. « Comment, Tuzzi parle de l'âme avec vous ?

— Oui, bien sûr! Il voudrait savoir ce que c'est! » dit Ulrich. Mais rien ne put plus le retenir dans sa fuite; il promit seulement de faillir peut-être une fois encore au devoir de la discrétion en racontant cela aussi.

18. *Difficultés d'un moraliste dans la rédaction d'une lettre.*

Avec cette visite à Diotime prit fin l'état d'agitation où se trouvait le voyageur. Le lendemain déjà, vers le soir, Ulrich s'asseyait devant son secrétaire qui, par ce geste, lui redevint aussitôt familier, et commençait une lettre pour Agathe.

Il était clair à ses yeux (aussi clair et léger que certains jours sans vent), que l'acte irréfléchi de sa sœur était extrêmement dangereux. Ce qui s'était passé pouvait rester une plaisanterie téméraire qui ne concernait qu'elle et lui, mais à condition d'être annulé avant d'entrer dans le domaine de la réalité; chaque jour, le danger grandissait. Ulrich en était à ce point de sa lettre lorsqu'il s'interrompit, éprouvant d'abord quelques scrupules à confier à la poste une lettre aussi explicite. Il se dit qu'il serait de toute manière plus convenable qu'il prît lui-même le train à la place de la lettre; mais, bien entendu, ce projet lui parut également absurde alors qu'il avait laissé passer plusieurs jours sans se soucier de cette affaire, et il sut qu'il ne le ferait pas.

Il remarqua qu'il y avait à la base de sa conduite quelque chose de presque aussi ferme qu'une résolution : l'envie de voir ce qui sortirait de l'incident. La question qui lui était posée était donc simplement de savoir dans quelle mesure il pouvait vouloir cela réellement et clairement. Toutes sortes de pensées diffuses lui passèrent par la tête.

Il commença par découvrir qu'une conduite « morale » l'avait toujours mis dans une situation spirituelle pire que les pensées ou les actes considérés communément comme « immoraux ». C'est un phénomène général : dans les circonstances qui les mettent en contradiction avec leur entourage, les hommes déploient toute leur force, alors que, là où ils n'ont que leur devoir à faire, ils se comportent, assez naturellement, comme pour le paiement des impôts. D'où il s'ensuit que le mal est toujours accompli avec plus ou moins de fantaisie et de passion, alors que le bien se distingue par une incontestable et pitoyable pauvreté émotive. Ulrich se souvint que sa sœur avait traduit très candidement cette gêne morale en lui demandant si « être-bon n'était pas bon ». Elle avait affirmé que la bonté devait être une chose difficile, passionnante, et s'était étonnée que les êtres moraux fussent presque toujours ennuyeux.

Il sourit de contentement et poursuivit cette idée en songeant qu'Agathe et lui s'opposaient ensemble à Hagauer à peu près comme deux êtres mauvais-de-la-bonne-manière à un homme bon-de-la-mauvaise-manière. Quand on fait abstraction du bon gros milieu de la vie, occupé à juste titre par des gens dans la pensée de qui les mots de bon et de mauvais n'apparaissent plus dès qu'ils ont lâché les jupes de leur mère, les bords, les marges (où apparaissent encore des efforts volontairement moraux) sont abandonnés aujourd'hui à ces êtres mal-bons ou bien-mauvais : les uns, n'ayant jamais vu voler ni entendu chanter le bien, exigent de leurs contemporains qu'ils s'enthousiasment pour un paysage d'oiseaux empaillés et d'arbres morts; alors que les autres, les mauvais par bonté, exaspérés par leurs rivaux, manifestent au moins en pensée une ardente tendance au mal, comme s'ils étaient persuadés que les actes mauvais, moins usés que les bons, sont seuls à contenir encore une étincelle de vie morale. Ainsi (sans qu'Ulrich, bien entendu, fût entièrement conscient de cet avenir), le monde avait alors le choix entre périr de sa morale paralysée ou de ses vifs immoralistes. Aujourd'hui encore, le monde ignore pourquoi il s'est décidé avec un succès si éclatant : peut-être est-ce cette majorité qui n'a jamais le temps de s'occuper de morale en général qui s'est décidée à le faire une fois en particulier, ayant perdu toute confiance en l'atmosphère qui l'entourait et sans doute, dans la suite, en beaucoup d'autres choses. Des hommes mauvais de la mauvaise manière, que l'on est si prompt à rendre responsables de tout, il n'y en avait pas plus alors qu'aujourd'hui, et les bons de la bonne manière représentaient un idéal aussi lointain que la plus lointaine nébuleuse. C'était pourtant à eux que pensait Ulrich, alors que tout ce à quoi il semblait penser lui était indifférent.

Il donna à sa réflexion une forme plus générale et plus impersonnelle encore en remplaçant les notions de « bien » et de

« mal » par les commandements « Fais! » et « Ne fais pas! ». Aussi longtemps qu'une morale (et cela vaut aussi bien pour l'esprit du christianisme que pour celui d'une horde de Huns) est en hausse, le « Ne fais pas! » n'est que le revers et la conséquence naturelle du « Fais! ». L'action, la liberté qu'on donne à l'action, est toute ardeur, et les fautes qu'elle peut comporter ont peu d'importance, étant des fautes de héros et de martyrs. Dans cet état, le bien et le mal se confondent avec le bonheur et le malheur de l'être tout entier. Mais, dès que ce qui fut objet de contestation, problème, question, prend le pouvoir, se déploie et dès que sa solution n'est plus liée à des difficultés particulières, le rapport commandement-interdiction passe nécessairement par un nouvel état décisif où le devoir n'est plus renouvelé et rafraîchi chaque jour : lessivé et divisé en « si » et en « mais », il doit être tenu prêt pour toutes sortes d'usages. Commence alors un processus où la vertu et le vice, étant issus des mêmes règles, lois, exceptions et limitations, deviennent de plus en plus semblables l'une à l'autre, jusqu'à ce que se produise enfin cette contradiction bizarre, mais insupportable au fond, d'où Ulrich était parti : la différence entre bien et mal perdant toute signification en regard de la satisfaction retirée d'une conduite pure, profonde, originelle, satisfaction qui peut jaillir comme une étincelle aussi bien des actes licites que des actes illicites. Oui! Quiconque s'interroge là-dessus sans préjugé reconnaîtra probablement que cette tension est plus forte dans les interdictions que dans les commandements de la morale. S'il semble relativement naturel que certaines actions dites « mauvaises » ne puissent pas être commises ou, quand on les commet quand même, ne devraient pas, à tout le moins, être commises (par exemple l'appropriation du bien d'autrui ou la jouissance effrénée), les traditions morales positives correspondantes (qui seraient dans ce cas le don absolu de soi ou le désir de tuer l'être charnel) ont presque complètement disparu ou ne subsistent plus que chez les fous, les visionnaires ou de blêmes Tartuffes. Dans un pareil état de choses, où la vertu est infirme et où la morale consiste essentiellement à limiter l'immoralité, on conçoit que celle-ci apparaisse non seulement plus originelle et plus vigoureuse, mais encore plus morale que celle-là, dans la mesure où il est permis d'employer ce mot non pas dans le sens du droit et de la loi, mais comme la mesure de la passion que peuvent encore enflammer les questions de conscience. Mais peut-il y avoir contradiction plus flagrante que de favoriser intérieurement le mal sous prétexte qu'on cherche le bien avec tout ce qui vous reste d'âme ?

Ulrich n'avait jamais éprouvé cette contradiction aussi fortement qu'à l'instant où la courbe ascendante parcourue par sa réflexion le ramena à Agathe. L'empressement naturel d'Agathe à utiliser un style mauvais-par-bonté (pour recourir une fois de plus à ce terme rapide), empressement qui s'était manifesté gravement dans la falsification du testament paternel, offensait un empressement tout semblable chez Ulrich, chez qui il avait pris simplement une forme intellectuelle, sorte d'admiration pastorale pour le diable. Pourtant, sur le plan personnel, Ulrich non seulement pouvait vivre honnêtement, mais encore, il le voyait bien maintenant, n'aimait pas être dérangé dans son honnêteté. Avec autant de mélancolique satisfaction que d'ironique lucidité, il constata que toutes ses réflexions théoriques sur le mal se ramenaient au fond à son désir de protéger les mauvaises actions des êtres mauvais qui en profitent; il éprouva tout à coup un besoin de bonté, comme celui qui a erré vainement à l'étranger rêve de revenir chez soi et de marcher tout droit pour aller boire à la fontaine de son village. Si cette comparaison ne s'était pas interposée, il aurait peut-être remarqué que tous ses efforts pour découvrir en Agathe une ambivalence morale n'étaient qu'un prétexte pour se défendre contre une perspective qui l'effrayait beaucoup plus. Chose curieuse, en effet, la conduite de sa sœur, qu'on ne pouvait manquer de critiquer si on l'analysait consciemment, exerçait une séduction fascinante dès qu'on entrait dans son rêve; tout litige, toute équivoque disparaissait pour céder la place à une impression de bonté passionnée, affirmative et pressante qui, comparée à l'aspect délavé qu'elle prend d'ordinaire, retrouvait sans peine l'éclat d'un vice primitif.

Ulrich n'aimait pas à s'exalter ainsi; surtout pas en regard de la lettre qu'il avait à écrire. Aussi ramena-t-il ses pensées aux généralités. Elles auraient été incomplètes s'il ne s'était rappelé combien de fois, et combien volontiers, dans les temps qu'il vivait, le désir d'un devoir dicté par la totalité avait conduit à extraire du stock des vertus disponibles tantôt l'une, tantôt l'autre, pour en faire le centre d'une bruyante idolâtrie. On avait vu tour à tour des vertus nationales, chrétiennes, humanistes, tantôt la fermeté et tantôt la bonté, tantôt la personnalité et tantôt la communauté, un jour le dixième de seconde et la veille la sérénité historique. Au fond, les changements d'atmosphère de la vie publique reposent sur l'échange de ces leitmotiv. Cela n'avait jamais touché Ulrich et lui avait seulement fait sentir son isolement. Maintenant encore, cela ne représentait pour lui qu'une manière de compléter une vue d'ensemble; seule une vue superficielle, en effet, est en mesure de faire croire que l'on puisse affronter l'inexplicabilité morale de la vie, telle qu'on la trouve au stade d'une complication excessive, à l'aide de l'une quelconque des explications déjà existantes. De telles tentatives font penser aux mouvements d'un malade qui ne cesse de changer de position alors que la paralysie qui l'attache à son lit progresse irrésistiblement. Ulrich était persuadé que l'apparition de ces tentatives était inévitable et caractérisait le degré de l'évolution à partir duquel toute civilisation recommence à décliner, aucune n'ayant été capable jusqu'ici d'introduire une nouvelle tension interne à la place de celle qu'elle avait perdue. Il était persuadé également que la même aventure advenue aux morales anciennes menaçait les morales nouvelles. Le relâchement moral, en effet, ne tient pas au domaine des commandements et de leur accomplissement, il est indépendant de leurs différences, inaccessible à la rigueur extérieure, c'est un processus interne, comparable à l'affaiblissement du sens de l'action et de la foi en l'unité de leur sérieux.

Les pensées d'Ulrich furent ainsi ramenées, sans qu'il l'eût voulu, à cette idée qu'il avait traduite par la formule « Secrétariat général de l'Ame et de la Précision », lorsqu'il s'était adressé ironiquement au comte Leinsdorf. Bien que lui-même n'en eût jamais parlé que par impertinence et goût de la plaisanterie, il comprit qu'il s'était toujours comporté, depuis qu'il était un homme, comme si un tel « secrétariat général » était de l'ordre du possible. Peut-être (pouvait-il se dire en guise d'excuse), peut-être tout homme pensant porte-t-il en lui une telle idée de l'ordre, exactement comme des adultes portent sous leur vêtement la médaille d'un saint que leur mère leur a suspendue au cou lorsqu'ils étaient enfants. Cette image de l'ordre qu'aucun d'entre eux n'ose prendre au sérieux ni rejeter, ne peut guère avoir d'autre aspect que celui-ci : d'un côté, elle représente obscurément notre nostalgie d'une loi de la vie juste qui soit à la fois stricte et naturelle, qui n'admette aucune exception et ne souffre aucune objection, qui soit libératrice comme l'ivresse et sobre comme la vérité; de l'autre côté, s'y dessine la conviction que nos propres yeux ne verront jamais cette loi, que nos pensées ne la penseront jamais, qu'elle ne nous sera pas donnée par le message ou l'autorité d'un seul homme, mais uniquement par un effort commun, si elle n'est pas une pure chimère.

Un instant, Ulrich hésita. Il était sans aucun doute un homme croyant, mais qui ne croyait à rien; sa dévotion la plus totale à la science n'était même pas parvenue à lui faire oublier que la beauté et la bonté des hommes proviennent de ce qu'ils croient, et non point de ce qu'ils savent. Mais la croyance avait toujours été liée à la science, dès les premiers jours de sa magique naissance, même s'il s'agissait d'une science imaginée. Cette antique part de la science est pourrie depuis longtemps, elle a entraîné la croyance dans la même décomposition : il s'agit aujourd'hui, de rétablir leur alliance. Non pas, bien entendu, en amenant simplement la croyance « à la hauteur de la science »; mais en faisant en sorte que la croyance prenne son vol de cette hauteur. Il faut réexercer l'art de s'élever au-dessus de la science. Comme aucun individu n'en est capable à lui seul, il faudrait que tous orientent leur esprit, où qu'il soit placé d'ordinaire, dans ce sens. Si Ulrich, à ce moment-là, pensait à un plan de dix, de cent ou de mille ans que l'humanité s'imposerait pour diriger ses efforts vers ce but, il n'avait pas besoin de s'interroger longuement pour savoir qu'il s'était déjà dépeint cela depuis longtemps, sous toutes sortes de noms, comme la vraie vie expérimentale. Par le mot croyance, en effet, il n'entendait pas tant cette volonté étiolée de science que nous connaissons, cette ignorance crédule, que bien plutôt un pressentiment chargé de science, quelque chose qui n'est ni la science ni l'imagination, mais pas davantage la croyance, quelque chose « d'autre » qui se dérobe, précisément, à ces concepts.

Rapidement, il ramena à soi la lettre commencée, puis la repoussa de nouveau.

Son visage, qu'une secrète rigueur venait d'enflammer, s'éteignit, et sa téméraire pensée favorite lui parut ridicule. Comme quand on jette un rapide regard par une fenêtre entr'ouverte, il sentit ce qui l'entourait en réalité : les canons et les affaires de l'Europe. L'idée que des hommes qui vivaient de la sorte pussent s'associer pour orienter intelligemment les navigations de leur destin spirituel était décidément impensable. Ulrich dut reconnaître que l'évolution historique elle-même ne s'était jamais accomplie par une organisation planifiée des idées comme celle dont l'esprit individuel ne peut se passer, mais toujours dans une sorte de gaspillage insensé, comme si elle tombait de la main d'un joueur brutal sur le tapis. Il eut même un peu honte. Tout ce à quoi il avait pensé pendant cette heure évoquait d'une manière suspecte une certaine « Enquête en vue de l'élaboration d'une résolution et de l'établissement des desiderata des différentes couches de la population ». Le fait même qu'il moralisait, cette pensée toute théorique, cette observation de la nature à la lueur des bougies, lui paraissait absolument artificielle, quand l'homme simple, habitué au grand soleil, ne se préoccupe que de prendre ce qui est à portée de sa main et ne se pose jamais d'autre question que celle, très précise, de savoir s'il peut oser et réussir la dite prise.

En cet instant, les pensées d'Ulrich refluèrent des généralités vers lui-même, et il sentit toute l'importance de sa sœur. Il lui avait peint cet état étrange, illimité, incroyable et inoubliable, où tout est « oui ». Cet état où les mouvements de l'esprit ne peuvent être que moraux, le seul, par conséquent, où la morale soit sans rupture, même si elle consiste simplement dans le fait que toutes les actions y flottent sans aucun fondement. Agathe faisait-elle autre chose que tendre la main dans cette direction ? Elle était celle qui tend la main, et à la place des réflexions d'Ulrich apparaissaient les corps et les formes du monde réel. Tout ce qu'il avait pensé lui semblait maintenant hésitation et transition. Il voulait « voir venir » ce qui naîtrait de l'inspiration d'Agathe; en cet instant, il lui était tout à fait indifférent que la mystérieuse promesse eût commencé par un acte répréhensible aux yeux de la morale commune. Il n'y avait plus qu'à attendre de voir si la morale de « l'ascension » et du « retombement » y serait aussi aisément applicable que la simple morale de l'honnêteté. Il se rappela la question passionnée de sa sœur lui demandant s'il croyait à tout ce qu'il lui racontait. Pas plus qu'alors, il ne pouvait répondre oui. Il s'avoua qu'il attendait Agathe pour pouvoir donner réponse à cette question.

Le téléphone sonna. Walter, au bout du fil, l'interpella soudain, accumulant les raisons et bousculant les mots. Ulrich écouta avec un empressement indifférent, et quand il reposa l'écouteur et se leva, ce fut comme si l'appareil sonnait encore à son oreille. Profondeur et obscurité refluèrent, bienfaisantes, autour de lui, mais il n'aurait pu dire si c'étaient des sons ou des couleurs, on aurait dit un approfondissement de tous les sens. En souriant, il prit la feuille de papier sur laquelle il avait commencé sa lettre à sa sœur, et avant de quitter la pièce, la déchira lentement en petits morceaux.

19. *Sus à Moosbrugger!*

Au même moment, Walter, Clarisse et le prophète Meingast étaient assis autour d'un plat garni de radis, de mandarines, d'amandes, de fromage mou et de gros pruneaux secs de Turquie, et ils savouraient ce sain et délicieux souper. A nouveau, le prophète ne portait sur son torse un peu maigre qu'une jaquette de laine; de temps en temps, il louait les sains plaisirs qui lui étaient offerts, tandis que le frère de Clarisse, Siegmund, était assis un peu à l'écart avec gants et chapeau, et rapportait sa nouvelle entrevue avec le Dr. Friedenthal, l'assistant de la clinique psychiatrique, pour permettre à sa « folle de sœur » de voir Moosbrugger. « Friedenthal persiste à dire qu'il ne peut le faire qu'avec une autorisation du tribunal, conclut-il tranquillement. Au tribunal, on ne veut pas se contenter de la requête de la Société de Tutelle « Dernière Heure » que je vous ai procurée : on exige une recommandation de l'ambassade, puisque nous avons eu le malheur de prétendre que Clarisse était étrangère. Il n'y a plus qu'une chose à faire : que le Dr. Meingast se rende demain à la Légation de Suisse! »

Siegmund ressemblait à sa sœur, avec un visage moins expressif, bien qu'il fût l'aîné. Quand on observait le frère et la sœur côte à côte, dans le terne visage de Clarisse le nez, la bouche et les yeux faisaient l'effet de failles dans un sol sec, alors que les mêmes traits, dans le visage de Siegmund, offraient ces lignes molles, un peu brouillées, des terrains couverts de pelouses, encore qu'il fût, hors une petite moustache, rasé de près. L'aspect bourgeois, qui s'était beaucoup moins effacé chez Siegmund que chez sa sœur, lui donnait une sorte de naturel et d'innocence, même au moment où il disposait si insolemment des précieuses minutes d'un philosophe. Personne n'eût été surpris de voir la foudre tomber sur le plat de radis; mais le grand homme accueillit aimablement la suggestion (ce que ses admirateurs considérèrent comme un événement anecdotique), et il fit un signe des yeux comme un aigle qui tolère un moineau sur son perchoir.

Néanmoins, cette brusque tension, faute d'une diversion suffisante, fit que Walter ne put se contenir plus longtemps. Il repoussa son assiette et, rouge comme un nuage auroral, affirma avec énergie qu'un être sain, à moins d'être médecin ou gardien, n'avait rien à faire dans un asile d'aliénés. Lui aussi, le maître l'approuva d'un signe des yeux à peine perceptible. Siegmund, qui s'en aperçut et qui avait assimilé beaucoup de choses dans le cours de sa vie, compléta cet accord par ces hygiéniques propos : « C'est incontestablement une dégoûtante habitude de la bourgeoisie aisée que de voir chez les fous et les criminels une présence démoniaque. » « En ce cas, expliquez-moi donc, s'écria Walter, pourquoi vous voulez tous aider Clarisse à faire quelque chose que vous n'approuvez pas et qui ne peut qu'aggraver sa nervosité ! »

Sa femme elle-même ne daigna pas répondre. Elle prit un air désagréable, une expression si éloignée de la réalité qu'elle en était presque angoissante : deux lignes d'une orgueilleuse longueur descendirent le long de son nez, son menton s'aiguisa. Siegmund ne se crut ni le devoir, ni le droit de parler pour les autres. Ainsi, la question de Walter fut suivie d'un court silence, jusqu'à ce que Meingast dît calmement, à voix basse : « Clarisse a eu un trop grand choc, c'est une chose qu'on ne peut garder sur soi.

— Quand donc ? demanda Walter à voix haute.

— Il n'y a pas bien longtemps : l'autre soir à la fenêtre. »

Walter blêmit, parce qu'il était le seul à ne l'apprendre que maintenant, alors que Clarisse s'était visiblement confiée à Meingast et même à son frère. Mais c'était bien d'elle ! pensa-t-il.

Bien que ce n'eût pas été absolument nécessaire, il eut soudain, au-delà du plat de crudités, le sentiment qu'ils avaient tous environ dix ans de moins. C'était l'époque où Meingast, l'ancien Meingast d'avant la métamorphose, prenait congé, et où Clarisse se décidait pour Walter. Plus tard, elle lui avait avoué que Meingast, bien qu'il eût déjà renoncé, l'avait encore embrassée et caressée quelquefois. Ce souvenir était comme la vaste oscillation d'une balançoire. Walter avait été emporté toujours plus haut, tout lui réussissait, bien qu'il y eût entre eux deux maint abîme. Alors, comme aujourd'hui, quand Meingast était proche, Clarisse ne pouvait parler à Walter; souvent, il devait apprendre par des tiers ce qu'elle pensait ou faisait. Près de lui, elle se raidissait. « Quand c'est toi qui me touches, je me sens devenir toute raide! lui avait-elle dit. Mon corps devient grave, c'est tout autre chose qu'avec Meingast! » Lorsqu'elle l'embrassa pour la première fois, elle lui dit : « J'ai promis à maman de ne jamais rien faire de tel! » Bien qu'elle lui eût avoué plus tard que Meingast, à cette époque, ne cessait de lui faire du pied sous la table de la salle à manger. Telle était l'influence de Walter! La richesse de l'évolution intérieure qu'il avait déclenchée en elle l'empêchait d'être libre de ses mouvements : c'est ainsi que Walter se l'expliquait.

Puis, il se rappela les lettres qu'il avait échangées alors avec Clarisse. Aujourd'hui encore, il sait qu'il n'en est pas qu'on puisse leur comparer pour la passion et l'originalité, serait-ce en fouillant toute la littérature. En ces temps orageux, si Clarisse permettait à Meingast d'être auprès d'elle, Walter la punissait en s'en allant, puis il lui écrivait une lettre; et Clarisse lui répondait en l'assurant de sa fidélité et en lui apprenant, en toute franchise, que Meingast, une fois de plus, lui avait embrassé les genoux à travers les bas. Walter avait voulu publier ces lettres en volume, et maintenant encore, il lui arrivait de penser qu'il le ferait un jour. Malheureusement, jusque là, il n'en était résulté qu'un malentendu lourd de conséquences avec la gouvernante de Clarisse, tout au début. Walter lui avait dit un jour : « Vous verrez, sous peu j'aurai tout arrangé! » Il l'entendait à sa manière, se représentant le grand succès de justification qu'il obtiendrait auprès de la famille dès que l'édition des « Lettres » l'aurait rendu célèbre; car, à parler strictement, déjà alors, il y avait entre Clarisse et lui bien des choses qui n'allaient pas comme il aurait fallu. La gouvernante de Clarisse, un héritage qui avait gardé son titre sous l'honorable prétexte de servir de seconde mère, comprit tout autrement, à sa manière à elle, de sorte que bientôt le bruit courait dans la famille que Walter voulait faire quelque chose qui lui permît de demander la main de Clarisse; de ce bruit résultèrent de singuliers bonheurs et d'étranges obligations. La vie réelle avait été réveillée pour ainsi dire d'un coup : le père de Walter déclara qu'il n'entretiendrait pas son fils plus longtemps s'il ne cherchait à gagner lui-même sa vie; le futur beau-père de Walter le fit venir à son atelier pour lui parler des difficultés et des déceptions qui attendent celui qui considère l'art comme une vocation pure et sacrée, qu'il s'agisse des beaux-arts, de la musique ou de la poésie; enfin, Clarisse et Walter lui-même sentirent les démanger l'idée, brusquement incarnée, d'une économie autonome, d'une petite famille, d'une chambre à coucher officiellement commune, comme une éraflure dans la peau qui ne guérit pas parce qu'on ne cesse involontairement de la gratter. De la sorte, quelques semaines après son affirmation prématurée, Walter se trouva réellement fiancé à Clarisse, ce qui les rendit très heureux, mais aussi très agités. Alors, en effet, commença une quête d'un “îlot de tranquillité” que vinrent compliquer toutes les difficultés de l'Europe : la situation recherchée avec tant d'hésitations par Walter n'était pas seulement déterminée par les revenus, mais encore par ses six répercussions possibles : sur Clarisse, sur lui, sur la vie amoureuse, sur la poésie, la musique et la peinture. En fait, ils étaient à peine sortis des multiples tourbillons déclenchés au moment où, en face de la vieille Mademoiselle, il avait succombé au plaisir de parler, lorsque Walter accepta son poste aux Monuments historiques et entra avec Clarisse dans cette modeste maison où leur destin devait une fois de plus se décider.

Au fond, se disait Walter, il ne serait pas invraisemblable que le destin, maintenant, se déclarât content; alors, sans doute, la fin ne serait pas exactement ce que le commencement avait espéré, mais les pommes, quand elles sont mûres, tombent toujours sur le sol, et non pas vers la cime de l'arbre...

Ainsi songeait Walter. Cependant, en face de lui, à l'autre extrémité de la diagonale dessinée par le plat multicolore aux saines nourritures, il voyait flotter la petite tête de sa femme : Clarisse s'efforçait de compléter, aussi objectivement que possible, aussi objectivement que Meingast lui-même, son explication : « Je dois faire quelque chose pour atténuer cette impression; de l'avis de Meingast, elle a été trop forte pour moi, expliqua-t-elle en ajoutant de son cru : Sûrement, ce n'est pas par hasard que ce type s'est caché dans les buissons juste sous ma fenêtre!

— Absurde! s'écria Walter en chassant cette supposition comme le dormeur une mouche. C'était aussi ma fenêtre!

— Eh bien! notre fenêtre! » corrigea Clarisse avec son mince sourire dont on ne pouvait savoir, devant cette raillerie, s'il exprimait l'amertume ou le défi. « Nous l'avons attiré. Mais faut-il que je te dise comment on pourrait appeler ce que ce type a fait ? C'était un vol de volupté! »

Walter avait mal à la tête. Sa tête était pleine à craquer de passé, et le présent s'y enfonçait comme un coin sans que la différence entre passé et présent fût convaincante. Il y eut de nouveau des buissons qui formaient dans sa tête de claires masses de feuillage à travers lesquelles passaient des pistes de vélos. Comme aujourd'hui, le matin, on ressentait l'audace des longues randonnées, des longues promenades. Les robes des filles vibraient à nouveau, ces robes qui pour la première fois, ces années-là, libéraient hardiment la cheville et faisaient bouillonner, au rythme nouveau du sport, l'écume blanche des dessous. Le fait que Walter crût alors qu'entre Clarisse et lui maintes choses n'allaient pas « comme il aurait fallu » était une disposition d'esprit fort utile : à dire vrai, dans ces randonnées du printemps de leurs fiançailles, ils avaient fait tout ce qu'on peut faire sans qu'une jeune fille ne soit plus jeune fille. « Presque incroyable chez une fille convenable », songeait Walter en évoquant avec délices ces souvenirs. Clarisse appelait ça : « Prendre sur soi les péchés de Meingast », Meingast qui s'appelait encore autrement à cette époque et venait de partir pour l'étranger. « Ce serait une lâcheté de n'être pas sensuel sous prétexte que lui l'était! » expliquait-elle tout en proclamant que, chez eux, il fallait le comprendre « intellectuellement »! Sans doute Walter s'était-il parfois inquiété que ces gestes ne fussent un peu trop proches de ce qui venait seulement de s'effacer, mais Clarisse répliquait : « Quand on a un très grand but, comme nous par exemple en art, on n'a pas le droit de se soucier d'autre chose ». Walter se rappelait avec quel zèle ils avaient anéanti le passé en le reproduisant dans un nouvel esprit, et avec quel plaisir ils avaient découvert la magique possibilité d'excuser des plaisirs interdits en leur assignant une mission supérieure. En fait, en ce temps-là, Clarisse avait déployé dans le plaisir autant d'énergie qu'elle en montrait maintenant dans le refus, Walter était obligé de le reconnaître. Abandonnant un instant ce thème, une pensée spectrale lui dit que ses seins, aujourd'hui, étaient aussi droits qu'alors. Tous pouvaient le voir, même à travers sa robe. Meingast avait justement les yeux posés sur la gorge de Clarisse; peut-être ne le savait-il pas. « Ses seins sont muets! » déclama intérieurement Walter en mettant dans ces mots autant de sens que s'il s'était agi d'un rêve ou d'un poème. Cependant, avec presque autant de force, à travers le rembourrage du sentiment, le présent pesait; Walter entendit Meingast encourager Clarisse comme un médecin ou un professeur :

« Allons! Clarisse! dites ce que vous pensez! » Parfois, pour on ne sait quelle raison, le revenant retombait dans le voussoiement.

Ensuite, Walter remarqua que Clarisse regardait Meingast d'un air interrogatif.

« Vous m'avez parlé d'un certain Moosbrugger, qui serait charpentier... »

Clarisse regardait.

« Qui d'autre fut charpentier? Le Rédempteur! N'est-ce pas ce que vous m'avez dit ! Vous m'avez même raconté que vous aviez écrit une lettre à ce propos à je ne sais quelle personnalité influente...

— Assez! » supplia Walter avec véhémence. La tête lui tournait. A peine avait-il crié son indignation, il comprit que de cette lettre non plus il n'avait jamais entendu parler. Faiblissant, il demanda : « De quelle lettre parlez-vous? »

Personne ne lui répondit. Meingast négligea sa question et dit : « C'est là une idée très actuelle. Nous ne sommes pas capables de nous libérer nous-même, la chose ne fait aucun doute : nous appelons cela *démocratie*, mais la démocratie n'est que l'expression politique d'un état psychique d'indifférence absolue. Nous sommes à l'époque du bulletin de vote. Déjà, chaque année, nous élisons notre idéal sexuel, la reine de beauté, par le moyen du vote. Nous avons fait de la science positive notre idéal : c'est comme si nous glissions de force dans la main des prétendus faits un bulletin de vote, afin qu'ils choisissent à notre place. L'époque est anti-philosophique et lâche : on n'a pas le courage de décider ce qui est valeur et ce qui n'en est pas. La démocratie, réduite à sa plus simple expression, revient à faire ce qui se produit! Soit dit en passant, c'est là un des plus infâmes cercles vicieux que l'histoire de notre race ait connus. »

Le prophète, irrité, avait ouvert une noix, l'avait épluchée et en portait les morceaux à sa bouche. Personne ne l'avait compris. Il interrompit son discours au profit d'un lent mouvement masticatoire auquel participa aussi la pointe légèrement relevée de son nez, tandis que le reste du visage gardait une immobilité ascétique, sans que son regard quittât la gorge de Clarisse. Involontairement, les yeux des deux autres hommes abandonnèrent aussi le visage du maître et en suivirent le regard absent. Clarisse sentit une sorte de succion, comme si elle risquait, regardée plus longtemps de la sorte, d'être aspirée par ces six yeux. Mais le maître avala violemment le dernier morceau de noix et poursuivit sa leçon :

« Clarisse a découvert que la mythologie chrétienne fait du Rédempteur un charpentier : cela n'est même pas tout à fait exact; il s'agit de son père adoptif. Bien entendu, il n'est guère admissible non plus que Clarisse veuille tirer des conclusions du fait qu'un criminel qui l'a impressionnée est par hasard un charpentier. Du point de vue intellectuel, cela ne tient pas. Du point de vue moral, c'est un peu léger. Mais de sa part, c'est courageux! » Meingast fit une pause pour laisser le mot « courageux », prononcé avec dureté, faire tout son effet. Puis il continua calmement : « Elle a vu il y a peu, comme nous, un exhibitionniste; elle surestime cela (de toutes manières on surestime gravement la sexualité aujourd'hui), mais elle dit : Ce n'est pas un hasard si ce type est venu sous ma fenêtre... Et nous allons essayer de le comprendre! C'est évidemment faux : du point de vue causal, cette rencontre est un pur hasard. Néanmoins Clarisse se dit : Si je considère toutes choses comme expliquées, l'homme ne pourra jamais rien changer au monde. Elle juge inexplicable qu'un meurtrier qui, si je ne me trompe, se nomme Moosbrugger, soit justement charpentier; elle juge inexplicable qu'un malade inconnu souffrant de troubles sexuels s'exhibe justement sous sa fenêtre. Ainsi s'est-elle habituée à juger inexplicables beaucoup d'autres choses qui lui arrivent, et... » De nouveau, Meingast fit attendre un moment ses auditeurs. Sa voix, sur les derniers mots, avait évoqué les mouvements d'un homme résolu qui s'avance sur la pointe des pieds avec d'infinies précautions, et tout à coup attaque. « ... Et c'est pourquoi elle fera quelque chose ! » expliqua Meingast avec fermeté.

Clarisse se sentit refroidir.

« Je répète, dit Meingast, qu'on ne doit pas la critiquer du point de vue intellectuel. L'intellectualité, nous le savons, n'est que l'expression ou l'instrument d'une vie desséchée. En revanche, ce que dit Clarisse provient vraisemblablement d'une autre sphère, celle de la volonté. Clarisse ne pourra sans doute jamais expliquer ce qui lui advient, mais elle pourra peut-être le résoudre ; pour exprimer cela, elle recourt instinctivement au terme juste : « rédimer ». L'un de nous serait peut-être tenté de dire que ce sont là des idées délirantes, ou que Clarisse a les nerfs fatigués ; mais cela n'aurait aucun sens. Le monde, aujourd'hui, est si privé de délire qu'il n'est rien dont on sache s'il faut l'aimer ou le haïr ; comme tout est ambivalent, tous les hommes sont des neurasthéniques et des faibles. En un mot, conclut brusquement le prophète, il n'est pas facile au philosophe de renoncer à la connaissance, mais la grande découverte du vingtième siècle est probablement qu'il faut tout de même y renoncer. Pour moi, à Genève, je juge intellectuellement plus importante la présence là-bas d'un professeur de boxe français que les travaux qu'y fit jadis Rousseau le démolisseur ! »

Meingast aurait pu parler longtemps encore, maintenant qu'il était en train. Premièrement, du fait que l'idée de rédemption avait toujours été anti-intellectuelle. « Tout ce qu'on peut donc souhaiter au monde, aujourd'hui, c'est un bon grand délire » : il avait eu cette phrase sur la langue, mais il l'avait ravalée au profit de l'autre péroraison. Deuxièmement, de la signification physique incluse dans l'idée de rédemption, signification donnée déjà par la racine « lösen », apparentée à « lockern[1] » ; signification physique qui nous laisse entendre que seuls les actes peuvent rédimer, à savoir des expériences qui concernent l'homme tout entier, avec sa peau et ses cheveux. Troisièmement, il aurait voulu dire que l'hyper-intellec-

1. De nouveau, Musil joue sur les mots « lösen » (résoudre), « erlösen » (libérer, sauver, rédimer) et « lockern » (attirer, séduire). *N. d. T.*

tualisation de l'homme pouvait amener la femme à s'orienter instinctivement vers l'action, à en prendre l'initiative, ce dont Clarisse était un des premiers exemples. Enfin, il aurait parlé de l'évolution de l'idée de rédemption dans l'histoire des peuples; il aurait montré qu'actuellement, l'idée, longtemps prédominante, que la rédemption n'était qu'une notion religieuse, faisait place à une découverte plus objective : à savoir que la rédemption doit être provoquée par une décision de la volonté et même, si nécessaire, par la violence. La rédemption du monde par la violence était alors le centre de ses préoccupations. Mais, entretemps, Clarisse n'avait plus pu supporter la succion de l'attention qu'on lui portait; elle avait coupé la parole au maître en se tournant vers Siegmund, point de moindre résistance, pour lui dire, ou presque lui crier : « Je te l'ai déjà dit : on ne peut comprendre que ce à quoi l'on participe : c'est pourquoi nous devons aller nous-mêmes à l'asile! »

Walter qui, pour se contenir, pelait une orange, y fit une coupure trop profonde : un peu de jus lui gicla dans l'œil, de sorte qu'il recula et chercha son mouchoir. Siegmund, comme toujours vêtu avec soin, considéra d'abord, pour l'amour de la chose, l'effet de l'irritation sur l'œil de son beau-frère, puis les gants pécari qui, nature-morte de l'honorabilité, reposaient sur ses genoux avec un chapeau melon. Mais comme sa sœur ne le quittait pas des yeux et que personne ne répondait pour lui, il leva les yeux en hochant gravement la tête et murmura tranquillement : « J'ai toujours dit que nous étions tous faits pour l'asile. »

Clarisse se tourna vers Meingast et dit : « Je t'ai parlé de l'Action parallèle, n'est-ce pas ? Ce serait une occasion extraordinaire, et peut-être notre devoir, d'en finir avec l'indifférence, le *laisser-faire* qui est le péché du siècle! »

En souriant, le maître fit un signe de dénégation.

Clarisse, envahie par l'enthousiasme que lui inspirait sa propre importance, s'écria sans transition, sur un ton d'opiniâtreté : « Une femme qui laisse faire un homme dont l'esprit s'affaiblit à cause de ça est aussi une criminelle sadique! »

Meingast dit, sur un ton d'exhortation : « Restons-en aux généralités! D'ailleurs, je puis te tranquilliser sur un point : dans ces délibérations un peu ridicules où la démocratie agonisante espère encore accoucher d'une grande mission, j'ai depuis longtemps mes observateurs et mes hommes de confiance! »

Clarisse sentit vraiment de la glace à la racine de ses cheveux.

En vain Walter tenta une fois encore d'empêcher ce qui se préparait. Combattant Meingast avec infiniment de respect, sur un ton tout différent de celui dont il eût parlé à Ulrich, il se tourna vers lui et dit : « Ce que tu dis revient à ce que je dis moi-même depuis longtemps, qu'il ne faut peindre qu'avec des couleurs pures. On doit en finir avec le trait estompé ou rompu, les concessions à l'atmosphère, à la lâcheté d'un regard qui n'ose plus voir que chaque objet a son contour net, sa couleur locale : je parle en peintre, tu parles en philosophe. Mais, si nos opinions sont les mêmes... » Tout à coup, embarrassé, il sentit qu'il ne pourrait dire en présence des autres pourquoi il craignait le contact de Clarisse avec les aliénés. « Non, je ne désire pas que Clarisse y aille, s'écria-t-il, et en tous cas, elle n'aura pas mon accord! »

Le maître avait écouté amicalement et répondit non moins amicalement, comme si aucun des mots prononcés pourtant avec gravité n'avait pénétré dans son oreille : « Clarisse a eu encore une très belle parole en affirmant que nous avions tous, outre le *corps de péché* dans lequel nous vivons, un *corps d'innocence.* On pourrait donner de cette phrase une très noble interprétation : que notre représentation, indépendamment de ce monde misérable qu'on prétend être celui de l'expérience, peut accéder à un monde de la grandeur où, dans les moments de clarté, nous sentons des forces toutes différentes animer notre image! Comment avez-vous dit cela, Clarisse ? demanda-t-il encourageant en se tournant vers elle. N'avez-vous pas affirmé que si vous parveniez à épouser sans répugnance la cause de ce malheureux, à pénétrer chez lui et à jouer du piano dans sa cellule, jour et nuit, sans être paralysée, vous lui tireriez ses péchés du corps, vous les prendriez sur vous et vous envoleriez avec eux ? Bien entendu, remarqua-t-il en se tournant de nouveau vers Walter, il ne faut pas l'entendre littéralement non plus, c'est un mouvement profond de l'âme de l'époque qui, à travers la parabole de cet homme, s'infiltre dans la volonté de Clarisse... »

Il se demanda alors s'il devait ajouter quelques mots sur les rapports de Clarisse avec l'histoire de l'idée de rédemption, ou s'il serait plus piquant de lui expliquer une fois de plus, en tête à tête, sa mission de conductrice. Mais Clarisse avait bondi de sa place comme un enfant qui ne peut plus résister à la joie; elle brandit son poing fermé, sourit avec une sauvagerie gênée et interrompit la suite de son éloge par Meingast d'un cri strident : « Sus à Moosbrugger!

— Mais nous n'avons toujours personne pour nous faire entrer... remarqua Siegmund.

— Je ne viendrai pas! affirma Walter.

— Je ne puis à aucun prix revendiquer une faveur d'un État où règnent la liberté et l'égalité! déclara Meingast.

— Dans ce cas, il faut qu'Ulrich nous procure l'autorisation! » s'écria Clarisse.

Tous approuvèrent volontiers cette décision grâce à laquelle, après un effort incontestablement pénible, ils se sentaient de nouveau en congé jusqu'à nouvel ordre. Walter lui-même, en dépit de sa répugnance, dut finalement accepter de se rendre au plus proche magasin pour appeler l'ami élu à les aider. Ce faisant, il interrompit définitivement Ulrich dans la lettre qu'il voulait écrire à Agathe. Celui-ci reconnut non sans étonnement la voix de Walter et écouta son message. On pouvait avoir sur la question des avis divergents, ajouta Walter de son propre chef, mais ce n'était sûrement pas un caprice pur et simple. Peut-être fallait-il vraiment commencer une fois, et peu importait comment. Bien entendu, l'apparition de Moosbrugger dans cette histoire n'était qu'un hasard; mais Clarisse avait une si remarquable immédiateté! Sa pensée évoquait ces tableaux modernes peints en couleurs pures, durs et rébarbatifs, mais souvent curieusement justes, dès qu'on entrait dans leur style. Il ne pouvait pas expliquer tout cela par téléphone. Ulrich ne devait pas le laisser tomber...

Ulrich fut heureux d'avoir été appelé et accepta l'invitation, bien que la durée du trajet s'accordât mal avec le petit quart d'heure pendant lequel il pourrait s'entretenir avec Clarisse : celle-ci avait été invitée à dîner par ses parents, en compagnie de Walter et de Siegmund. En chemin, Ulrich s'étonna d'être resté si longtemps sans penser à Moosbrugger et d'y être toujours ramené par Clarisse, alors que cet homme, naguère, avait occupé presque constamment ses pensées. Même dans l'obscurité où Ulrich marchait, entre le terminus du tramway et la maison de ses amis, il n'y avait pas de place pour ce fantôme; le vide où il était apparu s'était refermé. Ulrich le constata avec satisfaction et avec cette légère incertitude sur soi qui succède toujours aux changements dont l'importance est plus visible que les causes. Empli d'aise, il fendait la souple obscurité du noir solide de son corps lorsque Walter vint à sa rencontre, hésitant; il craignait les endroits obscurs et solitaires, mais il aurait aimé échanger quelques mots avec Ulrich avant que celui-ci retrouvât les autres. Avec vivacité, il poursuivit ses réflexions là où elles s'étaient interrompues. Il semblait vouloir se défendre, et défendre Clarisse en même temps, contre certains malentendus. Même si les idées de Clarisse donnaient une impression d'incohérence, on retrouvait toujours derrière elles un virus qui fermentait réellement dans l'époque : c'était une de ses qualités les plus surprenantes. Elle était comme une baguette de sourcier qui désigne les gisements cachés. Dans le cas présent, c'était la nécessité de substituer à l'attitude passive, purement intellectuelle et sensible, de l'homme contemporain, des « valeurs ». L'intelligence contemporaine avait supprimé peu à peu tout point fixe, de sorte que seule la volonté ou, s'il le fallait, la violence, pouvaient créer une nouvelle hiérarchie des valeurs au sein de laquelle l'homme trouverait l'alpha et l'oméga de sa vie intérieure... Walter répétait avec hésitation, mais non sans enthousiasme, les divagations de Meingast.

Ulrich, qui le devina, dit avec irritation : « Pourquoi t'exprimes-tu avec une pareille enflure ? C'est sans doute votre prophète ? Naguère, tu ne pouvais jamais être assez simple, assez naturel... »

Walter encaissa à cause de Clarisse, pour qu'Ulrich ne refusât pas son aide; mais s'il y avait eu le moindre rayon de lumière dans la nuit sans lune, on aurait vu luire ses dents impuissantes. Il ne répliqua rien, mais sa colère rentrée l'affaiblit et la présence du compagnon vigoureux qui le protégeait contre une solitude un peu angoissante l'amollit. Il dit soudain : « Imagine que tu aimes une femme. Tu rencontres un homme que tu admires, tu comprends que ta femme l'admire aussi et l'aime. Tous les deux, vous sentez maintenant avec amour, jalousie et admiration la supériorité inaccessible de cet homme...

— Je ne puis imaginer cela! » Ulrich aurait dû l'écouter, mais il haussa les épaules en riant, tandis qu'il interrompait Walter.

Celui-ci jeta un regard venimeux dans sa direction. Il avait voulu lui demander : « Que ferais-tu dans ce cas ? » Mais l'éternel jeu des amis d'enfance recommençait. Ils traversèrent la demi-clarté du perron, et il s'écria : « Ne grimace pas à ce point : tu n'as jamais été pareillement insensible ! » Puis, il dut courir pour rattraper Ulrich et l'informer encore dans l'escalier, à voix basse, de tout ce qu'il devait savoir.

« Qu'est-ce que Walter t'a raconté ? demanda Clarisse.

— Je puis le faire, répondit Ulrich sans détours, mais je doute que ce soit raisonnable.

— Tu entends, son premier mot est *raisonnable ?* » cria Clarisse à Meingast, en riant. Elle voyageait entre la penderie, la toilette, le miroir et la porte entr'ouverte qui faisait communiquer sa chambre avec celle où se tenaient les hommes. On l'apercevait de temps en temps : le visage mouillé et les cheveux défaits, ou ramenés sur le haut de la tête, les jambes nues ou gaînées de soie mais sans souliers, le bas du corps déjà dans une longue robe de soirée, le haut encore sous un peignoir qui évoquait l'uniforme blanc des prisons... Ces apparitions et disparitions lui faisaient du bien. Depuis qu'elle avait imposé sa volonté, tous ses sentiments flottaient dans une volupté légère. « Je danse sur des cordes de lumière ! » cria-t-elle dans la chambre. Les hommes sourirent ; seul Siegmund regarda l'heure et, traditionnellement, demanda qu'elle se hâtât. Il considérait l'ensemble comme un exercice de gymnastique.

Sur un « rayon de lumière », Clarisse glissa dans le coin de la pièce pour trouver une broche, et bouleversa le tiroir de la table de nuit. « Je m'habille plus vite qu'un homme ! » cria-t-elle à Siegmund de la chambre voisine, mais elle buta soudain sur le double sens du mot « anziehen [1] », qui signifiait à ce moment-là pour elle aussi bien « habiller » qu' « attirer » de mystérieux destins. Elle termina rapidement sa toilette, passa la tête dans l'entrebâillement de la porte et observa tour à tour chacun de ses amis d'un air plus grave. Quiconque n'y aurait vu une plaisanterie se fût effrayé de voir disparu de ce sérieux visage un élément indispensable à l'expression d'un visage sain, normal. Elle s'inclina devant ses amis et dit solennellement : « Maintenant donc, j'ai revêtu mon destin ! » Lorsqu'elle se redressa, elle était de nouveau comme d'habi-

1. Anziehen : attirer. Sich anziehen : s'habiller. *N. d. T.*

tude, très charmante même, et son frère Siegmund s'écria : « En avant, marche! Papa n'aime pas qu'on se mette en retard à table! »

Lorsqu'ils gagnèrent à quatre le terminus, Meingast ayant disparu avant, Ulrich resta un peu en arrière avec Siegmund et lui demanda si sa sœur ne lui avait pas donné quelque souci dans les derniers temps. La cigarette brasillante de Siegmund décrivit dans l'obscurité un arc vaguement ascendant. « Elle est anormale, sans aucun doute, répliqua-t-il. Mais Meingast est-il normal ? Ou même Walter ? Jouer du piano est-il normal ? C'est un état d'excitation insolite, avec tremblement des poignets et des chevilles. Pour un médecin, rien n'est normal. Mais si vous me le demandez sérieusement : ma sœur est un peu surexcitée, et je pense que cela s'améliorera dès que le grand Maître sera parti. Que pensez-vous de lui ? » Il avait insisté sur les deux futurs avec une légère malignité.

« Un bavard! fit Ulrich.

— N'est-ce pas, s'écria Siegmund ravi. Repoussant, repoussant!... Mais sa pensée est intéressante, je ne le nierai pas! » ajouta-t-il un peu plus tard après avoir repris haleine.

20. *Où le comte Leinsdorf désespère de « Capital et Culture ».*

C'est ainsi qu'Ulrich réapparut chez le comte Leinsdorf.

Il trouva Son Altesse entourée de silence, de dévotion, de solennité et de luxe, devant son secrétaire, lisant le journal qu'elle avait posé sur une haute pile de dossiers. Le comte immédiat, soucieux, secoua la tête, après avoir une nouvelle fois exprimé ses condoléances à Ulrich. « Votre papa était un des derniers représentants authentiques de Capital et Culture, dit-il. Je me rappelle fort bien le temps où je siégeais avec lui à la Diète bohême : il méritait la confiance que nous lui avons toujours accordée! »

Par politesse, Ulrich s'informa des progrès que l'Action parallèle avait faits pendant son absence.

« Nous venons de lancer, à la suite des désordres de rue

devant chez moi (vous y étiez, n'est-ce pas ?), une *Enquête en vue d'établir les desiderata des différents cercles de la population concernant la réforme de l'administration*, raconta le comte. Le Président du conseil lui-même a souhaité que nous le déchargions provisoirement de cette tâche, puisque, en tant qu'organisation patriotique, nous jouissons en quelque sorte de la confiance générale. »

Ulrich, d'un air grave, assura que le nom, en tous cas, était heureusement choisi et qu'il promettait une certaine efficacité.

« Oui, il importe d'avoir le mot juste, fit Son Altesse pensivement, pour ajouter soudain : Que dites-vous de l'histoire des fonctionnaires municipaux de Trieste ? Pour le Gouvernement, je trouve qu'il serait grand temps de se ressaisir et d'adopter une attitude résolue ! » Il fit mine de tendre à Ulrich le journal qu'il avait replié à son entrée; au dernier moment, il se décida à le rouvrir lui-même et lut à son visiteur, avec beaucoup de feu, un texte de longue haleine. « Croyez-vous qu'il y ait au monde un autre État où cela soit possible ? demanda-t-il lorsqu'il eut achevé. Voilà pourtant ce que fait depuis des années Trieste, ville autrichienne ! Pour bien montrer qu'elle se sent plus proche de l'Italie que de nous, elle ne nomme dans ses services que des Italiens de l'Empire. J'y étais, une fois, à l'anniversaire de l'Empereur : je n'ai pas vu un seul drapeau dans tout Trieste, si j'excepte le Palais du Gouverneur, le bâtiment des Contributions, la prison et quelques toits de casernes ! En revanche, si vos affaires vous amènent dans un bureau triestin le jour anniversaire du Roi d'Italie, vous ne trouverez pas un employé qui n'ait une fleur à la boutonnière !

— Pourquoi l'a-t-on toléré jusqu'à maintenant ? demanda Ulrich, curieux de s'instruire.

— Pourquoi donc ne le tolérerait-on pas ? répondit le comte Leinsdorf mécontent. Si le gouvernement oblige la municipalité à congédier les fonctionnaires étrangers, on prétend aussitôt que nous germanisons. C'est le reproche même qui fait peur à tout gouvernement. Sa Majesté elle-même le goûte peu. Nous ne sommes pas des Prussiens ! »

Ulrich croyait se souvenir que Trieste, ville côtière et grand port, avait été fondée par la République de Venise, au temps de son accroissement, sur sol slave, et que sa population comptait une forte proportion de Slovènes. Ainsi, même en la considérant comme l'affaire privée de ses habitants (bien qu'elle fût aussi pour la Monarchie la porte de son commerce avec l'Orient et que sa prospérité en dépendît), on ne pouvait éluder le fait que la nombreuse petite bourgeoisie slave disputait passionnément à la grande bourgeoisie privilégiée, de langue italienne, le droit de considérer la ville comme sa propriété. Ulrich le dit.

« C'est exact, reprit le comte Leinsdorf en veine d'explications. Mais dès qu'on nous accuse de germaniser, les Slovènes s'allient avec les Italiens, si violents que puissent être d'ordinaire leurs désaccords ! Dans ces cas-là, les Italiens trouvent l'appui de toutes les autres nationalités. Nous en avons fait l'expérience assez souvent. Si l'on prétend être un politicien réaliste, qu'on le veuille ou non, on est obligé de voir dans les Allemands la pire menace pour notre entente ! » Le comte Leinsdorf conclut très pensivement et persista un moment dans cette attitude. Il avait effleuré en passant le grand projet politique qui lui pesait sans qu'il s'en fût fait encore une idée claire. Soudain, il se ranima et, soulagé, poursuivit : « Au moins, cette fois, on aura parlé nettement ! » D'un geste que l'impatience rendait mal assuré, il remit son lorgnon sur le nez et relut à Ulrich, sur un ton de vive satisfaction, tous les passages de l'édit du gouverneur qui lui plaisaient particulièrement. « *Les avertissements réitérés des organes officiels de surveillance ont été inutiles... Préjudice des indigènes... Vu la persistance de cette attitude à l'égard des ordonnances des autorités, le gouverneur de Trieste s'est vu dans l'obligation d'intervenir pour faire respecter les règlements...* Ne trouvez-vous pas que c'est là un noble langage ? » dit le comte en s'interrompant. Il leva la tête, puis la baissa, car son désir était d'en arriver au passage final dont sa voix souligna avec un plaisir tout esthétique l'urbanité et la dignité bureaucratiques : « *Enfin, le gouverneur se réserve en tous temps de traiter avec bienveillance les éventuelles demandes de naturalisation desdits fonctionnaires, dans la mesure où celles-ci, fondées sur une certaine ancienneté et une attitude constamment irréprochable, paraîtront dignes d'être prises exceptionnellement en considération; le gouverneur impérial-royal reste enclin, dans ces cas-là, en ce qui concerne son intervention éventuelle, et tout en maintenant son point de vue, à renoncer provisoirement à l'application immédiate du décret.* Que le gouvernement n'a-t-il toujours parlé ainsi ! s'écria le comte Leinsdorf.

— Votre Altesse ne pense-t-elle pas qu'avec une telle conclusion, les choses en resteront exactement au même point ? » demanda Ulrich un peu plus tard, quand le serpent de la phrase administrative eut été englouti jusqu'à la queue par son oreille.

« C'est cela, justement ! » répondit Son Altesse qui resta bien une minute à se tourner les pouces, ainsi qu'elle le faisait toujours lorsqu'elle se livrait à de pénibles ruminations. Puis, le comte regarda Ulrich d'un œil interrogateur et s'ouvrit à lui : « Vous rappelez-vous que le Ministre de l'Intérieur, au vernissage de l'exposition de la Police, avait laissé espérer un esprit de solidarité et de rigueur ? Je n'exige pas, bien entendu, qu'on enferme aussitôt tous les provocateurs qui sont venus faire du tapage à ma porte, mais le Ministre aurait dû avoir devant le Parlement quelques nobles paroles de protestation ! dit-il offensé.

— Je pensais que cela s'était fait pendant mon absence ? » s'écria Ulrich avec une surprise bien jouée. Il avait remarqué qu'une souffrance réelle tourmentait son bienveillant ami.

« Il ne s'est pas passé *ça !* » dit Son Altesse. Elle observa de nouveau Ulrich de ses yeux exorbités par le souci, le sonda et continua à lui ouvrir son cœur : « Mais il se passera quelque chose ! » Le comte se redressa et s'appuya au dossier de sa chaise sans un mot.

Il avait fermé les yeux. Quand il les rouvrit, il commença sur le ton serein d'une explication : « Voyez-vous, cher ami, notre constitution de 1861 a indubitablement donné, dans cet essai de vie politique, la conduite des affaires à la nationalité allemande, et, au sein de celle-ci, au Capital et à la Culture. Ce fut, de la part de Sa généreuse Majesté, un geste de confiance, un don considérable mais peut-être encore intempestif : qu'est-il advenu, en effet, du Capital et de la Culture ? » Le comte Leinsdorf leva une main et la laissa retomber avec abandon sur l'autre. « Quand Sa Majesté, en 1848, est montée sur le trône, à Olmütz, autant dire en exil... » Mais, soudain impatient ou inquiet, les doigts tremblants, il tira un brouillon de sa jaquette, s'agita pour trouver à son lorgnon sa juste place sur le nez et se mit à lire la suite, parfois d'une voix vibrante d'émotion, toujours luttant péniblement pour déchiffrer son projet : « ... Elle était entourée par le vacarme sauvage des peuples assoiffés de liberté. Elle parvint à dompter l'excès de cette ardeur. Malgré quelques concessions à la volonté populaire, Elle se retrouva vainqueur, et même vainqueur gracieux et clément qui pardonnait les fautes de ses sujets et leur tendait la main pour une paix qui fût honorable même pour eux. Sans doute la constitution et les autres libertés avaient-elles été accordées sous la pression des événements, elles n'en étaient pas moins une libre décision de Sa Majesté, le fruit de Sa sagesse, de Sa compassion et de Son espoir dans le progrès spirituel des peuples. Mais ce bel équilibre entre l'Empereur et le Peuple a été menacé ces dernières années par des éléments subversifs, des démagogues... » Là, le comte Leinsdorf interrompit la lecture de son tableau de l'histoire politique dont chaque terme était soigneusement poli et pesé. Pensif, il considéra, sur la paroi qui lui faisait face, le portrait de son ancêtre, maréchal et chevalier de Marie-Thérèse. Lorsque le regard d'Ulrich, qui était impatient d'en savoir plus, le détourna de sa contemplation, il dit : « Ça ne va pas plus loin.

« Mais vous voyez que j'ai examiné ces problèmes de très près ces derniers temps. Ce que je vous ai lu est le début de la réponse que le Ministre aurait dû donner au Parlement au sujet de la manifestation contre moi, s'il avait su tenir sa place! Je l'ai élaborée moi-même petit à petit, et je puis bien vous confier que je trouverai l'occasion de la présenter à Sa Majesté dès que j'aurai terminé. Voyez-vous, la constitution de 61 n'a pas confié pour rien les rênes au Capital et à la Culture; c'était une sorte de garantie. Mais où sont Capital et Culture, aujourd'hui ? »

Il semblait être très monté contre le Ministre de l'Intérieur. Pour l'en distraire, Ulrich remarqua candidement que, pour le Capital, on savait au moins qu'il était entre les mains des banques et aussi entre celles, expérimentées, de la noblesse féodale.

« Je n'ai rien contre les Juifs, ajouta le comte Leinsdorf de son propre mouvement comme si Ulrich avait dit quelque chose qui exigeât cette justification. Ils sont intelligents, laborieux et fidèles. Mais on a commis une grande faute en leur donnant des noms mal appropriés. Rosenberg et Rosenthal, par exemple, sont des patronymes aristocratiques; Löw, Bär et autres Viecher sont à l'origine des animaux héraldiques; Meier vient de la propriété foncière; Gelb, Blau, Rot, Gold ont des couleurs du blason. Tous ces noms juifs, déclara curieusement Son Altesse, ne sont qu'une insolence de notre bureaucratie à l'égard de la noblesse. C'est elle qu'on voulait frapper et non les Juifs, et c'est pourquoi on leur a donné à côté de ceux-là d'autres noms, tels que youpins, fils d'Abraham, et cœtera. Ce ressentiment de la bureaucratie à l'égard de l'ancienne noblesse, si vous étiez vraiment au fait, vous pourriez l'observer aujourd'hui encore... »

Ainsi vaticinait-il, sombre et obstiné, comme si la lutte de l'administration centrale contre les féodaux n'était pas dépassée depuis longtemps par les événements, comme si elle n'avait pas disparu complètement de l'horizon des vivants. En fait, Son Altesse ne pouvait s'irriter de rien d'aussi bon cœur que des privilèges sociaux dont les hauts fonctionnaires jouissaient grâce à leur situation, même quand ils s'appelaient Fuchsenbauer ou Schlosser. Le comte Leinsdorf n'était pas un hobereau impénitent, il souhaitait avoir une sensibilité « moderne », et ces noms ne le gênaient ni chez un parlementaire, fût-il ministre, ni chez un particulier influent; il ne refusait jamais de reconnaître l'importance politique et économique de la bourgeoisie; mais les hauts fonctionnaires de l'administration portant des noms bourgeois l'emplissaient d'une sainte colère qui devait être le dernier reste de nobles traditions. Ulrich se demanda si la remarque de Leinsdorf n'avait pas été provoquée par le mari de sa cousine; cela non plus n'était pas impossible, mais le comte Leinsdorf continuait à parler. Bientôt, comme il arrivait toujours, il fut entraîné par une idée qui devait le préoccuper depuis longtemps, bien au-delà des détails personnels.

« La prétendue question juive s'évanouirait d'un coup si les Juifs voulaient bien se décider à parler hébreu, à reprendre leurs anciens patronymes et à porter le costume oriental, expliqua-t-il. Je reconnais qu'un Galicien qui vient de faire sa fortune chez nous et qui apparaît en costume tyrolien avec blaireau au chapeau sur l'esplanade d'Ischl n'a pas bonne mine. Mettez-lui un vêtement à longs plis retombants qui ait le droit d'être coûteux et qui couvre les jambes, vous verrez comme sa figure et ses grands gestes s'accordent à cette tenue! Tout ce que l'on plaisante d'ordinaire y serait à sa place, jusqu'aux anneaux précieux qu'ils aiment tant à porter! Je ne suis pas partisan de l'assimilation telle que la pratique l'aristocratie anglaise : c'est un processus interminable et dangereux. Rendez aux Juifs leur vraie nature et vous verrez qu'ils deviendront un joyau, je dirai même une aristocratie particulière au sein des peuples qui se rassemblent avec reconnaissance autour du trône de Sa Majesté ou, si vous préférez une image plus simple, plus quotidienne, qui se promènent sur notre *Ring :* rue unique au monde de ce fait, puisqu'on y peut rencontrer, si l'on veut, mêlés à la plus subtile élégance européenne, un Mahométan en chéchia rouge, un Slovaque en peau de mouton ou un Tyrolien aux jambes nues! »

Ulrich ne put faire autrement que d'exprimer son admiration pour la perspicacité de Son Altesse, perspicacité à laquelle il avait été réservé aussi de découvrir le « vrai » juif.

« Oui, voyez-vous! la foi catholique authentique nous éduque à voir les choses comme elles sont, expliqua gracieusement le comte. Mais vous ne devineriez jamais comment j'en suis venu là. Ce n'est pas par Arnheim, je ne parle pas des Prussiens en ce moment. J'ai un banquier, de religion mosaïque bien entendu, avec lequel je suis obligé, depuis longtemps déjà, d'avoir des entretiens réguliers. Eh bien! au début, la cadence de ses phrases me gênait toujours, au point que je ne pouvais être suffisamment attentif à l'affaire elle-même. Il parle exactement comme s'il voulait me persuader qu'il est mon oncle; je veux dire, comme s'il venait de descendre de cheval et faisait le malin; exactement comme parlent nos compatriotes, dirais-je. Mais parfois, quand il s'échauffe, il n'y réussit plus : alors, en un mot, il parle juif. Cela me gênait beaucoup, je crois vous l'avoir déjà dit en commençant : parce que cela se produisait toujours au moment commercialement décisif, de sorte que, sans le vouloir, je l'attendais et ne pouvais plus faire attention au reste, ou je laissais passer un détail essentiel. C'est alors que l'idée m'est venue. Chaque fois qu'il commençait à discourir ainsi, je m'imaginais qu'il parlait hébreu : si vous aviez entendu l'agréable harmonie! Absolument fascinante! C'est une langue d'église, n'est-ce pas, une mélodieuse litanie (je suis très musicien, je dois le dire en passant). En un mot, dès ce moment, les calculs d'escompte et d'intérêts composés les plus complexes, il me les a insinués comme un air de piano... » A cette pensée, le comte Leinsdorf, pour une raison ou une autre, eut un mélancolique sourire.

Ulrich se permit de remarquer que les personnes ainsi distinguées par la bienveillante sympathie de Son Altesse refuseraient probablement sa proposition.

« Bien sûr qu'ils ne voudront pas! fit le comte. Mais on les y contraindrait pour leur bien! La Monarchie trouverait là une véritable mission mondiale à remplir, peu importe que les autres soient d'accord ou non! Vous le savez, il en est beaucoup qu'on a dû commencer par forcer. Imaginez ce que ce serait que d'être alliés à un État juif reconnaissant plutôt qu'aux Allemands de l'Empire ou aux Prussiens! Quand notre Trieste est, en quelque sorte, le Hambourg de la Méditerranée! Sans parler du fait qu'un État qui a pour soi, outre le Pape, les Juifs, est diplomatiquement invincible! »

Sans transition, il ajouta : « N'oubliez pas, surtout, que je m'occupe aussi, en ce moment, de questions boursières. » De nouveau, il eut un sourire curieusement mélancolique et distrait.

Il était évident que Son Altesse avait dû prier à plusieurs reprises, et de manière instante, pour le retour d'Ulrich. Maintenant qu'il était enfin arrivé, le comte ne lui parlait pas des questions à l'ordre du jour, mais répandait avec prodigalité ses idées devant lui. Sans doute beaucoup d'idées lui étaient-elles venues pendant qu'il était privé de son interlocuteur : elles évoquaient l'agitation des abeilles qui essaiment au loin, mais savent se rassembler au moment voulu pour faire leur miel.

« Vous m'objecterez peut-être, reprit le comte Leinsdorf bien qu'Ulrich ne dît rien, que j'ai souvent exprimé naguère des opinions très défavorables à la finance. Je ne le nierai point : ce qui est trop est trop, et il y a trop de finance dans la vie actuelle. Mais c'est précisément pourquoi nous devons nous y intéresser! Voyez : la culture n'a pas su faire équilibre au capital, voilà tout le secret de l'évolution depuis 1861! C'est pourquoi nous devons nous intéresser au capital! »

Son Altesse fit une pause à peine perceptible, juste assez longue pour avertir l'interlocuteur que le secret du capital allait suivre. Mais elle poursuivit avec une sombre familiarité : « Voyez-vous, l'essentiel de notre culture est ce qu'elle interdit aux hommes : cela n'en fait pas partie, et la chose est ainsi liquidée. Un homme cultivé, par exemple, ne mangera jamais la sauce avec un couteau, Dieu sait pourquoi : c'est une chose qu'on ne peut démontrer à l'école. C'est ce qu'on appelle le tact, il y faut un état privilégié vers lequel la culture tourne ses regards, un modèle de culture, en un mot, si je puis ainsi parler, une aristocratie. Je reconnais que la nôtre n'a pas toujours été ce qu'elle aurait pu être. C'est là justement que se trouve le sens, la tentative proprement révolutionnaire de la constitution de 1861 : Capital et Culture auraient dû l'appuyer. L'ont-ils fait ? Ont-ils su utiliser les vastes perspectives que Sa gracieuse Majesté leur ouvrait ? Vous n'irez pas dire non plus, j'en suis persuadé, que les expériences que nous faisons chaque semaine dans la grande aventure de Madame votre cousine correspondent à de tels espoirs! »

Sa voix redevint plus animée, et il s'écria : « C'est très intéressant, vous savez, tout ce qu'on appelle aujourd'hui *l'Esprit!* J'en parlais récemment à Son Éminence le Cardinal, lors d'une chasse à Mürzsteg... non, c'était Mürzbruck, au mariage de la petite Hostnitz!... Le voilà qui bat des mains en riant : *Toutes les années autre chose*, dit-il. *Tu vois comme nous sommes modestes : voilà près de deux mille ans que nous n'avons rien trouvé de nouveau à dire à nos ouailles!* C'est très vrai! En effet, la foi consiste essentiellement à croire toujours la même chose, dirais-je, même si c'est une hérésie. *Vois-tu*, continue-t-il, *je ne manque pas une chasse parce que mon prédécesseur sous Léopold von Babenberg allait aussi à la chasse. Mais je ne tue rien* (il est connu pour ne pas tirer une balle de toutes les chasses), *parce qu'une répugnance intérieure me dit que cela ne conviendrait pas à mon habit. A toi je puis en parler : n'avons-nous pas appris à danser ensemble, étant garçons ? Mais jamais je n'irai déclarer publiquement : à la chasse, tu ne tueras point! Mon Dieu, qui sait si ce serait vrai ? De toutes façons, ce n'est pas un dogme. Les invités de ton amie, en revanche, proclament officiellement toutes les idées qui leur passent par la tête! Voilà ce qu'on appelle l'esprit, aujourd'hui!* Il peut bien rire, reprit le comte Leinsdorf en son nom propre, parce que sa fonction est constante. Nous autres laïques avons la difficile fonction de trouver le bien jusque dans l'inconstance et le changement. Voilà ce que je lui ai dit. Je lui ai demandé : *Pourquoi Dieu a-t-il permis qu'il y ait une littérature, une peinture, et ainsi de suite, quand tout cela, au fond, nous paraît si insipide ?* Il m'a donné une intéressante explication. *As-tu déjà entendu parler de la psychanalyse ?* me demande-t-il. Je ne savais trop que lui répondre. *Eh bien!* fit-il, *tu me diras peut-être que c'est une cochonnerie. Nous n'en disputerons pas, tout le monde le dit; mais tout le monde court chez ces médecins à la mode et délaisse notre confes-*

sionnal. Je te le dis, ils y courent en foule, parce que la chair est faible! Ils font conjurer leurs péchés secrets, parce que ça leur fait le plus grand plaisir, et s'ils invectivent, tu le sais : ce contre quoi on invective, on l'achète! Je pourrais aussi te prouver que ce que leurs médecins incroyants s'imaginent avoir inventé n'est pas autre chose que ce que l'Église a fait dès ses débuts : exorciser le Diable et guérir les possédés. Cette ressemblance s'est avérée jusque dans les moindres détails avec le rituel de l'exorcisme, par exemple, lorsqu'ils essaient par tous les moyens d'amener le possédé à parler de ce qui se cache en lui : l'Église aussi enseigne que c'est là le tournant précis où le Diable, pour la première fois, s'apprête à attaquer! Nous avons simplement négligé d'adapter cela à temps aux exigences nouvelles et de substituer aux mots ordure et démon les termes de psychose, inconscient et autres modernismes. Ne trouvez-vous pas cela intéressant ? demanda le comte Leinsdorf.

« Il y a plus intéressant encore dans ce qu'il m'a dit ensuite : *Nous ne voulons pas parler de la faiblesse de la chair, bien plutôt de celle de l'esprit! Sur ce point, l'Église a été habile et ne s'est pas laissé prendre! En effet, l'homme craint infiniment moins le Diable qui s'empare de son corps, même quand il fait semblant de le combattre, que l'illumination qui lui vient de l'esprit. Tu n'as pas étudié la théologie, mais tu as du respect pour elle : c'est un succès qu'aucun philosophe mondain n'obtient avec toute sa poudre aux yeux. Je puis te le dire, la théologie est une chose si difficile que celui qui s'y est consacré exclusivement pendant quinze ans sait seulement qu'il n'en comprend pas le premier mot! Bien entendu, personne ne voudrait croire si on savait comme c'est difficile au fond, tous nous critiqueraient! Ils nous critiqueraient exactement... comprends-tu ?* m'a-t-il dit malicieusement, *comme ils critiquent maintenant les autres, ceux qui écrivent des livres, peignent des tableaux et proclament des certitudes. Nous laissons de bon cœur la place libre à leur prétention, car, tu peux me croire : plus ils sont sérieux, moins ils se soucient de leurs plaisirs et de leurs revenus; donc, plus ils servent Dieu, à leur manière qui est fausse, plus ils semblent insipides aux gens, et plus les gens critiquent. Ce n'est pas la vie! disent-ils. Mais nous, nous savons ce qu'est la vraie vie et nous le leur montrerons. Parce que nous pouvons attendre, tu pourras même peut-être voir de tes yeux comment ils reviendront vers nous, furieux contre tant d'inutile intelligence. Tu peux déjà l'observer aujourd'hui dans nos propres familles : et du temps de nos pères, ils croyaient, Dieu sait! qu'ils allaient faire du ciel une université!*

« Je n'affirmerais pas, dit le comte Leinsdorf en concluant cette partie de ses propos et en inaugurant une autre, qu'il ait entendu tout cela littéralement. Les Hostnitz ont à Mürzbruck un vin du Rhin fameux que le général Marmont y a oublié en 1805, forcé qu'il était de marcher sur Vienne à la vitesse que vous savez : ils nous en ont offert au mariage. Mais, dans l'ensemble, le cardinal touchait juste. Et si je me demande comment je dois l'entendre, je dirai : c'était sans doute juste, et pourtant ça ne collait pas. C'est-à-dire... il n'y a pas de doute que les gens invités par nous parce qu'on nous a dit qu'ils représentaient l'esprit de notre époque n'ont rien à voir avec la vie réelle, et que l'Église peut attendre tranquillement. Mais nous autres, politiciens laïques, nous ne pouvons pas attendre, nous devons une bonne fois extraire de la vie telle qu'elle est, le meilleur. L'homme ne vit pas de pain seulement, mais aussi d'âme : l'âme est là, en quelque sorte, pour que l'homme puisse bien digérer son pain. C'est pourquoi il faut une bonne fois... » Le comte Leinsdorf était d'avis que la politique devait éperonner l'âme. « C'est-à-dire... il faut que quelque chose se passe, notre époque l'exige. Presque tout le monde aujourd'hui, pas seulement les hommes politiques, a ce sentiment. L'époque a quelque chose d'intérimaire, à la longue personne ne le supporte. » Il avait adopté l'idée qu'il fallait donner un choc à l'équilibre tremblant des idées sur lequel reposait celui, non moins tremblant, des puissances européennes. « Quelle sorte de choc, la question est somme toute secondaire! » assura-t-il à Ulrich qui déclara avec un effroi joué que Son Altesse, pendant leur séparation, était presque devenue un révolutionnaire.

« Oui, pourquoi pas! répondit le comte flatté. Son Éminence, bien entendu, était aussi d'avis que ce serait faire au moins un petit pas en avant que de pourvoir autrement le Ministère de l'Intérieur, mais à la longue ces petites réformes ne font aucun effet, si nécessaires soient-elles. Savez-vous qu'il m'arrive parfois, au cours de mes réflexions, de penser carrément aux socialistes? » Il laissa à son vis-à-vis le temps de se remettre de la stupeur qu'il jugeait inévitable, puis poursuivit résolument : « Vous pouvez me croire, le vrai socialisme serait loin d'être aussi effrayant qu'on le dit. Vous objecterez peut-être que les socialistes sont républicains : sans doute, on ne devrait pas écouter leurs discours, mais quand on les prend en politicien réaliste, on peut être presque persuadé qu'une république social-démocrate gouvernée par un homme à poigne ne serait pas une forme d'État impossible. Pour moi, je suis sûr que si on leur fait quelques concessions, ils renonceront volontiers à l'emploi de la violence et seront effrayés par leurs principes condamnables : ils tendent déjà à atténuer leur conception de la lutte des classes et leur hostilité à la propriété. Il y a vraiment parmi eux des gens qui placent l'État avant le parti, alors que les bourgeois, depuis les dernières élections, sont complètement fixés sur leurs oppositions nationales. Reste l'Empereur, poursuivit-il d'une voix assourdie. Je vous ai déjà laissé entendre que nous devions apprendre à penser en économistes. La politique unilatérale des nationalités a conduit l'Empire dans une impasse. Pour l'Empereur, désormais, toute cette salade de libertés tchéco-polono-germano-italiennes lui est, je ne sais comment vous dire cela... du fond du cœur indifférente! Ce que Sa Majesté éprouve au fond de son cœur, c'est simplement, d'abord, le désir de voir voter sans amendement les crédits militaires, afin que l'Empire soit fort, ensuite une vive répugnance à l'égard des prétentions de la pensée bourgeoise, aversion qu'Elle a dû garder probablement de l'année 48. Mais, hors ces deux sentiments, Sa Majesté n'est rien d'autre que, pour ainsi dire, le Premier Socialiste de l'État. Je suppose que vous concevez la grandiose perspective dont je vous parle. Reste la religiosité, où subsiste encore une opposition irréductible, mais j'aimerais en reparler à l'occasion avec Son Éminence. »

Son Altesse le comte Leinsdorf s'abîma sans mot dire dans la conviction que l'histoire, en particulier celle de son pays, aurait bientôt l'occasion, grâce au stérile nationalisme dans lequel elle s'était fourvoyée, de faire un pas dans l'avenir. Il concevait donc l'histoire, dans cette mesure même, comme un être à deux jambes, et d'autre part comme une nécessité philosophique. Il était donc compréhensible qu'il réapparût soudain, les yeux fatigués comme un plongeur descendu trop profond, à la surface. « En tous cas, nous devons nous préparer à faire notre devoir! dit-il.

— Mais où Votre Altesse voit-elle aujourd'hui notre devoir ? demanda Ulrich.

— Ce qu'est notre devoir ? Précisément, de faire notre devoir! C'est la seule chose qu'on puisse faire en tous temps! Mais, pour parler d'autre chose... » Le comte Leinsdorf parut ne se souvenir que maintenant de la pile de journaux et de dossiers sur laquelle reposait son poing. « Voyez-vous, le peuple aujourd'hui réclame une poigne de fer; mais une poigne de fer exige de belles paroles, sans quoi le peuple ne la tolère pas. Et vous, justement vous, je pense que vous êtes éminemment doué dans ce sens. Ce que vous avez dit par exemple la dernière fois que nous étions réunis chez votre cousine, avant votre départ, je ne sais si vous vous souvenez ? que nous devrions instituer un comité central pour la béatitude, afin qu'elle puisse se concilier, dans notre pensée, avec notre exactitude terrestre... Sous cette forme simpliste, ça ne serait certes pas possible, mais Son Éminence a bien ri quand je lui en ai parlé. Il est vrai, je le lui ai plus ou moins mis sous le nez, comme on dit, et bien qu'il rie de tout, je sais toujours si le rire lui vient de la bile ou du cœur. Nous ne pouvons absolument pas nous passer de vous, mon cher Monsieur... »

Alors que tous les autres propos du comte Leinsdorf avaient eu ce jour-là la forme de rêves pénibles, le désir qui suivit, qu'Ulrich voulût bien renoncer « au moins d'une manière provisoirement définitive », à abandonner son poste de secrétaire d'honneur, était si précis, si acéré, et le comte Leinsdorf posa si agressivement sa main sur le bras d'Ulrich que celui-ci eut presque le sentiment, peu agréable, que les discours précédents, beaucoup plus habilement qu'il ne l'avait prévu, n'avaient eu pour but que d'endormir sa prudence. Alors, il s'irrita contre Clarisse qui l'avait mis dans cette situation. Mais, comme il avait sollicité l'obligeance du comte Leinsdorf dès qu'une pause dans la conversation lui en avait donné l'occasion, et que ce bienveillant seigneur, soucieux surtout de parler continûment, lui avait aussitôt répondu de la manière la plus aimable, il ne lui resta plus qu'à payer de mauvais gré la contrepartie.

« Tuzzi m'a aussi fait dire, répondit le comte Leinsdorf enchanté, que vous vous décideriez peut-être pour quelqu'un de ses services qui vous déchargerait de tous les travaux ennuyeux. Bien, lui ai-je répondu, pourvu qu'il le fasse vraiment !... Finalement, c'est un homme assermenté qu'on vous donnera, et mon secrétaire, que j'aurais mis également volontiers à votre disposition, n'est malheureusement qu'un imbécile. Simplement, je préfèrerais que vous ne lui montriez pas les affaires confidentielles; finalement, c'est un peu ennuyeux que l'homme nous soit recommandé précisément par Tuzzi... Pour le reste, arrangez-vous à l'avenir comme cela vous sera le plus agréable! » dit Son Altesse gracieusement pour mettre un terme à cette fructueuse conversation.

21. *Jette tout ce que tu possèdes au feu, jusqu'à tes souliers.*

Cependant, depuis le moment où elle s'était retrouvée seule, Agathe vivait dans un relâchement total de tous les liens, dans un assoupissement gracieusement triste de la volonté : état qui faisait songer à ces hauteurs d'où l'on ne voit plus que l'immensité bleue du ciel. Chaque jour, pour son plaisir, elle flânait un peu en ville; quand elle restait à la maison elle lisait; elle vaquait à ses affaires. Cette douce activité insignifiante de la vie, elle la redécouvrait avec un plaisir reconnaissant. Rien ne gênait cette humeur, nul attachement au passé, nulle contention pour l'avenir. Quand son regard tombait sur un objet, c'était comme si elle attirait un petit agneau : ou il s'approchait tendrement, ou il ne lui prêtait pas la moindre attention; jamais elle ne le faisait intentionnellement, avec ce mouvement intérieur d'agression qui donne à tous les actes de l'intelligence froide quelque chose de brutal et néanmoins d'inutile, parce qu'il effarouche le bonheur caché dans les objets. De la sorte, tout ce qui l'entourait semblait à Agathe plus compréhensible que d'ordinaire; mais c'était surtout ses conversations avec son frère qui l'occupaient. Conformément à la nature de sa mémoire extraordinairement fidèle dans laquelle nul projet, nul préjugé ne déformait le souvenir, Agathe voyait ressusciter autour d'elle les paroles vivantes, les petites surprises de la cadence, de la démarche de ces dialogues, sans beaucoup de cohérence, plutôt tels qu'ils étaient quand elle ne les avait pas encore bien compris et ne savait pas à quoi ils tendaient. Pourtant, tout était signifiant au plus haut point. Son souvenir, où si souvent le remords avait régné, débordait d'affection sereine. Caressant, le passé restait étroitement serré contre la chaleur du corps au lieu de s'engloutir comme d'ordinaire dans le noir et le froid qui accueillent ce qu'on a vécu en vain.

Et c'est ainsi enveloppée dans une invisible lumière, qu'Agathe parlait aux avocats, aux notaires et aux hommes d'affaires chez qui son chemin la conduisait. Elle ne se heurtait jamais à un refus; on prévenait chaque désir de cette jeune femme charmante, que le nom de son père recommandait. Agathe agissait alors d'autant plus sûrement qu'elle était plus absente : sa résolution demeurait ferme, mais comme hors d'elle, et l'expérience qu'elle avait acquise dans sa vie (autre élément qu'on peut dissocier de la personne) continuait à travailler à cette résolution ainsi qu'un journalier déluré exploitant sereinement tous les avantages que lui offre sa charge. De tout ce temps, le fait que tous ses agissements l'entraînaient à préparer une imposture, la signification de sa conduite (si évidente pour un tiers), ne lui apparurent jamais. L'unité de sa conscience l'excluait. L'éclat de sa conscience absorbait ce point noir qui demeurait pourtant en son centre comme le noyau dans la flamme. Agathe elle-même ne savait comment traduire cette expérience : son odieux dessein la transportait dans un état qui en était lui-même infiniment distant.

Dès le matin qui avait suivi le départ de son frère, Agathe s'était examinée avec soin. Cela avait commencé par son visage. Tout par hasard, son regard étant tombé dessus et n'avait pu se détacher du miroir. Elle fut retenue un peu comme quand on s'obstine, sans aucun désir de marcher, à refaire toujours cent pas de plus jusqu'à un objet apparu au dernier moment où l'on projette de faire définitivement demi-tour, et où une fois de plus on ne le fait pas. Ainsi fut-elle retenue, mais sans vanité, par le paysage de son corps apparu à ses yeux sous un voile de verre. Elle alla à ses cheveux, toujours de velours clair; elle dégrafa le col de son reflet et fit tomber la robe de ses épaules; elle le dévêtit enfin complètement et l'examina jusqu'aux tuiles roses des ongles par lesquelles le corps, aux mains et aux pieds, s'achève et déjà ne s'appartient plus qu'à peine. Tout semblait être encore le jour éblouissant qui approche de son zénith : ascendant, pur, exact, irrigué par ce mouvement de matinée qui se traduit, chez l'homme ou le jeune animal, de la même indescriptible manière que dans la balle qui n'a pas encore atteint le sommet de sa trajectoire, mais n'en est que peu en dessous. « Peut-être le passe-t-elle en ce moment », songea Agathe. Cette pensée l'effraya. Néanmoins, cela pouvait durer quelque temps encore : elle n'avait que vingt-sept ans. Son corps, épargné par le sport, les masseurs et la maternité, n'avait été formé que par sa seule croissance. Si on avait pu le transporter nu dans l'un de ces grands paysages solitaires qui forment la face tournée vers le ciel des hautes chaînes de montagne, la vaste ondulation stérile de ces hauteurs l'eût porté comme celui d'une déesse païenne. Dans une nature de cette espèce, midi ne répand au-dessous de lui nulle javelle de lumière ou de chaleur, il semble simplement monter encore un instant au-delà de son plus haut période, puis passe imperceptiblement dans la beauté déclinante de l'après-midi. Le miroir renvoyait le sentiment peu rassurant de l'heure qu'on ne peut pas savoir.

A ce moment, Agathe s'était dit qu'Ulrich aussi laissait passer sa vie comme si elle devait durer éternellement. « Peut-être est-ce une erreur que nous ne nous soyons pas connus seulement dans notre vieillesse », se dit-elle en imaginant avec mélancolie deux bancs de nuages descendant au crépuscule vers la terre. « Ils ne sont pas aussi beaux que le rayonnant midi, pensa-t-elle, mais qu'importe à ces deux gris informes l'impression qu'ils font aux humains! Leur heure est venue, elle est aussi douce que l'heure la plus brûlante! » Déjà elle avait presque tourné le dos au miroir; mais, brusquement, elle sentit qu'un besoin d'excès, né de son humeur même, l'obligeait à se retourner, et elle ne put s'empêcher de rire au souvenir de deux gros curistes de Marienbad qu'elle avait observés des années auparavant s'embrassant et se caressant très tendrement sur un banc vert. « Leur cœur aussi bat fort derrière leur graisse : plongés dans leur vision intérieure, ils ne se doutent pas du comique de leur enveloppe », se dit Agathe. Elle prit un air ravi tout en essayant d'épaissir son corps, d'y inventer des bourrelets de graisse. Lorsque cet accès de pétulance fut passé, on aurait juré qu'il y avait dans ses yeux de minuscules larmes de rage. Agathe se ressaisit, et reprit l'examen minutieux de sa personne. Bien qu'elle passât pour mince, elle découvrit avec émotion dans ses membres une possibilité d'alourdissement. Peut-être la cage thoracique était-elle aussi un peu forte. Sur la peau très blanche, assombrie sur le visage par le blond des cheveux comme par des bougies brûlant en plein jour, le nez se détachait un peu grand, et d'un côté, sa ligne presque classique était déprimée à l'extrémité. Au fond, il se pouvait que partout, dans la forme première, flammée, s'en dissimulât une seconde, plus lourde et plus triste, comme une feuille de tilleul tombée au milieu d'un laurier. Agathe se sentit pleine de curiosité pour soi, comme si c'était la première fois qu'elle se voyait vraiment. Sans doute était-ce ainsi que l'avaient vue les hommes avec lesquels elle s'était commise, et elle ne s'en était pas doutée le moins du monde. Ce sentiment n'était pas trop rassurant. Mais, par on ne sait quel caprice de l'imagination, avant qu'elle eût pu en demander compte à ses souvenirs, elle entendit, derrière tout ce qu'elle avait vécu, le long et brûlant braiement d'amour de l'âne, qui l'avait toujours étrangement touchée : c'est un cri incroyablement bête et laid, mais pour cette raison même, il n'est peut-être pas d'héroïsme amoureux qui soit aussi inconsolablement doux. Elle haussa les épaules sur sa vie et se retourna vers son image avec la ferme volonté d'y découvrir un endroit où son corps, déjà, cèderait à l'âge. Il y avait ces petites surfaces près des yeux et des oreilles qui sont les premières à se modifier et donnent au commencement l'impression que quelque chose a dormi dessus; ou le rond sous la face intérieure des seins, qui perd si vite sa clarté. Y apercevoir un changement à ce moment-là l'eût apaisée, eût été une promesse de paix, mais nulle part il n'en était de visible, et la beauté de son corps flottait, presque inquiétante, dans la profondeur du miroir.

A cet instant, il sembla vraiment singulier à Agathe qu'elle fût Madame Hagauer. La différence entre les liens précis et innombrables que ce nom impliquait et l'incertitude qui gagnait Agathe à l'intérieur de ces liens était si grande qu'elle eut l'impression d'être sans corps, ou que son corps appartenait à la dame Hagauer du miroir, laquelle pouvait voir maintenant Agathe rompre avec ce corps, parce qu'il avait toléré des attaches au-dessous de sa dignité. Là aussi on sentait flotter l'indécise jouissance de la vie qui ressemble parfois à de l'épouvante, et le premier mouvement d'Agathe, lorsqu'elle se fut rapidement rhabillée, la conduisit dans sa chambre à coucher pour y prendre une petite boîte qui devait se trouver dans ses bagages. Cette petite boîte hermétique qu'elle possédait depuis qu'elle avait épousé Hagauer et dont elle ne se séparait jamais, contenait en très petite quantité une substance de couleur suspecte dont on lui avait promis qu'elle était un poison violent. Agathe se rappelait certains sacrifices qu'elle avait dû faire pour entrer en possession de cette substance prohibée dont elle ne savait rien que ce qu'on lui avait dit de son effet et l'un de ces noms chimiques, aux sonorités de formule magique, que les non-initiés doivent se rappeler sans les comprendre. Sans doute tous les moyens qui, tels la possession d'armes ou de poison et la recherche de dangers à courir, rapprochent la fin de nous, font-ils partie du romantisme de la joie de vivre; il se peut que la vie de la plupart des hommes s'écoule dans tant d'oppression et d'hésitation, avec tant d'ombre dans la clarté et, somme toute, tant d'absurdité que seule une possibilité lointaine d'y mettre fin soit en mesure de libérer la joie qui l'habite. Agathe se sentit tranquillisée lorsque ses regards tombèrent sur le petit objet de métal qui, dans l'incertitude menaçante, lui sembla un porte-bonheur et un talisman.

Cela ne signifiait donc nullement qu'Agathe eût eu dès cette époque l'intention de se tuer. Au contraire, elle craignait la mort comme le fait tout être jeune, par exemple quand un soir, du fond de son lit, après une saine journée, il songe soudain : inévitablement, un jour peut-être aussi beau que celui-ci, je serai mort. De plus, assister un mourant ne donne guère le goût de mourir, et le décès de son père avait accablé Agathe d'impressions dont l'horreur lui revenait maintenant que, son frère parti, elle se retrouvait seule dans la maison. Mais, souvent, Agathe se disait : « Je suis un peu morte... » Et justement dans des moments comme celui-ci, où elle venait de prendre conscience pour la première fois de la perfection et de la santé de son jeune corps, de cette beauté tendue qui est aussi dénuée de fondement, dans sa mystérieuse cohérence, que la dissolution des éléments dans la mort, Agathe tombait facilement de son état d'heureuse sécurité dans un état d'anxiété, d'étonnement et de mutisme comme on en connaît quand on sort d'une pièce emplie de vie sous la lueur soudaine des étoiles. Au mépris des projets qui fermentaient en elle, en dépit de la satisfaction d'avoir réussi à se délivrer d'une vie manquée, elle se sentait maintenant légèrement détachée d'elle-même; si des liens subsistaient, ils devaient être bien vagues. Froidement, elle pensait à la mort comme à un état où l'on serait délivré de toute peine et de toute imagination, une sorte d'assoupissement intérieur : on repose dans la main de Dieu, cette main est comme un berceau ou un hamac attaché entre deux grands arbres et que le vent balance légèrement. Elle se représentait la mort comme un grand apaisement, une grande fatigue, une libération de toute volonté et de tout effort, de toute attention et de toute réflexion, analogue à la délicieuse faiblesse qu'on éprouve dans ses doigts quand le sommeil les détache prudemment du dernier fragment du monde qu'ils tenaient encore. Sans doute s'était-elle fait ainsi une représentation très confortable et très tolérante de la mort, comme il convient aux besoins de quelqu'un qui n'a jamais beaucoup aimé les efforts de la vie. Finalement, elle s'égaya en observant que tout cela ressemblait fort à l'ottomane qu'elle avait fait installer dans le sévère salon paternel pour y lire étendue, unique transformation dont elle eût pris l'initiative dans la demeure.

Néanmoins, chez Agathe, l'idée de renoncer à la vie était tout autre chose qu'un jeu. Elle jugeait profondément croyable qu'à une mobilité si décevante dût succéder un état dont la tranquillité délicieuse prenait dans son imagination, sans qu'elle le voulût, une sorte de densité physique. Si elle l'éprouvait ainsi, c'est qu'elle se passait fort bien de l'intéressante illusion d'un monde à améliorer, qu'elle se sentait toujours prête à résigner sa participation à ce monde, dans la mesure où cela pourrait se faire agréablement. De plus, dans cette étrange maladie qui s'était emparée d'elle entre l'enfance et l'adolescence, elle avait fait une singulière rencontre avec la mort. Alors (dans une diminution à peine contrôlable de ses forces, diminution qui semblait s'insinuer dans le moindre laps de temps et fut pourtant, dans l'ensemble, irrésistiblement rapide), alors, une autre partie de son corps s'était chaque jour détachée d'elle, anéantie; mais, sur le même rythme que cette déchéance et cet éloignement de la vie s'était éveillée en elle, inoubliable, une aspiration nouvelle qui bannissait de la maladie toute agitation et toute angoisse, état étrangement dense où elle put même exercer une sorte de pouvoir sur les adultes toujours plus chancelants qui l'entouraient. Il n'est pas impossible que cet avantage, découvert dans des circonstances si impressionnantes, ait justifié plus tard son peu de répugnance à quitter de la même façon la vie dont les émotions, pour une raison ou pour une autre, ne correspondaient pas à son attente. Mais il est plus vraisemblable que ce fut l'inverse et que cette maladie qui lui permit d'échapper aux exigences de l'école et de la maison paternelle fut la première manifestation de sa relation avec le monde : relation transparente, perméable en quelque sorte à des radiations affectives qu'elle-même ne connaissait pas. Agathe, d'un point de vue tout à fait simple et naturel, se sentait ardente, vive, même joyeuse de nature et facile à contenter, s'étant toujours arrangée plus ou moins bien des situations les plus diverses. Jamais elle n'avait connu cette brusque chute dans l'indifférence qui menace les femmes incapables de supporter plus longtemps leur désillusion. Mais au beau milieu du rire, dans l'explosion de l'audace des sens se cachait l'esprit de dépréciation qui fatiguait chaque fibre de son corps et lui soufflait la nostalgie d'autre chose, autre chose qu'on ne pourrait définir mieux que par le mot « rien ».

Ce « rien » avait un contenu défini, encore qu'indéfinissable. Longtemps, Agathe s'était répété à tout propos la phrase de Novalis : « Que puis-je donc faire pour l'âme qui m'habite telle une énigme irrésolue ? Qui laisse à l'homme visible tout l'arbitraire imaginable, parce qu'elle ne peut le gouverner d'aucune manière ? » Mais la lumière vacillante de cette phrase, après l'avoir brièvement illuminée comme un éclair, était chaque fois réabsorbée par l'ombre : Agathe ne croyait pas à l'âme, parce que cela lui semblait présomptueux, et, pour elle-même, beaucoup trop précis. Mais elle ne pouvait croire davantage au monde terrestre. Pour le comprendre, il suffit de se rendre compte combien sont profondément naturelles cette méfiance envers l'ordre terrestre et cette absence de foi en un ordre supra-terrestre. Dans tout cerveau, outre la pensée logique avec son sens strict et élémentaire de l'ordre qui est le reflet des structures extérieures, se manifeste une pensée affective dont la logique, si l'on peut encore parler ici de logique, correspond aux particularités des sentiments, des passions et des humeurs, de sorte que les lois de ces deux modes de pensée ont entre elles à peu près les mêmes rapports que les lois d'une scierie où les billots sont équarris et empilés pour l'expédition et celles, plus touffues, de la forêt avec ses croissances et ses murmures. Comme les objets de notre pensée sont loin d'être entièrement indépendants de ses états, non seulement ces deux modes de pensée se mélangent chez tous les hommes : ils peuvent encore, jusqu'à un certain point, les affronter à deux mondes opposés, au moins immédiatement avant et après ce « premier moment mystérieux et indescriptible » dont un célèbre penseur religieux a prétendu qu'il apparaissait dans toute perception sensible avant que le sentiment et la pensée ne se séparent et n'aillent occuper les places où on a l'habitude de les trouver : d'une part un objet dans l'espace, de l'autre une réflexion enfermée dans celui qui observe.

Quelle que puisse être la nature des relations entre les objets et le sentiment dans l'univers élaboré de l'homme civilisé, chacun connaît ces moments inépuisables dans lesquels aucune scission ne s'est encore produite, comme si le sec et l'humide ne s'étaient pas encore séparés, comme si les vagues du sentiment étaient sur le même horizon que les éminences et les vallées qui constituent la figure des choses. Il n'est même pas nécessaire de supposer qu'Agathe eût connu particulièrement souvent ou intensément de tels moments; simplement, elle les éprouvait plus vivement ou, si l'on veut, avec une plus grande superstition de leur authenticité, parce qu'elle était toujours prête à croire, puis à ne plus croire au monde, ainsi qu'elle l'avait fait depuis l'école et avait continué à le faire lorsqu'elle avait connu de plus près la logique des hommes. Dans ce sens, fort éloigné de l'arbitraire et du caprice, Agathe, si elle avait été plus consciente d'elle-même, aurait pu prétendre à s'intituler la plus illogique des femmes. Mais jamais l'idée ne lui était venue de voir dans les sentiments d'éloignement qu'elle éprouvait autre chose qu'une bizarrerie personnelle. Il fallut la rencontre de son frère pour qu'un changement se produisît en elle. Dans les pièces vides, creusées dans l'ombre de la solitude, emplies peu auparavant encore de dialogues et d'ententes qui pénétraient jusqu'au tréfonds de l'âme, la différence entre la séparation physique et la présence spirituelle s'évanouissait d'elle-même. Tandis que les jours filaient en dehors de tout point de repère, Agathe se sentait éprouver plus intensément que jamais le charme particulier de la toute-présence et de la toute-puissance qui est lié au passage du monde de l'émotion dans le monde des perceptions. Son attention semblait s'épanouir non plus dans les sens, mais au fond de son cœur que rien ne voulait illuminer qui n'éclairât autant que lui; dans le souvenir des propos de son frère, en dépit de l'ignorance dont elle s'accusait d'ordinaire, elle croyait tout comprendre sans avoir besoin d'y réfléchir. De même que son esprit, de la sorte, était empli de soi au point que même l'idée la plus vive évoquait de loin le flottement silencieux du souvenir, tout ce qui lui arrivait s'élargissait en un présent sans limites. Agir, ce n'était plus qu'abolir une séparation entre elle qui agissait et l'effet de son acte; et son mouvement semblait le chemin emprunté par les choses pour s'approcher d'elle quand elle tendait le bras dans leur direction. Mais cette douce puissance, son savoir et la présence parlante du monde, quand elle se demandait en souriant ce qu'elle faisait, étaient à peine distincts de l'absence, de l'impuissance et d'un profond mutisme de l'esprit. En exagérant un tout petit peu ce qu'elle éprouvait, Agathe eût pu dire qu'elle ne savait plus où elle était. De tous les côtés, elle se trouvait entourée par une pause, une immobilité où elle se sentait à la fois exaltée et abolie. Elle aurait pu dire : je suis amoureuse, mais je ne sais de qui. Une volonté claire dont elle avait toujours déploré de manquer l'emplissait, mais elle ne savait qu'entreprendre à sa lumière. Tout ce qu'il y avait eu de bien et de mal dans sa vie était sans signification.

Ainsi, non seulement quand elle considérait la petite boîte de poison, mais tous les jours, Agathe songeait qu'elle aimerait mourir ou que le bonheur de la mort devait être analogue au bonheur dans lequel elle passait ces journées, attendant de rejoindre son frère et faisant entre temps tout ce qu'il l'avait suppliée de ne point faire. Elle ne pouvait se représenter ce qui se passerait lorsqu'elle serait chez son frère, dans la capitale. Prête déjà à le lui reprocher, elle se souvenait qu'il avait parfois laissé entendre, brutalement, qu'elle y aurait du succès et qu'elle trouverait sans tarder un nouveau mari ou au moins un amant : c'était précisément ce qui n'arriverait pas, elle le savait! L'amour, les enfants, les beaux jours, les gaies compagnies, les voyages et un peu d'art : la bonne vie est simple, elle comprenait sa complaisance et n'y était pas insensible. Mais, si disposée qu'elle fût à se sentir inutile, Agathe portait néanmoins en elle tout le mépris de l'être né pour la révolte à l'égard de cette trop simple simplicité. Elle y reconnaissait l'imposture. La vie prétendue « pleinement vécue » est en vérité absurde comme un vers sans rime, il manque quelque chose au bout, au vrai bout, c'est-à-dire à la mort. C'est, se disait-elle en cherchant l'expression la plus juste, comme un entassement d'objets que n'organise aucune aspiration supérieure : une abondance sans plénitude, le contraire de la simplicité, une confusion que l'on accepte avec la joie de la routine! Sans transition, elle pensa : « C'est comme une bande d'enfants inconnus que l'on observe avec une gentillesse apprise et une angoisse grandissante parce qu'on n'arrive pas à y découvrir le sien! »

Son projet de mettre fin à sa vie l'apaisait, même si celle-ci, après le dernier tournant qui l'attendait encore, ne devait pas changer. Comme la fermentation dans le vin, l'espoir bouillonnait en elle que la mort, l'épouvante n'étaient pas le dernier mot de la vérité. Elle n'éprouvait aucun besoin d'y réfléchir. Elle ressentait même de l'angoisse devant ce besoin auquel Ulrich cédait si volontiers, et c'était une angoisse combattive. Elle sentait bien que de tout ce qu'elle saisissait avec tant de force, rien n'échappait entièrement au soupçon de n'être qu'apparence. Mais cette apparence, non moins sûrement, contenait de la réalité fluide, diluée : peut-être, pensait Agathe, une réalité non encore changée en terre. Et, dans l'un de ces instants miraculeux où le lieu qu'elle occupait semblait se dissoudre dans le vague, elle put croire que derrière elle, dans l'espace où le regard ne peut jamais pénétrer, Dieu se tenait. Cet excès l'effraya! Un espace, un vide terrifiants l'envahirent soudain, une clarté sans limites assombrit son esprit et jeta son cœur dans l'anxiété. Sa jeunesse, prompte à ces inquiétudes qu'entraîne l'inexpérience, lui murmura qu'elle était en danger de laisser s'aggraver les débuts d'un délire : elle désira revenir en arrière. Violemment, elle se représenta qu'elle ne croyait pas en Dieu. Elle ne croyait plus en lui, en effet, depuis qu'on lui avait appris à le faire, conformément à la méfiance qu'elle éprouvait généralement à l'égard de tout ce qu'on lui avait enseigné. Elle était rien moins que religieuse dans ce sens précis qui tend à une conviction supra-terrestre ou simplement morale. Mais, épuisée et tremblante, elle dut s'avouer à nouveau, un instant après, qu'elle avait senti « Dieu » aussi nettement qu'un homme qui eût été derrière elle pour lui mettre un manteau sur les épaules.

Après qu'elle eut assez réfléchi et eut retrouvé son sang-froid, elle devina que la signification de cette expérience n'était nullement dans « l'éclipse de soleil » qu'avaient subie ses sensations, mais que c'était essentiellement une signification morale. Une brusque modification de son état le plus intime et, en conséquence, de toutes ses relations avec le monde lui avait accordé un instant cette « unité de la conscience et des sens » dont elle n'avait connu jusqu'alors que des promesses si vagues qu'elles suffisaient tout juste à donner à la vie quotidienne, que ses actions fussent bonnes ou mauvaises, quelque chose d'inconsolé, de tristement passionné. Il lui semblait que cette modification avait été une sorte de fluide échangé d'elle à son entourage, une fusion de la signification la plus haute avec un mouvement si minime de l'esprit qu'il se distinguait à peine des choses. Les choses et les sensations s'étaient interpénétrées d'une manière si convaincante qu'Agathe se sentait soudain indifférente à tout ce qu'elle avait appelé jusque là conviction. Et cela s'était passé dans des circonstances qui excluaient, pour l'opinion commune, qu'on pût se dire convaincu.

Ainsi, la signification de cette expérience solitaire n'était pas dans le rôle qu'un psychologue lui eût attribué comme symptôme d'une personnalité hypersensible ou trop prompte à perdre l'équilibre : elle n'était pas dans la personne, mais dans la généralité, ou dans le rapport de la personne avec la généralité, rapport qu'Agathe considérait à bon droit comme un rapport moral. En effet, il apparaissait à la jeune femme, déçue d'elle-même, que, si elle pouvait vivre toujours comme en ses minutes d'exception, si elle n'était pas trop faible pour y persévérer, elle réussirait à aimer le monde, à s'insérer en lui avec bonté; autrement, cela lui était impossible! Alors l'envahit un désir passionné de retrouver cet état, mais on ne peut recréer de force ces instants d'extrême élévation. Avec la netteté d'un jour blafard après le crépuscule, l'inutilité de ses efforts passionnés lui fit comprendre que la seule chose à laquelle elle pouvait s'attendre et qu'elle attendait d'ailleurs avec une impatience simplement dissimulée jusque là par sa solitude, était cette étrange perspective que son frère avait appelée un jour, mi-gravement, mi-railleusement, le Règne millénaire. Il aurait pu recourir tout aussi bien à un autre terme, car celui-ci ne représentait pour Agathe que l'écho assuré et convaincant d'une chose à venir. Elle n'aurait pas osé affirmer cela. Elle n'était même pas certaine que ce fût vraiment possible. Au fond, elle ne savait même pas ce que c'était. En cet instant, elle avait de nouveau oublié tous les mots grâce auxquels son frère prouvait que, derrière ce qui n'emplissait l'esprit d'Agathe que de lumineux brouillards, la possibilité s'élargissait à l'infini. Mais aussi longtemps qu'elle était restée en sa compagnie, elle avait eu le sentiment que les paroles de son frère formaient un pays, et qu'elles le formaient non pas simplement dans sa tête, mais vraiment sous ses pieds. Le fait même qu'il n'en parlait qu'ironiquement, comme d'ailleurs son oscillation de la froideur à l'émotion, qui l'avait si souvent troublée naguère, réjouissait maintenant Agathe dans son isolement; la mauvaise humeur n'offre-t-elle pas, bien plus que le ravissement, une sorte de garantie de sérieux ? « Si j'ai pensé à la mort, c'est sans doute que j'avais peur qu'il n'ait pas parlé assez sérieusement », reconnut Agathe.

Elle fut surprise par le dernier jour qu'elle dut passer dans cet éloignement. Tout d'un coup, la maison s'était trouvée parfaitement en ordre, il ne restait plus qu'à remettre les clefs au vieux couple qui, selon les indications du testament, resterait dans la maison de concierge jusqu'à l'arrivée d'un nouveau propriétaire. Agathe s'était refusée à descendre à l'hôtel et voulut rester à sa place jusqu'à son départ, qui devait avoir lieu après minuit. La maison était empaquetée et emmitouflée. Un éclairage de fortune brûlait. Des caisses rapprochées l'une de l'autre figuraient la table et la chaise. Au bord d'un gouffre, sur une caisse en terrasse, Agathe avait fait servir son souper. Le vieux domestique de son père balançait des ustensiles de l'ombre à la lumière; sa femme et lui avaient tenu à recourir à leur propre cuisine afin que « la jeune Madame », comme ils disaient, pour son dernier repas à la maison ne fût pas mal servie. Soudain, sortant de l'esprit dans lequel elle avait passé ses journées, Agathe se dit : « Et s'ils avaient remarqué quelque chose ? » Il se pouvait qu'elle n'eût pas détruit tous ses essais d'écriture pour la falsification du testament. Elle éprouva une frayeur glacée, ce poids de cauchemar qui pèse sur tous les membres, cette avare terreur de la réalité qui, loin de rien donner à l'esprit, ne fait jamais que lui prendre. A ce moment, elle ressentit avec une force passionnée le désir de vivre qui s'était réveillé en elle. Elle se défendit violemment contre l'idée qu'on pût l'en empêcher. Lorsque le vieux domestique revint, elle tenta résolument de sonder son visage. Le vieillard circulait candidement avec son prudent sourire; il ressentait quelque chose de muet et de solennel. Il n'était pas plus perméable au regard qu'un mur, et Agathe ne savait pas si derrière cet éclat aveugle se cachait autre chose. Elle aussi éprouvait maintenant un sentiment muet, solennel et triste. Il avait toujours été le confident de son père, docilement prêt à lui livrer tous les secrets de ses enfants, quand il en découvrait; mais Agathe était née dans cette maison, et tout ce qui s'était passé depuis prenait fin en ce jour. Agathe était touchée qu'ils fussent là eux deux, solitaires et solennels. Elle résolut de lui faire don d'une petite somme supplémentaire, et se proposa, dans un moment de faiblesse subite, de dire que c'était de la part du professeur Hagauer. Ce n'était point par ruse, mais plutôt dans un sentiment de pénitence et dans l'intention de ne rien négliger, bien que le caractère déplacé et superstitieux de ce geste lui apparût nettement. Avant que le vieillard revînt, elle prit aussi ses deux petits talismans. Après avoir considéré une dernière fois, en fronçant les sourcils, l'ami inoublié, elle glissa le médaillon sous le couvercle d'une caisse mal clouée qui devait être mise en dépôt pour un temps indéfini et contenait apparemment des ustensiles de cuisine ou de la lustrerie, car elle entendit un bruit, métal sur métal, comme retombent les branches d'un arbre; puis elle mit la petite boîte avec le poison là où elle avait porté naguère le médaillon.

« Que je suis vieux-jeu! se dit-elle en souriant. Il y a sûrement des choses plus importantes que les histoires d'amour! » Mais elle ne le croyait pas.

En cet instant, on n'aurait pu dire ni qu'elle refusait, ni qu'elle désirait inaugurer avec son frère des relations interdites. Cela dépendrait de l'avenir. Dans son état présent, rien ne correspondait à la netteté d'une telle question.

La lumière fardait les planches, entre lesquelles elle était assise, de blanc criard et de noir profond. L'idée qu'elle passait maintenant son dernier soir dans la maison où elle avait été mise au monde par une femme dont elle n'avait jamais pu se souvenir et qui était aussi la mère d'Ulrich, cette idée portait un masque tragique un peu semblable qui donnait à sa signification pourtant simple quelque chose d'inquiétant. Une impression très ancienne s'insinua en elle : des clowns l'entouraient avec d'étranges instruments et des visages graves comme la mort. Ils commençaient à jouer. Agathe reconnut un rêve éveillé de son enfance. Elle ne pouvait entendre la musique, mais tous les clowns la regardaient. Elle se dit que sa mort, en cet instant, ne serait pour rien ni pour personne une perte;

pour elle-même, cela ne représenterait peut-être que la conclusion extérieure d'un long dépérissement intérieur. Ainsi songeait-elle, tandis que les clowns gonflaient, haussaient leur musique jusqu'au plafond, et elle se voyait assise dans une arène couverte de sciure, des larmes lui tombant sur les doigts. C'était un sentiment d'absurdité profonde qu'elle avait éprouvé souvent comme jeune fille, et elle pensa : « Sans doute suis-je restée une enfant jusqu'aujourd'hui... » Cela ne l'empêcha pas de penser en même temps à un fait qui, à travers ses larmes, lui parut démesurément grand : c'était dans les mêmes costumes de clowns qu'elle et son frère s'étaient vus, la première heure de leur revoir. « Pourquoi donc est-ce précisément à mon frère que s'est attaché ce qui se cache en moi ? » se demanda-t-elle. Soudain, elle pleura vraiment. Elle n'eût pu en donner aucune autre raison que la joie de son cœur, et secoua violemment la tête, comme s'il y avait en elle quelque chose qu'elle ne pouvait ni défaire ni recomposer.

Alors, très naturellement, très simplement, elle pensa qu'Ulrich saurait bien trouver la réponse à toutes les questions. Le vieux revint et considéra avec émotion l'émotion de la jeune femme. « Cette jeune Madame... » dit-il en secouant lui aussi la tête. Agathe, confuse, le regarda; mais, lorsqu'elle eut compris le malentendu que son regret trahissait, l'insolence de sa jeunesse se réveilla. « Jette tout ce que tu possèdes au feu, jusqu'à tes souliers. Si tu ne possèdes plus rien, ne te préoccupe pas du linceul et jette-toi nu dans le feu! » lui dit-elle. C'était une vieille sentence qu'Ulrich lui avait lue avec ravissement. Le vieux sourit à l'élan grave et doux de ces paroles qu'elle lui disait les yeux brûlants de larmes (c'était un débris de sourire d'intelligence), et, suivant du regard la main de sa maîtresse désireuse de lui faciliter la compréhension en le trompant, il regarda les caisses entassées qui semblaient presque un bûcher. Au mot *linceul*, le vieillard avait fait un signe d'intelligence, tout disposé à suivre même si le chemin des paroles lui paraissait un peu cahoteux; dès le mot *nu*, il se figea, lorsqu'Agathe lui répéta la sentence, et arbora ce masque poli du domestique dont l'expression garantit qu'on ne veut ni voir, ni entendre, ni juger.

De tout le temps qu'il avait servi chez son vieux maître, ce mot n'avait pas été prononcé une seule fois devant lui : on avait dit, au pis, *dévêtu*. Les jeunes gens d'aujourd'hui étaient bien différents, sans doute n'aurait-il plus la même satisfaction à les servir. Dans une tranquillité de samedi soir, il sentit que sa carrière était finie. La dernière pensée d'Agathe avant le départ fut celle-ci : « Et Ulrich, jetterait-il vraiment tout au feu ?... »

22. *Où l'on passe de la critique de Koniatowski concernant le principe de Danielli au péché originel, et du péché originel au mystère affectif de la sœur.*

L'état dans lequel Ulrich retrouva la rue lorsqu'il eut quitté le palais du comte Leinsdorf ressemblait fort prosaïquement à de la faim. Il s'arrêta devant un panneau d'affichage et satisfit sa faim de banalité sur les annonces et avis. Le panneau, de plusieurs mètres, était couvert d'écriture. « Au fond, se dit-il, on pourrait admettre que ces mots qui se retrouvent à tous les coins de la ville ont une valeur de connaissance. » Ils lui paraissaient proches de ces tournures consacrées auxquelles recourent, dans les situations critiques, les personnages des romans en vogue. « Avez-vous jamais rien porté de plus agréable et de plus pratique que le bas Topinam ? » « Son Altesse s'amuse. » « La St-Barthélemy, nouvelle version. » « Bonhomie au Cheval-Blanc. » « Érotisme et danse au Cheval-Rouge, sensationnel ! » A côté, une affiche politique le frappa : « Machinations criminelles... » : cela ne visait pas l'Action parallèle, mais le prix du pain. Il se retourna et, quelques pas plus loin, examina la vitrine d'une librairie. « Le nouveau livre du grand poète... » disait une pancarte dressée à côté d'une quinzaine de volumes identiques, bien alignés. Dans l'angle opposé de la vitrine se trouvait le pendant de cette pancarte, annonçant un autre ouvrage : « Monsieur et Madame s'absorbent avec une égale passion dans *Babel de l'Amour*, de... »

« Le *grand* poète ? » songea Ulrich. Il se souvenait de n'avoir lu qu'un seul livre de lui et d'avoir supposé qu'il n'aurait pas à en lire un deuxième : depuis, l'homme était devenu célèbre. Devant cette vitrine de l'Intelligence allemande, Ulrich se rappela un vieux mot de soldat : « Mortadella! » C'était le surnom d'un général de division peu apprécié, du temps de son service, surnom qui évoquait la populaire saucisse italienne; à qui en demandait le sens, on répondait : « Moitié âne, moitié cochon! » Ulrich, l'esprit échauffé, eût poursuivi cette comparaison s'il n'en avait été détourné par une femme qui l'interpella en disant : « Vous attendez aussi le tram ? » Il découvrit ainsi qu'il n'était plus devant la librairie.

Il ne s'était pas rendu compte non plus qu'il était resté immobile entre temps à côté du panneau d'une station de tramway. La dame qui le lui fit remarquer portait un sac de montagne et des lunettes; c'était une astronome célèbre, assistante à l'Institut, une des rares femmes qui se fût distinguée dans cette virile discipline. Il regarda son nez et ces places sous les yeux que l'effort quotidien de la réflexion faisait ressembler un peu à des sous-bras de gutta-percha; puis, dans la profondeur, il aperçut une jupe de loden et, dans les hauteurs, une plume de tétras sur un chapeau vert flottant au-dessus de ce savant visage. Il sourit et dit : « Vous allez à la montagne ? »

Mademoiselle Strastil, Dr. ès sciences, allait passer trois jours à la montagne, pour « dételer ». « Que dites-vous du travail de Koniatowski ? » demanda-t-elle à Ulrich. Ulrich ne dit rien. « Kneppler sera furieux, fit-elle. Mais la critique de Koniatowski sur la déduction que Kneppler tire du principe de Danielli est intéressante, vous ne trouvez pas ? Croyez-vous cette déduction possible ? »

Ulrich haussa les épaules.

Il était de ces mathématiciens dits « logisticiens » qui ne tenaient rien pour exact et s'efforçaient de bâtir une nouvelle axiomatique. Mais la logique des logisticiens, à son tour, ne lui paraissait pas entièrement exacte. S'il avait continué ses travaux, il aurait repris Aristote; il avait ses idées là-dessus.

« Néanmoins, je juge la déduction knepplérienne plutôt fausse qu'erronée », reconnut Mlle Strastil. Elle aurait pu dire, tout aussi bien, qu'elle la jugeait erronée, mais non pas fausse, du moins dans les grandes lignes; elle savait ce qu'elle voulait dire, mais dans la langue ordinaire, où les mots ne sont pas définis, personne ne peut s'exprimer sans équivoque. Sous son chapeau de touriste, tandis qu'elle recourait à cette langue de vacances, il y avait quelque chose de l'orgueil anxieux que le monde profane et sensuel doit éveiller chez un moine lorsqu'il s'y aventure imprudemment.

Ulrich monta avec Mlle Strastil dans le tramway, sans savoir du tout pourquoi. Peut-être parce que la critique de Koniatowski sur Kneppler lui apparaissait extrêmement importante. Peut-être parce qu'il voulait lui parler de littérature, à quoi elle n'entendait rien. « Qu'allez-vous faire à la montagne ? » demanda-t-il.

Elle voulait gravir le Hochschwab.

« Vous y trouverez encore trop de neige. On ne peut plus monter avec des skis, et pas encore sans skis ! dit Ulrich qui connaissait bien l'endroit.

— Alors, je resterai en bas, déclara Mlle Strastil. J'ai déjà passé trois jours, une fois, dans les chalets de l'alpe de Färsen, qui sont sur le chemin du sommet. Je ne cherche qu'un peu de nature ! »

Le visage que fit l'excellente astronome au mot nature incita Ulrich à lui demander pourquoi elle avait besoin de nature.

Mlle Strastil, Dr. ès sciences, s'indigna sincèrement. Elle pouvait rester trois jours sur l'alpe sans bouger, comme un rocher ! proclama-t-elle.

« Uniquement parce que vous êtes une scientifique ! jeta Ulrich. Un paysan s'ennuierait ! »

Mlle Strastil n'en convint pas. Elle parla des milliers de personnes qui, au premier jour férié, cherchaient la Nature à pied, à vélo ou en bateau.

Ulrich parla des paysans qui fuyaient la campagne, attirés par la ville.

Mlle Strastil dit douter qu'il eût une sensibilité assez élémentaire.

Ulrich affirma que le confort, avec la nourriture et l'amour, était peut-être élémentaire, mais pas les vacances sur l'alpe. La sensibilité naturelle qu'on leur donnait pour mobile était plutôt une forme moderne du rousseauisme, une attitude sentimentale et compliquée.

Il n'avait nullement l'impression de bien parler, il se souciait peu de ce qu'il disait, il continuait seulement parce que ce n'était pas encore ce qu'il voulait à tout prix extraire de lui-même. Mlle Strastil lui jeta un regard méfiant. Elle n'était pas en mesure de le comprendre : sa grande expérience de la pensée pure ne lui servait strictement à rien, elle ne pouvait ni dissocier, ni composer les images à l'aide desquelles il semblait se contenter de projeter autour de lui d'agiles idées; elle supposa qu'il parlait sans penser. Écouter ces propos avec une plume à son chapeau lui procura son unique satisfaction du moment et confirma sa joie à l'idée de la solitude qui l'attendait.

A ce moment, le regard d'Ulrich tomba sur le journal de son voisin et y lut en grosses lettres le titre d'une annonce : « L'époque pose des questions, l'époque y répond! » Il pouvait y avoir dessous une réclame pour des semelles ou l'annonce d'une conférence (impossible aujourd'hui de faire la distinction), mais les pensées d'Ulrich avaient trouvé d'un coup le chemin qu'elles voulaient suivre. Sa compagne s'efforça d'être objective et dit en hésitant : « Malheureusement, je connais mal la littérature, nous autres n'en avons guère le temps. Peut-être ce que je connais n'est-il pas non plus le meilleur. Mais, par exemple, X... (elle nomma alors un écrivain en vogue), X... me donne infiniment. Je trouve qu'un poète qui nous fait sentir si intensément est vraiment enrichissant! »

Comme Ulrich jugeait avoir assez profité de l'alliance instituée dans l'esprit de Mlle Strastil entre l'extraordinaire développement de la pensée pure et l'évidente faiblesse de l'intelligence psychique, il se leva, ragaillardi, souffla un compliment un peu lourd à sa collègue et descendit en hâte, prétextant qu'il était déjà deux stations trop loin. Lorsqu'il se retrouva dehors et salua une dernière fois, Mlle Strastil se souvint d'avoir entendu critiquer ses travaux dans les derniers temps; une vague de rougeur, à la suite des complaisantes salutations d'Ulrich, la « toucha humainement », fait qui, selon ses convictions, ne parlait pas précisément en faveur de celui-ci. Mais Ulrich, maintenant, savait, et en même temps ne savait pas encore tout à fait, pourquoi ses pensées tournaient autour de la littérature et ce qu'elles y cherchaient, de sa comparaison interrompue avec la mortadelle à la manière inconsciente qu'il avait eue d'induire Mlle Strastil à des confidences. Finalement, la littérature ne lui importait plus, depuis qu'il avait écrit, à vingt ans, son dernier poème; avant cette date il avait eu l'habitude d'écrire, en cachette, assez régulièrement. S'il y avait renoncé, ce n'était pas parce qu'il avait mûri ou parce qu'il avait compris qu'il manquait de talent, mais pour de tout autres raisons. Pour les faire apparaître, ces raisons, il eût aimé recourir, sous le poids des impressions qui l'assaillaient alors, à un mot qui eût exprimé le fait de déboucher, après de multiples efforts, sur le vide.

Ulrich appartenait à l'espèce des amateurs de livres qui ne veulent plus lire parce qu'écrire et lire leur paraît monstrueux. « Si la très raisonnable Strastil veut qu'on la *fasse sentir* », songea-t-il (« En quoi elle a raison! L'eussé-je contredite, qu'elle m'eût sorti triomphalement l'exemple de la musique! »)... et, comme il arrive souvent, tantôt il pensait en mots, tantôt la réflexion agissait sur sa conscience sous forme d'objection tacite : si donc la sage Mlle Strastil veut qu'on la « fasse sentir », elle exprime un désir fort général : l'art doit émouvoir, bouleverser, récréer, surprendre l'homme, lui faire flairer de nobles pensées ou, en un mot, lui faire vraiment « vivre » quelque chose : l'art doit être « vivant », doit être une « expérience vécue ». Ulrich ne songeait pas, d'ailleurs, à rejeter entièrement cet aspect. Il lui vint une arrière-pensée, dont la fin fut un mélange d'émotion légère et d'ironie récalcitrante : « Le sentiment est assez rare. Préserver du froid une certaine température du sentir, c'est probablement ménager la chaleur nécessaire à l'incubation sans laquelle il n'y a pas d'évolution spirituelle. Quand un homme est arraché à la confusion des intentions intelligentes qui l'embarrassent de mille objets étrangers, quand il est transporté pour quelques instants dans un état de désintéressement absolu, par exemple quand il écoute de la musique, il rejoint presque l'état des fleurs sur lesquelles passent la pluie et les rayons du soleil. » Il allait ajouter qu'il y avait dans les pauses et le repos de l'esprit humain une éternité plus éternelle que dans son activité; mais il avait pensé tantôt « sentiment », tantôt « expérience », ce qui entraînait une contradiction. Car il y avait aussi des expériences de la volonté! Il y avait aussi des expériences d'action à l'apogée! Sans doute pouvait-on admettre que chacune de ces expériences, lorsqu'elle atteint son plus grand rayonnement d'amertume, n'est plus que sentiment : mais la contradiction serait alors que l'état du sentir, dans sa plus grande pureté, serait un repos, un retombement de l'activité! Ou n'y avait-il pas contradiction malgré tout? Existait-il un ordre merveilleux selon lequel la plus haute activité, en son centre, serait immobilité? Il apparut que cette suite d'inspirations constituait moins une arrière-pensée qu'une pensée indésirable : car Ulrich, dans une brusque réaction contre la tournure sentimentale qu'avaient prise les considérations dans lesquelles il s'était engagé, les rétracta. Il n'avait nullement l'intention de méditer sur certains états, ni, lorsqu'il réfléchissait sur les sentiments, d'en devenir lui-même la proie.

Aussitôt, il lui vint à l'esprit que ce qu'il avait visé pouvait s'exprimer admirablement et sans périphrases par l'actualité vaine ou par l'éternelle instantanéité de la littérature. Celle-ci a-t-elle un résultat ? Ou bien elle est un énorme détour de l'expérience vécue à l'expérience vécue et revient alors sur elle-même, ou bien elle est la quintessence d'états d'excitation dont ne procède jamais rien de défini. « Sans qu'on le veuille, pensa-t-il, une mare vous donne plus souvent et plus fortement qu'un océan l'impression de la profondeur, pour la bonne raison qu'on a plus facilement l'expérience de la mare que celle de l'océan. » Il lui semblait qu'il en allait de même pour le sentiment, que la même raison expliquait qu'on prît si volontiers les sentiments banals pour les profonds. Le goût que l'on a du sentir plus que du sentiment, signe distinctif de tous les émotifs, de même que le désir de « faire sentir » commun à toutes les institutions au service du cœur, aboutissent à rabaisser le rang et l'essence des sentiments au profit de leur apparition fugace et personnelle, et conduisent finalement à cette platitude, à cet arrêt de l'évolution, à cette insignifiance totale dont nous ne manquons pas d'exemples généraux. « Bien entendu, pensa Ulrich pour compléter sa remarque, une telle conception ne peut que choquer tous ceux qui se sentent aussi à l'aise dans leurs sentiments que le coq dans ses plumes, et prétendent même encore, quand ils le peuvent, que l'éternité recommence avec chaque *personnalité!* » Il avait une représentation assez claire d'une énorme inversion, d'une inversion à la mesure de l'humanité, mais il ne pouvait l'exprimer d'une manière satisfaisante parce que la structure en était sans doute trop complexe.

Tandis qu'il réfléchissait ainsi, il observait les tramways qui approchaient et il attendait celui qui pourrait le ramener aussi près que possible du centre. Il voyait les gens monter et descendre, et son regard expert en techniques jouait distraitement avec les rapports de fonte et de forge, de laminage et de rivure, de construction et de travail d'atelier, d'évolution historique et de circonstances présentes qui avaient permis l'invention de ces baraques roulantes. « Pour finir, une délégation de l'administration des Tramways se rend à la fabrique de wagons et décide des boiseries, de la peinture, du capitonnage, de la place des mains-courantes, des accoudoirs, des cendriers et ainsi de suite. Ce sont précisément ces détails, la couleur rouge ou verte des carrosseries, l'élan avec lequel ils grimpent sur le marchepied qui constituent, pour des milliers d'hommes, ce qu'ils conservent, la seule chose qui leur reste du génie et qui soit vécue par eux. Cela forme leur caractère, leur donne rapidité ou confort, leur fait voir dans les tramways rouges leur patrie et dans les bleus l'étranger, et constitue cette odeur de petits faits, impossible à méconnaître, qui s'attache aux vêtements des siècles. » Ainsi, on ne pouvait nier (et cela se rattachait d'un coup au cours principal des pensées d'Ulrich), que la vie elle-même débouche pour la plus grande part dans l'actualité insignifiante ou, si l'on veut recourir au langage technique, que les coefficients psychiques d'efficacité sont très faibles.

Soudain, tandis qu'il se sentait à son tour grimper d'un bond dans la voiture, il se dit : « Une chose à inculquer à Agathe : la morale est l'organisation des états momentanés de notre vie en états durables ! » Cette phrase lui était venue à l'esprit tout d'un coup sous forme de définition. Sans être entièrement élaborées ni articulées, d'autres idées avaient précédé cette pensée étincelante, d'autres la suivirent et en précisèrent le sens. En même temps apparaissaient à l'horizon, en un résumé encore hésitant, une conception et une organisation strictes, une sérieuse hiérarchie de cette innocente occupation qu'est le sentir : les sentiments doivent ou servir, ou relever d'un état extrême, inouï, aussi vaste qu'une mer sans rivages. Fallait-il appeler cela une idée ou une nostalgie ? Ulrich fut obligé de laisser la question en suspens, car à l'instant où le nom de sa sœur lui était venu à l'esprit, l'ombre d'Agathe obscurcit ses pensées. Comme chaque fois qu'il pensait à elle, il eut l'impression d'avoir montré, dans le temps passé en sa compagnie, un état d'esprit différent de l'ordinaire. Il savait aussi qu'il désirait passionnément retrouver cet état. Mais le même souvenir le couvrit de honte à l'idée qu'il s'était conduit ridiculement, d'une manière usurpée, guère mieux qu'un homme ivre qui se jette aux genoux des gens qui l'entourent et qu'il n'osera pas regarder en face le lendemain. Si l'on considérait la mesure qui régnait dans les relations du frère et de la sœur, cette impression était fortement exagérée; si ce n'était pas tout à fait absurde, du moins devait-on y voir une simple compensation à des sentiments encore informes. Il savait qu'Agathe allait arriver dans quelques jours, et il n'empêchait rien. Somme toute, avait-elle fait quoi que ce fût de mal ? On pouvait supposer qu'elle avait tout annulé, son caprice passé. Mais un pressentiment très fort l'assurait qu'Agathe n'avait pas renoncé à son dessein. Il aurait pu s'informer auprès d'elle. Il se sentit à nouveau dans l'obligation de l'avertir par lettre. Mais, loin de prendre un instant ce projet au sérieux, il chercha à comprendre quels avaient pu être chez Agathe les motifs d'une conduite si étrange : il y voyait une façon incroyablement violente de lui accorder sa confiance et de se remettre entre ses mains. « Elle n'a que fort peu le sens du réel, pensa-t-il, mais elle a une façon merveilleuse de faire ce qu'elle veut. Irréfléchie, sans doute : mais pour cette raison même, non refroidie! Quand elle est en colère, elle voit le monde rouge-sang! » Il sourit amicalement et considéra les gens qui roulaient avec lui. Des mauvaises pensées, chacun d'eux en avait, c'était certain, chacun les refoulait et personne ne se prenait en trop mauvaise part. Aucun n'avait ces pensées en dehors de soi, dans un être qui leur donnait l'inaccessibilité fascinante des événements rêvés.

Depuis qu'Ulrich n'avait pas réussi à terminer sa lettre, ce fut la première fois qu'il comprit qu'il n'avait plus à choisir, mais qu'il se trouvait déjà dans le domaine devant lequel il reculait encore. Selon ses lois (il s'autorisait la présomptueuse équivoque de les dire sacrées), la faute d'Agathe ne pouvait être regrettée, mais seulement réparée par des événements postérieurs à elle : cela correspondait d'ailleurs au sens premier du repentir, état de feu purifiant et non de dégradation. Dédommager ou indemniser le gênant époux d'Agathe n'eût été que le retrait d'un dommage, cette double négation paralysante en quoi consiste d'ordinaire la bonne conduite qui s'équilibre, intérieurement, à zéro. D'autre part, ce qui devait arriver à Hagauer, telle une charge à soulever, n'était possible que si l'on faisait pour lui la dépense d'un grand sentiment : à quoi l'on ne pouvait penser sans effroi. Ainsi, selon la logique dans laquelle Ulrich s'efforçait d'entrer, autre chose que le dommage pouvait seul être réparé, et il ne doutait pas un instant que cette autre chose ne dût être sa vie et la vie de sa sœur. « Pour parler présomptueusement : Saül n'a pas réparé toutes les conséquences de ses fautes antérieures, il est devenu Paul! » songea-t-il. Néanmoins, contre cette logique originale, le sentiment et la conviction objectaient traditionnellement qu'il serait plus convenable, sans pour autant gêner les élans futurs, de commencer par régler les comptes avec le beau-frère et de ne penser qu'ensuite à la nouvelle vie. L'espèce de morale qui l'attirait tant n'était nullement faite pour traiter les histoires d'argent et les contradictions qui en découlent. C'est pourquoi, à la frontière qui séparait cette autre vie de la vie quotidienne, devaient forcément apparaître des cas insolubles et grevés de contradictions qu'il ne fallait pas laisser devenir des cas-limites avant d'avoir tout essayé pour les éliminer selon les méthodes habituelles et prosaïques de la décence. Là encore, Ulrich sentait qu'on ne pouvait s'en tenir aux conditions habituelles de la bonté si on voulait s'aventurer dans le domaine de la bonté inconditionnelle. La mission qui lui était confiée d'entrer dans un monde nouveau semblait ne tolérer aucun amendement.

Son dernier retranchement, c'était la répugnance très grande qu'il éprouvait à voir dans les notions dont il avait fait un si grand usage, le Moi, le sentiment, la bonté, l'autre bonté, le mal, un mélange de subjectivité et de généralité éthérée tel qu'on n'en trouve guère que dans les considérations morales de gens beaucoup plus jeunes. Il lui arrivait ce qui arrivera sans doute à plus d'un lecteur de son histoire : il s'arrêtait avec agacement à tel ou tel terme et se disait : « *Fabrication, produits de sentiments?* C'est le machinisme, le rationalisme ignorant de l'homme! *La morale, essai de subordonner à un état durable tous les états particuliers ?* La morale ne serait rien d'autre? Comme cela est inhumain! » Quand on voyait cela avec les yeux d'un homme raisonnable, tout paraissait complètement absurde. « L'essence de la morale repose incontestablement sur le fait que les sentiments les plus importants demeurent toujours les mêmes, songeait Ulrich. La seule tâche de l'individu est d'agir en accord avec ceux-ci! » A ce moment précis, les lignes, dues à la règle et au compas, du volume roulant qui entourait Ulrich s'arrêtèrent à un endroit où son regard, sortant du corps de l'engin moderne et participant encore sans le vouloir à son système, tomba sur une colonne de pierre qui s'élevait au bord de la rue depuis l'époque baroque, de sorte que le confort technique, inconsciemment accepté, de la création rationnelle se heurta soudain à la passion déchaînée du geste ancien qui n'était pas sans ressembler à une colique pétrifiée. L'effet de ce choc optique fut une confirmation extraordinairement puissante des pensées auxquelles Ulrich venait de tenter de se soustraire. L'étourderie de la vie eût-elle pu apparaître jamais plus nettement que dans ce spectacle inattendu ? Sans que son goût prît parti pour le Jadis ou le Maintenant, comme il arrive ordinairement dans ces confrontations, son esprit n'hésita pas un instant à se sentir aussi abandonné par le présent que par le passé; il ne vit là que la présentation frappante d'un problème au fond moral. Il ne pouvait douter que le caractère éphémère de ce qu'on appelle style, culture, volonté d'une époque ou sentiment de la vie, et que l'on admire pour tels, ne fût une caducité d'ordre moral. A l'échelle des siècles, en effet, ce caractère éphémère correspond à ce qui se passerait à l'échelle plus modeste de la vie personnelle si chacun développait ses capacités unilatéralement, si chacun se perdait dans des excès dissolvants sans jamais imposer de mesure à sa volonté, sans jamais obtenir une formation complète et en agissant au gré de passions incohérentes. C'est pourquoi il semblait aussi à Ulrich que ce qu'on appelle le changement, ou même le progrès des temps n'était qu'un mot pour exprimer qu'aucune tentative n'aboutit au point où elles devraient toutes s'unir, sur le chemin d'une conviction absolument totale, c'est-à-dire vers la possibilité d'un développement continu, d'une jouissance durable et de cette gravité de la grande beauté dont il ne tombe plus guère aujourd'hui qu'une ombre de temps en temps sur notre vie.

Ulrich jugeait certes extrêmement présomptueux de croire que tout dût avoir été comme rien. Pourtant, ce n'était rien. Une masse d'être incommensurable, mais, pour le sens, la pire confusion. Du moins, à voir le résultat, ce n'était guère plus que ce qui a produit l'âme de notre époque, autrement dit bien peu de chose. Tout en songeant ainsi, Ulrich s'abandonna à ce « peu de chose » comme si c'était le dernier repas que ses projets lui permissent de prendre à la table de la vie. Il était descendu du tram. Il avait pris un chemin qui le ramenait rapidement vers le centre. Il lui sembla sortir d'une cave. Les rues piaillaient de plaisir, une précoce chaleur les baignait comme aux jours d'été. Le doux parfum empoisonné des monologues n'était plus dans sa bouche. Tout était communicatif et ensoleillé. Ulrich s'arrêta presque devant chaque vitrine. Ces flacons de toutes couleurs, ces parfums en conserve, ces innombrables variantes de ciseaux à ongles : quelle somme de génie dans la simple boutique d'un coiffeur! Un magasin de gants : que de connexions, que d'inventions avant qu'une peau de chèvre soit tendue sur une main de dame et que la peau de bête soit jugée plus élégante que notre propre peau! Comme s'il les voyait pour la première fois, il s'émerveilla des évidences, des innombrables petites choses nécessaires au bien-être. Quel bonheur il y avait dans cette vaste harmonie de la vie en commun! On oubliait ici la croûte de la vie, les chemins boueux de la passion, et ce qu'il y avait, il le sentait vraiment ainsi, de sauvage dans l'âme! Claire et légère, l'attention flottait sur un jardin de fruits, de pierres précieuses, d'étoffes, de formes et de tentations dont les yeux doucement pénétrants s'ouvraient dans toutes les couleurs. Comme l'époque était aux peaux blanches et qu'on les protégeait du soleil, des ombrelles multicolores planaient déjà au-dessus de la foule et posaient des ombres soyeuses sur de pâles visages de femmes. Le regard d'Ulrich fit même ses délices de l'or mat des bières qu'il aperçut en passant, à travers les vitres d'un restaurant, servies sur des nappes si blanches qu'elles formaient, à la limite de l'ombre, des surfaces bleues. Puis une voiture le dépassa; une douce, lourde calèche dans l'obscurité de laquelle on voyait du rouge et du violet. Ce devait être la voiture de l'Archevêque, car cet attelage qu'Ulrich suivait maintenant du regard avait l'air fort ecclésiastique : deux agents de police prirent la position et saluèrent le serviteur du Christ, sans penser à leurs prédécesseurs qui avaient percé d'une lance le flanc du Maître.

Il se laissait aller à ces impressions, qu'il venait d'appeler « la vaine actualité de la vie », avec tant d'ardeur que peu à peu, tandis qu'il se rassasiait du monde, sa combativité précédente reparut. Maintenant, Ulrich savait parfaitement où était le point faible de ses réflexions. « En face d'une telle souveraineté, se dit-il, quel sens peut-il y avoir à exiger encore un résultat qui se situe en dessus, derrière, ou en dessous ? Sera-ce une philosophie ? Une conviction totale, une loi ? Le doigt de Dieu ? Ou encore, à défaut, l'idée que la morale a manqué jusqu'ici d'une *mentalité inductive*, qu'il est beaucoup plus difficile d'être bon qu'on ne l'eût cru, qu'il y faut un très long travail en commun comme dans tous les domaines de la recherche scientifique ? J'admets qu'il n'y a pas de morale, parce qu'il est impossible de la déduire d'une constante, mais seulement des règles pour l'inutile maintien d'états passés; j'admets aussi qu'il n'y a pas de bonheur profond sans morale profonde. Mais réfléchir là-dessus me paraît artificiel et abstrait, et ce n'est certes pas ce que je veux! » En fait, il eût pu se demander beaucoup plus simplement : « Qu'ai-je donc assumé ? », et il se le demanda. Cette question touchait sa sensibilité plus que sa pensée, elle interrompait même celle-ci; avant même qu'il l'eût envisagée, elle avait entraîné Ulrich toujours plus loin du plaisir d'un stratège tirant ses plans. Elle avait été d'abord comme une note sombre à son oreille, l'accompagnant, puis la note avait retenti en lui, une octave plus bas que tout le reste; maintenant enfin, Ulrich ne faisait plus qu'un avec sa question et se voyait telle une note étrangement basse dans la claire dureté du monde, une note qu'un grand intervalle séparait des autres. Réellement, qu'avait-il assumé et promis ?

Il fit un effort. Il savait, bien qu'il s'en fût servi comme d'une comparaison, que l'expression « Règne millénaire » n'était pas pour lui une plaisanterie. Si l'on prenait cette promesse au sérieux, elle aboutissait au désir de vivre, par l'amour mutuel, dans une disposition d'esprit profane si élevée que l'on ne pourrait plus sentir ou faire que ce qui sauvegarderait ou exalterait encore cet état. Qu'une telle disposition existât au moins sous forme d'allusions, il en était certain depuis qu'il pensait. Cela avait commencé avec l' « histoire de la majoresse »; les expériences postérieures, pour n'être pas considérables, n'en avaient pas moins toujours été du même ordre. Quand on résumait le tout, on n'était pas loin de penser qu'Ulrich croyait à la « Chute » et au « Péché originel ». Autrement dit, il eût admis volontiers qu'une modification essentielle s'était produite un jour ou l'autre dans la conduite de l'homme, comme quand l'amoureux retrouve son sang-froid : il voit alors « toute la vérité », mais quelque chose de plus vaste a été détruit, et la vérité n'est plus qu'un reste recousu tant bien que mal. Peut-être même était-ce vraiment le fruit de la « Connaissance » qui avait entraîné cette modification de l'esprit et expulsé la race humaine de son état originel, dont elle ne pourrait retrouver le chemin qu'après d'innombrables expériences et grâce à la sagesse que donne le péché. Ulrich croyait à ces histoires non pas telles qu'elles nous ont été transmises, mais telles qu'il les avait découvertes : il y croyait comme un calculateur qui, ayant sous les yeux le système de ses sentiments, conclut de l'impossibilité de les justifier séparément à la nécessité d'introduire une hypothèse imaginaire dont on ne peut que pressentir la nature. Ce n'était pas une bagatelle! Il avait souvent fait des réflexions analogues, mais jamais encore il n'avait été dans le cas de devoir décider en l'espace de quelques jours s'il allait en faire dépendre sa vie. Un peu de sueur perla sous son chapeau et son col, et la proximité des passants qui le frôlaient l'excita. Ses pensées équivalaient à une rupture avec la plupart des relations de la vie : il ne se faisait pas d'illusions sur ce point. Aujourd'hui, l'homme vit partagé, et partiellement mêlé aux autres hommes : ce qu'on rêve dépend du rêve et de ce que les autres rêvent; ce qu'on fait tient peut-être par soi-même, mais plus encore à ce que les autres font; ce dont on est convaincu dépend de convictions dont on ne possède soi-même qu'une très petite part. Vouloir agir selon sa réalité pleine et entière est donc une exigence profondément irréelle. Ulrich lui-même avait été pénétré toute sa vie de l'idée qu'il fallait partager ses convictions, avoir le courage de vivre dans les contradictions morales, parce qu'on obtenait ainsi une productivité plus grande. Était-il au moins persuadé de ce qu'il pensait de la possibilité et de la signification d'une autre vie ? Pas le moins du monde! Néanmoins, il ne pouvait empêcher ses sentiments de s'engager dans cette voie comme s'ils avaient devant eux les symptômes indubitables d'un fait attendu pendant des années.

Maintenant, il devait se demander de quel droit il en venait, tout comme un être amoureux de soi-même, à ne plus rien vouloir faire qui fût indifférent à son âme. Pareil désir contredit la mentalité activiste de l'homme d'aujourd'hui, et si des époques religieuses ont pu le connaître et le développer, il n'en a pas moins fondu comme l'aube sous la force grandissante du soleil. Ulrich sentait sur lui un parfum d'isolement et de douceur qui répugnait de plus en plus à ses goûts. C'est pourquoi il s'efforça, dès que ce fut possible, de rameuter ses pensées : il se représenta, peut-être pas tout à fait sincèrement, que la promesse d'un Règne millénaire qu'il avait faite si étrangement à sa sœur, si on l'envisageait raisonnablement, ne signifiait guère qu'une sorte d'œuvre de bienfaisance; ses rapports avec Agathe exigeraient sans doute de lui une dépense de tendresse et de désintéressement dont il n'avait que trop perdu l'habitude. Il se rappela, comme on se rappelle le passage sur le ciel d'un nuage exceptionnellement translucide, certains instants de leur séjour en commun qui avaient eu ce caractère. « Peut-être le Règne millénaire naît-il de l'extension de cette force apparue d'abord entre deux individus à l'océan de la communauté universelle ? » se dit-il, un peu gêné. Il se référa de nouveau à l' « histoire de la majoresse » : négligeant les illusions amoureuses dont la puérilité avait été la cause de ses erreurs, il concentra toute son attention sur les douces sensations de bonté et d'adoration dont il s'était montré capable alors dans sa solitude. Sentir de la confiance et de l'inclination, vivre même pour un autre lui parurent devoir être un bonheur touchant jusqu'aux larmes, aussi beau que le flamboyant naufrage du jour dans le repos crépusculaire, mais, aussi, comme ce naufrage, quelque peu triste et assoupissant pour la pensée. Déjà, entre temps, son projet lui apparaissait sous un jour comique, un peu comme la décision que prennent deux vieux célibataires d'habiter ensemble. A ces oscillations de la rêverie, il sentit combien l'idée de l'amour fraternel et dévoué était peu faite pour le combler. Avec une objectivité relative, il s'avoua que les relations entre Agathe et lui avaient comporté dès le début une bonne dose d'aversion pour la société. Non seulement l'histoire d'Hagauer et du testament, mais la coloration générale des sentiments faisaient croire à une secrète violence, et il y avait sans doute dans cette fraternité autant de répugnance pour le reste du monde que d'amour. « Non! songea Ulrich. Le désir de vivre pour un autre, ce n'est que la faillite de l'égoïsme qui, aussitôt, prend un associé et ouvre un nouveau commerce à côté de l'ancien! »

En fait, sa tension intérieure, en dépit de cette remarque brillante, avait déjà dépassé son point culminant au moment où il avait été tenté de saisir en une petite lampe terrestre la lumière qui l'emplissait confusément. Quand il apparut que ç'avait été une faute, sa pensée avait déjà renoncé à chercher une décision, et il se laissa volontiers distraire. Non loin de lui, deux hommes venaient de se heurter et se jetaient des remarques désagréables comme s'ils voulaient en venir aux mains, intermède à quoi son attention rafraîchie s'intéressa vivement. A peine s'en était-il détourné que son regard croisa celui d'une femme, un regard pareil à une lourde fleur inclinée sur sa tige. Dans cette humeur agréable où se mêlent en proportions égales le sentiment et l'attention tournée vers l'extérieur, il constata que l'idéal amour du prochain se divisait chez l'homme réel en deux parts, l'une où l'on ne peut souffrir son prochain, l'autre où l'on a, pour compenser, des relations sexuelles avec la moitié d'entre eux. Sans plus réfléchir, il revint sur ses pas pour suivre la femme : conséquence toute mécanique du contact de leurs regards. Il voyait devant lui son corps sous les vêtements comme un grand poisson blanc tout proche de la surface. Il aurait voulu le harponner et le voir frétiller, et il y avait dans ce souhait autant d'aversion que de désir. Des signes presque imperceptibles l'assuraient que la femme était consciente qu'il la suivait et ne s'en formalisait pas. Il essaya de deviner à quelle classe de la société elle pouvait appartenir, et s'arrêta à cet étage supérieur des classes moyennes où il est difficile de déterminer exactement la position. « Famille de commerçants, de fonctionnaires ? » se demanda-t-il. D'autres images surgirent arbitrairement, entre autres celle d'une pharmacie : il sentit l'odeur aiguë et douceâtre attachée au mari qui rentre chez lui, l'atmosphère compacte du foyer où il ne reste plus trace des frémissements qu'éclaira juste avant la lanterne sourde d'un intrus. C'était repoussant, certes, et néanmoins bassement attirant.

Tandis qu'Ulrich continuait à suivre la femme et craignait, en réalité, qu'elle n'allât s'arrêter devant une vitrine, le forçant à trébucher pour la dépasser innocemment ou à l'aborder, quelque chose de vif et de clair demeurait en lui, que rien ne pouvait distraire. « Qu'est-ce donc qu'Agathe peut bien vouloir de *moi ?* » se demanda-t-il pour la première fois. Il ne le savait pas. Sans doute supposait-il que c'était à peu près ce que lui voulait d'elle, mais il n'avait pour le penser que des raisons affectives. Ne devait-il pas s'étonner que tout eût été si rapide, si imprévu ? Hors quelques souvenirs d'enfance, il ne savait rien d'elle, et le peu qu'il avait appris, par exemple ces années avec Hagauer, lui déplaisait plutôt. Maintenant, il se rappelait aussi l'étrange hésitation, presque la répugnance avec laquelle il avait gagné la maison paternelle à son arrivée. Soudain, une idée se nicha en lui : « Mon sentiment pour Agathe n'est qu'imagination ! » Redevenu sérieux, il se dit que, chez un homme qui cherche continuellement autre chose que son entourage, chez un homme qui n'a jamais pu passer de l'antipathie à la sympathie correspondante, la bienveillance et la fade bonté habituelles aux autres hommes doivent se désagréger aisément et se réduire à une masse dure et froide au-dessus de laquelle plane un brouillard d'amour impersonnel. C'était ce qu'il avait appelé un jour l'amour séraphique. On aurait pu dire aussi, songeait-il : l'amour sans partenaire. Ou aussi bien : l'amour sans sexualité. De nos jours, on n'aimait que sexuellement : les semblables ne pouvaient se souffrir, et, dans le croisement des sexes, on s'aimait avec une révolte grandissante contre la surestimation de cette contrainte. L'amour séraphique était délivré de l'un et de l'autre. Il était l'amour délivré des contre-courants des aversions sociales et sexuelles. Cet amour, perceptible un peu partout aujourd'hui aux côtés de la cruauté, pouvait vraiment s'appeler *l'amour sororal*, dans une époque qui n'avait pas de place pour l'amour fraternel... Ainsi songeait Ulrich, frémissant d'irritation.

Tandis que ses pensées concluaient ainsi, il rêvait en même temps, ou en alternance, d'une femme absolument inaccessible. Elle flottait devant ses yeux comme ces journées d'arrière-automne à la montagne où l'air a quelque chose d'exsangue, d'agonisant, tandis que les couleurs brûlent à l'extrême de la passion. Il voyait ces bleuités lointaines, infinies dans leurs mystérieuses et riches nuances. Il oublia complètement la femme qui marchait réellement devant lui, il était loin de tout désir et peut-être près de l'amour.

Il ne fut distrait de son rêve que par le regard insistant d'une autre femme, regard semblable au premier, sauf qu'il n'était ni aussi insolent ni aussi lourd, mais raffiné et distingué comme un pastel; il lui suffit pourtant d'un fragment de seconde pour pénétrer celui d'Ulrich. Celui-ci leva les yeux, et aperçut, dans un état de total épuisement intérieur, une très belle femme en qui il reconnut Bonadea.

La merveilleuse journée l'avait attirée dans la rue. Ulrich regarda l'heure : il ne s'était promené qu'un quart d'heure, et il n'y avait pas quarante-cinq minutes qu'il avait quitté le palais du comte Leinsdorf. Bonadea dit : « Je ne suis pas libre aujourd'hui. » Ulrich pensa : « Comme une journée, une année, et même une résolution pour la vie peuvent être longues ! » C'était incommensurable.

23. *Bonadea ou la rechute.*

C'est ainsi qu'Ulrich reçut bientôt après la visite de son amie délaissée. Leur rencontre dans la rue, pas plus qu'elle n'avait suffi pour les reproches qu'Ulrich désirait lui faire d'avoir abusé de son nom à seule fin de conquérir l'amitié de Diotime, n'avait laissé à Bonadea le temps de lui représenter son long silence et non seulement de se défendre contre l'accusation d'indiscrétion et de traiter Diotime de « sale vipère », mais encore d'en inventer une preuve. C'est pourquoi il avait été rapidement convenu entre Bonadea et son ami retraité de la nécessité d'une nouvelle rencontre.

Celle qui apparut n'était plus la Bonadea qui tordait sa chevelure entre ses mains jusqu'à donner à sa tête une apparence presque grecque lorsqu'elle se regardait en clignant des yeux dans le miroir et se proposait de devenir aussi noble et aussi pure que Diotime; ce n'était plus celle qui, dans des nuits orageuses, insultait grossièrement, en femme experte, son modèle, à cause des cures de désintoxication qu'elle lui imposait. C'était de nouveau la chère Bonadea de jadis dont les bouclettes retombaient sur le front pas très intelligent (ou en remontaient quand le voulait la mode), et dans les yeux de qui flottait constamment quelque chose qui ressemblait à l'air montant au-dessus d'un feu. Tandis qu'Ulrich s'apprêtait à lui demander des comptes pour avoir trahi leur liaison devant sa cousine, elle enlevait prudemment son chapeau devant la glace; lorsqu'il voulut savoir exactement ce qu'elle en avait dit, elle lui expliqua, avec précision et plaisir, l'histoire racontée à Diotime : qu'elle avait reçu une lettre d'Ulrich dans laquelle il la priait de veiller qu'on n'oubliât point Moosbrugger, qu'elle n'avait rien trouvé de mieux que de s'adresser à la femme dont l'auteur de la lettre lui avait si souvent vanté la magnanimité. Là-dessus, elle s'assit sur l'accoudoir du fauteuil d'Ulrich, lui donna un baiser sur le front et assura modestement que toute l'histoire était vraie, à l'exception de la lettre. Sa gorge exhalait une grande chaleur. « Pourquoi donc as-tu traité ma cousine de vipère ? C'était toi, la vipère! » dit Ulrich.

Bonadea, pensivement, détourna son regard d'Ulrich et le dirigea vers la paroi. « Je ne sais, répondit-elle, elle est si gentille avec moi. Elle s'intéresse tellement à moi!

— Qu'est-ce à dire ? demanda Ulrich. Partagerais-tu ses efforts pour la Bonté, la Vérité et la Beauté ?

— Elle m'a expliqué, repartit Bonadea, qu'aucune femme ne pouvait vivre pour son amour conformément à ses forces, elle pas plus que moi. C'est pourquoi chaque femme doit faire son devoir à l'endroit où le destin l'a placée, poursuivit-elle plus pensive encore. Elle me persuade d'être indulgente envers mon mari et prétend qu'une femme supérieure trouve un bonheur profond dans la maîtrise de son mariage : elle met cela très au-dessus de l'adultère. Au fond, je n'ai jamais pensé autrement! »

C'était la vérité : Bonadea n'avait jamais pensé, elle avait toujours agi, autrement, c'est pourquoi elle pouvait donner sans scrupules son assentiment. Lorsqu'Ulrich le lui fit remarquer, cela lui attira un nouveau baiser : cette fois-ci, déjà, un peu plus bas que le front. « Toi, tu troubles mon équilibre polygame! » dit-elle avec une petit soupir pour excuser la contradiction qu'il y avait eu entre sa pensée et sa conduite.

Un long échange de questions fit apparaître qu'elle avait voulu dire « équilibre polyglandulaire ». C'était une expression de physiologie alors compréhensible aux seuls initiés, et qu'on pourrait traduire par équilibre des humeurs, dans l'hypothèse où ce seraient certaines glandes agissant sur le sang qui influenceraient de leurs stimulations et retards le caractère, le tempérament, et en particulier ce genre de tempérament dont Bonadea, par moments, était par trop abondamment pourvue.

Ulrich, curieux, fronça les sourcils.

« Autrement dit, une histoire de glandes, ajouta Bonadea. C'est déjà un certain apaisement de savoir qu'on n'y peut rien. » Elle sourit mélancoliquement à son ami perdu : « Quand on a tendance à perdre trop rapidement l'équilibre, on voit souvent apparaître des échecs sexuels!

— Mais Bonadea, demanda Ulrich stupéfait, comment parles-tu ?

— Comme je l'ai appris. Tu es un échec sexuel, selon ta cousine. Mais elle dit aussi qu'on peut échapper aux troubles physiques et psychiques qui en sont la conséquence si on se représente que rien de ce que l'on fait n'est une affaire purement personnelle. Elle est très bonne pour moi. Elle prétend que mon erreur à moi, dans l'amour, est d'être restée trop attachée à un détail au lieu de considérer la vie d'amour dans son ensemble. Tu comprends, elle entend par ce détail ce qu'elle appelle aussi *l'expérience brute :* c'est souvent très intéressant de voir les choses sous l'éclairage qu'elle leur donne. Mais il y a chez elle quelque chose qui me déplaît : finalement, bien qu'elle dise qu'une femme forte cherche l'œuvre de sa vie dans la monogamie et doit s'y attacher comme un artiste, elle n'en a pas moins trois, avec toi peut-être quatre hommes en réserve, et moi, pour mon bonheur, je n'en ai présentement aucun! »

Le regard avec lequel, ce disant, elle toisa son réserviste déserteur était brûlant et interrogatif. Ulrich ne voulut pas s'en apercevoir.

« Vous parlez de moi ? demanda-t-il plein de pressentiments.

— Quelquefois seulement, répliqua Bonadea. Ainsi, quand ta cousine cherche un exemple, ou quand ton ami, le général, est là.

— Et si possible, il y a encore Arnheim ?

— Il écoute avec dignité le dialogue des nobles femmes », dit Bonadea railleuse non sans un certain don d'imitation discrète, mais en ajoutant gravement : « Sa conduite envers ta cousine ne me plaît pas du tout. La plupart du temps, il est en voyage; quand il est là, il parle trop à tout le monde. Et, quand elle cite l'exemple de Madame von Stern et de la...

— Madame von Stein ? dit Ulrich, proposant une correction.

— Naturellement, je voulais dire Stein : Diotime en parle assez. Donc, quand elle parle des relations entre Madame von Stein et l'autre, la Vul... ah! comment s'appelle-t-elle donc ? Celle qui a un nom un peu indécent ?...

— Vulpius.

— Bien sûr. Tu comprends, j'entends prononcer tant de mots étrangers que j'en oublie les plus simples! Eh bien! quand elle compare Madame von Stein avec l'autre, Arnheim me regarde avec insistance, comme si, à côté de son adorée, j'étais tout juste bonne pour jouer le rôle de... celle que tu disais! »

Ulrich insista pour obtenir l'explication de ces changements.

Il apparut que Bonadea, depuis qu'elle s'était intitulée la confidente d'Ulrich, avait fait de grands progrès dans la confiance de Diotime.

La réputation de nymphomanie qu'Ulrich lui avait faite si légèrement dans sa colère avait produit sur sa cousine un effet extraordinaire. Tout en admettant la nouvelle venue dans ses soirées sous les espèces d'une philanthrope aux activités mal définies, elle l'avait observée quelquefois en cachette. Cette intruse aux yeux de buvard qui absorbaient l'image de sa maison lui était apparue fort inquiétante, et avait éveillé en elle autant de curiosité féminine que d'horreur. Pour dire la vérité, quand Diotime prononçait l'expression « maladies vénériennes », elle éprouvait les mêmes sensations confuses que lorsqu'elle s'imaginait la vie de sa nouvelle connaissance; la conscience troublée, elle attendait d'une fois à l'autre des scènes impossibles, la honte et l'infamie. Bonadea parvint à réduire sa méfiance par sa conduite ambitieuse, qui rappelait la tenue exemplaire d'enfants dévergondés dans un milieu qui excite leur émulation morale. Elle en oublia même qu'elle était jalouse de Diotime, et celle-ci remarqua avec étonnement que son inquiétante protégée n'était pas moins éprise d'idéal qu'elle-même. Déjà, en effet, la « sœur égarée », comme elle l'appelait maintenant, était devenue sa protégée; bientôt, Diotime lui voua un intérêt particulièrement actif : par sa propre situation, elle se sentait portée à considérer l'infâme mystère de la nymphomanie comme une sorte d'épée de Damoclès féminine, dont elle disait qu'elle pouvait être suspendue même sur la tête d'une Geneviève. « Je le sais, mon enfant, disait-elle en consolant sa contemporaine, il n'est rien de plus tragique que d'étreindre un être dont on n'est pas intimement persuadée... » Et elle l'embrassait sur sa bouche impudique avec une dépense de courage qui eût suffi pour lui faire poser ses lèvres dans la barbe sanglante d'un lion.

La situation où Diotime se trouvait alors, c'était l'hésitation entre Arnheim et Tuzzi : situation horizontale, pour parler figurément, avec trop de poids d'un côté et trop peu de l'autre. Sans doute Ulrich lui-même, à son retour, avait-il trouvé sa cousine avec un bandeau sur le front et des compresses chaudes;

mais ces tourments féminins dans l'intensité desquels elle pressentait la protestation de son corps contre les instructions contradictoires reçues de son âme, avaient réveillé aussi en Diotime la noble résolution qui lui était propre aussitôt qu'elle se refusait à être comme les autres femmes. A vrai dire, au début, on avait pu se demander si cette tâche devait être abordée par le corps ou par l'âme, si elle serait mieux servie par un changement d'attitude envers Arnheim ou envers Tuzzi : le monde vint l'aider à en décider. Tandis que son âme, avec ses énigmes amoureuses, échappait à Diotime comme un poisson qu'on veut garder dans sa main, la perplexe et dolente créature, à son plus grand étonnement, trouva d'abondants secours dans les livres du temps dès qu'elle se fut décidée à prendre son destin par l'autre extrémité, l'extrémité physique, à savoir son mari. Elle ne s'était pas doutée que notre temps, qui a probablement perdu la notion de passion amoureuse parce qu'elle est plus religieuse que sexuelle, juge puéril de se préoccuper encore d'amour, mais voue tous ses efforts au mariage dont il analyse le processus naturel avec une méticuleuse vigueur. Déjà alors étaient parus nombre de ces livres qui parlent, avec la candeur loyale d'un maître de gymnastique, des « révolutions de la vie sexuelle » et veulent aider les hommes à être mariés, et néanmoins contents. Dans ces ouvrages, l'homme et la femme ne s'appellent plus autrement que « porteurs de germes mâle ou femelle » ou encore « partenaires sexuels », et on baptise « problème sexuel » l'ennui qu'il s'agit de bannir de leurs rapports par toute espèce de variantes physiques ou psychiques. Lorsque Diotime pénétra dans cette littérature, son front d'abord se plissa; puis il se lissa de nouveau : son ambition avait été blessée de voir qu'un grand mouvement d'idées naissant lui avait échappé. Finalement, séduite, elle se prit le front dans les mains d'étonnement, à l'idée qu'elle avait pu donner au monde un but (bien qu'on ne sût toujours pas lequel), mais n'avait jamais pensé qu'on pût aussi traiter par la supériorité intellectuelle les épuisants désagréments du mariage. Cette possibilité correspondait à merveille à ses penchants et lui donna soudain l'espoir de traiter ses relations avec son mari, où elle n'avait vu jusqu'alors que souffrances, comme une science et comme un art.

« Pourquoi se perdre au loin quand les trésors sont sous la main ? » disait Bonadea, en apportant le renfort de sa prédilection personnelle pour les lieux-communs et les citations. Bientôt, en effet, toujours prête à protéger les âmes, Diotime en avait fait, dans ces domaines, son élève, et la traitait comme telle. C'était conforme au principe pédagogique « Qui instruit s'instruit ». D'une part, cela aidait Diotime à tirer du désordre provisoire et de l'obscurité des impressions que lui donnaient ses nouvelles lectures une vérité dont elle était déjà fortement convaincue; l'heureux mystère de l'intuition (plus on parle en l'air, mieux on fait mouche) la guidait. D'autre part, Bonadea y trouvait un avantage qui lui rendait possible cette rétroaction sans laquelle un élève reste infécond, fût-ce pour le meilleur des maîtres : la richesse de ses connaissances pratiques, même si elle en dissimulait prudemment plus d'une part, représentait pour Diotime la théoricienne une somme d'expériences que l'épouse du sous-secrétaire consultait avec anxiété, depuis qu'elle avait résolu de corriger à l'aide des livres l'évolution de sa vie conjugale. « Évidemment, je suis bien moins calée qu'elle, expliqua Bonadea, mais il y a souvent dans ses livres des choses dont moi-même je n'avais pas la moindre idée : cela l'intimide parfois au point qu'elle dit, avec un air de regret : *Ce sont des choses dont on ne peut décider à la table ronde du lit conjugal. Il y faut malheureusement une grande expérience sexuelle, une pratique du matériau vivant!...*

— Au nom du ciel! s'écria Ulrich que le fou-rire envahissait à la seule idée de sa prude cousine égarée dans la sexualité, à quoi donc veut-elle en venir ? »

Bonadea rassembla tout ce qu'elle avait appris sur l'heureuse alliance des intérêts scientifiques à la mode avec un style stupide. « Il s'agit de la meilleure exploitation, de la meilleure administration possible de son instinct sexuel, répondit-elle dans l'esprit de son professeur. Elle défend avec conviction l'idée que le chemin d'une vie amoureuse ailée et harmonieuse passe forcément par une très dure éducation de soi-même.

— Vous vous éduquez *avec soin ?* Et encore, *très durement ?* Voilà un magnifique langage! s'écria Ulrich. Mais aurais-tu l'obligeance de m'expliquer dans quelle intention Diotime s'éduque ?

— En premier lieu, bien sûr! elle éduque son mari! » précisa Bonadea.

« Le pauvre! » pensa involontairement Ulrich. Puis il reprit :

« Je voudrais bien savoir comment elle s'y prend! Ne sois donc pas tout d'un coup si discrète! »

Bonadea, devant ces questions, se sentait réellement paralysée de fierté comme un élève-modèle à l'examen. « Son atmosphère sexuelle est empoisonnée, expliqua-t-elle prudemment. Si elle veut la purifier, il est indispensable que Tuzzi et elle contrôlent minutieusement leur activité. Il n'y a pas de règles générales. Il faut s'efforcer d'observer les réactions de l'autre. Pour pouvoir observer avec fruit, il faut avoir une certaine intelligence de la vie sexuelle. Il faut pouvoir comparer l'expérience acquise dans la pratique avec le précipité de la recherche théorique, dit Diotime. La femme, aujourd'hui, a adopté face au problème sexuel une attitude nouvelle : elle n'exige pas de l'homme simplement qu'il agisse, mais qu'il agisse avec une exacte connaissance de la nature féminine! » Pour distraire Ulrich, ou peut-être parce que cela l'amusait elle aussi, elle ajouta plaisamment : « Imagine-toi l'effet que ça peut avoir sur son mari qui n'a pas la moindre idée de ces nouveautés et qui en apprend la plus grande part dans sa chambre à coucher, au moment de se déshabiller, quand Diotime, les cheveux à demi dénoués, les jupes serrées entre les jambes, cherche ses épingles! J'ai essayé avec mon mari, il a failli en avoir une attaque. Il faut donc bien reconnaître une chose : s'il doit vraiment y avoir des mariages pour la vie, ils ont au moins l'avantage d'enlever au partenaire tout son potentiel érotique. C'est pourquoi Diotime travaille Tuzzi, qui est un tant soit peu grossier.

— Une rude époque a commencé pour vos maris! » dit Ulrich taquin.

Bonadea se mit à rire. Il comprit combien elle serait heureuse de secouer de temps en temps le joug de son École d'amour.

Mais la curiosité scientifique d'Ulrich ne se relâchait pas. Il devinait que son amie, ainsi transformée, passait sous silence quelque chose dont elle eût, au fond, préféré parler. Il objecta, en confidence, que la faute de ces deux maris réunis par la souffrance avait été plutôt jusqu'alors, s'il en croyait la rumeur, un trop grand « potentiel érotique ».

« Oui, c'est ce que tu penses toujours! » dit sentencieusement Bonadea avec un regard dont la longue pointe portait à l'extrémité un petit crochet que l'on pouvait fort bien interprêter comme le regret de son innocence reconquise. « Tu abuses de la faiblesse physiologique de la femme!

— De quoi est-ce que j'abuse ? Tu as trouvé là une formule merveilleuse pour l'histoire de notre amour! »

Bonadea lui donna une petite gifle et arrangea nerveusement ses cheveux devant le miroir. Regardant le reflet d'Ulrich, elle dit : « C'est tiré d'un livre!

— Naturellement. Un livre très connu, même.

— Mais Diotime le conteste. Elle a découvert, dans un autre livre, une autre formule : *L'infériorité physique de l'homme.* L'auteur de ce livre est une femme. Crois-tu vraiment que cela joue un si grand rôle ?

— Je ne vois pas de quoi il s'agit et ne puis te répondre un mot!

— Alors, sois attentif! Diotime part d'une découverte, *la constante disponibilité de la femme au plaisir.* Cela te dit-il quelque chose ?

— Chez Diotime, non!

— Ne sois pas si grossier! protesta son amie. Cette théorie est très fine, et je m'efforcerai de te l'expliquer sans que tu en tires des conclusions erronées du fait que je suis seule ici avec toi. Cette théorie, donc, repose sur le fait qu'une femme peut être aimée même quand elle ne le veut pas. Tu comprends maintenant ?

— Oui.

— Malheureusement, cela n'est pas niable. En revanche, très souvent, même quand il veut, l'homme ne peut pas. Diotime dit que c'est prouvé scientifiquement. Le crois-tu ?

— Cela peut arriver.

— Vraiment ? dit Bonadea sceptique. Enfin! Diotime prétend que, si on considère la chose à la lumière de la science, cela se comprend de soi-même. Contrairement à la femme qui est toujours disponible au plaisir, l'homme, ou, en un mot, la part la plus virile de l'homme, est très facilement intimidée. » Son visage, qu'elle détournait maintenant du miroir, était couleur de bronze.

« Cela m'étonne de Tuzzi, dit Ulrich en ignorant la question.

— Je ne crois pas non plus qu'il en ait été ainsi naguère, dit Bonadea, mais c'est une confirmation a posteriori de la théorie, du fait qu'elle la lui expose tous les jours. Elle l'appelle la théorie du fiasco. Le porteur de germe mâle étant très exposé au fiasco, il ne se sent sexuellement sûr que s'il n'a pas à redouter une quelconque supériorité psychique de la femme. C'est pourquoi les hommes n'ont presque jamais le courage de lutter avec une femme qui est humainement leur égale. Du moins essaient-ils aussitôt de la rabaisser. Diotime dit que le leitmotiv de toutes les entreprises amoureuses des hommes, et particulièrement de leur présomption, est l'angoisse. Les grands hommes ne la cachent pas : ce disant, elle pense à Arnheim. Les plus petits la dissimulent sous une prétention physique brutale et abusent de la vie intérieure de la femme : ce disant, je pense à toi, et Diotime pense à Tuzzi. Cette façon que vous avez de nous déshonorer *tout de suite!... ou jamais!* n'est qu'une sur... » Elle allait dire compresse, mais Ulrich lui souffla : « Compensation! »

« Oui. Ainsi, vous évitez de penser à votre infériorité physique!

— Qu'avez-vous donc résolu ? demanda courtoisement Ulrich.

— Il faut s'efforcer d'être gentille envers les hommes! C'est pourquoi je suis venue te voir. Nous verrons comment tu le prends!

— Mais Diotime ?

— Que t'importe Diotime! Arnheim ouvre de grands yeux quand elle lui dit que les hommes intellectuellement supérieurs ne semblent malheureusement trouver une pleine satisfaction qu'auprès de femmes inférieures, alors qu'ils renoncent devant les femmes psychiquement égales, ainsi que la science l'a prouvé par l'exemple de Mme von Stein et de la Vulpius. (Tu vois, le nom ne me donne plus de mal, maintenant! Mais qu'elle ait été la partenaire sexuelle du vieil Olympien, je le savais, bien entendu, depuis toujours!) »

Ulrich chercha à orienter la conversation une fois de plus sur Tuzzi, afin de l'écarter de son propre cas. Bonadea se mit à rire. Elle n'était pas sans comprendre la pitoyable situation de ce diplomate chez qui l'homme lui plaisait fort, et elle éprouvait un malin plaisir de complice à savoir qu'il souffrait sous la férule de l'âme. Elle raconta que Diotime, dans le traitement de son mari, partait du fait qu'elle devait le libérer de l'angoisse qu'il éprouvait devant elle, qu'il lui fallait donc se réconcilier un peu avec sa brutalité sexuelle. L'erreur de sa vie, elle le reconnaissait maintenant, était que sa valeur eût été trop grande pour le naïf besoin de supériorité de son mari; il s'agissait de la corriger en dissimulant la supériorité de son âme sous une coquetterie érotique plus souple.

Ulrich demanda avec curiosité ce qu'elle entendait par là.

Le regard de Bonadea sonda gravement le visage d'Ulrich. « Elle lui dit, par exemple : *Nous avons gâché notre vie, jusqu'ici, à vouloir rivaliser d'autorité.* Puis, elle lui accorde que l'influence toxique du besoin d'autorité virile se fait sentir aussi sur l'ensemble de la vie publique...

— Mais je ne vois là ni coquetterie ni érotisme! objecta Ulrich.

— Voire! N'oublie pas qu'un homme vraiment passionné se comporte vis-à-vis d'une femme comme le bourreau avec sa victime. C'est une forme du besoin d'autorité, ainsi qu'on s'exprime maintenant. D'autre part, tu ne nieras pas que l'instinct sexuel ait son importance aussi pour la femme!

— Eh! cela va de soi!

— Parfait. Mais, pour aboutir au bonheur, la relation sexuelle exige une égalité. Si l'on veut obtenir de son partenaire le bonheur complet, il faut le considérer comme son égal en droits, non comme un simple complément passif de soi-même, poursuivit-elle en empruntant le style de son professeur comme, sur une surface glissante, on se voit involontairement et non sans angoisse entraîné par son propre mouvement. En effet, si l'homme ne tolère dans aucune relation d'être continuellement oppresseur et opprimé, combien moins encore dans la relation sexuelle!...

— Hum! » protesta Ulrich.

Bonadea lui serra le bras, ses yeux brillaient comme des étoiles filantes. « Tais-toi! siffla-t-elle. Il vous manque à tous une connaissance personnelle de la psyché féminine! Et si tu veux que je continue à te parler de ta cousine... » Mais elle était maintenant à bout de forces, ses yeux étincelaient comme ceux d'une tigresse qui voit passer de la viande devant sa cage. « Non, je ne peux plus entendre tout ça! s'écria-t-elle.

— Parle-t-elle vraiment ainsi ? demanda Ulrich. A-t-elle vraiment dit cela ?

— Chaque jour, je n'entends plus parler que de pratique sexuelle, d'étreintes réussies, de pré-volupté, de glandes, de sécrétions, de désirs refoulés, d'entraînement et de régularisation de l'instinct sexuel! Probablement chacun a-t-il la sexualité qu'il mérite, c'est du moins ce que prétend ta cousine, mais suis-je vraiment tenue d'en mériter une si sublime ? »

Son regard ne lâchait pas celui de son ami. Il affirma lentement : « Non, je ne le crois pas.

— Finalement, on pourrait dire aussi que mon extrême sensibilité représente une plus-value physiologique ? » demanda Bonadea en éclatant d'un rire ambigu et heureux.

Il n'y eut plus de réponse. Quand, longtemps après, une résistance se fit sentir en Ulrich, le jour vivant jaillissait par les failles des fenêtres, et lorsqu'on regardait de ce côté, la pièce assombrie semblait la chambre funéraire d'un sentiment ratatiné jusqu'à en devenir méconnaissable. Bonadea était étendue là, les yeux fermés, et ne donnait plus signe de vie. Les sensations que lui donnait son corps n'étaient pas sans ressembler à celles d'un enfant dont l'insolence a été brisée à coups de martinet. Chaque pouce de son corps, complètement rassasié et moulu, aspirait à la tendresse d'un pardon moral. Mais de la part de qui ? Certainement pas de l'homme dans le lit duquel elle était couchée et qu'elle avait supplié de la tuer parce que son plaisir ne pouvait être brisé par aucune répétition ni aucune gradation. Elle tenait les yeux fermés pour n'être pas obligée de le voir. Elle essayait de penser : « Je suis couchée dans son lit! » Cette phrase, avec cette autre : « Je ne m'en laisserai jamais chasser! », elle les avait criées intérieurement peu auparavant. Maintenant, elles n'exprimaient plus qu'une situation dont elle ne pourrait sortir sans affronter encore quelques étapes pénibles. Paresseusement, lentement, Bonadea reprit ses pensées au point où elles avaient été interrompues.

Elle pensa à Diotime. Peu à peu lui revinrent à l'esprit des mots, des phrases complètes et des fragments de phrases, mais, le plus souvent, un simple sentiment de satisfaction à l'idée de leur existence, chaque fois que des mots incompréhensibles et inoubliables comme hormone, glande, chromosome, zygote ou sécrétion interne formaient de longues conversations à son oreille. La pudeur de son professeur ne connaissait plus de bornes dès que celles-ci étaient noyées par l'éclairage scientifique. Diotime était capable de dire devant ses auditeurs : « La vie sexuelle n'est pas un métier. Elle doit demeurer l'art suprême qu'il nous soit donné d'apprendre en notre vie ! », tout en ayant l'enthousiasme assez peu romantique pour parler de « travaux d'approche », de « zones érotogènes... » Ces expressions, son élève se les rappelait maintenant avec exactitude. Éclairage critique de l'étreinte, clarification de la situation physique, zones excitables, chemin de l'orgasme féminin, hommes bien disciplinés, attentifs à leur partenaire... Environ une heure auparavant, Bonadea s'était jugée trompée grossièrement par ces expressions scientifiques, intellectuelles et distinguées qu'elle admirait tant d'ordinaire. A sa vive surprise, elle avait pris conscience pour la première fois du fait que ces mots avaient non seulement un sens pour la science, mais encore pour le sentiment, lorsque déjà les flammes fusaient de leur face affective, celle qu'on ne contrôle pas. Alors, elle avait haï Diotime. « Parler ainsi de tout ça, à vous en faire perdre le goût! » avait-elle songé. Envahie par d'affreux sentiments de vengeance, elle avait eu l'impression que Diotime, pourtant dotée elle-même de quatre hommes, ne lui accordait rien et lui donnait ainsi le change. Oui, Bonadea avait vu vraiment dans les analyses à l'aide desquelles la science sexuelle liquide les obscurs mouvements de l'érotisme une simple intrigue de Diotime. Elle chercha à se rappeler les instants où toutes ses pensées et toutes ses sensations étaient devenues folles : un homme atteint d'hémorragie ne doit pas mieux se comprendre, s'il repense à l'impatience qui l'a conduit à arracher son pansement protecteur! Bonadea pensa au comte Leinsdorf, qui appelait le mariage une haute fonction et comparait les ouvrages de Diotime sur ce sujet à une rationalisation de la voie hiérarchique. Elle pensa à Arnheim, qui était multimillionnaire et proclamait que la revalorisation de la fidélité conjugale à partir de l'idée du corps était une des premières urgences de l'époque. Enfin, elle pensa aux nombreux autres hommes célèbres qu'elle avait connus dans la dite époque, sans même pouvoir se rappeler s'ils avaient les jambes longues ou courtes, s'ils étaient gras ou maigres : elle ne voyait en eux que l'idée rayonnante de célébrité, complétée par une vague masse physique, comme on donne aux frêles cloisons d'un pigeon rôti une consistance à l'aide d'une lourde farce veinée de petites herbes. A de tels souvenirs, Bonadea se jura de n'être plus jamais la proie de ces brusques orages qui confondaient le haut et le bas. Elle s'en fit un serment si ardent que, dans la mesure où elle s'en tiendrait strictement à ses desseins, elle se voyait déjà en esprit et sans précision physique la maîtresse du plus fin des hommes qu'elle songeait à choisir parmi les admirateurs de sa grande amie. Mais, comme on ne pouvait nier, en attendant, qu'elle ne fût encore couchée, d'humeur peu vêtue, dans le lit d'Ulrich, à ne pas vouloir ouvrir les yeux, ce riche sentiment d'une contrition volontaire, au lieu d'aboutir à une consolation, se transforma en une mauvaise humeur piteuse et exaspérée.

La passion qui soumettait la vie de Bonadea à de telles contradictions avait sa source profonde non dans la sensualité, mais dans l'ambition. C'était à quoi songeait Ulrich, qui connaissait bien son amie et se taisait pour ne pas provoquer ses reproches, tout en observant ce visage dont les yeux restaient détournés. La forme primitive de tous ses désirs semblait être à Ulrich un désir d'honneur égaré dans de fausses voies, littéralement même, dans de fausses voies nerveuses. Et pourquoi l'ambition des records, qui triomphe d'ordinaire dans les quantités de bière bues ou la grosseur des diamants qu'on porte au cou ne s'exprimerait-elle pas une fois, comme chez Bonadea, dans la nymphomanie ? Cette forme d'expression, Bonadea la rétractait avec regret une fois que c'était fini, Ulrich le comprenait, et il comprenait également fort bien qu'un phénomène pointilleux comme Diotime dût paraître le paradis à une femme comme elle, que le diable avait toujours montée sans selle. Il observa ses prunelles épuisées et lourdes dans leur cavité; il vit devant lui le nez un peu brun qui se relevait avec résolution, et ses deux trous rouges, ovales pointus à l'extrémité; il aperçut avec un certain trouble les différentes lignes de ce corps : celles où sur le strict corset des côtes reposait la ronde et lourde gorge; celles où le dos creusé montait du bulbe des hanches; celle des ongles pointus et raides comme de petites écailles sur le doux arrondi des doigts. Tandis qu'il observait enfin, avec répugnance, quelques poils qui sortaient des narines toutes proches de sa maîtresse, il se rappelait quelle séduction le même être avait exercée peu auparavant sur ses désirs. Le sourire d'une si vivante ambiguïté avec lequel Bonadea était apparue pour « s'expliquer », la manière naturelle dont elle avait écarté tous les reproches et raconté les dernières histoires d'Arnheim, l'exactitude presque spirituelle, cette fois, de ses observations : Bonadea avait vraiment changé à son avantage, elle semblait plus indépendante, ses deux postulations semblaient s'équilibrer avec plus de souplesse, et ce manque de pesanteur morale avait récréé Ulrich que son propre sérieux avait fait beaucoup souffrir dans les derniers temps. Il se rappelait encore avec quel plaisir il l'avait écoutée, observant sur son visage le jeu des expressions, pareil au soleil sur les vagues. Soudain, tandis que son regard considérait le visage maintenant terni de Bonadea, il pensa que seuls les hommes graves pouvaient être méchants. « Des gens gais, se dit-il, on pourrait dire qu'ils sont à l'abri de la méchanceté. De même que le rôle de l'intrigant est toujours donné à des basses! » D'une manière pas trop rassurante, cela signifiait aussi pour lui que les mots profond et sombre étaient inséparables. Il est certain, en effet, que les fautes sont à moitié réparées quand un homme gai les commet, si l'on peut dire, « du bon côté ». Il se pourrait aussi que ce ne fût vrai que dans l'amour, où les séducteurs embarrassés semblent beaucoup plus dangereux et plus coupables que les frivoles, quand bien même ils n'en font pas plus. Ainsi erraient ses pensées. Il ne se sentait pas seulement déçu que l'heure amoureuse, commencée dans la légèreté, s'achevât dans le trouble, mais aussi étrangement animé.

Il en oublia la Bonadea réelle sans savoir comment. La tête appuyée sur le bras et le regard perdu dans le lointain au-delà des parois, pensif, il lui avait tourné le dos, lorsque son total silence incita la jeune femme à ouvrir les yeux. A cet instant, sans s'en douter, il pensait qu'une fois, lors d'un voyage, il était descendu du train avant le terme, parce que la transparence d'une journée, en dévoilant mystérieusement le paysage, telle une entremetteuse, l'avait entraîné dans une promenade loin de la gare pour l'abandonner à la nuit tombée sans bagages dans un endroit fort écarté. Il croyait d'ailleurs se rappeler qu'il avait toujours eu le don de rester absent plus longtemps qu'il ne pensait ou de ne jamais revenir par le même chemin. Alors, d'un souvenir tout à fait lointain qui remontait à un degré de l'enfance qu'il n'atteignait jamais d'ordinaire, une brusque lueur éclaira sa vie. Dans l'interstice d'un instant infiniment petit, il crut sentir à nouveau le mystérieux désir qui conduit un enfant vers un objet qu'il a vu pour le toucher ou même le porter à la bouche, après quoi la fascination s'interrompt comme dans un cul-de-sac. Dans le même éclair, il lui sembla que le désir qui pousse les adultes vers les lointains pour les changer en proximité n'était ni meilleur ni pire; c'était ce même désir qui le dominait et qui, par une certaine inanité que la curiosité dissimulait seulement, apparaissait nettement comme une contrainte. Enfin, cette image de base se transforma une troisième fois pour devenir cette scène impatiente et décevante à quoi avait abouti, sans qu'aucun des deux l'eût désiré, sa rencontre avec Bonadea. Cette manière de coucher côte à côte dans un lit lui paraissait maintenant tout à fait puérile. « Mais que signifie son contraire, l'amour lointain, immobile, paisible comme l'air, immatériel comme les premiers jours d'automne ? se demanda-t-il. Sans doute, là encore, un jeu d'enfants modifié... » pensa-t-il avec scepticisme en se rappelant les animaux multicolores des affiches qu'il avait aimés, enfant, avec plus de bonheur qu'aujourd'hui son amie. Mais Bonadea avait vu son dos juste assez pour y mesurer son malheur, et elle l'interpella : « C'est ta faute! »

Ulrich se tourna vers elle en souriant et répliqua sans réfléchir : « Dans quelques jours, ma sœur va venir et elle logera chez moi : te l'avais-je déjà annoncé ? Nous ne pourrons plus guère nous voir.

— Pour combien de temps ? demanda Bonadea.

— Définitivement, répondit Ulrich en souriant toujours.

— Et alors ? fit Bonadea. Qu'est-ce que cela peut faire ? Tu vas me dire, peut-être, que ta sœur ne te permet pas d'avoir une maîtresse ?

— C'est justement ce que je voulais te dire », dit Ulrich.

Bonadea se mit à rire. « Je suis venue te voir en toute innocence, et tu ne m'as même pas laissée finir mon histoire! protesta-t-elle.

— Ma nature est bâtie comme une machine qui ne cesse de dévaluer la vie! Je veux changer une bonne fois! » repartit Ulrich. Il n'était pas question qu'elle comprît cela, mais elle se rappela comme par défi qu'elle aimait Ulrich. Tout d'un coup, elle ne fut plus le vacillant fantôme de ses nerfs, elle trouva un naturel convaincant et dit avec simplicité : « Tu as commencé une liaison avec elle! »

Ulrich la rappela à l'ordre, plus gravement qu'il n'eût voulu. « Je me suis proposé de rester longtemps sans aimer une femme autrement que si elle était ma sœur », expliqua-t-il. Puis il se tut.

Par sa durée, ce silence fit sur Bonadea une impression de

résolution plus grande peut-être que ne le méritait son contenu.
« Mais, tu es donc pervers! » s'écria-t-elle soudain sur un ton d'avertissement prophétique. Elle sauta hors du lit et courut regagner l'École d'amour de Diotime dont les portes, sans s'en douter, étaient grand ouvertes à l'élève restaurée et repentante.

24. *Agathe est réellement là.*

Le soir de ce même jour arriva un télégramme, et l'après-midi du lendemain, Agathe.

La sœur d'Ulrich débarqua avec peu de bagages, selon qu'elle avait rêvé de tout laisser derrière elle. Néanmoins, le nombre des valises ne correspondait pas tout à fait au précepte : *Jette tout ce que tu possèdes au feu, jusqu'à tes souliers.* Quand Ulrich en fut informé, il se mit à rire : deux boîtes à chapeaux avaient même échappé au feu.

Le front d'Agathe prit l'expression charmante de l'offensée qui réfléchit en vain sur l'offense.

Ulrich avait-il raison de critiquer l'expression imparfaite d'un sentiment qui avait été vaste et exaltant ? On ne le sut pas, car Agathe passa cette question sous silence. La joie et le désordre provoqués involontairement par son arrivée lui bruissaient dans les oreilles et dans les yeux, comme la danse balance autour des musiciens. Elle était très gaie et se sentait légèrement déçue, bien qu'elle n'eût rien attendu de précis et qu'elle se fût même abstenue intentionnellement de toute attente pendant le voyage. Simplement, quand elle se souvint de la nuit précédente où elle n'avait pu dormir, elle se sentit tout à coup très fatiguée. Elle fut heureuse que son frère, un peu plus tard, dût lui avouer qu'il n'avait pu ajourner, à l'arrivée de son télégramme, un rendez-vous projeté pour l'après-midi même; il promit d'être de retour en moins d'une heure et installa sa sœur, avec une minutie qui prêtait à rire, sur le divan de son bureau.

Lorsqu'Agathe s'éveilla, l'heure était passée depuis longtemps, et Ulrich invisible. La pièce était plongée dans une profonde pénombre et lui parut si étrangère que la pensée d'être là au milieu de cette nouvelle vie tant attendue l'épouvanta. Autant qu'elle pouvait voir, les murs étaient couverts de livres, les tables encombrées de papiers comme chez son père. Curieuse, elle ouvrit une porte et pénétra dans la pièce voisine : elle y trouva des penderies, des boîtes à bottines, le punching-ball, des haltères, une échelle dorsale. Elle continua, puis revint aux livres. Elle vit les eaux de toilette, les parfums, les brosses, les peignes de la salle de bains, le lit de son frère, le décor de chasse du vestibule. Son passage était signalé par la lumière qui s'allumait, puis s'éteignait, mais le hasard voulut qu'Ulrich, bien qu'il fût rentré, ne s'en aperçût pas. Il avait renoncé à la réveiller pour la laisser se reposer plus longtemps, et il la rencontra dans le vestibule, comme il remontait d'une cuisine située au sous-sol et rarement utilisée. Il y avait cherché un rafraîchissement pour sa sœur, parce que, faute de prévoyance, il n'y avait pas le moindre domestique à la maison ce jour-là. Lorsqu'ils se trouvèrent côte à côte, Agathe sentit ses impressions désordonnées se rassembler enfin, et ce fut avec un malaise qui l'intimida, comme si le mieux à faire était de tourner les talons tout de suite. Il y avait dans cette maison quelque chose de froid, un entassement produit apparemment par des caprices indifférents, qui l'effrayait.

Ulrich, qui le remarqua, s'en excusa et en donna des explications plaisantes. Il raconta comment il avait acheté cette demeure et en expliqua l'histoire dans tous les détails, des bois de cerf qu'il possédait sans avoir jamais chassé, au punching-ball qu'il fit danser devant Agathe. Agathe regarda toutes choses une seconde fois avec une gravité inquiétante; chaque fois qu'ils quittaient une pièce, elle se retournait encore comme pour une inspection. Ulrich aurait voulu trouver cette attention amusante, mais à la longue, sa demeure lui en devint insupportable. Il apparut (ce que ses habitudes avaient dissimulé) qu'il n'utilisait que les pièces indispensables et que les autres y étaient accrochées négligemment comme une parure. Lorsqu'ils se retrouvèrent assis, après cette ronde, Agathe demanda : « Pourquoi donc l'as-tu fait, si ça ne te plaisait pas ? »

Son frère la munissait de thé et de tout ce que la maison pouvait offrir : il voulait être hospitalier au moins à retardement, afin que cette deuxième rencontre ne montrât pas moins de sollicitude matérielle que la première. Courant de-ci de-là, il affirma : « J'ai tout aménagé à la légère, à faux, de sorte qu'il n'y a pas le moindre rapport avec ma personne.

— C'est quand même très charmant » dit Agathe pour le consoler.

Ulrich laissa entendre qu'autrement ç'aurait peut-être tourné encore plus mal. « Je ne puis souffrir les demeures qui sont faites à la mesure d'une âme, déclara-t-il. J'aurais l'impression de m'être commandé moi-même chez un architecte d'intérieur! »

Agathe dit : « Moi aussi, ces maisons me font peur.

— Néanmoins, cela ne peut pas rester tel quel », fit Ulrich. Il était assis maintenant à la table, et le seul fait qu'ils dussent manger toujours ensemble, désormais, entraînait quantité de problèmes. Il fut vraiment étonné de constater que tant de choses, désormais, devraient réellement changer; il y vit une tâche tout à fait inhabituelle qu'on lui imposait, et montra au début le zèle d'un néophyte. « Un individu qui vit seul, dit-il pour répondre à la tolérance de sa sœur prête à tout laisser comme c'était, peut avoir une faiblesse : elle se mêle à ses autres qualités et s'y noie. Mais quand deux personnes partagent une faiblesse, comparée aux qualités qui ne leur sont pas communes, elle prend une importance deux fois plus grande et devient presque une profession de foi volontaire. »

Agathe n'était pas d'accord.

« Autrement dit, il y a beaucoup de choses que nous nous permettions seuls et que nous n'aurons plus le droit de faire ensemble. C'est même pour cela que nous nous sommes retrouvés. »

Cela plut à Agathe. Pourtant, cette idée négative d'être ensemble simplement pour ne pas faire quelque chose ne lui suffisait pas. Au bout d'un moment, revenant à l'installation fournie à Ulrich par les meilleures maisons, elle demanda : « Je ne comprends quand même pas très bien. Pourquoi t'es-tu installé ainsi si cela ne te convenait pas ? »

Ulrich accueillit son regard serein et observa son visage qui, au-dessus du vêtement de voyage un peu froissé qu'elle portait encore, lui apparut soudain poli comme de l'argent et si merveilleusement présent qu'il semblait à la fois proche et lointain ou que la proximité et la distance s'abolissaient dans cette présence, comme quand la lune, des profondeurs du ciel, émerge brusquement derrière le toit du voisin. « Pourquoi je l'ai fait ? répondit-il en souriant. Je ne le sais plus. Probablement parce qu'on aurait pu tout aussi bien faire autrement. Je ne me suis senti aucune responsabilité. Je m'avancerais plus en t'expliquant que l'irresponsabilité qui règne dans notre vie actuelle est peut-être déjà une étape vers une responsabilité nouvelle.

— Comment cela ?

— Eh bien! de toutes sortes de façons. Tu le sais : la vie d'un individu n'est peut-être qu'une petite oscillation autour de la moyenne la plus probable d'une série. Et ainsi de suite. »

Agathe n'entendit que ce qu'elle pouvait comprendre. Elle dit : « De là nos exclamations : *charmant! très joli!* On a vite fait de ne plus sentir l'abomination de sa vie. Parfois c'est à frémir, cependant, comme si l'on s'éveillait enterré vivant dans un caveau!

— Comment étais-tu donc installée ?

— Très petit-bourgeois. Très Hagauer. Très joli. Aussi faussement que toi! »

Ulrich avait pris un crayon et il esquissa sur la nappe le plan de la maison et un projet d'aménagement nouveau. C'était facile et ce fut si vite fait que le geste ménager d'Agathe pour protéger la nappe fut trop tardif et s'acheva, inutile, sur la main de son frère. Les difficultés ne réapparurent que sur les principes du réaménagement. « Nous voici donc avec une maison, dit Ulrich, qu'il nous faut transformer à notre usage : cette question, aujourd'hui, est oiseuse, dépassée. *Arranger une maison*, cette expression est comme une façade de décor derrière laquelle il n'y a plus rien. Les relations sociales et individuelles ne sont plus assez solides pour des maisons, plus personne n'éprouve un vrai plaisir à afficher sa durée, sa constance, de la sorte. On le faisait jadis : le nombre des pièces, des domestiques et des hôtes montrait qui on était. Presque tout le monde se rend compte, aujourd'hui, qu'une vie sans forme est la seule forme qui corresponde à la multiplicité des volontés et des possibilités dont notre vie est pleine. Les jeunes gens aiment la simplicité nue qui ressemble à une scène de théâtre encore vide, ou rêvent de malles-cabines, de championnat de bob et de palaces sur les autostrades, avec paysage de golf et musique courante dans toutes les chambres. » Ainsi parla Ulrich, un peu comme on le fait lorsqu'on converse avec une étrangère. Par ses propos, il s'efforçait de rester à la surface de soi-même, parce que ce qu'il y avait de définitif et de neuf à la fois dans leur présence côte à côte l'embarrassait.

Quand elle l'eut laissé terminer, sa sœur lui demanda : « Tu proposes donc que nous allions vivre à l'hôtel ?

— Pas le moins du monde! s'empressa de répondre Ulrich. Tout au plus ici ou là, en voyage.

— Et le reste du temps, nous nous bâtirons une paillotte sur une île ou une cabane dans la montagne ?

— Nous nous installerons ici, bien entendu », répondit Ulrich, avec plus de gravité que la conversation n'en requérait. L'entretien s'interrompit un instant, Ulrich s'était levé et arpentait la chambre. Agathe feignit d'avoir quelque chose à faire à l'ourlet de sa robe et pencha la tête hors de la ligne sur laquelle leurs deux regards s'étaient jusqu'alors croisés. Soudain, Ulrich s'arrêta et dit d'une voix hésitante, mais sincère : « Ma chère Agathe, il est un cercle de questions dont la circonférence est partout et le centre nulle part; ces questions se ramènent toutes à une seule : comment dois-je vivre ? »

Agathe s'était levée aussi, mais continuait à ne pas le regarder. Elle haussa les épaules. « Il faut essayer! » dit-elle. Le sang lui était monté au front; lorsqu'elle leva la tête, ses yeux étaient brillants, pétulants, seules les joues avaient gardé un peu de rougeur comme un nuage attardé. « Si nous voulons rester ensemble, déclara-t-elle, il faudrait avant tout que tu m'aides à déballer, à m'installer, à me changer, car je n'ai pas vu trace de femme de chambre! »

De nouveau, son frère sentit la mauvaise conscience dans ses bras et ses jambes, qu'elle galvanisa pour corriger son inattention sous la conduite et avec l'aide d'Agathe. Il vida des armoires comme un chasseur étripe du gibier et abandonna sa chambre à coucher en jurant qu'elle appartenait désormais à sa sœur et qu'il trouverait bien un divan quelque part. Vivement, il déplaça les objets d'usage quotidien qui avaient vécu jusqu'alors à leur place avec la tranquillité des fleurs d'un jardin d'agrément, n'attendant guère, pour toute modification de leur destin, que le geste de la main qui les saisit. Des vêtements s'entassèrent sur des chaises; sur les étagères de verre de la salle de bains, une concentration méticuleuse de tous les objets de toilette permit la création d'un compartiment messieurs et d'un compartiment dames. Lorsque tout l'ordre d'Ulrich eut été plus ou moins complètement changé en désordre, il ne resta plus par terre que ses pantoufles de cuir luisantes, abandonnées, tel un bichon humilié parce qu'on l'a jeté hors de sa corbeille, désolant symbole du confort détruit avec tout ce qu'il a d'agréable et de futile. On n'eut pas le temps de s'en émouvoir. Déjà, c'était le tour des bagages d'Agathe. Autant ils étaient apparus modestes, autant ils se révélèrent riches en petites choses finement pliées qui se déployaient lorsqu'on les sortait et ne s'épanouissaient pas autrement à l'air que les centaines de roses tirées de son chapeau par un illusionniste. Il fallait les suspendre, les étaler, les secouer, les empiler; comme Ulrich y aidait, cela n'alla pas sans incidents et sans éclats de rire.

Dans toute cette activité, néanmoins, il ne pouvait penser à rien qu'à une seule chose, continuellement, c'était que toute sa vie, et quelques heures auparavant encore, il avait été seul. Maintenant, Agathe était là. Cette petite phrase : « Agathe est là maintenant » revenait comme des vagues et lui rappelait la surprise d'un enfant à qui on a offert un beau jouet; il y avait en elle quelque chose qui paralysait l'esprit, mais aussi une plénitude de présence parfaitement incompréhensible, et toujours, en fin de compte, elle le ramenait à la petite phrase : « Agathe est là maintenant ». « Elle est donc grande et mince ? » songea Ulrich en l'observant à la dérobée. Ce n'était pas vrai du tout : elle était plus petite que lui et d'une saine largeur d'épaules. « Est-elle gracieuse ? » se demanda-t-il. On ne pouvait pas le dire non plus : son nez fier, par exemple, vu d'un côté, était un peu retroussé; il en émanait un charme beaucoup plus puissant que de la grâce. « Serait-elle belle, enfin ? » se demanda Ulrich, un peu bizarrement. Cette question ne lui fut pas aisée à poser, bien qu'Agathe, si on laissait de côté toute convention, fût pour lui une femme inconnue. Il n'est pas de loi intérieure qui empêche de regarder une parente avec des yeux d'homme, ce n'est qu'une question de coutume, de morale ou d'hygiène; de plus, le fait qu'ils n'avaient pas été élevés ensemble avait empêché que se produisît entre eux cette stérilisation de l'amour fraternel qui règne dans les familles européennes. Néanmoins, le seul usage suffisait à priver leurs sentiments réciproques, ne fût-ce que l'innocente pensée de la beauté, d'une fine pointe dont Ulrich devina l'absence, en cet instant, à l'intensité de sa propre surprise. *Trouver beau* quelque chose, c'est avant tout, vraisemblablement, le *trouver :* paysage ou femme aimée, c'est d'abord là, qui regarde le trouveur flatté et semble n'avoir jamais attendu que lui seul. C'est ainsi, avec le ravissement que sa sœur lui appartînt et voulût être par lui découverte, qu'elle lui plut au-delà de toute expression. Il se dit pourtant : « Sa propre sœur, on ne peut pas la trouver vraiment belle, on peut être flatté, tout au plus, qu'elle plaise aux autres ». Ensuite, il entendit, pendant quelques minutes, succédant au silence, la voix d'Agathe : comment était sa voix ? Des vagues de parfum accompagnaient le mouvement de ses vêtements : comment était cette odeur ? Ses mouvements étaient tantôt un genou, tantôt un doigt délicat, tantôt une boucle rétive. La seule chose qu'on en pût dire était que c'était là. C'était là où il n'y avait rien eu auparavant. La différence d'intensité entre le plus vif des instants où Ulrich avait pensé à sa sœur absente, et le plus vide des instants présents constituait encore un plaisir aussi net, aussi grand que lorsque le soleil emplit de chaleur et du parfum des plantes qui s'ouvrent quelque place ombragée.

Agathe s'aperçut que son frère l'observait, mais n'en laissa rien paraître. Dans les instants de silence où elle sentait le regard d'Ulrich suivre ses mouvements, tandis que questions et réponses ne s'interrompaient pas autant qu'il semblait (elles glissaient au-dessus d'un endroit profond et périlleux, comme une voiture dont le moteur est arrêté), Agathe jouissait aussi de l'extrême présence, de la tranquille intensité qui s'associaient à leurs retrouvailles. Quand le déballage et l'installation furent achevés et qu'Agathe fut seule dans son bain, une péripétie survint, tel un loup dans un paysage paisible. Agathe s'était dévêtue, hormis sa lingerie, dans une pièce où Ulrich, fumant des cigarettes, veillait maintenant sur les biens de sa sœur. Tout entourée d'eau, elle se demanda quoi faire. Il n'y avait pas de domestiques, sonner eût été probablement aussi vain qu'appeler, il ne restait apparemment rien d'autre à faire que de s'envelopper dans le peignoir d'Ulrich, heurter à la porte et le chasser de la chambre. Mais Agathe, joyeusement, douta qu'il lui fût permis, dans la grave familiarité qui, sans s'être encore installée, venait pourtant de naître entre eux, de se conduire comme une jeune femme et d'implorer la retraite de son frère. Elle décida de refuser toute féminité équivoque et d'apparaître devant lui comme le camarade naturel qu'elle devait être à ses yeux, même peu vêtue.

Pourtant, lorsqu'elle entra avec décision dans la pièce, tous deux sentirent dans leur cœur un mouvement inattendu. Ils s'efforcèrent de ne pas se troubler. Pendant un instant, ils ne purent se défendre contre l'inconséquence spontanée qui veut que la plage autorise une quasi nudité, mais qu'une chambre fasse de l'ourlet du jupon ou des culottes l'orée de l'aventure. Lorsque Agathe, la lumière de l'antichambre derrière elle, apparut dans la porte ouverte comme une statue d'argent qu'enveloppait une légère brume de batiste, Ulrich, maladroitement, sourit. D'une voix dont elle accentua beaucoup trop l'innocence, elle demanda ses bas et sa robe, mais c'était dans la chambre suivante. Ulrich y conduisit sa sœur. Pour son ravissement secret, sa démarche ressembla un peu trop à celle d'un garçon, et elle parut en jouir dans une sorte de défi, comme le font volontiers bien des femmes quand elles ne se sentent plus à l'abri de leur jupe. Autre chose se produisit un peu plus tard, quand Agathe se trouva à demi-vêtue et engoncée dans son vêtement. Ulrich fut appelé à l'aide. Tandis qu'il s'affairait dans son dos, Agathe se rendit compte, sans aucune jalousie sororale, plutôt avec une sorte de plaisir, qu'il se débrouillait fort bien avec les vêtements de femme. Elle-même avait les gestes vifs que la scène exigeait d'elle.

Ulrich, penché sur la peau délicate, mobile et pourtant pleine des épaules et tout à cette occupation inhabituelle qui lui mettait le rouge au front, se sentit flatté d'une sensation difficile à traduire en mots. Il aurait fallu dire que son corps était saisi à la fois d'avoir tout près de lui une femme, et de n'en avoir pas; mais on aurait pu dire aussi bien que, tout en restant dans ses souliers, il se sentait tiré au-dehors, comme si un second corps, beaucoup plus beau que le sien propre, lui était donné.

C'est pourquoi, quand il se fut redressé, il dit à sa sœur : « Maintenant, je sais ce que tu es : mon amour-propre! » Ces mots étaient étranges, mais ils décrivaient exactement ce qu'il ressentait. « En un certain sens, un vrai amour-propre, tel que les autres hommes en possèdent à si forte dose, m'a toujours fait défaut, expliqua-t-il. Maintenant, sans aucun doute, par erreur ou par fatalité, il s'est incarné en toi au lieu de s'incarner en moi! »

Ce soir-là, ce fut sa première tentative pour enfermer dans un jugement l'arrivée de sa sœur.

25. *Les jumeaux siamois.*

Plus tard dans la soirée, Ulrich revint là-dessus.

« Tu dois savoir, dit-il pour commencer à sa sœur, qu'une certaine espèce d'amour-propre, une certaine tendresse dans mes rapports avec moi-même, apparemment toute naturelle à la plupart des autres hommes, m'est inconnue. Je ne sais comment m'expliquer. Je pourrais dire, par exemple, que j'ai toujours eu des maîtresses avec lesquelles mes relations étaient fausses. Elles furent l'illustration d'humeurs subites, la caricature de mes caprices : de simples exemples, somme toute, de mon impuissance à entretenir des relations naturelles avec les autres. Cela tient aux relations que l'on a avec soi-même. Au fond, je me suis toujours cherché des maîtresses que je n'aimais pas...

— En quoi tu avais parfaitement raison! dit Agathe en l'interrompant. Si j'étais un homme, je n'aurais aucun scrupule à traiter les femmes avec la plus grande désinvolture. Je ne les convoiterais que par distraction ou par étonnement!

— Ah! Vraiment? C'est gentil de ta part!

— Elles sont de grotesques parasites. Elles partagent la vie de l'homme comme les chiens! » Ce n'était pas précisément par indignation morale qu'Agathe affirmait cela. Elle était agréablement fatiguée, elle gardait les yeux fermés, elle s'était retirée très tôt. Ulrich, venu pour prendre congé d'elle, la voyait étendue à sa place dans son lit.

C'était aussi le lit où, trente-six heures plus tôt, Bonadea était couchée. Sans doute est-ce pourquoi Ulrich revint à ses maîtresses. « En disant cela, je voulais seulement évoquer mon impuissance à entretenir avec moi-même des relations fondées sur la tendresse, répéta-t-il en souriant. Pour que je participe profondément à un événement, il faut qu'il fasse partie d'un ensemble, qu'il soit subordonné à une idée. L'événement lui-même, je préfèrerais l'avoir déjà derrière moi, dans le souvenir; l'actuel gaspillage de sentiment à ce propos me paraît déplaisant, ridicule et déplacé. Voilà comment je suis, si j'essaie de me décrire sans égards. Or, l'idée la plus spontanée et la plus simple qu'on puisse avoir, au moins dans la jeunesse, est que l'on est un type formidable, celui que le monde attendait depuis toujours. La trentaine passée, cela ne tient plus. »

Il réfléchit un moment, puis il reprit : « Il est si difficile de parler de soi : en fait, je devrais dire que je n'ai jamais pu vivre sous l'empire d'une idée constante. Il ne s'en trouvait pas. On devrait aimer une idée comme une femme. Être ravi de bonheur quand on retourne à elle. On la garde toujours en soi! On la cherche partout hors de soi! Je n'ai jamais trouvé de telles idées. J'ai toujours eu un rapport d'homme à homme avec les prétendues grandes idées; peut-être même avec les vraies. Je ne me croyais pas né pour la subordination, elles me donnaient envie de les renverser, de les remplacer par d'autres. Peut-être est-ce justement cette jalousie qui m'a conduit à la science dont on cherche les lois en commun sans jamais les tenir pour incontestables. » Il s'arrêta de nouveau et se mit à rire, de lui-même ou de sa description. « Quoi qu'il en soit, poursuivit-il gravement, avec cette façon de m'attacher indifféremment à toutes les idées ou à aucune, j'ai désappris à donner de l'importance à la vie. Celle-ci m'excite infiniment plus dans un roman, parce que là, elle est ordonnée dans un système; réduit à la vivre dans tous ses détails, je la trouve déjà vieillie, circonstanciée à l'excès comme les vieux récits et intellectuellement dépassée. Je ne pense pas que cela tienne à moi. La plupart des hommes sont comme ça, aujourd'hui. Beaucoup feignent une joie de vivre urgente, un peu comme on apprend aux enfants des écoles à sauter gaiement parmi les fleurettes : toujours il y a là quelque chose de voulu, et ils le sentent. En vérité, ils peuvent aussi bien se massacrer froidement les uns les autres que s'entendre cordialement. Il est évident que notre époque ne prend pas au sérieux les événements et les aventures dont elle déborde. Quand ils se produisent, ils excitent. Puis ils entraînent de nouveaux événements, comme dans une vendetta, comme si le fait d'avoir dit A vous obligeait à épeler tout l'alphabet de B jusqu'à Z. Ces événements de notre vie ont moins de vie qu'un livre, parce qu'aucun sens ne leur donne la cohérence. »

Ainsi parla Ulrich. A bâtons rompus. Changeant d'humeur. Agathe ne répondit pas; elle avait toujours les yeux fermés, mais elle souriait.

Ulrich dit : « Je ne sais plus de quoi je te parle. Je crois que je ne retrouve plus mon point de départ. »

Ils se turent un moment. Il put observer longuement le visage de sa sœur que le regard des yeux ne défendait plus. Il était là tel un morceau de corps nu, comme des femmes réunies au bain des femmes. Le cynisme naturel, incontrôlé de ce spectacle qui n'était pas destiné à l'homme continuait à faire sur Ulrich un effet insolite, bien que ce fût de loin moins violent qu'aux premiers jours de leur première rencontre, lorsque Agathe avait exigé tout de suite son droit de sœur à lui parler autant que possible sans périphrases morales, puisqu'il n'était pas pour elle un homme comme les autres. Il se rappela la surprise mêlée d'effroi qu'il avait éprouvée étant jeune garçon lorsqu'il voyait dans la rue une femme enceinte ou une mère qui donnait le sein à son enfant : des secrets soigneusement cachés à l'adolescent s'arrondissaient alors, innocents et rebondis dans le soleil. Peut-être avait-il porté longtemps en lui des traces de ces impressions premières, car soudain, il lui semblait en être enfin entièrement débarrassé. Qu'Agathe fût femme et dût avoir déjà beaucoup vécu lui paraissait une idée agréable et confortable : il n'était pas nécessaire, quand on lui parlait, de faire attention comme avec une jeune fille; il lui semblait même naturel et touchant que, chez une femme, la morale fût déjà moins rigide. Il éprouvait aussi le besoin de la prendre sous sa protection et de la dédommager par une quelconque bonté d'un mal quelconque. Il se proposa de faire pour elle tout ce qu'il pourrait. Il se proposa même de lui chercher un autre homme. Ce besoin de bonté, sans qu'il s'en rendît bien compte, lui redonna le fil perdu.

« Il est probable que notre amour-propre se modifie pendant la puberté, dit-il sans transition. A ce moment-là, en effet, une prairie de tendresse où l'on avait joué jusqu'alors est fauchée pour donner du fourrage à un instinct déterminé.

— Pour que la vache donne du lait! » précisa Agathe un bref instant après, impertinente et digne, mais toujours sans ouvrir les yeux.

« Oui, tout cela se tient, fit Ulrich. Il y a donc un moment où notre vie perd presque toute sa tendresse pour la concentrer sur cet emploi unique qui s'en trouve désormais surchargé. Ne trouves-tu pas que c'est comme si la terre était envahie par une affreuse sécheresse, hors un unique endroit où il pleuvrait continuellement ? »

Agathe dit : « Il me semble que j'ai aimé mes poupées avec plus de violence qu'aucun homme. Au grenier, après ton départ, j'ai trouvé une caisse avec mes vieilles poupées.

— Qu'en as-tu fait ? demanda Ulrich. Les as-tu données ?

— A qui les aurais-je données ? Je les ai enterrées dans un feu de cheminée. »

Ulrich répliqua vivement : « Quand je pense à mon plus jeune âge, je dirais volontiers que le dedans et le dehors étaient alors à peine distincts. Quand je rampais vers un objet, l'objet volait vers moi ; quand un événement important à nos yeux se produisait, nous n'étions pas les seuls à en être émus : les choses elles-mêmes se mettaient à bouillonner. Je ne prétends pas que nous ayons été plus heureux que dans la suite. Nous ne nous possédions pas encore nous-mêmes ; au fond, nous n'étions pas encore, nos états personnels n'étaient pas nettement séparés encore de ceux du monde. Il peut paraître étrange, il est pourtant vrai de dire que nos sentiments, nos velléités, que nous-mêmes n'étions pas encore entièrement en nous. Chose plus étrange, je pourrais dire aussi bien que nous n'étions pas encore tout à fait loin de nous-mêmes. Aujourd'hui en effet, où tu te crois en pleine possession de toi-même, si tu te demandes qui tu es, en fin de compte, tu découvriras que tu te vois toujours de l'extérieur, comme un objet. Tu t'apercevras qu'une occasion te rend triste et l'autre furieuse, comme ton manteau est tantôt humide, tantôt brûlant. En t'observant avec toute l'attention possible, tu réussiras tout au plus à aboutir derrière toi, jamais en toi. Quoi que tu entreprennes, tu restes hors de toi, excepté précisément les rares instants où on affirmerait à ton propos que tu es *hors de toi*. Pour nous dédommager, nous autres adultes avons obtenu de pouvoir dire *Je suis* en toute occasion, si cela nous fait plaisir. Tu vois une voiture et d'une certaine manière, tu vois en même temps, comme une ombre, la phrase : *Je vois une voiture*. Tu aimes, ou tu es triste, et tu vois que tu l'es. A strictement parler, néanmoins, ni la voiture, ni ta tristesse, ni ton amour, ni toi-même n'êtes entièrement là. Rien n'est plus là entièrement comme dans l'enfance. Tout ce que tu touches, dès que tu as réussi à être une *personnalité*, se fige jusque dans le plus intime de toi. Il ne reste plus qu'un mince fil de conscience de soi et de trouble amour-propre, qu'enveloppe une vie tout à fait extérieure. Qu'est-ce donc qui cloche ? On a le sentiment que quelque chose, on ne sait quoi, pourrait encore être corrigé. Comment affirmer, en effet, qu'un enfant ait des expériences absolument différentes de celles d'un homme ? Je ne connais pas de réponse définitive à ces questions, encore qu'on puisse bien s'en faire une ou deux idées. Mais il y a longtemps que j'y ai répondu à ma manière : en perdant tout amour pour cette façon d'être soi et pour cette sorte de monde. »

Il était agréable à Ulrich qu'Agathe l'eût écouté sans l'interrompre : il n'attendait pas plus d'elle que de lui-même une réponse, persuadé que personne, maintenant, ne pouvait donner une réponse telle qu'il l'entendait. Néanmoins, il ne craignit pas un instant que ce dont il parlait pût être trop difficile pour elle. Ce n'était pas, à ses yeux, propos de philosophe, il n'avait même pas l'impression de traiter un thème extraordinaire, pas plus qu'un jeune homme (et il en était un ce faisant) n'hésite, pour des difficultés d'expression, à tout trouver simple lorsque la présence d'un autre l'encourage à échanger avec lui l'éternelle question « Qui es-tu ? Tel je suis ». La certitude que sa sœur était capable de le suivre mot à mot lui venait non d'une façon de penser, mais de la simple existence de cette sœur. Son regard reposait sur le visage d'Agathe; quelque chose, dans ce visage, le rendait heureux. Avec ses yeux fermés, loin de donner de la répulsion, il exerçait sur Ulrich un attrait sans raison et sans fond, comme s'il l'attirait dans une profondeur infinie. Ulrich, sombrant dans la contemplation de ce visage, ne trouvait nulle part ce limon de résistances dissoutes sur lequel s'appuie un homme plongé dans l'amour pour remonter au sec. Mais, comme il était habitué à voir dans l'inclination pour une femme un brutal renversement de l'aversion à l'égard des humains, ce qui (bien qu'il le désapprouvât) donne quelques chances de ne pas se perdre en elle, le pur penchant qui le faisait se pencher toujours plus bas avec curiosité l'effraya presque comme une rupture d'équilibre; il se ressaisit bientôt et s'abrita de son bonheur à l'aide d'une gaminerie qui devait ramener Agathe au quotidien : du geste le plus prudent dont il fût capable, il essaya de lui relever les paupières. Agathe ouvrit les yeux en riant et s'écria :

« Sous prétexte que je suis ton amour-propre, tu me traites bien grossièrement! »

Cette phrase était aussi gamine que l'assaut d'Ulrich, et leurs regards s'affrontèrent violemment comme deux garçons qui voudraient se battre, mais sont trop gais pour le faire. Agathe, néanmoins, cessa brusquement et dit avec gravité : « Connais-tu le mythe que Platon a dû emprunter à des auteurs plus anciens, selon lequel l'être primitif, total, aurait été partagé par les dieux en deux parties, homme et femme ? » Elle s'était appuyée sur le coude et rougit brusquement, se trouvant un peu sotte, après coup, d'avoir demandé à Ulrich s'il connaissait une histoire probablement très répandue. Aussi ajouta-t-elle, résolument : « Ces malheureuse moitiés font toutes sortes de bêtises pour se retrouver : on trouve ça dans tous les manuels de l'Enseignement supérieur; malheureusement, on ne nous y dit pas pourquoi ça rate!

— Je puis te le dire, intervint Ulrich heureux de se voir si exactement compris. Personne ne sait quelle est, de toutes ces moitiés errantes, celle qui lui fait défaut. L'homme en prend une qui lui paraît telle, et fait les plus inutiles efforts pour retrouver l'unité perdue, jusqu'à ce que son erreur apparaisse définitivement. Qu'il en naisse un enfant, les deux moitiés, pendant quelques années, croient s'être unies au moins dans leur enfant; mais celui-ci n'est qu'une troisième « moitié » qui marque bientôt le désir de s'éloigner aussi loin que possible des deux autres et d'en chercher une quatrième. Ainsi l'humanité continue-t-elle à se partager physiologiquement, tandis que l'union substantielle reste telle la lune devant la fenêtre de la chambre à coucher.

— Il semblerait que les frère et sœur aient déjà fait, eux, la moitié du chemin! dit Agathe d'une voix soudain rauque.

— Les jumeaux peut-être.

— Ne sommes-nous pas des jumeaux ?

— Sûrement! » Ulrich soudain se déroba. « Les jumeaux sont rares; les jumeaux de sexe différents sont exceptionnels. Qu'ils soient encore d'âge différent et soient restés la plupart du temps sans se connaître, voilà un phénomène vraiment digne de nous! déclara-t-il en cherchant à retrouver une gaieté moins périlleuse.

— N'est-ce pas en jumeaux que nous nous sommes retrouvés ? poursuivit Agathe sans se laisser démonter.

— Parce que nous étions, contre toute attente, vêtus de même ?

— Il y a cela. Mais il y a tout le reste! Tu peux dire qu'il s'agissait d'un hasard; mais qu'est-ce que le hasard ? Je crois que c'est précisément le destin, les décrets du ciel, ou comme tu voudras appeler cela. N'as-tu jamais attribué au hasard le fait que tu sois né toi, et pas un autre ? Le problème est doublé du fait que nous sommes frère et sœur! » Ainsi parla Agathe, et Ulrich se soumit à cette sagesse. « Ainsi, nous nous proclamons jumeaux! approuva-t-il. Créations symétriques d'un caprice de la nature, nous descendrons les rues des hommes avec le même âge, la même taille, les mêmes cheveux, des vêtements aux mêmes rayures et le même nœud sous le menton : je t'avertis qu'ils nous regarderont, mi-émus, mi-railleurs, comme il arrive toujours quand quelque chose leur rappelle les mystères de leur être.

— Nous pouvons aussi choisir des habits opposés, repartit Agathe amusée. L'un jaune quand l'autre sera bleu, l'un rouge et l'autre vert... Nous nous teindrons les cheveux en violet ou en pourpre, j'aurai une bosse et toi une bedaine... Nous n'en serons pas moins des jumeaux! »

La plaisanterie était épuisée, le prétexte tari, ils se turent un moment. « Sais-tu, dit brusquement Ulrich, que c'est très sérieux, ce dont nous parlons ? »

A peine avait-il dit cela que sa sœur rabaissa l'éventail de ses cils sur les yeux et, tout attentive derrière, le laissa parler seul. Ou peut-être était-ce seulement comme si elle fermait les yeux. La chambre était sombre, la lumière éclairait moins qu'elle ne noyait les contours dans ses claires surfaces. Ulrich avait dit : « Autant qu'au mythe de l'être partagé, nous pourrions penser à Pygmalion, à l'Hermaphrodite, à Isis et Osiris : c'est la même chose sous des formes différentes. Ce désir d'un double de l'autre sexe est aussi vieux que l'homme. Il cherche l'amour d'un être qui nous ressemble absolument tout en étant un autre, d'une créature magique qui soit nous tout en restant une créature magique possédant l'avantage, sur toutes nos imaginations, d'une existence autonome. D'innombrables fois déjà, nourri du fluide de l'amour qui circule, insoucieux des limitations du monde physique, entre deux créatures à la fois semblables et différentes, ce rêve est monté, en une solitaire alchimie, de l'alambic du cerveau humain... »

Il s'était arrêté; visiblement, une idée lui était venue qui le gênait, et il avait conclu sur ces propos presque agressifs : « On en retrouve des traces jusque dans les circonstances les plus banales de l'amour : dans l'attrait qui est lié à tout changement, à tout travesti, comme dans l'importance de l'unisson et de la répétition de soi dans l'autre. Le petit miracle reste le même, que l'on voie nue pour la première fois une grande dame ou que l'on voie pour la première fois très habillée une fille nue. Les grandes, les implacables passions amoureuses sont toutes liées au fait qu'un être s'imagine voir son moi le plus secret l'épier derrière les rideaux des yeux d'un autre. »

Il semblait qu'il suppliât sa sœur de ne pas surestimer ce dont ils parlaient. Mais Agathe songea une fois de plus au sentiment de surprise foudroyante qu'elle avait éprouvé lorsqu'ils s'étaient vus pour la première fois, avec leurs déguisements identiques. Elle répondit : « Cela existe depuis des milliers d'années; est-ce plus aisé à comprendre quand on l'explique par une double illusion ?... »

Ulrich se tut.

Un peu plus tard, Agathe tout heureuse s'écria : « Quand on dort, c'est aussi comme ça! Quelquefois, on se voit changé en autre chose. On se rencontre sous la forme d'un homme, et on est meilleure pour cet homme qu'on ne l'a jamais été pour soi. Tu me diras sans doute que ce sont des rêves érotiques; il me semble que cela remonte plus haut.

— Fais-tu souvent de pareils rêves ?

— Quelquefois. Rarement.

— Moi presque jamais, avoua-t-il. Il y a une éternité que je n'ai pas rêvé ainsi.

— Tu m'as expliqué pourtant, dit Agathe, ce devait être tout au début, dans la vieille maison, que l'homme avait vraiment vécu, il y a des siècles et des siècles, d'autres expériences!

— Tu veux parler de la vision *prenante* et de la vision *donnante ?* répondit Ulrich en souriant, bien qu'Agathe ne pût le voir. L'esprit *enveloppant* et *enveloppé ?* Bien sûr, j'aurais dû parler aussi de cet hermaphrodisme de l'âme! De quoi n'aurais-je pas dû parler, d'ailleurs ? Toutes choses s'en ressentent. Dans toute métaphore même, subsiste un peu de la magie d'être à la fois semblable et différent. Mais, l'as-tu remarqué ? Dans toutes les espèces de comportement dont nous avons parlé, dans le rêve, le mythe, la poésie, l'enfance et même dans l'amour, une participation plus grande du sentiment se paie d'un manque de compréhensibilité, c'est-à-dire d'un manque de réalité ?

— Ainsi, tu n'y crois pas vraiment ? » demanda Agathe.

Ulrich ne répondit pas. Au bout d'un moment, il reprit : « Traduit dans le déplorable langage actuel, cela deviendrait le pourcentage, extrêmement bas pour chacun, de participation de l'être humain à ses expériences et à ses actes. En rêve, il semble que ce soit cent pour cent, mais dans l'état de veille ce n'est même pas un demi pour cent! Tu l'as remarqué tout de suite, aujourd'hui, à mon logement; il en va de même pour mes relations avec les personnes dont tu feras bientôt la connaissance. J'ai nommé cela un jour (et je dois ajouter que c'était, si je ne me trompe, dans une conversation avec une femme qui le justifiait vraiment) « l'acoustique du vide. » Quand une épingle tombe sur le parquet dans une chambre vide, le bruit en semble disproportionné, démesuré : il en va de même quand le vide règne entre les êtres. On ne sait plus si l'on crie ou si plane un silence de mort. Tout ce qui est faux ou de travers exerce sur nous l'attraction d'une tentation profonde dès que nous ne pouvons plus rien leur opposer. N'est-ce pas ton avis ? Mais pardonne-moi, tu dois être fatiguée, et je t'empêche de dormir. Je crains que bien des choses, dans mon entourage et dans mes relations, ne te déplaise. »

Agathe avait ouvert les yeux. Après être resté si longtemps abrité, son regard exprimait quelque chose d'extrêmement difficile à définir qu'Ulrich sentait s'épandre sur tout son corps avec sympathie. Soudain, il reprit : « Quand j'étais plus jeune, j'ai tenté de voir dans ce vide même une force. On n'a rien à opposer à la vie ? Tant mieux : la vie quittera l'homme pour se réfugier dans ses œuvres! Voilà à peu près ce que je pensais. On ne peut nier qu'il n'y ait une certaine puissance dans cette absence d'amour, dans cette irresponsabilité du monde moderne. Du moins pourrait-on croire à un « siècle de folies » : n'y a-t-il pas des années de folies dans la vie de l'homme ? Comme tous les jeunes hommes, je me suis jeté d'abord dans le travail, l'aventure, le plaisir; peu importait, me semblait-il, ce que j'entreprenais, pourvu que ce fût de tout mon être. Te rappelles-tu que nous avons parlé un jour de la *morale de la productivité ?* C'est là l'image innée sur laquelle nous nous guidons. Mais, plus on vieillit, plus clairement on se rend compte que cette apparente démesure, cette indépendance et cette mobilité en toutes choses, cette souveraineté des parties actives et des impulsions partielles (aussi bien celles de tes propres parties contre toi que les tiennes propres contre le monde), en un mot, que tout ce que nous avons considéré, en hommes modernes, comme une force et une caractéristique de notre espèce, ne sont au fond qu'une faiblesse du tout à l'égard de ses parties. Ni la passion, ni la volonté n'y peuvent rien. A peine désirais-tu être tout entier au centre de quelque chose que tu te vois rejeté sur les bords : c'est là l'expérience centrale de toutes nos expériences! »

Agathe, les yeux maintenant grand ouverts, attendait que quelque chose se produisît dans la voix de son frère; comme rien ne se passait et que les propos d'Ulrich s'interrompaient tel un sentier qui a bifurqué et ne revient plus à la route principale, elle dit : « Selon ton expérience, par conséquent, on ne peut ni ne pourra jamais agir vraiment par conviction. Je n'entends pas par conviction, précisa-t-elle, une science quelconque, ni le dressage moral qu'on nous a imposé, mais le fait de se sentir tout à fait présent à soi-même en même temps qu'aux autres, le fait que quelque chose qui est maintenant vide, soit rassasié, j'entends quelque chose d'où l'on part et où l'on revient... Ah! je ne sais pas moi-même ce que je veux dire, dit-elle violemment, j'avais espéré que tu me l'expliquerais!

— Tu veux dire cela même dont nous avons parlé, répondit doucement Ulrich. Et tu es le seul être au monde avec lequel je puisse parler ainsi. Mais il serait absurde que je recommence pour ajouter encore quelques termes insidieux. Je dirai plutôt qu'il est probablement impossible de réclamer, de sens rassis, la possibilité d'être au centre des choses, de connaître l'intimité intacte de la vie (si on entend ce mot non pas dans un sens sentimental, mais dans la signification que nous lui avons donnée) ». Il s'était penché en avant, toucha le bras d'Agathe et la regarda longuement dans les yeux. « C'est peut-être de l'aversion pour autrui, dit-il à voix basse. La seule vérité est que nous en ressentons douloureusement le manque! A cela est lié sans doute notre désir d'amour fraternel : c'est une addition à l'amour ordinaire, dans la direction imaginaire d'un amour auquel ne soit mêlé ni étrangeté ni non-amour. » Un instant après, il ajouta : « Tu sais combien on aime, dans les lits, parler de petit frère, de petite sœur : des gens qui seraient capables d'assassiner leurs frère et sœur réels jouent ainsi aux enfants cachés sous la même couverture. »

Dans la pénombre, son visage frémit de cette raillerie retournée contre lui-même. Mais la foi d'Agathe s'attachait à ce visage, non au désordre des paroles. Elle avait vu des visages aussi frémissants qui, l'instant d'après, s'écroulaient sur elle : celui-ci ne s'approcha point; il semblait courir à une vitesse infiniment grande sur un chemin infiniment long. Elle répondit brièvement : « Être frère et sœur ne suffit pas!

— Nous avions dit *jumeaux* », répliqua Ulrich qui se leva sans bruit, croyant remarquer que la grande fatigue, cette fois, s'était emparée vraiment de sa sœur.

« On devrait être des jumeaux siamois, ajouta Agathe.

— Des siamois, c'est entendu! » répéta son frère. Il s'efforça de dégager sa main de celle d'Agathe et de poser celle-ci prudemment sur la couverture. Ses mots sonnaient sans lourdeur : sans aucun poids, et continuant dans leur légèreté à s'épandre, même après qu'il eut quitté la pièce.

Agathe sourit et s'enfonça peu à peu dans une tristesse solitaire dont les ténèbres se confondirent bientôt avec celles du sommeil sans que, dans son extrême fatigue, elle s'en aperçût. Ulrich se glissa dans son cabinet de travail et là, sans pouvoir travailler, deux heures durant, jusqu'à ce que la fatigue le prît, il apprit ce que c'était que de se sentir engoncé dans les égards. Il s'étonna de tout ce qu'il aurait voulu faire alors, qui était bruyant et qu'il fallait refouler. Il n'en avait pas l'habitude. Il en fut presque agacé, bien qu'il cherchât très ardemment à imaginer ce que ce serait d'avoir vraiment grandi lié à un autre être. Il était mal renseigné sur la manière dont travaillent deux systèmes nerveux réunis comme deux feuilles sur la même tige et liés, plus encore que par le sang, par l'influence de leur totale dépendance. Il supposa que toute excitation de l'une des deux âmes devait retentir sur l'autre, alors que la source de l'excitation se trouvait dans un corps qui n'était pas essentiellement le sien. « Une étreinte par exemple : on t'étreint dans l'autre corps, songea-t-il. Peut-être n'es-tu même pas d'accord, mais ton autre moi projette en toi une onde d'accord toute-puissante! Que t'importe qui embrasse ta sœur ? Mais son excitation, tu dois l'aimer avec elle! Ou bien c'est toi qui aimes, et il faut que tu l'y fasses participer d'une manière ou d'une autre, tu ne peux tout de même pas te contenter de lui transmettre des réactions physiologiques vides de sens! » Ulrich sentit dans ces pensées autant d'attrait que de malaise; il lui parut difficile, dans ce cas-là, d'établir avec précision la frontière entre les perspectives nouvelles et la caricature des vues banales.

26. *Printemps au jardin potager.*

L'éloge que Meingast lui avait décerné, les nouvelles pensées que la présence du prophète alimentait, avaient fait une profonde impression sur Clarisse.

L'agitation, l'hypersensibilité de son esprit, qui parfois l'effrayaient elle-même, avaient diminué, et n'avaient pas été relayées, comme d'autres fois, par le découragement, l'oppression, le désespoir, mais bien par une clarté extrêmement vive, une transparence de l'atmosphère intérieure. Une fois de plus, elle procédait à son autocritique. Sans hésiter, avec quelque satisfaction même, elle constata qu'elle n'était pas particulièrement intelligente : elle n'avait pas assez appris. Ulrich, en revanche, si cet examen comparatif la faisait penser à lui, Ulrich était comme un patineur qui évolue à sa guise sur le miroir glacé de l'esprit. Quand il disait quelque chose, on ne comprenait jamais d'où cela venait; de même quand il riait, quand il était fâché, quand ses yeux étincelaient, quand il était là et que ses larges épaules enlevaient à Walter tout l'espace de la chambre. Tournait-il seulement la tête par curiosité, les muscle sde son cou se tendaient comme les cordages d'un voilier qui cingle dans le vent. Ainsi, il y avait toujours en lui quelque chose qui dépassait ce qui était accessible à Clarisse et nourrissait son désir de se jeter de tout le corps sur lui pour enfin le saisir. Mais le tourbillon qui avait accompagné parfois ce sentiment, au point qu'une fois déjà rien n'avait plus tenu debout au monde que le désir d'avoir un enfant d'Ulrich, ce tourbillon s'était éloigné sans même laisser derrière lui ces fragments dont la mémoire, après que les passions ont molli, est mystérieusement parsemée. C'est tout au plus si Clarisse s'irritait encore en pensant à son échec dans la maison d'Ulrich; son humeur n'en était pas moins à la fraîcheur et à la santé. Cela était dû aux nouvelles notions dont son hôte philosophique la nourrissait; sans parler des émotions immédiates où la jetait le retour d'un ami pareillement sublimé. Ainsi passèrent plusieurs jours animés de tensions diverses, tandis que tous, dans la petite maison déjà éclairée maintenant par le soleil printanier, attendaient de savoir si Ulrich apporterait ou non l'autorisation de visiter Moosbrugger dans son effrayant séjour.

Dans ce contexte, une pensée surtout semblait importante à Clarisse : le maître avait dit que le monde était « privé de délire » au point de ne plus savoir d'aucune chose s'il devait l'aimer ou la haïr. Depuis lors, Clarisse était persuadée qu'on devait se confier à quelque délire si on voulait bénéficier de la grâce de le ressentir. Qui donc savait encore, à cette époque, s'il devait prendre à droite ou à gauche en sortant de chez lui, à moins qu'on n'eût comme Walter un métier (qui le limitait), ou, comme elle, un rendez-vous avec ses parents ou ses frères et sœurs, qui l'ennuyait! Dans le délire, c'est autre chose! La vie est aussi bien organisée que dans une cuisine moderne : on est assis au milieu et, presque sans bouger, de sa place, on peut mettre en marche tous les appareils. Clarisse s'était toujours senti un penchant pour cela. De plus, elle n'entendait par délire rien d'autre que la volonté poussée à un degré particulièrement haut. Jusqu'alors, Clarisse s'était sentie intimidée par le fait qu'il était peu d'événements du monde extérieur qu'elle fût capable de s'expliquer; depuis qu'elle avait retrouvé Meingast, elle voyait au contraire que cela l'aidait à aimer, à haïr et à agir selon son propre jugement. Selon le mot du maître, rien ne manquait tant à l'humanité que la volonté, et ce trésor-là, pouvoir vouloir avec intensité, était depuis toujours en la possession de Clarisse! Lorsqu'elle y songeait, elle se sentait glacée de bonheur et brûlante de responsabilité. Naturellement, la volonté à laquelle elle pensait n'était pas le pénible effort d'apprendre un morceau de piano ou de maintenir son droit dans une dispute, mais un puissant abandon au fil de la vie, un évanouissement en soi-même, une ruée dans le bonheur.

Elle ne put s'empêcher enfin d'en parler à Walter. Elle lui révéla que sa conscience se fortifiait de jour en jour. Walter répliqua, exaspéré en dépit de son admiration pour Meingast, cause supposée de ce fait : « En tous cas, c'est une chance qu'Ulrich semble ne pas réussir à nous procurer l'autorisation! »

Seule une grimace d'agacement courut sur les lèvres de Clarisse, mais cet agacement trahissait une certaine pitié pour la lourdeur d'esprit et la résistance de Walter.

« En fin de compte, qu'attends-tu de ce criminel qui ne nous concerne pas le moins du monde, ni les uns ni les autres ? demanda Walter énervé.

— Cela me viendra quand je serai là-bas, répondit Clarisse.

— Il me semble que tu devrais le savoir maintenant! » fit observer virilement Walter.

Sa petite femme sourit comme elle faisait toujours lorsqu'elle allait le blesser profondément. Mais elle se contenta de dire : « Je ferai quelque chose!

— Clarisse, repartit Walter fermement, tu ne peux rien faire sans ma permission : je suis, légalement, ton mari et curateur! »

Pour Clarisse, ce ton était nouveau. Elle se détourna de Walter et, troublée, fit quelques pas.

« Clarisse! s'écria Walter en se levant pour la suivre. Je ferai quelque chose contre la folie qui circule dans cette maison! »

Elle comprit que le pouvoir curatif de sa décision commençait à se faire sentir dans le raidissement de Walter. Elle pivota sur ses talons. « Que feras-tu ? » demanda-t-elle. Par la fente de ses yeux, un éclair s'enfonça dans le brun humide, écarquillé, des yeux de Walter.

« Vois-tu, dit-il conciliant, surpris par la précision de la question, nous avons tous en nous cette tendance au malsain, à l'atroce, au complexe, nous autres intellectuels. Mais...

— Mais nous laissons faire les bourgeois! » s'écria Clarisse triomphante. Elle le suivait, elle ne le quittait pas des yeux. Elle sentait sa force l'envelopper, le subjuguer. Soudain, son cœur fut envahi par une joie étrange, indicible.

« Mais nous n'en faisons pas tant d'histoires », murmura Walter mécontent, en terminant sa phrase. Derrière lui, au bord de sa veste, il sentit une résistance; avançant la main, il devina l'arête d'une de ces petites tables légères, aux pieds fuselés, qu'il y avait dans leur appartement et qui lui parurent soudain spectrales : il comprit que s'il continuait à reculer, il serait obligé de faire glisser la table et que ce serait ridicule. Il résista donc au désir qui lui était venu soudain d'être très loin de ce combat, dans une prairie d'un vert profond, sous des arbres fruitiers en fleurs, parmi des êtres dont la saine gaieté lavât et purifiât ses plaies. C'était un rêve paisible, épais, embelli de femmes qui écoutaient ses propos et l'en remerciaient de leur admiration. Au moment où Clarisse s'approcha de lui, il la ressentit vraiment comme l'intrusion sauvage d'un cauchemar. A sa grande surprise, Clarisse, au lieu de lui dire qu'il était lâche, demanda simplement : « Walter ? Pourquoi sommes-nous malheureux ? »

A cette voix attirante, translucide, il sentit qu'aucun bonheur avec une autre femme ne pourrait remplacer son malheur avec Clarisse. « Nous devons l'être, répliqua-t-il dans un égal transport.

— Non, nous ne devrions pas l'être ! » affirma gentiment Clarisse. Elle laissa sa tête pendre un peu de côté et chercha une preuve convaincante. Au fond, peu importait quelle elle serait : ils étaient debout l'un en face de l'autre comme un jour sans crépuscule qui prolonge son feu d'heure en heure sans qu'il diminue jamais. « Tu m'accorderas, commença-t-elle enfin sur un ton à la fois timide et entêté, que les crimes vraiment grands ne viennent pas de ce qu'on les commet, mais de ce qu'on les laisse faire ! »

Walter savait parfaitement ce qui allait suivre, et ce fut une grosse déception. « Mon Dieu ! s'écria-t-il impatienté. Je sais bien, moi aussi, que l'indifférence et la facilité avec laquelle on se procure aujourd'hui une bonne conscience anéantissent plus de vies humaines que le mauvais vouloir de quelques-uns ! Et, chose admirable, tu vas dire maintenant qu'il faut, pour cette raison même, aiguiser sa conscience et analyser soigneusement chacun de ses pas avant de les faire. »

Clarisse l'interrompit en ouvrant la bouche, puis changea d'idée et ne répondit pas.

« Moi aussi, je pense à la pauvreté, à la faim, aux dépravations de toute sorte que les hommes laissent subsister, ou aux accidents dans les mines dont les administrateurs ont économisé sur les installations de sécurité, poursuivit Walter en baissant le ton, et déjà je t'ai accordé tout cela.

— Mais deux amants ne peuvent s'aimer tant que leur état

n'est pas le *pur bonheur*, dit Clarisse. Et le monde ne s'améliorera pas avant qu'il y ait de tels amants! »

Walter joignit les mains. « Ne comprends-tu pas combien ces grandes exigences éblouissantes, absolues, sont injustes envers la vie! s'écria-t-il. Il en va de même de ce Moosbrugger qui surgit de temps en temps dans ta tête comme dans un tourniquet! Au fond, tu as raison quand tu affirmes que l'on ne peut être en repos tant que la société se borne à tuer ces malheureuses bêtes humaines, simplement parce qu'elle ne sait qu'en faire; mais plus au fond encore, si l'on peut dire, c'est la saine conscience ordinaire qui a raison quand elle se refuse à entrer dans des problèmes si complexes. Il y a un certain nombre de critères de la pensée saine que l'on ne peut démontrer, il faut les avoir dans le sang!

— Dans ton sang, bien sûr! *au fond* ne signifie jamais *au fond!* » répliqua Clarisse.

Walter, blessé, secoua la tête et montra qu'il ne répondrait point. Il en avait assez de mettre perpétuellement Clarisse en garde contre les dangers des pensées solitaires, et peut-être se sentait-il lui-même troublé, à la longue.

Clarisse, par une pénétration nerveuse qui l'étonnait toujours, lut dans ses pensées. Relevant la tête, elle sauta tous les échelons intermédiaires et atterrit en Walter, tout au sommet, en lui posant à mi-voix cette question instante : « Peux-tu te figurer Jésus en directeur de mines ? » Son visage disait que par Jésus, elle entendait Walter, dans une de ces exagérations où l'amour ne se distingue plus de la folie. Il se défendit d'un geste à la fois irrité et intimidé de la main. « Ne sois pas si directe, Clarisse! On ne doit pas parler si directement!

— Si, repartit Clarisse. Justement, il faut être direct! Si nous n'avons pas la force de le sauver, nous n'aurons pas non plus celle de nous sauver nous!

— Et qu'importe s'il crève, après tout! » cria Walter. En savourant la grossièreté de sa réponse, il crut sentir sur sa langue le goût libérateur de la vie elle-même, merveilleusement mêlé à celui de la mort et de l'anéantissement que Clarisse évoquait par ses allusions.

Clarisse regarda impatiemment Walter. Mais celui-ci semblait être las de son éclat, ou se taisait par indécision. Comme quelqu'un qu'on force à jouer son irrésistible dernier atout, elle dit : « Un signe m'a été envoyé!

— Tu te l'imagines! » cria Walter au plafond, qui représentait le ciel. Sur ces mots sans poids, Clarisse quitta la chambre et ne voulut plus rien lui laisser dire.

En revanche, il la revit un peu plus tard en conversation animée avec Meingast. Le sentiment d'être observé, qui gênait ce dernier parce que lui-même ne voyait pas très loin, reposait sur un fait réel. Effectivement, Walter ne participait pas aux grands travaux de jardinage de son beau-frère Siegmund, venu entre temps leur rendre visite, et, qui, agenouillé dans une plate-bande, les manches retroussées, faisait quelque chose dont Walter avait prétendu qu'il fallait le faire au printemps dans un jardin si l'on voulait être un homme et non pas un simple signet glissé dans un volume de littérature scientifique.

Mais Walter, à la dérobée, regardait le couple qui se trouvait dans l'angle opposé du jardin potager.

Il ne pensait pas que quoi que ce fût d'illicite s'y produisît. Néanmoins, il sentait un froid anormal dans ses mains, exposées à l'air du printemps, et dans ses jambes, tachées d'humidité parce qu'il s'agenouillait de loin en loin pour donner une indication à Siegmund. Il lui parlait avec hauteur, comme le font les êtres faibles et humiliés quand ils peuvent décharger leur humeur sur quelqu'un. Il savait que Siegmund, qui s'était mis en en tête de l'admirer, n'y renoncerait pas aisément. Néanmoins, c'était vraiment une solitude d'après crépuscule, un froid funèbre qu'il croyait sentir tandis qu'il observait que Clarisse ne regardait jamais de son côté, mais considérait Meingast avec des marques prolongées d'intérêt. En même temps, il en était fier. Depuis que Meingast était chez lui, il était aussi fier des abîmes qui s'y ouvraient que préoccupé de les combler. De toute la hauteur de l'homme debout, il avait laissé tomber vers Siegmund accroupi ces paroles : « Naturellement, nous connaissons, nous avons tous un certain goût pour le complexe et le malsain! » Il n'était pas un sournois. Dans le peu de temps qui s'était écoulé depuis que Clarisse, en raison de cette phrase même, l'avait traité de bourgeois, il avait corrigé la phrase sur les « petites infamies de la vie ». Il prêchait maintenant son beau-frère : « Une petite infamie peut être douce ou amère, mais nous avons le devoir de l'élaborer en nous jusqu'à ce qu'elle honore la vie saine. Et j'entends par petite infamie, ici, aussi bien cet accord nostalgique avec la mort qui nous saisit lorsque nous écoutons *Tristan*, que le secret attrait propre aux crimes sexuels, bien que nous ne lui cédions pas! Je considère en effet comme infâme et inhumain, comprends-moi, aussi bien la puissance élémentaire de la vie telle qu'elle s'empare de nous dans la détresse ou la maladie, que l'excès de conscience et d'intellectualisme qui cherche à faire violence à la vie. Tout ce qui cherche à transgresser les limites qui nous sont prescrites est infâme! La mystique est infâme comme l'idée qu'il est possible de réduire la nature à une formule mathématique! Ce projet de visite à Moosbrugger est aussi infâme que... » Walter s'interrompit un instant pour frapper juste, et conclut : « que si toi, tu voulais appeler Dieu au chevet d'un malade! »

Certes, cette phrase n'était pas dépourvue de signification; elle en appelait même, assez curieusement, à l'humanité professionnelle et involontaire du médecin : le projet de Clarisse, les raisons extravagantes qu'elle en donnait dépassaient les limites des choses permises. Mais Walter, par rapport à Siegmund, était un génie; cela s'était traduit par le fait que la santé mentale de Walter l'avait induit à ces confidences métaphysiques, alors que la santé encore plus saine de son beau-frère s'était manifestée par le silence résolu de celui-ci devant cet univers suspect. Siegmund tassait la terre avec ses doigts et, ce faisant, sans ouvrir la bouche, penchait quelquefois la tête de l'autre côté, comme s'il s'apprêtait à renverser une éprouvette ou que, simplement, l'une des deux oreilles se trouvât assez pleine. Après que Walter eut terminé, il se fit un silence affreusement profond. Walter y perçut une phrase que Clarisse devait lui avoir jetée un jour; il entendit ces mots, non pas dans une clarté d'hallucination, mais comme s'ils avaient été thésaurisés par le silence : « Nietzsche et le Christ ont péri de n'être pas allés jusqu'au bout! » D'une manière pas absolument rassurante qui évoquait l'histoire du « directeur de mine », cela le flatta. C'était une situation bizarre : lui, la santé même, était là debout dans ce jardin frais entre un homme qu'il toisait de haut et deux êtres anormalement échauffés dont il épiait d'un air à la fois supérieur et nostalgique la mimique muette. Qu'était Clarisse, en effet, sinon « la petite infamie » dont sa santé avait besoin pour ne pas dépérir ? Une voix secrète lui disait que Meingast était en train de grossir démesurément la taille encore admissible de cette infamie. Walter admirait Meingast avec les sentiments d'un homme resté obscur pour un parent célèbre, et voir Clarisse chuchoter avec lui d'un air de conspiratrice excitait plus son envie que sa jalousie, donc un sentiment plus violemment intérieur; néanmoins, d'une certaine manière, cela l'exaltait aussi. Conscient de sa dignité, il ne voulait pas se fâcher, il se défendait de les rejoindre et de les déranger; devant leur échauffement, il se sentait supérieur. De ce mélange de sentiments naquit, sans qu'il sût comment, une pensée obscure, équivoque, étrangère à toute logique : celle que ces deux êtres, au fond du jardin, d'une façon téméraire et condamnable, appelaient Dieu.

Si un état si bizarrement mêlé peut encore être nommé pensée, c'était de ces pensées qu'il est impossible de traduire, parce que leur ténébreuse chimie serait instantanément faussée par l'intrusion lumineuse des mots. D'ailleurs, comme il l'avait montré devant Siegmund, Walter n'associait aucune croyance au mot dieu; quand il lui fut venu à l'esprit, un vide timide se créa tout autour. C'est ainsi qu'après un long silence, la première chose que Walter dit à son beau-frère fut fort éloignée de celle-là. « Tu n'es qu'un âne, dit-il sévèrement, si tu ne te crois pas autorisé à lui déconseiller énergiquement cette visite : à quoi servirait-il donc que tu sois médecin ? »

Siegmund, là encore, ne se fâcha pas le moins du monde. « Tu n'as qu'à t'arranger seul avec elle », répondit-il en reprenant sa besogne.

Walter soupira. « Évidemment, Clarisse est un être extraordinaire! reprit-il. Je puis très bien la comprendre. J'avoue même que dans la rigueur de ses vues, elle n'a pas tort. Songe seulement à la pauvreté, à la faim, aux dépravations de toute sorte dont le monde est empli, par exemple à ces accidents dans les mines dont les administrateurs ont économisé sur les installations de sécurité!... »

Aucun signe, en Siegmund, ne révéla qu'il y songeât.

« Clarisse y songe, elle! poursuivit Walter avec sévérité. Je trouve cela merveilleux de sa part. Nous autres, nous nous procurons une bonne conscience à trop peu de frais. Elle se montre meilleure que nous quand elle exige que nous nous transformions tous, que nous conquérions une conscience plus active, une sorte de conscience sans fin, infinie. Mais voici la question que je voulais te poser : ne risque-t-elle pas ainsi de sombrer dans le délire du scrupule, supposé qu'il existe un délire analogue ? Tu dois tout de même pouvoir en décider ? »

A cette invitation pressante, Siegmund s'assit sur une jambe et observa son beau-frère d'un œil scrutateur. « Elle est folle! déclara-t-il. Mais pas au sens médical.

— Et que dis-tu du fait, poursuivit Walter oubliant sa supériorité, qu'elle prétend recevoir des signes ?

— Elle prétend recevoir des signes ? demanda Siegmund perplexe.

— Mais oui! Ce fou de Moosbrugger, par exemple! Et l'autre soir, ce cochon sous nos fenêtres!

— Un cochon ?

— Non, une sorte d'exhibitionniste.

— Allons donc! dit Siegmund qui réfléchit. Toi aussi, tu reçois des signes, quand tu trouves un sujet de tableau. Simplement, elle s'exprime dans un style plus exalté que toi...

— Et le fait qu'elle prétend devoir prendre sur elle les péchés de ces types, de même que les miens, les tiens et ceux de Dieu sait qui encore ? » insista Walter.

Siegmund s'était levé et enlevait la terre sur ses mains. « Elle se sent oppressée par des péchés ? » demanda-t-il de manière superfétatoire. Puis, comme s'il était heureux de pouvoir enfin entrer dans les vues de son beau-frère, il avoua : « Ça, c'est un symptôme!

— C'est un symptôme ? dit Walter contrit.

— Le délire de culpabilité est un symptôme, confirma Siegmund avec l'impartialité du spécialiste.

— Seulement voilà, ajouta Walter en interjetant aussitôt appel contre le jugement qu'il avait lui-même provoqué. Tu dois d'abord te demander si le péché existe. Sans doute existe-t-il. Mais il y a aussi un délire de culpabilité qui n'est pas un vrai délire. Peut-être ne le comprends-tu pas, parce que cela dépasse l'empirisme! C'est une altération du sens que nous avons d'une vie plus haute!

— Pourtant, elle prétend qu'on lui envoie des signes, non ? objecta Siegmund obstinément.

— Mais tu l'as dit toi-même, moi aussi je reçois des signes! s'exclama Walter véhément. Et je t'assure, il y a des jours où j'aimerais supplier mon destin à genoux pour qu'il me laisse tranquille : il continue pourtant à m'envoyer des signes, et les plus beaux me viennent par Clarisse! » Il continua plus calmement : « Maintenant, par exemple, elle prétend que Moosbrugger représente notre *corps de péché*, à elle et à moi, qu'il nous a été envoyé en guise d'avertissement. Il faut comprendre, en fait, qu'il est le symbole de ce que nous négligeons les possibilités supérieures de notre vie, son *corps glorieux*, en quelque sorte. Il y a plusieurs années, quand Meingast nous a quittés...

— Mais le délire de culpabilité est vraiment le symptôme de certains troubles ! rappela Siegmund avec la sérénité désespérée du spécialiste.

— Naturellement, tu ne connais que des symptômes ! s'écria Walter en défendant vigoureusement sa Clarisse. Tout le reste dépasse ton expérience. Peut-être est-ce justement cette superstition de considérer comme trouble tout ce qui sort de l'expérience la plus ordinaire qui est le péché, le corps de péché de notre vie ! Clarisse exige qu'on agisse intérieurement là-contre. Il y a plusieurs années déjà, quand Meingast nous a quittés, nous avons... » Il songeait à la façon dont Clarisse et lui avaient *pris sur eux* les péchés de Meingast, mais on ne pouvait songer à faire comprendre à Siegmund une histoire de réveil spirituel, de sorte qu'il conclut une peu vaguement : « Finalement, tu ne nieras pas qu'il n'y ait toujours eu des êtres qui attiraient ou concentraient sur eux-mêmes les péchés des autres ? »

Son beau-frère le regarda avec satisfaction. « Eh bien donc ! répondit-il amicalement. Ainsi confirmes-tu ce que j'ai affirmé en commençant. Le fait qu'elle se sent oppressée par des péchés est une attitude typique de certains troubles. Mais il y a aussi dans la vie des attitudes atypiques : je n'ai rien dit de plus.

— Et cette rigueur excessive dans tout ce qu'elle fait ? demanda Walter un instant plus tard en soupirant. Tu ne diras pas que pareil rigorisme soit normal ? »

Entre temps, Clarisse avait un entretien capital avec Meingast. « Tu disais que les êtres qui se vantent d'expliquer et de comprendre le monde sont à jamais incapables d'y rien changer ?

— Oui, répondit le maître. Le Vrai et le Faux sont les échappatoires de ceux qui refusent toujours la décision. Car la vérité est une chose sans fin.

— C'est pourquoi tu disais qu'il faut avoir le courage de choisir entre *valeur* et *non-valeur*, dit avidement Clarisse.

— Oui, dit le maître non sans quelque ennui.

— Merveilleusement méprisante est cette autre formule de toi, s'écria Clarisse : dans la vie actuelle, les hommes ne font que ce qui se produit! »

Meingast resta immobile et regarda à terre; on pouvait penser, indifféremment, qu'il prêtait l'oreille ou qu'il observait un caillou sur son chemin, légèrement à droite. Clarisse cessa de lui tendre le miel de l'éloge; elle aussi avait penché la tête, de sorte que son menton touchait presque sa gorge; son regard s'enfonçait dans le sol entre les bottines de Meingast. Une légère rougeur envahit son visage blafard lorsqu'elle reprit, baissant prudemment la voix : « Tu disais que toute sexualité n'est que cabrioles!

— J'ai dit cela, en effet, dans une circonstance précise. Le peu de volonté dont dispose notre époque, elle le dépense, en dehors de sa prétendue activité scientifique, dans la sexualité! »

Clarisse hésita un instant, puis elle dit : « Moi-même, j'ai beaucoup de volonté, mais Walter fait des cabrioles...

— Au fond, qu'est-ce qui ne va pas, entre vous ? » demanda le maître, soudain curieux. Mais il ajouta aussitôt, presque avec répugnance : « Je puis, bien sûr, l'imaginer. »

Ils se trouvaient dans un angle du jardin sans arbres exposé au plein soleil du printemps; dans l'angle presque exactement opposé, Siegmund était agenouillé tandis que Walter, debout à côté de lui, l'interpellait avec vivacité. Le jardin avait la forme d'un rectangle appuyé contre la longueur de la maison; un chemin de gravier entourait les plates-bandes et les parterres, tandis que deux autres formaient une croix claire au milieu de la terre encore nue. Clarisse répondit, épiant prudemment les deux autres hommes : « Peut-être n'y peut-il rien. Mais j'attire Walter d'une manière qui n'est pas bonne.

— Je puis me l'imaginer, répliqua cette fois le maître avec un regard d'intérêt. Tu as un peu l'air d'un garçon. »

A cet éloge, Clarisse sentit le bonheur dans ses veines comme des grêlons. « Remarquais-tu, *alors*, que je puis m'habiller [1] plus vite qu'un homme ? » demanda-t-elle rapidement.

L'incompréhension se peignit sur le visage bienveillamment ridé du philosophe. Clarisse rit sous cape. « C'est un mot à

1. Ici, comme plus loin et comme dans un chapitre précédent, Clarisse joue sur le double sens du mot *anziehen*, attirer et (s') habiller, *sich anziehen*. *N. d. T.*

double sens, expliqua-t-elle. Il y en a d'autres : *Lustmord* [1], par exemple.»

Sans doute le maître jugea-t-il alors qu'il valait mieux ne s'étonner de rien. « Oui, oui! répondit-il, je sais! Tu as dit, un jour, que c'était un *Lustmord* que d'assouvir l'amour dans l'étreinte ordinaire. » Mais il voulait savoir ce qu'elle entendait par *anziehen.*

« Laisser faire est un crime », expliqua Clarisse avec la rapidité d'un patineur qui glisse pour prouver sa prestesse.

« Là, j'avoue que je ne n'y suis plus du tout, dit Meingast. Tu parles de nouveau du type, du charpentier. Qu'en attends-tu ? »

Clarisse, pensive, grattait le gravier de la pointe du pied. « C'est la même chose », répondit-elle. Tout à coup, elle leva les yeux vers le maître. « Je crois que Walter devrait apprendre à me renier... » dit-elle assez elliptiquement.

« Je ne puis en juger, fit Meingast après avoir attendu vainement une suite. Mais il est sûr que les solutions radicales sont toujours les meilleures. »

Il avait dit cela à tout hasard. Clarisse baissa de nouveau la tête, de sorte que son regard s'enfouit quelque part dans les vêtements de Meingast; un moment plus tard, sa main s'approchait lentement de l'avant-bras du maître. Elle eut soudain une envie irrépressible de saisir ce bras maigre et dur sous la large manche et de toucher le sage qui feignait d'avoir oublié les paroles éclairantes qu'il avait prononcées sur le charpentier. Ce faisant, elle avait l'impression de pousser une partie d'elle-même vers lui; dans la lenteur avec laquelle sa main se perdait dans la manche, dans cette lenteur fluente, tournoyaient les débris d'une volupté incompréhensible qui tenait à ce que le maître ne bougeait pas et se laissait toucher par elle.

Mais Meingast, pour Dieu sait quelle raison, considérait avec stupeur la main qui serrait son bras et montait vers le coude à la manière dont une bête à quatre pattes se hisse sur sa femelle. Il vit trembler une lueur insolite sous les paupières baissées de la petite jeune femme; il comprit

1. *Lustmord,* qu'on peut traduire en français par *meurtre sexuel.* Clarisse, au lieu de comprendre *meurtre par plaisir,* traduit *meurtre du plaisir,* crime contre le plaisir. *N. d. T.*

un mouvement secret qui, de se trahir ainsi, le toucha. « Viens! souffla-t-il en écartant doucement sa main. Si nous restons immobiles ici, nous serons trop visibles. Continuons à marcher! »

Tandis qu'ils reprenaient ainsi leur promenade, Clarisse parlait : « Je m'habille vite; plus vite qu'un homme, quand il le faut. Les habits volent sur mon corps, quand je suis... comment dire ? eh bien! précisément comme ça! C'est peut-être une sorte d'électricité; ce qui m'appartient, je l'attire. Mais, d'habitude, c'est un attrait funeste. »

Meingast sourit à ces jeux de mots qu'il continuait à ne pas comprendre et chercha au petit bonheur une répartie prestigieuse. « Ainsi, tu revêts tes habits comme un héros le destin ? » répondit-il.

A sa grande surprise, Clarisse s'immobilisa et s'écria : « Oui, c'est exactement cela! Celui qui vit ainsi sent ce pouvoir s'étendre à ses vêtements, à ses chaussures, à son couteau et à sa fourchette!

— Il y a là une part de vérité » dit le maître, confirmant cette déclaration obscurément convaincante. Puis, il demanda brutalement : « Somme toute, comment fais-tu avec Walter ? »

Clarisse ne comprit pas. Elle regarda Meingast et aperçut soudain dans ses yeux des nuées jaunes qui semblaient courir dans un grand vent. « Tu as dit, poursuivit Meingast, que tu l'attirais d'une manière qui n'est pas bonne. Sans doute voulais-tu dire, pas bonne pour une femme ? Qu'en est-il ? Es-tu frigide à l'égard des hommes ? »

Clarisse ne connaissait pas ce terme.

« Est frigide, expliqua le maître, la femme qui ne trouve pas de plaisir à l'étreinte d'un homme.

— Mais je ne connais que Walter... objecta Clarisse intimidée.

— D'accord, mais après ce que tu viens de dire, on serait tenté de le croire ? »

Clarisse était interdite. Elle dut réfléchir. Elle ne savait pas. « Moi ? Mais je n'en ai pas le droit! Je dois précisément l'empêcher! Je ne puis pas laisser faire!

— Allons donc! dit le maître avec un rire grossier. Tu dois t'empêcher d'éprouver quelque chose ? Ou empêcher que Walter n'en soit pour ses frais ? »

Clarisse rougit. En même temps, elle vit mieux ce qu'elle

devait dire. « Quand on cède, tout s'engloutit dans le plaisir sexuel, répliqua-t-elle gravement. Je ne permets pas au plaisir des hommes de se séparer d'eux et de devenir mon plaisir. C'est pourquoi, petite fille, je les attirais déjà. Il y a dans le plaisir des hommes quelques chose qui cloche. »

Pour diverses raisons, Meingast, cette fois, préféra ne pas entrer dans les détails. Il demanda : « Tu peux donc te maîtriser pareillement ?

— Oui, c'est différent, reconnut sincèrement Clarisse. Je te l'ai déjà dit, je serais un criminel si je laissais faire! » S'exaltant, elle poursuivit : « Mes amies disent qu'on *fond* dans les bras des hommes. Je ne sais pas ce que c'est. Je n'ai jamais fondu dans les bras d'un homme. Mais je connais ce sentiment en dehors de l'étreinte. Tu le connais sûrement aussi : n'as-tu pas dit que le monde était par trop dépourvu de délire ?... » Meingast protesta d'un geste, comme si elle l'avait mal compris. Mais déjà, pour Clarisse, tout était parfaitement clair : « Quand tu dis, par exemple, qu'il faut se décider contre l'inférieur pour le supérieur, s'écria-t-elle, cela veut dire qu'il existe une vie dans une volupté immense et sans limites! Ce n'est pas la volupté du sexe, mais celle du génie! C'est elle que Walter trahit quand je ne l'en empêche pas! »

Meingast secoua la tête. Devant cette caricature passionnée de ses paroles, un désir de dénégation était en lui, c'était une dénégation effrayée, presque angoissée. Pourtant, de tout ce qu'elle lui inspirait, il ne répondit qu'une phrase tout arbitraire : « Je doute que Walter puisse faire autrement! »

Clarisse s'immobilisa comme la foudre prend racine dans le sol. « Il doit! s'écria-t-elle. N'est-ce pas toi qui nous as appris qu'on devait ?

— Sans doute, reconnut le maître en hésitant et en s'efforçant par l'exemple de l'entraîner sur ses pas. Mais que veux-tu, finalement ?

— Tu sais, avant que tu viennes, je ne voulais rien encore, dit Clarisse à mi-voix. Mais c'est si effrayant, cette vie qui ne retire de l'océan des plaisirs qu'un peu de plaisir sexuel! Maintenant, je veux quelque chose.

— C'est justement ce que je te demande.

— On doit être au monde dans un certain dessein. On doit être *bon* à quelque chose. Sinon tout demeure affreusement embrouillé, répondit Clarisse.

— Ce que tu veux dépend-il de Moosbrugger ?

— On ne peut pas l'expliquer. Il faut voir ce qui en sortira ! répondit Clarisse, qui ajouta pensivement : Je l'enlèverai, je provoquerai un scandale ! » Son expression changea, se fit énigmatique. « Je t'ai observé, dit-elle brusquement. Il vient chez toi de mystérieux personnages ! Tu les invites quand tu crois que nous sommes sortis. Ce sont des garçons, des jeunes hommes ! Tu ne dis pas ce qu'ils veulent ! » Meingast l'observait avec stupeur. « Tu prépares quelque chose, poursuivit Clarisse, tu déclenches quelque chose ! Mais moi... murmura-t-elle, je suis si forte que je puis aussi être l'amie de plusieurs êtres en même temps ! J'ai conquis le caractère, les devoirs du mâle ! Avec Walter, j'ai appris des sensations viriles !... » De nouveau, sa main cherchait à saisir le bras de Meingast. On voyait sur elle qu'elle n'en avait pas conscience. Les doigts sortaient de la manche comme des serres. « Je suis un être double, soufflait-elle, sache-le ! Ce n'est pas facile. Tu as raison, on ne doit pas craindre la violence ! »

Meingast, perplexe, la regardait toujours. Il ne la connaissait pas dans cet état. Il ne comprenait pas ce qui pouvait lier entre eux ses propos. Pour Clarisse, à ce moment-là, rien n'était plus simple que la notion d'être double, mais Meingast se demandait si elle avait deviné quelque chose de son secret commerce et si elle jouait là-dessus. Il n'y avait pas encore grand'chose à deviner : depuis peu de temps, en accord avec sa philosophie de la virilité, il avait commencé à percevoir une modification de ses sentiments et à attirer à lui de jeunes hommes qui étaient un peu plus que des disciples. C'était peut-être pour cela qu'il avait changé de domicile et qu'il était venu ici, où il se sentait à l'abri des regards; lui-même n'avait jamais pensé à une telle possibilité, et soudain, cette petite personne dangereuse se révélait capable de pressentir ce qui lui arrivait. On ne sait comment, le bras de Clarisse émergeait toujours un peu plus de la manche de sa robe sans que la distance entre les deux corps qu'il unissait eût changé; ce maigre avant-bras nu, avec la main au bout touchant Meingast semblait en cet instant si étrange que, dans l'imagination de l'homme, tout ce que des limites précises avaient jusqu'alors défini, sombra dans la confusion.

Mais Clarisse, maintenant, ne portait plus au jour ce qu'un instant avant encore, elle avait désiré dire, bien que tout fût très clair dans son esprit. Les mots à double sens en étaient des signes, épars dans le langage comme des branches que l'on casse ou des feuilles que l'on répand sur le sol pour indiquer un chemin caché. Les mots « Lustmord » et « Anziehen », mais aussi le mot « schnell[1] » et beaucoup d'autres mots, tous les autres mots peut-être, comportaient deux significations dont l'une était cachée, personnelle. Une langue double veut dire une vie double. La langue ordinaire est évidemment celle du péché, la langue cachée celle du corps glorieux. « Schnell », par exemple, évoquait dans son corps de péché la hâte quotidienne, épuisante, banale; dans son corps de joie, tout bondissait, tout jaillissait en sauts joyeux. Mais on peut dire, au lieu de corps de joie, corps de force, corps innocent, tandis qu'au corps de péché peuvent également convenir tous les noms qui évoquent de près ou de loin l'abattement, la fadeur, l'irrésolution de la vie ordinaire. C'étaient là de curieuses relations entre les choses et la personne : telle de vos actions pouvait avoir une influence là où on ne l'aurait jamais imaginé. Moins Clarisse réussissait à s'en expliquer, plus les mots s'animaient en elle, trop prompts pour être recueillis. Depuis assez longtemps, elle avait une certitude : le devoir, la tâche et le privilège de ce qu'on appelle conscience, chimère, volonté, était de trouver ce corps de force, ce corps glorieux. Ce corps où il n'y a plus de place pour l'oscillation, où le bonheur et la contrainte coïncident. D'autres ont appelé cela la « vie essentielle », ont parlé du « caractère intelligible », ont attribué à l'instinct l'innocence et à l'intellect le péché : Clarisse ne pouvait penser de la sorte, mais elle avait découvert que si l'on parvenait à déclencher certains événements, des éléments du corps glorieux, quelquefois, s'y liaient d'eux-mêmes et s'incarnaient ainsi. Pour des raisons qui tenaient d'abord à l'inactivité réceptive de Walter, mais aussi à une ambition héroïque à laquelle avaient toujours manqué les moyens de se manifester, Clarisse en était venue à penser que tout être humain pouvait, par le moyen d'une entreprise violente, dresser à l'horizon de son regard, en quelque sorte, une haute image de lui-même et s'en trouver ensuite encouragé à grandir. C'est pourquoi elle ne voyait pas du tout ce qu'elle ferait de Moos-

1. Autre exemple de double sens : " schnell " signifiant vite, et " schnellen " bondir. *N. d. T.*

brugger, et ne pouvait rien répondre à la question de Meingast.

De plus, elle ne le voulait pas. Sans doute Walter lui avait-il défendu de dire que le maître allait se transformer à nouveau; néanmoins, il était évident que l'esprit de Meingast se préparait secrètement à un acte dont elle ne savait rien et qui serait peut-être aussi rayonnant que son génie le laissait prévoir. Il devait la comprendre, même s'il dissimulait. Moins elle parlait, plus elle lui montrait son savoir. Elle avait le droit de le toucher, il ne pouvait pas le lui défendre. Il reconnaissait ainsi son dessein tandis qu'elle-même pénétrait dans le sien et y participait. C'était aussi une sorte de dédoublement de l'être, si puissant que le regard de Clarisse se brouillait. Tout ce qu'elle avait de force et qu'elle n'avait jamais mesuré passait à travers son bras, courant intarissable, dans la direction du mystérieux ami, la laissant dans un état d'impuissance et d'épuisement qui dépassait toutes les émotions de l'amour. Elle ne pouvait rien faire, sinon, alternativement, considérer en souriant sa propre main et regarder Meingast au visage. Lui aussi ne faisait que regarder alternativement la main et la personne de Clarisse.

Soudain, quelque chose se produisit qui d'abord surprit Clarisse, puis la jeta dans une extase échevelée de ménade : Meingast s'était efforcé de garder sur son visage un sourire supérieur qui devait l'aider à ne pas trahir son trouble; mais celui-ci grandissait de minute en minute, se réalimentant sans cesse à une source apparemment insaisissable. Avant tout acte entrepris dans l'hésitation, il y a un instant de faiblesse qui correspond aux moments de remords après l'acte, encore que dans un déroulement naturel cet instant soit à peine visible. A ce moment-là, les convictions et les imaginations puissantes qui protègent et ratifient l'acte accompli n'ont pas encore atteint leur plein épanouissement et vacillent dans l'afflux de la passion, incertaines, précaires, comme elles trembleront ou se briseront plus tard dans le reflux du remords. C'est dans ce moment de ses desseins que Meingast avait été surpris. Cela lui était doublement pénible : à cause du passé, et à cause de la considération dont il jouissait maintenant auprès de Walter et de Clarisse. De plus, toute émotion violente modifie à son profit l'image de la réalité, de sorte qu'elle en retire un nouvel accroissement : la situation suspecte dans laquelle se trouvait Meingast lui rendit Clarisse suspecte, son effroi lui donna quelque chose d'effrayant, et les tentatives qu'il faisait pour considérer froidement la vérité accrurent par leur simple inefficacité sa consternation. C'est ainsi que le sourire sur son visage, au lieu de donner l'illusion d'une sérénité supérieure, prit d'un instant à l'autre quelque chose de plus raide, quelque chose de flottant et de raide à la fois; enfin, il parut même flotter comme sur des échasses. En cet instant, le maître ne se comporta pas autrement qu'un gros chien trouvant sur sa route une bête anormalement petite à laquelle il n'ose s'attaquer : chenille, crapaud ou serpent. Il se fit toujours plus grand sur ses longues jambes, grimaça des lèvres et du dos et se trouva brusquement entraîné par le courant de son malaise loin du lieu où il avait sa source, sans avoir pu voiler sa fuite d'une parole ou d'un simple geste.

Clarisse ne le lâcha pas. Durant leurs premiers pas, hésitants, cela pouvait encore ressembler à une ardeur innocente, mais ensuite, il la tira derrière lui et eut du mal à trouver les quelques mots indispensables pour lui expliquer qu'il voulait regagner sa chambre au plus vite et travailler. Ce ne fut que dans le corridor qu'il parvint à se défaire d'elle; jusque là, seule sa volonté de fuir l'anima, il ne prêta aucune attention aux propos de Clarisse, oppressé par les précautions qu'il devait prendre pour ne pas attirer l'attention de Walter ou de Siegmund. Walter avait pu deviner les grandes lignes de la scène. Il devina que Clarisse demandait passionnément à Meingast quelque chose qu'il lui refusait, et une jalousie à double tranchant lui laboura la poitrine. Bien qu'il souffrît horriblement à l'idée que Clarisse offrait ses faveurs à leur ami, il fut plus douloureusement blessé encore lorsqu'il crut la voir repoussée. Tout au fond de lui-même, sans doute aurait-il voulu contraindre Meingast à prendre Clarisse chez lui, pour sombrer ensuite avec une égale passion dans le désespoir. Une excitation mélancolique et héroïque l'envahit. Il ne supporta pas, au moment où Clarisse était sur la crête de son destin, d'entendre Siegmund lui demander s'il devait butter les plants ou les mettre en pleine terre. Il fallait qu'il parlât. Il avait l'impression d'être un piano dans le centième de seconde qui sépare le moment où les dix doigts s'apprêtent à fondre sur un énorme temps fort du moment où il pousse son grand hurlement. Il avait de la lumière dans le gosier. Des paroles dont le sens devait être absolument différent de l'ordinaire. Contre toute attente, la seule chose qu'il put sortir fut sans aucun rapport avec ces sentiments : « Je ne le tolérerai pas! » répéta-t-il, plutôt à l'adresse du jardin que pour Siegmund.

Il apparut alors que celui-ci, apparemment préoccupé exclusivement de plants et de plantage, avait aussi observé la scène et même réfléchi à son propos. Siegmund, en effet, se leva, nettoya son pantalon au genou et donna à son beau-frère un conseil. « Si tu trouves qu'elle va trop loin, il faut que tu lui changes les idées », dit-il comme s'il était tout à fait naturel qu'il eût passé tout ce temps à réfléchir, avec une grande conscience professionnelle, aux confidences de Walter.

Walter, penaud, demanda : « Comment dois-je donc m'y prendre ?

— Comme le font tous les hommes, dit Siegmund. On soigne toujours les pleurs et les hauts cris des femmes à partir du même point, pour parler poliment! »

Il supportait beaucoup de la part de Walter. La vie est pleine de ces relations où tel homme humilie et bouscule tel autre qui ne se défend pas. Pour parler précisément, et selon l'opinion même de Siegmund, c'est là le propre de la vie équilibrée. Le monde aurait déjà péri sans doute au temps des grandes invasions si chacun avait voulu se défendre jusqu'à la dernière goutte de son sang. En fait, les plus faibles ont toujours cédé gentiment pour chercher un autre voisin à bousculer à leur tour. Jusqu'aujourd'hui, c'est sur ce modèle que se sont établies la plupart des relations humaines; et tout s'arrange tout seul avec le temps. Dans sa famille, où Walter passait pour un génie, Siegmund avait toujours été traité plus ou moins en imbécile; il l'avait admis, et aujourd'hui encore, chaque fois que la hiérarchie familiale eût été en jeu, c'est lui qui eût été le tolérant et le dévoué. Depuis des années, par rapport aux circonstances nouvelles, cette ancienne division avait perdu de son importance : c'est la raison même pour laquelle la tradition en subsistait. Non seulement Siegmund avait une bonne clientèle de médecin (et le médecin ne règne pas, comme le fonctionnaire, grâce à une force étrangère, mais par son prestige personnel, il va vers des gens qui attendent son aide et l'accueillent docilement) : il possédait aussi une femme fortunée qui lui avait donné en peu de temps, d'abord sa propre personne, puis trois enfants, et qu'il trompait sinon souvent, du moins régulièrement quand ça lui convenait, avec d'autres femmes. C'est pourquoi il était particulièrement bien placé, s'il le voulait, pour donner à Walter un conseil autoritaire et autorisé.

A ce moment, Clarisse ressortit de la maison. Elle ne se rappelait plus les paroles échangées pendant leur fuite précipitée. Elle savait, certes, que le maître s'était sauvé devant elle : mais ce souvenir avait égaré ses détails, s'était refermé, reployé sur lui-même. Quelque chose s'était produit! Avec cette unique idée dans la tête, Clarisse se sentit pareille à quelqu'un qui vient d'échapper à un orage et dont le corps est encore tout chargé d'énergie sensuelle. Devant elle, à quelques mètres du pied du perron par où elle était apparue, elle aperçut un merle très noir au bec feu qui piquait un ver. Il y avait dans la bête, ou dans l'opposition des couleurs, une force extraordinaire. On n'aurait pu dire que cette vue inspirât des pensées à Clarisse; c'était plutôt une réponse de toutes parts derrière elle. Le merle noir était un corps de péché dans l'instant de la violence. Le ver était le corps de péché d'un papillon. Les deux bêtes avaient été envoyées sur sa route par le destin pour lui signifier qu'il était temps d'agir. On voyait le merle absorber les péchés du ver par son bec d'un orange ardent. N'était-il pas le « génie noir », comme la colombe est « l'esprit blanc » ? Les signes ne s'enchaînaient-ils pas ? L'exhibitionniste avec le charpentier, avec la fuite du maître ?... Aucune de ces idées n'était en elle sous cette forme achevée, elles se tenaient invisibles dans les murs de la maison, ayant été citées et gardant encore leur réponse par devers elles. Ce que Clarisse sentit vraiment lorsqu'elle sortit sur le perron et vit l'oiseau manger le ver, ce fut une harmonie inexprimable entre les événements du dehors et ceux du dedans.

Cette harmonie, étrangement, se transféra sur Walter. L'impression qu'il ressentit correspondit aussitôt à ce qu'il avait voulu exprimer en parlant « d'appeler Dieu » : cette fois, il y songea sans aucune incertitude. Il ne pouvait savoir ce qui se passait en Clarisse, la distance était trop grande; mais il devinait dans son attitude, telle qu'elle se tenait devant le monde auquel menait le perron comme un escalier de piscine descend dans l'eau, quelque chose qui niait le hasard, quelque chose de supérieur. Ce n'était pas une attitude de la vie ordinaire. Soudain, il comprit que Clarisse pensait à la même chose lorsqu'elle disait : « Cet homme ne se trouvait pas sous ma fenêtre par hasard ! » Lui-même, observant sa femme, sentait la pression de forces étrangères pénétrer, envahir les apparences. Dans le fait qu'il était ici et Clarisse là, en biais par rapport à lui qui dirigeait involontairement les yeux selon l'axe longitudinal du jardin et devait les tourner pour bien voir sa femme, dans cette simple circonstance, la fermeté muette de la vie pesait soudain plus lourd que l'arbitraire de la nature. De la foison d'images se pressant sous ses yeux émergeait une géométrie insolite. Ainsi s'expliquait que Clarisse trouvait un sens à des coïncidences à peine réelles comme le fait qu'un homme était sous sa fenêtre et qu'un autre était charpentier : les événements avaient alors, sans doute, une manière de coexister différente de l'ordinaire, ils appartenaient à un ensemble inconnu qui tournait vers eux d'autres aspects et, en les tirant de leurs cachettes profondes, permettaient à Clarisse d'affirmer que c'était elle-même qui attirait ces événements. Il était malaisé d'exprimer cela simplement. Finalement, Walter découvrit que c'était étroitement apparenté à quelque chose qu'il connaissait bien, à savoir ce qui se produisait quand on peignait une toile. Un tableau, lui aussi, exclut, selon une alchimie inconnue, les couleurs et les lignes qui ne conviennent pas à son type, à son style, à sa palette, et, en revanche, réussit à tirer de la main du peintre tout ce dont il a besoin, grâce à des lois géniales qui diffèrent des lois ordinaires de la nature. En cet instant, Walter avait complètement oublié ce sentiment de bien-être de la parfaite santé qui juge les aberrations de la vie selon l'usage qu'il peut en faire, sentiment qu'il venait pourtant de célébrer; il connaissait plutôt la souffrance de l'enfant qui n'ose pas courir se mêler à quelque jeu.

Siegmund n'était pas homme à se laisser détourner, une fois qu'il était sur un sujet. « Clarisse est surexcitée, constata-t-il. Elle a toujours voulu foncer la tête la première sur l'obstacle, maintenant sa tête est restée prise dedans ! Tu dois y aller carrément, même si elle se défend !

— Vous autres médecins ne comprenez strictement rien aux phénomènes psychiques ! » s'écria Walter. Il chercha un autre point d'attaque et le trouva. « Tu parles de *signes*, poursuivit-il, tandis que le plaisir de pouvoir parler de Clarisse dominait encore son irritation, et tu distingues soigneusement quand les signes relèvent d'un trouble et quand ils n'en relèvent pas.

Moi, je te dis que la vie véritable est celle où tout est signe, tout, tu m'entends! Peut-être peux-tu regarder la vérité en face, mais jamais la vérité ne te regardera ainsi : cette incertitude divine, tu ne la connaîtras jamais!

— Vous êtes aussi fous l'un que l'autre, observa sèchement Siegmund.

— Nous sommes fous, bien entendu! s'exclama Walter. Tu n'es pas un créateur. Tu n'as jamais compris que, pour un artiste, *s'exprimer*, c'était d'abord *comprendre!* L'expression que nous donnons aux choses nous apprend à les bien entendre. Je ne comprends ce que je veux, ou ce que veulent les autres, qu'en le réalisant! Telle est notre expérience vivante, à l'opposé de la tienne, qui est morte! Bien entendu, tu diras que c'est un paradoxe, une confusion de la cause et de l'effet, toi et ta causalité médicale! »

Siegmund ne le dit pas, mais se contenta de répéter sans se laisser troubler : « Ce serait certainement pour son bien que tu ne te laisserais pas trop faire par elle. Les nerveux ont besoin d'une certaine sévérité.

— Et quand je joue du piano la fenêtre ouverte, poursuivit Walter en feignant de n'avoir pas entendu l'avertissement de son beau-frère, qu'est-ce que je fais ? Des gens passent, peut-être y a-t-il parmi eux des jeunes filles; qui le désire s'arrête, je joue pour les jeunes couples d'amoureux et pour les vieillards solitaires. Il y a des sages et des sots. Je ne leur donne pas l'intelligence. Ce que je joue n'a rien à voir avec l'intelligence. Je me communique à eux. Invisible dans ma chambre, je leur envoie des signes : quelques notes, qui sont leur vie et ma vie... Évidemment, tu pourrais dire que cela aussi est fou!... » Soudain, il se tut. *Ah! que j'aurais de choses à vous dire à tous!*, ce sentiment fondamental de l'ambition du citoyen terrestre qui se sent pressé de communiquer mais ne dispose que d'un talent moyen, s'affaissa brusquement. Toujours, quand Walter était assis à la fenêtre ouverte dans le vide souple de sa chambre et répandait sa musique au dehors avec la haute conscience de l'artiste qui donne le bonheur à des milliers d'inconnus, ce sentiment était comme un parapluie ouvert; dès qu'il cessait de jouer, le parapluie se refermait, avachi. Alors, plus de légèreté, on aurait dit que plus rien ne s'était passé, Walter recommençait à dire que l'art avait perdu tout contact avec le peuple, que tout était pourri. Il se rappela ces moments et perdit courage. Pourtant, il luttait là contre. Clarisse avait dit qu'il fallait jouer de la musique « jusqu'au bout ». Elle avait dit qu'on ne comprenait les choses que pour autant qu'on y participait. Mais elle avait dit aussi que, pour cette raison même, ils devaient aller à l'asile d'aliénés. Le « parapluie intérieur » de Walter ballottait à demi-fermé dans ces rafales changeantes.

Siegmund dit : « Les gens nerveux ont besoin d'être plus ou moins tenus en laisse, pour leur bien. Toi-même as dit que tu ne le tolérerais plus. Comme médecin et comme homme, je ne puis te donner qu'un conseil : prouve-lui que tu es un homme ! Je sais qu'elle s'en défend, mais cela finira bien par lui plaire ! » Siegmund, inlassablement, comme une machine qui fonctionne bien, répétait maintenant son ordonnance.

Walter, pris dans un « coup de vent », répondit : « Cette surestimation médicale de l'équilibre sexuel n'est plus d'aujourd'hui ! Quand je fais de la musique, quand je peins ou quand je pense, j'agis sur les proches et les lointains sans prendre aux uns ce que je donne aux autres. Au contraire ! Laisse-moi te dire que la conception privée de la vie, de nos jours, ne peut plus trouver de justification nulle part ! Pas même dans le mariage ! »

Mais la pression la plus forte était du côté de Siegmund, et Walter, poussé par le vent, cingla vers Clarisse qu'il n'avait pas quittée des yeux durant ce dernier dialogue. Il lui était désagréable qu'on pût dire de lui qu'il n'était pas un homme ; il tourna le dos à cette affirmation en se laissant pousser par elle vers Clarisse. A mi-chemin, il sentit, entre ses dents que l'angoisse découvrait, qu'il lui faudrait commencer par ces mots : « Tu parles de signes : qu'est-ce que cela signifie ? »

Clarisse le vit venir. Elle le vit qui hésitait alors même qu'il était encore debout à sa place. Puis, ses pieds furent tirés en avant et le portèrent vers elle. Clarisse vivait cela avec une joie sauvage. Le merle s'envola effrayé et se hâta d'emporter son ver. La voie était libre pour que l'attraction agît. Soudain, Clarisse changea d'idée et évita la rencontre en s'éloignant lentement le long du mur de la maison, sans cesser de regarder Walter, mais trop vite cependant pour que l'hésitant pût passer du domaine de l'influence à distance dans celui du dialogue direct.

27. *Le général Stumm ne tarde pas à découvrir Agathe et à la révéler au grand monde.*

Depuis qu'Agathe avait retrouvé son frère, les relations que celui-ci entretenait avec le vaste milieu des Tuzzi leur imposaient de lourds devoirs mondains : l'agitation hivernale de la société, bien que la saison fût avancée, n'avait pas cessé encore, et la sympathie que l'on avait témoignée à Ulrich après la mort de son père exigeait en contre-partie qu'il ne cachât pas Agathe, même si le deuil les dispensait tous deux des grandes festivités. Ce deuil, si Ulrich avait profité de l'avantage qu'il lui offrait, eût suffi à lui épargner pendant assez longtemps toute vie mondaine et à lui permettre de lâcher un milieu dans lequel il n'était tombé que par une bizarrerie d'humeur. Mais, depuis qu'Agathe lui avait confié sa vie, Ulrich agissait en contradiction avec ses sentiments et remettait à une part de lui-même qu'il avait classée sous la rubrique traditionnelle « Devoirs d'un frère aîné » nombre de décisions que sa personne entière hésitait à prendre, quand elle ne les désapprouvait pas. Parmi ces devoirs du frère aîné, il y avait en tout premier lieu l'idée que si Agathe avait fui la maison de son mari, ce ne pouvait être que pour aboutir dans la maison d'un meilleur. Presque toujours, lorsqu'ils venaient à parler des mesures que leur vie commune allait les obliger à prendre, il répondait : « Si ça continue de ce train, tu ne tarderas pas à recevoir des offres de mariage, ou au moins des propositions ». Si Agathe faisait des projets au-delà de quelques semaines, il répliquait : « D'ici là, tout aura changé. » Agathe en eût été plus offensée encore si elle n'avait remarqué cette scission dans l'esprit de son frère, de sorte qu'elle renonçait à résister lorsqu'il trouvait avantageux d'étendre le plus possible le cercle qu'ils fréquentaient. C'est ainsi que le frère et la sœur, dès l'arrivée d'Agathe, hantèrent la société beaucoup plus qu'Ulrich seul ne l'eût jamais fait.

Ces apparitions à deux, alors qu'on l'avait connu seul si longtemps et qu'il n'avait jamais touché mot de sa sœur, ne passèrent rien moins qu'inaperçues. Un beau jour, le général von Stumm était réapparu chez Ulrich avec son ordonnance, sa serviette et sa miche de pain. Il avait sondé l'atmosphère en reniflant avec méfiance. Un parfum indescriptible flottait dans l'air. Puis, von Stumm aperçut un bas de femme sur le dossier d'une chaise, et s'écria, réprobateur : « Évidemment, ces jeunes messieurs... » « Ma sœur », expliqua Ulrich. « Allons donc! Tu n'as jamais eu de sœur! protesta le général. Les plus graves soucis nous accablent, et tu te caches ici avec une fille! »

A cet instant, Agathe entra, et le général perdit contenance. Il vit l'air de famille et sentit à l'ingénuité de la démarche qu'Ulrich avait dit vrai. Néanmoins, il ne pouvait se défaire de l'idée qu'il avait devant lui une amie d'Ulrich, dont la ressemblance avec celui-ci était incompréhensible et troublante. « Je ne sais pas ce que j'ai fait sur le moment, chère amie, raconta-t-il plus tard à Diotime, mais je n'aurais pas réagi autrement si je l'avais revu tout à coup en uniforme de porte-drapeau! » Agathe lui ayant plu infiniment, Stumm éprouva en effet cette stupeur qu'il avait appris à considérer comme le signe d'un profond bouleversement. Sa délicate plénitude physique et sa trop sensible nature, devant ces circonstances scabreuses, inclinèrent vers une retraite assez analogue à la fuite, et Ulrich, malgré tous ses efforts pour l'obliger à rester, n'apprit plus grand'chose sur les graves soucis qui avaient amené l'érudit général chez lui.

« Non! protesta celui-ci. Rien n'est assez important pour me permettre de déranger de la sorte!

— Mais tu ne nous as pas dérangés! affirma Ulrich en souriant. Que dérangerais-tu d'ailleurs ?

— Évidemment, évidemment! fit Stumm, définitivement confus. Évidemment, en un certain sens. Néanmoins! Écoute, j'aime mieux revenir un autre jour!

— Dis-moi au moins pourquoi tu es là, avant de te sauver!

— Mais ce n'est rien, rien du tout! Une peccadille! jeta Stumm dans son grand désir de tourner les talons. Je crois que le *Grand Événement* se prépare!

— Un cheval! un cheval! Embarquons pour la France! » s'écria Ulrich dans une animation pleine de gaieté.

Agathe l'observait avec étonnement. « Je vous demande pardon, chère Madame, dit le général, sans doute ne savez-vous pas de quoi il s'agit.

— L'Action parallèle a trouvé sa grande Idée! précisa Ulrich.

— Non, je n'ai pas dit cela. J'ai simplement voulu dire que l'événement que tout le monde attendait se prépare!

— Allons bon! fit Ulrich. Mais il se préparait depuis le début.

— Non! affirma gravement le général. C'est autre chose. Il y a maintenant un Je-ne-sais-quoi tout à fait précis dans l'air. Prochainement aura lieu chez ta cousine une réunion décisive. Madame Drangsal...

— Qui est-ce encore ? coupa Ulrich à l'ouïe de ce nom nouveau.

— Évidemment, tu t'es tenu tellement à l'écart! » s'exclama Stumm sur un ton de blâme et de regret. Puis il se tourna vers Agathe pour se corriger : « Madame Drangsal est cette dame qui protège le poète Feuermaul. Tu ne le connais pas non plus, lui ? » demanda-t-il en tournant à nouveau sa rondelette personne du côté d'Ulrich, d'où aucune confirmation n'était parvenue.

« Si, si. Le poète lyrique.

— Il fait des vers, dit le général, évitant avec méfiance un terme inconnu de lui.

— Même de bons vers. Et toutes sortes de pièces de théâtre.

— Cela, je ne le savais pas. Je n'ai pas mes carnets sur moi. Mais c'est lui qui affirme que l'homme est bon. En un mot, Madame le Professeur Drangsal protège la thèse de la bonté naturelle de l'homme, on dit que c'est une thèse typiquement européenne, que Feuermaul a le plus grand avenir. Elle a eu un mari médecin célèbre dans le monde entier, sans doute voudrait-elle aussi que Feuermaul devînt célèbre. En tous cas, il y a danger que ta cousine perde la direction et que le salon de Madame Drangsal, où fréquentent toutes les célébrités, ne la reprenne. »

Le général s'épongea le front. Ulrich ne jugeait pas la perspective si affligeante.

« Voyons! fit Stumm peiné. Tu as du respect pour ta cousine tout comme moi, comment peux-tu parler ainsi ? Ne trouvez-vous pas, chère Madame, que c'est une conduite éminemment infidèle et ingrate à l'égard d'une femme enthousiasmante ?

— Je ne connais absolument pas ma cousine, avoua Agathe.

— Oh! » s'écria Stumm. Puis il ajouta, en une phrase où l'intention de galanterie et le manque de galanterie involontaire aboutissaient à une concession à Agathe : « Il est vrai qu'elle a un peu baissé ces derniers temps! »

Ni Ulrich, ni Agathe n'ayant répondu, le général eut le sentiment qu'il devait expliquer ses propos. « Tu sais d'ailleurs pourquoi! » dit-il d'un air entendu à Ulrich. Il désapprouvait les études sexuelles de Diotime qui détournaient son esprit de l'Action parallèle, et il se faisait du souci parce que les relations d'Arnheim avec elle ne s'amélioraient pas. Mais il ne savait pas dans quelle mesure il oserait parler de ces histoires devant Agathe, dont le visage s'était fait de plus en plus froid. En revanche, Ulrich répliqua tranquillement : « Sans doute ton histoire de pétrole n'avance-t-elle pas si notre Diotime a perdu sa vieille influence sur Arnheim ? »

Stumm eut un geste de conjuration pitoyable, comme pour éviter qu'Ulrich ne fît une plaisanterie déplacée en présence d'une dame; en même temps, il le regardait fixement dans les yeux avec une acuité menaçante. Il trouva même la force de soulever avec une prestesse juvénile son pesant corps, et effaça les plis de sa tunique. Il lui était resté assez de traces de sa méfiance première à l'égard des origines d'Agathe pour ne pas vouloir trahir devant elle les secrets du Ministère de la Guerre. Ce ne fut que dans l'antichambre où Ulrich l'emmena qu'il s'accrocha à son bras et lui murmura en souriant, d'une voix rauque : « Pour l'amour de Dieu, c'est de la haute-trahison! » Il fit comprendre à Ulrich qu'aucun mot ne devait être prononcé sur les pétroles devant un tiers, fût-ce sa propre sœur. « Fort bien, admit Ulrich. Mais c'est ma sœur jumelle.

— Même pas devant une sœur jumelle! » affirma le général à qui la sœur avait déjà paru si peu croyable que la sœur jumelle ne put plus le déconcerter. « Promets-le moi ! — C'est inutile, renchérit Ulrich, car nous sommes des jumeaux siamois : tu saisis ? » Stumm comprit alors qu'Ulrich, à sa manière qui évitait toute affirmation simple, se moquait de lui. « Tu as fait de meilleures plaisanteries, dit-il sévèrement. Évoquer, à propos d'une femme si délicieuse, et serait-elle dix fois ta sœur, une idée aussi peu appétissante que cette collusion avec toi! » Comme sa méfiance irritée à l'égard de la retraite dans laquelle il avait surpris Ulrich se ranimait, il lui posa quelques questions supplémentaires qui devaient mettre son emploi du temps à l'épreuve : « Le nouveau secrétaire est-il venu te voir ? Es-tu allé chez Diotime ? As-tu été voir Leinsdorf comme tu l'avais promis ? Sais-tu maintenant ce qui cloche entre Arnheim et ta cousine ? » Comme il était évidemment renseigné sur tous ces points, le saint Thomas rondelet put contrôler ainsi le goût d'Ulrich pour la vérité : le résultat le satisfit.

« Je t'en prie, fais-moi ce plaisir et ne viens pas trop tard à la séance fatale ! » dit-il, tandis qu'encore essoufflé par la difficile traversée des manches, il boutonnait son manteau. « Je t'appellerai une fois encore d'ici là et je viendrai te chercher avec ma voiture, c'est la meilleure solution !

— Quand donc aura lieu cette corvée ? demanda Ulrich rien moins qu'aimable.

— Dans une quinzaine, je suppose. Nous voulons amener l'autre parti chez Diotime, mais il faut qu'Arnheim soit là, et il est en voyage. » Il frappa d'un doigt sur le porte-épée accroché à la poche de son manteau. « Sans lui, *nous* n'avons aucun plaisir : tu l'imagines assez. Mais je te le dis, soupira-t-il, tout ce que je désire, c'est que la direction spirituelle reste entre les mains de ta cousine : ce serait épouvantable s'il fallait que je me réacclimate dans un autre milieu ! »

Ce fut donc à la suite de cette visite qu'Ulrich reprit avec sa sœur les relations mondaines que, seul, il avait négligées. Même s'il ne l'avait pas souhaité, il y aurait été obligé, car il ne pouvait rester caché avec Agathe un jour de plus et espérer que Stumm garderait pour lui une découverte qui pouvait faire un si beau récit. Lorsque les Siamois rendirent visite à Diotime, celle-ci se révéla déjà instruite, sinon ravie, de ce baptême étrange et douteux. Au début, la Divine, célèbre par l'importance et l'originalité des personnalités qu'on rencontrait à tout moment chez elle, avait pris fort mal l'apparition inopinée d'Agathe : une parente qui ne plairait pas risquait d'être beaucoup plus nuisible à sa situation qu'un cousin; elle ne connaissait pas mieux cette nouvelle cousine qu'elle n'avait été renseignée naguère sur Ulrich, ignorance qui à elle seule, lorsque l'omnisciente dut la confesser au général, lui fut une raison de s'irriter. C'est pourquoi ils avaient baptisé Agathe la « sœur délaissée », à la fois pour leur propre apaisement et pour un usage préventif dans les cercles moins intimes; c'est dans cet esprit à peu près que Diotime accueillit le frère et la sœur. Elle fut agréablement surprise par l'impression de parfaite urbanité qu'Agathe était capable de donner, et celle-ci (se rappelant son excellente éducation dans une institution religieuse et se laissant guider par cet empressement mi-railleur mi-étonné à accepter la vie, dont elle s'accusait devant Ulrich) réussit dès cet instant, presque sans le vouloir, à s'assurer la sympathie indulgente de la puissante jeune femme dont l'ambition d'agir « en grand » lui était parfaitement incompréhensible et indifférente. Elle considéra Diotime avec le même étonnement candide qu'elle eût éprouvé en face d'une usine électrique géante, dont les mystérieuses opérations destinées à fournir de la lumière demeurent tout étrangères à qui les voit. Ainsi Diotime fut-elle gagnée; bientôt après, elle put observer qu'Agathe plaisait partout. Dès lors, elle s'intéressa davantage à son succès mondain et, pour sa propre gloire, ne cessa de le grossir. La « sœur délaissée » éveillait une curiosité pleine de sympathie qui commençait, chez les proches, par la sincère surprise qu'ils éprouvaient à l'idée de n'en avoir jamais entendu parler, et se transformait, à mesure que le cercle s'élargissait, en ce goût du neuf et du surprenant qui est commun aux princes et à la presse.

C'est alors aussi que Diotime, qui possédait cette faculté propre aux beaux-esprits de choisir d'instinct, entre plusieurs possibilités, la plus mauvaise, celle qui assure les gros succès, frappa le coup grâce auquel Ulrich et Agathe s'assurèrent une place durable dans la mémoire de la bonne société. Tout soudain, leur protectrice jugea délicieuse, et répandit aussitôt comme telle, l'histoire qu'elle avait apprise au début, à savoir que son cousin et sa cousine, réunis par des circonstances romantiques après avoir été séparés presque leur vie durant, s'étaient baptisés « jumeaux siamois », bien que la volonté aveugle du destin en eût fait jusqu'alors presque exactement le contraire. Pourquoi cette histoire plut tant à Diotime d'abord, et bientôt à tout le monde, comment elle fit paraître la décision de vie commune du frère et de la sœur à la fois étrange et naturelle, il serait difficile de le dire : c'était le fameux don de guide de Diotime. En tous cas, les deux choses se produisirent, prouvant qu'en dépit des manœuvres de la concurrence, elle continuait à exercer sa suave autorité. Arnheim, apprenant l'histoire dès son retour, tint un long discours devant un cercle choisi en terminant sur l'éloge des forces populaires et aristocratiques. On ne sait trop comment, le bruit courut aussi qu'Agathe s'était réfugiée chez son frère après avoir souffert d'un mariage malheureux avec un illustre savant étranger. Comme les cercles influents, obéissant aux principes de la grande propriété, n'étaient pas favorables au divorce et s'en sortaient grâce à l'adultère, la décision d'Agathe apparut à plusieurs personnes d'un certain âge dans cette lumière ambiguë de la vie supérieure, à la fois énergique et édifiante, que le comte Leinsdorf, particulièrement bien disposé envers le frère et la sœur, analysa un jour en ces termes : « Le théâtre nous montre toujours de si affreuses passions : que notre Burgtheater ne prend-il plutôt exemple sur ces jeunes gens ! »

Diotime, qui était présente, répondit : « Beaucoup de gens disent, pour être à la mode, que l'homme est bon. Quand on a appris à connaître, comme mes études récentes me l'ont permis, les tours et les détours de la vie sexuelle, on sait combien de tels exemples sont rares ! » Voulait-elle restreindre, ou au contraire souligner l'éloge dispensé par Son Altesse ? Elle n'avait pas encore pardonné à Ulrich ce qu'elle appelait, depuis qu'il ne lui avait rien dit de l'arrivée imminente de sa sœur, son manque de confiance ; mais elle était fière d'un succès auquel elle prenait part, et ces deux sentiments se combinèrent dans sa réponse.

28. *Trop de gaieté.*

Avec beaucoup d'aisance et de naturel, Agathe tira parti des avantages que la société lui offrait, et la sûreté de son attitude dans un milieu très exigeant plut infiniment à son frère. Les années où elle avait été l'épouse d'un petit professeur de province semblaient s'être détachées d'elle sans laisser la moindre trace. Ulrich, en haussant les épaules, résuma provisoirement ce résultat : « Il plaît à la haute noblesse qu'on nous ait baptisés les Siamois : elle a toujours montré plus d'intérêt pour les ménageries que, par exemple, pour l'art. »

Par un accord tacite, ils traitaient tout ce qui leur advenait comme un simple intermède. Que nombre de modifications et d'aménagements eussent été nécessaires dans la maison, ils s'en étaient rendu compte dès le premier jour; mais ils ne faisaient rien, tant ils redoutaient la reprise d'une explication dont les limites étaient insaisissables. Ulrich, qui avait cédé sa chambre à coucher à Agathe, s'était installé dans une garde-robe, séparé de sa sœur par la salle de bains; dans la suite, il lui avait cédé aussi presque tous ses placards. Pour qu'elle ne l'en plaignît pas, il évoquait le gril de saint Laurent. D'ailleurs, Agathe ne songea jamais sérieusement qu'elle avait pu troubler la vie de célibataire de son frère : celui-ci l'assurait qu'il était très heureux, et elle ne se faisait qu'une idée très vague des espèces de bonheur qu'il avait pu connaître avant. Maintenant, elle aimait cette maison si peu bourgeoise avec son gaspillage de chambres d'apparat et de dépendances autour de quelques rares pièces utilisables et encombrées : cela évoquait la politesse méticuleuse du passé qui ne peut plus lutter contre le traitement brutal que lui inflige notre temps. Quelquefois cependant, la muette protestation des belles pièces contre le désordre envahissant était triste comme l'emmêlement de cordes brisées sur la table d'un violon très ornementé. Agathe comprit alors que son frère n'avait pas choisi cette demeure un peu isolée avec autant d'indifférence et d'insouciance qu'il le prétendait : les vieilles parois parlaient le langage d'une passion qui n'était ni tout à fait muette, ni tout à fait perceptible. Mais ni elle, ni Ulrich n'avouaient autre chose que le plaisir qu'ils tiraient du désordre. Ils vivaient dans l'inconfort. Depuis l'irruption d'Agathe, ils faisaient venir leurs repas de l'hôtel et gagnaient à tout cela une gaieté presque excessive qui rappelait ces pique-niques où l'on mange sur l'herbe infiniment plus mal qu'on ne le supporterait à table.

Dans ces circonstances, le service ne pouvait être irréprochable. Il ne fallait pas trop espérer du serviteur chargé d'expérience qu'Ulrich, en entrant dans la maison, n'avait gardé que pour peu de temps (c'était un vieil homme qui souhaitait la retraite et n'attendait plus que le règlement de quelque formalité), et Ulrich recourait à lui le moins souvent possible. D'autre part, il devait lui-même jouer à la femme de chambre : la pièce où on aurait pu installer une vraie bonne était encore à l'état de projet comme le reste, et une ou deux tentatives de passer par-dessus ce détail s'étaient soldées par de désagréables échecs. Aussi Ulrich fit-il de grands progrès dans l'emploi d'écuyer armant sa chevalière en vue de ses conquêtes mondaines. Entre temps, Agathe s'était mis en tête de compléter son équipement, et ses achats envahissaient la maison. Comme aucune installation n'y avait été prévue pour une femme, Agathe avait pris l'habitude de la transformer tout entière en cabinet de toilette, de sorte qu'Ulrich, bon gré mal gré, dut s'intéresser aux nouvelles acquisitions. Les portes des chambres restaient ouvertes, ses appareils de gymnastique servaient de patères et de porte-manteaux, dans les circonstances graves on l'arrachait à son bureau comme Cincinnatus à sa charrue. Que sa volonté de travail, toujours présente et comme en attente, fût ainsi traversée, il ne le supportait pas seulement dans l'idée que c'était passager, mais parce qu'il y trouvait le plaisir du rajeunissement. La vivacité apparemment gratuite de sa sœur pétillait dans sa solitude comme un petit feu dans un fourneau refroidi. De claires vagues de gaieté gracieuse, de sombres vagues de confiance humaine emplissaient l'espace où il vivait, lui faisant oublier qu'il y avait vécu jusqu'alors selon son seul caprice. Ce qui l'étonnait plus que tout dans la richesse inépuisable de cette présence, c'était que les innombrables riens qui la constituaient donnaient, additionnés, une somme astronomique et d'une nature toute différente. A sa vive surprise, l'impatience de perdre son temps, sentiment insatiable qui ne l'avait pas lâché de toute sa vie, à quelques prétendûment graves problèmes qu'il se fût attelé, avait complètement disparu. Pour la première fois, il aimait sans aucune arrière-pensée sa vie quotidienne.

Il allait même jusqu'à retenir son souffle quand Agathe, avec un sérieux bien féminin, proposait à son admiration les mille gracieuses bagatelles de ses emplettes. Fait à la fois comique et bizarre, la nature de la femme, à intelligence égale, est plus sensible que celle de l'homme et, pour cette raison même, plus prompte à se parer d'ornements sauvages, à s'éloigner, par conséquent, de l'humanité raisonnable. Ulrich feignait d'éprouver un intérêt irrésistible pour ces bizarreries. Peut-être était-ce sincère. En effet, les innombrables petites inventions, délicieuses et dérisoires, auxquelles il était mêlé : s'orner de perles de verre, de frisons, de dentelles, de broderies aux fantasques dessins, de couleurs attrayantes d'une violence quasi perverse, toutes ces beautés de baraque foraine dont aucune femme intelligente n'est dupe mais qui n'en continuent pas moins à agir sur elle, enveloppaient peu à peu Ulrich dans les fils de leur éblouissante fantasmagorie. Toute chose, jusqu'à l'extravagance et au mauvais goût, dès qu'on la prend au sérieux et la traite sur un pied d'égalité, déploie son architecture originale, le parfum enivrant de son amour-propre, sa volonté de jouer et de ravir. Ulrich s'en rendait compte en s'occupant à la toilette de sa sœur. Il faisait des transports, admirait, appréciait, donnait des conseils, aidait aux essayages. Il se tenait debout avec Agathe devant la glace. Aujourd'hui que la silhouette féminine évoque un poulet passé à la flamme, il est difficile d'imaginer sa silhouette de jadis avec tout le charme, ridiculisé depuis lors, de ce qui aiguise longuement l'appétit : la longue jupe, qui semblait cousue au sol par le tailleur et pourtant comme par miracle se déplaçait, dissimulait d'abord de légers jupons, multicolores pétales de soie dont le léger frémissement se communiquait soudain à des étoffes blanches, plus souples encore, dont l'écume délicate était la première à toucher la peau. Si ce vêtement ressemblait aux vagues par ce qu'il avait d'attirant et d'opaque à la fois pour le regard, c'était aussi un merveilleux système de bastions et de fossés successifs entourant des trésors habilement protégés et, dans son artifice, un théâtre amoureux subtilement voilé dont la fascinante obscurité n'était éclairée que par la pâle lumière de la rêverie. Chaque jour, maintenant, Ulrich voyait cette ingénieuse forteresse démolie, démontée comme de l'intérieur. Et si les mystères féminins depuis longtemps n'en étaient plus pour lui, précisément parce qu'il n'avait fait toute sa vie que les parcourir comme des antichambres ou des cours, maintenant qu'il n'y avait plus ni accès, ni but, ils prenaient une tout autre valeur. Leur intensité diminuait. Ulrich aurait eu de la peine à dire quelles modifications cela entraînait. A bon droit, il s'attribuait une sensibilité d'homme : il comprenait que celle-ci pût être troublée de voir une fois de l'autre côté une chose si souvent convoitée; quelquefois, c'était presque inquiétant, et il s'en défendait en plaisantant.

« On dirait que les murs d'un pensionnat de jeunes filles se sont élevés pendant la nuit autour de moi et m'enferment de toutes parts! disait-il.

— Est-ce si terrible ? demandait Agathe.

— Je ne sais », répondait-il.

Il lui disait qu'elle était une plante carnivore et lui un pauvre insecte tombé dans son brillant calice. « Tu t'es refermée sur moi, disait-il, et me voilà devenu en dépit de ma nature, parmi les couleurs, les parfums, l'éclat, une part de ton être, à attendre les petits mâles que nous allons attirer! »

De fait, c'était très bizarre pour lui de voir l'impression que sa sœur faisait sur les hommes, alors que son premier souci était justement de lui « fournir un homme ». Il n'était pas jaloux (à quel titre l'eût-il été ?), il mettait le bonheur d'Agathe avant le sien et souhaitait à sa sœur de trouver rapidement un homme digne de la délivrer de la condition provisoire où l'avait mise sa séparation d'avec Hagauer. Néanmoins, quand il la voyait au centre d'un groupe d'hommes qui lui faisaient la cour, ou quand un passant dans la rue, séduit par sa beauté et peu soucieux de celui qui l'accompagnait, la dévisageait, il se sentait étrangement troublé. Là encore, l'issue banale de la jalousie virile lui étant interdite, il avait l'impression qu'un monde où il n'avait jamais pénétré se refermait autour de lui. Par expérience, il connaissait les cabrioles de l'homme aussi bien que la technique amoureuse, plus prudente, de la femme, et quand il voyait Agathe exposée à celles-là, exerçant celle-ci, il souffrait. Il croyait assister aux manœuvres amoureuses de chevaux ou de souris : ces halètements et ces hennissements, ces appointages et ces épatements du museau par quoi des inconnus, aussi prévenants que prévenus d'eux-mêmes, se présentent l'un à l'autre, lui répugnaient, parce qu'il les considérait froidement, comme une lourde ivresse s'exhalant des bas-fonds du corps. Mais, s'il cédait à son désir profond de se confondre avec sa sœur, son indulgence le troublait et il s'en fallait de peu qu'il n'éprouvât rétrospectivement la honte qu'éprouve un homme normal lorsqu'un autre qui ne l'est pas a réussi à l'aborder sous un quelconque prétexte. Lorsqu'il l'avoua à Agathe, elle se mit à rire : « Il ne manque pas non plus de femmes, dans notre milieu, qui se mettent en frais pour toi! » répondit-elle.

Que se passait-il là ?

Ulrich dit : « Au fond, c'est une protestation contre le monde!

Il dit encore : « Il y a longtemps que le monde et moi, nous n'avons plus d'amitié l'un pour l'autre. Pourtant, quand bien même il m'agace et quand bien même je sais que je l'irrite, j'éprouve souvent, rien qu'à le voir, un sentiment de tendresse, comme si notre désaccord était une autre forme d'accord. Tu le sais, il est beaucoup de choses dans la vie qu'on comprend sans être d'accord avec elles. Être d'accord a priori avec quelqu'un, avant même de l'avoir compris, c'est une absurdité de conte de fées, belle comme les eaux qui ruissellent de toutes parts dans la vallée, au printemps! »

Il sentit qu'il en allait ainsi maintenant, et il se dit : « Dès que je parviens à me débarrasser de tout égoïsme, de tout égocentrisme à l'égard d'Agathe, dès que l'odieuse indifférence m'abandonne, je la sens qui tire toutes mes qualités hors de moi comme la Montagne magnétique les boussoles des navires. Moralement, je me trouve réduit à une sorte d'atome primitif : je ne suis plus ni moi, ni elle : peut-être est-ce cela, la béatitude ? » Mais il dit seulement : « C'est si drôle de te regarder! »

Agathe devint ponceau et dit : « Pourquoi est-ce *drôle ?*

— Je ne sais. Parfois, tu te gênes devant moi, fit Ulrich. Puis, tu te dis qu'après tout je ne suis que ton frère. Une autre fois, au contraire, tu n'éprouves pas la moindre honte, alors même que je te surprends dans des circonstances qui, pour un autre, seraient très excitantes. Puis, soudain, tu te dis que ce n'est pas fait pour mes yeux, que je dois les détourner immédiatement...

— Et pourquoi est-ce drôle ?

— Peut-être est-ce plaisant de suivre quelqu'un des yeux sans savoir pourquoi, dit Ulrich. Cela rappelle l'amour d'un enfant pour ses trésors, sans l'impuissance intellectuelle de l'enfant...

— Si tu trouves si drôle de jouer au frère et à la sœur, c'est peut-être que tu es las de jouer à l'homme et à la femme ?

— Cela aussi, dit Ulrich en la regardant. A l'origine, l'amour est un simple désir de rapprochement, un instinct de possession. On a inventé deux pôles, homme et femme, et entre eux ce monde insensé de tensions, d'inhibitions, de convulsions et d'aberrations. Aujourd'hui, nous sommes las de cette idéologie boursouflée, presque aussi grotesque qu'une gastrosophie. Je suis persuadé, Agathe, que la plupart d'entre nous seraient ravis de voir annuler cette association d'une excitation épidermique avec l'ensemble de l'être humain! Tôt ou tard viendra une ère de camaraderie sexuelle où le garçon et la fille considéreront avec un parfait accord dans l'étonnement un tas de vieux ressorts cassés qui auront été un jour l'homme et la femme!

— Si je te disais qu'Hagauer et moi avons été des pionniers de cette ère, tu le prendrais de nouveau en mauvaise part! dit Agathe, âpre comme un bon vin duret.

— Je ne prends plus rien en mauvaise part, dit Ulrich en souriant. Un guerrier débarrassé de son armure! Pour la première fois depuis un temps immémorial, il sent sur la peau, au lieu du fer battu, l'air de la terre, il voit son corps si las, si délicat que des oiseaux pourraient l'emporter! »

Souriant ainsi, oubliant de cesser de sourire, il considérait sa sœur, assise sur le bord d'une table et laissant pendre une jambe que gaînait un bas noir; outre sa chemise, elle ne portait qu'une petite culotte. Mais c'étaient là des impressions comme détachées de leur destination, les détails d'un tableau. « Elle est mon ami, et me présente avec beaucoup de grâce une femme, songea Ulrich. Qu'elle en soit vraiment une, voilà une belle complication réaliste! »

Agathe dit : « Est-ce que vraiment l'amour n'existe pas?

— Si! dit Ulrich. Mais c'est une exception. Il faut distinguer : d'abord, une excitation physique de l'ordre des excitations épidermiques, qu'on peut provoquer pour le seul plaisir, sans aucun assaisonnement moral, en dehors même de tout sentiment. Ensuite, d'ordinaire, des mouvements affectifs, sans doute étroitement liés à l'expérience physique, mais en ce sens seulement qu'ils se retrouvent identiques, avec de légères variantes, chez tous les individus; ces grands moments de l'amour, leur automatisme et leur uniformité me les feraient attribuer plutôt à la mécanique corporelle qu'à l'âme. Enfin, il y a aussi l'expérience proprement spirituelle de l'amour : elle n'a aucun rapport nécessaire avec les deux autres. On peut aimer Dieu, on peut aimer le monde; peut-être même ne peut-on aimer que Dieu ou le monde. En tous cas, il n'est pas indispensable d'aimer quelqu'un. Mais si on le fait, l'événement physique attire à soi le monde entier, celui-ci semble être culbuté... » Ulrich s'interrompit.

Agathe était devenue rouge sombre.

Si Ulrich avait ordonné ses propos avec l'intention d'évoquer sournoisement à l'oreille d'Agathe les images de l'amour qui leur étaient inévitablement associées, il aurait transformé son désir en réalité.

Il chercha une allumette dans l'intention d'effacer d'un geste les images involontairement évoquées. « En tous cas, dit-il, l'amour, s'il existe, n'est qu'une exception, il ne peut servir de critère pour la vie quotidienne. »

Agathe avait ramené les coins du tapis sur elle pour s'en envelopper les jambes. « Si des étrangers pouvaient nous voir et nous entendre en ce moment, ne parleraient-ils pas de sentiments contre-nature ? dit-elle soudain.

— Absurde ! dit Ulrich. Ce que nous éprouvons l'un et l'autre, c'est le dédoublement de notre nature dans la nature opposée, comme d'un corps et de son ombre. Je suis homme, tu es femme. On prétend que tout être porte en soi, double plus ou moins refoulé, le contraire de chacune de ses qualités : du moins en a-t-il la nostalgie, s'il n'est pas incurablement satisfait de lui-même. Ainsi mon contraire s'est glissé en toi, le tien en moi, et s'ils se sentent grandis par cet échange de corps, c'est simplement qu'ils n'avaient pas un respect infini pour leur première enveloppe et la vue qu'elle leur offrait sur le dehors ! »

Agathe pensa : « Il en avait dit beaucoup plus, l'autre fois : pourquoi affaiblit-il maintenant ? »

Ces propos d'Ulrich convenaient à merveille à la vie qu'ils menaient tous deux en camarades qui parfois, quand les autres leur en laissent le temps, s'étonnent d'être un homme et une femme en même temps que des jumeaux. Lorsqu'un tel accord s'établit entre deux êtres, leurs rapports avec le monde y gagnent le charme qu'on trouve à se cacher l'un dans l'autre, à échanger ses vêtements ou son corps, à tromper gaiement les autres, qui ne se doutent de rien, en dissimulant cette fusion de deux en un sous le double masque de l'apparence. Mais cette gaieté enjouée et trop appuyée (comme il arrive aux enfants de faire du bruit au lieu d'*être* le bruit) convenait mal au sérieux dont l'ombre tombant d'une grande hauteur réduisait parfois au silence le cœur du frère et de la sœur. Il en fut ainsi un soir où il se rencontrèrent au moment de se coucher; Ulrich croisa sa sœur en chemise de nuit, voulut faire une plaisanterie et lui dit : « Il y a cent ans, je me serais écrié : *Mon ange !* Dommage que ce mot soit passé de mode ! » Puis il se tut et pensa, déconcerté : « N'est-ce pas le seul terme qui lui conviendrait ? Ni amie, ni femme! On disait aussi : O créature céleste! Ce serait probablement d'un romantisme un peu ridicule, mais cela vaudrait mieux que de n'oser jamais se croire! »

Agathe pensait : « Un homme en pyjama n'a vraiment rien d'un ange! » Il avait l'air violent, large d'épaules, et elle eut honte soudain de désirer que ce visage puissant et chevelu vînt obscurcir ses yeux. Ses sens avaient été troublés en toute innocence. Son sang battait en vagues violentes dans son corps et rayonnait jusqu'à la peau en affaiblissant l'intérieur. Moins fanatique que son frère, Agathe sentait ce qu'elle sentait. Quand elle était tendre, elle était tendre. Elle n'avait pas la clarté de ses pensées ni son éclairage moral, bien qu'elle aimât cet aspect d'Ulrich autant qu'elle le redoutait.

Jour après jour, Ulrich répétait la même formule pour résumer leur expérience : Au fond, c'est une protestation contre le monde! Ils marchaient bras dessus bras dessous dans la ville. Leur taille, leur âge, leurs pensées s'accordaient. Marchant ainsi côte à côte, ils se voyaient mal. Grandes figures agréables l'une à l'autre, ils marchaient par joie dans les rues et, à chaque pas, ils sentaient le souffle de leur contact dans ce monde étranger. Ce sentiment, rien moins qu'extraordinaire, les rendait heureux; Ulrich, y cédant et y résistant tout ensemble, disait : « C'est drôle que nous soyons si satisfaits d'être frère et sœur. Tout le monde y voit une relation fort banale, il faut donc que nous y mettions une nuance particulière. »

Peut-être l'avait-il froissée. Il ajouta : « J'ai toujours eu ce désir. Quand j'étais petit garçon, je m'étais juré de n'épouser qu'une femme que j'aurais adoptée et élevée tout enfant. A vrai dire, je crois que beaucoup de gens ont des idées de cet ordre, c'est tout à fait banal. Pourtant, adulte, je suis vraiment tombé amoureux d'une petite fille, deux ou trois heures durant! » Il continua : « C'était dans un tramway. Une petite fille monta, elle avait peut-être douze ans, en compagnie d'un père très jeune ou d'un frère aîné. La façon d'entrer, de s'asseoir, de tendre négligemment au contrôleur l'argent des deux parcours, c'était déjà d'une dame, mais sans trace d'affectation puérile. C'est de la même façon qu'elle parlait à son compagnon ou l'écoutait sans mot dire. Elle était merveilleusement belle : brune, des lèvres pleines, de fort sourcils, un nez légèrement retroussé : une Polonaise noiraude, peut-être, ou une

Slave du sud. Je crois qu'elle portait d'ailleurs une robe qui rappelait un costume national, mais la veste longue, la taille ajustée, les garnitures de ganse et de dentelle au cou et aux poignets étaient aussi parfaites à leur manière que la petite personne elle-même. Peut-être était-ce une Albanaise ? J'étais assis trop loin pour l'entendre parler. Je fus frappé de voir que les traits de son visage étaient en avance sur son âge et semblaient tout à fait adultes; néanmoins, ce n'était pas la figure d'une femme naine, mais, indubitablement, celle d'une enfant. Il ne s'agissait pas non plus d'une ébauche précoce de l'âge adulte. Il semble parfois qu'un visage de femme soit achevé à douze ans, formé dès la première esquisse, même intérieurement, comme par un grand maître, si bien que tout ce que la réalisation y ajoute plus tard ne peut que gâter la grandeur originale. D'une pareille apparition, on peut tomber passionnément, mortellement amoureux, sans que s'y mêle la moindre convoitise. Je me souviens d'avoir regardé timidement les autres voyageurs, parce que j'avais l'impression que tout l'ordre du monde m'avait fui. Puis, je suis descendu derrière la fillette, et je l'ai perdue dans la foule. »

Agathe attendit encore un instant, puis demanda en souriant : « Comment accordes-tu cela avec le fait que l'amour a fait son temps, que seules demeurent la sexualité et la camaraderie ?

— Cela ne s'accorde pas du tout ! » s'écria Ulrich en riant.

Sa sœur réfléchit et remarqua, avec une âpreté frappante (ce fut comme une répétition intentionnelle des paroles qu'Ulrich avait prononcées le soir de leur revoir) : « Tous les hommes veulent jouer au petit frère et à la petite sœur. Cela doit avoir quelque idiote signification. Le petit frère et la petite sœur se disent papa et maman quand ils ont un petit plumet ! »

Ulrich resta court. Agathe avait raison. Les femmes douées sont des observatrices impitoyables des hommes qu'elles aiment; simplement, elles n'ont pas de théories et ne font aucun usage de leurs découvertes, à moins d'être exaspérées. Il se sentit un peu vexé. « Bien entendu, on a aussi donné de ce fait une explication psychologique, dit-il en hésitant. Il est fort possible d'ailleurs que nous soyons, tous deux, psychologiquement suspects. Inclination incestueuse, décelable dès l'enfance comme les dispositions asociales et le goût de la révolte. Peut-être même sexualité mal fixée, encore que moi...

— Moi non plus! dit Agathe en riant de nouveau, mais involontairement. Je ne peux pas souffrir les femmes!

— Tout cela est bien égal, d'ailleurs, fit Ulrich. Il s'agit des entrailles de l'âme. Tu pourrais parler aussi d'un besoin sultanique d'adorer et d'être adoré tout seul, à l'exclusion du reste du monde : dans l'Orient ancien, cela a donné le harem, et dans le monde moderne la famille, l'amour et le chien. Je dirai que le désir de posséder un être si exclusivement qu'aucun autre ne puisse en approcher, est un signe de solitude personnelle au sein de la communauté humaine que les socialistes eux-mêmes nient rarement. Si tu veux, nous ne sommes qu'une aberration bourgeoise. Oh! regarde comme c'est beau!... » dit-il soudain en tirant Agathe par le bras.

Ils étaient parvenus près d'un petit marché installé entre de vieilles maisons. Autour de la conventionnelle statue de quelque grand esprit, on voyait les légumes multicolores, les grands parasols de jute des étalages, l'amoncellement des fruits, les paniers qu'on traînait, les chiens qu'on écartait des merveilles étalées, les visages rougeauds d'hommes rudes. L'air retentissait et vibrait de voix excitées par la besogne, il sentait le soleil qui brille sur toutes les choses de la terre. « Peut-on ne pas aimer le monde quand on se contente de le voir et de le respirer ? dit Ulrich enthousiasmé. Mais nous ne pouvons pas l'aimer, parce que nous ne sommes pas d'accord avec ce qui se passe dans ces têtes... »

Ce n'était pas précisément une distinction au goût d'Agathe, et elle ne répondit pas. Mais elle se serra contre son frère, et ce fut pour tous les deux comme si elle lui avait doucement posé la main sur la bouche.

Ulrich dit en riant : « Moi non plus, je ne m'aime pas! Voilà ce que c'est quand on trouve toujours à redire aux autres! Pourtant je dois bien avoir quelque chose à aimer, et voilà cette sœur siamoise qui n'est ni moi ni elle, et pourtant autant moi qu'elle, cette sœur qui est sans doute le seul point d'intersection de toutes ces lignes! »

Il avait retrouvé sa gaieté. D'ordinaire, son humeur entraînait celle d'Agathe. Mais jamais plus ils ne parlèrent comme la première nuit de leur revoir, ou avant. C'était disparu comme des châteaux de nuages : quand ils flottent non plus au-dessus des campagnes solitaires, mais au-dessus des rues animées d'une ville, on n'y croit plus beaucoup. Peut-être simplement parce qu'Ulrich ne savait quel degré de consistance on pouvait assigner aux émotions qui l'agitaient; Agathe pensait souvent qu'il n'y voyait qu'un égarement de la rêverie. Elle ne pouvait pas lui prouver qu'il en fût autrement : elle parlait toujours moins que lui, elle ne savait pas, elle n'osait pas. Elle sentait seulement qu'il se dérobait à toute décision et qu'il n'aurait pas dû. Ainsi tous deux se cachaient dans leur bonheur enjoué, sans poids et sans profondeur, et Agathe en était plus triste de jour en jour, encore qu'elle rît aussi souvent que son frère.

29. *Le professeur Hagauer prend la plume.*

Tout changea par la faute de l'époux trop désinvoltement traité.

Un beau matin, qui sonna le glas de ces jours de joie, Agathe reçut une grosse enveloppe format chancellerie, fermée d'un grand cachet jaune et rond qui portait en lettres blanches le sceau du Gymnase Rodolphe à X… Aussitôt, alors qu'Agathe tenait encore dans sa main l'enveloppe non décachetée, ressurgirent du néant des maisons à deux étages, avec le miroitement muet de fenêtres bien soignées, des thermomètres blancs sur leur cadre brun à chaque étage, afin qu'on pût savoir le temps qu'il faisait, des frontons grecs et des coquilles baroques au-dessus des fenêtres, des têtes en saillie et d'autres sentinelles mythologiques qui semblaient nées chez le menuisier d'art et peintes en fausse pierre. Les rues qui parcouraient la ville étaient humides et brunes, telles qu'elles étaient arrivées de la campagne, avec de profondes ornières; de chaque côté, les magasins, malgré leurs vitrines neuves, semblaient des dames de la génération précédente, relevant leurs longues jupes sans pouvoir se résoudre à quitter le trottoir pour la boue de la rue… La province dans la tête d'Agathe! Des fantômes dans la tête d'Agathe! Il était incompréhensible que tout cela n'eût pas disparu complètement alors qu'elle croyait s'en être défaite pour toujours! Plus incompréhensible encore qu'elle y eût jamais été associée… Elle voyait le trajet de la porte de leur maison, le long des façades bien connues, jusqu'à l'école, trajet que son mari faisait quatre fois par jour et qu'elle avait suivi souvent au début, elle aussi accompagnant Hagauer à son travail au temps où elle n'aurait pas laissé échapper une goutte de l'amère potion. « Hagauer va sans doute manger à l'hôtel à midi, maintenant ? se dit-elle. Est-ce donc lui qui arrache les feuilles du calendrier que je détachais d'ordinaire chaque matin ? » Tout cela avait retrouvé d'un coup une présence d'une absurde intensité, comme si c'était incapable de mourir jamais. Elle voyait avec une horreur muette se réveiller en elle un sentiment familier d'intimidation qui se composait d'indifférence, de courage perdu, d'une satiété de laideur et de la conscience de sa tremblante fragilité. Elle ouvrit avec une sorte d'avidité l'épaisse enveloppe que son mari lui avait adressée.

Quand le professeur Hagauer, après l'enterrement de son beau-père et une brève visite à la capitale, avait retrouvé son foyer et le lieu de son travail, il avait été accueilli comme à chaque retour de voyage; il avait considéré son entourage avec le sentiment agréable d'avoir réglé comme il fallait une affaire délicate et de pouvoir changer ses chaussures de voyage contre des pantoufles dans lesquelles on travaille deux fois mieux. Il se rendit à son école; le concierge le salua respectueusement; il se sentit le bienvenu parmi les maîtres qui étaient sous ses ordres; à la direction l'attendaient les dossiers et les affaires auxquelles personne n'avait osé toucher pendant son absence. Quand il volait à travers les couloirs, il ne doutait pas un instant que son pas ne donnât des ailes au bâtiment : Gottlieb Hagauer était une personnalité, et le savait. Son front faisait rayonner les encouragements et la belle humeur du haut en bas du bâtiment éducatif qu'il dirigeait. Quand on lui demandait, en dehors de l'école, comment se portait et où se trouvait son épouse, il répondait avec la sérénité d'un homme qui se sait honorablement marié. Personne n'ignore que l'être masculin, aussi longtemps qu'il est prolifique, éprouve lors des vacances conjugales comme la délivrance d'un joug léger, même s'il n'est pas question pour autant de mauvaise conduite, et qu'il reprend ensuite avec plaisir son bonheur sur le dos. Ainsi Hagauer commença-t-il par accepter volontiers l'absence d'Agathe, sans remarquer tout de suite sa durée.

Son attention ne fut éveillée que par le calendrier mural

qui, avec ses feuillets à arracher jour après jour, se reflétait dans la mémoire d'Agathe comme l'affreux symbole de la vie. Il était accroché dans la salle à manger telle une tache sur le mur, cadeau de Nouvel-An d'une papeterie resté là depuis le jour où Hagauer l'avait ramené de l'école, toléré, soigné même par Agathe précisément pour sa désolante leçon. Il eût été tout à fait dans les manières d'Hagauer de reprendre, après le départ de sa femme, le rite de l'arrachage des feuillets, car laisser cette partie de la paroi revenir en quelque sorte à l'état sauvage eût contredit à ses habitudes. D'un autre côté, il était de ces hommes qui savent toujours à quel degré des mois ou des semaines ils se trouvent sur la mer de l'infini; il avait un autre calendrier dans son bureau de l'école; enfin, au moment où il levait néanmoins la main pour réorganiser la mesure du temps dans son foyer, il avait senti en lui un curieux et souriant mouvement d'arrêt, une de ces émotions par lesquelles le destin, comme il apparaîtrait bientôt, s'annonce, mais où il vit d'abord un sentiment délicat et chevaleresque qui le surprit et l'apaisa de lui-même : il décida de ne pas toucher au feuillet qui portait la date du départ d'Agathe avant le retour de celle-ci, en hommage et en souvenir.

Le calendrier mural devint ainsi avec le temps une plaie purulente qui rappelait à Hagauer, à chacun de ses regards, depuis combien de temps déjà sa femme évitait de rentrer. Économe de sentiments et d'argent, il lui écrivit des cartes postales où il lui donnait de ses nouvelles et l'interrogeait, de plus en plus instamment, sur son retour. Il ne reçut aucune réponse. Bientôt, il cessa de rayonner quand des connaissances lui demandaient avec sympathie si sa femme resterait encore longtemps absente dans l'accomplissement de ses tristes devoirs. Par bonheur, il avait toujours beaucoup à faire : chaque jour, en dehors de ses obligations scolaires et des tâches que lui imposaient les sociétés dont il faisait partie, le courrier lui apportait une masse d'invitations, d'enquêtes, de déclarations d'adhésions, d'attaques, d'épreuves à corriger, de revues et d'ouvrages importants. Si la personne physique d'Hagauer vivait en province et constituait même une part de l'impression déplaisante que ladite province pouvait faire sur un voyageur étranger, son esprit avait l'Europe pour patrie : cela l'empêcha longtemps de mesurer toute la signification de l'absence d'Agathe. Un beau jour, cependant, il trouva dans le courrier une lettre d'Ulrich qui lui apprenait en termes brefs ce qu'il devait savoir, qu'Agathe n'avait plus l'intention de le rejoindre et le priait de bien vouloir consentir au divorce. Ce message, en dépit de sa forme courtoise, était si brutal et si bref qu'Hagauer, furieux, décida qu'Ulrich ne se souciait pas plus de ses sentiments à lui, le destinataire, que s'il s'était agi de chasser un insecte. Son premier mouvement de défense fut de ne pas prendre la chose au sérieux, de penser à un caprice. La nouvelle était comme un fantôme mystificateur dans l'abondance lumineuse des travaux urgents et l'afflux des éloges. Ce ne fut que le soir, quand Hagauer revit son appartement vide, qu'il s'installa à son bureau et fit savoir à Ulrich, avec une concision très digne, que le mieux était de considérer sa lettre comme nulle et non avenue. Une nouvelle lettre d'Ulrich s'ensuivit, où il refusait cette façon de voir, réitérait sans qu'elle en sût rien la demande d'Agathe et priait Hagauer, avec une précision un peu plus courtoise cependant, de bien vouloir faciliter autant que possible les démarches juridiques indispensables, ainsi qu'il appartenait à un homme de sa valeur morale, d'autant plus qu'il était souhaitable d'éviter les désagréments d'une explication publique. Hagauer comprit alors le sérieux de la situation et se donna trois jours pour trouver une réponse qui ne lui valût plus tard ni critiques, ni regrets.

Pendant deux de ces trois jours, il souffrit comme si on lui avait donné un coup en pleine poitrine. « Un mauvais rêve ! » se répéta-t-il plusieurs fois avec attendrissement; quand il ne se surveillait pas, il oubliait de croire à la réalité de la sommation. Pendant ces deux jours, un profond malaise agit en lui tout à fait comme un amour blessé, auquel s'ajoutait une jalousie indéfinissable, dirigée non pas contre un amant qu'il eût supposé être à l'origine de la conduite d'Agathe, mais contre un incompréhensible Quelque chose derrière quoi il se sentait rejeté. C'était un affront semblable à celui dont souffre un homme très ordonné lorsqu'il a brisé ou oublié un objet : quelque chose qui était classé dans sa tête depuis des temps immémoriaux, quelque chose à quoi on ne pense plus mais dont beaucoup d'autres choses dépendent, s'était brisé tout d'un coup. Blême et bouleversé, souffrant de peines réelles qu'il ne faudrait pas sous-estimer sous prétexte qu'elles manquaient de beauté, Hagauer tournait en rond et évitait ses semblables, reculant devant les explications à donner et les affronts à subir. Le troisième jour seulement, il s'affermit. Hagauer éprouvait à l'égard d'Ulrich une antipathie naturelle aussi vive que celle d'Ulrich à son égard. Bien que cela ne fût jamais apparu nettement, la chose brusquement fut avérée : soudain lucide, il attribua toute la faute de la conduite d'Agathe à son beau-frère dont, certainement, l'instabilité de bohémien lui avait tourné la tête. Il s'assit à son bureau et exigea en peu de mots le retour immédiat de sa femme, déclarant avec fermeté qu'il s'expliquerait pour le reste avec elle seule, en sa qualité de mari.

Il reçut d'Ulrich un refus non moins bref et non moins ferme.

C'est alors que Hagauer se résolut à agir directement sur Agathe; il établit des copies de sa correspondance avec Ulrich, joignit une longue lettre bien pesée, et ce fut cet ensemble qu'Agathe eut sous les yeux lorsqu'elle ouvrit la grande enveloppe cachetée du sceau officiel.

Hagauer lui-même avait eu le sentiment que ce qui se tramait là ne pouvait pas être réel. Revenu de ses obligations professionnelles, il s'était trouvé un soir, dans « l'appartement déserté », devant un bloc de papier à lettres comme Ulrich en son temps, et sans savoir par où commencer. Mais, dans la vie d'Hagauer, le fameux « procédé des boutons » avait souvent réussi, et il y recourut une fois de plus. Ce procédé consiste à agir méthodiquement sur ses pensées, même dans des circonstances bouleversantes, tout comme un homme fait coudre des boutons à ses habits, parce qu'il n'aboutirait qu'à des pertes de temps s'il s'imaginait pouvoir enlever plus rapidement ceux-ci sans ceux-là. L'écrivain anglais Surway, par exemple, dont les travaux avaient amené Hagauer à ces considérations parce qu'il lui importait, jusque dans son chagrin, de les comparer avec ses propres vues, distingue cinq boutons de ce genre dans l'opération d'une pensée efficace : *a*) Observations faites sur un événement et laissant directement pressentir les difficultés de son interprétation; *b*) constatation et délimitation précise de ces difficultés; *c*) pressentiment d'une solution possible; *d*) développement rationnel des conséquences de ce pressentiment; *e*) suite des observations tendant à l'acceptation ou au refus de cette solution, et réussite de l'opération.

Hagauer avait déjà appliqué avec succès ce procédé à une occupation aussi mondaine que le tennis dont il avait appris à jouer au Club des fonctionnaires de l'État, grâce à quoi ce sport avait pris à ses yeux un certain attrait intellectuel. Jamais encore il n'en avait fait usage dans de simples affaires de cœur. Sa vie intérieure quotidienne se réduisait essentiellement à des relations professionnelles et, dans les problèmes plus personnels, à ce « bon sentiment » qui est un mélange de tous les sentiments en circulation dans la race blanche et admissibles dans un cas donné, avec une légère préférence pour les sentiments locaux, professionnels et sociaux. C'est pourquoi Hagauer manquait de dextérité pour appliquer le système des boutons à l'insolite désir de divorce de sa femme. D'ailleurs, le « bon sentiment » lui-même, dans les problèmes tout à fait personnels, offre la particularité de se scinder très facilement en deux : il disait d'une part à Hagauer qu'un homme moderne comme lui avait le devoir, pour beaucoup de raisons, de n'opposer aucun obstacle à ce désir de rompre une relation fondée sur la confiance réciproque; mais, si on le désirait, il pouvait donner aussi beaucoup de raisons qui le libéraient de ce devoir : qui pourrait approuver, en effet, la frivolité avec laquelle on juge aujourd'hui de ces problèmes ?... En pareil cas, Hagauer le savait, l'homme « moderne » doit se « relaxer », c'est-à-dire distraire son attention, donner à son corps une pose plus souple et écouter la voix qui monte des abîmes de son être. Prudemment, Hagauer interrompit ses méditations, fixa les yeux sur le calendrier abandonné et s'écouta; peu après, une voix qui lui venait de plus bas que la pensée consciente lui répondit en effet cela même qu'il s'était dit tout d'abord : qu'une prétention aussi peu fondée que celle d'Agathe était décidément intolérable!

Ainsi, comme par mégarde, l'esprit du professeur Hagauer se retrouva-t-il devant les boutons *a*) à *e*) de Surway ou telle autre série équivalente; ranimé, il envisagea les difficultés d'interprétation qu'offrait l'événement à observer. « Suis-je donc, moi Gottlieb Hagauer, responsable de ce pénible incident ? » Il s'examina et ne trouva aucune objection à faire à sa conduite. « La cause en serait-elle un autre homme dont elle serait amoureuse ? » se demanda-t-il, dans la recherche d'une solution possible. Il eut peine à l'admettre : même s'il se contraignait à l'objectivité, il ne voyait guère ce qu'un autre homme aurait pu offrir de plus que lui à sa femme. Pourtant, cette question risquait plus qu'aucune autre d'être faussée par la vanité personnelle; il l'examina donc de très près, et des perspectives s'ouvrirent à lui, auxquelles il n'avait jamais songé. Tout d'un coup, Hagauer se sentit transporté du point *c*) (cf. Surway) sur la trace d'une solution possible qui l'emmenait au-delà de *d*) et de *e*). Pour la première fois depuis son mariage, il fut frappé par un groupe de phénomènes qui, à sa connaissance, n'apparaissaient que chez les femmes dont l'amour pour l'autre sexe n'était ni du tout profond, ni du tout passionné. Il lui fut pénible de ne découvrir dans son souvenir aucun témoignage de cet abandon sincère et extasié qu'il avait connu garçon chez des personnes du sexe dont le comportement sensuel n'était pas sujet à caution; l'avantage en fut de pouvoir exclure avec une sérénité toute scientifique l'hypothèse que son bonheur conjugal avait été détruit par un tiers. Ainsi, la conduite d'Agathe se ramenait d'elle-même à un refus strictement personnel de ce bonheur; comme, de plus, elle était partie tout à fait inopinément et qu'un changement d'opinion raisonnable ne pouvait en aucun cas s'être produit en si peu de temps, Hagauer aboutit à la conviction (qui désormais ne l'abandonna plus) que l'incompréhensible comportement d'Agathe ne pouvait avoir qu'une explication : c'était l'explosion de ces tentations, lentement accumulées, de refuser la vie qui apparaissent, dit-on, chez les natures irrésolues.

Agathe était-elle vraiment une de ces natures ? Il fallait l'examiner, et Hagauer, pensif, fouillait sa barbe du manche de sa plume. Sans doute donnait-elle d'ordinaire l'impression d'être un « camarade facile à vivre », selon sa propre formule; pourtant, elle manifestait à l'égard des problèmes qui le préoccupaient le plus une grande indifférence, pour ne pas dire une grande paresse! Il y avait en elle un quelque chose qui n'était pas accordé ni à Hagauer, ni aux autres hommes et à leurs intérêts; qui, d'ailleurs, ne les contredisait pas non plus. Elle riait ou se montrait grave selon qu'il convenait, mais, quand il y réfléchissait bien, pendant toutes ces années, elle avait toujours eu l'air un peu distrait. Elle semblait prêter l'oreille, mais ne jamais croire à ce qu'on lui disait ou expliquait. En elle apparaissait, à y bien réfléchir, une indifférence quasi malsaine. Quelquefois, on avait l'impression qu'elle ne comprenait pas ce qui l'entourait...

Et soudain, avant même qu'il s'en fût rendu compte, sa plume avait commencé à courir sur le papier dans un mouvement plein d'énergie. « Tu as de bien grandes prétentions, écrivit-il, si tu te juges trop bonne pour aimer la vie que je suis en mesure de t'offrir et qui est, soit dit en toute modestie, une vie pure et pleine; il me semble aujourd'hui que tu ne l'as jamais touchée qu'avec des gants. Tu as refusé d'entrer dans le royaume humain et moral que même une vie modeste peut nous ouvrir; même si j'admettais que tu pouvais t'en sentir le droit, je sais que tu aurais préféré à une volonté de transformation morale une solution artificielle et chimérique! »

Il réfléchit encore sur ce point. Il repensa aux élèves qui étaient passés entre ses mains d'éducateur pour trouver un cas qui pût l'éclairer; avant même qu'il eût sérieusement commencé, la pièce qui manquait à sa méditation et dont l'absence lui avait causé jusqu'alors un vague malaise se retrouva d'elle-même. Dès ce moment, Agathe cessa d'être pour lui un cas personnel auquel on ne pouvait accéder par une méthode générale. Songeant à tout ce qu'elle était prête à abandonner sans être aveuglée par aucune passion particulière, il fut conduit inévitablement, pour sa plus grande joie, à cette idée fondamentale, familière à la pédagogie moderne, qu'Agathe était incapable de réflexion supra-personnelle et que tout vrai contact intellectuel avec le monde lui faisait défaut. Il écrivit rapidement : « Sans doute n'es-tu pas pleinement consciente, d'ailleurs, de la véritable nature de ton entreprise; mais je t'avertis avant que tu n'aies pris une décision définitive! Peut-être es-tu juste le contraire d'une personne orientée vers la vie et consciente d'elle-même comme je le suis, et c'est précisément pourquoi tu ne devrais pas te priver à la légère de l'appui que je t'offre! »

En fait, Hagauer voulait écrire tout autre chose. L'intelligence humaine n'est pas un pouvoir clos et isolé, ses faiblesses entraînent des faiblesses morales : on parle d'idiotie morale, de même que les faiblesses morales, encore que plus rarement, peuvent orienter dans le sens qui leur plaît ou même aveugler les forces de la raison! Hagauer avait donc sous les yeux de l'esprit un type caractéristique qu'il était enclin à définir, en s'appuyant sur certaines descriptions existantes, comme « une variété, dans l'ensemble intelligente, d'imbécillité morale qui n'apparaît que dans certains phénomènes de déficience. » Il n'eut pas le courage de recourir à cette formule révélatrice, d'abord parce qu'il voulait éviter d'accroître l'irritation de sa femme, ensuite parce que les profanes ont coutume de mal comprendre ces définitions lorsqu'elles leur sont appliquées. Objectivement, il n'en restait pas moins que les phénomènes critiqués appartenaient tous à la vaste espèce de la faiblesse mentale. En fin de compte, Hagauer trouva à ce débat entre la conscience et la galanterie une issue en découvrant que les phénomènes de déficience observés sur la personne de sa femme, étant donné l'infériorité féminine généralement répandue, pouvaient être attribués aussi à une imbécillité sociale! C'est dans cet esprit, et en termes passionnés, qu'il conclut son épître. Avec la fureur prophétique d'un amant et d'un pédagogue bafoué, il dépeignit à Agathe les dispositions asociales de sa nature, son manque de sens de la communauté, comme une « variante-moins », un refus d'aborder avec énergie et invention les problèmes de la vie comme « l'époque moderne » l'exige de « ses enfants », un entêtement à rester « isolée de la réalité par une vitre » dans une solitude volontaire, qui la maintenaient perpétuellement au bord du domaine pathologique. « Si quelque chose en moi te déplaisait, tu aurais dû essayer de lutter là-contre, écrivit-il. La vérité est que ton âme n'est pas à la hauteur des énergies du présent, qu'elle se dérobe à leurs exigences! Te voilà mise en garde contre ton caractère, conclut-il, et je te répète que tu as un besoin beaucoup plus urgent que les autres d'un appui solide. J'exige donc, dans ton propre intérêt, que tu rentres immédiatement, et je déclare que ma responsabilité d'époux m'interdit de céder à ton désir. »

Hagauer relut une dernière fois cette lettre avant de la signer, jugea très incomplète son analyse du cas étudié, mais n'y changea plus rien. A la fin cependant (soufflant à travers sa moustache, dans une puissante expiration, cet effort exceptionnel de réflexion sur sa femme qu'il avait si fièrement mené à terme, et se demandant ce qu'il aurait dû ajouter sur le problème des « temps nouveaux »), il glissa une remarque galante sur la précieuse fortune de feu son beau-père, dans un passage où se trouvait le mot de responsabilité.

Quand Agathe eut terminé sa lecture, l'étonnant fut que la teneur de ces explications ne resta pas sans effet sur elle. Lentement, après avoir relu la lettre mot à mot sans même prendre le temps de s'asseoir, elle la laissa retomber et la tendit à Ulrich, qui avait observé non sans stupéfaction l'agitation de sa sœur.

30. *Ulrich et Agathe cherchent après coup une raison.*

Maintenant qu'Ulrich lisait à son tour, Agathe observait sa mimique avec découragement. Il avait penché son visage sur la lettre, on voyait qu'il ne pouvait pas se décider entre la raillerie, la gravité, le chagrin et le mépris. A cet instant, Agathe sentit sur elle un poids infiniment lourd; cela venait de tous les côtés, comme si l'air se condensait en une insupportable touffeur, après qu'eut régné une légèreté anormalement délicieuse. Ce qu'Agathe avait fait avec le testament de son père oppressait pour la première fois sa conscience. Ce ne serait pas assez de dire qu'elle mesurait tout d'un coup ce dont elle s'était réellement rendue coupable; cette mesure de la réalité s'étendait à tout, même à ses rapports avec son frère, et elle se sentit affreusement dégrisée. Tout ce qu'elle avait fait lui parut incompréhensible. Elle avait parlé de tuer son mari, elle avait falsifié un testament, elle s'était imposée à son frère sans même demander si elle dérangeait sa vie : elle avait agi dans une ivresse de chimère. Ce dont elle eut le plus honte à ce moment-là, ce fut que l'idée la plus naturelle ne lui fût pas venue à l'esprit : toute autre femme, en se débarrassant d'un mari qu'elle n'aime pas, soit en cherche un autre, soit s'en dédommage par une entreprise différente, mais non moins naturelle. Assez souvent Ulrich lui-même y avait fait allusion, mais elle n'avait jamais écouté. Elle était là maintenant, ne sachant ce qu'il allait dire. Sa conduite lui apparut si caractéristique d'un être à peu près incapable de discernement qu'elle donna raison à Hagauer qui lui représentait à sa manière ce qu'elle était; et de voir la lettre de son mari entre les mains d'Ulrich, elle fut troublée comme le serait un homme mis en accusation qui recevrait encore une lettre d'un ancien professeur l'assurant de son mépris. Certes, elle n'avait jamais accordé à Hagauer une influence sur elle! Néanmoins, c'était comme s'il avait pu lui dire : « Je me suis trompé sur ton compte! » ou « Je ne me suis jamais trompé sur ton compte, j'ai toujours eu le sentiment que tu finirais mal! » Soucieuse de se défaire de cette impression ridicule et triste, elle interrompit Ulrich qui continuait attentivement sa lecture et semblait ne pas pouvoir en venir à bout, avec quelque impatience :

« En fait, sa description est parfaitement exacte », glissa-t-elle avec une sérénité apparente et, tout de même, un accent de défi qui trahissait son désir d'être contredite. « Même s'il ne le dit pas expressément, c'est vrai : ou j'étais incapable de discernement lorsque je l'ai épousé sans raison contraignante, ou je le suis maintenant, pour l'abandonner sans plus de raison. »

Ulrich qui relisait pour la troisième fois les passages qui faisaient de son imagination, involontairement, le témoin de l'intimité d'Agathe et d'Hagauer, répondit distraitement quelques syllabes incompréhensibles.

« Écoute-moi donc! dit Agathe. Suis-je une femme moderne, avec une activité commerciale ou intellectuelle ? Non. Suis-je une amoureuse ? Non plus. Suis-je la bonne compagne, la mère, la simplificatrice, la conciliatrice, celle qui bâtit le nid ? Moins encore. Que me reste-t-il ? A quoi suis-je bonne ? La société que nous fréquentons, j'aime autant te le dire tout de suite, me laisse parfaitement indifférente. Et je suis près de croire que toute cette musique, cette littérature et ces beaux-arts qui font les délices des gens cultivés, je pourrais aussi fort bien m'en passer. Hagauer non, par exemple; Hagauer en a besoin, ne fût-ce que pour ses allusions et citations. Il a pour lui, au moins, le côté réjouissant et ordonné des collections. N'a-t-il donc pas raison de me reprocher de ne rien faire, de me dérober au monde de la Beauté et de la Morale, et de me dire que seul le professeur Hagauer pourra me comprendre et me pardonner ? »

Ulrich lui rendit la lettre et répliqua tranquillement : « Voyons le problème en face : tu as vraiment agi, pour parler bref, en *idiote sociale!* » Il sourit, mais on percevait dans son ton l'irritation que lui avait laissée son intrusion dans l'intimité de cette lettre.

Que son frère lui répondît ainsi ne pouvait plaire à Agathe. Cela aggravait son chagrin. Avec une timide raillerie, elle lui dit : « S'il en est ainsi, pourquoi donc as-tu insisté, sans rien m'en dire, pour que je divorce et perde mon seul protecteur ?

— Eh! peut-être tout simplement, fit Ulrich en se dérobant, parce qu'il est merveilleusement facile de converser sur un ton de virile fermeté. J'ai tapé du poing sur la table, il a tapé du poing sur la table; naturellement, j'ai été obligé de taper deux fois plus fort. Je crois que c'est pourquoi j'ai agi ainsi. »

Jusqu'alors, bien que sa mauvaise humeur l'empêchât de s'en rendre compte, Agathe avait éprouvé une joie profonde, folle même, à l'idée que son frère avait fait en secret le contraire même de ce qu'il avait manifesté au temps de leurs tendres jeux de frère à sœur : s'il blessait Hagauer, ce ne pouvait être en effet que pour dresser derrière Agathe un obstacle qui exclût tout retour en arrière. Maintenant, à la place de cette joie secrète, il n'y avait plus que le vide d'une perte, et Agathe ne dit plus rien.

« Nous ne devons pas négliger le fait qu'Hagauer, à sa façon, réussit admirablement, si j'ose dire, à te mal comprendre. Prends garde! il est capable à sa manière, sans détective, simplement en se mettant à méditer sur les faiblesses de tes contacts avec les autres, de découvrir ce que tu as fait avec le testament de notre père. Comment nous défendrons-nous, en ce cas ? »

Pour la première fois depuis qu'ils s'étaient retrouvés, la conversation revenait entre eux sur le tour radieux et funeste qu'Agathe avait joué à Hagauer. Elle haussa violemment les épaules et eut un vague geste de défense.

« Naturellement, Hagauer a raison, dit Ulrich avec douceur et force.

— Il n'a pas raison! répliqua-t-elle avec agitation.

— Il a partiellement raison. Dans une situation aussi dangereuse, nous devons commencer par une confession absolument nette. Ce que tu as fait peut nous conduire tous deux en prison. »

Agathe le regarda avec des yeux écarquillés par l'effroi. Elle le savait, en fait, mais jamais cela n'avait été exprimé si nettement.

Ulrich répondit avec un geste affectueux. « Là n'est pas le plus grave. Mais comment éviterons-nous qu'on ne reproche à ce que tu as fait, et à la façon dont tu l'as fait, d'être... » Il chercha une expression qui le satisfît, mais n'en trouva pas. « Disons simplement, d'être un peu comme Hagauer le dit : de pencher du côté de l'ombre, des phénomènes de déficience, des fautes qui naissent d'un quelconque manque ? Hagauer représente l'opinion publique, même si elle prend dans sa bouche une résonance grotesque.

— Je sens venir l'étui à cigarettes, dit Agathe abattue.

— Il vient, en effet, répondit Ulrich entêté. Je dois te dire quelque chose qui me pèse depuis longtemps. »

Agathe ne voulut pas le laisser parler. « Ne vaut-il pas mieux que je revienne en arrière ? dit-elle. Peut-être devrais-je lui parler à l'amiable et lui offrir une excuse quelconque ?

— Il est déjà trop tard. Il pourrait s'en servir pour t'obliger à revenir. »

Agathe se tut.

Ulrich parla de l'étui à cigarettes qu'un homme fortuné vole dans un hôtel. Il avait échafaudé une théorie selon laquelle un tel délit ne pouvait avoir que trois raisons : la misère, la profession ou, sinon, une défectuosité du psychisme. « Lorsque nous parlions de cela, tu m'as objecté qu'on pouvait aussi le faire par conviction.

— J'ai dit qu'on pouvait le faire, tout simplement !

— Par principe, autrement dit !

— Non, pas par principe !

— Mais justement ! dit Ulrich. Si on fait quelque chose de ce genre, on doit au moins y associer une conviction ! Je ne sors pas de là ! On ne fait rien *simplement !* Ou bien c'est fondé de l'extérieur, ou bien de l'intérieur. Peut-être n'est-ce pas facile de le distinguer, mais nous n'allons pas philosopher là-dessus aujourd'hui. Je dis simplement que, si l'on juge juste un acte absolument dénué de fondement ou si une décision naît de rien, on est suspect de maladie ou d'insuffisance psychique. »

A la vérité, Ulrich en avait dit ainsi beaucoup plus et bien pis qu'il ne l'aurait voulu : cela recoupait simplement son inquiétude.

« Est-ce tout ce que tu as à me dire sur ce point ? demanda tranquillement Agathe.

— Non, ce n'est pas tout, répondit Ulrich amer. Quand on n'a pas de raison, il faut en chercher une ! »

Chacun d'eux savait parfaitement où ils devaient la chercher. Mais Ulrich voulait autre chose et dit pensivement, après un moment de silence : « Dans l'instant où tu renonces à l'accord avec autrui, tu renonces pour l'éternité à savoir ce qui est bien et ce qui est mal. Si tu veux être bonne, tu dois être persuadée d'abord que le monde est bon. Or, ni toi ni moi n'en sommes persuadés. Nous vivons à une époque où la morale est en décomposition ou en convulsions. Mais, pour l'amour d'un monde qui peut encore venir, nous devons nous garder purs!

— Crois-tu que cette pureté aura la moindre influence sur sa venue ? fit Agathe.

— Non, je ne le crois malheureusement pas. Je crois tout au plus ceci : que si les hommes qui en ont conscience n'agissent pas justement, il est sûr que ce monde ne viendra pas et que la décadence ne pourra plus être arrêtée!

— Et qu'en auras-tu de plus que les choses aient changé ou non dans cinq cents ans ? »

Ulrich hésita. « Je fais mon devoir, comprends-tu ? Peut-être comme un soldat. »

Il est probable qu'Agathe, en ce matin de malheur, avait besoin d'une consolation différente et plus tendre que celle qu'Ulrich lui donnait. Elle répliqua : « Comme ton général, en fin de compte ? »

Ulrich se tut.

Agathe ne put se retenir de poursuivre. « Tu n'es même pas sûr que ce soit ton devoir. Tu le fais parce que tu es comme ça et parce que ça te plaît. Je n'ai pas agi autrement! »

Soudain, elle perdit toute maîtrise d'elle-même. Quelque chose était très triste. Tout d'un coup, elle eut les larmes aux yeux et un sanglot violent dans la gorge. Pour le cacher aux yeux de son frère, elle lui mit les bras autour du cou et cacha son visage dans son épaule. Ulrich la sentit pleurer et trembler. Une gêne pénible l'envahit : il se sentit devenir très froid. Tous les sentiments d'heureuse tendresse qu'il croyait éprouver pour sa sœur, en cet instant qui aurait dû le toucher, avaient disparu : sa sensibilité était gênée et comme paralysée. Il caressa Agathe et lui murmura quelques mots de consolation, mais cela lui coûta un gros effort. Parce que la communication intellectuelle faisait défaut, le contact des deux corps lui sembla celui de deux torchons de paille. Il y mit fin en conduisant Agathe à une chaise et en s'asseyant à quelques pas. Alors, il répondit à son objection : « Non, l'histoire du testament ne te fait aucun plaisir! Et elle ne t'en fera jamais, parce que c'était un acte irrégulier!

— La règle ? s'écria Agathe parmi ses larmes. Le devoir ? »

Au fond, la froideur d'Ulrich la déconcertait. Mais déjà elle souriait de nouveau. Elle comprit qu'il lui fallait s'arranger seule avec elle-même. Elle eut le sentiment que le sourire qu'elle parvenait à faire naître flottait très loin de ses lèvres glacées. Ulrich, en revanche, se sentait maintenant délivré de sa gêne, il lui paraissait même beau que le trouble physique habituel ne l'eût pas atteint : il devina soudain que cela aussi, entre eux deux, devrait être différent. Il n'eut pas le temps d'y réfléchir; il vit qu'Agathe souffrait, et commença à parler. « Ne sois pas blessée par les termes que j'ai employés, dit-il, et ne m'en veux pas! J'ai tort, probablement, de choisir des mots comme règle et devoir : ils évoquent le sermon. Mais pourquoi, pourquoi diable les sermons sont-ils suspects ? Ne devraient-ils pas être notre plus grand bonheur ? »

Agathe n'eut pas la moindre envie de répondre.

Ulrich abandonna la question.

« Ne crois pas que je veuille jouer au Juste avec toi! Je n'ai pas voulu dire que je ne ferais jamais rien de mal. Mais devoir faire le mal en cachette, cela je ne le puis souffrir. J'aime les brigands, en morale, non les voleurs. Je voudrais faire de toi un brigand de morale, et je ne te permets pas de fauter par faiblesse!

— Je n'ai pas de « point de vue d'honneur » dans ce domaine! dit Agathe derrière son très lointain sourire.

— Qu'il existe des époques comme la nôtre, où tous les hommes jeunes sont prévenus en faveur du mal, c'est affreusement comique! dit-il en riant pour enlever à la conversation son tour personnel. La prédilection actuelle pour le Grand-Guignol, en morale, est sans doute une faiblesse. Les bourgeois sont probablement sursaturés de bien; ils l'ont sucé jusqu'à la moelle. Moi aussi, j'ai commencé par penser qu'il fallait dire non à tout; tous ceux qui ont aujourd'hui entre vingt-cinq et quarante-cinq ans ont pensé ainsi. C'était évidemment une espèce de mode. J'imagine sans peine pour bientôt un renversement total et une jeunesse qui, au lieu de l'immoralisme, arborera le moralisme à sa boutonnière. De vieux ânes qui n'ont jamais éprouvé de leur vie ce qu'il y a de passionnant dans la morale mais se sont toujours contentés de ses lieux-communs, deviendront tout d'un coup les avant-courriers, les pionniers d'un esprit nouveau! »

Ulrich s'était levé et marchait de long en large avec agitation. « Peut-être pouvons-nous dire ceci : de par sa nature même, le Bien est presque un lieu-commun, et le Mal l'équivalent de la critique. C'est en étant une virulente critique de la morale que l'immoralisme conquiert son droit au respect! Il nous montre que la vie marche aussi autrement. Il donne des démentis. Nous l'en remercions avec une certaine indulgence. L'existence de falsificateurs de testament d'un irrésistible charme devrait prouver qu'il y a quelque chose de faux dans le caractère sacré de la propriété. Peut-être ce fait n'avait-il pas besoin d'être prouvé. Mais notre tâche commence là : nous devons admettre, pour toutes les espèces de crime, y compris l'infanticide et quelque atrocité que ce soit, l'éventualité de criminels tout excusés... »

Il avait vainement essayé, bien qu'il l'agaçât avec la mention du testament, d'attraper un regard de sa sœur en réponse. Maintenant, elle avait fait un geste involontaire de défense. Elle n'était pas une théoricienne, seul son crime à elle pouvait lui sembler tout excusé, et de nouveau la comparaison d'Ulrich l'avait blessée.

Ulrich rit. « Que nous puissions jongler ainsi semble un jeu, mais ne manque pas de sens. Cela prouve qu'il y a quelque chose qui cloche dans l'évaluation de nos actes. Et en effet : toi-même, dans une compagnie de falsificateurs de testaments, tu défendrais sans aucun doute l'intangibilité des définitions juridiques; dans une société de justes, cela se brouille et s'inverse. Sans doute même, si Hagauer était un gredin, serais-tu brûlante de justice : le malheur est qu'il soit si convenable! C'est ainsi qu'on est sans cesse ballotté de droite et de gauche... »

Il attendit une réponse qui ne vint pas. Alors, il haussa les épaules et répéta : « Nous te cherchons une raison. Nous avons constaté que les gens honnêtes ne se laissent aller que trop volontiers au crime, en imagination bien entendu. Nous pouvons ajouter que les criminels, si on les écoutait, pourraient presque tous passer pour des gens honnêtes. Ainsi aboutirions-nous à cette définition : les crimes sont la réunion chez messieurs les pécheurs de toutes les petites irrégularités que les autres hommes laissent passer. Je veux dire dans leurs rêveries et dans les mille méchancetés et gredineries quotidiennes de la pensée. On pourrait dire aussi que les crimes sont dans l'air et qu'ils cherchent simplement la voie de moindre résistance qui les entraîne vers des individus déterminés. On pourrait même dire que, s'ils sont sans doute l'acte d'individus incapables de moralité, ils n'en sont pas moins essentiellement l'expression condensée d'une erreur générale des hommes dans la distinction entre le bien et le mal. Voilà ce qui, dès notre jeunesse, nous a inspiré ces critiques que nos contemporains n'ont pas réussi à dépasser!

— Mais qu'est-ce que le bien et le mal ? » dit Agathe, sans qu'Ulrich remarquât combien son objectivité la peinait.

« Eh! qu'est-ce que j'en sais ? répondit-il en riant. Je ne fais que remarquer pour la première fois que j'ai horreur du mal. Vraiment, jusqu'aujourd'hui, je ne le pensais pas à ce point. Agathe! tu n'as aucune idée de ce que c'est, dit-il avec un soupir pensif. La science, par exemple! Pour un mathématicien, si nous simplifions, *moins cinq* n'est pas plus mauvais que *plus cinq*. Un chercheur ne doit rien redouter, et il y a des circonstances où un beau cancer lui donnera plus de joie qu'une belle femme. Un savant sait que rien n'est vrai, que la vérité globale n'apparaîtra qu'aux derniers jours. La science est amorale. Cette admirable pénétration dans l'inconnu nous déshabitue des contacts directs avec notre conscience, elle ne nous accorde même pas la satisfaction de les prendre au sérieux. Et l'art ? Ne représente-t-il pas toujours la création d'images qui ne s'accordent pas avec celle de la vie ? Je ne parle pas du faux idéalisme ou de la luxuriance du nu dans les époques où les robes se boutonnent jusque sous le nez, dit-il en plaisantant de nouveau. Mais songe à une œuvre d'art véritable : n'as-tu jamais eu le sentiment que quelque chose, en elle, évoquait l'odeur de roussi qui s'élève d'un couteau aiguisé sur une pierre ? C'est une odeur cosmique, météorique, orageuse, merveilleusement inquiétante!... »

Ce fut le seul moment où Agathe l'interrompit de son propre mouvement. « N'as-tu pas écrit quelques poèmes, jadis ?

— Tu te le rappelles encore ? Quand t'en ai-je fait l'aveu ? demanda Ulrich. Oui, nous écrivons tous des poèmes, un jour ou l'autre. J'en ai même écrit lorsque j'étais mathématicien. Mais, plus je vieillissais, plus ils étaient mauvais; non pas tant par manque de talent, je crois, que par le fait de ma croissante aversion pour le désordre, le romantisme bohême de ces divagations du cœur... »

Agathe se contenta de secouer doucement la tête, mais Ulrich s'en aperçut. « Si, si! Un poème, pas plus qu'un acte de bonté, ne devrait être un état d'exception! Où donc s'en va l'instant d'exaltation, un instant après (si je puis poser la question ainsi) ? Tu aimes la poésie, je le sais : mais ce que je veux dire, c'est qu'on ne peut pas simplement respirer cette odeur de feu jusqu'à ce qu'elle s'évapore. Cette attitude incomplète est l'exact pendant de celle qui, en morale, s'épuise dans une demi-critique ». Revenant soudain à l'essentiel, il dit à sa sœur : « Si, dans cette affaire Hagauer, je me conduisais comme tu l'attends de moi, je devrais être sceptique, insouciant, ironique. Les enfants, très vertueux sûrement, que toi ou moi pouvons encore avoir, diront sans doute de nous que nous avons vécu dans une époque bourgeoisement paisible, où l'on se faisait fort peu, ou d'inutiles soucis. Pourtant, que de peine nous nous sommes donnée pour notre conviction... »

Ulrich, vraisemblablement, voulait encore en dire beaucoup. En fait, il hésita à jouer l'atout qu'il gardait pour sa sœur, et il est dommage qu'il ne le lui ait pas révélé. Tout à coup, en effet, elle se leva et, sous un futile prétexte, se montra prête à partir. « Ainsi, il est entendu que je suis une idiote morale ? dit-elle en se forçant à plaisanter. Je n'accepte plus tes objections à ce sujet!

— Nous sommes tous les deux des idiots moraux! dit poliment Ulrich. Tous les deux! »

Il fut un peu indisposé par la hâte avec laquelle sa sœur le quitta sans lui dire quand elle reviendrait.

31. *Agathe, partie pour se suicider, fait une connaissance masculine.*

En réalité, elle s'était enfuie parce qu'elle ne voulait pas offrir une nouvelle fois à son frère le spectacle des larmes qu'elle avait peine à refouler. Elle était triste comme peut l'être quelqu'un qui a tout perdu. Pourquoi, elle ne le savait pas. C'était venu pendant qu'Ulrich parlait. Pourquoi, elle ne le savait pas non plus. Il aurait dû faire autre chose que parler. Quoi, elle ne le savait pas. Sans doute avait-il raison de ne pas attacher trop d'importance à la « sotte coïncidence » de la lettre et de l'énervement de sa sœur, et de continuer à parler comme il le faisait toujours. Mais Agathe avait dû s'enfuir.

Elle n'éprouva d'abord que le besoin de courir. Elle courut droit devant soi, pour fuir sa maison. Si la circulation l'obligeait à changer de rue, elle maintenait sa direction. Elle fuyait, comme les hommes et les bêtes fuient une catastrophe. Pourquoi, elle ne se le demandait pas. Ce ne fut qu'avec la fatigue qu'elle comprit que son intention était de ne plus rentrer.

Elle voulait marcher jusqu'au soir. A chaque pas plus loin de chez elle. Elle supposa que lorsqu'elle s'arrêterait, au seuil du soir, sa résolution aussi serait arrêtée. C'était la résolution de se tuer. Ce n'était pas à proprement parler la résolution de se tuer, mais l'idée que celle-ci serait arrêtée avec le soir. Un tournoiement, une agitation désespérée dans sa tête derrière cette idée. Elle n'avait même pas sur elle de quoi se tuer. Sa petite boîte de poison était quelque part dans un tiroir ou dans une malle. De sa mort n'était arrêté que le désir de ne plus rentrer. Elle voulait sortir de la vie. C'est pourquoi elle marchait. A chaque pas, c'était déjà comme si elle sortait de la vie.

Lorsque la fatigue vint, elle rêva de prairies et de forêts, de silence et d'air libre. Elle ne pouvait aller à pied. Elle prit un tramway. Son éducation l'ayant habituée à se maîtriser devant les inconnus, sa voix ne trahit aucune émotion lorsqu'elle paya son billet et demanda un renseignement. Elle était assise, calme et très droite, sans le moindre frémissement. Comme elle était assise, les pensées vinrent. Certes, elle aurait mieux aimé pouvoir se déchaîner; le corps ainsi lié, ces pensées étaient comme d'énormes paquets qu'elle se fût efforcée en vain de faire passer par une porte. Elle en voulait à Ulrich de ce qu'il avait dit. Elle ne voulait pas lui en vouloir. Elle s'en déniait le droit. Qu'avait-il reçu d'elle ? Elle lui prenait son temps et ne lui donnait rien en échange; elle dérangeait son travail et ses habitudes. A l'idée de ses habitudes, elle ressentit une souffrance. Depuis qu'elle était chez lui, il semblait n'avoir reçu aucune femme. Agathe était convaincue que son frère ne pouvait se passer de femme. Il s'imposait donc une contrainte à cause d'elle. Et comme elle ne pouvait en rien le dédommager, elle était une égoïste, une méchante. A ce moment, elle serait volontiers rentrée pour lui demander tendrement pardon. Mais elle se rappela sa froideur. Évidemment, il regrettait de l'avoir prise chez lui. Que de choses n'avait-il pas dites et projetées, avant d'en avoir assez d'elle! Maintenant, il n'en parlait plus. L'affreux dégrisement que lui avait apporté la lettre recommençait à torturer son cœur. Elle était jalouse. Absurdement, vulgairement jalouse. Elle aurait aimé s'imposer à son frère et reconnaissait en elle l'affection passionnée et impuissante qui se heurte à un refus. « Pour lui, je serais capable de voler ou de faire le trottoir! » se dit-elle; elle comprit combien c'était ridicule, mais elle ne pouvait faire autrement. Les conversations d'Ulrich avec leurs plaisanteries et leur supériorité apparemment impartiale agirent là-dessus comme un défi. Elle admirait cette supériorité et tous les besoins intellectuels qui dépassaient les siens. Mais elle ne comprenait pas pourquoi toutes les pensées devaient toujours et tout de suite valoir pour tous les hommes! Dans sa honte, elle voulait une consolation personnelle, non une leçon générale! Elle ne voulait pas être courageuse! Un moment après, elle se reprocha d'être telle, et aggrava sa souffrance en s'imaginant qu'elle ne méritait rien de mieux que l'indifférence d'Ulrich.

Cette humiliation de soi-même à quoi la conduite d'Ulrich pas plus que le pénible message d'Hagauer n'offraient de suffisants prétextes, était une explosion de son tempérament. Tout ce qu'Agathe, dans la période pas très longue qui s'était écoulée depuis qu'elle n'était plus une enfant, avait ressenti comme un recul devant les exigences de la vie communautaire provenait de ce qu'elle avait traversé cette période avec l'impression de vivre en dehors, ou même en dépit de ses tendances les plus profondes. C'étaient des tendances au dévouement et à la confiance, car elle n'avait jamais aimé la solitude comme son frère. S'il lui avait été impossible jusqu'alors de se dévouer de toute son âme à un être ou à une cause, c'est qu'elle portait en elle la possibilité d'un dévouement plus haut, fût-ce au monde ou à Dieu lui-même! Chacun le sait, ne pas pouvoir s'entendre avec son voisin mène souvent à se dévouer à l'humanité; de même, un ardent et secret désir de Dieu peut apparaître chez un asocial trop rayonnant d'amour. En ce sens, le criminel par religion n'est pas plus injustifiable que la vieille fille dévote. La conduite d'Agathe à l'égard d'Hagauer, qui avait pris la forme tout à fait absurde de l'intérêt égoïste, était l'explosion d'une volonté impatiente au même titre que la violence avec laquelle elle s'accusait d'avoir été comme ressuscitée par son frère pour retomber ensuite, par sa propre faiblesse, dans la léthargie.

Elle ne put rester plus longtemps dans le confort du tramway. Lorsque les maisons de chaque côté de la rue devinrent plus basses, plus rustiques, elle quitta la voiture et fit le reste du chemin à pied. Les cours étaient ouvertes, on apercevait, par des portails ou par dessus des haies basses, des artisans, des bêtes, des enfants en train de jouer. L'air était empli d'une paix spacieuse où s'élevaient des voix humaines, des bruits d'outils; ces sons se déplaçaient dans la clarté de l'air avec les mouvements irréguliers et doux des papillons, tandis qu'Agathe se sentait glisser comme une ombre vers la marée des vignobles et des bois. Une fois, elle s'arrêta; c'était devant une cour de tonneliers où résonnait le brave tapage des marteaux sur le douvain. Toujours elle avait aimé contempler ces braves besognes et pris plaisir au travail modeste, intelligent, des mains prudentes. Cette fois encore, elle ne put se rassasier du rythme des mailloches, des pas des ouvriers autour de leur travail. Pendant quelques instants, cela lui fit oublier son chagrin et s'enfoncer dans une agréable et vide communion avec le monde. Elle admirait toujours les hommes qui pouvaient se livrer à ces besognes si diverses, si naturelles, correspondant à une nécessité reconnue de tous. Elle seule ne pouvait être active, bien qu'elle ne manquât pas de dons intellectuels ou pratiques. La vie était aussi complète sans elle. Tout à coup, sans que le rapport lui apparût tout de suite, elle entendit des cloches sonner, et elle eut de la peine à s'empêcher de pleurer de nouveau. Sans doute la petite église de banlieue n'avait-elle cessé de sonner de tout ce temps, mais Agathe venait seulement de s'en apercevoir. Au même instant, elle ne put pas ne pas sentir combien ces notes qui, exclues de la bonne terre débordante, volaient passionnément dans l'air, étaient apparentées à sa propre existence.

Hâtivement, elle reprit son chemin. Escortée par ce carillon qui maintenant ne la quittait plus, elle atteignit rapidement, entre les dernières maisons, les collines dont les pentes, en bas, étaient couvertes de vignes et de bosquets isolés au bord des sentiers, tandis qu'en haut, vert-clair, le bois semblait faire signe. Elle savait maintenant où elle était entraînée, et c'était un sentiment merveilleux, comme si elle s'enfonçait à chaque pas plus profondément dans la nature. Son cœur battait de ravissement et d'effort lorsqu'elle s'arrêtait et s'apercevait que les cloches l'accompagnaient toujours, encore que haut cachées dans l'air et à peine perceptibles. Il lui parut qu'elle n'avait jamais entendu sonner ainsi les cloches en plein jour sans aucun prétexte exceptionnel ou solennel, démocratiquement mêlées aux travaux naturels et conscients. De toutes les voix de la ville aux mille langues, celle-ci était la dernière à lui parler, et il y avait là quelque chose qui la bouleversait, comme si cette musique voulait l'enlever jusqu'au sommet des montagnes, mais la délaissait ensuite à nouveau pour se réduire à un petit bruit métallique aussi insignifiant que les sifflements, les grognements et les murmures de la campagne. Ainsi, Agathe pouvait avoir marché une heure lorsqu'elle se trouva brusquement devant le petit taillis qu'elle avait gardé en mémoire. Il entourait une tombe abandonnée à l'orée de la forêt, à l'endroit où un poète, une centaine d'années auparavant, s'était tué et avait demandé d'être enterré. Ulrich avait dit que c'était un poète médiocre, bien que célèbre, et la myopie poétique qui s'exprimait dans le désir d'*être enterré devant un point de vue* avait trouvé en lui un critique sévère. Mais Agathe aimait l'inscription sur la grande dalle de pierre, depuis qu'ils avaient déchiffré ensemble, lors d'une promenade, ses belles lettres Biedermeier brouillées par la pluie, et elle se pencha par dessus les chaînes noires aux gros maillons carrés qui défendaient contre la vie le rectangle de la mort.

« Je ne vous fus rien » : voilà ce que le poète malheureux avait fait graver sur sa tombe, et Agathe pensa qu'on pouvait aussi le dire d'elle. Cette pensée, du haut d'une chaire sylvestre, au-dessus des vignobles verdissants et de la ville étrangère, immense, qui laissait traîner lentement ses fumées dans le soleil matinal, la toucha de nouveau. Elle s'agenouilla soudain et appuya le front sur un des piliers de pierre auxquels les chaînes étaient fixées; la position inhabituelle et le froid contact de la pierre lui donnèrent l'illusion de la paix léthargique et un peu raide de la mort, qui l'attendait. Elle essaya de se ressaisir. Elle n'y parvint pas tout de suite : des chants d'oiseaux assaillaient son oreille, il y en avait de si divers qu'elle en fut surprise; des branches bougeaient et, comme elle ne sentait pas le vent, il lui sembla que c'étaient les arbres qui les faisaient bouger. Dans un silence subit, un léger trottinement se fit entendre; la pierre sur laquelle elle reposait sa tête était si lisse qu'il lui semblait y avoir entre elle et son front un morceau de glace qui les empêchait d'être directement en contact. Au bout d'un moment seulement, elle comprit que ce qu'elle essayait de chasser exprimait la même chose que ce qu'elle voulait se représenter, ce sentiment fondamental de sa superfluité qu'une phrase très simple traduisait ainsi : la vie, même sans elle, restait complète, si complète qu'elle ne pouvait rien y chercher, rien y organiser. Ce sentiment atroce n'était au fond ni désespoir ni humiliation, mais une façon d'écouter et de regarder qu'Agathe avait toujours connue, sauf qu'il y manquait tout désir, et même toute possibilité de se mettre soi-même en jeu. Il y avait presque, dans cet état d'exclusion, un état de retraite, comme il est des stupeurs qui effacent toute question. Elle pouvait aussi bien s'en aller. Mais où ? Il devait bien y avoir un but quelconque. Agathe n'était pas de ces gens chez qui la conviction de l'inutilité de toute imagination réussit à provoquer une sorte de satisfaction, une sorte de continence guerrière ou perfide avec laquelle on affronte un destin insatisfaisant. Dans ces questions, elle était généreuse et insouciante, au contraire d'Ulrich qui opposait toutes les difficultés imaginables à ses sentiments afin de se les interdire s'ils ne soutenaient pas l'épreuve. Elle était bête! Oui, c'était cela qu'elle se disait. Elle ne voulait pas réfléchir! Comme par défi, elle pressa son front incliné très bas contre les chaînes de fer, qui cédèrent un peu, puis résistèrent brutalement. Dans les dernières semaines, elle avait recommencé à croire en Dieu, mais sans penser à lui. Certains états qui lui avaient fait voir le monde différent de ses apparences et tel qu'au lieu de vivre dans l'exclusion elle rayonnait de conviction, avaient été tout près d'aboutir, grâce à Ulrich, à une métamorphose intérieure totale. Elle eût volontiers imaginé un Dieu qui vous ouvrirait son royaume comme une cachette. Ulrich disait qu'il n'était pas nécessaire, qu'il était plutôt dangereux de rêver au-delà de son expérience. C'était son affaire d'en décider ainsi. Mais il fallait qu'il la guidât, qu'il ne l'abandonnât point. Il était le seuil entre deux vies, et tout le désir qu'elle éprouvait de l'une, toute l'horreur qui la faisait fuir l'autre conduisaient d'abord à Ulrich. Elle l'aimait aussi impudemment qu'on aime la vie. Le matin, il s'éveillait dans tous ses membres dès qu'elle ouvrait les yeux. Maintenant même, il là regardait dans le sombre miroir de son chagrin,

Alors seulement, Agathe se rappela qu'elle voulait se tuer. Elle eut le sentiment que c'était pour défier Ulrich qu'elle avait couru vers Dieu, fuyant sa maison avec le dessein de se tuer. Maintenant, ce dessein n'existait plus, il était revenu à son point de départ, le fait qu'Ulrich l'avait humiliée. Elle était fâchée contre lui, elle le sentait encore, mais les oiseaux chantaient, et elle les entendait de nouveau. Elle était exactement aussi troublée qu'avant, mais c'était un trouble joyeux. Elle voulait faire quelque chose, et que cet acte atteignît Ulrich, non pas elle seulement. La raideur infinie qui l'avait gagnée lorsqu'elle était à genoux céda à la chaleur du sang affluant dans tous ses membres quand elle se redressa.

Quand elle leva les yeux, un monsieur était debout près d'elle. Ne sachant depuis quand il la regardait, elle se sentit gênée. Lorsque son regard, encore assombri par l'émotion, glissa sur le sien, elle remarqua qu'il la considérait avec un intérêt avoué et qu'il voulait lui inspirer une confiance visiblement sincère. Le monsieur était grand et maigre, il portait des vêtements sombres, une courte barbe blonde lui couvrait le menton et les joues. Sous cette barbe, on devinait des lèvres molles, légèrement retroussées, qui formaient un contraste étrangement juvénile avec les cheveux gris mêlés çà et là au blond, comme si l'âge avait oublié de vieillir ces lèvres. D'ailleurs, il n'était pas aisé de déchiffrer ce visage. La première impression faisait songer à un professeur de lycée; la sévérité de ce visage n'était pas taillée dans le bois dur, mais évoquait plutôt une mollesse que de petites colères quotidiennes auraient lentement durcie. Si l'on oubliait cette mollesse sur laquelle la barbe semblait implantée pour satisfaire à un ordre approuvé par son propriétaire, on remarquait dans ce fond de féminité des détails rudes, presque ascétiques, qu'avait évidemment imposés à cette tendre substance une volonté infatigable.

Agathe n'arrivait pas à déchiffrer cette apparition; l'attrait et la répulsion s'équilibrant en elle, elle devina seulement que cet homme voulait l'aider.

« La vie offre autant d'occasions de fortifier la volonté que de l'affaiblir. On ne doit jamais fuir les difficultés, mais essayer toujours de les dominer! » dit l'inconnu en essuyant, pour mieux voir, ses verres de lunette embués. Agathe le considéra avec étonnement. Évidemment, il l'observait depuis longtemps, puisque ces mots venaient du cœur d'une conversation intérieure. Il s'effraya et souleva son chapeau, c'était le dernier moment pour faire ce geste qu'il n'est pas permis d'oublier. Puis il se ressaisit et continua droit devant lui. « Permettez-moi de vous offrir mon aide! Il me semble qu'on confie plus aisément à un inconnu une souffrance, souvent même un ébranlement profond tel que celui que je vois ici... »

Il apparut que l'inconnu ne s'exprimait pas sans effort; il semblait avoir rempli un devoir de charité en interpellant cette belle jeune femme, et maintenant qu'ils s'éloignaient côte à côte, il se battait avec les mots. Agathe s'était levée très simplement, en effet, et avait commencé à s'éloigner lentement de la tombe en sa compagnie, sortant du couvert des arbres vers le bord des collines, sans qu'ils se décidassent à prendre un des chemins qui conduisaient dans la vallée. Continuant à parler, ils suivirent assez longtemps la crête, puis revinrent sur leurs pas pour reprendre encore une fois la direction primitive; aucun des deux ne savait où l'autre voulait aller, et pourtant chacun désirait y avoir égard. « Ne me direz-vous pas pourquoi vous avez pleuré ? » répéta l'inconnu avec la douceur d'un médecin qui demande où ça vous fait mal. Agathe secoua la tête. « J'aurais de la peine à vous l'expliquer », dit-elle, puis soudain : « Mais vous, répondez à cette autre question : D'où tirez-vous l'assurance que vous pouvez m'aider, alors que vous ne me connaissez pas ? Je croirais plutôt qu'on ne peut aider personne! »

Son compagnon ne répondit pas tout de suite. Plusieurs fois, il s'apprêta à parler, mais on aurait dit qu'il s'imposait d'attendre. Il dit enfin : « On ne peut sans doute aider que ceux dont a vécu soi-même la souffrance. »

Il se tut. Agathe rit à l'idée que cet homme voulait avoir vécu sa souffrance, alors que celle-ci lui eût sans doute répugné, s'il l'avait connue. Son compagnon parut ne pas entendre ce rire ou le tenir pour une impertinence nerveuse. Il réfléchit et dit posément : « Bien entendu, je ne veux pas dire que l'on puisse prétendre montrer à quelqu'un comment il doit s'y prendre. Mais voyez : l'angoisse, dans une catastrophe, est contagieuse, et... le fait d'y avoir échappé l'est aussi! Imaginez un incendie : tout le monde perd la tête et se rue dans les flammes. Quel recours extraordinaire, si quelqu'un se trouve dehors et leur fait signe, se contente de leur faire signe et de leur crier, en paroles inintelligibles même, qu'il existe une issue!... »

Agathe faillit rire à nouveau des horribles visions qu'hébergeait cet homme si bon; le fait même qu'elles ne s'accordaient pas avec lui donnait à son visage mou comme cire quelque chose d'étrange. « Vous parlez comme un pompier! », répondit-elle en imitant volontairement, pour cacher sa curiosité, la superficialité taquine d'une dame. « Mais vous devez bien vous être fait quelque idée de l'infortune qui m'assaille ?... » Sans qu'elle le voulût, la gravité de sa plaisanterie transparaissait. L'idée très simple que cet homme voulait l'aider l'irritait à cause de la non moins simple reconnaissance qu'elle sentait s'éveiller en elle. L'inconnu la regarda surpris, puis se ressaisit et répondit, presque sur un ton de blâme : « Vous êtes probablement trop jeune pour savoir que notre vie est très simple. Elle ne devient d'une complexité insurmontable que lorsqu'on pense à soi; dès l'instant où on ne pense plus à soi, mais où on se demande comment aider autrui, elle devient parfaitement simple! »

Agathe se tut et réfléchit. Que ce fût son silence ou l'encourageant espace dans lequel ses propos résonnaient, l'inconnu continua, sans regarder Agathe : « La surestimation de la personne est une superstition moderne. On parle beaucoup, aujourd'hui, de la culture de la personnalité, on proclame qu'il faut *vivre sa vie jusqu'au bout, affirmer la vie.* Par ces formules équivoques et obscures, leurs prophètes prouvent seulement qu'ils ont besoin de brumes pour dissimuler le véritable sens de leur refus! Que faut-il donc *affirmer ?* Tout à la fois et sens dessus dessous ? Un développement est toujours lié à une contrainte, a dit un penseur américain. Nous ne pouvons développer un aspect de notre nature sans étouffer la croissance des autres. Et que faut-il *vivre jusqu'au bout ?* L'esprit ou les instincts ? Les humeurs ou le caractère ? L'égoïsme ou l'amour ? Si c'est notre nature supérieure qui doit s'épanouir, notre nature inférieure doit apprendre le renoncement et l'obéissance. »

Agathe se demanda pourquoi se soucier d'autrui devait être plus simple que se soucier de soi. Elle était de ces natures absolument dépourvues d'égoïsme qui, si elles songent toujours à soi, ne s'en soucient jamais, ce qui est beaucoup plus éloigné de l'égoïsme ordinaire, avide de profit, que le désintéressement satisfait de ceux qui prennent soin de leur prochain. Les propos de son voisin lui étaient donc dès l'abord étrangers; néanmoins, on ne sait comment, ils la touchaient, et les mots isolés, empoignés avec tant d'énergie, bougeaient devant elle, peu rassurants, comme si leur signification eût été plutôt à voir dans l'air qu'à entendre. Il advint que les deux promeneurs longèrent une lisière qui offrit à Agathe un merveilleux coup d'œil sur la profonde vallée, alors que cette situation évoquait visiblement pour son compagnon une chaire d'église ou d'université. Elle s'arrêta et de son chapeau, qu'elle n'avait cessé d'agiter négligemment à la main, elle tira un trait au beau milieu du discours de l'inconnu. « Vous vous êtes donc fait une image de moi : je la devine à travers vos paroles, et elle n'est point flatteuse! »

Le long personnage s'effraya, car il n'avait pas voulu blesser Agathe. Celle-ci le considéra en riant gentiment. « Vous paraissez me confondre avec le droit à la liberté de la personne. Et, qui plus est, d'une personne une peu nerveuse et fort déplaisante!

— Je n'ai parlé que de la condition fondamentale de la vie personnelle, dit-il pour s'excuser, et il est vrai que dans la situation où je vous ai trouvée, j'ai cru pouvoir vous aider d'un conseil. La condition fondamentale de la vie est aujourd'hui diversement méconnue. Toute notre nervosité avec ses excès ne provient que d'un relâchement de l'atmosphère interne où toute volonté fait défaut. Sans effort particulier de la volonté, personne ne peut acquérir l'unité et la continuité qui élèvent au-dessus du chaos obscur de l'organisme! »

De nouveau émergeaient deux mots, unité et continuité, qui semblaient une allusion à la nostalgie d'Agathe, aux reproches qu'elle se faisait. « Expliquez-moi ce que vous entendez par là. Comment y aurait-il une volonté s'il n'y a d'abord un but ?

— Ce que j'entends par là n'importe guère! répondit-il avec une abrupte douceur. Les grandes archives de l'humanité ne proclament-elles pas avec une clarté insurpassable ce que nous devons faire et ne pas faire ? » Agathe perdit pied. « Pour exposer les idéaux essentiels de la vie, expliqua son compagnon, il faut de la vie et des hommes une connaissance si pénétrante, en même temps une si héroïque maîtrise des passions et de l'égoïsme qu'elle n'a été accordée qu'à de très rares personnalités au cours des siècles. Ces maîtres de l'humanité ont connu, de tous temps, une vérité identique. »

Involontairement, Agathe se mit sur la défensive, comme tous ceux qui pensent que leur jeune sang vaut mieux que les ossements des sages morts. « Comment des lois humaines édictées il y a des milliers d'années conviendraient-elles encore aux circonstances actuelles ?

— Elles n'en sont pas si éloignées que le prétendent des sceptiques coupés de l'expérience vivante et de la connaissance de soi! répliqua son compagnon de hasard avec une amère satisfaction. La vérité profonde de la vie ne se communique pas par la discussion, disait déjà Platon : l'homme la perçoit comme une interprétation vivante, un accomplissement de soi! Croyez-moi, ce qui rend l'homme vraiment libre comme ce qui lui ôte la liberté, ce qui lui donne la vraie béatitude comme ce qui la détruit, cela n'est pas soumis au progrès : tout homme sincèrement vivant le sait dans son cœur, pour peu qu'il prête l'oreille! »

La formule « interprétation vivante » plut à Agathe, mais une idée inattendue lui était venue : « Seriez-vous religieux ? » demanda-t-elle. Elle observa son compagnon avec curiosité. Il ne répondit pas. « Vous n'êtes tout de même pas un ecclésiastique ? » répéta-t-elle. Elle se tranquillisa en voyant sa barbe : tout à coup, en effet, le reste de sa personne lui avait paru capable de lui faire cette surprise. Il faut lui laisser qu'elle n'eût pas été plus étonnée si l'inconnu lui avait dit, en passant, dans la conversation : « Notre illustre souverain, le Divin Auguste »... Elle savait sans doute que la religion jouait encore un grand rôle en politique, mais on est si bien habitué à ne pas prendre au sérieux les idées officielles qu'il semblerait presque aussi excessif de supposer que les partis de la foi sont constitués de croyants que d'exiger des buralistes qu'ils collectionnent les timbres-poste.

Après une longue pause et quelque hésitation, l'inconnu répondit : « Je préférerais ne pas répondre à votre question : vous êtes par trop étrangère à tout cela. »

Mais une sorte d'avidité s'était emparée d'Agathe. « J'aimerais savoir qui vous êtes! » dit-elle. C'était là un privilège féminin auquel il était difficile de rien opposer. De nouveau apparut chez l'inconnu l'incertitude légèrement ridicule qui l'avait fait se découvrir *a posteriori;* son bras semblait le démanger pour qu'il soulevât une seconde fois son couvre-chef, mais il se raidit; une armée de pensées parut livrer bataille à une autre et finalement l'emporter, là où, pour tout autre, répondre eût été un jeu. « Je me nomme Lindner et je suis professeur au Gymnase François-Ferdinand », répondit-il. Après un bref instant de réflexion, il ajouta : « Je suis aussi privat-docent à l'Université.

— Alors, vous connaissez peut-être mon frère ? demanda Agathe ravie en nommant Ulrich. Si je ne me trompe, il a dû parler assez récemment à la Société Pédagogique sur les Mathématiques et l'Humanisme, ou un sujet analogue.

— De nom seulement. Ah si ! j'ai assisté à la conférence… » dit Lindner. Agathe crut sentir une réticence dans cette réponse, mais la suite le lui fit oublier.

« Monsieur votre père était le célèbre juriste ? demanda Lindner.

— Oui, il est mort récemment, et j'habite maintenant chez mon frère, dit Agathe avec simplicité. Ne viendrez-vous pas nous voir un jour ?

— Malheureusement, je n'ai pas un instant pour la vie mondaine, répliqua Lindner avec raideur, les yeux timidement baissés.

— En ce cas, vous ne verrez pas d'inconvénient, poursuivit Agathe sans se préoccuper de sa résistance, que je vienne un jour chez vous : j'ai besoin d'être conseillée ! » Il l'appelait toujours mademoiselle. « Je suis mariée, ajouta-t-elle, je m'appelle Hagauer.

— Seriez-vous donc, s'écria Lindner, la femme du professeur Hagauer, le remarquable pédagogue ? » Il avait commencé sa phrase dans le ravissement, mais à la fin, il y avait mis la sourdine. Hagauer, en effet, était deux choses : il était pédagogue, et il était pédagogue progressiste. Au fond, Lindner était hostile à ses opinions : mais n'est-il pas rafraîchissant de découvrir, dans les brouillards périlleux d'une âme féminine qui vient de former l'insoutenable dessein d'aller voir un homme chez lui, un si intime ennemi ? C'est le passage de la seconde à la première de ces émotions qui s'était reflété dans le ton de sa question.

Agathe l'avait remarqué. Elle ne savait si elle devait révéler à Lindner où en étaient ses relations avec son mari. Si elle le lui disait, tout pouvait instantanément se terminer entre elle et ce nouvel ami, elle en avait le sentiment très net. Cela lui aurait fait de la peine : du fait même que Lindner excitait par plus d'un trait son goût de la moquerie, il lui inspirait confiance. L'impression, rendue plus croyable encore par l'aspect de l'homme, qu'il ne voulait rien pour lui-même, l'obligea à être sincère; elle fit taire tout désir, et la sincérité vint d'elle-même à la surface. « Je suis sur le point de divorcer! » avoua-t-elle.

Suivit un silence. Lindner parut accablé. Agathe le trouva par trop pitoyable. Enfin, avec un sourire meurtri, Lindner dit : « J'ai tout de suite pensé à une histoire de cet ordre, lorsque je vous ai vue!

— Sans doute êtes-vous aussi un adversaire du divorce? s'écria Agathe en donnant libre cours à son irritation. Vous l'êtes, bien entendu! Mais, croyez-moi, vous êtes vraiment un peu en retard!

— En tous cas, je ne pense pas comme vous que la chose aille de soi », dit pensivement Lindner pour se défendre. Il enleva ses lunettes, les essuya, les remit et considéra Agathe. « Je crois que vous manquez de volonté.

— De volonté? J'ai du moins celle de divorcer! » s'écria-t-elle, consciente que ce n'était pas une réponse intelligente.

« Ce n'est pas ainsi qu'il faut l'entendre, dit doucement Lindner. J'admets volontiers que vous ayez d'excellentes raisons. Mais mes idées sont différentes : la liberté de mœurs qu'on s'accorde aujourd'hui se réduit toujours, en pratique, à révéler qu'un individu est indissolublement attaché à sa personne et incapable de vivre ou d'agir dans un horizon plus vaste. Messieurs les poètes, ajouta-t-il avec jalousie en risquant sur le fervent pèlerinage d'Agathe une plaisanterie qui dans sa bouche prit un goût vraiment saumâtre, messieurs les poètes qui flattent l'esprit des jeunes dames et qu'elles surestiment de ce fait, ont évidemment la part plus belle que moi, lorsque je vous dis que le mariage est une institution qui fait appel au sens de la responsabilité, à la maîtrise de l'homme sur ses passions! Avant qu'un individu se libère des moyens de protection extérieurs que l'humanité, dans une exacte connaissance de ses faiblesses, a établis contre sa propre insuffisance, il devrait se dire que l'isolement, la rupture de l'alliance avec un ensemble supérieur sont de pires maux que les déceptions si redoutées du corps!

— On dirait un règlement de guerre pour archanges! dit Agathe, mais je ne vois pas que vous ayez raison. Je vous accompagnerai un bout de chemin. Vous devez m'expliquer comment on peut penser ainsi. Où allez-vous en ce moment ?

— Je dois rentrer chez moi.

— Votre femme verrait-elle un inconvénient à ce que je vous accompagne chez vous ? Une fois en ville, nous pourrons prendre une voiture. J'ai le temps!

— Mon fils revient de l'école, dit Lindner avec dignité. Nous mangeons toujours ponctuellement, c'est pourquoi je dois rentrer. Ma femme est décédée subitement il y a quelques années déjà », ajouta-t-il pour corriger l'hypothèse erronée d'Agathe. Jetant un coup d'œil à sa montre, il reprit, inquiet et irrité : « Il faut que je me hâte!

— Vous m'expliquerez donc tout cela une autre fois, c'est très important pour moi! affirma vivement Agathe. Si vous ne voulez pas venir chez nous, je puis aller vous voir. »

Lindner ouvrit la bouche comme pour chercher de l'air, mais en vain. Enfin, il dit : « Vous êtes une femme, vous ne pouvez pas venir chez moi!

— Si, si! Vous verrez, un beau jour je serai là. Et ça ne fera sûrement pas de mal!... » Là-dessus, elle prit congé et s'engagea dans un chemin qui se séparait de celui de Lindner.

« Vous n'avez pas de volonté! » répéta-t-elle à mi-voix en essayant d'imiter le professeur. Mais le mot volonté fut vif et frais dans sa bouche. Des sentiments comme la fierté, la dureté, l'assurance lui étaient liés, une tonalité fière du cœur : l'homme lui avait fait du bien.

32. *Entre temps, le général conduit Ulrich et Clarisse à l'asile d'aliénés.*

Comme Ulrich était seul chez lui, le Ministère de la Guerre appela pour savoir si M. le Directeur du Département de l'Éducation et de la Culture pourrait lui parler personnellement dans une demi-heure. Trente-cinq minutes plus tard, l'attelage du général von Stumm écumait en montant la petite rampe.

« De beaux draps! » cria le général à son ami qui nota aussitôt que l'ordonnance chargée du pain de l'esprit était absente. Le général était en tunique et avait même ses décorations. « Tu m'as mis dans de beaux draps! répéta-t-il. Ce soir, c'est la grande séance chez ta cousine. Je n'ai pas encore pu m'en entretenir avec mon chef. Et voilà qu'éclate une autre nouvelle : nous devons aller à la maison de fous : nous devons y être au plus tard dans une heure!

— Mais pourquoi donc ? demanda Ulrich ainsi qu'il était naturel. D'ordinaire, on attend l'accord des deux parties ?

— Ne pose pas tant de questions! supplia le général. Téléphone plutôt immédiatement à ton amie, cousine ou je ne sais quoi que nous devons aller la prendre! »

Tandis qu'Ulrich appelait l'épicier chez qui Clarisse avait coutume de faire ses petits achats et attendait qu'elle vînt à l'appareil, il apprit le malheur que déplorait le général. Celui-ci, pour accéder au vœu de Clarisse transmis par Ulrich, s'était adressé au chef du Service médical de l'Armée qui s'était mis à son tour en relation avec son célèbre collègue du civil, le directeur de la Polyclinique universitaire où Moosbrugger attendait patiemment l'arbitrage suprême. Ces messieurs s'étant mal compris, on était convenu immédiatement du jour et de l'heure; avec mille excuses, Stumm venait d'apprendre au dernier moment, en même temps que l'erreur, qu'il avait été annoncé personnellement au célèbre psychiatre qui attendait sa visite avec le plus grand plaisir.

« Je me sens mal! » déclara-t-il. C'était une formule traditionnelle chez lui pour exprimer son désir d'alcool.

Lorsqu'il eut bu un petit verre, la tension de ses nerfs décrut. « Que m'importe une maison de fous ? C'est ta faute si je dois y aller! Et que dirai-je à ce stupide professeur s'il me demande pourquoi je suis venu ? »

A ce moment retentit à l'autre bout du fil un triomphant cri de guerre.

« Bien! dit le général morose. De plus, je dois absolument te parler de ce soir. Et il faut que j'aie une conférence là-dessus avec Son Excellence. Et il part à quatre heures! » Il regarda sa montre et, désespéré, ne bougeait pas de sa chaise.

« Eh bien! je suis prêt! déclara Ulrich.

— Madame ta sœur ne vient pas ? demanda Stumm surpris.

— Ma sœur n'est pas à la maison.

— Dommage! Ta sœur est la femme la plus digne d'admiration que j'aie jamais vue!

— Je croyais que c'était Diotime?

— Elle aussi. Elle aussi est digne d'admiration. Mais depuis qu'elle s'adonne à l'étude de la sexualité, je me fais l'effet d'un écolier. J'aime lever les yeux vers elle : mon Dieu, je l'ai dit bien souvent, la guerre est un métier simple et brutal. Mais dans le domaine sexuel, se faire traiter de profane porte atteinte, pour ainsi dire, à l'honneur des officiers! »

Cependant, ils étaient montés dans la voiture et partis au grand trot.

« Ton amie est-elle jolie, au moins? demanda Stumm méfiant.

— Elle est originale. Tu verras bien.

— Donc ce soir, soupira le général, quelque chose commence. J'attends un événement.

— Tu m'as dit cela chaque fois que tu es venu me voir, dit Ulrich en souriant.

— C'est possible, mais ça n'en est pas moins vrai. Ce soir, tu seras témoin de l'entrevue entre ta cousine et Madame le professeur Drangsal. J'espère que tu n'as tout de même pas oublié ce que je t'ai dit à ce sujet? Donc, la Drangsal (c'est ainsi que nous la nommons, ta cousine et moi), la Drangsal a drangsalisé ta cousine jusqu'à ce qu'on en vînt là; elle a harangué tout le monde, et aujourd'hui elles s'expliqueront toutes deux. Nous n'attendions qu'Arnheim, afin qu'il puisse se former un jugement.

— Tiens? » Ulrich ne savait pas non plus qu'Arnheim, qu'il n'avait pas revu depuis longtemps, fût de retour.

« Mais naturellement. Pour quelques jours, expliqua Stumm. Nous avons donc dû prendre la chose en mains... »

Soudain, il s'interrompit, et bondit du fond des coussins oscillants jusqu'au siège du cocher avec une rapidité dont on ne l'eût pas cru capable : « Imbécile! » rugit-il catégorique à l'oreille de son ordonnance qui, déguisée en cocher, conduisait l'attelage ministériel. En même temps, Stumm s'accrochait au dos de l'insulté, ne pouvant se défendre contre les oscillations de la calèche. « Vous faites un détour! » Le soldat en civil tenait son dos raide comme une planche, insensible aux efforts hors-service que le général faisait pour s'y accrocher; puis il tourna la tête de quatre-vingt-dix-degrés exactement, de sorte qu'il ne pouvait voir ni ses chevaux, ni le général, et annonça fièrement à une perpendiculaire dont l'extrémité se perdait dans le vide que des travaux l'empêchaient sur une certaine distance d'emprunter le plus court chemin, mais qu'il le rejoindrait bientôt. « Eh bien! j'avais donc raison! » s'écria le général en retombant dans les coussins, atténuant partie pour l'ordonnance, partie pour Ulrich, l'inutile explosion de son impatience. « Le gaillard est obligé de faire un détour, et je dois avoir une conférence avec Son Excellence qui veut rentrer à quatre heures et doit elle-même, auparavant, avoir une conférence avec le ministre!... En effet, Son Excellence le Ministre s'est annoncé en personne chez les Tuzzi, pour ce soir! » ajouta-t-il à voix basse, exclusivement pour les oreilles d'Ulrich.

« Eh bien!... dit Ulrich surpris.

— Je te le dis depuis longtemps, il y a quelque chose dans l'air. »

Ulrich voulait savoir quoi. « Dis-moi donc ce que le ministre veut!

— Lui-même ne le sait pas, répliqua Stumm. Son Excellence a le sentiment que maintenant, c'est le moment. Le vieux Leinsdorf a aussi le sentiment que maintenant, c'est le moment. Le Chef de l'État-major général de même. Si beaucoup de personnes ont ce sentiment, il peut bien être plus ou moins fondé.

— Mais le moment de quoi ? reprit Ulrich curieux.

— Il n'est pas encore nécessaire de le savoir, précisa le général. Ce sont des impressions absolues... A propos, combien serons-nous, aujourd'hui ? demanda-t-il par distraction, ou par perplexité.

— Comment peux-tu me le demander ?

— Je voulais dire, combien serons-nous pour la maison de fous ? Excuse-moi! C'est comique, hein ? ces malentendus! Il y a des jours où la tête éclate! Eh bien! combien serons-nous ?

— Je ne sais qui viendra; de trois à six personnes, c'est selon.

— Je voulais dire, expliqua le général pensif, que si nous sommes plus de trois, nous serons obligés de prendre une deuxième voiture. Tu comprends, parce que je suis en uniforme.

— Naturellement, dit Ulrich apaisant.

— Je ne peux pas circuler comme dans une boîte à sardines.

— Bien sûr. Mais, dis-moi, qu'en est-il de ces impressions absolues ?

— Est-ce que nous trouverons une voiture, là-bas ? dit Stumm inquiet. C'est là le hic !

— Nous en prendrons une en chemin, répliqua résolument Ulrich. Maintenant, explique-moi, s'il te plaît, comment vous avez l'impression absolue que c'est le moment ?

— C'est impossible à expliquer, répondit Stumm. Si je dis de quelque chose que ça doit être absolument comme ça et pas autrement, c'est justement parce que je ne peux pas l'expliquer ! Tout au plus pourrait-on ajouter que la Drangsal est une espèce de pacifiste, probablement parce que Feuermaul, qu'elle lance, écrit des poèmes où il proclame que l'homme est bon. Beaucoup le croient, en ce moment. »

Ulrich ne voulut pas le croire. « Ne m'as-tu pas raconté juste le contraire il n'y a pas longtemps ? Que l'Action était maintenant pour l'action, pour la manière forte, et cætera ?

— C'est vrai, reconnut le général. Il y a des cercles influents qui misent sur la Drangsal : elle s'y entend parfaitement. On exige de l'Action patriotique un geste de bonté et d'humanité.

— Ah oui ?

— Oui. Tu ne te préoccupes plus de rien ! Il y en a d'autres à qui cela donne des soucis. Je te rappellerai, par exemple, que la guerre civile de 66, en Allemagne, a commencé au Parlement de Francfort, le jour où tous les Allemands se sont proclamés frères. Bien entendu, je ne veux pas le moins du monde prétendre que le Ministre de la Guerre ou le Chef de l'État-major général pourraient avoir de tels soucis : ce serait absurde de ma part. Mais les choses s'enchaînent ainsi, c'est un fait ! Tu me comprends ? »

Ce n'était pas clair, mais c'était exact. Le général ajouta une remarque pleine de sagesse. « Vois-tu, tu voudrais toujours qu'on soit clair, dit-il à son voisin en manière de reproche. Certes, j'admire ce trait, mais si tu pensais historiquement, une fois ? Comment donc ceux qui participent immédiatement à un événement pourraient-ils savoir à l'avance s'il sera un *grand* événement ? Tout au plus en s'imaginant qu'il en est un ! Si tu me permets un paradoxe, j'affirmerai donc que l'histoire universelle est écrite avant de se produire : elle commence toujours par être des racontars. Les hommes énergiques ont une tâche difficile.

— Là, tu as parfaitement raison, dit Ulrich. Et maintenant, raconte-moi tout ! »

Mais dans ces moments surchargés où les sabots des chevaux commençaient déjà à battre un terrain moins dur, le général, bien qu'il désirât lui-même en parler, fut soudain la proie d'autres soucis : « Et si le ministre me faisait venir ? Je suis vêtu comme un arbre de Noël, s'écria-t-il en montrant du doigt les décorations accrochées à sa tunique bleu-clair. Ne crois-tu pas que si je me montre aux fous dans cet uniforme, cela peut provoquer de pénibles incidents ? Que ferais-je, par exemple, si l'un d'eux insultait ma tunique ? Je ne puis tout de même pas tirer l'épée, et me taire serait aussi extrêmement périlleux pour moi ? »

Ulrich tranquillisa son ami en lui laissant prévoir qu'il porterait une blouse de médecin par-dessus son uniforme. Mais, avant même que Stumm se fût déclaré satisfait de cette solution, ils aperçurent Clarisse en robe d'été qui, accompagnée de Siegmund, venait impatiemment à leur rencontre sur la route. Elle raconta à Ulrich que Walter et Meingast avaient refusé de venir. Après qu'on eut hélé une seconde voiture, le général, ravi, dit à Clarisse : « Chère madame, quand je vous ai vue descendre à notre rencontre, j'ai cru voir un petit ange !... »

Mais, lorsqu'il descendit de voiture devant le portail de la clinique, Stumm von Bordwehr était rouge et semblait troublé.

33 *Les fous saluent Clarisse.*

Clarisse jouait avec ses gants, regardait les fenêtres et ne resta pas une minute tranquille, tandis qu'Ulrich payait la voiture de louage. Stumm von Bordwehr ne voulait pas laisser faire Ulrich, et le cocher attendait sur son siège, souriant d'un air flatté tandis que les deux messieurs se disputaient. Siegmund, comme d'ordinaire, enlevait du bout des doigts un grain de poussière sur son veston, ou regardait dans le vide. Le général dit à Ulrich, à voix basse : « Ton amie est une étrange créature. En chemin, elle m'a expliqué ce qu'était la volonté. Je n'ai pas compris un traître mot !

— Elle est comme ça.

— Elle est jolie, murmura le général. Comme une danseuse de quatorze ans. Mais pourquoi dit-elle que nous sommes venus ici pour nous abandonner à notre *délire ?* Et que le monde est par trop *dépourvu de délire ?* Peux-tu me renseigner ? C'était pénible, je n'ai pu lui répondre un mot. »

Visiblement, le général ne retardait le départ des voitures que pour pouvoir poser ces questions; mais, avant qu'il pût répondre, Ulrich en fut dispensé par un délégué qui salua les arrivants au nom du chef de clinique et, après avoir excusé pour un instant auprès du général von Stumm son patron retenu par un travail urgent, conduisit la compagnie dans une salle d'attente. Clarisse ne perdit pas des yeux une seule pierre des escaliers et des corridors; même dans la petite salle de réception qui évoquait, avec ses chaises de velours vert passé, les salles d'attente démodées de première classe, son regard fut presque continuellement à se déplacer avec lenteur. Les quatre visiteurs restèrent assis là après le départ du délégué, muets jusqu'à ce qu'Ulrich rompît le silence en demandant malicieusement à Clarisse si elle ne tremblait pas à l'idée de voir Moosbrugger face à face.

« Peuh! dit Clarisse dédaigneusement. Il n'a connu que des succédanés de femme, cela ne pouvait finir autrement... »

Le général voulut se réhabiliter à l'aide d'une idée qui lui était venue rétrospectivement. « La volonté est très à la mode, aujourd'hui, dit-il. Au sein de l'Action patriotique, nous nous préoccupons beaucoup de ce problème. »

Clarisse lui sourit et s'étira pour calmer la tension de ses membres. « Quand on doit attendre comme ça, on sent ce qui se prépare dans son corps, comme si on regardait à travers une lunette d'approche. »

Le général réfléchit, il ne tenait pas à rester en arrière une fois de plus. « Très juste! dit-il. Cela est lié, peut-être, au développement de la culture physique. Nous nous en occupons aussi! »

Alors survint précipitamment le Conseiller aulique, avec sa cavalcade d'assistants et de volontaires. Il fut très aimable, surtout pour Stumm, parla de besognes urgentes et manifesta son regret de devoir, contre son gré, se borner à cet accueil sans pouvoir leur servir de guide. Il présenta le Dr Friedenthal, qui s'en chargerait à sa place. Le Dr Friedenthal était un homme grand, mince, de constitution plutôt délicate, à la chevelure abondante. Il souriait pendant les présentations comme un acrobate qui monte à l'échelle de corde avant de faire le saut de la mort. Lorsque le chef se retira, on apporta des blouses.

« Pour ne pas agiter les patients », expliqua le Dr. Friedenthal.

Clarisse, en se glissant dans la sienne, sentit sa force étrangement grandir. Elle était là comme un petit médecin. Elle se sentit virile et très blanche.

Le général chercha une glace. Il fut difficile de trouver une blouse qui convînt à ses proportions particulières. Lorsqu'il fut enfin parvenu à envelopper tout son corps, il ressemblait à un enfant dans une chemise de nuit trop longue. « Croyez-vous que je doive enlever mes éperons ? demanda-t-il au docteur.

— Les médecins militaires portent aussi des éperons ! » dit Ulrich.

Stumm fit encore un effort complexe et désespéré pour jeter un coup d'œil derrière soi, du côté où l'enveloppe médicale retombait en grands plis sur ses éperons. Puis on s'ébranla. Le Dr. Friedenthal recommanda de ne se laisser troubler par rien.

« Jusqu'à maintenant, ça n'a pas été trop mal ! murmura Stumm à son ami. Mais au fond, ça ne m'intéresse pas du tout; je préférerais consacrer ces instants à te parler de la réunion de ce soir. Écoute-moi : tu m'as dit de te parler franchement. C'est très simple : tout le monde arme. Les Russes ont des canons tout neufs. Tu m'écoutes ? Les Français ont profité du service de deux ans pour achever l'organisation d'une armée puissante. Les Italiens... »

Ils avaient redescendu l'escalier noblement vieillot par où ils étaient arrivés; ils avaient tourné quelque part et se trouvaient dans un labyrinthe de petites pièces et de couloirs tortueux dont les plafonds avaient des poutres apparentes peintes en blanc. C'était le domaine de l'économat et des bureaux qu'ils traversaient; à cause du manque de place dans l'ancien bâtiment, on y sentait quelque chose d'obscur, de relégué. Des créatures étranges, tantôt en uniforme de l'établissement, tantôt en civil, le peuplaient. On pouvait lire sur une porte : « Réception », sur une autre « Hommes ». Le général n'eut plus envie de parler. Il pressentait la possibilité d'incidents de toute sorte qui, par leur étrangeté, nécessiteraient la plus grande présence d'esprit. Contre son gré, il se préoccupait aussi de savoir comment se comporter si un besoin irrésistible l'obligeait à s'isoler et qu'il allât tomber, seul et sans guide spécialisé, sur un aliéné dans un endroit où tous les hommes sont égaux. Clarisse, en revanche, marchait toujours un demi pas en avant du Dr. Friedenthal. Qu'il eût dit qu'ils devaient porter une blouse blanche pour ne pas effrayer les malades, la soutenait comme un scaphandre dans le flux de ses impressions. Des pensées favorites la hantaient. Nietzsche : « Y a-t-il un pessimisme de la force ? Une prédilection de l'esprit pour ce que l'existence a de rude, de terrible, de mauvais, de problématique ? Un désir de l'atroce considéré comme le seul ennemi digne d'estime ? La folie n'est-elle pas nécessairement un symptôme de dégénérescence ? » Elle ne pensait pas ces phrases à la lettre, elle se souvenait de l'ensemble; elle avait comprimé ses pensées en un minuscule paquet, aussi merveilleusement réduit que la trousse d'un voleur. Pour elle, ce trajet était moitié philosophie, moitié adultère.

Le Dr. Friedenthal s'arrêta devant une porte de fer et tira de sa poche une clef de sûreté. Lorsqu'il ouvrit, une lumière aveuglante éblouit les visiteurs, ils sortirent de l'abri de la maison, et Clarisse, au même moment, perçut un cri aigu, effrayant, comme elle n'en avait jamais entendu de sa vie. Malgré son courage, elle frémit.

« Ce n'était qu'un cheval ! » dit le Dr. Friedenthal en souriant.

En réalité, ils se trouvaient dans une rue qui, le long du bâtiment administratif, conduisait de l'entrée à la basse-cour située derrière. Rien ne la distinguait d'autres bouts de route à vieilles ornières et impudente mauvaise herbe, et le soleil y tapait avec violence. Néanmoins, hormis le docteur, tous furent étrangement surpris, même bizarrement irrités de se retrouver sur une route saine et banale après avoir déjà franchi un passage plus aventureux. Au premier moment, la liberté eut quelque chose de déconcertant, encore qu'elle fût extraordinairement bonasse : il fallut s'y réaccoutumer. Chez Clarisse, en qui tous les chocs étaient plus brutaux, la tension explosa en un brusque rire.

Le Dr. Friedenthal les précéda en souriant pour traverser la rue et ouvrit un petit portail de fer assez lourd qui était ménagé de l'autre côté dans le mur d'un parc. « Maintenant, ça va commencer! » dit-il doucement.

Dès lors, ils se trouvèrent réellement dans ce monde qui depuis des semaines déjà attirait incompréhensiblement Clarisse, non seulement par le frisson des choses mystérieuses et fermées, mais comme s'il lui était donné de vivre là-bas une expérience qu'elle ne pouvait imaginer. Tout d'abord, les visiteurs ne purent en rien distinguer ce monde d'un grand vieux parc qui montait d'un côté en pente douce et montrait sur une éminence, entre des bosquets de hauts arbres, de petits bâtiments blancs à l'aspect de villas. Derrière, la montée du ciel faisait pressentir une belle vue; sur l'un de ces belvédères, Clarisse remarqua des malades avec leurs gardiens, assis ou debout en groupes et pareils à des anges blancs. Le général von Stumm jugea le moment propice pour reprendre sa conversation avec Ulrich.

« J'aimerais bien te préparer à la soirée d'aujourd'hui, dit-il pour commencer. Les Italiens, les Russes, les Français, les Anglais eux-mêmes, tu me comprends, tous arment, et nous...

— Vous voudriez votre artillerie, je sais...

— Cela aussi! poursuivit le général. Mais si tu ne me laisses jamais aller jusqu'au bout, nous serons de nouveau chez les fous et nous ne pourrons plus parler tranquillement. Je voulais dire que nous, nous étions entre deux, dans une position militairement très scabreuse. Et c'est dans cette situation qu'on exige de nous, je parle maintenant de l'Action patriotique, uniquement des gestes de bonté!

— Et vous êtes contre! Je l'avais compris.

— Tout au contraire! affirma Stumm. Nous ne sommes pas du tout contre! Nous prenons le pacifisme très au sérieux! Mais nous voudrions faire passer notre projet pour l'artillerie. Et si nous pouvions le faire d'accord avec les pacifistes, nous serions merveilleusement à l'abri des malentendus des impérialistes qui prétendent tout de suite qu'on menace la paix! Je te concède donc que nous sommes un peu de connivence avec la Drangsal, en fait. D'un autre côté, il faut agir prudemment : le parti adverse, le courant nationaliste qui fait aussi partie de l'Action, maintenant, celui-là est contre le pacifisme, pour la formation militaire! »

Le général ne put achever et dut ravaler non sans dépit la

suite de son propos, car ils étaient presque arrivés sur l'éminence où le Dr. Friedenthal attendait son groupe. Le belvédère des anges se révéla clos de légères grilles, et le guide le traversa sans lui donner d'importance, comme un simple préambule. « Un *quartier tranquille* », expliqua le médecin.

Il n'y avait là que des femmes. Leurs cheveux retombaient librement sur leurs épaules, leurs visages étaient repoussants, avec des traits empâtés, mous, contrefaits. L'une d'elles accourut aussitôt vers le docteur et lui tendit une lettre. « C'est toujours la même chose, expliqua Friedenthal en lisant : *Adolf, mon chéri! Quand viendras-tu ? M'as-tu oubliée ?* » La femme, d'environ soixante ans, était debout à côté de lui, le visage fermé, et écoutait. « Tu le feras venir tout de suite ? » demanda-t-elle. « Bien sûr! » répondit le Dr. Friedenthal, qui déchira la lettre sous ses yeux et sourit à l'infirmière. Clarisse l'interpella aussitôt : « Comment pouvez-vous agir ainsi ? On doit prendre les malades au sérieux!

— Venez, répliqua Friedenthal. Il est inutile de perdre notre temps ici. Si vous voulez, je vous montrerai de ces lettres par centaines, après. Vous avez bien vu que la vieille n'était pas touchée du tout quand j'ai déchiré sa lettre. »

Clarisse fut déconcertée : ce que disait Friedenthal était exact, mais dérangeait ses pensées. Avant qu'elle eût pu y remettre de l'ordre, elles le furent à nouveau; à l'instant où ils s'éloignaient, une autre vieille qui était là aux aguets leva sa blouse et montra aux messieurs qui passaient ses affreuses cuisses au-dessus des gros bas de laine, jusqu'à la hauteur du ventre.

« La vieille salope! » dit Stumm von Bordwehr à mi-voix, si dégoûté et si furieux qu'il en oublia pour un instant la politique.

Clarisse avait découvert que la jambe ressemblait au visage. Sans doute portait-elle les mêmes stigmates de déchéance graisseuse, mais, pour la première fois, Clarisse eut l'impression de relations inconnues, d'un monde dont les événements échappaient aux notions ordinaires. Au même moment, elle remarqua aussi qu'elle n'avait pas observé comment les anges blancs s'étaient métamorphosés en ces femmes et qu'elle n'avait même pas fait de différence, bien qu'elle fût passée parmi elles, entre les infirmières et les malades. Elle se retourna et regarda en arrière; comme le chemin avait tourné à l'angle d'un bâtiment, elle ne put plus rien voir et clopina derrière les autres tel un enfant qui marche en tournant la tête. La série d'impressions qui s'ouvrit alors ne composa plus ce ruisseau limpide d'événements que l'on accueille comme la vie, mais un tourbillon écumant d'où émergeaient seulement, quelquefois, des surfaces lisses qui s'accrochaient dans la mémoire.

« De nouveau un *quartier tranquille*. Pour hommes, cette fois », expliqua le Dr. Friedenthal en rassemblant ses compagnons devant la porte d'un bâtiment. Lorsqu'ils firent halte devant le premier lit, il leur présenta son occupant en baissant poliment la voix : « Paralysie générale dépressive ». « Un vieux syphilitique. Idées délirantes nihilistes, délire de culpabilité », murmura Siegmund à sa sœur pour lui expliquer le terme. Clarisse se trouva en face d'un vieux monsieur qui avait dû appartenir, selon toute apparence, à la meilleure société. Il était assis dans son lit, très droit, pouvait avoir cinquante ans, la peau du visage très blanche. Une chevelure abondante, non moins blanche, encadrait son visage soigné, intelligent, d'une noblesse invraisemblable, telle qu'on n'en voit que dans les très mauvais romans. « Ne pourrait-on le faire peindre ? demanda Stumm von Bordwehr. C'est la beauté spirituelle incarnée! J'aimerais offrir le portrait à ta cousine ! » dit-il à Ulrich. Le Dr. Friedenthal sourit mélancoliquement et dit : « La noblesse de l'expression n'est due qu'au relâchement des muscles faciaux. » Il montra encore à ses visiteurs, d'un geste discret de la main, la rigidité pupillaire, et les entraîna plus loin. L'abondance des matières exigeait qu'on se pressât. Le vieux monsieur, qui avait approuvé mélancoliquement de la tête tout ce qu'on avait dit devant son lit, continuait à répondre d'une voix basse et chagrine lorsque les cinq s'arrêtèrent, quelques lits plus loin, devant le cas que Friedenthal avait choisi pour lui succéder.

Cette fois, c'était un malade hanté par l'art, un gros peintre enjoué dont le lit était proche d'une fenêtre lumineuse; il y avait du papier et des crayons sur sa couverture, qu'il maniait toute la journée. Clarisse fut frappée aussitôt par l'agitation pleine de gaieté de ses mouvements. « C'est ainsi que Walter devrait peindre! » pensa-t-elle. Friedenthal, qui remarqua son intérêt, déroba prestement une feuille au gros peintre et la tendit à Clarisse; le peintre eut un petit rire et se comporta comme une femme chatouillée. A sa vive surprise, Clarisse vit une esquisse pour un grand tableau, dessinée avec sûreté, parfaitement raisonnable et même banale, avec de nombreux personnages organisés selon la perspective et une salle peinte avec une précision appliquée, de sorte que l'ensemble, dans sa santé professorale, semblait sortir de l'École des Beaux-arts. « Un métier étonnant ! » s'écria-t-elle sans le vouloir.

Friedenthal sourit, flatté.

« Bien fait ! lui cria néanmoins le peintre. Tu vois, le monsieur l'apprécie ! Montre-lui-en d'autres ! *Étonnant*, il a dit ! Montre-lui-en ! Je sais que tu te moques de moi, mais lui, il l'apprécie ! » Il disait cela gentiment et semblait en bons rapports avec le médecin auquel il tendait d'autres dessins, bien que celui-ci n'appréciât pas son art.

« Nous n'avons pas de temps à te donner aujourd'hui », lui répondit Friedenthal. Puis il se tourna vers Clarisse et résuma sa critique en quelques mots : « Il n'est pas schizophrène; nous n'en avons malheureusement pas en ce moment, ce sont souvent de grands artistes, tout à fait modernes !

— Et malades ? demanda Clarisse sceptique.

— Pourquoi pas ? » répondit mélancoliquement Friedenthal. Clarisse se mordit les lèvres.

Cependant, Stumm et Ulrich se trouvaient déjà sur le seuil de la salle suivante, et le général dit : « Quand je vois ça, je regrette d'avoir traité mon ordonnance d'imbécile : je ne le ferai plus jamais ! » Ils apercevaient une salle d'idiots avancés.

Clarisse ne voyait rien encore et se disait : « Ainsi, même un art aussi respecté, aussi admis que l'art académique trouve à l'asile son pendant, renié, déshérité sans doute, mais proche à s'y méprendre ? » Cela l'impressionnait presque davantage que la remarque de Friedenthal qui voulait lui montrer une autre fois des artistes expressionnistes. Elle se promit cependant de revenir aussi là-dessus. Elle baissait la tête et continuait à se mordre les lèvres. Il y avait là quelque chose qui ne marchait pas. Il lui paraissait complètement faux d'enfermer des êtres aussi doués; les médecins comprenaient sans doute les maladies, se disait-elle, mais probablement ne voyaient-ils pas toute la portée de l'art. Elle avait le sentiment que quelque chose devait se passer. Elle ne pouvait déceler quoi. Pourtant, elle ne perdit pas son assurance, parce que le gros peintre lui avait tout de suite dit « Monsieur » : cela lui semblait un bon signe.

Friedenthal l'observait avec curiosité.

Quand elle sentit son regard, elle leva les yeux avec son mince sourire et s'approcha de lui; mais, avant qu'elle eût rien pu lui dire, une impression terrible chassa toute réflexion. Dans la nouvelle salle, un spectacle épouvantable occupait les lits. Tout dans ces corps était de travers, malpropre, déformé ou paralysé. Des dents gâtées. Des têtes branlantes, trop grandes, trop petites, contrefaites. Des mâchoires pendantes d'où coulait de la bave, des mouvements masticatoires bestiaux de bouches où il n'y avait ni aliments, ni paroles. Des barres de plomb épaisses de plusieurs mètres semblaient séparer ces âmes du monde; après les rires et les bourdonnements légers de l'autre salle, l'oreille percevait un silence épais traversé seulement de grognements, de marmonnements obscurs. Ces salles d'idiots du dernier degré sont parmi les spectacles les plus pénibles qu'offre l'horreur des asiles d'aliénés. Clarisse sentit qu'elle s'enfonçait dans une nuit atroce où l'on ne distinguait plus rien.

Mais son guide voyait même dans le noir, et, montrant différents lits, il expliquait : « Ici l'idiotie, là le crétinisme ».

Stumm von Bordwehr dressa l'oreille : « Un crétin et un idiot, ce n'est pas la même chose ?

— Non, du point de vue médical c'est différent, répondit le médecin.

— Intéressant! dit Stumm. Voilà ce dont on ne s'aviserait pas dans la vie ordinaire! »

Clarisse allait de lit en lit. Elle enfonçait son regard dans les malades, fatiguant ses yeux sans comprendre quoi que ce fût à ces visages qui ne la remarquaient même pas. Toute imagination s'y épuisait. Le Dr. Friedenthal la suivait d'un pas léger en expliquant : « Idiotie amaurotique familiale... Idiotie par sclérose tubéreuse... *Idiotia thymica...* »

Le général, jugeant avoir vu suffisamment d' « imbéciles » et attribuant à Ulrich la même pensée, regarda sa montre et dit : « Où donc en étions-nous restés ? Nous ne devons pas perdre notre temps! » Puis, assez brusquement, il commença : « Je t'en prie, souviens-toi de ceci : le Ministère de la Guerre voit de son côté les pacifistes, de l'autre les nationalistes... »

Ulrich, qui n'était pas aussi prompt à se détacher de ce qui l'entourait, le considéra interloqué.

« Mais je ne plaisante pas! déclara Stumm. Je parle de politique! Il faut que quelque chose se produise. C'est à cela que nous en étions restés une fois déjà. Si quelque chose ne se produit pas bientôt, l'anniversaire de l'Empereur arrivera et nous serons dans le pétrin. Mais qu'est-ce qui doit se produire? Cette question est logique, non? Résumons, un peu grossièrement, tout ce que je t'ai dit : les uns exigent de nous que nous les aidions à aimer l'humanité, les autres que nous leur permettions de couillonner leur prochain pour que la race plus pure l'emporte, ou Dieu sait quoi. Les deux positions se défendent. C'est pourquoi tu devrais, brièvement parlant, essayer de les concilier, qu'il n'y ait pas trop de dégâts!

— Moi? » s'écria Ulrich après que son ami eut ainsi fait éclater sa bombe. Il lui aurait ri au nez, si le lieu l'avait permis.

« Toi, bien sûr! répliqua fermement le général. Je t'aiderai volontiers, mais tu es le secrétaire de l'Action et le bras droit de Leinsdorf!

— Je te procurerai un lit ici! dit résolument Ulrich.

— Parfait! » fit le général à qui la stratégie avait appris qu'on ne peut mieux éviter un obstacle inattendu qu'en cachant sa surprise. « Si tu me trouves une place ici, peut-être y découvrirai-je quelqu'un qui aura trouvé la plus grande idée du monde. Là-bas, plus personne n'a de goût pour les grandes idées. » Il regarda de nouveau sa montre. « Il doit bien y en avoir qui se prennent pour le pape ou pour l'univers, c'est du moins ce qu'on raconte. Je n'en ai pas encore vu un seul, et c'est justement de ceux-là que je me réjouissais! Ton amie est terriblement scientifique », soupira-t-il.

Le Dr. Friedenthal arracha prudemment Clarisse à la contemplation des oligophrènes.

L'enfer n'est pas intéressant, il est effrayant. Quand on ne l'a pas humanisé (comme Dante qui l'a peuplé de littérateurs et de célébrités, détournant ainsi l'attention de la technique du châtiment), mais qu'on a essayé d'en donner une représentation naïve, même les esprits les plus doués d'imagination en sont restés aux tortures puériles, à une sotte déformation des particularités terrestres. Mais la pensée vide d'un châtiment et d'un tourment infinis, inimaginables et partant inévitables, l'hypothèse d'une transformation en mal absolument indifférente à tous les efforts contraires, sont attirantes comme l'abîme. Telles sont les maisons de fous. Ce sont des maisons de pauvres. Elles évoquent le manque d'imagination de l'enfer.

Mais beaucoup d'hommes qui ignorent totalement les causes des maladies mentales ne redoutent rien tant, outre l'éventualité de perdre leur argent, que celle de perdre un beau jour la raison; c'est curieux, le nombre de gens que tourmente l'idée qu'ils pourraient subitement se perdre. Surestimant ce qu'ils tirent d'eux-mêmes, ils surestiment ensuite, vraisemblablement, les atrocités dont les êtres sains s'imaginent enveloppées les maisons des malades. Clarisse elle-même souffrait d'une légère déception qui provenait d'une attente vague due à son éducation. Chez le Dr. Friedenthal, c'était l'inverse. Il avait l'habitude de cette tournée. Un ordre analogue à celui des casernes ou de tout autre établissement communautaire, l'adoucissement de douleurs et de peines importunes, la prévention des aggravations évitables, quelques améliorations, de rares guérisons : tels étaient les éléments de son activité quotidienne. Observer beaucoup, savoir beaucoup sans posséder d'explication suffisante de l'ensemble, tel était le sort de son esprit. Ordonner, dans sa ronde de pavillon en pavillon, outre les remèdes contre la toux, le rhume, la constipation et les blessures, un ou deux calmants, tel était sa tâche curative journalière. Aussi ne ressentait-il la noirceur spectrale du monde où il vivait que si quelque contact avec le monde ordinaire réveillait le contraste; si ce n'était pas possible tous les jours, les visites lui en fournissaient l'occasion. C'est pourquoi ce que Clarisse voyait n'était pas organisé sans un certain goût de la mise en scène; dès qu'il l'eut tirée de son absence, le Dr. Friedenthal prouva qu'il avait le sens des gradations dramatiques.

A peine avaient-ils quitté la salle, en effet, que de grands gaillards aux épaules larges, aux bons visages de caporaux et aux blouses immaculées se joignaient à eux. Cela se fit dans un tel silence que l'impression fut d'un roulement de tambour. « Nous arrivons dans un quartier d'agités », annonça Friedenthal. Déjà, ils s'approchaient de criaillements, de caquetages qui semblaient sortir d'une énorme volière. Lorsqu'ils s'arrêtèrent devant la porte, celle-ci n'avait pas de poignée; un gardien l'ouvrit au moyen d'un déclic, et Clarisse s'arrangea, comme elle l'avait fait jusqu'alors, pour entrer la première; mais le Dr. Friedenthal la tira brutalement en arrière. « Ici, on attend! » dit-il sans s'excuser, d'une voix lasse et solennelle. Le gardien n'avait ouvert la porte que pour un étroit entrebâillement que son corps puissant cachait tout entier;

après qu'il eut écouté, puis épié l'intérieur, il s'y glissa rapidement; un second gardien le suivit, qui prit place de l'autre côté de l'entrée. Le cœur de Clarisse se mit à battre. Le général dit, en connaisseur : « Avant-garde, arrière-garde, flanquement! » Ainsi couverts, ils pénétrèrent dans la salle et furent conduits de lit en lit par les gardiens géants. Ce qui était dans les lits, agité et criard, voletait des yeux et des bras; on avait l'impression que chacun criait dans un espace qui n'était là que pour lui, et pourtant tous semblaient être engagés dans une grande conversation tapageuse, comme des oiseaux exotiques enfermés dans une cage commune et dont chacun parlerait le langage d'une autre île. Beaucoup étaient assis librement, beaucoup étaient attachés au bord du lit avec des cordes qui ne laissaient aux mains que peu de jeu. « A cause du danger de suicide », expliqua le médecin qui énumérait les maladies : paralysie, paranoïa, démence précoce, telles étaient les races auxquelles appartenaient ces oiseaux.

D'abord, Clarisse se sentit de nouveau gênée par le désordre de ses impressions, et perdit pied. Puis, il y eut comme un signe amical : de loin déjà, quelqu'un l'appelait, lui criait des phrases, alors même que plusieurs lits l'en séparaient encore. Lui s'agitait dans le sien comme s'il cherchait désespérément à se libérer pour courir au devant d'elle; ses accusations, ses éclats de rage enchérissaient sur le chœur et, toujours plus irrésistiblement, il attirait sur lui l'attention de Clarisse. Plus elle s'approchait de lui, plus l'inquiétait le sentiment qu'il semblait ne parler que pour elle, alors qu'il lui était tout à fait impossible de comprendre ce qu'il voulait dire. Lorsqu'ils furent enfin auprès de lui, le gardien-chef expliqua quelque chose au médecin, si doucement que Clarisse ne le comprit pas; Friedenthal, d'un air très grave, prit une quelconque mesure. Puis, il fit une plaisanterie et interpella le malade. Le fou ne répondit pas tout de suite; soudain, il demanda : « Qui est ce monsieur ? », indiquant d'un geste qu'il entendait Clarisse. Friedenthal montra son frère et répondit que c'était un médecin de Stockholm. « Non, celui-ci! » répliqua le fou en insistant pour montrer Clarisse. Friedenthal sourit et affirma que c'était une doctoresse de Vienne. « Non. C'est un monsieur », répliqua le malade. Puis il se tut. Clarisse sentit son cœur battre. Celui-là aussi la prenait pour un homme!

Alors, le malade dit lentement : « C'est le septième fils de l'Empereur. »

Stumm von Bordwehr poussa Ulrich du coude.

« Ce n'est pas vrai », répondit Friedenthal. Il prolongea le jeu en se tournant vers Clarisse : « Dites-lui donc vous-même qu'il se trompe. »

« Ce n'est pas vrai, mon ami », dit doucement Clarisse, si émue qu'elle pouvait à peine parler, au malade.

« Tu es quand même le septième fils! rétorqua-t-il obstinément.

— Non, non! » affirma Clarisse. Elle lui souriait d'excitation, comme dans une scène d'amour, quand les lèvres sont raidies par le trac.

« Tu l'es! » répéta le malade en lui jetant un regard qu'elle n'aurait pu définir. Il lui fut impossible de trouver la moindre réponse; désemparée, elle regardait affectueusement dans les yeux le fou qui la prenait pour un prince, et continuait à sourire. Quelque chose d'étrange se passait dans son esprit : la possibilité s'y formait de donner raison au fou. Sous le poids de cette affirmation réitérée, quelque chose en elle se dénouait, quelque chose lui faisait perdre la maîtrise de ses pensées, de nouvelles architectures mentales surgissaient du brouillard : il n'était pas le premier qui désirait savoir qui elle était, et la tenait pour un « monsieur ». Mais, tandis que Clarisse, captive de ces étranges liens, regardait encore ce visage dont l'âge, ainsi que les autres traces d'existence libre qui s'y étaient gravées lui demeuraient mystérieux, quelque chose d'absolument incompréhensible s'y produisit, et dans toute la personne du malade. On aurait dit que le regard de Clarisse était devenu soudain trop lourd pour les yeux sur lesquels il s'était posé : à ce moment, en effet, commença une sorte de glissement, de chute. Les lèvres aussi se mirent à s'agiter, et comme de grosses gouttes toujours plus nombreuses, des grossièretés tout à fait perceptibles se mêlèrent au rapide caquetage. Clarisse fut aussi troublée par cette transformation et ce glissement de chute que si quelque chose avait glissé de ses propres mains, elle fit un geste involontaire des deux bras dans la direction du malheureux; avant que personne eût pu l'en empêcher, le malade bondit aussi vers elle : il rejeta sa couverture, s'agenouilla au bout du lit et travailla son membre de la main, comme un singe se masturbe dans sa cage. « Pas de cochonneries! » dit rapidement et sévèrement le médecin. Au même instant, les gardiens empoignaient le type avec ses couvertures et faisaient du tout un ballot horizontal et immobile. Clarisse était devenue ponceau; elle était aussi troublée qu'on peut l'être dans un ascenseur, quand tout à coup on ne sent plus rien sous les pieds. Il lui sembla que tous les malades devant lesquels elle était passée déjà criaient dans son dos, et que ceux qu'elle n'avait pas encore vus criaient vers elle. Le hasard, ou la force contagieuse de l'excitation, voulut que le suivant aussi, un aimable vieillard qui avait jeté de gentilles petites plaisanteries aux visiteurs lorsqu'ils étaient encore auprès de lui, à l'instant où Clarisse passa en hâte devant lui, bondît et se mît à blasphémer avec des mots obscènes qui formaient sur ses lèvres une écume répugnante. Lui aussi, les poings des gardiens le saisirent comme deux lourds pilons écrasant toute résistance.

Le magicien Friedenthal leur ménageait encore une gradation. Protégés comme à l'entrée par les gardiens, ils quittèrent la salle à son autre extrémité, et soudain l'oreille parut plonger dans un suave silence. Ils se trouvèrent dans un joli corridor propre, revêtu de linoléum, et tombèrent sur des créatures endimanchées et de charmants enfants qui saluèrent le médecin avec confiance et politesse. C'étaient des visiteurs qui attendaient de pouvoir entrer. De nouveau, le monde sain fit une impression presque inquiétante; ces gens modestes et polis dans leur attitude, avec leurs plus beaux habits, firent au premier coup d'œil l'effet de poupées ou de fleurs artificielles très bien imitées. Friedenthal passa rapidement au milieu d'eux et annonça à ses amis qu'il allait les conduire vers un groupe de meurtriers ou de fous non moins dangereux. La prudence et la mine des gardiens, lorsqu'ils se retrouvèrent bientôt après devant une nouvelle porte de fer, ne promettaient en effet rien de bon. Ils pénétrèrent dans une cour fermée entourée d'une galerie, qui ressemblait à ces modernes jardins d'art où il y a beaucoup de pierres et peu de fleurs. D'abord, l'air vide fut comme un cube de silence au milieu; au bout d'un moment, on découvrit des hommes qui étaient assis, muets, contre les murs. Près de l'entrée étaient accroupis de jeunes idiots, morveux, malpropres et immobiles, comme si un sculpteur eût eu l'idée grotesque de les placer sur les montants de la porte. A côté d'eux était assis, le premier contre le mur et à quelque distance des suivants, un homme simple, encore vêtu de ses vêtements sombres du dimanche, le col en moins; il devait avoir été amené depuis peu, et son air infiniment étranger à tout était poignant. Clarisse se représenta soudain la souffrance qu'elle imposerait à Walter si elle le quittait, et elle faillit en pleurer. C'était la première fois que cela lui arrivait, mais elle passa vite là-dessus, car les autres malades devant lesquels on la conduisait donnaient simplement cette impression d'accoutumance silencieuse qu'on connaît aux prisonniers; ils saluaient timidement, poliment, et présentaient de petites demandes. Un seul d'entre eux, un jeune homme, insista et commença à se plaindre; Dieu seul savait de quelle absence il émergeait. Il exigeait du médecin qu'on le laissât partir, qu'on lui dît pourquoi il était là; lorsque celui-ci se déroba en répondant que ce n'était pas lui, mais le directeur seul qui pouvait en décider, le questionneur ne céda pas; ses demandes se répétèrent bientôt comme une chaîne qui se fût déroulée toujours plus rapidement; peu à peu, sa voix devint pressante, menaçante, dangereuse enfin comme celle d'une bête. Alors, les géants le rassirent sur son banc, et il rampa de nouveau dans son silence comme un chien, sans mot dire, sans avoir obtenu de réponse. Clarisse connaissait déjà cela, qui s'inséra simplement dans l'agitation d'ensemble qu'elle ressentait.

Elle n'eut pas eu le temps, d'ailleurs, de penser autre chose : au fond de la cour, il y avait une deuxième porte blindée. Les gardiens y frappèrent. C'était nouveau, puisque jusqu'alors ils avaient ouvert les portes certes prudemment, mais sans s'annoncer. A cette porte ils heurtèrent quatre fois du poing, épiant les bruits qui trahissaient l'agitation de l'intérieur. « A ce signal, tous ceux qui sont dedans doivent se plaquer contre les parois, expliqua Friedenthal, ou s'asseoir sur les banquettes qui courent le long des murs. » Il apparut en effet, lorsque la porte tourna lentement, centimètre par centimètre, que tous les fous qui avaient tournoyé jusqu'alors, les uns muets, les autres bruyants, avaient obéi comme des détenus bien dressés. Néanmoins, les gardiens prirent encore tant de précautions à l'entrée que Clarisse saisit le docteur par la manche et lui demanda nerveusement si Moosbrugger était là. Friedenthal secoua la tête sans mot dire. Il n'avait pas le temps de répondre. Il pria rapidement les visiteurs de rester à deux pas au moins des malades. La responsabilité de l'aventure semblait lui peser un peu. Ils étaient sept contre trente, dans une cour perdue, entourée de murs, peuplée uniquement de fous dont presque tous avaient déjà commis un meurtre. Les hommes habitués à porter une arme, privés d'elle, se sentent moins sûrs que les autres; aussi ne reprochera-t-on pas au général, qui avait laissé son sabre dans la salle d'attente, d'avoir dit au médecin : « Portez-vous une arme sur vous ? » « L'attention et l'expérience! répondit Friedenthal pour qui cette flatteuse question fut la bienvenue. L'essentiel est d'étouffer dans l'œuf toute tentative d'émeute. »

En effet, dès qu'un des malades faisait le moindre mouvement pour sortir du rang, les gardiens se précipitaient sur lui et le rasseyaient si rapidement à sa place que ces assauts furent les seuls actes de violence qui se produisirent. Clarisse ne les approuvait pas. « Ce que les médecins ne comprennent peut-être pas, pensa-t-elle, c'est que ces hommes, bien qu'ils soient enfermés ensemble toute la journée sans surveillance, ne se font rien; ils ne sont dangereux que pour nous, qui leur arrivons d'un monde étranger! » Elle voulut en interpeller un; elle s'imagina soudain qu'elle parviendrait à s'entendre avec lui convenablement. Il y en avait un debout dans un coin juste après la porte; c'était un homme robuste de taille moyenne avec une barbe brune et deux yeux perçants; il était adossé au mur, les bras croisés, muet, suivant d'un air mauvais les mouvements des visiteurs. Clarisse s'approcha de lui; au même instant, le Dr. Friedenthal posa sa main sur le bras de Clarisse et la retint. « Pas celui-là », dit-il à mi-voix. Il chercha pour Clarisse un autre assassin et l'interpella. C'était un petit trapu avec un vrai crâne de détenu en pointe, rasé de près, que le médecin devait savoir abordable; en effet, l'interpellé se leva immédiatement avec vigueur et, répondant docilement, montra deux rangées de dents qui évoquaient, d'une manière un peu inquiétante, deux rangées de pierres tombales.

« Demandez-lui donc pourquoi il est ici », murmura le Dr. Friedenthal au frère de Clarisse. Siegmund demanda à la tête pointue, large d'épaules : « Pourquoi es-tu ici ?

— Tu le sais très bien! répondit-il sèchement.

— Je ne le sais pas, répliqua Siegmund un peu sottement, ne voulant pas céder tout de suite. Dis-moi donc pourquoi tu es ici!

— Tu le sais très bien! répéta-t-il plus fort.

— Pourquoi es-tu impoli à mon égard? demanda Siegmund. Je ne le sais vraiment pas. »

« Le menteur! » se dit Clarisse en se réjouissant d'entendre le malade répliquer simplement : « Parce que je le veux! Je peux faire ce que je veux! » en grinçant des dents.

« Mais voyons! on ne doit pas être impoli sans raison! » répétait le malheureux Siegmund, qui semblait n'avoir pas plus d'idées que le fou.

Clarisse était furieuse de le voir jouer le rôle stupide de l'homme qui agace un animal en cage, dans un zoo.

« Cela ne te regarde pas! Je fais ce que je veux, tu comprends? Ce que je veux! » hurlait l'aliéné comme un sous-officier. Quelque chose riait dans son visage, mais ce n'était ni la bouche ni les yeux qui semblaient plutôt chargés d'une fureur inquiétante.

Ulrich lui-même se dit : « Je ne voudrais pas me trouver seul en ce moment avec ce type. » Siegmund avait de la peine à ne pas reculer, comme le fou s'approchait de lui, et Clarisse aurait voulu qu'il prît son frère à la gorge et qu'il le mordît au visage. Friedenthal laissait faire avec satisfaction, il avait bien le droit d'attendre quelque chose d'un collègue médecin, et l'embarras de celui-ci lui donnait quelque plaisir. Fort habilement, il laissa la scène atteindre son point culminant et ne se prépara à donner le signal du départ qu'au moment où son collègue fut incapable de dire un mot de plus. A ce moment-là, il y eut de nouveau en Clarisse ce désir d'intervenir! Le roulement de tambour des réponses avait dû l'intensifier peu à peu, tout à coup elle ne put plus se tenir, s'approcha du malade et dit : « Je viens de Vienne! » C'était aussi absurde qu'une note isolée qu'on arrache à une trompette. Elle ne savait ni à quoi elle voulait en venir, ni comment elle avait eu cette idée; elle ne s'était même pas demandé si le type savait dans quelle ville il se trouvait : s'il le savait, sa remarque devenait vraiment absurde. Mais elle se sentait en même temps pleine d'assurance. Et il faut croire qu'il y a encore des miracles, mais de préférence dans les asiles de fous : lorsque Clarisse prononça cette phrase, debout, flamboyante d'émotion, devant le meurtrier, une sorte de lumière se répandit sur lui; ses dents de carrier rentrèrent sous ses lèvres et quelque bienveillance émoussa son regard perçant. « Oh! Vienne-la-dorée!

Quelle belle cité! » s'écria-t-il avec l'ambition d'un ancien petit bourgeois qui sait comment on doit parler.

« Je vous félicite! » dit en riant le Dr. Friedenthal.

Pour Clarisse, cette scène avait été d'une grande importance.

« Maintenant, nous irons voir Moosbrugger! » dit Friedenthal.

Cela ne fut pas possible. Ils étaient ressortis prudemment des deux cours et gagnaient un pavillon apparemment à l'écart au haut du parc lorsque accourut vers eux, surgi on ne sait d'où, un gardien qui donnait l'impression de les chercher depuis longtemps. Il s'approcha de Friedenthal et lui transmit à voix basse une assez longue communication qui, à voir la mine du médecin, lequel l'interrompait parfois de ses questions, devait être importante et désagréable. Puis, avec un geste de grave regret, Friedenthal revint vers les visiteurs pour leur apprendre qu'un incident dont on ne pouvait prévoir l'issue l'appelait dans l'un des quartiers, l'obligeant malheureusement à les abandonner. Ce disant, il s'adressait d'abord à la personnalité la plus importante, au général dissimulant son uniforme sous la blouse du médecin. Stumm von Bordwehr, reconnaissant, déclara qu'il avait pu suffisamment se rendre compte de la discipline et de l'ordre éminents qui régnaient dans l'établissement, et qu'après ce qu'ils avaient vu, un meurtrier de plus ou de moins importait peu. Clarisse, en revanche, fit une figure si déçue, si consternée, que Friedenthal proposa de remettre à plus tard leur visite à Moosbrugger et à quelques autres malades et d'avertir téléphoniquement Siegmund dès qu'on pourrait fixer un jour. « C'est très aimable à vous, dit le général, remerciant au nom de tous, mais pour ma part, je ne sais vraiment si mes obligations me le permettront. »

L'accord en resta avec cette réserve, et Friedenthal s'engagea dans une allée qui le fit bientôt disparaître de l'autre côté de l'éminence, tandis que les visiteurs, accompagnés par le gardien que le docteur leur avait laissé, regagnaient la sortie. Ils abandonnèrent l'allée pour prendre le plus court chemin, coupant par les belles pelouses en pente plantées de hêtres et de platanes. Le général s'était débarrassé de sa blouse et la portait gaiement sur le bras comme un cache-poussière lors d'une excursion, mais il n'y eut pas moyen de raviver la conversation. Ulrich ne semblait nullement désireux qu'on le préparât une fois de plus à la soirée imminente, et Stumm lui-même était déjà beaucoup trop préoccupé de son retour; il se crut seulement tenu d'adresser quelques mots à Clarisse, à la gauche de qui il marchait galamment. Mais Clarisse était absente, silencieuse. « Après tout, peut-être se gêne-t-elle à cause de ce cochon ? » se demanda le général. Il ressentit le besoin d'expliquer qu'il ne lui avait pas été possible, en certaine circonstance, de lui prêter une aide chevaleresque; mais, d'un autre côté, peut-être valait-il mieux n'en point parler. Ainsi, le retour fut-il taciturne et ombragé.

Il fallut que Stumm von Bordwehr fût remonté dans sa voiture et eût confié Clarisse et son frère à Ulrich pour que revînt sa belle humeur, en même temps qu'une idée qui mit un peu d'ordre dans les événements oppressants qu'il venait de vivre. Il avait tiré un cigare du grand étui de cuir qu'il portait toujours sur lui et, déjà enfoncé dans les coussins, commençait à souffler dans l'air ensoleillé de petits nuages bleus. Du milieu de son confort, il se dit : « Ces maladies mentales, ça doit être terrible! Je me rends compte pour la première fois en ce moment que, de tout le temps que nous avons passé là-bas, je n'en ai pas vu un seul fumer! On ne sait vraiment pas ce qu'on a quand on a la santé!... »

34. *Un grand événement se prépare. Le comte Leinsdorf et l'Inn.*

Cette journée agitée s'acheva par un « Grand Soir » chez les Tuzzi.

L'Action parallèle paradait dans la lumière et l'éclat; les yeux brillaient, les bijoux brillaient, les noms brillaient, l'esprit brillait. Un aliéné en eût déduit peut-être que les yeux, les bijoux, les noms et l'esprit, dans une pareille soirée, reviennent au même : il n'eût pas eu tout à fait tort. Tout ce qui ne séjournait pas sur la Côte ou sur les lacs de l'Italie du nord était venu, hors quelques personnes qui à cette époque, vers la fin de la saison, n'admettaient plus, par principe, aucun « événement ».

A leur place se trouvaient une quantité de gens encore jamais vus. Une longue interruption avait creusé des trous dans la liste des invités; pour les combler, on avait attiré des nouveaux avec une hâte qui ne correspondait pas aux habitudes prudentes de Diotime. Le comte Leinsdorf lui-même avait remis à son amie une liste de personnalités qu'il l'avait priée d'inviter pour des raisons politiques; ayant sacrifié une fois à ces considérations d'ordre supérieur l'exclusivisme de son salon, Diotime, pour le reste, s'était montrée moins scrupuleuse. D'ailleurs, Son Altesse était l'unique cause de cette réunion solennelle; Diotime était d'avis qu'on ne peut aider l'humanité que couple par couple. Mais le comte Leinsdorf insistait sur cette affirmation : « Au cours de l'évolution historique, Capital et Culture n'ont pas fait ce qu'ils auraient dû : nous devons risquer une dernière tentative! »

Chaque fois, le comte Leinsdorf revenait là-dessus. « Ma chère, vous ne vous êtes pas encore décidée ? Il est grand temps d'y songer. Toutes sortes de gens surgissent avec des tendances destructives : nous devons donner à la culture l'occasion de rétablir l'équilibre. » Diotime, distraite par la multiplicité des formes de l'accouplement humain, oubliait tout le reste.

Finalement, le comte Leinsdorf la sermonna : « Voyons, chère amie, vous ne m'aviez pas habitué à cela ? Partout, maintenant, nous avons donné le mot d'ordre de l'action. Moi-même, personnellement,... je puis bien vous le confier, j'ai obtenu la mise à la retraite du Ministre de l'Intérieur : les choses sont allées si haut, très haut, je vous l'assure! Mais ça a fait scandale, et personne n'a eu le courage d'y mettre fin! Je vous confie donc cela, poursuivit-il, et le Président du Conseil me prie maintenant de prendre une part plus active à l'Enquête pour l'établissement des vœux de la population en vue d'une réforme de l'administration, parce que le nouveau ministre n'est pas encore suffisamment au courant : et c'est maintenant que vous me laisseriez tomber, vous qui fûtes toujours la plus persévérante ? Nous *devons* donner à Capital et Culture une dernière occasion! Ou comme ça... ou autrement! »

Cette conclusion tant soit peu incomplète fut prononcée sur un ton si menaçant qu'on ne pouvait douter que Son Altesse ne sût ce qu'elle voulait, et Diotime promit avec empressement qu'elle se hâterait. Puis, elle l'oublia de nouveau, et ne fit rien.

Un beau jour, le comte Leinsdorf retrouva sa fameuse énergie et se rendit chez Diotime, tiré par quarante chevaux-vapeur.

« Quelque chose s'est-il produit ? » demanda-t-il. Diotime fut obligée de répondre que non.

« Connaissez-vous l'Inn, chère amie ? » Diotime, bien entendu, connaissait ce fleuve, le plus connu de tous après le Danube, et sous mille formes mêlé à la géographie et à l'histoire de son pays. Un peu surprise, elle regardait son visiteur, tout en s'efforçant de sourire.

Le comte Leinsdorf restait terriblement sérieux. « Si l'on fait abstraction d'Innsbruck, expliqua-t-il, quels petits trous ridicules, dans la vallée de l'Inn, et, ici, quel fleuve majestueux! Moi-même n'y avais jamais songé! » Il hocha la tête. « Aujourd'hui, par hasard, je consultais une carte routière, ajouta-t-il en complétant enfin son explication, et j'ai vu que l'Inn venait de Suisse. Je le savais probablement déjà; nous le savons tous, mais nous n'y pensons jamais. Elle prend sa source près de Maloja, c'est un ruisselet dérisoire, je l'ai vu là-bas; comme ici la Kamp ou la Morava. Mais qu'est-ce que les Suisses en ont fait ? L'Engadine! L'Engadine connue du monde entier! L'Engad-Inn, chère amie! Aviez-vous jamais songé que cette illustre Engadine vient du mot Inn ? Voilà ce que j'ai découvert aujourd'hui! Et nous autres, Autrichiens, avec notre insupportable modestie, nous ne savons jamais rien faire de nos richesses! »

Après cet entretien, Diotime convoqua en toute hâte la société désirée, en partie parce qu'elle comprenait qu'elle devait soutenir le comte, en partie parce qu'elle craignait d'exaspérer son illustre ami si elle temporisait plus longtemps.

Lorsqu'elle le lui eut promis, Leinsdorf ajouta : « Et je vous en prie, très chère, cette fois n'oubliez pas d'inviter aussi la... ah! la X, celle que vous appelez Drangsal. Votre amie, la Wayden, m'importune depuis des semaines à cause de cette femme! »

Même cela, Diotime le promit, alors que cette tolérance, en d'autres temps, lui eût semblé un crime de lèse-patrie.

35. *Un grand événement se prépare. Le conseiller gouvernemental Meseritscher.*

Quand les salons furent envahis tout entiers par le rayonnement de l'illumination solennelle et celui de la société, « on » remarquait non seulement Son Altesse à côté d'autres sommités de l'aristocratie dont elle avait ménagé la venue, mais encore Son Excellence monsieur le Ministre de la Guerre et, dans sa suite, le visage rayonnant d'esprit, mais un peu surmené, du général Stumm von Bordwehr. On remarquait Paul Arnheim (sans aucun titre, c'était plus simple et plus efficace. « On » ne s'était pas exprimé ainsi à la légère. C'est ce qu'on appelle une litote, la simplicité étudiée du style : on arrive à retirer de son propre corps un petit rien, comme le roi enlève l'anneau de son doigt et le met à quelqu'un d'autre.) Puis, on remarquait tous les représentants les plus connus des Ministères (le Ministre de l'Instruction publique et des Cultes s'était excusé personnellement auprès de Son Altesse, à la Chambre, il devait ce jour-là se rendre à Linz pour la consécration d'une grille d'autel). On remarquait ensuite que les Ambassades et Légations étrangères avaient envoyé une « élite » de représentants. Puis des noms illustres « de l'Industrie, des Arts et de la Science » : il y avait une vieille allégorie du labeur dans l'inévitable conjonction de ces trois activités bourgeoises sous la plume du journaliste. Puis, cette plume adroite remarquait et signalait les dames : beige, rose, cerise, crème... broderies et tresses, jupes à retroussis ou retombantes... Entre la comtesse Adlitz et Madame la Conseillère commerciale Weghuber était nommée la célèbre Madame Mélanie Drangsal, veuve de l'illustre chirurgien, « accoutumée elle aussi à ouvrir aimablement ses portes à l'esprit ». Enfin venaient encore, un peu à l'écart, à la fin de cette colonne, Ulrich von X et sa sœur. « On » avait hésité à écrire : « dont chacun connaît le dévouement au service d'une entreprise si hautement intellectuelle et si utile à notre pays », ou encore : « ce *coming man* ». « On » le savait depuis longtemps, nombreux étaient ceux qui pensaient que ce favori du comte Leinsdorf risquait encore d'inciter son protecteur à quelque grave imprudence : la tentation de se montrer renseigné assez tôt était donc grande. Mais la satisfaction la plus profonde de celui-qui-sait a toujours été le silence, surtout lorsqu'il est prudent; ainsi Ulrich et Agathe eurent-ils simplement droit à leurs noms parmi les retardataires, juste avant ces sommités de l'esprit et du monde qu'on ne citait plus personnellement, mais qu'on destinait à la fosse commune de la formule : « Tout ce qui porte un titre ou un nom ». Il s'y trouvait réuni beaucoup de monde, entre autres le célèbre professeur de droit pénal et conseiller aulique Schwung qui faisait un bref séjour dans la capitale à l'occasion d'une enquête ministérielle et, cette fois-là encore, le jeune poète Friedel Feuermaul : bien qu'il fût constant que son génie était partiellement responsable de cette soirée, il n'en restait pas moins qu'il était loin d'avoir acquis la position solide qui revient aux toilettes et aux titres. Des gens comme Léon Fischel, Directeur de banque en titre, et sa famille (qui avaient réussi à s'introduire chez Diotime après de grands efforts et, sur la requête de Gerda, sans passer par Ulrich, donc par le seul effet de la tolérance alors régnante) furent à peine jugés dignes d'un regard du coin de l'œil. Seule l'épouse d'un juriste connu mais qui, dans un milieu pareil, était encore au-dessous du seuil de la perception, avec son surnom secret de Bonadea que le « on » lui-même ignorait, fut exhumée à retardement et réintégrée parmi les toilettes, parce que son apparition avait soulevé l'admiration générale.

Cet « on », cet œil de la curiosité publique, était évidemment une personne; d'ordinaire c'en est même plusieurs, mais dans la métropole cacanienne, un seul dominait alors tous les autres, et c'était le conseiller gouvernemental Meseritscher. Né à Wallachisch-Meseritsch, ce dont son nom avait gardé quelque trace, cet éditeur, rédacteur en chef et premier reporter de la *Correspondance parlementaire et mondaine* dont il était aussi le fondateur, était arrivé très jeune dans la capitale où il avait abandonné la perspective de reprendre le débit de boissons paternel de Wallachisch-Meseritsch pour le métier de journaliste, attiré qu'il était par l'éclat du libéralisme alors dans toute sa gloire. Aussitôt, il avait apporté sa modeste contribution à cette ère en fondant une correspondance qui commença par la distribution aux journaux de petites nouvelles locales d'ordre policier. Cette première forme de sa correspondance, grâce au zèle, à la conscience et au sérieux de son créateur, lui valut l'approbation des journaux et de la police; bientôt, elle fut remarquée par d'autres hautes Autorités qui l'utilisèrent pour le placement de nouvelles souhaitables, mais dont elles ne voulaient pas prendre elles-mêmes la responsabilité; enfin on lui donna la préférence, on lui fournit du matériel, et elle obtint une situation exceptionnelle dans le domaine du reportage officieux, nourri aux sources officielles. Homme énergique et infatigable travailleur, Meseritscher, voyant son succès, avait étendu son activité à la cour et au grand monde; sans doute même n'aurait-il jamais quitté Meseritsch pour la capitale s'il n'avait eu toujours ce rêve dans l'esprit. Établir une feuille de présence sans lacunes était sa spécialité. Sa mémoire des personnes et de ce qu'on en disait était extraordinaire et n'eut pas de peine à lui procurer avec les salons les mêmes excellentes relations qu'avec la police. Il connaissait le Grand Monde mieux que celui-ci ne se connaissait lui-même. Doué d'une amabilité inépuisable, il pouvait présenter les uns aux autres, le lendemain, des gens qui s'étaient rencontrés dans la société, comme un vieux gentilhomme à qui l'on confie depuis des décennies tous les projets de mariage et toutes les histoires de tailleur. Ainsi, grâce aux fêtes et aux cérémonies, l'actif, preste, toujours charitable et complaisant petit homme devint une figure connue de toute la ville. Plus tard même, ces manifestations ne prirent une valeur indiscutable que grâce à lui et à sa présence.

Cette carrière avait atteint son apogée avec la nomination de Meseritscher au titre de Conseiller gouvernemental, car ce titre comportait une étrange particularité. La Cacanie était sans doute le pays le plus paisible du monde, mais on ne sait trop quand, dans l'innocente conviction où elle était qu'il n'y aurait plus jamais de guerres, elle avait eu l'idée d'imposer à ses fonctionnaires une hiérarchie qui correspondait à celle de ses officiers, leur attribuant même des uniformes et des insignes analogues. Depuis lors, le rang de Conseiller gouvernemental correspondait à celui d'un lieutenant-colonel impérial et royal; si ce n'était pas là en soi un très haut rang, sa particularité fut que, lorsqu'il fut accordé à Meseritscher, une tradition inviolable (et, comme toute inviolabilité, rarement négligée en Cacanie) aurait voulu que celui-ci fût en fait

Conseiller impérial. Conseiller impérial, en effet, n'était pas, comme on pourrait le croire, plus que Conseiller gouvernemental, mais moins : ce titre correspondait à peu près au grade de capitaine. Meseritscher aurait dû être Conseiller impérial, parce que ce titre n'était accordé, en dehors des employés de la chancellerie, qu'à des professions libérales, par exemple aux coiffeurs de la Cour ou aux fabricants d'automobiles, et donc, du coup, aux écrivains et aux artistes; alors que Conseiller gouvernemental était un titre réservé aux fonctionnaires. Ainsi, dans le fait que Meseritscher fut le premier et le seul à l'obtenir néanmoins, s'exprima plus que la simple importance du titre, plus même qu'une quotidienne invitation à ne pas prendre trop au sérieux ce qui se passait dans ce pays : grâce à ce titre usurpé, le chroniqueur infatigable vit ses liens étroits avec la Cour, l'État et le Monde confirmés d'une manière délicate et discrète.

Meseritscher avait donné l'exemple à maint journaliste de son époque, et il était membre du comité de plusieurs associations influentes d'écrivains. Le bruit courait aussi qu'il s'était fait faire un uniforme avec un col en or, qu'il ne portait que chez lui. Probablement n'était-ce pas vrai. Au fond de lui-même, Meseritscher avait toujours gardé certains souvenirs du débit de boissons de Meseritsch, et un bon bistrot ne boit pas. Un bon bistrot connaît les secrets de tous ses clients, mais il ne fait pas usage de tout ce qu'il sait; jamais il n'intervient personnellement dans les débats : il note et raconte avec plaisir tout ce qui est petit-fait, anecdote ou trait d'esprit. Ainsi Meseritscher, que l'on voyait à toutes les fêtes en chroniqueur des beautés et des élégances, n'aurait jamais essayé de se trouver un bon tailleur; il connaissait toutes les coulisses de la politique et n'écrivait pas une ligne de politique, il connaissait toutes les découvertes, toutes les inventions de son époque, et n'en comprenait pas la moindre. Il lui suffisait parfaitement de savoir tout cela présent. Il aimait sincèrement son époque et elle le lui rendait à sa manière, parce que chaque jour, il disait d'elle qu'*elle était là*.

Quand Diotime le vit entrer, elle lui fit signe aussitôt d'approcher. « Cher Meseritscher, dit-elle aussi aimablement que possible, j'espère que vous ne tiendrez pas le discours de Son Altesse à la Chambre pour l'expression de notre opinion, que vous ne le prendrez surtout pas à la lettre ? »

Son Altesse, en effet, en corrélation avec la chute du ministre et exaspérée par ses soucis, avait non seulement prononcé à la Chambre un discours fort remarqué où elle avait reproché à sa victime d'avoir oublié le véritable esprit constructeur de solidarité et de sévérité; elle s'était encore, dans sa passion, laissée aller à des considérations générales qui, on ne sait pourquoi, culminèrent dans une appréciation de l'importance de la presse où elle reprocha à cette « institution devenue grande puissance » à peu près tout ce qu'un chrétien féodal, indépendant et impartial peut reprocher à une institution qui, à son avis, n'est ni féodale, ni indépendante, ni impartiale, ni chrétienne. Voilà ce que Diotime, diplomatiquement, essayait de réparer. Tandis qu'elle trouvait des termes toujours plus beaux et plus obscurs pour définir la véritable pensée du comte Leinsdorf, Meseritscher l'écoutait pensivement. Tout à coup, il lui posa la main sur le bras et, magnanime, lui coupa la parole : « Chère madame, qu'allez-vous donc vous inquiéter ? Son Altesse est de nos meilleurs amis. Elle a beaucoup exagéré. Un gentilhomme n'en aurait-il pas le droit ? » Et, pour prouver à Diotime la sérénité de leurs relations, il ajouta : « Je vais de ce pas la voir! »

Tel était Meseritscher! Mais avant de se mettre en route, il se tourna encore une fois avec familiarité vers Diotime : « Et qu'en est-il exactement de Feuermaul, chère Madame ? »

Diotime haussa en souriant ses belles épaules. « Vraiment rien de sensationnel, cher Conseiller. Nous ne voulons pas qu'on nous reproche de repousser quelqu'un qui vient à nous avec bonne volonté! »

« *Bonne volonté* est excellent! » songea Meseritscher en cherchant le comte Leinsdorf; mais avant qu'il le rejoignît, avant même qu'il eût mené à terme sa pensée, terme qu'il eût été le premier heureux de connaître, le maître de maison lui barra aimablement la route. « Mon cher Meseritscher, les sources officielles, une fois de plus, ont déclaré forfait, dit le sous-secrétaire Tuzzi en souriant, je m'adresse donc à la source officieuse : pouvez-vous me raconter quelque chose sur ce Feuermaul qui est ici ce soir ?

— Que pourrais-je vous raconter, monsieur le sous-secrétaire ? soupira Meseritscher.

— On prétend que c'est un génie!

— Vous m'en voyez ravi! » répondit Meseritscher.

Désire-t-on pouvoir annoncer rapidement et sûrement ce qui se passe de nouveau, il faut que le nouveau ne soit pas trop différent de l'ancien. Le génie ne fait pas exception à cette règle, du moins le vrai génie, le génie reconnu, sur l'importance duquel ses contemporains ont vite fait de s'accorder. Il en va autrement pour le génie que chacun ne juge pas tel immédiatement. Celui-là a quelque chose, pour ainsi dire, de parfaitement non-génial, et pas seulement à ses propres yeux, de sorte qu'on a toutes chances de s'y perdre. Le conseiller gouvernemental Meseritscher avait ainsi un solide répertoire de génies qu'il plaçait avec soin et amour, mais il n'aimait pas beaucoup à faire de nouvelles inscriptions. Plus il prenait d'âge et d'expérience, plus se fortifiait en lui l'habitude de considérer les nouveaux génies, et particulièrement ceux des lettres, qui lui étaient professionnellement plus proches, comme une méprisable tentative de troubler son travail de journaliste; il les haïssait de tout son bon cœur jusqu'à ce qu'ils fussent mûrs pour la rubrique des personnalités. Feuermaul, alors, en était encore fort loin : il fallait qu'on l'y amenât. Et le conseiller gouvernemental Meseritscher ne l'admettait pas sans difficultés.

« On prétend que ce serait un grand poète », répéta le sous-secrétaire hésitant. Meseritscher répondit fermement : « Qui dit cela ? Les feuilletonistes ! Est-ce que ça compte, monsieur le sous-secrétaire ? poursuivit-il. Les connaisseurs le disent. Que sont les connaisseurs ? Beaucoup disent le contraire. On a vu des connaisseurs dire aujourd'hui cela, et demain autre chose. S'agit-il jamais d'eux ? La gloire véritable, c'est celle qui a atteint les profanes : c'est sur elle qu'on peut faire fond ! Puis-je vous dire toute ma pensée ? D'un homme important, on ne doit rien savoir, sinon qu'il arrive et qu'il repart ! »

Il s'était échauffé mélancoliquement en parlant, et son regard ne quittait pas le sous-secrétaire Tuzzi. Celui-ci se taisait désespérément. « Qu'est-ce donc qui ne va pas aujourd'hui, monsieur le sous-secrétaire ? » demanda Meseritscher.

Tuzzi, en souriant, haussa distraitement les épaules. « Rien. Vraiment rien. Un peu d'ambition. Avez-vous jamais lu un livre de Feuermaul ?

— Je sais ce qu'on y trouve : la paix, l'amitié, la bonté, et ainsi de suite.

— Vous ne l'estimez donc pas beaucoup ?

— Mon Dieu! dit Meseritscher en se tortillant. Suis-je un connaisseur ? »

Mais, au même moment, Madame Drangsal mettait le cap sur eux, et la courtoisie obligea Tuzzi à aller au-devant d'elle. Meseritscher, apercevant une faille dans le cercle du comte Leinsdorf, profita résolument et rapidement de ce moment; sans se laisser arrêter davantage, il jeta l'ancre à côté de Son Altesse. Le comte Leinsdorf s'entretenait avec le Ministre et quelques autres messieurs; dès que le conseiller gouvernemental Meseritscher les eut tous assurés de son profond respect, le comte se détourna légèrement et l'attira à l'écart. « Meseritscher, dit énergiquement Son Altesse, promettez-moi qu'il n'y aura pas de malentendu, ces messieurs les journalistes ne savent jamais ce qu'ils doivent écrire. Donc : il n'y a pas eu le moindre changement à la situation depuis la dernière fois. Peut-être quelque chose va-t-il changer. Nous ne le savons pas. Pour le moment, il ne faut pas qu'on nous dérange. Je vous en prie, et songez-y si un de vos collègues vous questionne : la soirée d'aujourd'hui est une initiative strictement privée de madame Tuzzi! »

Les paupières de Meseritscher confirmèrent lentement et gravement qu'il avait compris la disposition militaire. Comme une confidence en mérite une autre, ses lèvres s'humectèrent de l'éclat qui revenait normalement aux yeux, et il dit : « Et qu'en est-il de Feuermaul, Altesse, s'il est permis de le savoir?

— Et pourquoi ne serait-ce pas permis ? répondit le comte Leinsdorf étonné. Il n'y a pas de mystère! Feuermaul a été invité parce que la baronne Wayden ne s'est pas jugée satisfaite à moins. Qu'y aurait-il d'autre ? Savez-vous quelque chose, peut-être ? »

Le conseiller gouvernemental Meseritscher, jusqu'alors, s'était refusé à accorder la moindre importance à l'histoire Feuermaul, et l'avait simplement considérée comme l'une des innombrables rivalités mondaines dont il était informé tous les jours. Mais que le comte Leinsdorf lui-même contestât si énergiquement son importance ne lui permettait plus de s'en tenir à cette opinion; il fut convaiucu que quelque chose de grave se préparait. « Que peuvent-ils bien mijoter ? » se demanda-t-il tout en continuant sa promenade dans les salons, et en faisant défiler dans son esprit les hypothèses les plus hardies de politique intérieure ou extérieure. Au bout d'un moment, il pensa : « Sûrement, ça ne sera rien! » et refusa de se laisser distraire plus longtemps de sa tâche de reporter. Car, si contraire que cela pût paraître à la teneur de sa vie, Meseritscher ne croyait pas aux grands événements, ni ne les aimait. Quand on est convaincu de vivre dans une très importante, très belle et très grande époque, on ne supporte pas l'idée qu'il puisse encore s'y produire d'importants, beaux et grands événements. Meseritscher n'était pas alpiniste. S'il l'avait été, il eût pu évoquer le fait qu'on n'installe jamais de belvédères sur les grands sommets, mais toujours sur des montagnes d'altitude moyenne. Comme de telles métaphores lui faisaient défaut, il se contenta d'un léger malaise et d'une résolution : en aucun cas, il ne citerait dans son compte-rendu ne fût-ce que le seul nom de Feuermaul.

36. *Un grand événement se prépare. Où l'on retrouve des connaissances.*

Ulrich, qui était à côté de sa cousine lorsque celle-ci parlait avec Meseritscher, lui demanda, une fois qu'ils se retrouvèrent seuls : « Je suis arrivé trop tard, malheureusement : comment fut la première rencontre avec la Drangsal ? »

Diotime, le temps d'un seul regard découragé, leva ses lourdes paupières, puis les laissa retomber. « Charmante, naturellement. Elle est venue me trouver. Nous arrangerons quelque chose ce soir. Tout ça a si peu d'importance!

— Vous voyez! » dit Ulrich. C'était comme dans leurs conversations de naguère : comme pour tirer un trait dessous. Diotime tourna la tête vers son cousin et le regarda d'un air interrogateur.

« Je vous l'avais dit. Déjà tout est presque fini, et comme si rien ne s'était passé, » affirma Ulrich. Il avait besoin de parler. Lorsqu'il était rentré chez lui, l'après-midi, Agathe était là, puis était bientôt repartie; ils n'avaient échangé que peu de mots avant de venir; Agathe avait été quérir la femme du jardinier pour qu'elle l'aidât à s'habiller.

« Je vous ai mise en garde! dit Ulrich.

— Contre quoi ? demanda lentement Diotime.

— Ah! je ne sais. Contre tout! »

C'était la vérité, lui-même ne savait plus contre quoi. Contre ses idées, contre son ambition, contre l'Action parallèle, contre l'amour, contre l'esprit, contre l'Année universelle, contre les affaires, contre son salon, contre ses passions; contre la sensibilité et la tolérance, contre la démesure et la correction, contre l'adultère et le mariage; il n'était rien contre quoi il ne l'eût mise en garde. « Voilà comme elle est! » pensa-t-il. Tout ce qu'elle faisait lui semblait ridicule, mais elle était si belle que c'en devenait triste. « Je vous ai mise en garde, reprit Ulrich. On me dit que vous ne vous intéressez plus qu'aux questions sexuelles ? »

Diotime fit semblant de ne pas entendre. « Croyez-vous ce favori de la Drangsal très doué ? demanda-t-elle.

— Sûrement, repartit Ulrich. Doué, jeune, trop jeune. Son succès et cette femme le pourriront. Chez nous, les nourrissons déjà sont pourris parce qu'on leur dit qu'ils sont d'étonnants instinctifs, qu'ils ne pourraient que perdre à développer leur intelligence. Il a parfois de belles idées, mais il ne peut rester dix minutes sans lâcher une sottise. » Il s'approcha de l'oreille de Diotime. « Elle, la connaissez-vous mieux ? »

Diotime secoua presque imperceptiblement la tête.

« Elle est dangereusement ambitieuse, dit Ulrich. Mais, avec vos nouvelles études, elle vous intéresserait : là où les belles femmes, jadis, portaient une feuille de vigne, elle porte une feuille de laurier! Je hais ce genre de créatures! »

Diotime ne rit pas, ne sourit même pas; elle abandonnait simplement son oreille à son « cousin ». « Et lui, comme homme, comment le trouvez-vous ? demanda-t-il.

— Affligeant, murmura Diotime. Un agnelet qui aurait engraissé trop vite.

— Pourquoi pas ? La beauté de l'homme n'est qu'un signe sexuel secondaire, fit Ulrich. L'excitation d'ordre primaire naît de ses promesses de succès. Dans dix ans, Feuermaul sera une vedette internationale : les relations de la Drangsal y pourvoiront, elle l'épousera. Si la gloire lui est fidèle, ce sera un mariage heureux. »

Diotime réfléchit et précisa gravement : « Le bonheur dans le mariage dépend de conditions qu'on ne peut pas juger sans un travail discipliné sur soi-même! » Puis elle abandonna

Ulrich, comme un fier navire quitte le quai où il était accoté. Ses devoirs d'hôtesse l'obligeaient à s'éloigner, et elle fit un signe de tête discret, sans regarder Ulrich, lorsqu'elle largua les amarres. Ce n'était pas méchamment, au contraire : la voix d'Ulrich avait résonné à ses oreilles comme une musique de jeunesse. Elle se demanda même, à part soi, à quels résultats conduirait une étude sexuelle de son tempérament. Chose curieuse, elle n'avait jamais établi aucun rapport, jusque là, entre Ulrich et l'étude approfondie qu'elle faisait de ces problèmes.

Ulrich leva les yeux. Par une faille dans la foule, une sorte de canal optique que le regard de Diotime avait peut-être emprunté déjà avant qu'elle ne le quittât si brusquement, il aperçut deux pièces plus loin Paul Arnheim s'entretenant avec Feuermaul, Madame Drangsal, toute bienveillance, auprès d'eux. C'est elle qui avait réuni les deux hommes. Arnheim tenait levée la main qui portait le cigare, on aurait dit un geste inconscient de défense, mais il souriait très aimablement; Feuermaul parlait avec animation, tenait son cigare à deux doigts et tirait dessus, entre les phrases, avec l'avidité d'un veau qui bat de la queue le pis de sa mère. Ulrich pouvait imaginer de quoi ils parlaient, mais il ne se donna pas la peine de le faire. Il demeura dans un heureux isolement et chercha sa sœur du regard. Il la découvrit dans un groupe d'hommes qui lui étaient à peu près inconnus, et une sorte de frisson glacé courut dans sa distraction. Alors, Stumm von Bordwehr lui enfonça doucement la pointe d'un doigt entre deux côtes; au même moment, d'un autre côté, Monsieur le Professeur Schwung, Conseiller aulique, s'approchait, mais il fut arrêté à quelques pas d'Ulrich par un collègue de la capitale.

« Te voilà enfin! murmura le général soulagé. Le Ministre voudrait savoir ce que c'est que des *images* directrices.

— Pourquoi ça ?

— Pourquoi, je l'ignore. Mais qu'est-ce que c'est ?

— Des vérités éternelles qui ne sont ni vraies, ni éternelles, mais valables pour une époque, afin que celle-ci puisse se diriger sur quelque chose. C'est une expression philosophique et sociologique assez rare.

— Oui, oui, ça doit être ça! fit le général. Arnheim a affirmé, en effet, que la doctrine de la bonté originelle de l'homme n'était qu'une *image* directrice. Là-dessus, Feuermaul a répliqué qu'il ne savait pas ce qu'étaient les *images* directrices, mais que l'homme était bon, que c'était une vérité éternelle! Puis, Leinsdorf a dit : *C'est parfaitement exact. Au fond, il n'y a pas d'hommes vraiment méchants, car personne ne peut vouloir le mal : il n'y a que des dévoyés. Si les gens sont si nerveux, aujourd'hui, c'est qu'il y a trop de sceptiques qui n'ont aucune croyance solide!* Je me suis dit qu'il aurait dû être avec nous cet après-midi... Il pense aussi que si les gens ne veulent pas comprendre, il faut les y forcer. Donc le Ministre voudrait savoir ce que c'est que des *images* directrices. Je me dépêche de le rejoindre, je serai de retour tout de suite : tu resteras ici, que je te retrouve? J'ai d'autres choses urgentes à discuter avec toi, puis je te présenterai au Ministre! »

Avant qu'Ulrich pût exiger une explication, Tuzzi, passant à côté de lui, lui mit la main sur le bras en disant : « Il y a longtemps qu'on ne vous avait vu! » Puis il poursuivit : « Vous en souvenez-vous, je vous avais prédit que nous affronterions une invasion de pacifisme ? » Ce disant, il regarda amicalement le général, mais Stumm était pressé et répliqua seulement qu'il avait, en sa qualité d'officier, une autre *image* directrice, mais que toute conviction honorable... : le reste de la phrase disparut avec lui, car Tuzzi l'agaçait chaque fois, ce qui n'est pas favorable à l'élaboration d'une pensée.

Le sous-secrétaire, égayé, cligna de l'œil dans le dos du général, puis se tourna de nouveau vers le « cousin ». « L'histoire des gisements n'est évidemment qu'une feinte », dit-il.

Ulrich le regarda avec étonnement.

« Ne sauriez-vous rien de cette histoire de pétrole ? demanda Tuzzi.

— Si, si! répondit Ulrich. Je suis seulement surpris que vous soyez renseigné. » Puis, pour ne pas paraître impoli, il ajouta : « Vous avez admirablement caché votre jeu!

— J'étais renseigné depuis longtemps, déclara Tuzzi flatté. Si Feuermaul est ici ce soir, c'est évidemment Arnheim qui l'a combiné à travers Leinsdorf. Avez-vous lu ses livres, à propos ? »

Ulrich répondit affirmativement.

« Un archipacifiste! dit Tuzzi. Et la Drangsal, comme l'appelle ma femme, le couve avec tant d'ambition que, pour le pacifisme, elle marcherait sur des cadavres, s'il le fallait, bien que, de famille, elle s'intéresse uniquement aux artistes. » Tuzzi réfléchit un instant, puis déclara : « Le pacifisme est évidemment l'essentiel, les gisements ne sont qu'une manœuvre de diversion. C'est pourquoi on pousse Feuermaul et son pacifisme en avant, afin que chacun s'écrie : *Oh! oh! voilà une manœuvre de diversion!* et croie qu'il y a les gisements derrière! C'est parfaitement combiné, mais trop malin pour qu'on ne s'en aperçoive pas. En effet, si Arnheim obtient les gisements et son contrat avec l'armée, nous devrons couvrir les frontières. Nous devrons aussi avoir des réserves de pétrole sur l'Adriatique pour la marine et intimider l'Italie. Si nous irritons ainsi nos voisins, le besoin de paix et la propagande pacifiste s'intensifieront. Que le tzar, là-dessus, entre en scène avec une quelconque idée de Paix éternelle, et il trouvera le terrain psychologiquement tout préparé! Voilà ce que cherche Arnheim!

— Vous y voyez une objection?

— Nous n'y voyons pas la moindre objection, bien entendu, fit Tuzzi. Mais, comme vous vous en souvenez peut-être, je vous ai expliqué une fois qu'il n'est rien de plus dangereux que la paix à tout prix. Nous devons nous défendre contre le dilettantisme!

— Arnheim est tout de même un marchand de canons! dit Ulrich en souriant.

— Bien entendu! chuchota Tuzzi légèrement agacé. Pour l'amour de Dieu, ne simplifiez pas tant ces choses! Supposez qu'il ait son contrat. Que même les voisins mobilisent. Vous verrez : au moment décisif, il se démasquera et se révèlera pacifiste! Le pacifisme, pour les marchands de canons, est une affaire sûre, durable, la guerre est un gros risque!

— Je crois que le parti militaire n'a pas de si mauvaises intentions, dit Ulrich. Il voudrait simplement faciliter, par ce contrat avec Arnheim, la modernisation de l'artillerie, et rien de plus. Finalement, on n'arme aujourd'hui dans le monde entier que pour la paix : il pense donc probablement qu'il serait simplement correct de le faire une fois avec l'aide des amis de la paix...

— Comment ces messieurs voient-ils la chose, pratiquement? demanda Tuzzi sans entrer dans la plaisanterie.

— Je crois qu'ils n'en sont pas encore là; pour le moment, ils prennent position, sentimentalement.

— Évidemment! s'écria Tuzzi furieux, comme s'il n'attendait pas autre chose. Les militaires devraient bien ne penser qu'à la guerre et, pour le reste, s'en remettre aux départements compétents. Mais, avant de s'y décider, ces messieurs préfèrent, avec leur dilettantisme, mettre le monde entier en danger! Je vous le répète : rien n'est plus dangereux, en diplomatie, que de parler de la paix en amateur! Chaque fois que le désir de paix a atteint une certaine intensité et n'a pu être contenu, on a eu la guerre! Je puis vous le prouver documents en main! »

A ce moment, monsieur le Professeur Schwung, Conseiller aulique, avait réussi à se débarrasser de son collègue et profita très cordialement d'Ulrich pour être nommé au maître de maison. Ulrich y condescendit en faisant remarquer que le célèbre juriste, dans le domaine du droit pénal, condamnait le pacifisme comme le compétent sous-secrétaire dans le domaine politique.

« Mais pour l'amour de Dieu, s'écria Tuzzi en riant, vous m'avez tout à fait mal compris! » Et Schwung lui-même, après avoir attendu un instant, s'associa avec assurance à cette protestation en faisant observer qu'il ne voyait dans sa conception de la Responsabilité restreinte ni cruauté, ni inhumanité. « Au contraire! » s'écria-t-il en vieux comédien de la chaire, avec une voix qui s'éployait comme l'eussent fait ailleurs ses bras : « La pacification de l'homme exige précisément de notre part une certaine rigueur! Oserai-je croire que monsieur le sous-secrétaire a entendu parler de mes efforts actuels dans ce domaine? » Il s'adressait directement à Tuzzi, maintenant. Certes, celui-ci n'avait jamais entendu parler de la querelle opposant les juristes qui fondaient la responsabilité restreinte d'un criminel malade sur ses représentations à ceux qui la fondaient sur sa volonté : il n'en consentit que plus poliment à tout. Schwung, fort satisfait de l'effet qu'il produisait, se mit en devoir de dire l'excellente impression que lui faisait le sérieux dont témoignait cette soirée, et raconta qu'il avait entendu très souvent, en écoutant ici et là les conversations, les expressions « rigueur virile » et « santé morale ». « Notre civilisation souffre d'être contaminée par trop d'êtres inférieurs, trop d'idiots moraux », ajouta-t-il à part soi, puis il demanda : « Mais quel est donc le but de cette soirée? Passant devant certains groupes, j'ai entendu exprimer avec une fréquence frappante des opinions carrément rousseauistes sur la bonté innée de l'homme ? »

Tuzzi, à qui cette question était spécialement adressée, resta muet et souriant. Mais, à cet instant, le général revenait vers Ulrich. Celui-ci, désireux de lui échapper, le présenta à Schwung comme l'homme le mieux fait de toute la compagnie pour répondre à cette question. Stumm von Bordwehr protesta vivement, mais Schwung et Tuzzi lui-même ne le lâchèrent pas. Ulrich jubilait déjà en s'engageant sur le chemin de la retraite lorsqu'une vieille connaissance le retint en disant : « Ma femme et ma fille sont ici aussi. » C'était M. le Directeur de banque Léon Fischel.

« Hans Sepp a passé ses examens, dit-il. Qu'en dites-vous ? Il ne lui manque plus que le doctorat! Nous sommes tous là-bas dans le coin... » Il montrait la pièce la plus éloignée. « Nous connaissons trop peu de monde ici. A propos, il y a bien longtemps qu'on ne vous a vu! Votre père, n'est-ce pas ? C'est Hans Sepp qui nous a procuré l'invitation, ma femme y tenait absolument : vous voyez que le garçon n'est pas tout à fait incapable. Ils sont fiancés officieusement, Gerda et lui. Vous l'ignoriez, sans doute ? Mais Gerda, la petite, vous savez, je ne sais même pas si elle l'aime ou si elle s'est mis ça dans la tête, simplement. Venez donc un peu vers nous!...

— Je viendrai plus tard! promit Ulrich.

— Oui, venez! répéta Fischel qui chuchota, après un silence : C'est bien le maître de maison ? Ne voulez-vous pas me nommer à lui ? Nous n'en avons pas encore eu l'occasion. Nous ne connaissons ni lui ni elle. »

Ulrich allait le faire lorsque Fischel le retint. « Et le grand philosophe ? Que fait-il ? Ma femme et Gerda sont folles de lui, naturellement. Qu'en est-il des gisements de pétrole ? On prétend que c'était un faux-bruit : je ne le crois pas! On dément toujours! C'est comme ça, voyez-vous : quand ma femme s'emporte contre une domestique, on se plaint qu'elle ment, qu'elle est amorale, qu'elle est insolente : rien que des défauts de l'âme, en quelque sorte. Mais si, pour avoir la paix, je promets secrètement à la bonne une augmentation, l'âme soudain disparaît! Plus question d'âme, tout s'arrange d'un coup, ma femme se demande pourquoi... N'est-ce pas comme ça ? Les gisements ont pour eux beaucoup trop de vraisemblance commerciale pour qu'on puisse croire le démenti. »

Comme Ulrich restait silencieux, et que Fischel voulait retourner vers sa femme avec les ornements du savoir, il reprit : « Il faut reconnaître que l'endroit est joli. Mais ma femme est curieuse : les conversations sont si étranges! Qu'en est-il de ce Feuermaul ? Gerda dit que c'est un grand poète. Hans Sepp prétend que c'est un arriviste auquel les gens se sont laissés prendre... »

Ulrich dit que la vérité devait être à peu près entre deux.

« Voilà une bonne parole! dit Fischel reconnaissant. La vérité est toujours entre deux, tout le monde l'oublie à notre époque d'extrémisme! Je dis toujours à Hans Sepp : chacun peut avoir ses opinions, mais il n'est de durables que celles qui rapportent : cela prouve que les autres gens les ont admises! »

Il s'était produit, imperceptiblement, un changement important chez Léon Fischel. Malheureusement, Ulrich négligea de l'analyser, et se hâta de remettre le père de Gerda au groupe du sous-secrétaire.

Là, entre temps, Stumm von Bordwher avait retrouvé sa loquacité : il ne parvenait pas à s'emparer d'Ulrich et il était oppressé d'un si vif besoin d'expression que celui-ci éclata où il pouvait. « Comment expliquer la soirée d'aujourd'hui ? s'écria-t-il en reprenant la question du professeur Schwung. Je dirais volontiers, tout bien réfléchi : en ne l'expliquant pas! Ce n'est pas un mot, Messieurs, poursuivit-il non sans une modeste fierté. Cet après-midi, à une jeune dame à qui je devais montrer la clinique psychiatrique de notre Université, j'ai demandé en passant ce qu'elle y cherchait, en sorte qu'on pût lui donner les meilleures explications. Elle m'a fait une réponse fort spirituelle qui porte singulièrement à réfléchir. Elle m'a dit : S'il faut tout expliquer, l'homme ne changera jamais rien au monde! »

Schwung désapprouva cette affirmation d'un hochement de tête.

« Je ne sais comment elle l'entendait, dit prudemment Stumm, et je ne veux pas prendre ce propos à mon compte, mais on ne peut pas ne pas y sentir une part de vérité! Voyez-vous, dit-il en montrant poliment Ulrich, je dois à mon ami qui a conseillé souvent déjà Son Altesse et, par conséquent, l'Action, maint enseignement, mais ce qui se dessine ici aujourd'hui, c'est une sorte d'aversion pour les enseignements. Ce disant, je reviens à ce que j'affirmais en commençant!

— N'empêche que vous voulez... dit Tuzzi, enfin, on raconte que ces messieurs du Ministère de la Guerre veulent provoquer aujourd'hui une résolution patriotique : rassembler des deniers publics, par exemple, pour moderniser l'artillerie. Bien entendu, cela ne doit avoir qu'une valeur démonstrative, pour faire pression sur le Parlement au travers de la volonté publique.

— A vrai dire, j'interpréterais volontiers ainsi plusieurs des propos entendus aujourd'hui! dit le professeur Schwung.

— C'est beaucoup plus compliqué que cela, monsieur le sous-secrétaire! dit le général.

— Et le Dr. Arnheim? demanda Tuzzi sans périphrases. Je puis parler ouvertement : êtes-vous sûr qu'Arnheim lui-même ne veuille rien d'autre que les gisements galiciens, inséparables, en quelque sorte, de la question des canons?

— Je ne puis parler que de moi et de mon rôle dans cette affaire, monsieur le sous-secrétaire, répéta prudemment Stumm, et c'est bien plus compliqué que cela!

— Bien entendu, c'est plus compliqué! reconnut Tuzzi en souriant.

— Bien entendu, nous avons besoin des canons, dit le général en s'échauffant, et dans ce sens, il peut être avantageux de collaborer avec Arnheim de la façon que vous dites. Mais je répète que je ne puis parler que du point de vue du rapporteur culturel, et là je vous pose une question : à quoi servent les canons sans l'esprit?

— En ce cas, pourquoi a-t-on accordé tant d'importance à la présence ici de monsieur Feuermaul? demanda Tuzzi railleur. N'est-ce pas le défaitisme incarné?

— Pardonnez-moi de vous contredire, dit résolument le général, c'est l'esprit du temps! L'esprit du temps est divisé en deux courants. Son Altesse (qui se trouve là-bas avec le Ministre, je les quitte à l'instant), Son Altesse par exemple dit qu'il faut donner le mot d'ordre de l'action, que l'évolution des temps l'exige. Il est vrai que tout le monde, aujourd'hui, éprouve moins de goût pour les grands idéaux que, disons, il y a cent ans. D'autre part, l'idée de l'amour du prochain se défend aussi, bien entendu, mais Son Altesse dit : si quelqu'un ne veut pas son bonheur, il y a des circonstances où il faut l'y contraindre! Ainsi, Son Altesse défend l'un des courants, mais sans être insensible à l'autre...

— Je n'ai pas parfaitement compris, dit le professeur Schwung.

— Il est vrai que ce n'est pas facile à comprendre, concéda aimablement Stumm. Repartons peut-être du fait que je constate, dans l'esprit du temps, deux courants. L'un dit que l'homme est naturellement bon, pourvu qu'on le laisse pour ainsi dire en repos...

— Comment *bon ?* s'écria Schwung. Qui pourrait être si naïf aujourd'hui ? Nous ne vivons tout de même plus dans l'univers mental du XVIIIe ?

— Je suis déjà obligé de faire une réserve, dit Stumm blessé. Pensez simplement aux pacifistes, aux végétariens, aux promoteurs de la non-violence, aux sectateurs de la vie naturelle, aux anti-intellectuels, aux objecteurs de conscience... je n'ai pas le temps de les citer tous, mais tous ceux qui placent en l'homme leur confiance forment un courant important. Pourtant, si vous le désirez, ajouta-t-il avec cette bonne volonté qui était si plaisante chez lui, nous pouvons aussi partir du contraire. Partons donc peut-être du fait que l'homme doit être asservi, parce que seul et de lui-même, il est incapable d'agir bien : peut-être serons-nous plus aisément d'accord. La masse a besoin d'une poigne de fer, elle a besoin de guides qui la traitent avec énergie et ne se contentent pas de paroles, en un mot, elle a besoin d'avoir au-dessus de soi l'esprit de l'action. La société humaine est constituée, pour ainsi dire, d'un petit nombre de volontaires qui possèdent la formation nécessaire, et de millions d'individus sans ambition supérieure qui ne font que servir sous la contrainte : c'est bien à peu près cela ? Comme cette opinion, sur la base des expériences faites, s'est peu à peu glissée elle aussi au sein de notre Action, le premier courant (car celui que je viens de décrire est le second), le premier courant, donc, s'effraie à l'idée que le grand idéal de l'amour et de la foi en l'homme n'aille se perdre complètement. C'est pourquoi certaines forces se sont employées à nous déléguer Feuermaul afin de sauver au dernier moment ce qui peut encore être sauvé. Ainsi, tout apparaît plus simple à comprendre qu'on ne l'aurait jugé d'abord, n'est-ce pas ?

— Et que va-t-il se passer ? demanda Tuzzi.

— Rien, sans doute, repartit Stumm. Nous avons déjà eu beaucoup de courants dans l'Action.

— Mais, entre ces deux courants, il y a une contradiction

intolérable! » s'écria le professeur Schwung qui, en sa qualité de juriste, ne pouvait tolérer un tel vague.

— A strictement parler, non, fit Stumm. L'autre courant aussi, naturellement, veut aimer les hommes; il estime seulement qu'il faut d'abord les réformer par la violence : il s'agit simplement d'une sorte de différence de méthode. »

Le directeur Fischel prit alors la parole : « Comme je suis arrivé un peu tard, je ne vois malheureusement pas l'ensemble du problème. Néanmoins, si vous le permettez, je voudrais faire observer que le respect de l'homme me paraît, en principe, plus noble que son contraire! J'ai entendu ce soir de plusieurs côtés, bien qu'il s'agisse sans doute d'exceptions, des opinions incroyables sur les hommes d'autre tendance, et surtout, d'autre nationalité! » Avec ses favoris en côtelette, son menton glabre entre deux, son binocle de travers, il ressemblait à un lord attaché aux grands idéaux du libre-arbitre et du libre-échange. Il ne dit pas que les opinions qu'il stigmatisait, il les avait entendues de la bouche de Hans Sepp, son futur beau-fils, qui se trouvait comme un poisson dans l'eau dans le « second courant » de l'esprit du temps.

« Des opinions brutales ? demanda le général prêt à donner des éclaircissements.

— Extraordinairement brutales, confirma Fischel.

— Peut-être parlait-on du drill, il est facile de confondre les deux choses, fit Stumm.

— Non, non! s'exclama Fischel. Des opinions tout à fait irrespectueuses, carrément révolutionnaires! Peut-être ne connaissez-vous pas l'exaspération de nos jeunes, mon Général! Je me suis étonné qu'on autorise à des gens pareils l'accès de ces salons.

— Des opinions révolutionnaires ? » demanda Stumm à qui ces propos ne plaisaient point et qui sourit aussi froidement que la rondeur de sa mine le permettait. « Malheureusement, je dois vous dire, Monsieur le Directeur, que je suis loin d'être opposé à l'esprit révolutionnaire! Dans la mesure, bien entendu, où on ne laisse pas la révolution se faire vraiment! Il y a souvent dans cette mentalité beaucoup d'idéalisme. En ce qui concerne l'accès de ces salons, l'Action parallèle, qui doit représenter le pays tout entier, n'a aucun droit à repousser des forces constructives, de quelque façon qu'elles s'expriment! »

Léon Fischel se tut. Le professeur Schwung accordait peu

de prix à l'opinion d'un dignitaire qui ne faisait pas partie de l'administration civile. Tuzzi avait rêvé : « Premier courant, deuxième courant... » Cela lui rappela une formule analogue : « Premier barrage, deuxième barrage », mais sans que les mots eux-mêmes lui vinssent à l'esprit, ni la conversation avec Ulrich dans laquelle ils avaient été prononcés. Simplement, une jalousie incompréhensible à l'égard de sa femme s'éveilla en lui, liée à cet inoffensif général par des chaînons invisibles qu'il ne parvenait pas à débrouiller. Lorsque le silence le tira de sa rêverie, il voulut montrer au représentant de l'armée qu'il ne se laissait pas égarer par les grands discours. « Si donc je résume tout cela, mon Général, commença-t-il, le parti militaire veut...

— Mais monsieur le sous-secrétaire, il n'y a pas de parti militaire! dit Stumm aussitôt. On nous répète toujours : parti militaire, parti militaire, mais vous savez bien que l'armée est essentiellement au-dessus des partis!

— Disons donc le département militaire, répliqua presque grossièrement Tuzzi. Vous disiez que l'armée n'a pas besoin de canons seulement, qu'il lui faut aussi l'esprit adéquat : de quel esprit vous plairait-il donc de charger vos canons?

— Vous visez trop loin, monsieur le sous-secrétaire! répliqua Stumm. Nous sommes partis de mon désir d'expliquer à monsieur la soirée d'aujourd'hui, et j'ai dit qu'en fait, on ne pouvait rien expliquer : voilà la seule chose que je maintienne! En effet, si l'esprit du temps se partage vraiment en ces deux courants dont j'ai parlé, aucun des deux n'est, en tous cas, pour l'*explication*. Aujourd'hui, on est pour les instincts, les hormones, et ainsi de suite : je ne marche pas, bien sûr, mais ce n'est pas tout faux! »

A ces mots, le directeur Fischel bouillonna une fois de plus et déclara juger immoral que l'armée, dans certaines circonstances, voulût s'acoquiner avec l'antisémitisme pour obtenir ses canons.

« Mais monsieur le Directeur, dit Stumm apaisant, premièrement, un petit peu d'antisémitisme ne compte pas quand les gens sont de toutes façons *anti :* les Allemands anti-tchèques et anti-magyars, les tchèques anti-magyars et anti-allemands, et ainsi de suite, chacun anti-tous. Deuxièmement, il se trouve que le corps des officiers autrichiens a toujours été international : voyez seulement tous ces noms italiens, français, écossais, que sais-je encore ? Nous avons même un général d'infanterie von Kohn, il est commandant de corps à Olmütz !

— Je crains pourtant que vous ne présumiez de vos forces, dit Tuzzi en interrompant l'interruption. Vous êtes internationaux et guerriers, mais vous voudriez faire une affaire avec les courants nationalistes et pacifistes : c'est presque plus que n'en pourrait tenter un diplomate de carrière. Faire une politique militaire avec le pacifisme, c'est aujourd'hui, en Europe, la préoccupation des spécialistes les plus expérimentés !

— Mais enfin, ce n'est pas nous qui faisons de la politique ! répéta Stumm comme accablé par tant d'incompréhension. Son Altesse désirait donner à Capital et Culture une dernière occasion de s'entendre : d'où cette soirée. Naturellement, si l'esprit civil ne parvenait vraiment pas à s'accorder, nous serions dans la situation...

— Eh bien ! dans quelle situation ? Voilà ce qu'on aimerait savoir ! s'écria Tuzzi en attisant trop vite le mot qui devait venir.

— Une situation difficile, certes », fit Stumm avec prudence et modestie.

Tandis que les quatre messieurs s'entretenaient ainsi, Ulrich s'était éloigné discrètement depuis longtemps et cherchait Gerda en faisant un détour pour éviter le groupe de Son Altesse et du Ministre de la Guerre, de crainte qu'un signe ne l'y invitât.

Il l'aperçut de loin déjà, assise contre le mur à côté de sa mère qui regardait fixement le salon, tandis que Hans Sepp était debout de l'autre côté, l'air agité et insolent. Depuis la malheureuse dernière rencontre avec Ulrich, elle avait encore maigri; plus il s'approchait d'elle, plus dépourvue de charme, et par là-même cependant plus fatalement attirante apparaissait la tête sur les épaules frêles, se détachant contre le mur. Lorsque Gerda aperçut Ulrich, une vive rougeur envahit ses joues, suivie d'une pâleur plus vive encore; elle eut un mouvement involontaire de la taille comme quelqu'un qui souffre du cœur et qu'une raison quelconque empêche d'y porter la main. Elle revit soudain la scène où Ulrich, cédant sauvagement à l'avantage animal qu'il avait sur elle du fait qu'il excitait son corps, avait mésusé de sa volonté. Maintenant, ce corps était assis là sur une chaise, visible pour Ulrich sous le vêtement, la volonté blessée lui intimait de se tenir fièrement, et il en tremblait. Gerda n'était pas fâchée contre Ulrich, il le voyait, mais elle voulait à tout prix en avoir fini avec lui. Ulrich ralentit imperceptiblement son pas pour jouir aussi longtemps que possible de tout cela; cet attardement voluptueux semblait s'accorder au rapport de ces deux êtres qui n'avaient jamais pu se rencontrer vraiment.

Lorsque Ulrich fut près d'elle et ne vit plus rien que le frémissement de son visage, qui l'attendait, il sentit sur lui une présence sans poids, comme une ombre ou une traînée de chaleur : il aperçut Bonadea qui était passée devant lui sans mot dire, presque sans intention, qui l'avait probablement poursuivi, et il la salua. Le monde est beau quand on le prend tel qu'il est. Une seconde, le naïf contraste entre l'abondance et la pauvreté qu'évoquaient ces deux femmes lui parut aussi grand que celui qu'il y a entre la prairie et les pierres, à leur limite. Il eut le sentiment de s'envoler loin de l'Action parallèle, encore qu'avec un sourire conscient de sa culpabilité. Quand Gerda vit ce sourire descendre lentement vers elle et sa main tendue, ses paupières frémirent.

A cet instant, Diotime vit qu'Arnheim conduisait le jeune Feuermaul vers le groupe de Son Altesse et du Ministre de la Guerre. Tacticienne accomplie, elle coupa toutes les communications en faisant entrer dans les salons l'armée des domestiques porteurs de rafraîchissements.

37. *Une comparaison.*

Des conversations comme celles-là, on en eût compté des douzaines. Toutes avaient un trait commun qu'il n'est pas aisé de définir, mais qu'on ne peut pas taire non plus lorsqu'on ne s'entend pas, comme le conseiller Meseritscher, à composer un beau reportage mondain d'une simple énumération : tel et tel était là, portait ceci ou cela, disait telle et telle chose; art à quoi se résume à vrai dire ce que beaucoup considèrent comme le véritable génie du récit. Friedel Feuermaul n'était donc pas un affreux flatteur (il ne l'était jamais, se contentant de placer quand il fallait des idées opportunes) lorsqu'il disait de Meseritscher devant Meseritscher : « C'est le véritable Homère de notre temps ! Non, je ne plaisante pas, ajouta-t-il en voyant Meseritscher faire un geste involontaire, cette inébranlable conjonction *et*, cette conjonction épique qui vous permet d'aligner hommes et événements prend à mes yeux une sorte de grandeur ! » Il s'était emparé du chef de la correspondance parlementaire et mondaine, comme celui-ci n'avait pas voulu partir sans rendre ses devoirs à Arnheim; néanmoins, Meseritscher ne cita pas son nom parmi les invités.

Sans entrer dans de subtiles distinctions entre idiots et crétins, il est permis de rappeler qu'un idiot d'un certain stade ne peut plus former la notion de « parents », alors que l'idée de « père et mère » lui demeure tout à fait usuelle. C'était cette même simple conjonction de coordination « et » que Meseritscher utilisait pour lier entre eux les phénomènes mondains. Il faut rappeler ensuite que les idiots, dans leur pensée naïvement concrète, ont un quelque chose qui, de l'avis de tous les observateurs, parle mystérieusement à l'âme; que les poètes eux aussi parlent à l'âme, et même d'une manière analogue, dans la mesure où ils doivent se distinguer par une mentalité aussi palpable que possible. Si donc Friedel Feuermaul traitait Meseritscher en poète, il eût pu aussi bien (c'est-à-dire à partir des mêmes impressions qui flottaient en lui confusément, donc, chez lui, en une soudaine illumination) le traiter en idiot et, là encore, d'une façon significative pour l'humanité. Car ces traits communs dont il est question se ramènent à un état d'esprit que n'organise aucune notion générale, que ne décantent ni distinctions, ni abstractions; un état d'esprit ressortissant à une forme inférieure d'assemblage et qui ne se manifeste jamais mieux que dans l'usage exclusif de la conjonction de coordination élémentaire, de ce malheureux *et* tenant lieu, pour le faible d'esprit, de relations plus complexes. Or, on peut affirmer que le monde lui-même, en dépit de la masse d'esprit qu'il contient, se trouve dans un état de ce genre, analogue à l'imbécillité; il est même impossible de ne pas le voir lorsqu'on essaie de se faire une vue d'ensemble des événements qui s'y déroulent.

Non que les auteurs ou les complices de telles considérations soient les seules créatures intelligentes ! Il ne s'agit là pas plus des individus que des affaires qu'ils traitent, et que chacun des invités de Diotime traitait ce soir-là avec plus ou moins de rouerie. En effet, si le général von Stumm, par exemple, eut avec Son Altesse, pendant l'entr'acte, une conversation au cours de laquelle il la contredit avec une obstination affectueuse et une liberté d'esprit pleine de respect en ces termes : « Excusez-moi, Altesse, si je combats cette opinion avec violence : dans la fierté qu'éprouvent les gens à l'égard de leur race, il n'y a pas seulement de la présomption : il y a aussi quelque chose d'aristocratique qui ne me déplaît pas! », le général savait exactement ce qu'il *voulait* dire par ces mots; simplement, il ne savait pas exactement ce qu'il *disait :* il y a autour de ces termes civils une couche supplémentaire, pareille à de gros gants quand on essaie de prendre une allumette dans une boîte sans les enlever. Et Léon Fischel, qui ne s'était pas séparé de Stumm lorsqu'il avait vu le général impatient de retrouver Son Altesse, ajouta : « On ne doit pas distinguer les hommes d'après leur race, mais d'après leur mérite! » Ce que Son Altesse répliqua fut logique; Leinsdorf négligea le directeur de banque qu'on venait de lui nommer et répondit à Stumm : « Pourquoi diable les bourgeois auraient-ils besoin d'une race ? Qu'un chambellan doive avoir seize quartiers de noblesse leur a toujours semblé une détestable présomption, et eux-mêmes, que font-ils ? Ils voudraient imiter cela et ne réussissent qu'à exagérer. Plus de seize quartiers, c'est du snobisme! » Son Altesse le comte Leinsdorf était irrité, il était donc logique qu'il s'exprimât ainsi. On ne dispute pas à l'homme sa raison, mais seulement l'usage qu'il en fait en société.

Son Altesse le comte Leinsdorf était exaspéré par l'intrusion dans l'Action parallèle d'éléments « populaires », intrusion qu'il avait lui-même provoquée. Diverses considérations mondaines et politiques l'y avaient contraint; lui-même n'admettait que le « peuple politique ». Ses amis politiques lui avaient dit, en manière de conseil : « Quel mal y aurait-il que tu entendes ce qu'ils racontent de la race, de la pureté, du sang ? Personne ne prend leurs propos au sérieux! — Mais ils parlent de l'homme comme si c'était du bétail! » avait répliqué le comte Leinsdorf que sa conception catholique de la dignité humaine empêchait d'admettre qu'on appliquât aux enfants de Dieu les idéaux de l'élevage des poules et des chevaux, encore qu'il fût grand propriétaire. Ses amis avaient répondu : « Tu vas tout de suite trop profond! Peut-être cela vaut-il mieux que s'ils évoquaient l'humanité des mœurs et d'autres notions révolutionnaires importées, comme ce fut toujours le cas jusqu'ici! » Finalement, Son Altesse avait admis cet argument. Leinsdorf était fâché également de voir que ce Feuermaul dont il avait imposé l'invitation à Diotime ne faisait qu'ajouter au désordre de l'Action et le décevait. La baronne Wayden lui en avait dit merveilles, et il avait fini par céder à son insistance. « Vous avez tout à fait raison, avait-il dit, avec l'orientation actuelle nous risquons fort d'être taxés de germanophilie. Et peut-être cela ne fera-t-il pas de mal, vous avez raison là aussi, que nous invitions un poète qui affirme qu'il *faut* aimer tous les hommes. Mais vraiment, je ne puis pas faire ça à notre chère Tuzzi! » La Wayden n'avait pas cédé et devait avoir trouvé d'autres raisons décisives, puisque Leinsdorf, à la fin de leur entretien, lui avait promis d'imposer cette invitation à Diotime. « Je ne le fais pas de bon gré, avait-il dit. Mais une forte poigne a besoin de belles paroles pour se faire comprendre des gens : sur ce point nous sommes d'accord. Je vous concède également que tout marchait trop lentement ces derniers temps, on ne sent plus la même ardeur à la tâche! »

Maintenant, il n'était pas satisfait. Leinsdorf était loin de tenir les autres hommes pour des sots, encore qu'il se jugeât plus intelligent qu'eux; il ne comprenait pas pourquoi toutes ces intelligences, une fois réunies, faisaient sur lui une si mauvaise impression. La vie tout entière, d'ailleurs, lui faisait cette impression, comme si, à côté de l'intelligence régnant dans le détail et dans les prescriptions officielles, au nombre desquelles il comptait aussi, on le sait, la foi et la science, régnait dans l'ensemble une irresponsabilité totale. Sans cesse surgissaient des idées qu'on ne connaissait pas, qui allumaient les passions et disparaissaient le lendemain, ou l'année suivante; les gens couraient tantôt après ceci, tantôt après cela, tombaient d'une superstition dans l'autre; un jour ils acclamaient Sa Majesté, un autre jour ils tenaient d'abominables et incendiaires discours au Parlement : jamais il n'en était rien sorti! Si on avait pu réduire cela un million de fois et le ramener aux proportions d'un seul cerveau, on aurait obtenu une image de confusion, de négligence, d'ignorance, de sautillements stupides fort proche de celle que le comte Leinsdorf s'était toujours faite des fous, bien qu'il n'eût pas eu souvent jusqu'alors l'occasion d'y réfléchir. Il était debout, découragé, au milieu des messieurs qui l'entouraient, se disant que l'Action parallèle, justement, aurait dû faire jaillir la lumière, et ne parvenant pas à former une pensée sur la foi dont il sentait seulement qu'elle était agréablement apaisante, comme un haut mur, probablement un mur d'église. « Comme c'est drôle! dit-il à Ulrich en renonçant bientôt à cette pensée : Quand on considère tout cela en prenant une certaine distance, on croirait voir des étourneaux en automne, quand ils envahissent par bandes les vergers! »

Ulrich avait pris congé de Gerda. La conversation n'avait pas tenu les promesses du début. Gerda n'avait prononcé que de brèves réponses qui semblaient débitées par quelque chose dans sa poitrine comme une hache; Hans Sepp en avait parlé d'autant plus, jouant au gardien de Gerda et montrant tout de suite qu'il ne se laissait pas intimider par cette atmosphère de pourriture.

« Vous ne connaissez pas Bremshuber, le grand spécialiste des races? avait-il demandé à Ulrich.

— Où vit-il?

— A Schärding sur Laa.

— Qu'est-il?

— Mais cela ne signifie rien! avait répondu Hans. Ce sont des hommes nouveaux qui apparaissent! Il est pharmacien! »

Ulrich avait dit à Gerda : « Vous voilà donc fiancés, à ce qu'on m'a dit! »

Gerda avait répondu : « Bremshuber préconise la suppression impitoyable de tous ceux qui n'appartiennent pas à la race! C'est certainement moins cruel que le mépris et la tolérance! » Ses lèvres tremblaient de nouveau lorsqu'elle s'arrachait cette phrase, faite d'énormes blocs serrés les uns contre les autres.

Ulrich s'était contenté de la regarder et de hocher la tête. « Je ne comprends pas cela! » avait-il dit en lui tendant la main. Maintenant, il était auprès de Leinsdorf et se sentait innocent comme un astre dans l'espace infini.

« Si on renonce à prendre cette distance que je disais, reprit le comte Leinsdorf un instant plus tard, la tête vous tourne comme à un chien qui essaie d'attraper sa queue! Voyez-vous, ajouta-t-il, j'ai cédé à mes amis, j'ai cédé à la baronne Wayden, mais quand on prête l'oreille à nos propos, si, pris isolément, ils font une impression de vive intelligence, pour le noble dessein que nous poursuivons ils donnent l'impression de l'arbitraire et de l'incohérence! »

Autour du Ministre de la Guerre et de Feuermaul qu'Arnheim lui avait amené, un groupe s'était formé, dans lequel le jeune poète conduisait avec ardeur la conversation, plein d'amour pour tous les hommes, tandis qu'autour d'Arnheim lui-même, après qu'il s'était retiré, un deuxième groupe, un peu plus loin, s'était réuni, dans lequel Ulrich aperçut plus tard Hans Sepp et Gerda. On entendait Feuermaul s'écrier : « On ne comprend pas la vie en étudiant, mais par la bonté; on doit croire en la vie! » Madame Drangsal était debout très droite derrière lui et l'appuyait : « Gœthe non plus n'a pas fait son doctorat! » Feuermaul, dans les yeux, avait beaucoup de ressemblance avec lui. Le Ministre de la Guerre était debout très droit, lui aussi, souriant avec constance, comme il savait tenir la main à la hauteur de sa visière lors des défilés, dans un interminable geste de remerciement.

Le comte Leinsdorf demanda à Ulrich : « Dites-moi, qui donc est ce Feuermaul ?

— Son père a plusieurs affaires en Hongrie, répondit celui-ci. Une histoire de phosphore, je crois, où pas un ouvrier ne dépasse quarante ans : maladie professionnelle, ostéomyélite.

— Bon, mais le fils ? » Le destin de l'ouvrier n'intéressait pas le comte Leinsdorf.

« Il a dû faire des études, le droit, je crois. Le père est un *self-made man*, il aura été blessé à l'idée que son fils n'avait pas de goût pour l'étude.

— Et pourquoi n'en avait-il pas ? demanda Leinsdorf, très pointilleux ce jour-là.

— Mon Dieu! fit Ulrich en haussant les épaules, probablement l'histoire des Pères et des Fils. Quand le père est pauvre, les fils aiment l'argent; quand le papa a de l'argent, les fils aiment l'humanité. Votre Altesse n'a-t-elle jamais entendu parler du problème du fils dans le monde actuel ?

— Si, si, j'en ai entendu parler. Mais pourquoi Arnheim protège-t-il Feuermaul ? Y a-t-il un rapport avec les gisements de pétrole ?

— Votre Altesse est au courant ?

— Naturellement je sais tout, répondit magnanimement Leinsdorf. Mais ce que je ne comprends pas, c'est ceci : tout le monde sait depuis toujours que les hommes doivent s'aimer les uns les autres et que les gouvernements, dans ce dessein, doivent être forts; pourquoi donc cela deviendrait-il tout à coup un dilemme ?

— Votre Altesse a toujours souhaité une manifestation issue du cœur même de la communauté : voilà ce que ça donne! repartit Ulrich.

— Ce n'est pas vrai!... » s'écria Leinsdorf piqué. Mais, avant qu'il pût poursuivre, ils furent interrompus par Stumm von Bordwehr qui arrivait du groupe d'Arnheim, impatient de s'informer auprès d'Ulrich. « Votre Altesse me pardonne l'interruption, dit-il. Mais dis-moi, ajouta-t-il en s'adressant à Ulrich, peut-on vraiment prétendre que l'homme n'obéit qu'à ses affects, jamais à la raison ? »

Ulrich le regarda, l'esprit ailleurs.

« Il y a là-bas une espèce de marxiste, expliqua Stumm, qui prétend que la substructure économique de l'homme définit entièrement sa superstructure idéologique. Un psychanaliste le contredit en affirmant que la superstructure idéologique est le produit de la substructure instinctive.

— Ce n'est pas si simple, fit Ulrich qui désirait s'échapper.

— C'est ce que je dis toujours! Mais en vain! » répliqua aussitôt le général sans quitter Ulrich des yeux. Leinsdorf reprit également la parole. « Oui, voyez-vous, dit-il à Ulrich, je me préparais à discuter un problème assez semblable. Que la substructure soit économique ou sexuelle, peu m'importe, ce que je voulais dire est ceci : pourquoi donc les gens, dans la superstructure, sont-ils pareillement irresponsables ? Le proverbe dit que le monde est fou : on finirait quelquefois par le croire!

— C'est la psychologie des foules, Altesse, dit l'érudit général en intervenant à nouveau. Tant qu'il s'agit des foules, je le comprends fort bien. La foule n'est mue que par des instincts et, bien entendu, par ceux qui sont communs à la majorité des individus : c'est logique! Ou plutôt, naturellement, c'est illogique : la foule est illogique, elle ne recourt à la logique que pour s'en orner! La seule et unique force par quoi elle se laisse guider, c'est la suggestion! Confiez-moi les journaux, la radio, le cinéma et quelques autres instruments de culture, et je m'engage à faire des hommes, en quelques années, comme mon ami Ulrich le disait un jour, des cannibales! C'est précisément pourquoi l'humanité a besoin de maîtres forts. Votre Altesse le sait mieux que moi. Mais que l'individu, qui s'élève parfois si haut, ne soit pas logique, je ne puis le croire, encore qu'Arnheim lui aussi le prétende. »

Quel secours Ulrich eût-il pu apporter à son ami dans cette très fortuite controverse ? Comme une touffe d'herbe s'accroche à l'hameçon en guise de poisson, toute une touffe de théories s'accrochait à la question du général. L'homme n'obéit-il qu'à ses affects, ne fait-il, ne sent-il, ne pense-t-il même que ce à quoi le poussent les courants inconscients de la convoitise ou la brise plus douce de l'envie, comme on l'admet aujourd'hui ? N'obéit-il au contraire qu'à la raison et à la volonté, comme on l'admet également aujourd'hui ? Obéit-il à certains affects particuliers, comme la sexualité ? N'obéit-il pas, plutôt qu'à son sexe, à l'influence psychologique des conditions économiques, comme on l'admet également aujourd'hui ? On peut considérer sous plusieurs angles une structure aussi complexe que la sienne, et choisir, pour en donner une image théorique, tel ou tel axe : on obtient des vérités partielles dont les interférences favorisent la lente croissance de la vérité; mais celle-ci croît-elle réellement ? Chaque fois qu'on a pris une vérité partielle pour la seule recevable, on s'en est repenti. D'un autre côté, on n'aurait sans doute jamais atteint cette vérité partielle si on ne l'avait d'abord surestimée. Ainsi, l'histoire de la vérité interfère avec celle du sentiment, mais celle du sentiment est demeurée obscure. De l'avis d'Ulrich, elle n'était même pas une histoire, plutôt un fatras. N'est-il pas plaisant, par exemple, que les idées religieuses, donc sans doute passionnées, que le moyen âge s'est faites de l'homme supposent la foi en sa raison et en sa volonté, alors qu'aujourd'hui beaucoup de savants, dont la plus grande passion est de fumer trop, voient dans le sentiment le fondement de l'humain ? Telles furent les pensées qui vinrent à Ulrich. Bien entendu, il n'avait aucune envie de répondre aux discours de Stumm qui d'ailleurs n'y comptait pas du tout, mais qui se restaurait un peu avant de se résoudre à repartir.

« Comte Leinsdorf! dit doucement Ulrich. Vous souvenez-vous que je vous ai conseillé un jour de fonder un secrétariat général pour tous les problèmes qui requièrent autant d'âme que de précision ?

— Oui, je m'en souviens, répondit Leinsdorf. J'avais raconté la chose à Son Éminence, qui a bien ri. Elle a ajouté que vous veniez trop tard!

— Pourtant, c'est cela même que vous regrettiez tout à l'heure, Altesse! poursuivit Ulrich. Vous remarquez que le monde a oublié aujourd'hui ce qu'il voulait hier, qu'il est la proie d'humeurs changeant sans raison suffisante, qu'il est perpétuellement agité, qu'il n'aboutit jamais à aucun résultat... Si on s'imaginait réuni dans une seule tête tout ce qui se passe dans les têtes de l'humanité, on ne pourrait y méconnaître toute une série de phénomènes de dégénérescence bien connus que l'on met sur le compte de l'infériorité mentale...

— Éminemment juste! s'écria Stumm von Bordwehr, repris par la fierté des connaissances acquises l'après-midi même. C'est exactement l'image de la... ah! j'ai oublié de nouveau comment on appelle cette maladie mentale, mais c'est exactement son image!

— Non, dit Ulrich en souriant, ce n'est sûrement pas l'image d'une maladie mentale déterminée : ce qui distingue un homme sain d'un aliéné, c'est précisément que l'homme sain a toutes les maladies mentales, et que l'aliéné n'en a qu'une!

— Très fin! » s'écrièrent Stumm et Leinsdorf d'une seule voix, encore qu'en termes légèrement différents. Puis ils ajoutèrent de même : « Mais qu'est-ce que cela signifie, au fond ?

— Voilà ce que cela signifie, dit Ulrich. Si je puis entendre par morale la régulation de toutes les relations qui comprennent, entre autres, le sentiment, l'imagination, et cætera, je vois que l'individu, en morale, se règle sur les autres et semble ainsi acquérir quelque solidité, mais que l'ensemble de ces individus ne sort pas d'un état de délire.

— Allons! vous allez trop loin! » fit Leinsdorf charitablement. Le général intervint également : « Voyons, il faut bien que chaque homme ait sa morale : on ne peut pas prescrire à quelqu'un s'il doit préférer les chiens ou les chats!

— Peut-on le lui prescrire, Altesse ? demanda Ulrich pressant.

— Jadis, oui, dit diplomatiquement le comte Leinsdorf, bien qu'il fût repris par sa foi en l'existence du « vrai » dans tous les domaines, jadis c'était mieux. Mais aujourd'hui ?

— Il ne reste que la guerre de religion en permanence, fit Ulrich.

— Vous appelez ça une guerre de religion ? demanda Leinsdorf curieux.

— Quel autre nom lui donnerais-je ?

— En effet, ce n'est pas si faux. C'est une excellente définition de la vie actuelle. J'ai toujours pensé, d'ailleurs, qu'en vous se cachait un assez bon catholique!

— Je suis un très mauvais catholique, répondit Ulrich. Je ne crois pas que Dieu soit déjà venu, je crois qu'il peut venir, à condition qu'on lui aplanisse mieux le chemin que jusqu'ici!

— Voilà qui me dépasse! » dit Son Altesse en une digne protestation.

38. *Un grand événement se prépare. Mais on ne s'en est pas aperçu.*

En revanche, le général s'écria : « Malheureusement, je suis obligé de rejoindre immédiatement Son Excellence, mais il faut absolument que tu m'expliques encore tout cela, je ne te lâcherai pas. Je reviendrai, si ces messieurs me le permettent! »

Il semblait que Leinsdorf voulût dire quelque chose, les pensées travaillaient intensément en lui, mais Ulrich et lui n'étaient pas restés seuls un instant qu'ils se virent entourés d'invités amenés par le tournoiement général et retenus par la force attractive du comte Leinsdorf. De ce qu'Ulrich avait dit, il ne fut naturellement plus question, et personne à part lui n'y pensait encore lorsqu'un bras, par derrière, se glissa sous le sien : Agathe fut à côté de lui. « As-tu déjà trouvé une raison pour ma défense ? » demanda-t-elle avec une caressante malignité.

Ulrich ne lâcha pas le bras de sa sœur et s'éloigna du groupe avec elle.

« Ne pouvons-nous rentrer ? demanda Agathe.

— Non, je ne puis partir encore.

— Sans doute sont-ce les temps à venir, pour l'amour desquels tu dois te garder pur, qui t'en empêchent ? » demanda Agathe taquine.

Ulrich pressa son bras contre le sien.

« Que ma place ne soit pas ici, mais dans une prison, cela

parle beaucoup en ma faveur, je trouve! » lui glissa-t-elle à l'oreille.

Ils cherchèrent un endroit où être seuls. L'assemblée était maintenant cuite à point et mélangeait lentement ses éléments. Dans l'ensemble, on distinguait toujours le même groupement par deux : autour du Ministre de la Guerre, on parlait de paix et d'amour, et autour d'Arnheim, à ce moment-là, on affirmait que la douceur germanique ne pouvait mieux prospérer qu'à l'ombre de la germanique puissance.

Arnheim écoutait avec bienveillance, parce qu'il ne rejetait jamais une opinion sincère et qu'il avait une prédilection pour les idées nouvelles. Il était soucieux de savoir si l'affaire des gisements se heurterait à des résistances au Parlement. Il comptait que l'opposition des politiciens slaves serait absolument inévitable et il espérait se faire une idée de l'atmosphère des milieux allemands. Dans les sphères gouvernementales, tout allait bien, en dehors d'une certaine opposition au Ministère des Affaires étrangères, opposition à laquelle il n'accordait pas grande importance. Le lendemain, il devait partir pour Budapest.

Il y avait en suffisance des « observateurs » hostiles autour de lui et des autres personnages principaux. On les reconnaissait aisément à ce qu'ils disaient oui à tout et qu'ils étaient les gens les plus charmants du monde, alors que les autres, le plus souvent, étaient d'opinion différente.

Tuzzi cherchait à convaincre l'un d'eux : « Les parlotes ne signifient rien, jamais rien! » L'autre le croyait. C'était un parlementaire. Mais il continuait à penser, comme à son arrivée, que du vilain se préparait.

Son Altesse, en revanche, causait avec un autre questionneur, défendait la signification de la soirée en ces termes : « Mon cher, depuis 1848, même les révolutions ne se font qu'en parlant beaucoup! »

Il serait erroné de ne voir dans ces divergences que les variantes autorisées d'une prétendue monotonie de la vie. Pourtant, cette grave erreur est commise presque aussi souvent qu'on prononce la phrase : « C'est une affaire de sentiment! », phrase sans laquelle l'organisation de notre esprit est impensable. Cette phrase indispensable sépare ce qui doit être, dans la vie, de ce qui peut être. « Elle sépare, dit Ulrich à Agathe, l'ordre légal de la concession accordée à la personne. Elle sépare ce qui est rationalisé de ce qui passe pour irrationnel. Telle qu'on l'utilise d'ordinaire, elle signifie l'aveu que la nature humaine obéit, dans l'essentiel, à une contrainte, et dans l'accessoire, à un arbitraire suspect. On veut dire que la vie serait une prison s'il n'était en notre pouvoir de préférer le vin ou l'eau, d'être athées ou dévots, mais on ne veut nullement dire par là qu'il dépende vraiment de notre bon plaisir de décider ce qui est affaire de sentiment. Bien plutôt, sans que la frontière entre les deux puisse être précisée, il y a des affaires de sentiment licites et d'autres illicites. »

Celle qui liait Ulrich et Agathe était illicite, bien que le frère et la sœur, bras dessus bras dessous, cherchant vainement une cachette, ne fissent que parler de la soirée et éprouvassent ainsi, silencieusement, violemment, la joie d'être à nouveau réunis. En revanche, savoir s'il faut aimer tous ses congénères ou d'abord en anéantir une partie, ce choix était visiblement une affaire de sentiment doublement licite, sans quoi il n'aurait pas été discuté avec tant d'ardeur dans la maison de Diotime et en présence du comte Leinsdorf, bien que la société s'en trouvât divisée en deux partis dressés l'un contre l'autre. Ulrich affirma que l'invention de la formule « affaire de sentiment » avait rendu à la cause du sentiment le plus mauvais service qu'on lui eût jamais rendu. Lorsqu'il entreprit d'expliquer à sa sœur l'impression étrange que lui faisait cette soirée, il se mit à parler d'une manière qui continuait, sans qu'il le voulût, la conversation interrompue le matin même, et devait sans doute la justifier. « Je ne sais vraiment pas, dit-il, par où commencer sans t'ennuyer. Puis-je te dire ce que j'entends par morale ?

— Je t'en prie.

— La morale est la régulation de la conduite au sein d'une société, mais en particulier des impulsions intérieures, donc des sentiments et des pensées.

— Voilà un grand progrès en quelques heures ! dit Agathe en riant. Tu disais encore ce matin que tu ignorais ce qu'était la morale !

— Je l'ignore, bien sûr. Je puis néanmoins te donner une douzaine d'explications. La plus ancienne est que Dieu nous a révélé l'ordre de la vie dans tous ses détails...

— Ce serait la plus belle !

— Mais la plus vraisemblable, précisa Ulrich, est que la morale, comme toute autre espèce d'ordre, naît par la contrainte et la violence! Un groupe d'hommes arrivé au pouvoir impose simplement aux autres les prescriptions et les principes qui assurent son pouvoir. En même temps, il s'accroche à ceux qui ont fait sa grandeur. Il devient exemplaire. Il est modifié par des réactions... C'est plus compliqué, naturellement, que ce qu'on en peut expliquer en quelques mots et finalement, parce que cela ne se produit pas sans l'intervention de l'esprit, pas davantage grâce à lui, mais par la pratique, on aboutit à un entrelacs qui s'étend à perte de vue au-dessus de tout, apparemment aussi autonome que le ciel du bon Dieu. Tout se rapporte désormais à ce cercle, mais ce cercle ne se rapporte à rien. Autrement dit : tout est moral, sauf la morale elle-même!...

— C'est charmant de sa part! dit Agathe. Sais-tu que j'ai trouvé aujourd'hui un homme bon? »

Ulrich fut un peu étonné de cette interruption. Lorsque Agathe se mit à lui conter sa rencontre avec Lindner, il essaya d'abord de l'intégrer dans le courant de ses réflexions : « Ici aussi, tu trouveras des hommes bons par douzaines, fit-il, mais, si tu me laisses poursuivre un instant encore, tu sauras pourquoi les méchants, du même coup, affluent. »

Sur ces mots, pour éviter la presse, ils avaient atteint l'antichambre. Ulrich réfléchit où ils pouvaient aller; il songea à la chambre de Diotime, à la chambrette de Rachel, mais il ne voulait revoir ni l'une ni l'autre. Ainsi, Agathe et lui restèrent-ils provisoirement debout parmi les vêtements vidés de leurs propriétaires et suspendus dans le vestibule. Ulrich ne sut comment continuer. « Le mieux serait que je reprenne tout au début », déclara-t-il avec un geste d'impatience et de perplexité. Soudain, il dit : « Peu t'importe si tu as agi bien ou mal, mais tu es inquiète de faire l'un ou l'autre sans raison! »

Agathe fit oui de la tête.

Il lui avait pris les mains.

La peau mate de sa sœur, avec son parfum de plantes à lui inconnues, sortant sous ses yeux de la robe légèrement décolletée, perdit un instant sa signification terrestre. Le battement du sang passa d'une main dans l'autre. Un profond fossé d'origine surnaturelle parut les enfermer dans un pays magique.

Soudain, les images lui manquèrent pour le définir; il ne

disposait même plus de celles dont il s'était servi si souvent. « Nous ne voulons pas agir à partir de l'inspiration d'un instant, mais à partir d'un état qui se prolonge jusqu'à la fin. » « De telle sorte que nous soyons conduits au centre d'où on ne revient plus pour se rétracter. » « Non à partir du bord avec ses humeurs changeantes, mais à partir du seul bonheur immuable. » Il avait bien ces phrases-là sur les lèvres, et il aurait cru pouvoir les utiliser s'il s'était agi d'une simple conversation; avec l'application immédiate qu'on pouvait en faire à sa sœur et à lui en cet instant, c'était tout d'un coup impossible. Il en fut déconcerté, irrité. Mais Agathe le comprenait. Elle aurait dû être heureuse de voir pour la première fois se briser la coquille autour de lui, et son « dur frère » tel un œuf tombé à terre avouer son secret. Mais, à sa vive surprise, cette fois, son sentiment n'était pas prêt à s'accorder à celui d'Ulrich : entre le matin et le soir, il y avait eu la bizarre rencontre avec Lindner. Bien que cet homme n'éveillât que sa surprise et sa curiosité, ce petit grain de sable suffisait à troubler l'infini miroitement de l'amour érémitique.

Ulrich le sentit aux mains d'Agathe avant même qu'elle répondît quoi que ce fût, et Agathe... ne répondit rien.

Il devina que ce refus inattendu était lié à l'événement dont il avait dû entendre le récit peu avant. Humilié et troublé par le choc en retour de son émotion refusée, il dit en hochant la tête : « C'est irritant de voir tout ce que tu attends de la bonté d'un pareil homme!

— Ça doit l'être, en effet », reconnut Agathe.

Il la regarda. Il comprit que cet événement avait pour sa sœur plus d'importance que les propositions qui lui avaient été faites jusqu'alors sous sa protection. Il connaissait vaguement l'homme : Lindner jouait un certain rôle dans la vie publique; c'était lui qui naguère, lors de la toute première séance de l'Action patriotique, avait tenu ce bref discours, accueilli par un si pénible silence, sur le « moment historique » ou quelque sujet analogue, maladroit, sincère, insignifiant... Involontairement, Ulrich jeta les yeux autour de lui; mais il ne se rappelait pas avoir vu Lindner parmi les participants; il savait aussi qu'on ne l'avait plus invité. Il devait l'avoir rencontré ailleurs de loin en loin, dans quelque société savante, et avoir lu telle ou telle étude de lui; en effet, tandis qu'il faisait un effort de mémoire, à partir de lambeaux de souvenir ultra-microscopiques un jugement se forma, comme une goutte tenace, dégoûtante : « Un pâle sot! Si l'on veut vivre à une certaine altitude, on ne peut pas davantage prendre au sérieux un homme comme lui que le professeur Hagauer! »

Il le dit à Agathe.

Agathe se tut. Il sentit qu'elle lui serrait plus fort la main.

Il pensa : « Il y a là quelque chose de tout à fait absurde, mais contre quoi on ne peut rien faire! »

A ce moment, des gens arrivèrent dans l'antichambre, le frère et la sœur s'éloignèrent l'un de l'autre. « Dois-je te raccompagner au salon ? » demanda Ulrich.

Agathe dit non et chercha des yeux une issue.

Ulrich pensa soudain que, s'ils voulaient éviter les autres, ils ne pouvaient se réfugier que dans la cuisine.

On y emplissait des batteries de verres, on y chargeait des planches de gâteaux. La cuisinière s'affairait, Rachel et Soliman attendaient leur chargement, mais ils ne chuchotaient plus ensemble comme ils l'avaient fait jadis : ils étaient debout, immobiles, à quelque distance l'un de l'autre. La petite Rachel fit une courte révérence lorsque Ulrich et Agathe apparurent, Soliman se contenta d'écarquiller fixement ses sombres yeux, et Ulrich dit : « Il fait trop chaud là-bas, pouvons-nous boire quelque chose ici ? » Il s'assit avec Agathe sur une banquette dans l'embrasure d'une fenêtre, y posa des assiettes et des verres afin qu'on pût croire, si on les découvrait, à une plaisanterie de familiers de la maison. Lorsqu'ils furent installés, Ulrich dit avec un petit soupir : « Ainsi donc, juger ce professeur Lindner insupportable ou bon n'est qu'une affaire de sentiment! »

Agathe avait les doigts occupés par une confiserie.

« Je veux dire ceci, poursuivit Ulrich. Le sentiment ne peut être vrai ou faux! Le sentiment est resté une affaire privée! On l'a abandonné à la suggestion, à l'imagination, à la propagande! Toi et moi ne sommes pas différents des autres, là-bas! Sais-tu ce qu'ils veulent, là-bas ?

— Non. Mais n'est-ce pas indifférent ?

— Peut-être n'est-ce pas indifférent. Ils forment en effet deux partis dont l'un a aussi raison ou aussi tort que l'autre. »

Agathe dit qu'à ses yeux, tout de même, il valait mieux croire en la bonté de l'homme qu'aux seuls canons, ou à la seule politique; même si c'était sous une forme ridicule.

« Comment donc est-il, l'homme que tu as découvert ? demanda Ulrich.

— Ah ! c'est bien difficile à dire : il est bon ! répondit Agathe en riant.

— Tu ne peux pas plus tabler sur ce qui te paraît bon que sur ce qui paraît tel à Leinsdorf ! » répliqua Ulrich fâché.

Leurs deux visages étaient crispés par le rire : c'était le courant superficiel de la gaieté mondaine contredit par d'autres plus profonds. Rachel le devinait sous son bonnet, à la racine des cheveux ; mais elle-même se sentait si pitoyable que c'était beaucoup plus assourdi que naguère, comme un souvenir d'une époque meilleure. Les belles rondeurs de ses joues étaient creusées imperceptiblement, le feu noir de ses yeux terni par l'accablement. Si Ulrich avait été en humeur de comparer sa beauté avec celle de sa sœur, il n'aurait pas pu ne pas voir que l'éclat noir de la Rachel d'autrefois s'était défait comme un morceau de charbon sur lequel a passé une pesante voiture. Mais il la remarqua à peine. Elle était enceinte ; personne ne le savait hormis Soliman qui, incapable de comprendre la réalité du malheur, y répondait par des plans romantiques et puérils.

« Depuis des siècles, poursuivit Ulrich, l'humanité connaît la vérité de la pensée et donc naturellement, jusqu'à un certain point, la liberté de la pensée. Dans le même temps, le sentiment n'a connu ni la sévère école de la vérité, ni celle de la liberté de mouvements. Chaque morale, en effet, durant son règne, n'a réglementé le sentiment que dans la mesure (et avec beaucoup de raideur encore) où certains principes et certains sentiments fondamentaux lui étaient nécessaires pour agir comme elle le voulait ; elle a abandonné le reste au bon plaisir, au jeu personnel des sentiments, aux vagues efforts de l'art et de la glose. Ainsi, la morale a adapté les sentiments aux besoins de la morale et négligé de les développer, bien qu'elle-même en dépende. Elle est l'ordre et l'unité du sentiment. » A ce point, il s'arrêta. Il sentit le regard vibrant de Rachel sur son visage plein d'ardeur, encore qu'elle n'eût plus autant d'enthousiasme que naguère à donner aux drames des grands. « Peut-être est-il comique que je parle morale jusque dans cette cuisine », dit-il gêné.

Agathe le regardait, tendue, pensive. Il se pencha sur elle et ajouta à voix basse, avec un sourire d'amusement crispé :

« Mais ce n'est qu'une autre façon de traduire un état de passion qui s'arme contre le monde entier! »

Sans qu'il l'eût voulu, la paradoxe de la matinée s'était reproduit, où il apparaissait dans le rôle déplaisant du professeur. Il ne pouvait faire autrement. La morale n'était pour lui ni domination, ni sagesse froide, c'était la totalité infinie des possibilités de vie. Il croyait à une gradation possible de la morale, à des degrés dans l'expérience qu'on faisait d'elle et non pas seulement, comme il est d'usage, dans la connaissance qu'on en a, comme si elle était quelque chose d'achevé pour quoi l'homme n'était pas encore assez pur. Il croyait à la morale, sans croire en une morale définie. D'ordinaire, on entend par morale une somme d'ordonnances policières qui servent à maintenir l'ordre dans la vie; comme la vie ne leur obéit même pas, elles semblent impossibles à observer strictement et par conséquent, sous cette forme piteuse, assimilables à un idéal. Mais il ne faut pas réduire la morale à cela. La morale est imagination. Voilà ce qu'il voulait montrer à Agathe. Et aussi, que l'imagination n'est pas l'arbitraire. Si on confie l'imagination à l'arbitraire, on s'en repent. Les mots frémissaient dans la bouche d'Ulrich. Il avait été sur le point d'évoquer une différence trop négligée, à savoir que les diverses époques ont développé à leur manière l'intelligence, alors qu'elles ont, à leur manière également, fixé et paralysé l'imagination morale. Il avait été sur le point d'en parler à cause d'une première conséquence : en dépit de tous les doutes, l'intelligence et ses produits suivent à travers les variations de l'histoire une ligne plus ou moins droite et toujours ascendante, alors que les sentiments, les idées, les possibilités de vie s'accumulent en une montagne de débris où ils demeurent en couches tels qu'ils sont apparus, tels qu'on les a délaissés, éternels accessoires. A cause d'une autre conséquence aussi : il y a finalement un nombre incalculable de possibilités d'avoir telle ou telle opinion, dès qu'on atteint le domaine des principes, mais il n'y a aucune possibilité de les mettre d'accord. A cause d'une autre conséquence encore : ces opinions se tapent dessus parce qu'elles n'ont aucune possibilité de s'entendre. A cause de cette ultime conséquence : l'affectivité ballotte de ci de là dans l'homme comme de l'eau dans une bouteille qui manque d'assise. Une idée avait hanté Ulrich toute la soirée. C'était d'ailleurs une de ses vieilles idées, mais que cette soirée n'avait cessé de confirmer. Il avait voulu montrer à Agathe où était l'erreur et comment on pourrait la corriger si tout le monde le voulait. Au fond, il avait seulement l'intention douloureuse de prouver qu'il vaut mieux ne pas trop se fier non plus aux découvertes de sa propre imagination.

Agathe dit, avec un petit soupir, comme une femme bousculée se défend vite une dernière fois avant de se rendre : « Il faut donc tout faire *par principe ?* » Et elle regarda Ulrich en lui rendant son sourire.

Il répondit : « Oui, à condition que ce principe soit *un!* » C'était là tout autre chose que ce qu'il avait voulu dire. Cela venait de nouveau du monde des jumeaux siamois, du Règne millénaire où la vie croît comme une fleur dans une paix magique; si ce n'était pas tout à fait une phrase en l'air, cela n'en évoquait pas moins les limites de la pensée, solitaires et trompeuses. L'œil d'Agathe était comme une agathe cassée. Eût-il seulement, en cette seconde, dit un mot de plus ou posé la main sur elle, quelque chose se serait produit dont un instant plus tard elle ne pouvait plus rien dire, car c'était de nouveau englouti. Ulrich ne voulait pas parler plus. Il prit un fruit et se mit à le peler avec un couteau. Il était heureux que la distance qui, peu auparavant encore, l'avait séparé de sa sœur, eût fondu dans une proximité sans mesure; mais il fut content aussi de voir celle-ci dérangée.

C'était le général qui, de l'œil rusé d'un commandant de patrouille surprenant l'ennemi au bivouac, sondait la cuisine. « Excusez-moi de vous déranger! s'écria-t-il en entrant. Mais dans un tête-à-tête avec un frère, chère madame, ce ne peut pas être un bien grand crime! On te cherche comme une épingle de nourrice! » dit-il en s'adressant à Ulrich.

Ulrich dit alors au général ce qu'il avait voulu dire à Agathe. Mais, auparavant, il dit : « Qui est cet *on ?*

— Je devais te présenter au Ministre! » dit le général accusateur.

Ulrich fit un signe de dénégation.

« De toutes façons, c'est trop tard, fit le brave Stumm. Le vieux monsieur vient de partir. Mais mes compétences m'obligeront, dès que madame aura choisi une meilleure compagnie que toi, à t'interroger sur l'histoire de la guerre de religion, au cas où tu aurais la bonté de te rappeler ta formule.

— Nous en parlons justement, dit Ulrich.

— Comme c'est intéressant! s'écria le général. Vous vous intéressez donc aussi à la morale, chère madame?

— A vrai dire, mon frère ne parle jamais d'autre chose, dit Agathe en souriant.

— Aujourd'hui, c'était à l'ordre du jour! soupira Stumm. Leinsdorf, par exemple, a dit il n'y a pas cinq minutes que la morale était aussi importante que la nourriture. Je ne suis pas de cet avis! » Ce disant, il se pencha avec satisfaction sur les pâtisseries que lui tendait Agathe. Il avait voulu faire un mot. Agathe le consola : « Moi non plus!

— Un officier et une femme doivent avoir de la morale, mais ils n'aiment pas à en parler, dit Stumm poursuivant son improvisation. N'ai-je pas raison, chère madame? »

Rachel lui avait apporté une chaise de cuisine qu'elle essuya de son tablier avec empressement. Les paroles du général la touchèrent au cœur; tout juste si elle n'eut pas les larmes aux yeux.

Stumm encourageait à nouveau Ulrich : « Alors, qu'en est-il de la guerre de religion? » Mais, avant même qu'Ulrich eût pu rien dire, il l'interrompit à nouveau : « J'ai le sentiment que ta cousine est aussi à ta recherche dans l'appartement, et je ne dois qu'à ma formation militaire d'avoir pu la précéder. Je dois donc me hâter. Ce n'est plus bien beau, ce qui se passe là-bas! On nous discrédite carrément. Et elle, comment dirais-je? elle laisse flotter les rênes. Sais-tu ce qui a été résolu?

— Qui a résolu?

— Beaucoup sont déjà partis. Beaucoup sont restés et suivent très attentivement ce qui se passe, dit le général. On ne peut pas dire qui résout.

— Peut-être vaut-il mieux, dans ce sens, que tu dises d'abord ce qu'ils ont résolu.

— Ouais, dit Stumm en haussant les épaules. Par bonheur, il ne s'agit pas non plus d'une résolution au sens réglementaire. Tous les responsables, Dieu merci, s'étaient retirés à temps. On peut dire qu'il ne s'agit que d'une résolution particulière, d'une proposition, d'un vote de minorité. Je défendrai l'opinion que nous n'en avons même pas eu connaissance officiellement. Mais il faudra que tu le dises à ton secrétaire, à cause du procès-verbal, pour que rien n'en transpire. Pardonnez-moi, chère madame, ajouta-t-il en se tournant vers Agathe, si je parle aussi professionnellement!

— Mais que s'est-il donc passé ? demanda-t-elle.

— Feuermaul... dit Stumm avec un geste plein d'ampleur, Feuermaul, si vous vous rappelez, chère madame, ce jeune homme que nous n'avons invité que pour qu'il... comment dirai-je ? Parce qu'il est un exposant algébrique de l'esprit du temps, et qu'il nous a fallu inviter les exposants les plus opposés. On espérait ainsi, en dépit de ses oppositions, et même en profitant d'une certaine excitation intellectuelle, pouvoir parler des choses qui hélas! importent en ce moment. Votre frère le sait, chère madame. Il a fallu réunir le Ministre, Leinsdorf et Arnheim pour voir si Leinsdorf s'opposait ou non à certaines... vues patriotiques. A tout prendre, je ne suis pas trop mécontent. » Il se tourna confidentiellement vers Ulrich. « L'affaire est à peu près réglée. Mais pendant ce temps, Feuermaul et les autres... » A ce moment, Stumm se vit obligé d'ajouter un détail pour éclairer Agathe : « Autrement dit, le défenseur de l'idée que l'homme est une créature paisible, aimante, qu'il faut traiter par la bonté, et les exposants qui prétendent à peu près l'inverse, à savoir qu'il faut pour maintenir l'ordre une poigne solide et tout ce que cela suppose... ce Feuermaul et les autres se sont pris de querelle et, avant qu'on n'ait pu les empêcher, ont voté une résolution commune!

— Commune ? dit Ulrich incrédule.

— Oui. Simplement, j'ai raconté la chose comme s'il s'agissait d'une plaisanterie, assura Stumm qui ne fut pas peu flatté, après coup, de l'involontaire drôlerie de sa description. Personne ne pouvait s'y attendre. Et si je te dis quelle résolution ils ont prise, tu ne me croiras pas! Comme je suis censé avoir fait cet après-midi une visite professionnelle à Moosbrugger, tout le Ministère sera convaincu que je suis là-derrière! »

Ulrich, alors, éclata de rire, d'un rire qui interrompit encore de temps en temps les autres explications du général et qu'Agathe seule comprit tout à fait, alors que Stumm, légèrement offensé, lui faisait remarquer à plusieurs reprises qu'il lui semblait nerveux. Ce qui s'était passé correspondait trop parfaitement au modèle qu'Ulrich venait de décrire à Agathe pour qu'il pût ne pas s'en égayer. Le groupe Feuermaul était entré en lice au dernier moment pour sauver ce qui pouvait être sauvé encore. Dans ces cas-là, d'ordinaire, le but est moins clair que l'intention. Le jeune poète Friedel Feuermaul (dénommé Pepi par ses intimes, parce qu'il avait la passion du Vieux-Vienne et cherchait à ressembler au jeune Schubert, bien qu'il fût venu au monde dans une bourgade hongroise) croyait à la mission de l'Autriche, et, en outre, à l'humanité. Il était évident qu'une entreprise telle que l'Action parallèle, s'il n'y était pas convié, devait dès le début le préoccuper. Comment une entreprise humanitaire de nuance autrichienne, ou une entreprise autrichienne de nuance humanitaire pouvait-elle réussir sans lui ? Cela, reconnaissons-le, il ne l'avait dit qu'à son amie Drangsal, en haussant les épaules ; mais celle-ci, veuve honoraire de son pays et gérante d'un salon de beaux-esprits dont l'essor n'avait été dépassé que depuis peu par celui de Diotime, l'avait redit à tous les hommes influents qu'elle rencontrait. Ainsi avait commencé à courir le bruit que l'Action parallèle courait le danger de..., à moins que... Cet *à moins que* et ce danger restaient, on le comprend, un peu vagues : il fallait d'abord forcer Diotime à inviter Feuermaul ; ensuite, peut-être, on verrait... Mais l'annonce d'un danger qui viendrait de l'Action parallèle n'échappa pas à ces politiciens attentifs qui ne reconnaissaient pas la patrie, seulement la petite mère « Peuple » vivant en mariage forcé avec l'État et maltraitée par lui ; ils soupçonnaient depuis longtemps l'Action parallèle de ne préparer qu'une nouvelle oppression. Bien qu'ils le dissimulassent poliment, ils jugeaient moins important de chercher à parer ce coup (car il y avait toujours eu chez les Allemands des humanistes désespérants, mais dans l'ensemble ils demeuraient des oppresseurs et des parasites de l'État !), que d'indiquer que les Allemands eux-mêmes reconnaissaient le danger que comportait leur nationalisme. Ainsi, madame le professeur Drangsal et le poète Feuermaul se sentirent portés par un intérêt pour leurs aspirations qui leur parut fort bénéfique sans qu'ils en devinassent les vraies raisons ; Feuermaul, qui était un sentimental connu, ne put plus se défaire de l'idée qu'il fallait donner quelque conseil d'amour et de paix au Ministre de la Guerre en personne. Pourquoi précisément au Ministre de la Guerre et quel rôle lui était assigné, cela restait également obscur, mais l'idée même était d'une invention si brillante, si dramatique, qu'elle n'avait pas besoin d'autre fondement. Stumm von Bordwehr, l'infidèle général que son zèle pour la culture conduisait parfois dans le salon de Madame Drangsal sans que Diotime le sût, fut du même avis; il obtint en outre que l'opinion première, à savoir que le marchand de canons Arnheim était un élément du danger, fît place à l'idée que le penseur Arnheim était un élément important de la paix.

Ainsi, tout s'était passé jusque là comme on pouvait l'attendre des intéressés. Que l'entrevue du Ministre et de Feuermaul, en dépit de la collaboration de Madame Drangsal, n'eût rien donné que quelques étincelles d'esprit feuermaulien et leur patiente audition par Son Excellence, cela aussi était dans le cours ordinaire des choses humaines. Mais Feuermaul n'avait pas épuisé ses réserves : comme le ban et l'arrière-ban de ses troupes étaient constitués par des littérateurs jeunes et vieux, des conseillers auliques, des bibliothécaires et quelques amis de la paix qu'unissait un même sentiment de la patrie et de sa mission, sentiment qui eût combattu aussi volontiers pour la restauration des omnibus à chevaux traditionnels que pour la porcelaine viennoise, et que ces fidèles, au cours de la soirée, s'étaient trouvés associés par mille relations diverses à leurs adversaires qui eux non plus ne portaient pas le couteau ouvert dans la main, il en était résulté d'innombrables conversations et un incroyable mélange d'opinions.

Telle était la tentation qui s'offrit à Feuermaul lorsque le Ministre eut pris congé de lui et que la surveillance de Madame Drangsal, pour des raisons inconnues, fut un instant distraite. Stumm von Bordwehr put rapporter seulement que Feuermaul avait engagé une discussion extrêmement vive avec un jeune homme dont la description n'excluait pas qu'il pût s'agir d'Hans Sepp. En tous cas, c'était un de ces hommes qui ont besoin d'un bouc émissaire qu'ils rendent responsable de tout le mal dont ils ne peuvent eux-mêmes se débarrasser. La présomption nationaliste n'est qu'un cas particulier de cette attitude : par pure conviction, on choisit un bouc émissaire qui ne soit pas de votre race et qui ait même le moins de ressemblance possible avec vous. C'est un grand soulagement, on le sait, lorsqu'on est en colère, de pouvoir décharger sa colère sur quelqu'un, même quand ce quelqu'un n'y peut rien. On sait moins qu'il en va de même de l'amour. Pourtant, c'est exactement la même chose : souvent, l'amour doit se soulager sur quelqu'un qui n'y peut rien, quand il n'en trouve pas d'autre occasion. Ainsi, Feuermaul était un jeune homme industrieux, fort capable, pour défendre son avantage, de manquer de bonté, mais son bouc émissaire d'amour était « l'Homme » : dès qu'il pensait à l'homme en général, il était insatiable de bonté insatisfaite. Hans Sepp, en revanche, était au fond un brave garçon qui n'avait même pas le cœur de tromper le Directeur Fischel : c'est pourquoi son bouc émissaire était « l'homme non-allemand » sur lequel il déchargeait sa fureur contre tout ce qu'il ne pouvait modifier. Dieu sait ce qu'ils avaient pu se dire pour commencer; sans doute avaient-ils enfourché aussitôt leur bouc respectif, car Stumm disait : « Je ne comprends vraiment pas comment c'est arrivé : tout à coup il y a eu d'autres invités à côté d'eux, puis, en un tournemain, un vrai attroupement, et finalement, tous ceux qui étaient encore là les entouraient!

— Sais-tu de quoi ils disputaient ? » demanda Ulrich.

Stumm haussa les épaules. « Feuermaul a crié à l'autre : *Vous voudriez haïr, mais vous ne le pouvez pas! L'amour est inné à l'homme!* Ou quelque chose d'analogue. Et l'autre hurlait : *Vous voudriez aimer, vous ? Mais vous le pouvez encore biens moins!*... Je ne puis être plus précis : à cause de l'uniforme, j'ai dû rester à une certaine distance.

— Oh! dit Ulrich, tu as déjà dit l'essentiel! » Il se tourna alors vers Agathe en cherchant à capter son regard.

« L'essentiel, c'était la résolution! dit Stumm. Ils étaient tout près de s'entre-dévorer, et il en est sorti pourtant une résolution commune et même très commune! »

Stumm, avec sa rondeur, donnait l'impression d'un sérieux achevé. « Le Ministre est parti à ce moment-là.

— Mais qu'ont-ils donc résolu ? demandèrent Ulrich et Agathe.

— Je ne puis le dire exactement, répliqua Stumm, car, bien entendu, j'ai disparu aussitôt, et ils n'avaient pas fini. D'ailleurs, on ne peut pas se souvenir de ces choses-là. C'était quelque chose en faveur de Moosbrugger et contre l'armée!

— Moosbrugger ? Comment donc ? dit Ulrich en riant.

— *Comment donc ?* répéta le général venimeux. Tu peux bien rire, mais moi ça me fera une belle histoire! Ou au mieux des écritures pendant tout un jour. Est-ce que ces gens-là se soucient du *comment donc ?* Peut-être était-ce la faute de ce vieux professeur qui, aujourd'hui, défendait partout la pendaison et condamnait la clémence. Peut-être est-ce parce que les journaux, ces jours derniers, ont reparlé de ce monstre. Il faut annuler tout cela! » déclara-t-il avec une fermeté qu'on ne lui connaissait guère.

A cet instant entrèrent dans la cuisine, les uns derrière les autres, Arnheim, Diotime, puis Tuzzi et le comte Leinsdorf eux-mêmes. Arnheim, de l'antichambre, avait entendu les voix. Il se préparait à partir discrètement, le désordre lui faisant espérer qu'il pourrait cette fois encore éviter une explication avec Diotime, et le lendemain il repartait déjà en voyage. Mais la curiosité l'incita à jeter un coup d'œil dans la cuisine : Agathe l'ayant aperçu, la politesse l'empêcha de se retirer. Aussitôt, Stumm l'assaillit pour lui demander où en étaient les choses. « Je puis vous le transmettre dans le texte original, dit Arnheim en souriant. Il y avait des choses si drôles que je n'ai pu me retenir de les noter discrètement. »

Il tira de sa poche un bout de papier et, déchiffrant sa copie sténographique, il lut lentement à haute voix le texte de la déclaration prévue : « *Sur la proposition de Messieurs Feuermaul et*... (je n'ai pas saisi l'autre nom), *l'Action parallèle prononce la résolution suivante : Pour ses propres idées, tout homme doit se laisser tuer, mais quiconque entraîne les hommes à mourir pour les idées d'autrui est un criminel!* Telle était la proposition, et je n'ai pas l'impression qu'on n'y veuille rien changer.

— C'est le texte exact! s'écria le général. C'est ce que j'avais entendu! Répugnant, ces controverses intellectuelles!

— C'est la jeunesse actuelle : elle cherche un appui sûr, un guide! dit doucement Arnheim.

— Mais il n'y avait pas seulement des jeunes, dit Stumm écœuré, j'ai même vu des calvities approbatrices!

— C'est donc le besoin général d'avoir un guide, dit Arnheim avec un hochement de tête amical. On le rencontre partout aujourd'hui. D'ailleurs, cette résolution est tirée d'un ouvrage contemporain, si je me rappelle bien.

— Allons donc! dit Stumm.

— Oui, dit Arnheim. Bien entendu, il faut la considérer comme nulle et non avenue. Mais si on savait utiliser le besoin de l'âme qu'elle révèle, on ne perdrait pas son temps. »

Le général parut un peu tranquillisé. Il s'adressa à Ulrich : « As-tu une idée de la manière dont on pourrait agir ?

— Bien sûr! » répondit Ulrich.

L'attention d'Arnheim fut détournée par Diotime.

« Alors, s'il te plaît! dit le général à voix basse. Accouche! J'aimerais mieux que la direction reste entre nos mains!

— Il faut que tu comprennes ce qui s'est passé en fait, dit Ulrich sans se presser. Ces gens n'ont pas du tout tort quand l'un reproche à l'autre de vouloir aimer alors qu'il en est incapable et quand l'autre réplique à l'un qu'on peut en dire exactement autant de la haine. On peut en dire autant de tous les sentiments. Aujourd'hui, la haine a quelque chose de conciliant en soi; d'un autre côté, pour ressentir ce qui serait vraiment de l'amour pour un être, il faudrait... J'affirme, dit brièvement Ulrich, que ces deux êtres ne sont pas encore nés!

— C'est sûrement très intéressant, fit le général, car je n'arrive absolument pas à comprendre comment tu peux affirmer cela. Mais je dois faire demain un compte-rendu sur les incidents d'aujourd'hui, c'est pourquoi je te conjure d'y songer! A l'armée, l'essentiel est qu'on puisse toujours annoncer un progrès; un certain optimisme y est indispensable jusque dans la défaite, c'est professionnel. Comment donc pourrai-je décrire comme un progrès ce qui s'est passé ?

— Écris, dit Ulrich en clignant des yeux, que ce fut la vengeance de l'imagination morale!

— Voyons! ce sont des choses qu'on ne peut pas écrire à l'armée! dit Stumm irrité.

— Alors laisse tomber, poursuivit Ulrich gravement, et écris : toutes les époques créatrices ont été graves. Il n'est pas de profond bonheur sans une morale profonde. Il n'est pas de morale sans fondement solide. Il n'est pas de bonheur qui ne repose sur une conviction. Même les bêtes ne peuvent vivre sans morale. Mais l'homme, aujourd'hui, ne sait plus avec quelle... »

Stumm interrompit cette dictée si posée d'apparence : « Cher ami, je puis parler du moral de la troupe, de la morale du combat, de celle d'une femme, mais toujours de cas particuliers. Dans un document militaire officiel, on ne peut pas plus parler de la morale sans précaution de ce genre que de la fantaisie ou du bon Dieu : tu le sais aussi bien que moi! »

Diotime voyait Arnheim debout à la fenêtre de sa cuisine, spectacle curieusement domestique, alors qu'ils n'avaient échangé que quelques mots prudents de toute la soirée. Elle éprouva soudain le désir paradoxal de poursuivre la conversation interrompue avec Ulrich. Dans sa tête régnait cet agréable désespoir qui, surgissant dans plusieurs directions à la fois, finit par s'affaiblir et se dissoudre en une attente paisible et douce. L'échec depuis longtemps prévu du concile lui était indifférent. L'infidélité d'Arnheim, croyait-elle, lui était aussi presque indifférente. Il la regarda au moment où elle entrait, et un instant le sentiment ancien revint qu'un espace vivant les unissait. Mais elle se rappela de nouveau qu'Arnheim l'évitait depuis des semaines, et une expression « lâcheté érotique ! » donna à ses genoux le courage de la porter majestueusement jusqu'à lui. Arnheim vit cela : qu'elle le regardait, qu'elle hésitait, que la distance fondait ; au-dessus des chemins glacés qui les liaient, innombrables, le pressentiment qu'ils pourraient se dégeler flottait encore. Il s'était détourné des autres, mais au dernier moment, Diotime et lui changèrent de direction et rejoignirent Ulrich, le général Stumm et les autres, qui se trouvaient du côté opposé.

Des inspirations de l'homme de génie au mauvais goût qui unit les peuples, ce qu'Ulrich appelait l'imagination morale, ou plus simplement le sentiment, constitue une unique et séculaire fermentation sans résultat. L'homme est une créature qui ne peut vivre sans enthousiasme. L'enthousiasme est l'état où tous ses sentiments et toutes ses pensées coïncident dans un même esprit. Tu penses presque le contraire, que ce serait l'état dans lequel un sentiment est plus fort que tous les autres, sentiment unique qui emporte tous les autres (*être emporté !*) ? Non, tu ne voulais rien dire ? Néanmoins, c'est ainsi. Et c'est aussi autrement. Mais la force de cet enthousiasme manque d'appui. Les sentiments et les pensées n'acquièrent une continuité qu'en s'étayant les uns les autres, en formant un tout, il faut qu'ils soient, en quelque sorte, orientés dans le même sens, qu'ils s'entraînent mutuellement. Par tous les moyens, les stupéfiants, les illusions, la suggestion, la foi, la conviction, quelquefois simplement grâce au pouvoir simplificateur de la bêtise, l'homme s'efforce de créer un état qui ressemble à celui-là. Il croit aux idées non parce qu'il leur arrive d'être vraies, mais parce qu'il *doit* croire. Parce qu'il *doit* faire régner l'ordre dans son cœur. Parce qu'il doit boucher au moyen d'une illusion ce trou dans les parois de sa vie par lequel ses sentiments ne demandent qu'à fuir à tous les vents. La voie juste serait sans doute, plutôt que de se laisser aller à de passagères illusions, de chercher au moins les conditions de l'enthousiasme authentique. Mais, bien que le nombre des décisions qui relèvent du sentiment, tout compte fait, soit infiniment plus élevé que le nombre de celles que peut prendre l'intelligence seule, bien que tous les événements qui touchent les hommes naissent de l'imagination, seuls les problèmes rationnels se révèlent soumis à une organisation supra-personnelle; pour tout le reste, il n'a jamais été rien fait qui mérite d'être appelé un effort commun, ou qui révèle ne serait-ce que la reconnaissance de son urgente nécessité.

Ainsi parla Ulrich, ou à peu près, avec mainte compréhensible protestation du général.

Il voyait dans les incidents de la soirée, bien qu'ils ne fussent pas sans violence et dussent même avoir, interprétés défavorablement, certaines conséquences, un exemple entre beaucoup d'un infini désordre. Monsieur Feuermaul, à ce moment-là, lui paraissait aussi indifférent que l'amour du prochain, le nationalisme aussi indifférent que monsieur Feuermaul. Stumm lui demanda vainement comment on pouvait extraire d'une prise de position personnelle l'idée d'un progrès tangible. « Annonce donc, dit Ulrich, que c'est la guerre de religion du Millénaire. Jamais les hommes n'ont été aussi mal armés contre elle qu'aujourd'hui où les décombres de *ce qui a été senti en vain* par les siècles précédents ont atteint l'altitude d'une montagne sans qu'on ait rien fait pour l'éviter. Ainsi, le Ministère de la Guerre peut-il envisager sans inquiétude la prochaine catastrophe mondiale. »

Ulrich prophétisait, et ne s'en rendait pas compte. Peu lui importaient les événements réels : il luttait pour sa béatitude. Il voulait mettre entre lui et les événements tout ce qui pouvait la gêner. C'est pourquoi il riait et cherchait à donner aux autres l'impression qu'il raillait, qu'il exagérait. Il exagérait pour Agathe; il continuait sa conversation avec elle, et pas seulement la dernière. En vérité, il élevait une digue de pensées contre elle et savait qu'il y avait, à un certain endroit de la digue, un verrou : si on le tirait, tout serait inondé et enfoui sous le sentiment! Il pensait continuellement à ce verrou.

Diotime était debout près de lui et souriait. Elle devinait vaguement les efforts d'Ulrich à l'égard de sa sœur, elle était mélancoliquement émue, oubliait la science sexuelle, et quelque chose était ouvert : c'était sans doute l'avenir, c'était en tous cas, imperceptiblement, ses lèvres.

Arnheim dit à Ulrich : « Et vous pensez... qu'on pourrait faire quelque chose là contre ? » La façon dont il posait cette question donnait à entendre qu'à travers l'exagération il reconnaissait le sérieux, mais que ce sérieux aussi lui paraissait exagéré.

Tuzzi dit à Diotime : « Il faut empêcher, en tous cas, que le bruit de ces incidents n'atteigne le public. »

Ulrich répondit à Arnheim : « N'est-ce pas évident ? Nous nous voyons placés aujourd'hui devant un trop grand nombre de possibilités de sentiment et de vie. Mais cette difficulté ne ressemble-t-elle pas à celle que l'intelligence domine lorsqu'elle se trouve devant une grande masse de faits ou une histoire des théories ? Or, nous avons trouvé là une méthode ouverte et pourtant rigoureuse que je n'ai pas besoin de vous décrire. Je vous demande si on ne pourrait pas faire quelque chose d'analogue pour le sentiment ? Il ne fait pas de doute que nous voudrions découvrir pourquoi nous sommes ici, c'est la source principale de toutes les violences du monde. D'autres époques s'y sont essayées, avec des moyens insuffisants, mais la grande époque de l'expérience ne dépasse pas encore, pour ce qui est de l'esprit... »

Arnheim, qui comprenait vite et interrompait volontiers, lui mit la main sur l'épaule comme pour une conjuration : « Ce serait là une sorte d'approche de Dieu! s'écria-t-il d'une voix assourdie.

— Serait-ce donc si terrible ? fit Ulrich non sans une pointe de raillerie pour cette angoisse prématurée. Mais je ne suis pas allé si loin! »

Arnheim se reprit aussitôt et sourit. « Après une longue absence, on est heureux de retrouver quelqu'un toujours pareil à soi-même : c'est bien rare, aujourd'hui! » dit-il. D'ailleurs, se sentant à l'abri de sa bienveillance, il se réjouissait vraiment. Ulrich aurait pu revenir sur cette pénible offre de situation, et Arnheim lui était reconnaissant qu'il méprisât, dans son intransigeance irresponsable, tout contact avec la terre. « Il faudra que nous en parlions un jour, ajouta-t-il cordialement. Je ne vois pas bien comment vous concevez ce transfert de notre comportement théorique dans notre comportement pratique. »

Ulrich savait que, réellement, c'était encore peu clair. Il ne concevait ni une « vie de chercheur », ni une vie « à la lumière de la science », mais une « quête du sentiment », analogue à la quête de la vérité, sauf qu'il ne s'agissait pas de vérité. Il suivit des yeux Arnheim qui s'approchait d'Agathe. Diotime était aussi là-bas; Tuzzi et le comte Leinsdorf marchaient de long en large. Agathe bavardait avec chacun et pensait : « Pourquoi parle-t-il avec tout le monde ? Il aurait dû partir avec moi! Il dévalue tout ce qu'il m'a dit! » Nombre de paroles qu'elle entendait venir à elle lui plaisaient, néanmoins elles lui faisaient mal. Tout ce qui venait d'Ulrich, maintenant, lui faisait mal de nouveau, et soudain, pour la seconde fois de la journée, elle éprouva le besoin de le fuir. Elle désespérait d'être jamais assez pour lui, avec son étroitesse, et l'idée qu'un instant plus tard ils rentreraient simplement chez eux comme deux personnes qui parlent de la soirée lui était insupportable.

Mais Ulrich continuait à penser : « Arnheim ne le comprendra jamais! » Il compléta sa pensée : « L'homme scientifique est borné dans ses sentiments, l'homme pratique plus encore. C'est aussi nécessaire que d'avoir les jambes bien plantées quand on veut prendre un objet avec les bras. » Lui-même, dans les circonstances ordinaires, était comme ça. Dès qu'il pensait, fût-ce sur le sentiment en personne, il ne laissait passer le sentiment que prudemment. Agathe appelait ça de la froideur. Lui savait que si l'on veut être l'autre entièrement, on doit commencer à renoncer à la vie, comme pour une aventure dangereuse, parce qu'on ne peut imaginer comment les choses tourneront. Il en avait envie et, en ce moment, il ne le craignait plus. Il regarda longuement sa sœur, le jeu animé de la parole sur le visage caché dessous, que les paroles ne touchaient pas. Il voulut l'inviter à partir avec lui. Mais, avant qu'il eût pu quitter sa place, Stumm, qui était revenu vers lui, l'interpella.

Le bon général aimait bien Ulrich; il lui avait déjà pardonné ses plaisanteries sur le Ministère de la Guerre et, d'une certaine façon, l'histoire de la « guerre de religion » lui plaisait beaucoup : elle évoquait à ses yeux l'armée des jours de fête, comme les feuilles de chêne au shako ou les vivats pour l'anniversaire de l'Empereur. Il accrocha son bras à celui de son ami et le hala à l'écart, pour qu'on ne pût les entendre. « Tu sais, j'aime assez t'entendre dire que tous les événements naissent de l'imagination : bien entendu, c'est plutôt mon opinion privée que mon opinion officielle. » Il offrit à Ulrich une cigarette.

« Je dois rentrer, dit Ulrich.

— Ta sœur s'amuse énormément, tu ne vas pas la déranger, dit Stumm. Arnheim se met sérieusement en devoir de lui faire la cour. Voici ce que je voulais te dire : plus personne n'a de goût maintenant pour les grandes idées; tu devrais ranimer un peu l'enthousiasme. L'époque va connaître un esprit nouveau, tu devrais le prendre en mains!

— Qu'est-ce que c'est que cette idée ? demanda Ulrich avec méfiance.

— Je m'étais dit ça comme ça. » Stumm n'insista pas et poursuivit, pressant : « Toi aussi tu es pour l'ordre, finalement, on le voit à tous tes propos. Là-dessus on me demande : l'homme est-il bon, ou lui faut-il une bonne poigne ? Il y a là le besoin actuel d'une décision. Je t'ai déjà dit que ce serait un apaisement pour moi si tu reprenais la direction de l'Action. On finit par se demander, sinon, ce qui sortira de tous ces discours! »

Ulrich se mit à rire. « Sais-tu ce que je vais faire maintenant ? Je ne reviendrai plus! répondit-il avec bonheur.

— Pourquoi donc ? demanda Stumm empressé. Tu donneras raison à ceux qui disent que tu n'as jamais été une force réelle!

— Si je leur révélais mes pensées, c'est pour le coup qu'ils le diraient! » répondit Ulrich en riant. Puis il se dégagea de son ami.

Stumm était furieux, mais sa bonhomie finit par l'emporter, et il dit en prenant congé : « Ces histoires sont diablement compliquées. Je me suis laissé dire quelquefois que le mieux serait de découvrir, dans ce casse-tête, un bon imbécile, une espèce de Jeanne d'Arc, celui-là pourrait peut-être nous aider! »

Le regard d'Ulrich cherchait Agathe et ne la trouvait pas. Lorsqu'il s'informa auprès de Diotime, Leinsdorf et Tuzzi revenaient de l'appartement et annoncèrent que tout le monde partait. « J'ai dit tout de suite, affirma Son Altesse exaspérée à la maîtresse de maison, que leurs propos ne reflétaient pas leur véritable opinion. La Drangsal a eu une idée vraiment opportune : on a décidé de reprendre une autre fois la réunion de ce soir. Mais ce monsieur Feuermaul, ou je ne sais comment, lira un long poème, ce sera plus calme. Bien entendu, vu l'urgence de la chose, je me suis permis d'accepter aussitôt en votre nom! »

Ensuite seulement, Ulrich apprit que sa sœur était partie brusquement et avait quitté la maison sans lui; on lui dit qu'elle n'avait pas voulu le déranger.

Publication posthume
d'après les manuscrits de l'auteur.

Traduction française
établie en 1954-1955 et conforme
à l'édition Frisé de 1952.
Cf. la postface.

39. *Après la rencontre.*

L'homme qui était entré dans la vie d'Agathe devant la tombe du poète, le professeur Auguste Lindner, voyait flotter devant ses yeux, tout en regagnant la vallée, des visions de sauvetage.

Agathe l'eût-elle suivi des yeux, la démarche à la fois raide et sautillante de l'homme le long du sentier caillouteux l'eût frappée : c'était une démarche étonnamment allègre, fière et pourtant inquiète. Lindner portait son chapeau d'une main et, de l'autre, se caressait les cheveux de temps en temps ; il s'était senti si délicieusement libre.

« Combien rares sont les êtres réellement compatissants ! » Il se peignait une âme capable de se transporter tout entière à l'intérieur des autres, de souffrir de leurs souffrances les plus secrètes, de condescendre à leurs pires faiblesses. « Quelle perspective ! s'exclama-t-il intérieurement. Quelle merveilleuse ressemblance avec la pitié divine, quelle consolation, quelle fête ! » Mais ensuite, il songea combien rares étaient les êtres capables ne serait-ce que d'écouter attentivement leur prochain ; il était de ces bien-intentionnés qui se perdent dans les détails et ne s'y retrouvent plus. « Ces questions quotidiennes sur notre santé, par exemple, comme elles sont superficielles ! Essayez donc une fois de répondre longuement sur votre état réel et vous vous heurterez aussitôt à un regard ennuyé et distrait !... »

De cette faute-là, lui, au moins, ne s'était pas rendu coupable ! Selon ses principes, protéger le faible était un dogme nécessaire à la santé du fort qui, privé des bienfaits de ce frein, risquait de sombrer dans la brutalité. La culture, elle aussi, avait besoin de l'amour pour se protéger des dangers qui lui sont inhérents. « A celui qui veut nous apprendre ce qu'est la *culture universelle* (dit-il dans une sorte d'exclamation intérieure, délicieusement restauré soudain par cette foudre lancée contre son collègue en pédagogie Gottlieb Hagauer), on devrait conseiller d'abord de pénétrer les sentiments des autres! La science que donne la compassion est mille fois plus précieuse que celle des livres! » C'était là visiblement une vieille divergence de vues dont il se déchargeait, d'une part sur la conception libérale de la culture, d'autre part sur l'épouse de son confrère : les lunettes de Lindner étincelaient à la ronde comme les deux boucliers d'un guerrier doublement puissant. En présence d'Agathe, il s'était montré embarrassé; l'eût-elle aperçu maintenant, elle aurait cru voir un officier, et d'une troupe rien moins que frivole. Une âme vraiment virile est toujours secourable, secourable parce que virile. Lindner se demanda s'il avait agi comme il convenait à l'égard de la belle jeune femme, et se répondit : « Il serait faux d'abandonner la fière exigence de la soumission à la Loi à ceux qui sont trop faibles pour elle; ce serait un spectacle décourageant que de voir les pédants sans esprit seuls garder et former les mœurs; c'est pourquoi le devoir a été imposé aux vivants et aux forts d'exiger, dans leur instinct de force et de santé, la discipline et la mesure. Ils doivent appuyer les faibles, secouer les écervelés et retenir les effrénés! » Il avait l'impression de l'avoir fait.

De même que l'âme pieuse de l'Armée du Salut recourt à l'uniforme et à certains usages militaires, Lindner avait adopté quelques façons de penser soldatesques. Il ne reculait même pas devant certaines concessions à la volonté de puissance de Nietzsche : ce qui était encore à cette époque, pour un esprit bourgeois, une pierre d'achoppement, était déjà pour Lindner une pierre à aiguiser. Il aimait à dire qu'on ne pouvait prétendre que Nietzsche eût été un méchant homme; ses doctrines étaient simplement excessives, étrangères à la vie, parce qu'il rejetait la compassion; cela l'avait empêché de comprendre le merveilleux don en retour du faible, la tendresse qu'il accorde au fort! Opposant maintenant à cette attitude son expérience propre, il pensait, devinant d'heureuses perspectives : « Les hommes vraiment grands refusent l'aride culte du Moi, ils imposent aux autres le sentiment de leur noblesse en se penchant vers eux et même, s'il le faut, en se sacrifiant pour eux! »

Un jeune couple d'amoureux, fort enlacé, montait dans sa direction. Il les regarda dans les yeux, sûr de sa victoire, avec un amical reproche qui était censé les exhorter à la vertu. Mais c'était un couple très ordinaire, et le jeune drôle qui en formait l'élément mâle, pour toute réponse à ce regard, baissa les paupières, tira la langue et fit : « Bê... » Lindner, qui n'était pas préparé à cette insulte et à cette grossière menace, eut peur : il feignit de n'avoir rien remarqué. Il aimait l'énergie : il chercha des yeux un agent qui aurait dû se trouver dans les parages pour garantir la sécurité de l'honneur. Ce faisant, son pied heurta une pierre, le mouvement rapide de qui trébuche fit lever une bande de moineaux qui s'étaient installés à la table de Dieu sur du crottin de cheval; le léger vrombissement de l'envol avertit Lindner et lui permit d'éviter, au dernier moment avant la chute grotesque, d'un mouvement qui imitait la danse, le double obstacle. Il ne se retourna pas; un instant plus tard, il était très content de lui. « Il faut être dur comme un diamant et tendre comme une mère! » se dit-il en répétant une vieille sentence du XVIIe.

En tout autre temps, comme il cultivait aussi la vertu de modestie, il n'eût jamais affirmé une chose semblable pour son propre compte, mais Agathe lui avait enfiévré le sang. Le pôle négatif de ses sentiments, c'était que cette femme d'une céleste délicatesse qu'il avait trouvée en larmes comme l'Ange la Servante dans la rosée (il ne voulait pas être présomptueux, mais l'indulgence pour la poésie porte vite à la présomption!... Il continua donc avec plus de rigueur :) c'était que cette malheureuse femme fût sur le point de rompre un sacrement divin : ainsi envisageait-il son désir de divorce, en effet. Malheureusement, il ne le lui avait pas représenté en tête à tête (Dieu, quelle proximité à nouveau dans ces mots!...) avec toute la résolution souhaitable; il se rappelait seulement avoir parlé, d'une manière générale, de mœurs relâchées et de la façon de s'en protéger. D'ailleurs, le nom de Dieu n'avait certainement pas passé ses lèvres, fût-ce dans une simple formule de rhétorique; la désinvolture, le sérieux brutal, presque irrespectueux même, avec lesquels Agathe lui avait demandé s'il croyait en Dieu, le blessait jusque dans le souvenir. L'homme vraiment pieux ne se permet pas d'écouter un simple caprice et de penser à Dieu avec une si grossière indiscrétion. Dans l'instant où

Lindner se rappela cette prétention, Agathe lui fit horreur comme un serpent sur lequel il eût marché.

Il prit la résolution, si jamais l'occasion lui était redonnée de l'exhorter, de faire régner alors la seule puissance de la raison qui convient aux problèmes terrestres et nous a été donnée pour éviter que le premier rustre venu n'aille importuner Dieu de ses troubles depuis longtemps résolus ; aussi ne tarda-t-il pas plus longtemps à s'en servir et trouva-t-il plus d'une parole appropriée à une femme qui bronche. Par exemple, que le mariage n'était pas une affaire privée, mais une institution publique ; qu'il avait la sublime tâche de développer le sens de la responsabilité et de la sympathie, ainsi que le devoir, précieux pour tremper le moral des peuples, d'exercer l'homme à supporter les pires difficultés ; peut-être même (mais il faudrait y faire allusion avec un maximum de tact), que le mariage représentait, surtout s'il durait, la meilleure protection contre les excès de la concupiscence. Il voyait en l'homme, non sans raison peut-être, un sac de diableries qu'il fallait attacher soigneusement ; l'attache, pour lui, c'étaient quelques principes inébranlables.

Comment cet homme si humain, dont la partie physique, en dehors de la longueur, ne montrait d'excédent en aucun sens, avait acquis la conviction que l'homme devait à chaque pas se dompter, c'était une énigme qu'on ne pouvait déchiffrer qu'après en avoir vu le profit. Lorsqu'il eut atteint le pied de la colline, une troupe de soldats croisa son chemin. Il considéra avec une délicate émotion les jeunes hommes transpirants qui avaient rejeté leur calot en arrière et ressemblaient, avec leurs visages émoussés par la fatigue, à une procession de chenilles empoussiérées. A ce spectacle, comme en un rêve, son horreur pour la légèreté avec laquelle Agathe traitait le problème du divorce fut atténuée par la joie de penser que c'était son collègue libre-penseur Hagauer qu'un tel malheur menaçait. Ce sentiment, néanmoins, était propre à lui rappeler la méfiance indispensable à l'égard de la nature humaine. Il se proposa donc (si l'occasion s'en offrait vraiment une seconde fois et sans qu'il y fût pour rien) de faire comprendre impitoyablement à Agathe que les puissances de l'égoïsme n'agissent jamais en fin de compte que pour notre ruine, et qu'elle devait subordonner son abattement personnel, si grand qu'il fût, à cette vérité morale que la vraie pierre de touche de toute vie est la vie à deux.

Savoir si l'occasion s'en représenterait, c'était évidemment le point où tendaient avec ardeur tous les efforts intellectuels de Lindner. « Il est beaucoup d'êtres auxquels il ne manque qu'une conviction inébranlable pour rendre à leurs nobles dispositions une cohérence », voilà ce qu'il voulait dire à Agathe. Mais comment le ferait-il, s'il ne la revoyait pas ? Pourtant, l'idée qu'elle pourrait venir le voir heurtait sa conception d'une féminité tendre et intacte. « Il faudrait le lui représenter tout de suite avec fermeté ! » Ayant formé ce dessein, il ne douta plus qu'elle ne vînt vraiment un jour. Il s'encouragea vivement à revivre avec elle, dans un parfait désintéressement, les raisons qu'elle lui donnerait pour sa défense, avant de la convaincre de ses erreurs. Avec une patience que rien ne désarmerait, il voulait la toucher au cœur. Après qu'il se fut aussi représenté cela, un noble sentiment d'attention et de sollicitude fraternelle descendit en son cœur, une sorte d'onction dont il observa qu'elle reposait essentiellement sur les rapports qu'entretiennent les sexes. Édifié, il s'écria : « Très rares sont les hommes qui devinent le besoin profond que de nobles créatures féminines éprouvent d'un gentilhomme qui sache communiquer avec ce qu'il y a d'humain en elles sans être aussitôt troublé par la coquetterie érotique ! »

Ces pensées devaient lui avoir donné des ailes : il ne sut comment il était parvenu au terminus; il se trouva tout d'un coup devant le tramway et, avant d'y monter, retira ses lunettes pour en essuyer la buée dont sa forte émotion les avait couvertes. Puis il s'élança vers un coin, jeta les yeux autour de lui dans la voiture vide, prépara l'appoint, regarda le contrôleur bien en face et se sentit parfaitement à l'aise, dans cette admirable institution que sont les tramways municipaux, pour entreprendre le voyage du retour. Un bâillement délicieux lui permit d'exhaler la fatigue de la promenade et de se ressaisir pour de nouveaux devoirs. Quant aux étonnantes digressions auxquelles il s'était laissé aller, une phrase lui suffit pour les résumer : « L'oubli de soi est le meilleur tonique ! »

40. *Le « propre-à-tout ».*

Il n'est contre les mouvements imprévisibles d'un cœur passionné qu'un remède sûr : la stricte observance d'une méthode. C'est à ce remède, découvert de bonne heure, que Lindner devait les succès de sa vie comme l'assurance d'avoir été, de nature, un homme passionné et difficile à discipliner. Il se levait tôt, été comme hiver à la même heure; devant une petite table de toilette en fer, il se lavait le visage, le cou, les mains et un septième de son corps, chaque jour un autre naturellement, après quoi il frottait le reste du corps à l'aide d'une serviette mouillée : ainsi, le bain, cette voluptueuse perte de temps, pouvait être réduit à une séance tous les quinze jours. Il y avait là une fine victoire sur la matière. Quiconque a eu l'occasion de considérer les pauvres installations sanitaires et les lits inconfortables dont se sont contentées les personnalités devenues historiques pourra difficilement s'empêcher de supposer qu'il doit y avoir un rapport entre les lits de fer et les hommes de fer; encore que nous ne voulions pas exagérer, sans quoi nous pourrions tous dormir sur des lits de clous. La réflexion devait donc, là encore, jouer son rôle conciliateur... Lindner s'étant ainsi lavé dans le reflet d'exemples exaltants, un séchage calculé lui permettait de donner à son corps, par un maniement approprié de la serviette, quelque mouvement. C'est une erreur fatale de fonder la santé sur la partie animale de l'homme : la résistance physique prend bien plutôt sa source dans la noblesse de l'esprit et des mœurs. Si ce n'est pas toujours exact de l'individu, ce l'est d'autant plus de la masse : la force d'un peuple est la conséquence de ses bons sentiments, jamais l'inverse. C'est pourquoi Lindner avait donné un soin particulier à l'éducation de ses frictions : il évitait la brutalité de l'ordinaire idolâtrie virile et intéressait à l'opération l'ensemble de sa personne en associant les mouvements de son corps à de beaux devoirs intérieurs. Il abhorrait, en particulier, le culte dangereux de l'énergie qui, venu de l'extérieur, devenait déjà l'idéal de quelques-uns de ses compatriotes; l'un des premiers buts de ses exercices matinaux était de l'en détourner. Il lui substituait avec mille précautions une attitude plus politique dans l'usage athlétique de ses membres; il accordait la tension de la volonté avec d'opportuns relâchements, la victoire sur la souffrance avec une intelligente humanité; et lorsque son exercice final, destiné à éduquer le courage, l'amenait à sauter par dessus une chaise couchée sur le sol, il y mettait autant de circonspection que d'assurance. Un pareil déploiement de possibilités humaines faisait de ces exercices physiques, depuis quelques années qu'il s'y adonnait, de véritables exercices spirituels.

Voilà ce que l'on pourrait dire, en passant, de l'absurde et éphémère présomption qui est venue adultérer, sous prétexte d'hygiène, la saine idée du sport. Mais il faudrait ajouter quelques remarques sur la forme féminine qu'a prise cette absurdité avec les soins de beauté. Lindner se flattait d'être des rares hommes qui pussent, là aussi, répartir justement l'ombre et la lumière. De même qu'il était toujours prêt à extraire de l'esprit du temps un noyau intact, il reconnaissait que paraître aussi sain et aussi plaisant que possible était une obligation morale. Lui-même soignait attentivement chaque matin sa barbe et ses cheveux, se mettait un peu de brillantine, veillait à ce que ses ongles restassent courts et, à grand'peine, propres, et s'appliquait quelque pommade protectrice sur les pieds qui avaient beaucoup à souffrir pendant la journée. Mais qui nierait qu'une femme du monde ne porte un peu trop d'attention à son corps ? Cependant, Lindner aimait à user de délicatesse envers les femmes, d'autant plus qu'il pouvait se trouver parmi elles les épouses d'hommes influents : s'il était vraiment inévitable que les huiles de bain et les bains de visage, les crèmes et les compresses, les manucures et les pédicures, les masseurs et les coiffeurs se succédassent en file presque ininterrompue, il recommandait, pour compenser ces soins trop unilatéraux, la notion de soins de beauté internes, ou simplement de soins internes, qu'il avait développée d'ailleurs publiquement. Il fallait, par exemple, que la toilette nous rappelât la pureté intérieure, les baumes les devoirs de l'âme, les massages la main du destin et la peinture des ongles et des pieds le devoir d'être beaux jusqu'en nos plus secrets replis. Ainsi appliquait-il ses méthodes aux femmes tout en leur laissant le soin d'adapter elles-mêmes les détails aux besoins de leur sexe.

Il est vrai que quelqu'un qui n'y eût pas été préparé, voyant le spectacle qu'offrait Lindner pendant le service hygiénique, particulièrement pendant qu'il se lavait ou se séchait, eût pu être tenté de rire : ses mouvements, considérés du seul point de vue physique, évoquaient les méandres d'un cou de cygne où l'angle du genou et celui du coude eussent tenu lieu de rondeurs; les yeux myopes, délivrés des lunettes, regardaient au loin d'un air de martyr comme si leur regard avait été coupé net tout près de la prunelle; et sous la barbe, les lèvres molles se retroussaient dans le tourment de l'effort. Mais quiconque eût su voir avec les yeux de l'esprit eût pu jouir du spectacle qu'offrait cette harmonisation concertée des pouvoirs extérieurs et intérieurs. Quand Lindner, alors, pensait aux malheureuses qui passent des heures dans leur salle de bains et leur cabinet de toilette, l'imagination nourrie exclusivement par le culte du corps, il pouvait rarement s'empêcher de penser aux bienfaits qu'elles retireraient de ce spectacle. Innocentes et pures, elles saluent et adoptent l'hygiène moderne, trop ignorantes pour comprendre que tant d'attention vouée à leur partie animale risque fort d'éveiller en celle-ci des exigences capables de détruire les sources de vie si on ne les maîtrise sévèrement!

A vrai dire, Lindner transformait absolument tout ce qu'il touchait en commandement moral. Qu'il fût avec ou sans vêtements, chaque heure de sa journée jusqu'à l'irruption d'un sommeil sans rêves était remplie par une occupation importante à quoi elle était réservée une fois pour toutes. Il dormait sept heures. Ses obligations de professeur, que le Ministère avait réduites en considération d'une activité littéraire bien tolérée, requéraient trois à cinq heures de sa journée, y compris les cours de pédagogie qu'il donnait à l'Université deux fois par semaine. Cinq heures d'affilée (près de vingt mille heures en dix ans!) étaient consacrées à la lecture. Deux heures et demie servaient à la rédaction de ses travaux personnels, qui coulait comme une source limpide, sans arrêt, du rocher de sa personne interne. Les repas prenaient une heure chaque jour. Une heure était vouée à la promenade en même temps qu'à l'étude édifiante des grands problèmes professionnels et vitaux, tandis qu'une autre était réservée aux déplacements nécessités par le métier et, simultanément, à ce que Lindner appelait la « petite réflexion », la concentration de l'esprit sur les occupations immédiatement passées ou à venir. D'autres laps de temps, enfin, étaient prévus, les uns une fois pour toutes, les autres selon un roulement dans le cadre hebdomadaire, pour l'habillage et le déshabillage, la gymnastique, la correspondance, le ménage, les officialités et les divertissements utiles. Il était naturel que la réalisation de ce programme ne comportât pas seulement ses grandes lignes strictement observées, mais encore une foule de détails, tel le dimanche avec ses devoirs exceptionnels, la promenade plus importante qui avait lieu tous les quinze jours comme le bain, de même que certaines activités quotidiennes jumelées qu'on n'a pu mentionner encore et dont faisaient partie, par exemple, les contacts de Lindner et de son fils pendant les repas, ou, pendant l'habillage rapide, l'entraînement du caractère à supporter patiemment les difficultés imprévues.

Des exercices de cette nature sont non seulement possibles, mais extrêmement profitables, et Lindner avait pour eux une prédilection innée. « Dans les petites choses où j'agis bien, je vois une image de toutes les grandes choses où le monde a bien agi » : c'était une phrase de Gœthe. En ce sens, un repas peut devenir, aussi bien qu'une mission imposée par le destin, le champ d'exercices de la maîtrise de soi et le lieu de la victoire sur la concupiscence. Bien plus : dans la résistance, opaque à toute réflexion, d'un bouton de col, l'esprit profond peut apprendre à gouverner ses rapports avec les enfants. Certes, Lindner était fort loin de prendre toujours Gœthe pour modèle. Quelle précieuse humilité n'avait-il pas gagnée pourtant à essayer de planter un clou à coups de marteau dans un mur, à recoudre un gant déchiré ou à réparer une sonnette hors d'usage : s'il se tapait sur les doigts, s'il se piquait, la douleur provoquée, après quelques secondes épouvantables, était vite dominée par la joie qu'inspire l'industrie de l'homme : ne la retrouve-t-on pas jusque dans cette dextérité futile et dans la pratique de cette dextérité que l'homme cultivé d'aujourd'hui, prétentieusement, à son grand dam, juge au-dessous de sa dignité! Alors, il avait senti avec satisfaction l'esprit gœthéen ressusciter en lui, et en avait joui d'autant plus qu'il se jugeait emporté, par les méthodes d'une époque plus moderne, très au-delà de l'amateurisme pratique du grand classique et de son goût occasionnel pour la dextérité intelligente. Lindner était loin d'idolâtrer le vieil auteur qui avait vécu dans un monde où les « lumières » étaient surestimées parce qu'on n'était encore qu'à demi « éclairé ». Il aimait mieux le prendre pour modèle dans les aimables détails de la vie que dans les grands et graves problèmes, sans parler de la fameuse sensualité du séduisant ministre...

Ainsi, sa vénération était soigneusement pesée. Depuis quelque temps s'y mêlait une curieuse mauvaise humeur qui incitait Lindner à de fréquentes réflexions. Il avait toujours cru avoir du héros une vue plus juste que Gœthe. Les Scévola qui mettent leur main au feu, les Lucrèce qui se percent le cœur, les Judith qui tranchent la tête des ennemis de leur honneur (« motifs » que Gœthe, bien qu'il ne les ait pas traités lui-même, eût jugés en tout temps pleins de sens), Lindner en faisait peu de cas. Il était même convaincu, en dépit de l'autorité des classiques, que ces hommes et ces femmes qui commettaient des crimes pour défendre leurs convictions personnelles eussent été plus à leur place, aujourd'hui, au tribunal que sur des cothurnes. Il opposait à leur tendance aux « coups et blessures » une conception « intériorisée et sociale » du courage. En paroles et en pensée, il allait même jusqu'à introduire dans les livres de classe un texte mûrement réfléchi à ce sujet, ou de graves considérations sur la manière dont il faut blâmer une femme de ménage de son zèle intempestif : ne pas obéir simplement à ses passions, mais avoir égard aux raisons de l'autre. Lorsqu'il tenait de tels propos, il avait l'impression de porter le très convenable uniforme civil de son siècle et de jeter un coup d'œil en arrière sur le costume boursouflé des morales séculaires.

La nuance de ridicule attachée à ces exemples ne lui échappait pas le moins du monde, mais il l'appelait le rire de la populace intellectuelle : il avait à cela deux bonnes raisons. Premièrement, il affirmait non seulement que toute occasion pouvait être bonne à fortifier ou à affaiblir la nature humaine, mais encore que les petites occasions lui paraissaient plus aptes à la fortifier que les grandes : l'exercice éclatant de la vertu, sans que nous le voulions, encourage notre tendance à la présomption et à la vanité, alors que son discret exercice quotidien la conserve pure et sans assaisonnement. Deuxièmement, une exploitation planifiée du « patrimoine national » moral (Lindner aimait cette expression, comme le terme militaire de « discipline », pour ce qu'elle avait de paysan et de moderne à la fois) ne pouvait dédaigner les « petites occasions » : l'idée impie, introduite par les « libéraux et les francs-maçons », que les grands ouvrages humains naissent de rien, ce rien serait-il le génie, cette idée, alors déjà, passait de mode. La lumière plus pénétrante de l'attention publique permettait déjà de concevoir le « héros », dont on avait fait jadis une figure présomptueuse, comme un petit travailleur infatigable; savant, il prépare ses découvertes par un zèle constant; athlète, il soigne son corps aussi précautionneusement qu'un chanteur d'opéra sa voix et, novateur politique, il répète éternellement les mêmes propos devant d'innombrables assemblées. De tout cela, Gœthe (qui était resté sa vie durant un aristocrate bourgeois) n'avait eu aucune idée; Lindner, lui, le sentait venir! Il était donc compréhensible qu'il pensât protéger la meilleure part de Gœthe contre sa part caduque en préférant à son côté tragique la sociabilité prudente dont lui, Lindner, donnait de si réjouissantes preuves. On pourrait également prétendre que ce choix, de sa part, n'était pas irréfléchi, si la seule raison pour laquelle le professeur se croyait un homme menacé par de périlleuses passions était son pédantisme...

Il suffit pourtant d'anticiper un peu sur l'avenir pour constater que l'une des plus grandes joies de l'homme sera de se soumettre à un « régime », ce qui s'applique avec le même succès contre l'obésité, dans la politique et dans la vie intellectuelle. La patience, l'obéissance, la régularité, l'égalité d'humeur et autres qualités très convenables deviennent les éléments principaux de l'homme privé, alors que tout ce qu'il a d'effréné, de violent, de maladif et de dangereux (toutes choses dont il ne peut se passer, étant sauvagement romantique) trouve sa place idéale au sein du régime. Il est probable que cette curieuse tendance à se soumettre à un régime ou à mener une vie pénible, désagréable et pitoyable, selon les prescriptions d'un médecin, d'un entraîneur ou de tout autre tyran (alors qu'on pourrait aussi bien y renoncer avec le même insuccès) était déjà le résultat de l'évolution du monde dans le sens de l'État ouvrier, militaire, de l'État-fourmilière; mais là était aussi la limite que Lindner n'était plus capable de franchir, que son regard de voyant ne dépassait pas, parce que son héritage gœthéen le lui interdisait.

Sa piété, sans doute, n'eût pas été inconciliable avec cet avenir, car il abandonnait le divin à Dieu et la sainteté pure aux saints; mais il ne pouvait concevoir de renoncer à sa personnalité. L'idéal du monde lui semblait être une communauté de personnalités morales pleinement responsables qui, armée civile de Dieu, lutterait sans doute contre l'inconstance de la nature inférieure et ferait du quotidien un sanctuaire, mais n'en ornerait pas moins ce dernier des grands ouvrages de l'art et de la science. Si quelqu'un avait contrôlé son horaire quotidien, il n'eût pas manqué de voir qu'il ne couvrait, variantes comprises, que vingt-trois heures; il manquait donc soixante minutes pour faire un jour complet et, sur ces soixante minutes, quarante avaient été prévues une fois pour toutes pour la conversation et un intérêt compréhensif à l'égard des efforts et du caractère d'autrui, par quoi il entendait, entre autres, la visite des expositions, les concerts et les plaisirs. Il haïssait ces institutions. Presque chaque fois, leur contenu blessait profondément son âme. Dans le désordre de ce genre surestimé d'édification s'exprimait avec violence, selon lui, la fameuse névropathie de notre époque, avec ses excitations superflues et ses souffrances authentiques, son insatiabilité et son inconstance, sa curiosité et son inévitable décadence morale. Il souriait même dans sa barbe légère, très ému, lorsqu'il voyait de « jeunes créatures des deux sexes », le feu aux joues, idolâtrer la culture. Ils ne savaient pas que la force vitale s'accroît par la limitation, non dans la dispersion. Ils souffraient tous de la crainte de n'avoir pas de temps pour *tout*, ignorant qu'avoir du temps, c'est n'avoir *pas* de temps pour tout. Lindner avait compris qu'une mauvaise constitution nerveuse ne provenait pas du travail et de son rythme trop rapide, selon les accusations de l'époque, mais tout au contraire de la culture, de l'humanisme, des récréations, de l'interruption du travail, de ces minutes de liberté où l'homme voudrait vivre pour soi et cherche quelque chose qu'il puisse juger beau, divertissant ou important : minutes d'où montent les miasmes de l'impatience, du malheur et de l'absurde.

Tels étaient ses sentiments. S'il avait obéi à son cœur, c'est-à-dire aux visions qu'il avait à ces moments-là, il aurait balayé d'un balai d'acier tous ces temples de l'art; des fêtes du travail et de l'édification, étroitement liées à l'activité quotidienne, eussent remplacé ces prétendus événements intellectuels. Somme toute, il n'y aurait eu qu'à enlever à toute une époque, chaque jour, les quelques minutes qui doivent leur existence maladive à un libéralisme mal compris. Mais défendre cette opinion sérieusement, publiquement, autrement que par allusion, Lindner n'avait jamais pu s'y décider.

Soudain, Lindner leva les yeux. De tout le temps de ces méditations rêveuses, en effet, il n'avait pas quitté le tramway. Il se sentit agacé et oppressé, comme d'une indécision ou d'un empêchement, et un instant, il eut l'impression confuse qu'il n'avait cessé de penser à Agathe. A elle aussi revint l'honneur qu'un malaise qui avait débuté innocemment par un éloge de Gœthe se confondît maintenant avec elle, sans aucune raison apparente. Selon sa bonne habitude, Lindner s'exhorta lui-même. « Voue une part de ta solitude à réfléchir sereinement sur ton prochain, d'autant plus que tu te sens en désaccord avec lui. Peut-être apprendras-tu alors à mieux comprendre et à mieux utiliser qui te révolte, et sauras-tu épargner sa faiblesse, encourager sa vertu qui n'est peut-être qu'effarouchée! » murmura-t-il, lèvres fermées. C'était l'un des axiomes fondamentaux qu'il avait créés pour lutter contre l'activité suspecte de la prétendue culture, et dans lesquels il trouvait la force de la tolérer; mais le succès se fit attendre, ce n'était visiblement pas la justice qui lui faisait défaut, cette fois. Il tira sa montre. Il constata qu'il avait accordé à Agathe plus de temps qu'il n'en disposait. Mais il n'aurait pu le faire s'il n'avait prévu dans son programme journalier vingt minutes pour les pertes de temps inévitables; il apparut que de ce compte des faux-frais, de cette réserve de secours dont les gouttes précieuses huilaient son travail quotidien, il lui resterait encore, même en cette exceptionnelle journée, dix minutes, lorsqu'il passerait le seuil de sa maison. Son courage en fut-il accru ? Une autre de ses sentences lui revint à l'esprit, pour la deuxième fois de la journée. « Plus inébranlable sera ta patience, dit Lindner, plus sûrement tu frapperas l'autre au cœur! » Frapper au cœur lui procurait un plaisir qui s'expliquait par son côté héroïque; que les êtres ainsi frappés ne rendissent jamais les coups, cela n'importait nullement.

41. *Le frère et la sœur, le lendemain matin.*

C'est de cet homme qu'Ulrich et sa sœur reparlèrent lorsqu'ils se retrouvèrent, le matin qui suivit la brusque fuite d'Agathe lors de la soirée chez leur cousine. La veille, Ulrich avait quitté peu après elle la belliqueuse réunion, mais il n'avait pu lui demander pourquoi elle était partie : Agathe s'était enfermée; ou bien elle était déjà endormie, ou bien elle avait volontairement laissé sans réponse la question d'Ulrich épiant à sa porte et lui demandant si elle était éveillée. Ainsi le jour où elle avait rencontré le bizarre inconnu s'acheva-t-il aussi capricieusement qu il avait commencé.

Le lendemain non plus, on ne put tirer d'Agathe aucune explication. Elle-même ignorait ses sentiments réels. Quand elle songeait à la lettre de son mari qu'elle n'avait pas le courage de relire bien qu'elle la vît près d'elle de temps en temps, il lui semblait incroyable qu'à peine une journée se fût écoulée depuis qu'elle l'avait reçue : si nombreux étaient les états par lesquels elle avait passé. Quelquefois, il lui semblait que cette missive méritait un titre grand-guignolesque : « les fantômes du passé », tout en lui inspirant une peur réelle. Parfois, sa vue ne lui donnait qu'un léger malaise, comme eût pu le faire le spectacle soudain d'une pendule arrêtée. D'autres fois, l'idée que le monde d'où cette lettre était venue eût la prétention d'être pour elle le monde réel la plongeait dans des réflexions paralysantes. Ce qui, au-dedans, l'effleurait à peine, l'entourait, au-dehors, à perte de vue, sans avoir rien perdu de sa cohérence. Involontairement, elle compara à ce sentiment ce qui s'était passé entre elle et son frère depuis le reçu de sa lettre. C'étaient surtout des conversations; l'une d'elles avait beau l'avoir conduite à songer au suicide, son contenu était oublié, bien qu'il fût probablement prêt à ressurgir, intact. Ainsi, peu importait le thème de ces conversations. Pesant sur la même balance la lettre et sa bouleversante nouvelle vie, Agathe eut l'impression d'un mouvement profond, continuel, incomparable, mais impuissant. A cause de tout cela, en cette matinée, elle se sentait à la fois fatiguée, dégrisée, tendre et inquiète, comme un fiévreux après la chute de la température.

Aussi fut-ce avec une brusquerie seulement apparente qu'elle dit : « Participer au point de vivre soi-même ce que l'autre éprouve doit être infiniment difficile ! » Ulrich répliqua : « Il y a des gens qui s'imaginent le pouvoir. » Il était mal disposé, sarcastique, et ne l'avait comprise qu'à demi. Dans les paroles d'Agathe, quelque chose s'écartait et cédait la place à une irritation qui était restée en retrait la veille, bien qu'Ulrich la dédaignât. Ainsi s'acheva, provisoirement, cette explication.

Le matin avait introduit une journée de pluie et enfermé le frère et la sœur à la maison. Les feuilles des arbres brillaient nues devant les fenêtres comme du linoléum mouillé; l'asphalte dans les trouées du feuillage miroitait telles des bottes de caoutchouc. Les yeux avaient peine à saisir cet humide spectacle. Agathe soupira et dit : « Le monde, aujourd'hui, rappelle nos chambres d'enfant. » Elle faisait allusion aux mansardes désertes de la maison paternelle qu'ils avaient retrouvées avec une joie étonnée. Cela semblait venir de très loin en arrière. Elle ajouta : « C'est la première tristesse de l'enfant au milieu de ses jouets qui revient toujours ! » Involontairement, après une série continue de beau temps, l'attente se tournait de nouveau vers une belle journée et vous emplissait de plaisirs refusés, d'impatiente mélancolie. Ulrich aussi, maintenant, regardait la fenêtre. Derrière la grise et ruisselante cloison d'eau oscillaient des projets abandonnés de promenades, des verdures, un monde sans limites; peut-être rôdait-il encore, par derrière, le désir d'être enfin seul, de pouvoir bouger librement dans tous les sens, désir dont la douce souffrance est l'histoire de la Passion et aussi de la Résurrection de l'amour. En gardant encore une trace dans l'expression de son visage et de son corps, Ulrich se tourna vers sa sœur et lui demanda, presque violemment : « Sans doute ne suis-je pas de ceux qui peuvent participer au secret des autres ?

— Sûrement pas ! répliqua-t-elle en souriant.

— Ce sont précisément les gens qui s'imaginent pouvoir souffrir avec les autres qui en sont le moins capables ! poursuivit-il, car il avait compris maintenant à quel point Agathe était sérieuse. « Ils ont tout au plus cette dextérité des infirmières qui devinent ce dont un malheureux a besoin...

— Il faut donc qu'ils sachent ce qui lui fera du bien, objecta Agathe.

— Pas du tout! répéta Ulrich obstiné. Probablement consolent-ils par le seul fait qu'ils parlent : celui qui parle beaucoup soulage la peine de l'autre goutte à goutte comme la pluie décharge l'électricité d'un nuage. C'est l'adoucissement bien connu du chagrin par l'expression! »

Agathe ne dit rien.

« Des gens comme ton nouvel ami, fit Ulrich provocant, agissent aussi, peut-être, comme certains remèdes contre la toux : ils ne suppriment pas le catarrhe, ils en apaisent l'irritation, après quoi, celui-ci, souvent, guérit tout seul! »

En toute autre circonstance, il eût pu compter sur l'assentiment de sa sœur; mais Agathe, étrangement lunée depuis la veille avec sa soudaine faiblesse pour un homme dont Ulrich mettait en doute la valeur, souriait sans céder et jouait avec ses doigts. « Je le connais d'ailleurs, bien que vaguement : je l'ai entendu parler une ou deux fois!

— Tu l'as même traité de *pâle sot...*

— Pourquoi pas ? répondit Ulrich. Des hommes comme lui savent encore moins que quiconque sentir avec les autres! Ils ne savent même pas ce que ça signifie. Ils ne sentent simplement pas la difficulté, l'incroyable ambiguïté de cette exigence!

— Pourquoi cette exigence te paraît-elle ambiguë ? » demanda Agathe.

Ulrich ne dit rien. Il alluma même une cigarette pour confirmer qu'il ne répondrait pas : n'en avaient-ils pas assez parlé la veille ? Agathe le savait aussi. Cette explication était aussi fascinante, aussi meurtrière que de regarder le ciel quand s'y bâtissent, dans le marbre des nuages, des cités grises, roses et jaunes. Elle pensa : « Comme ce serait beau s'il disait seulement : *Je veux t'aimer comme moi-même, et il m'est plus facile de t'aimer ainsi que toutes les autres femmes, parce que tu es ma sœur!* » Parce qu'il ne voulait pas le dire, elle prit de petits ciseaux et coupa soigneusement un fil qui dépassait quelque part, comme si c'était à ce moment-là la seule chose au monde qui méritât toute son attention. Ulrich suivit le geste avec la même attention. En cet instant, pour tous ses sens, la présence d'Agathe était plus tentatrice que jamais, et il devina un peu de ce qu'elle cachait, mais pas tout. Entre temps, en effet, elle avait eu le loisir de prendre une résolution : si Ulrich était capable d'oublier qu'elle-même se moquait de l'homme qui prétendait pouvoir l'aider, il ne méritait pas qu'elle le lui rappelât. D'ailleurs, elle avait une sorte de pressentiment chargé d'espoir au sujet de Lindner. Elle ne le connaissait pas. Mais qu'il lui eût offert son appui avec tant de désintéressement et de conviction devait lui avoir inspiré confiance : une tonalité joyeuse du cœur, les cuivres éclatants de la volonté, de l'assurance et de la fierté, si salubrement opposés à son propre état, semblaient lui envoyer leur rafraîchissante musique en dépit du comique de l'aventure. Elle pensa : « Les difficultés, si grandes soient-elles, ne sont rien quand on *veut* vraiment ! » Soudain, le remords l'envahit, de sorte qu'elle rompit le silence à peu près comme on rompt une fleur pour que deux têtes puissent se pencher dessus. A sa première question, elle en ajouta une seconde : « Je ne sais si tu t'en souviens : tu as toujours dit qu'aimer son prochain était aussi différent d'un devoir qu'une averse tombant du nuage de la béatitude l'est d'une goutte de contentement ! »

La violence de la réponse d'Ulrich la surprit. « L'ironie de mon état ne m'est pas inconnue. Depuis hier, et toujours sans doute, je n'ai fait que mobiliser une armée de raisons pour établir que cet amour du prochain n'est pas un bonheur, mais un problème infiniment grandiose, presque insoluble ! Je comprendrais donc fort bien que tu cherches à t'en protéger auprès d'un homme qui n'a aucune idée de tout cela : à ta place, je le ferais aussi !

— Mais il n'est pas du tout vrai que je le fasse ! » repartit brièvement Agathe.

Ulrich ne put s'empêcher de lui jeter un regard aussi reconnaissant que méfiant. « Cela ne vaut guère la peine qu'on en parle, dit-il. D'ailleurs je ne voulais pas le faire. » Il hésita un instant et continua : « Vois-tu, quoiqu'on doive aimer le prochain comme soi-même, et que parfois on l'aime à ce point, cela demeure toujours une duperie, et une duperie de soi-même, parce qu'il est impossible d'éprouver sa douleur s'il a mal à la tête ou à un doigt. Il est absolument intolérable de ne pouvoir participer réellement à l'être qu'on aime, et c'est aussi absolument simple. Le monde est ainsi fait. Nous portons notre peau de bête avec les poils à l'intérieur et nous ne pouvons pas l'arracher. Et cette panique au sein de la tendresse, ce cauchemar de l'impossible approche, les hommes légalement bons, les « bel et bons » ne l'éprouvent jamais. Ce qu'ils appellent la sympathie est même un succédané destiné à leur épargner le sentiment d'un manque! »

Agathe oublia qu'elle venait de dire quelque chose qui ressemblait et ne ressemblait pas, tout à la fois, à un mensonge. Elle voyait la déception, dans les propos d'Ulrich, illuminée par la vision d'une participation réelle en face de quoi les preuves ordinaires de l'amour, la bonté et l'intérêt perdaient leur importance; elle comprenait que, pour cette raison même, il parlait plus souvent du monde que de lui-même : en effet, si cela devait être plus qu'une vaine rêverie, on serait forcé de se soulever soi-même, et la réalité avec, comme une porte hors de ses gonds. En cet instant, elle était fort loin de l'homme à la barbe clairsemée et à la sévérité timide qui voulait lui faire du bien. Mais elle ne pouvait pas le dire. Elle se contenta de regarder Ulrich, puis elle détourna les yeux, sans parler. Puis elle fit n'importe quoi, puis ils se regardèrent de nouveau. Très vite, le silence donna l'impression qu'il durait depuis des heures.

Le rêve d'être deux et un seul... : en vérité, l'effet de cette chimère, assez souvent, n'était pas sans ressembler à celui d'un rêve sorti des limites de la nuit; maintenant encore, Agathe flottait entre la croyance et la dénégation dans un état semblable où la raison n'avait plus rien à dire. C'était simplement la complexion des corps, imperméable à toute influence, qui rejetait le sentiment dans la réalité. Devant le regard attentif, ces corps, puisque enfin ils s'aimaient, déployaient leur être en surprises et en ravissements qui se renouvelaient comme une roue de paon flottant sur les courants du désir. En revanche, dès que le regard ne se contentait plus des cent yeux du spectacle que l'amour donne à l'amour, mais cherchait à pénétrer jusqu'à l'être qui pensait et sentait derrière, ces corps devenaient de cruels cachots. L'un se retrouvait devant l'autre, comme si souvent déjà, et ne pouvait rien dire, parce qu'à tout ce que la nostalgie eût pu dire ou redire encore était lié un mouvement sans assise et sans assiette, comme quand on se penche trop en avant.

Il ne fallut pas longtemps pour que les mouvements du corps, à leur tour, en devinssent plus lents et comme paralysés. Au-delà des fenêtres, la pluie continuait à emplir l'air de son frémissant rideau de gouttes et des bruits endormants dans la monotonie desquels ruisselait cette vide étendue haute comme le ciel. Il parut à Agathe qu'il y avait des siècles que son corps était seul; le temps coulait comme l'eau du ciel. Dans la chambre, il y avait maintenant une lumière pareille à un cube d'argent évidé. En bleues et suaves écharpes, la fumée des cigarettes distraitement consumées les enveloppait. Elle ne savait plus si elle était profondément sensibilisée et attendrie ou impatiente de rudoyer son frère dont elle admirait l'endurance. Elle chercha ses yeux et les vit flotter, immobiles comme deux lunes, dans l'atmosphère incertaine. Au même moment, phénomène qui ne venait pas de sa volonté mais du dehors, l'eau ruisselant derrière les fenêtres se fit soudain charnelle comme un fruit coupé, et sa moelleuse plénitude s'insinua entre elle et Ulrich. Peut-être eut-elle honte ou se haït-elle même un peu à cause de cela : une turbulence sensuelle (non pas, simplement, ce qu'on appelle le déchaînement des sens, mais aussi, et même plutôt, une libre et volontaire rupture de ceux-ci avec le monde) s'empara d'elle peu à peu. Elle eut juste le temps de le prévenir et même de le cacher à Ulrich : recourant à la plus rapide des échappatoires (elle avait oublié de faire ceci ou cela), elle bondit sur ses pieds et quitta la chambre.

42. *Par l'échelle de Jacob dans une demeure inconnue.*

Aussitôt, elle décida d'aller trouver l'original personnage qui lui avait offert son aide; et sur le champ, elle passa à l'exécution. Elle voulait lui confesser son total désarroi. Elle ne se faisait de lui aucune idée précise : un homme qu'on a vu à travers des larmes que sa présence a fait sécher a peu de chances de vous apparaître tel qu'il est. C'est pourquoi, en chemin, elle réfléchit à son sujet. Elle croyait penser de sang-froid; en réalité, c'était encore pure chimère. Elle se hâtait de rue en rue avec devant les yeux la lumière de la chambre d'Ulrich. Elle pensait que ce n'était pas une bonne lumière; elle aurait dit, plutôt, que tous les objets de la chambre avaient perdu contenance, ou une espèce d'intelligence qu'ils devaient avoir d'ordinaire. Si, en fait, c'était plutôt elle qui avait perdu contenance, ou son intelligence, l'accident ne pouvait être limité à elle seule : il avait provoqué dans les objets aussi une libération toute frémissante de miracles. « L'instant d'après, ça nous aurait enlevé la pelure de nos vêtements comme un couteau d'argent sans même que nous eussions bougé le petit doigt ! » songea-t-elle.

Peu à peu, elle se sentit apaisée par la pluie qui faisait crépiter ses eaux grises et franches sur son chapeau et son manteau; ses pensées prirent un cours plus mesuré. Peut-être le vêtement simple qu'elle avait jeté hâtivement sur ses épaules l'y aida-t-elle aussi, car il porta son souvenir vers des fuites d'écolière sans parapluie et des moments innocents. La marcheuse se souvint même tout à coup d'un été naïf qu'elle avait passé avec une amie et ses parents dans une petite île du Nord : ils avaient découvert là, au milieu de la dure splendeur du ciel et de la mer, un habitat d'oiseaux de mer, une combe pleine de plumes blanches et moelleuses. Elle le savait maintenant : l'homme vers qui elle était entraînée la faisait penser à ce lieu. L'idée la réjouit. A la vérité, à cette époque-là, elle ne se serait sans doute pas permis, avec l'impitoyable rigueur qui fait partie du besoin d'expérience de la jeunesse, de céder aussi illogiquement, avec justement cette précipitation et ce zèle puérils de maintenant, à une sorte d'horreur surnaturelle devant l'image du blanc et du moelleux. L'horreur s'appliquait au professeur Lindner; mais le surnaturel aussi.

Le ferme pressentiment que tout ce qui lui arrivait était lié fabuleusement à un secret, toutes les périodes agitées de sa vie le lui avaient rendu familier. Elle le devinait comme une présence proche, le sentait derrière elle et se montrait encline à attendre l'heure du miracle où elle n'aurait plus qu'à fermer les yeux et à se renverser en arrière. Ulrich, lui, ne trouvait aucun secours dans les rêveries surnaturelles; son attention, le plus souvent, semblait occupée à métamorphoser, avec une infinie lenteur, tout contenu surnaturel en un contenu naturel. Voilà sans doute pourquoi, dans l'espace de vingt-quatre heures, c'était la troisième fois qu'Agathe le quittait, fuyant dans l'attente confuse de quelque chose qu'elle devait prendre sous sa protection et faire reposer des tracas, ou ne fût-ce que de l'impatience de ses passions. Dès qu'elle se sentait plus calme, elle se retrouvait du côté d'Ulrich et ne voyait plus d'issue que dans ce qu'il lui enseignait; cette fois-ci encore, cela dura quelque temps. Mais, lorsque le souvenir de ce qui s'était « presque » produit à la maison (et pourtant ne s'était pas produit!) lui revint plus vif et plus pressant, elle se retrouva profondément désarmée. Tantôt elle voulait se persuader que le royaume infini de l'Inimaginable leur fût venu en aide pour peu qu'ils eussent persévéré un instant de plus, tantôt elle se reprochait de n'avoir pas attendu de voir ce que ferait Ulrich. Finalement, elle songea que le mieux eût été de céder simplement à l'amour et de ménager, sur la vertigineuse échelle de Jacob qu'ils gravissaient, un palier pour cette nature dont ils exigeaient trop. Pourtant, à peine lâché cet aveu, elle se fit l'effet d'une de ces créatures de légende incapables de se contenir et qui, par faiblesse féminine, rompent trop tôt le silence ou tout autre vœu, sur quoi tout s'écroule dans un coup de tonnerre.

Si son attente, maintenant, se retournait vers l'homme qui devait la conseiller, celui-ci n'avait pas seulement pour lui les avantages qu'on prête à l'ordre, à l'assurance, à une sévérité pleine de bonté et à une conduite ferme devant le grossier spectacle du désespoir; cet inconnu avait encore la remarquable particularité de parler objectivement et sans hésitation de Dieu comme s'il fréquentait quotidiennement Sa demeure et pouvait laisser entendre qu'on y méprisait tout ce qui n'était que passion et imagination. Qu'est-ce donc qui attendait Agathe chez cet homme ? Lorsqu'elle se posa cette question, son pied qui courait frappa plus violemment le sol et elle aspira le froid de la pluie pour se dégriser définitivement. Alors, il lui parut très probable qu'Ulrich, bien qu'il jugeât Lindner avec partialité, le jugeait plus justement qu'elle : en effet, avant ses conversations avec son frère, lorsque son impression de Lindner était encore naïve, elle avait eu des pensées fort railleuses à l'endroit de ce représentant du Bien. Elle s'étonna de ses pieds qui l'emportaient néanmoins chez cet homme. Elle prit même un tramway qui roulait dans cette direction, afin que tout allât plus vite.

Ballottée entre des voyageurs qui ressemblaient à une lessive de grosse toile mouillée, elle avait de la peine à conserver entier son tissu intérieur; elle restait debout, le visage amer, le protégeant de toute déchirure. Elle voulait l'apporter intact à Lindner. Elle le rapetissait même. Tout son rapport avec Dieu, si l'on peut donner ce nom à une relation aussi douteuse, se ramenait au fait qu'un demi-jour naissait en elle chaque fois que sa vie devenait trop oppressante, trop répugnante ou, ce qui lui était nouveau, trop belle. C'est vers ce demi-jour qu'elle courait pour le sonder. C'était tout ce qu'elle pouvait honnêtement en dire. Cela n'aurait jamais abouti à un résultat. Voilà ce qu'elle pensait au milieu des cahots. Elle remarqua qu'elle était très curieuse de savoir comment son inconnu la tirerait de cette affaire qui lui avait été confiée comme par procuration divine. A cet effet, il devait bien avoir obtenu du grand Inaccessible un peu de Son omniscience : entre temps, serrée parmi toutes sortes de gens, elle avait fermement résolu de ne lui faire à aucun prix une confession entière tout de suite. Lorsqu'elle descendit, cependant, elle découvrit bizarrement cachée tout au fond d'elle-même, la conviction que les choses iraient cette fois autrement que d'habitude et qu'elle était décidée, à la force de son poignet s'il le fallait, à tirer l'Insaisissable du demi-jour pour l'amener à la pleine lumière. Peut-être se serait-elle empressée de ravaler ce terme excessif si elle en avait pris conscience; mais là, il n'y avait aucun mot, seulement un sentiment de surprise qui faisait fuser son sang comme du feu.

L'homme que des sentiments et des visions aussi passionnées étaient en train de rejoindre, se trouvait assis en compagnie de son fils Peter devant le déjeuner qu'il prenait encore, pour obéir à une excellente tradition de jadis, à l'heure même de midi. Dans le décor qui l'entourait, il n'y avait pas de luxe (terme que l'allemand traduit par superflu, rendant ainsi visible une signification que le terme étranger dissimule). Dans le mot français luxe, il y a aussi le superflu, ce dont on pourrait se passer, ce que collectionne une oisive richesse. Le superflu, en revanche, n'est pas tant superflu, c'est-à-dire synonyme de luxe, que « superfluent », débordant; il évoque un rembourrage à peine excessif de l'existence, ce confort et cette libéralité excédentaires de la vie européenne qui ne font défaut qu'à la vraie misère. Lindner distinguait ces deux notions du luxe : autant le luxe, dans le premier sens, manquait à sa demeure, autant il y était présent dans le second. Il suffisait que la porte d'entrée s'ouvrît en faisant apparaître le vestibule modérément grand pour qu'on éprouvât cette impression dont il était impossible de dire l'origine. Jetant alors un coup d'œil circulaire, on s'apercevait que ne manquait aucune de ces petites inventions qui facilitent la vie de l'homme. Un porte-parapluies de tôle émaillée prenait soin du parapluie. Un chemin de grosse fibre retirait aux souliers la crotte que le paillasson pouvait y avoir oubliée. Deux brosses à habits émergeaient d'une poche fixée à la paroi, et même le porte-manteau ne faisait pas défaut. Une ampoule électrique éclairait la pièce, un miroir y était suspendu, tous ces objets étaient parfaitement soignés et remplacés à temps en cas de dommage. Mais l'ampoule avait l'intensité lumineuse juste suffisante pour que l'on pût percevoir les objets; le porte-manteaux n'avait que trois patères; le miroir ne reflétait que les quatre-cinquièmes d'un visage d'adulte; l'épaisseur et la qualité du tapis étaient juste suffisantes pour qu'on sentît encore le parquet au travers et qu'on ne sombrât pas dans la mollesse. A quoi bon décrire au moyen de pareils détails l'esprit du lieu ? Il suffisait que l'on entrât pour le ressentir dans l'ensemble comme un souffle particulier, ni sévère ni relâché, ni opulent ni pauvre, ni épicé ni insipide, affirmation produite par deux négations et que traduirait parfaitement la formule : manque de prodigalité.

Cela n'excluait pas cependant, quand on pénétrait dans l'appartement proprement dit, un sens de la beauté et même du confort partout perceptible. Aux murs étaient accrochées des gravures rares encadrées avec soin; la fenêtre à côté du secrétaire de Lindner était ornée d'un médaillon de verre coloré représentant un chevalier délivrant une vierge d'un dragon dans un geste plein de raideur. Dans le choix de quelques vases peints qui contenaient de belles fleurs en papier, dans l'achat par le non-fumeur d'un cendrier et dans les mille détails qui laissaient tomber comme un rayon de soleil sur le grave devoir que représente la tenue d'un ménage, Lindner s'était plu à faire s'épanouir librement ses goûts. Partout, néanmoins, la rigueur parallélipipédique des pièces signifiait la dureté de la vie que le bien-être ne doit pas faire oublier; même là où, souvenir du passé, quelque indiscipline féminine, un napperon au point de croix, un coussin brodé de roses ou le jupon d'un abat-jour tranchait sur cet ensemble, celui-ci était assez fort pour empêcher l'élément voluptueux d'échapper tout à fait à son contrôle.

Néanmoins, ce jour-là, et ce n'était pas la première fois depuis la veille, Lindner était venu manger avec près d'un quart d'heure de retard. La table était servie. Les assiettes, empilées par trois devant chacune des deux places, le regardaient de l'œil rond du reproche; les porte-couteaux de verre sur lesquels les couteaux, les fourchettes et les cuillers étaient immobilisés comme des bouches de canon sur l'affût, ainsi que les serviettes roulées dans leurs ronds étaient en ordre de marche comme une armée que son général a laissée en plan. Lindner avait fourré discrètement dans sa poche le courrier qu'il lisait d'ordinaire avant de manger, il était accouru avec mauvaise conscience; maintenant, dans son embarras, il avait peine à se rendre compte de ce qu'il ressentait, ce devait être quelque chose comme de la méfiance : au même moment, en effet, mais d'un autre côté et avec autant de hâte que lui, son fils Peter entrait, comme s'il n'avait fait qu'attendre son père.

43. *Le propre-à-rien et le propre-à-tout. Mais aussi Agathe.*

Peter était un gaillard assez considérable d'environ dix-sept ans en qui l'abrupte hauteur de Lindner s'était combinée avec un physique plus large; il n'allait qu'aux épaules de son père, mais sa tête, qui ressemblait à une grosse boule de jeu de quilles un peu carrée, était posée sur une nuque de chair compacte dont le diamètre valait bien une cuisse paternelle. Au lieu d'aller à l'école, Peter s'était attardé sur un terrain de foot-ball et, par un hasard fatal, il avait interpellé sur le chemin du retour une gamine à qui sa virile beauté avait arraché une demi-promesse de revoir. Mis en retard par cet événement, il s'était glissé discrètement dans l'appartement jusqu'à la porte de la salle à manger, incertain jusqu'au dernier moment des échappatoires à inventer. A sa vive surprise, il n'avait entendu personne dans la pièce, s'y était précipité, et au moment même où il allait adopter la mine exaspérée de qui a longtemps attendu, il fut très embarrassé de se heurter à son père. Son rouge visage se couvrit de taches encore plus rouges, il lâcha immédiatement la bonde à un flot de paroles; dès qu'il croyait que son père ne s'en apercevait pas, il louchait de son côté avec inquiétude, alors que son regard, dès qu'il sentait celui de son père posé sur lui, l'affrontait aussitôt sans crainte. C'était une attitude très calculée et souvent expérimentée qui devait donner l'impression d'un jeune homme loyal et véhément jusqu'à la sottise, capable de tout sauf de dissimulation. Quand cela ne suffisait pas, Peter ne craignait pas non plus de laisser échapper comme par mégarde des termes irrespectueux ou malsonnants à l'oreille de son père, termes qui faisaient l'effet de pointes attirant le regard et le détournant des directions périlleuses.

Peter craignait son père comme l'enfer craint le ciel, tout en se sentant honoré, pauvre corps léché par les flammes, que l'esprit daignât le regarder d'en haut. Il aimait le foot-ball, et même là, il préférait observer avec un air de connaisseur et prononcer des jugements décisifs, à payer de sa personne. Il se proposait de devenir aviateur et d'accomplir un jour des exploits héroïques; il ne se représentait pas cela comme un but qui exigeât du travail, mais comme une disposition naturelle, de même qu'à des créatures ailées il appartient de pouvoir voler un jour. Que son aversion à l'égard du travail fût en contradiction avec les dogmes scolaires l'influençait peu. Ce fils d'un pédagogue connu n'attachait aucun prix à l'estime de ses maîtres; il lui suffisait d'être le plus costaud de la classe; quand un camarade lui semblait trop calé, il était prêt à rétablir l'équilibre d'un coup de poing sur le nez ou dans l'estomac. Comme chacun sait, il n'y a rien là qui empêche de mener une existence respectée. Son procédé présentait ce seul désavantage qu'il ne pût l'appliquer à l'endroit de son père, bien plus, que celui-ci dût l'ignorer autant que possible. Devant cette autorité spirituelle qui l'avait élevé et le tenait doucement prisonnier, la violence de Peter se réduisait à de gémissantes tentatives de révolte que Lindner senior nommait « le pitoyable cri des convoitises ». Familier dès l'enfance des meilleurs principes, Peter avait de la peine à refuser leur vérité; il ne pouvait satisfaire son honneur et sa bravoure que par un usage tout indien de ruses de guerre qui évitaient soigneusement le débat corps-à-corps. Sans doute recourait-il lui aussi, pour être à la hauteur de son adversaire, au flot de paroles, mais jamais il ne condescendait à en prononcer de véridiques : c'eût été, selon lui, bavardage et manque de virilité.

Cette fois encore, les protestations et les grimaces jaillirent aussitôt, mais sans éveiller de réaction du côté du maître. Le professeur Lindner avait rapidement béni le potage et mangeait gravement, hâtivement, sans mot dire. De temps en temps seulement, son regard se posait sur le crâne de son fils. La raie, ce jour-là, à l'aide du peigne, d'un peu d'eau et de beaucoup de brillantine, traversait la chevelure touffue, d'un brun rouge, comme un chemin de fer à voie étroite une brousse peu encline à le laisser passer. Quand Peter sentait le regard de son père ainsi orienté, il baissait la tête pour dissimuler du menton la magnifique cravate d'un rouge hurlant que son éducateur ne connaissait pas encore. Un moment de plus, et le regard pouvait doucement rayonner jusqu'à cette découverte, la bouche le suivre et proférer des formules telles que « Soumission aux propos de pitres et de blancs-becs », « coquetterie sociale et vanité servile » qui offensaient fort Peter. Mais il n'en fut rien. Au bout d'un moment seulement, pendant qu'on changeait les assiettes, Lindner dit vaguement et gentiment (ce n'était même pas sûr qu'il pensât à la cravate, il pouvait avoir été poussé à son exhortation par un coup d'œil inconscient) : « Les hommes qui ont encore beaucoup à lutter contre la vanité devraient éviter que rien de voyant ne dépare leur personne ! »

Peter profita de cette défaillance inattendue pour glisser l'histoire d'un zéro qu'il prétendait avoir reçu par esprit de chevalerie : interrogé après un camarade, il avait feint volontairement de n'être pas préparé pour ne pas porter tort à celui-ci, devant des exigences inouïes et carrément impossibles à satisfaire pour un élève moins fort que lui.

Le professeur Lindner se contenta de secouer la tête.

Mais, lorsque le deuxième service fut terminé et que le dessert arriva sur la table, il commença, pensif et précautionneux : « Vois-tu, c'est justement à l'âge où on a le plus d'appétit qu'on peut remporter sur soi les victoires les plus fécondes : non point en se laissant avoir faim, ce qui serait malsain, mais en renonçant quelquefois, lorsqu'on a été nourri suffisamment, à son plat préféré ! »

Peter se tut et parut ne pas comprendre, mais, de nouveau, une intense rougeur l'envahit jusqu'aux oreilles.

« J'aurais tort, poursuivit son père attristé, de vouloir te punir de ce zéro : comme tu crois bon d'y ajouter un puéril mensonge, il faut commencer par défricher le sol où la punition devra agir. Je n'exige donc rien de toi, sinon que tu le reconnaisses, et je suis sûr qu'ensuite, tu sauras te punir toi-même! »

A cet instant, Peter rappela avec véhémence sa santé déficiente et le surmenage qui étaient peut-être cause de ses récents échecs scolaires et le mettaient hors d'état de tremper son caractère en renonçant au troisième service.

« Le philosophe français Comte, répliqua calmement le professeur Lindner, mangeait volontiers après le repas, en place de dessert, et même sans raison particulière, un morceau de pain sec: simplement pour penser à tous ceux qui n'ont même pas de pain sec. C'est une belle idée qui nous rappelle que *tout* exercice de tempérance et de frugalité comporte une profonde signification sociale! »

Depuis fort longtemps déjà, Peter avait une idée extrêmement défavorable de la philosophie; maintenant, c'était la littérature que son père lui rendait suspecte, car il poursuivit : « Le romancier Tolstoï dit aussi que la tempérance est le premier degré de la liberté. L'homme a beaucoup de désirs grossiers. Pour qu'on puisse les combattre tous avec succès, il faut commencer par les plus élémentaires : la gourmandise, l'oisiveté et la volupté. »

Ces trois mots qui revenaient souvent dans ses exhortations, le professeur Lindner avait l'habitude de les prononcer aussi impersonnellement l'un que l'autre. Bien avant que Peter pût associer au mot volupté une représentation déterminée, il savait qu'il fallait la combattre en même temps que la gourmandise et l'oisiveté, sans que cela lui donnât plus à penser qu'à son père : celui-ci était assuré que l'instruction primaire de la liberté personnelle commençait par là. C'est ainsi qu'en ce jour où, sans découvrir encore la volupté sous sa forme la plus convoitée, il n'en avait pas moins effleuré la jupe, Peter se surprit pour la première fois à éprouver une brusque et furieuse aversion pour la combinaison insensible que son père avait pris l'habitude d'en faire avec la gourmandise et l'oisiveté. Le triste fut qu'il ne put exprimer cette aversion carrément et en fut réduit à tricher; il s'écria : « Je suis un homme comme les autres, je ne peux pas me comparer à des écrivains ou à des philosophes! » On voit que, malgré son exaspération, il ne choisit pas ses termes au hasard.

Son éducateur ne dit rien.

« J'ai faim! » ajouta Peter plus passionnément encore.

Lindner eut un sourire douloureux et méprisant.

« Je succomberai si je n'ai pas assez à manger! » dit Peter en beuglant presque.

« C'est au moyen des organes de la voix que l'homme commence à répondre aux interventions et aux assauts du dehors! » dit Lindner doctoral.

« Le pitoyable cri des convoitises », ainsi que le nommait Lindner, cessa. En cette journée exceptionnellement virile, Peter ne voulait pas pleurer, mais l'obligation de se défendre par l'éloquence pesait très lourdement sur lui. Il ne lui venait pas la moindre idée; en ce moment, il détesta jusqu'au mensonge, parce qu'il faut parler pour y recourir. On voyait alterner dans ses yeux le désir de meurtre et l'imprécation. Quand les choses en furent à ce point, le professeur Lindner dit avec bonté : « Il faut que tu t'imposes de sévères exercices de mutisme, afin que ce ne soit pas l'homme irraisonné et mal embouché qui parle, mais le réfléchi, le bien-élevé, celui qui prononce des paroles de paix et d'équilibre! » Puis, le visage affectueux, il réfléchit. « A qui veut rendre les autres bons, dit-il en livrant à son fils le résultat de sa réflexion, je ne puis donner de meilleur conseil que d'être lui-même bon. Matthias Claudius l'a dit aussi : *Je ne puis rien inventer de mieux que d'être soi-même ce qu'on veut que les enfants soient!* » Sur ces mots, avec une bonté résolue, le professeur Lindner éloigna le dessert sans y toucher, bien que ce fût son plat préféré, du riz au lait avec du sucre et du chocolat, forçant son fils, par cette rigueur pleine d'amour, à faire de même non sans grincements de dents.

C'est alors que la femme de charge entra pour annoncer Agathe. Auguste Lindner, bouleversé, se leva. « Ainsi donc! » lui dit une voix muette mais terriblement claire. Il était prêt à se sentir indigné, mais aussi à éprouver la douceur fraternelle qui s'accorde au tact moral. Ces deux contraires, avec toute une suite de principes, commencèrent à batailler dans son corps avant qu'il ne réussît à donner l'ordre très banal de faire entrer la dame au salon. « Tu m'attendras ici! » dit-il sévèrement à Peter. Puis il s'éloigna à grands pas. Peter avait remarqué dans l'attitude de son père quelque chose d'insolite, mais il ne savait quoi. En tous cas, il y puisa suffisamment de désinvolture et de courage, le professeur sorti et après une courte hésitation, pour enfourner une cuillerée de chocolat en poudre, puis une cuillerée de sucre, enfin une grande cuillerée de riz, de chocolat et de sucre; opération qu'il répéta à plusieurs reprises avant d'oser nettoyer définitivement les plats, pour plus de sûreté.

Ainsi Agathe demeura-t-elle assise seule un instant dans l'appartement inconnu, attendant le professeur Lindner qui marchait de long en large dans une autre pièce et rassemblait ses esprits avant d'affronter la belle et dangereuse créature. Elle jeta les yeux autour d'elle et se sentit soudain angoissée comme si, grimpée trop haut dans les branches d'un arbre rêvé, elle craignait de ne pas redescendre intacte de ce monde de bois tortueux et d'abondant feuillage. Un foisonnement de détails la troublait; dans le goût mesquin qu'ils trahissaient, une âpreté distante se combinait étrangement avec un élément contraire qu'Agathe était trop agitée pour pouvoir définir tout de suite. Cet aspect distant évoquait peut-être la raideur paralysée des dessins au crayon; pourtant, on aurait dit aussi que la chambre sentait les gâteries d'une grand'mère, les médicaments et les pommades; dans la pièce flottaient des esprits démodés, peu virils, appliqués à soulager la souffrance avec un zèle déplaisant. Agathe renifla. Bien que l'air ne contînt que ses propres rêveries, elle sut que ses sentiments la ramenaient peu à peu loin en arrière et elle se rappela la timide « odeur de ciel », ce parfum d'encens à demi évaporé, privé de racine, que ses maîtres gardaient attaché à l'étoffe de leur soutane lorsqu'elle était une petite fille élevée dans une institution pieuse avec d'autres petites filles, mais fort éloignée de se confire en dévotion. Si édifiante que soit cette odeur pour ceux qui savent y associer ce qu'il faut, dans le cœur de ces adolescentes révoltées contre la règle, elle ne faisait que rappeler intensément d'autres odeurs, protestataires celles-là, telles que l'imagination et les premières expériences en associent à la moustache d'un homme ou à ses joues énergiques, parfumées d'essences piquantes et couvertes de talc à raser. Dieu sait si cette odeur, elle aussi, ne tient pas ce qu'elle promet! Et tandis qu'Agathe attendait sur l'un des austères fauteuils lindnériens, l'odeur vide du monde s'accola comme inéluctablement à l'odeur vide du ciel, telles deux demi-sphères creuses; le pressentiment l'effleura qu'elle était en passe de rattraper une heure d'école perdue par distraction.

Elle savait maintenant où elle était. Prête, encore que timidement, elle essaya de s'adapter à ce décor et de se rappeler les enseignements dont elle s'était peut-être laissée détourner prématurément. Devant cette bonne volonté, son cœur reculait comme un cheval rétif à toutes les exhortations; il se mit à battre d'une folle angoisse, comme il arrive quand des sentiments l'oppressent qui voudraient prévenir notre raison et ne trouvent pas leurs mots. Néanmoins, un moment après, elle essaya de nouveau; pour étayer son effort, elle pensa à son père : c'était un libéral qui avait toujours affiché un rationalisme un peu plat, et n'en avait pas moins pris sur lui de confier l'éducation de sa fille à une institution religieuse. Elle se sentait encline à y voir une sorte de sacrifice expiatoire, une tentative, imposée par une secrète incertitude, de faire une fois le contraire de ce dont on pense être persuadé. Comme elle se sentait proche de la moindre inconséquence, la situation dans laquelle elle s'était mise maintenant lui apparut un instant comme une mystérieuse et inconsciente répétition filiale.

Mais ce second frisson, volontaire, de piété, ne dura pas non plus; visiblement, elle avait perdu une fois pour toutes, dans ce nid trop douillet des âmes, le pouvoir de trouver dans la foi un hâvre pour la mobilité de ses pressentiments. Elle n'avait qu'à considérer le décor qui l'entourait : avec le sens féroce de la jeunesse pour la distance qui sépare l'infinitude d'une doctrine de la finitude du docteur, sens qui l'entraîne aussi fréquemment à conclure du serviteur au maître, elle se sentit soudain irrésistiblement portée à rire par le lieu où elle s'était constituée prisonnière et installée avec tant d'espérance.

Involontairement, pourtant, elle enfonça ses ongles dans le bois du fauteuil : elle avait honte de son irrésolution. De préférence, maintenant, elle eût jeté aussi vite que possible et d'un coup au visage de cet inconnu qui prétendait la consoler tout ce qui lui pesait, simplement parce que ç'eût été un soulagement de se dévoiler enfin : la falsification du testament, absolument injustifiable si on y réfléchissait sans insolence; les lettres Hagauer, défigurant son image aussi affreusement qu'un mauvais miroir, sans qu'on pût néanmoins lui refuser toute ressemblance; puis aussi, sans doute, qu'elle voulait anéantir cet homme, sinon le tuer vraiment; qu'elle l'avait certes épousé autrefois, mais pas vraiment non plus, aveuglée par le mépris d'elle-même. Sa vie n'était qu'insolites demi-mesures. Finalement, le pressentiment qui flottait entre Ulrich et elle eût dû être révélé lui aussi, recréant l'unité perdue, et cette trahison, jamais, jamais elle ne la commettrait! Elle se sentit morose comme un enfant à qui on impose toujours des tâches trop pénibles. Pourquoi la lumière qu'elle voyait parfois clignotait-elle toujours comme une lanterne oscillant dans l'ombre vaste et dont la lueur est tantôt engloutie, tantôt relâchée par les ténèbres ? Toute possibilité de décision lui était ravie. Pardessus le marché, elle se souvint qu'Ulrich avait dit un jour que quiconque cherchait cette lumière devait franchir un abîme sans passerelle et sans fond. Ne croyait-il donc pas lui-même, tout au fond, à la possibilité de ce qu'ils cherchaient ensemble ? Ainsi songeait-elle et, bien qu'elle n'osât pas douter vraiment, elle était profondément ébranlée. Personne ne pouvait donc l'aider sinon l'abîme lui-même! Cet abîme était Dieu... Et puis, qu'en savait-elle ? Elle considéra avec répugnance et mépris les petits ponts qui prétendaient l'y conduire, l'humilité de la pièce, les tableaux pieusement accrochés, tout ce qui lui donnait l'illusion d'une familiarité. Elle se vit aussi près de s'humilier que de se détourner avec horreur. Sans doute eût-elle préféré se sauver; mais quand elle se rappela qu'elle se sauvait toujours, elle pensa encore à Ulrich, et se jugea « affreusement lâche ». Pourtant, le silence, chez eux, avait été comme le calme qui précède la tempête, et c'était la pression de cette approche qui l'avait précipitée ici. Voilà comment elle voyait les choses maintenant, non sans un début de sourire; il était naturel qu'elle se rappelât encore une phrase d'Ulrich; il avait dit quelque jour : « Jamais un homme ne se juge absolument lâche : quand quelque chose l'effraie, il se sauve juste assez loin pour se retrouver héros! » C'est ainsi qu'elle était assise là...

44. *Une explication violente.*

C'est à ce moment que Lindner entra. Il avait préparé autant de choses à dire que sa visiteuse : tout fut différent lorsqu'ils se trouvèrent face à face. Agathe passa tout de suite à l'attaque en des termes qui, à son étonnement, furent infiniment plus banals que leurs prémisses ne le faisaient attendre.

« Vous vous souvenez sans doute que je vous ai prié de m'expliquer une ou deux choses, dit-elle pour commencer. Maintenant, je suis là. Je sais encore parfaitement ce que vous avez dit contre mon divorce. Peut-être même l'ai-je mieux compris depuis lors! » Ils étaient assis devant une grande table ronde, séparés par toute la longueur de son diamètre. Par rapport aux derniers instants de sa solitude, Agathe, au premier moment de leur tête-à-tête, se sentit profondément abattue, puis elle reprit pied. Elle avança le mot de divorce comme un hameçon, bien que sa curiosité de l'opinion de Lindner fût sincère.

Celui-ci répondit presque aussitôt : « Je sais fort bien pourquoi vous me demandez cette explication. Toute votre vie, on vous aura laissé entendre que la foi en un pouvoir suprahumain et l'obéissance aux lois qui en découlent relèvent du moyen âge! On vous a appris que la science a aboli ces fables! Mais êtes-vous sûre qu'il en soit vraiment ainsi ? »

Agathe, surprise, observa que les lèvres de Lindner, tous les trois mots à peu près, se dressaient sous sa barbe clairsemée comme deux lutteurs. Elle ne répondit pas.

« Y avez-vous réfléchi ? poursuivit sévèrement Lindner. Connaissez-vous l'incroyable foisonnement de problèmes qui en dépend ? Je le vois : vous ne les connaissez pas. Vous avez, pour les abolir, un geste souverain de la main, et vous ne savez sans doute même pas que vous agissez sous l'influence d'une pression étrangère! »

Il s'était jeté à l'eau. On ne voyait pas à quels inspirateurs il pensait. Il se sentait entraîné. Son discours était un long tunnel qu'il creusait à travers une montagne pour anéantir, de l'autre côté, quelque chose qui rayonnait dans toute sa gloire : « les mensonges de libres-penseurs ». Il n'entendait par là ni Ulrich, ni Hagauer, mais l'un et l'autre, mais tous les hommes. « Et même si vous y aviez réfléchi, s'écria-t-il en montant hardiment le ton, et que vous fussiez convaincue de ces hérésies : que le corps n'est qu'un système de corpuscules morts, l'âme un jeu de glandes, la société un ramassis de lois économiques; et même si cela était juste (ce qui est loin d'être le cas), je refuserais à une telle pensée la connaissance de la vérité de la vie! Car ce qui s'intitule science n'a pas la moindre compétence pour expliquer, à l'aide de ses procédés extérieurs, la certitude intérieure, spirituelle, qui vit dans le cœur de l'homme. La vérité de la vie est un savoir sans commencement, les événements de la vraie vie ne se communiquent pas à travers des preuves : quiconque vit et souffre détient en lui-même cette vérité, c'est la mystérieuse force des exigences supérieures, la vivante interprétation de soi-même! »

Lindner s'était levé. Ses yeux étincelaient comme deux orateurs sacrés du haut de la chaire que supportaient ses interminables jambes. De là-haut, il considérait Agathe avec un sentiment de puissance. « Pourquoi tout de suite parler autant? pensait-elle. Qu'est-ce qu'il a contre Ulrich ? Il le connaît à peine, et visiblement c'est à lui qu'il s'attaque ? » Alors, la dextérité des femmes dans le domaine des sentiments lui donna, plus vite qu'aucune réflexion n'eût pu le faire, la certitude que, si Lindner parlait ainsi, c'est qu'il était ridiculement jaloux. Elle leva les yeux vers lui avec un sourire fascinant. Il était devant elle, grand, frêle, armé, il lui semblait une sauterelle géante des temps préhistoriques, prête à se battre. « Mon Dieu! songea-t-elle, je vais de nouveau dire quelque chose qui le fâchera, il va de nouveau me sauter dessus : où suis-je donc ? A quel jeu est-ce que je joue ?... » Le fait que Lindner lui donnait envie de rire et qu'elle ne parvenait pas, pourtant, à se débarrasser de certaines de ses expressions comme « savoir sans commencement » ou « interprétation vivante », la troublait : c'étaient des mots étrangers au monde présent, mais ils lui étaient secrètement familiers, comme si elle les avait toujours employés, encore qu'elle ne pût se souvenir de les avoir seulement entendus. Elle se dit : « C'est terrible, mais il y a de ces mots qu'il m'a déjà mis dans le corps comme des enfants! »

Lindner se rendit compte qu'il avait fait impression sur elle, et cette satisfaction le réconcilia un peu avec Agathe. Il voyait devant lui une jeune femme en qui l'excitation, l'indifférence jouée et même l'insolence semblaient obéir à une alternance suspecte : comme il croyait être un fin connaisseur de l'âme féminine, il ne s'y laissa pas prendre. Il se rappela que, pour les jolies femmes, la tentation de l'orgueil et de la vanité était extraordinairement forte. D'ailleurs, il était rare qu'il vît un beau visage sans éprouver un peu de compassion. Selon ses convictions, les êtres ainsi distingués étaient presque toujours les martyrs de leur brillante apparence qui les poussait à la présomption, avec son sournois cortège, la froideur du cœur et la superficialité. Il arrive néanmoins que, derrière un beau visage, une âme se cache : que d'incertitude, souvent, derrière l'orgueil, que de désespoir derrière la frivolité! Il s'agit même souvent d'êtres particulièrement nobles à qui ne manque que le secours d'une conviction juste et inébranlable.

Peu à peu, Lindner fut envahi à nouveau par la conviction que l'homme qui a réussi doit se mettre à la place du déshérité. Ce faisant, il s'aperçut que la forme du visage et du corps d'Agathe avait cette sérénité gracieuse qui n'appartient qu'aux grands et nobles objets; le genou, sous les plis du vêtement, lui parut digne d'une Niobé. Que cette comparaison précisément, mal assortie à son savoir, s'imposât à lui l'étonna : sans doute la noblesse de sa souffrance morale s'y était-elle associée d'elle-même à l'idée suspecte d'un grand nombre d'enfants, car il ne se sentait pas moins attiré qu'angoissé. Alors, il remarqua la gorge, sa respiration en vagues brèves, rapides. Il éprouva de l'oppression; si sa connaissance du monde ne lui était venue en aide une fois de plus, il se serait trouvé désemparé. Mais elle lui murmura, à l'instant du plus grand embarras, que cette gorge devait recéler quelque chose d'inexprimable et que ce secret pouvait être lié, d'après tout ce qu'il savait, au divorce d'avec son collègue Hagauer. Cette pensée le sauva d'une folie infamante en lui offrant instantanément la possibilité de désirer que se dévoilât, non plus la gorge, mais le secret. Il y mit toute sa force, et l'association du péché avec le triomphe chevaleresque sur le dragon flotta devant ses yeux en couleurs de feu, comme sur le vitrail de son cabinet de travail.

Agathe interrompit cette méditation par une question qu'elle lui adressa sur un ton mesuré, contenu même, après s'être ressaisie. « Vous avez affirmé que j'agissais sous une influence étrangère : qu'avez-vous voulu dire par là ? »

Lindner, désarçonné, éleva son regard, qui reposait sur le cœur d'Agathe, jusqu'à ses yeux. Pour la première fois de sa vie, il ne savait plus ce qu'il avait dit en dernier lieu. En cette jeune femme, il avait vu la victime de la libre-pensée qui corrompt l'époque, et sa joie de vainqueur le lui avait fait oublier.

Agathe répéta sa question en la modifiant légèrement. « Je vous ai confié le désir où j'étais de quitter le professeur Hagauer, et vous m'avez répliqué que j'agissais sous certaines influences.

Il pourrait m'être précieux de savoir ce que vous entendez par là. Je vous répète qu'aucune des raisons ordinaires ne convient : même l'antipathie, à l'aune du monde, n'était pas insurmontable. Je suis simplement persuadée qu'elle ne doit pas être surmontée, mais démesurément accrue !

— Par qui ?

— C'est le problème que vous devez m'aider à résoudre. » Elle le regarda de nouveau avec un tendre sourire qu'on eût pu dire affreusement décolleté et qui dévoilait la gorge intérieure comme si ne la couvrait plus qu'une dentelle noire.

Machinalement, Lindner en protégea son regard d'un mouvement de la main qui feignit de redresser ses lunettes. La vérité était que le courage jouait, dans sa vision du monde comme dans les sentiments qu'il éprouvait à l'égard d'Agathe, le même rôle anxieux. Il était de ceux qui ont reconnu que l'humilité triomphe plus aisément quand elle commence par terrasser l'orgueil d'un coup de poing. Érudit lui-même, il n'était pas d'orgueil qu'il craignît plus que celui de la science indépendante qui reproche à la foi de n'être pas scientifique. Si on lui avait dit que les saints aux mains vides et levées dans un geste d'imploration étaient démodés et qu'il faudrait les peindre aujourd'hui avec le sabre, le pistolet ou d'autres instruments plus modernes à la main, il se serait indigné; mais il ne voulait pas voir les armes du savoir injustement refusées à la foi. C'était une erreur presque totale, mais il n'était pas le seul à la commettre; et c'est pourquoi il avait bombardé Agathe de propos qui eussent mérité une place d'honneur dans ses publications (où vraisemblablement ils l'avaient déjà prise), mais qui étaient déplacés en face d'une femme qui se confiait à lui. En voyant cet émissaire de continents ennemis que lui avait livré un destin débonnaire ou démoniaque assis devant lui avec une pensive modestie, il comprit son erreur et fut embarrassé pour répondre. « Ah ! » dit-il sur un ton aussi général et dédaigneux que possible. Puis, par hasard, il ne visa pas trop loin du but : « J'ai voulu parler de l'esprit qui règne de nos jours et qui fait craindre aux êtres jeunes de paraître bêtes, ou même peu scientifiques, s'ils n'adoptent pas toutes les superstitions nouvelles. Dieu sait quels slogans vous pouvez avoir en tête : Vivre sa vie ! Affirmer la vie ! La culture de la personnalité ! La liberté de la pensée ou de l'art !

N'importe quoi, en tous cas, sauf les commandements de la simple morale éternelle. »

L'heureuse gradation « bête, ou même peu scientifique » était d'une finesse qui le réjouit et réveilla son esprit polémique. « Vous serez surprise, poursuivit-il, que, vous parlant, j'attache tant d'importance à la science alors que je ne sais pas si vous vous y intéressez peu ou prou...

— Pas du tout! fit Agathe. Je suis une femme ignorante. » Elle souligna cette phrase de la voix et parut y prendre plaisir, peut-être avec une sorte de fausse impiété.

« Mais c'est votre milieu! affirma énergiquement Lindner. Qu'il s'agisse de la liberté des mœurs ou de celle de la science, c'est toujours la même chose : l'esprit détaché de la morale! »

Agathe, de nouveau, ressentit ces mots comme des ombres prosaïques qui seraient tombées d'un espace plus obscur situé tout près d'eux. Elle n'était pas disposée à cacher sa déception, mais l'avoua en riant : « Vous m'avez conseillé récemment de ne pas penser à moi, et vous ne cessez de parler de moi, dit-elle.

— Vous avez peur de vous sentir inactuelle! » répéta-t-il. Un frémissement de dépit passa dans les yeux d'Agathe. « Je suis déconcertée, tant ce que vous dites me convient peu!

— Moi, je vous dis : *Vous avez été payés cher, ne devenez pas les esclaves des hommes!* » La diction de Lindner, qui contrastait avec sa personne physique comme une fleur lourde avec une tige frêle, égaya Agathe. Pressante, d'une voix un peu rauque, elle dit : « Que dois-je faire ? J'attends de vous une réponse précise. »

Lindner avala sa salive, et le sérieux assombrit son visage. « Faites ce qui est votre devoir!

— Je ne sais ce qu'est mon devoir!

— Cherchez-vous donc des devoirs!

— Je ne sais ce que c'est que des devoirs!

— Voilà la liberté de la personnalité! s'écria Lindner avec un sourire amer. Un pur mirage! Vous le voyez en vous : quand l'homme est libre, il est malheureux. Quand l'homme est libre, il n'est qu'un fantôme! » ajouta-t-il, tandis que l'embarras l'obligeait à élever encore un peu la voix. Puis il la baissa de nouveau et conclut avec force : « Le devoir, c'est ce que l'humanité, dans une juste connaissance d'elle-même, a bâti pour se défendre contre sa propre faiblesse. Le devoir est cette même vérité unique que toutes les grandes personnalités ont connue ou au moins pressentie. Le devoir est l'ouvrage d'une expérience séculaire, le produit de la vision des élus. Mais le devoir est aussi ce que l'être le plus simple reconnaît clairement au fond de son cœur pour peu qu'il vive loyalement ! »

« Un vrai cantique à la lueur des cierges ! » Telle fut l'appréciation d'Agathe.

L'ennui, c'était que Lindner sentît lui aussi qu'il avait chanté faux. Il aurait dû dire autre chose, mais il n'osait pas découvrir en quoi il avait détonné. Il se permit seulement de penser que cette jeune créature devait avoir été profondément déçue par son mari pour se déchaîner si âprement, si amèrement contre elle-même, et qu'elle était digne, en dépit de tous les blâmes qu'elle méritait, d'un homme plus fort; mais il eut l'impression qu'à cette pensée allait en succéder une seconde plus dangereuse encore. Cependant, Agathe secouait lentement et très résolument la tête. Forte de l'assurance involontaire avec laquelle une personne excitée est induite par une autre au geste qui aggravera définitivement une situation scabreuse, elle poursuivit : « Mais nous parlons de mon divorce ! Pourquoi ne dites-vous plus rien de Dieu, aujourd'hui ? Pourquoi ne me dites-vous pas, simplement : Dieu commande que vous restiez avec le professeur Hagauer ! A vrai dire, je ne puis croire qu'il donne des ordres pareils ! »

Sans le vouloir, Lindner haussa ses hautes épaules; dans leur mouvement ascendant, il parut littéralement flotter lui-même au-dessus du sol. « Jamais je n'ai parlé de cela avec vous, c'est vous qui avez essayé ! protesta-t-il rudement. Pour le reste, ne croyez pas que Dieu se préoccupe des petites affaires égoïstes de notre cœur ! Sa loi, à laquelle nous devons obéir, est là pour ça ! Cela ne vous paraît-il pas assez héroïque dans un temps où l'on veut être *personnel* en tout ? J'oppose à vos exigences un héroïsme supérieur, celui de la *soumission !* »

Chacune de ces paroles en disait notablement plus qu'un laïque ne se le permettrait, même mentalement. Agathe, en revanche, devant un défi si brutal, ne pouvait que sourire continuellement si elle ne voulait pas être forcée de se lever et d'interrompre sa visite; et elle souriait avec une aisance si sûre que Lindner s'égarait toujours plus avant dans l'irritation. Il voyait ses idées monter d'une manière inquiétante et accroître sans cesse une ivresse brûlante qui le privait de son sang-froid et faisait éclater son désir de briser la résistance têtue, peut-être de sauver l'âme qu'il voyait en face de lui. « Notre devoir est douloureux! s'écria-t-il. Notre devoir peut être odieux, répugnant! Mais n'allez pas croire que je veuille me faire l'avocat de votre mari et que je sois, par tempérament, de son côté! Cependant, vous devez obéir à la loi, parce que c'est la seule chose qui nous donne une paix durable et nous protège de nous-même! »

Agathe, cette fois, se moqua ouvertement de lui : elle avait deviné quelle arme les conséquences de son projet de divorce lui mettaient entre les mains, et elle retourna le couteau dans la plaie. « Je ne comprends pas grand'chose à tout cela, dit-elle. Mais puis-je vous avouer franchement mon impression ? La colère vous donne l'air lubrique!

— Ah! je vous en prie! » protesta Lindner. Il sauta en arrière et n'eut plus qu'un désir, celui de ne permettre à aucun prix de tels propos. Il éleva la voix pour se défendre et conjura le fantôme sensuel assis en face de lui. « L'esprit ne doit pas se soumettre à la chair, à ses charmes ni à ses terreurs! Même pas sous la forme de la répulsion! Je vous le dis : La maîtrise de la répugnance charnelle que l'école du mariage semble vous avoir imposée peut être pénible, vous ne pouvez vous y dérober pour autant. Il y a dans l'homme un désir de libération, et nous ne pouvons pas plus être les esclaves des répugnances de notre chair que de ses plaisirs! Voilà sans doute ce que vous vouliez savoir, sinon vous ne seriez pas venue chez moi!... » conclut-il avec autant de grandeur que de perfidie. Il était debout de toute sa hauteur devant Agathe, sa barbe frémissait autour de ses lèvres. Jamais il n'avait parlé ainsi à une femme, sinon à la sienne, et encore ses sentiments étaient-ils alors différents. Maintenant, de la volupté s'y mêlait, comme s'il brandissait dans son poing un fouet pour dompter le globe terrestre, et aussi de l'anxiété, comme s'il flottait, tel un chapeau emporté par le vent, à la cime de la tempête pénitentielle qui l'avait ravi.

« Voilà encore de bien étranges propos! » fit Agathe froidement, cherchant à atténuer son impertinence par quelques phrases un peu sèches. Mais elle mesura la terrible chute qui la menaçait et préféra s'humilier doucement en s'interrompant, puis en reprenant d'une voix qui semblait brusquement assombrie par le remords : « Je suis venue, tout simplement, parce que je désirais que vous me guidiez. »

Lindner, avec une ardeur confuse, brandit à nouveau le fouet des mots. Il devina qu'Agathe l'égarait intentionnellement, mais il ne put revenir en arrière et fit confiance à l'avenir. « Être toute sa vie enchaînée à un homme pour lequel on n'éprouve pas d'attrait physique, c'est sans doute un châtiment sévère, s'écria-t-il. Mais ne se l'est-on pas soi-même attiré, quand le partenaire est insuffisant, en ne prêtant pas assez d'attention aux signes de sa vie intérieure ? Nombreuses sont les femmes qui se laissent aveugler par l'extérieur, et qui sait si l'on n'est pas châtié pour être secoué ?... » Soudain, sa voix broncha. Agathe avait accompagné ses paroles d'un hochement de tête approbateur; mais voir en Hagauer un séducteur aveuglant, c'en était trop pour elle, et la gaieté de ses yeux le proclama. Lindner, complètement perdu, tonna d'une voix de fausset : « Qui mesure les verges hait son enfant, mais qui l'aime le châtie ! »

La résistance de sa victime avait fait du philosophe en son donjon un poète du châtiment et de ses excitants symptômes accessoires. Un sentiment nouveau pour lui l'enivrait, où se mêlaient intimement les leçons morales dont il fustigeait sa visiteuse et l'excitation de toute sa personne virile, sentiment qu'on pouvait juger, lui-même s'en rendait compte maintenant, symboliquement voluptueux.

Mais « l'arrogante conquérante », loin d'être mise au désespoir par la vanité de sa beauté profane, enchaîna très objectivement sur les menaces de verges et dit calmement : « Par qui suis-je châtiée ? A qui pensez-vous ? »

Cela, il ne pouvait le dire. Lindner perdit soudain courage. La sueur perlait à ses cheveux. Dans un pareil contexte, il était impossible de nommer Dieu. Son regard, qui s'était allongé comme une fourchette à deux dents, se détourna lentement d'Agathe. Agathe le sentit. « Ainsi donc, il n'en est pas capable non plus ! » se dit-elle. Elle eut une envie démentielle de continuer à tracasser cet homme jusqu'à ce que sortît de sa bouche le secret qu'il ne voulait pas lui livrer. Mais, pour cette fois, cela suffisait : la conversation avait atteint son extrême limite. D'ailleurs, Lindner comprenait aussi, maintenant, que tout ce qu'il avait proclamé, que tout ce qui l'avait excité, que l'excès même était né de sa peur des excès, dont le pire, à ses yeux, était bien de s'être approché avec des pensées et des sentiments imprudents, entraîné évidemment par cette jeune femme excessive, de ce secret qui doit rester voilé de hautes paroles. Il nomma cette faute, à part soi, un « outrage à la décence de la foi ». Pendant ce temps, le sang était redescendu de sa tête et avait repris son cours normal; Lindner se réveilla comme quelqu'un qui se retrouve nu très loin de la porte de sa maison, et se rappela qu'il ne pouvait laisser partir Agathe sans consolation ni leçon. Respirant profondément, il s'éloigna d'elle, lissa sa barbe et dit d'un ton de blâme : « Vous avez une personnalité instable et chimérique!

— Et vous une curieuse façon d'être galant! » répliqua froidement Agathe qui n'avait aucune envie de poursuivre.

Lindner jugea indispensable à son rétablissement de dire encore un mot : « Vous devriez vous mettre à l'école de la réalité pour apprendre à maîtriser implacablement votre subjectivité. Celui qui n'y parvient pas, ses caprices et son imagination auront bientôt fait de le traîner au sol!... » Il fit une pause, car l'étrange jeune femme continuait à lui arracher des accents fâcheux. « Malheur à celui qui rompt avec la loi, car il rompt du même coup avec le réel! » ajouta-t-il à voix basse.

Agathe haussa les épaules. « J'espère vous voir la prochaine fois à la maison! dit-elle.

— Je suis obligé de répondre : Jamais! dit Lindner avec une violence cette fois très terre-à-terre. Il y a entre votre frère et moi des divergences de vues qui me font juger préférable d'éviter tout commerce avec lui, ajouta-t-il pour s'excuser.

— Il faudra donc que je revienne assidûment à l'école de la réalité, répondit calmement Agathe.

— Non! » répéta Lindner. Chose curieuse, toutefois, il lui barra la route d'un air presque menaçant; car Agathe, sur ces mots, s'était mise en devoir de partir. « Cela ne peut se faire! Vis-à-vis de mon collègue Hagauer, vous ne songez pas à me mettre dans la pénible situation de vous recevoir à son insu!

— Êtes-vous toujours aussi passionné ? » demanda Agathe railleusement en l'obligeant à la laisser passer. Finalement, elle se sentait vide, mais fortifiée. L'angoisse que Lindner trahissait devant elle l'incitait à des actes étrangers à sa vraie nature. Alors que les exigences de son frère souvent la décourageaient, cet homme lui rendait la liberté d'avoir des émotions à sa guise, et le troubler la consolait.

« Me serais-je un peu compromis ? » se demanda Lindner après son départ. Il raidit ses épaules et arpenta à deux ou trois reprises la chambre. Finalement, il résolut de poursuivre ces relations et résuma son malaise, qui était assez grand, en cette militaire formule : « Il faut garder une ferme volonté de courage en dépit de tous les désagréments! »

Cependant, au moment où Agathe s'était levée, Peter avait quitté d'un bond le trou de serrure où il avait espionné non sans étonnement les manigances de son père et de la « grande dinde ».

45. *Début d'une série d'événements merveilleux.*

Peu après cette visite, l' « Impossible » qui flottait déjà comme une présence quasi physique autour d'Agathe et d'Ulrich se reproduisit, et cela, en vérité, sans que quoi que ce fût se produisît.

Le frère et la sœur se changeaient pour se rendre à une soirée. Il n'y avait personne qu'Ulrich à la maison pour aider Agathe. Ils ne s'y étaient pas pris assez tôt de sorte qu'ils venaient de passer un quart d'heure fort agité, lorsqu'il se fit une petite pause. Presque tout l'appareil guerrier qu'une femme utilise en pareille occasion était encore étalé en pièces détachées sur les dossiers et les moindres surfaces de la chambre, et Agathe venait de se pencher pour enfiler un bas avec toute l'attention que requiert une extrême finesse de soie. Ulrich était debout dans son dos. Il voyait sa tête, le cou, les épaules et ce dos presque nu; le corps se courba sur le genou relevé en se déjetant un peu, et la tension du mouvement dessina sur le cou trois plis qui fendirent la peau claire finement, joyeusement, comme trois flèches : la grâce charnelle de ce tableau, jaillissant d'un silence aussitôt approfondi, parut n'avoir plus de cadre et passa dans le corps d'Ulrich si directement, si immédiatement qu'il quitta sa place et, sinon avec l'inconscience du drapeau que déroule le vent, du moins sans réflexion consciente, s'approcha sur la pointe des pieds, surprit la jeune femme inclinée et mordit dans l'une de ces flèches avec une tendre sauvagerie, cependant que d'un bras il l'enlaçait. Puis, avec les mêmes précautions, Ulrich détacha ses dents du corps qu'il avait surpris; de la main droite, il avait saisi le genou, et tandis qu'avec le bras gauche il serrait le corps de sa sœur contre le sien, bandant les muscles des jambes, il la souleva en l'air. Agathe poussa un cri effrayé.

Jusque-là, ç'avait été le même jeu que bien souvent, turbulent et farceur; bien qu'effleuré des couleurs de l'amour, il répondait à la seule idée, somme toute timide, de dissimuler la nature insolite et plus périlleuse de cet amour sous le couvert d'une joyeuse intimité. Mais, quand Agathe surmonta son effroi et qu'elle se sentit, non pas voler, mais reposer dans l'air, déliée de toute pesanteur et soumise en lieu et place à la tendre pression d'un mouvement de plus en plus lent, un de ces hasards qui ne sont au pouvoir de personne fit qu'elle se trouva dans cet état merveilleusement apaisée, ravie même à toutes les agitations de la terre; en modifiant l'équilibre de son corps par un mouvement qu'elle eût été incapable de réinventer jamais, elle supprima, comme on détache un fil de soie, la dernière trace de contrainte, se tourna vers son frère tout en se laissant tomber, prolongeant jusque dans la chute même son ascension, et s'abattit, nuage de bonheur, entre ses bras. Ulrich, serrant doucement son corps contre le sien, la porta à travers la chambre que l'ombre envahissait jusqu'à la fenêtre et la tint à côté de lui dans la douce lumière du soir qui inondait son visage comme de larmes. Malgré la force que tout cela exigeait et la contrainte qu'Ulrich avait exercée sur sa sœur, tout ce qu'ils faisaient leur paraissait remarquablement libre de toute force, de toute contrainte; peut-être aurait-on pu le comparer encore à la merveilleuse ferveur rayonnant d'un tableau qui n'en reste pas moins, pour la main qui s'en empare, une dérisoire surface barbouillée. Ils ne pensaient à rien qu'à l'événement charnel qui occupait toute l'étendue de leur conscience; cependant, cet événement avait, outre sa nature de plaisanterie innocente, un peu grossière même au début, et quasi gymnastique, une seconde nature par quoi tous les membres se trouvaient très tendrement paralysés et enveloppés dans les lacs d'une sensibilité inouïe. Ils s'entourèrent les épaules de leurs bras, comme s'ils posaient une question. Il semblait que par l'harmonieux partage de leur stature fraternelle leurs corps montassent d'une racine unique. Ils se regardèrent dans les yeux avec curiosité, comme s'ils se voyaient pour la première fois. Et bien qu'ils n'eussent pu raconter ce qui s'était réellement produit, parce qu'ils y avaient été mêlés de trop près, ils n'en croyaient pas moins savoir qu'ils venaient de se trouver par mégarde, un instant, au cœur de cet état commun aux frontières duquel ils avaient longtemps hésité, qu'ils s'étaient déjà mille fois décrit, mais qu'ils n'avaient jamais considéré que du dehors.

Y repensaient-ils de sang-froid, et c'est ce qu'ils faisaient tous deux à la dérobée, ils voyaient bien qu'il n'y avait pas eu là grand'chose de plus qu'un hasard excitant qui aurait dû, au bout d'un instant ou pour peu qu'ils se fussent laissés reprendre par quelque occupation, se réduire à rien. Néanmoins il n'en fut pas ainsi, bien au contraire : ils quittèrent la fenêtre, firent de la lumière, reprirent leurs occupations, mais bientôt ils les laissaient de nouveau; sans qu'ils eussent eu à s'entendre là-dessus, Ulrich décrocha le récepteur et fit savoir aux gens chez qui ils étaient attendus qu'ils ne viendraient pas. Il avait déjà son habit de soirée, mais Agathe n'avait pas encore fermé sa robe à l'épaule, elle se contentait d'essayer de remettre de l'ordre dans sa coiffure. La résonance mécanique de la voix dans le récepteur, pas plus que ce contact d'un instant avec le monde, n'avait dégrisé Ulrich. Il s'assit en face de sa sœur qui s'était arrêtée au milieu de ce qu'elle faisait. Lorsque leurs regards se croisèrent, il n'y eut plus entre eux qu'une seule certitude : c'est que tout était décidé et que tous les interdits maintenant leur étaient indifférents. Pourtant il n'en fut pas ainsi. Chacune de leurs respirations leur publiait leur connivence; ils subissaient, en bravant autrui, ce besoin commun de se délivrer enfin de la tristesse du désir, mais le subir avait déjà tant de douceur que les images de l'accomplissement étaient bien près de se détacher d'eux et les unissaient déjà dans leur imagination, comme la tempête, devant les vagues, cravache un voile d'écume; une exigence plus forte encore leur commandait le calme, et ils furent incapables de se toucher à nouveau. Ils voulurent essayer, mais les gestes de la chair leur étaient devenus impossibles et ils ressentaient comme un avertissement ineffable qui n'avait rien à voir avec les commandements de la morale. Il semblait que, de ce monde où l'union, bien qu'encore presque irréelle, est plus parfaite, et qu'ils venaient de savourer comme dans une métaphore exaltée, un commandement plus élevé les eût atteints; que le souffle d'un pressentiment, d'une curiosité, d'une prévision plus haute les eût effleurés.

Tous deux étaient maintenant en attente, troublés et pensifs. Quand leur émotion fut apaisée, ils se mirent, avec hésitation à parler.

Ulrich dit absurdement, comme quand on parle en l'air : « Tu es la lune... »

Agathe comprenait.

Ulrich dit : « Tu t'es envolée dans la lune et la lune t'a rendue à moi... »

Agathe ne disait rien. Ces dialogues lunaires sont si profondément usés!

Ulrich dit : « C'est une image. *Nous étions hors de nous, nous avions échangé nos corps sans nous toucher* sont aussi des images! Mais qu'est-ce qu'une image ? Un peu de réalité et beaucoup d'exagération. Je jurerais pourtant, aussi vrai que c'est impossible, que l'exagération, cette fois, a été très minime et la réalité presque immense déjà! »

Il ne continua pas. Il pensait : « De quelle réalité est-ce que je parle ? Y en a-t-il une seconde ? »

Si l'on quitte ici le dialogue du frère et de la sœur à la poursuite d'une possibilité de comparaison qui l'avait en tous cas déterminé, il serait peut-être nécessaire de dire que cette réalité était vraiment très proche de celle qui naît fantastiquement du pouvoir de métamorphose des nuits de lune. Ne voir dans cette réalité-là que le prétexte à l'un de ces mouvements d'exaltation que l'on préfère réprimer durant le jour, c'est bien mal le comprendre. La vérité est ce fait absolument incroyable que, sur un coin de terre, sitôt qu'ils passent de la vaine activité du jour dans la charnelle sensibilité de la nuit, tous les sentiments, comme ensorcelés, réellement se métamorphosent! Non seulement les correspondances extérieures s'y fondent pour se reformer dans le murmure nuptial de l'ombre et de la lumière, mais les correspondances intérieures elles-mêmes se créent de nouvelles figures : le mot qu'on prononce, en perdant son sens propre, gagne un sens voisin. Toutes les assurances qu'on se donne n'expriment plus que le flux d'un événement unique. La nuit brillante enferme en ses bras maternels toutes les contradictions, et sur son cœur il n'est plus de parole vraie ou fausse, chacune étant, hors de l'obscur, l'incomparable naissance de l'esprit, celle que l'homme connaît dans l'invention d'une pensée. Ainsi tout ce qui se passe dans les nuits de lune a le caractère de ce qui ne se reproduit jamais, le caractère de ce qui est plus grand que nature, de la générosité et du dessaisissement désintéressés. Tout ce dont on se fait part naît d'un partage sans réserve. Donner, c'est chaque fois recevoir. Toute conception et l'ivresse de la nuit sont intimement entrelacées. Cet état seul permet d'accéder à la conscience de l'événement. Dans ces nuits-là, le Moi ne retient rien en lui-même, nulle condensation de son avoir, à peine un souvenir; le Soi-même exalté rayonne dans un oubli infini de soi-même. Et ces nuits vous imposent le sentiment absurde qu'il va peut-être se passer quelque chose d'inouï, de ces choses mêmes que la raison diurne, appauvrie, serait bien en peine d'imaginer. Ce n'est pas la bouche qui délire, mais entre les ténèbres de la terre et la lumière du ciel, le corps est pris dans une fièvre qui vibre entre deux constellations. Le chuchotement du dialogue déborde d'une sensualité tout inconnue, qui n'est pas la sensualité d'une personne mais celle des choses de la terre, de tout ce qui force la sensibilité : la tendresse soudain dévoilée du monde qui ne cesse jamais de toucher nos sens et d'être touchée par eux.

Sans doute Ulrich ne s'était-il jamais découvert une prédilection particulière pour l'ivresse des clairs de lune. Mais, de même qu'on avale ordinairement la vie sans s'en rendre compte et que parfois, beaucoup plus tard, on en retrouve sur la langue le goût spiritualisé, de même, tout ce qu'il avait laissé perdre d'enivrements, toutes les nuits qu'il avait passées distrait et solitaire, avant de connaître sa sœur, lui apparaissaient maintenant sous la forme de broussailles infinies inondées d'argent, de lacs de lune dans l'herbe, de pommiers surchargés, de gelées qui chantent, d'eaux noires couvertes d'or. Ce n'étaient que détails hétérogènes et qui jamais n'avaient été harmonisés, mais qui se mêlaient maintenant comme le parfum qui s'exhale d'un vin herbé. Quand il le dit à Agathe, elle l'éprouva également.

C'est pourquoi Ulrich en vint à tout résumer dans cette affirmation : « Ce qui dès le premier moment nous a tournés l'un vers l'autre, c'est une vraie vie de nuits de lune! » Agathe respira profondément. Cela pouvait signifier n'importe quoi; probablement cela voulait-il dire : « Pourquoi ne connais-tu pas aussi un philtre contre ce qui, au dernier moment, nous sépare ? » Son soupir avait été si familier, si naturel, qu'elle-même ne se rendit pas compte qu'elle soupirait.

Ainsi s'ébaucha de nouveau un mouvement qui les fit pencher l'un vers l'autre et les sépara l'un de l'autre. Toute surexcitation partagée jusqu'au bout par deux êtres laisse en eux la nue intimité de l'épuisement; si même la lutte provoque un tel état, combien plus, par conséquent, la tendresse de ces sentiments qui font chanter les os comme des flûtes! Lorsqu'il entendit Agathe gémir sans un mot, Ulrich, ému, l'aurait enlacée tout de même, avec le ravissement d'un amant au matin qui suit les premières tempêtes. Sa main touchait déjà l'épaule encore nue d'Agathe qui, à ce contact, frissonna en souriant; mais tout de suite réapparut dans ses yeux cette dissuasion plus forte qu'elle. D'étranges images se formaient maintenant dans le cerveau d'Ulrich : Agathe derrière des grilles; ou bien lui faisant un signe angoissé à travers la distance grandissante, séparée de lui par la poigne brutale d'autres hommes; puis, de nouveau, il n'était plus seulement celui qu'on quitte, impuissant, mais la cause de la séparation... Peut-être était-ce là les éternelles images des aléas de l'amour, celles dont chacun abuse, peut-être était-ce autre chose encore. Il lui en aurait volontiers parlé, mais Agathe maintenant détournait de lui son regard en cherchant la fenêtre ouverte, et se levait avec hésitation. La fièvre de l'amour était dans leurs corps, mais ceux-ci n'osaient aucun recommencement, et au-delà de la fenêtre dont les rideaux étaient presque tout ouverts il y avait cela qui leur avait accaparé l'imagination sans laquelle la chair n'est que brutale ou découragée. Lorsque Agathe fit les premiers pas dans la direction de la fenêtre, Ulrich, devinant sa complicité, éteignit la lumière pour laisser place au spectacle de la nuit. La lune s'était élevée derrière les cimes des pins dont la noirceur, où du vert couvait encore, se détachait mélancoliquement sur le bleu doré de la hauteur et les scintillements pâles de l'horizon. Agathe mesura du regard, avec agacement, la profondeur de ce petit fragment de monde.

« Alors, du simple romantisme de clair de lune ? » interrogea-t-elle.

Ulrich la regarda sans répondre. Dans la demi-obscurité, sa chevelure blonde, à côté de la nuit blanchâtre, devenait comme de feu, ses lèvres étaient entr'ouvertes par l'ombre, sa beauté douloureuse, irrésistible. Mais dans les yeux d'Agathe Ulrich avait probablement la même apparence, avec ses orbites bleues dans son visage blanc, et elle continua : « Sais-tu de quoi tu as l'air maintenant ? D'un Pierrot lunaire! Voilà qui invite à la prudence! » Elle voulait lui faire un peu mal, dans cette excitation qui la menait au bord des larmes. Tous les jeunes inutiles, dans leur douleur fantasque, s'étaient apparu naguère sous le masque blafard du solitaire et lunaire Pierrot, poudrés de craie blême à l'exception des lèvres rouge-sang, et délaissés par une Colombine qu'ils n'avaient jamais possédée; disant cela, elle rabaissait l'amour des nuits de lune à quelque chose d'infiniment ridicule. Ulrich se mit volontiers à l'unisson de la souffrance, toujours plus vive, de sa sœur : « Le *Ris donc, Paillasse!* aussi a déjà fait courir dans le dos de milliers de petits-bourgeois le frisson du plus profond assentiment », dit-il amèrement. Mais ensuite, à mi-voix, il ajouta comme une insinuation : « Tout ce cycle de sentiments est suspect. Néanmoins, tu m'apparais telle, en ce moment, que pour lui je donnerais tous les souvenirs de ma vie! » La main d'Agathe avait trouvé celle d'Ulrich. Il continua à mi-voix, passionnément : « Notre temps ne comprend plus parmi les extases du sentiment que l'extase *sentimentale*, et il a réduit l'ivresse lunaire à un méprisable excès de ce genre. Il ne pressent pas que cette extase, à moins qu'elle ne soit un trouble mental incompréhensible, ne peut être qu'un fragment d'une autre vie! »

Ces mots, justement parce que peut-être exagérés, avaient la ferveur, les ailes de l'aventure. « Bonne nuit! » dit Agathe soudain, en les emportant avec elle. Elle s'était dégagée et tira si précipitamment le rideau que l'image du couple debout dans le clair de lune disparut comme frappée d'un coup. Avant qu'Ulrich eût fait de la lumière, elle avait réussi à quitter la chambre.

Ulrich lui laissa encore du temps.

« Tu dormiras cette nuit avec autant d'impatience qu'à la veille d'une grande excursion! cria-t-il derrière elle.

— C'est bien ce que je veux! » fut la réponse, tandis que la porte se fermait.

46. *Rayons de lune en plein jour.*

Lorsqu'ils se revirent le lendemain matin, ce fut d'abord, de loin, comme quand on tombe, dans une demeure connue, sur un tableau inconnu, comme quand on aperçoit, dans le libre éparpillement de la nature, une grande statue : du fond fluide de l'existence s'élève à l'improviste, sous une forme perceptible au sens, une île de signification, une élévation et une condensation de l'esprit. Mais quand ils s'approchèrent l'un de l'autre, ils furent gênés, et de la nuit précédente ne restait plus dans leur regard que la fatigue qui les ombrait d'une tendre chaleur.

Peut-être l'amour serait-il moins admiré s'il ne fatiguait pas. Lorsqu'ils sentirent les séquelles de leur excitation de la veille, ils en furent heureux, comme des amants se font gloire d'avoir failli mourir de plaisir. Néanmoins, la joie qu'ils se procuraient l'un à l'autre n'était pas seulement ce sentiment, mais aussi une excitation de l'œil : les formes et les couleurs qui s'offraient à eux étaient dissoutes, sans fond, et néanmoins frappantes comme un bouquet de fleurs traînant sur une eau sombre. Elles étaient plus nettement délimitées que d'ordinaire, mais d'une manière telle qu'on ne pouvait dire si cela tenait à la netteté de leur apparition ou à son animation plus profonde. L'impression relevait autant du domaine défini de la perception et de l'attention que de celui, imprécis, du sentiment; cela même la faisait flotter entre le dedans et le dehors comme le souffle qu'on retient flotte entre l'inspiration et l'expiration. Par un singulier contraste avec son intensité, il était difficile de distinguer si cette impression appartenait au monde du corps ou si elle avait simplement sa source dans une participation interne accrue. Ulrich et Agathe ne cherchaient pas à le distinguer d'ailleurs, car une sorte de pudeur de la raison les retenait; longtemps après encore, elle les contraignit à garder leurs distances, bien que leur sensibilisation durât et pût laisser croire que s'était soudain modifié légèrement le tracé des frontières qui les séparaient l'un de l'autre comme elles les séparaient du monde.

On avait de nouveau un temps d'été, et ils restaient volontiers dehors. Dans le jardin, les fleurs et les arbustes fleurissaient. Quand Ulrich considérait une fleur (ce qui n'était pas précisément une vieille habitude chez cet homme naguère impatient), il lui arrivait maintenant de ne plus trouver de fin, et, pour tout dire, de commencement à sa contemplation. Connaissait-il par hasard le nom de la fleur, il se trouvait sauvé des eaux de l'infinitude. Ces étoiles d'or sur une tige nue s'appelaient des jonquilles, ces feuilles et ces ombelles précoces étaient des sureaux. S'il ignorait le nom, il appelait le jardinier; le vieillard lui citait un terme inconnu et la magie primitive du vocable exact qui protège de la sauvagerie des choses exerçait son pouvoir apaisant comme dix mille ans auparavant. Il arrivait cependant qu'Ulrich se trouvât seul et sans recours devant tel de ces rameaux ou de ces fleurs et qu'Agathe ne fût même pas là pour partager son ignorance : alors, brusquement, il lui semblait impossible de comprendre le vert clair d'une jeune feuille, et la plénitude formelle, si mystérieusement dessinée, d'un petit calice devenait un cercle continu de possibilités innombrables.

De plus, un homme comme lui, s'il ne voulait pas se mentir (et il ne le devait pas, ne fût-ce que pour Agathe), n'avait guère la resssource de croire à un rendez-vous timide avec la Nature. Ses clins d'yeux et ses murmures, sa dévotion et ses musiques muettes sont plutôt le privilège d'une certaine simplicité qui, à peine la tête dans l'herbe, se croit chatouillée par Dieu, bien qu'elle ne voie aucun mal, les jours de semaine, à ce que la même Nature aboutisse au Marché aux fruits. Ulrich détestait cette mystique à bon compte, démesurément médiocre dans son perpétuel enthousiasme; il préférait encore s'abandonner à l'impuissance de définir avec des mots une couleur pourtant palpable ou de décrire l'une de ces formes qui parlaient pour elles-mêmes d'une façon si intense et si machinale. La parole, dans cet état, s'émousse et le fruit reste sur la branche alors qu'on le croit déjà en bouche : c'est sans doute le premier mystère de la mystique diurne. Ulrich s'efforçait de l'expliquer à sa sœur, dans le secret espoir, sans doute, qu'il ne s'évanouît pas quelque jour telle une illusion.

C'est pourquoi, après ces heures de passion, s'éployèrent des heures de conversation plus sereine, presque distraite même quelquefois, qui leur servaient à se protéger l'un de l'autre, bien qu'ils fussent parfaitement lucides. D'ordinaire, ils s'étendaient dans le jardin sur deux grandes chaises-longues qu'ils traînaient à la suite du soleil; ce soleil de début d'été brillait pour la millionième fois sur le miracle qu'il provoque chaque année, Ulrich disait beaucoup de choses qui lui passaient par la tête et s'arrondissaient prudemment comme la lune, un peu pâle maintenant et presque sale, ou pareille à une bulle de savon. Il ne fut pas long à évoquer cette funeste et souvent fatale absurdité: que toute intelligence suppose une sorte de superficialité, un mouvement vers la surface qui s'exprime d'ailleurs dans le mot « comprendre » et se rattache au fait que les expériences originales ne sont pas comprises séparément, mais les unes par rapport aux autres, qu'elles sont inévitablement liées plutôt par la surface que par la profondeur. Puis il dit : « Si donc j'affirme que cette pelouse devant nous est verte, si précis que cela paraisse, c'est encore assez peu dire. Pas davantage, en vérité, que d'observer, à propos de quelque passant, qu'il est de la famille Vert. Il y a tant de Verts! Il vaut donc mieux que je me contente de constater que cette pelouse verte est vert-pelouse, ou qu'elle est verte comme une pelouse sur laquelle il vient de pleuvoir un peu... » En clignant des yeux, il regarda paresseusement l'étendue d'herbe jeune éclairée par le soleil et dit : « C'est probablement ainsi que tu la décrirais, toi que le maniement des étoffes a habituée à ces évocations. Moi, en revanche, je pourrais mesurer cette couleur : à vue de nez, elle devrait avoir une longueur d'onde de cinq cent quarante millionièmes de millimètres... Alors ce vert semblerait vraiment saisi, attrapé à un endroit précis! Déjà pourtant il m'échappe à nouveau, regarde : cette couleur du terrain a aussi sa matière, qu'on ne peut définir en termes de couleur, parce que ce même vert, sur de la soie ou de la laine, serait différent. Nous voici renvoyés à cette découverte profondément éclairante que l'herbe verte est vert d'herbe! »

Appelée en témoignage, Agathe trouva très compréhensible qu'on ne pût rien comprendre et répliqua : « Essaie donc d'observer un miroir pendant la nuit : il est sombre, il est noir, tu ne vois presque rien; pourtant, ce rien se distingue nettement du rien de l'obscurité qui l'entoure. Tu devines le verre, le redoublement de la profondeur, une ultime possibilité de miroitement... et néanmoins tu ne vois rien du tout! »

Ulrich rit de l'empressement de sa sœur à insulter le savoir.

Il était loin de dénier toute valeur aux concepts et il savait bien à quoi ils servent, même s'il feignait le contraire. Ce qu'il voulait souligner, c'était le caractère insaisissable des expériences isolées, des expériences qu'une raison bien claire vous oblige à subir absolument seul, même quand on est deux. Il répéta : « Le Moi ne saisit jamais ses impressions ni ses créations isolément, mais toujours dans un contexte, dans un accord réel ou imaginé, un rapport de ressemblance ou de dissemblance. Ainsi, tout ce qui porte un nom s'étaie mutuellement, forme des perspectives, des enfilades solidaires, traversées de tensions communes, à l'intérieur de vastes ensembles illimités. C'est aussi pourquoi », dit-il brusquement sur un autre ton, « si, sous un quelconque prétexte, ces rapports se défont et qu'aucune des classifications internes ne peut s'appliquer, on se retrouve brusquement devant la création indescriptible, inhumaine, la création informe et condamnée ! » Ils étaient revenus ainsi à leur point de départ. Agathe, elle, sentait la création obscure, l'abîme du monde, le dieu qui devait l'aider !

Son frère dit : « La compréhension fait place à un étonnement inépuisable, la moindre expérience (ce brin d'herbe ou la douce sonorité des mots que tes lèvres forment là-bas) devient incomparable, unique au monde, avec une originalité insondable et un rayonnement enivrant... »

Il se tut, roula un brin d'herbe entre ses doigts d'un air irrésolu et entendit avec ravissement Agathe, apparemment aussi sereine que frivole, rétablir la conversation dans sa chair. Elle répondit en effet : « S'il faisait plus sec, je voudrais me coucher dans l'herbe ! Si nous partions en voyage ? J'aimerais tant être couchée dans un pré, rendue modestement à la nature comme un soulier qu'on a jeté !

— Ce serait du même coup perdre tous les sentiments, dit Ulrich. Dieu seul sait ce qu'il adviendrait de nous si ces amours, ces haines, ces souffrances, ces bontés qui semblent n'appartenir qu'à l'individu seul n'apparaissaient, eux aussi, en troupeaux. Sans doute toute capacité d'agir et de penser nous serait-elle retirée : notre âme est faite pour ce qui se répète, non pour ce qui sort entièrement du rang... » Il se sentit oppressé, pensa s'être aventuré dans le vide et considéra, le front ridé d'inquiétude, le visage de sa sœur.

Mais le visage d'Agathe était plus limpide encore que l'air qui l'encadrait et jouait avec sa chevelure, lorsqu'elle lui répondit par une citation. « Pas plus que je ne sais où je suis, je ne me cherche; je n'en veux rien savoir, je n'en veux point être informée. Je suis immergée dans la source de son amour comme si j'étais sous les eaux de la mer et ne pouvais rien voir ou sentir de toutes parts que l'eau.

— D'où tires-tu cela ? » demanda Ulrich avec curiosité. Alors seulement, il vit entre les mains d'Agathe un livre qu'elle avait trouvé dans sa bibliothèque.

Agathe ne le lui laissa pas prendre et lut à haute voix, sans répondre : « J'ai surmonté tous mes pouvoirs sauf la force obscure. Alors j'entendis sans aucun son, alors je vis sans aucune lumière. Puis mon cœur n'eut plus de fond, mon âme plus d'amour, mon esprit plus de forme, ma nature plus d'essence. »

Ulrich reconnut alors le volume et sourit, tandis qu'Agathe répondait enfin : « De tes livres. » Fermant le livre, elle acheva de mémoire sa citation par cette interpellation : « Es-tu toi-même ou ne l'es-tu pas ? Je n'en sais rien, je n'en ai pas connaissance, je n'ai pas connaissance de moi-même. Je suis amoureuse, mais je ne sais pas de qui; je ne suis ni fidèle ni infidèle. Que suis-je donc ? Je n'ai pas connaissance de mon amour : j'ai le cœur à la fois plein d'amour et vide d'amour! »

D'ordinaire aussi, son excellente mémoire n'élaborait pas volontiers ses souvenirs en concepts, mais les conservait chacun avec sa présence charnelle, comme on garde à l'esprit des poèmes : d'où, toujours, cette participation étrange du corps et de l'âme à ses paroles, même quand elles étaient banales. Ulrich se souvint de cette scène, avant l'enterrement de son père, où elle lui avait récité ces beaux vers sauvages de Shakespeare. « Sa nature est infiniment plus sauvage que la mienne! se dit-il. Je n'ai pas osé dire grand'chose aujourd'hui!... » Il repensa à l'explication qu'il lui avait donnée de la « mystique diurne » : somme toute, il n'avait fait là que reconnaître la possibilité de s'écarter parfois de l'ordre habituel et traditionnel de l'expérience vécue. Si on le comprenait ainsi, ses expériences ne faisaient qu'obéir à une loi un peu plus passionnée que celle de l'expérience ordinaire, petits enfants de bourgeois tombés dans une troupe de comédiens ambulants. Il n'avait pas eu le courage d'en dire plus, bien que chaque fragment d'espace entre lui et sa sœur, depuis des jours, débordât d'événements inachevés! Peu à peu, il commença à se poser une question : n'était-il pas possible de croire plus qu'il ne l'avait admis ?

Après que le dialogue eut culminé dans ce moment intense, Agathe et Ulrich s'étaient laissés retomber dans leurs chaises-longues, et le silence du jardin vint recouvrir les paroles évanouies. Dans la mesure où l'on a dit qu'Ulrich avait commencé à se poser une question, il faut préciser que mainte réponse précède sa question comme un homme pressé son manteau ouvert et flottant. L'idée qui poursuivait Ulrich était surprenante; somme toute, elle ne requérait pas non plus la foi, mais son apparition provoquait l'étonnement et l'impression qu'une inspiration pareille ne devait plus jamais être oubliée : au regard de ses exigences, c'était assez inconfortable. La pensée d'Ulrich n'était pas tant privée de Dieu qu'indépendante de Lui : comme dans les sciences, il fallait abandonner au sentiment toutes les possibilités de retour à Dieu, celles-ci, loin de favoriser la connaissance, ne pouvant que l'égarer. Alors non plus, il ne douta pas que ce fût la seule méthode juste : l'esprit humain n'a obtenu de succès tangibles que du jour où il s'est écarté du chemin de Dieu. Pourtant, l'idée qui le visitait lui disait : « Et si ce refus du divin était justement l'itinéraire d'aujourd'hui vers Dieu ? Chaque époque a eu dans ce sens l'itinéraire approprié à ses plus grandes forces spirituelles. Notre destin, le destin d'une époque d'expérience intelligente et entreprenante, ne serait-il pas dès lors de nier les rêves, les légendes et les notions trop subtiles pour la simple raison qu'arrivés au sommet de l'exploration et de la découverte du monde, nous nous tournerons de nouveau vers Lui et inaugurerons avec Lui de nouvelles relations expérimentales ? »

Cette conclusion n'avait aucune force démonstrative, Ulrich le savait; elle devait même sembler absurde à la plupart, mais cela ne l'inquiétait pas. Lui-même, en fait, n'aurait pas eu le droit de la penser. L'attitude scientifique (il venait d'en faire une règle), outre la logique, consistait à plonger les notions acquises à la surface, par l'expérience, dans la profondeur des phénomènes, et à expliquer ceux-ci par celles-là. On vide, on aplatit le terrestre pour pouvoir s'en rendre maître, et on serait tenté de dire qu'il ne faut pas étendre ce procédé au supra-terrestre. Mais Ulrich, maintenant, combattait cette objection : le désert n'est pas une objection, il a toujours été le berceau des visions célestes; de plus, comment prévoir des espérances encore irréalisées! Il ne voyait pas qu'il se trouvait peut-être alors dans une seconde contradiction avec lui-même, ou qu'il avait pris une direction différente de la sienne propre : saint Paul dit que la foi est l'attente confiante de ce que l'on espère et l'assurance de ce que l'on ne voit pas : cette définition d'une foi orientée vers le tangible qui est devenue la conviction des gens cultivés était juste le contraire des plus fermes convictions d'Ulrich. Considérer la foi comme une réduction du savoir était contraire à sa nature, car cette foi-là est toujours « contre sa propre conviction ». Il lui avait été donné en revanche de reconnaître dans le « pressentiment *selon* sa conviction » un état particulier et un champ libre pour les esprits entreprenants. Que cette contradiction, maintenant, se fût atténuée devait lui coûter beaucoup de peine plus tard; sur le moment, il ne s'en aperçut pas, si nombreuses étaient les pensées secondaires qui l'occupaient et le distrayaient alors.

Il choisit des exemples au hasard. La vie devenait toujours plus uniforme et impersonnelle. Dans les plaisirs, les excitations, les délassements, dans les passions même, la normalisation, la mécanique, la statistique s'insinuaient. La volonté de vivre s'élargissait, s'étalait comme un fleuve qui hésite devant son embouchure. La volonté de créer, déjà, se mettait elle-même en doute. Il semblait que l'époque entreprît de dévaluer l'individu sans pouvoir compenser cette perte par de nouvelles réalisations communes. Tel était son visage. Et ce visage si difficile à comprendre, ce visage qu'Ulrich avait aimé naguère et dont il avait essayé de faire le cratère boueux d'un véhément volcan, parce qu'il se sentait jeune comme des milliers d'autres hommes; ce visage dont il s'était, comme des milliers d'autres, détourné, parce qu'il ne supportait plus qu'il fût si affreusement défiguré, ce visage, il suffisait d'une pensée pour qu'il se transfigurât, devînt serein, sournoisement beau, et rayonnât de l'intérieur! Qu'en serait-il, en effet, si c'était Dieu lui-même qui dévaluait le monde? Celui-ci ne retrouverait-il pas du coup sens et plaisir? Dieu ne serait-il pas forcé d'ailleurs de le dévaluer au moindre pas qu'il ferait pour s'en approcher? Dès lors, l'unique aventure réelle ne serait-elle pas d'en percevoir au moins l'ombre annonciatrice? Ces réflexions s'enchaînaient en dépit de la raison comme une suite d'aventures, si insolites dans le cerveau d'Ulrich qu'il croyait rêver. De temps en temps, il jetait un regard prudent du côté de sa sœur, comme s'il craignait qu'elle ne devinât ce qu'il faisait; il apercevait ainsi, quelquefois, sa tête blonde comme de la lumière dans la lumière devant le ciel, et il voyait l'air qui jouait dans ses cheveux jouer aussi avec les nuages.

Alors, elle aussi se redressait un peu et regardait avec étonnement autour d'elle. Elle essayait d'imaginer ce que ce serait de « perdre tous les sentiments de la vie ». Même la pièce, ce cube vide toujours semblable à lui-même, avait changé, pensait-elle. Quand elle gardait un instant les yeux fermés puis les rouvrait, si bien que le jardin lui apparaissait intact comme s'il venait d'être créé, elle remarquait avec la netteté immatérielle d'une vision que la ligne sur laquelle son frère et elle étaient situés se distinguait de toutes les autres : le jardin « était debout » de chaque côté de cette ligne; sans que rien n'eût changé aux arbres, aux allées ni aux autres éléments du décor réel, ce dont il lui était facile de s'assurer, toutes choses maintenant s'axaient sur cette ligne et en recevaient visiblement une invisible modification. Cela pouvait sembler contradictoire; elle aurait pu dire également que le monde là-bas était plus doux, plus douloureux peut-être aussi : l'étrange était qu'on crût percevoir ce changement avec les yeux. De plus, ce qui frappait dans cette vue était que les formes environnantes paraissaient étrangement abandonnées et en même temps, étrange délice, animées, avec l'apparence d'une tendre mort ou d'une impuissance passionnée : comme si elles venaient d'être quittées par quelque chose d'indicible qui leur prêtait une sensualité et une émotivité proprement humaines. Le sentiment du temps avait subi la même altération que le sentiment de l'espace; ce ruban d'eau courante, cet escalier roulant avec son sinistre arrière-plan de mort semblait souvent s'immobiliser, et souvent s'écouler sans aucun lien avec le reste. Il suffisait d'un instant de la vie extérieure pour qu'il disparût intérieurement sans qu'aucune trace permît de déceler s'il s'était agi d'une heure ou d'une minute.

Une fois, Ulrich surprit sa sœur au milieu d'une de ces tentatives et il dut en deviner quelque chose, car il lui dit à mi-voix, avec un sourire : « Une prophétie assure que pour les dieux, un siècle n'est rien de plus qu'un battement de leurs paupières! » Puis, tous deux se laissèrent retomber en arrière et continuèrent à écouter les propos de rêve du silence.

Agathe pensa : « C'est lui seul qui m'a valu cela : pourtant, chaque fois qu'il sourit, il doute! » Mais le soleil déversant continuellement sa chaleur tombait doucement comme un somnifère sur les lèvres ouvertes d'Ulrich, Agathe le sentait sur les siennes et se sentait confondue avec son frère. Elle essaya de se transporter en lui et de deviner ses pensées; ils ne se le permettaient pas d'ordinaire parce que c'était une intrusion et non l'effet de la participation créatrice : l'exception en fut d'autant plus intime. « Il ne veut pas que cela devienne une simple histoire d'amour! pensa-t-elle. C'est aussi mon désir. » Tout de suite après, elle pensa : « Après moi, il n'aimera plus d'autre femme, car ce n'est plus une histoire d'amour : au fond, c'est la dernière histoire d'amour possible! » Et elle se dit encore : « Sans doute serons-nous une sorte de Derniers Mohicans de l'amour! » Elle aussi pouvait prendre ce ton de raillerie un instant, car si elle envisageait tout à fait honnêtement les choses, même ce jardin enchanté où elle vivait avec Ulrich était, bien entendu, plus un désir qu'une réalité. Elle ne pensait pas vraiment que le Règne millénaire eût déjà commencé, malgré ce nom, choisi par Ulrich, qui évoquait la terre ferme. Elle sentait même que sa force de désir l'abandonnait et qu'à l'endroit où d'ordinaire les rêves naissaient en elle, elle ne savait où, un amer dégrisement la gagnait. Elle se souvint qu'avant Ulrich, elle eût été plus prompte à croire qu'un sommeil éveillé comme celui où son âme se balançait maintenant pourrait la conduire derrière la vie vers le réveil d'après la mort, la proximité de Dieu, des puissances qui viendraient la chercher, ou simplement à côté de la vie, vers l'abolition des concepts et vers un passage dans des forêts et des prairies d'images : jamais elle n'avait su clairement de quoi il s'agissait! Maintenant, elle s'efforçait de se rappeler ces images d'autrefois. Elle ne put retrouver qu'un hamac tendu entre deux doigts géants et balancé par une patience infinie; puis elle était surprise en silence, comme par de hauts arbres entre lesquels on se sent monter et disparaître; enfin un rien dont le contenu était mystérieusement tangible : c'était sans doute tous les mixtes de suggestion et d'imagination dans lesquels son désir avait trouvé jadis une consolation. Mais n'était-ce vraiment que des mixtes ou des moitiés ? Un fait très remarquable parut frapper peu à peu Agathe. « Vraiment, pensa-t-elle, c'est bien comme on dit : un trait de lumière! Et plus il dure, plus il s'élargit! » En effet, tout ce qu'elle s'était imaginé naguère se retrouvait dans presque tout ce qui apparaissait maintenant calme et durable aussi souvent qu'elle portait son regard au dehors! C'était entré sans un bruit dans le monde. A vrai dire (en opposition avec ce qu'eût été sans doute l'expérience d'un croyant littéral), Dieu était resté éloigné de son aventure, mais, pour compenser, maintenant, elle ne s'y trouvait plus seule engagée : c'était les deux seules modifications qui lui permissent de distinguer la réalisation de la prédiction, et elles s'étaient produites à l'avantage du monde terrestre et naturel.

47. *Promenades dans la foule.*

Dans la période qui suivit, ils se retirèrent de la vie mondaine et surprirent beaucoup leurs connaissances en disparaissant, sous prétexte de voyage.

Le plus souvent, ils étaient clandestinement chez eux, et quand ils sortaient, ils évitaient les lieux où ils risquaient de rencontrer des gens de leur milieu; ils fréquentaient des cabarets et de petits théâtres où ils jugeaient ce danger moins grand. En général, ils se contentaient de suivre, dès qu'ils quittaient la maison, les courants des métropoles qui sont à l'image de leurs besoins et selon l'heure, avec une régularité de marées, compressent ici et là aspirent les foules. Ils s'y abandonnaient sans intention précise. Il leur plaisait de faire ce que faisait la foule et de participer à une vie qui les déchargeait pour un instant de la responsabilité de la leur. Jamais la ville où ils vivaient ne leur avait paru à la fois si belle et si étrangère. Même quand dans certains de leurs détails, ou prises isolément, les maisons n'étaient pas belles, leur ensemble composait un spectacle admirable. Le bruit ruisselait dans l'air raréfié par la chaleur comme un fleuve qui eût atteint la hauteur des toits. Dans la forte lumière étouffée par la profondeur de la rue, les passants avaient l'air plus passionné et plus mystérieux qu'ils ne le méritaient vraisemblablement. Toutes choses sonnaient, sentaient, paraissaient d'une manière unique et inoubliable, comme proclamant l'idée qu'elles se faisaient d'elles-mêmes dans leur instantanéité; et le frère et la sœur n'acceptaient pas sans plaisir cette invite du monde extérieur.

Cela n'allait pas néanmoins sans réserve, car ils devinaient la faille qui courait au travers. Le vague secret qui les liait, bien qu'ils ne pussent en parler librement, les isolait des autres hommes; mais la même passion qu'ils éprouvaient continuellement, parce qu'elle ne s'était pas tant brisée sur une interdiction que sur une promesse, les avait laissés dans un état qui n'était pas sans ressembler aux lourds entr'actes de l'amour charnel. Le plaisir sans exutoire retombait dans leur corps et l'emplissait d'une tendresse aussi incertaine qu'un jour d'automne tardif ou une précoce journée de printemps. Même s'ils n'éprouvaient pas pour tous les êtres et pour le monde les mêmes sentiments que l'un pour l'autre, ils n'en sentaient pas moins la belle ombre des chimères tomber sur leur cœur, et celui-ci, quoi qu'il lui arrivât, ne pouvait pas plus croire entièrement à la tendre illusion que s'y dérober tout à fait.

Les jumeaux volontaires en retiraient l'impression que leur attente et leur ascèse les rendaient sensibles à tous les rêves inaboutis du monde, mais aussi aux limites que la réalité et la vigilance imposent à tous les sentiments. Ainsi leur devint évidente la nature ambiguë de la vie qui alourdit toute grande aspiration d'une aspiration plus vulgaire. A tout progrès elle lie une régression et à toute force une faiblesse; elle ne donne à personne un droit qu'elle n'ait enlevé à un autre, elle n'ordonne aucun chaos sans créer de nouveaux désordres, et elle semble ne provoquer le sublime que pour décorer la platitude, à la prochaine occasion, des honneurs qu'il méritait. Ainsi, une organisation absolument inextricable et peut-être profondément nécessaire combine les plus nobles efforts humains avec la production de leur contraire et rend la vie difficilement supportable (sans parler de toutes ses autres contradictions et bipartitions) pour des êtres pleins d'intelligence (ou seulement, selon ce qui vient d'être dit, à demi-pleins); mais, du même coup, elle les pousse à en chercher une explication.

Cette collusion du bon et du mauvais côté de la vie a été jugée très diversement. De pieux contempteurs de l'homme y ont vu une conséquence de la caducité terrestre; de rudes gaillards, le morceau le plus juteux du plat de la vie; les hommes moyens se sentent aussi à l'aise dans cette contradiction qu'entre leur main gauche et leur main droite; celui qui pense avec prudence dit simplement que le monde n'a pas été fait pour correspondre aux concepts humains. On a vu là une imperfection du monde ou une imperfection de la pensée, on l'a acceptée tantôt avec une confiance enfantine, tantôt avec mélancolie, tantôt avec une indifférence hautaine. Finalement, en décider est plutôt une affaire de tempérament qu'une tâche digne de la froide raison. Toutefois, aussi sûrement que le monde n'est pas fait pour correspondre aux exigences humaines, les concepts humains, eux, sont faits pour s'adapter au monde, car ils n'ont pas d'autre tâche. Pourquoi n'y parviennent-ils jamais, et justement dans le domaine du Bon et du Beau, c'est une question qui demeure étrangement ouverte. Les promenades sans but d'Ulrich et d'Agathe semblaient l'exposer comme un livre d'images; des conversations en naissaient, accompagnées de cette excitation souple et changeante qu'on trouve à en feuilleter un.

Aucune de ces conversations ne traitait son sujet d'une façon tangible ou complète : toutes sinuaient dans les directions les plus diverses. Ainsi, le tissu des pensées devenait-il de plus en plus ample; une fois sur deux, devant le flot croissant des observations, ils renonçaient à les ordonner selon leurs innombrables prétextes extérieurs; que ce fût avec profits ou avec pertes, cela se poursuivait longtemps avant qu'un résultat incontestable apparût.

La première hypothèse qu'Ulrich défendit (par hasard ou non, par conviction ou au petit bonheur) fut que la limite imposée au sentiment comme les avances et les reculs successifs, ou tout au moins les hésitations de la vie, que son inconsistance intellectuelle, en un mot, aurait peut-être à remplir une tâche assez utile, celle de produire et de conserver un état moyen.

Il ne songeait pas à exiger du monde qu'il fût le jardin d'agrément du génie. L'histoire du monde n'est une histoire du génie et de ses œuvres que dans ses extrémités, pour ne pas dire dans ses excroissances; pour l'essentiel, c'est une histoire de l'homme moyen. Il est la substance avec laquelle opère le monde et que le monde sans cesse recrée. Peut-être était-ce un instant de fatigue qui inspirait cette idée à Ulrich. Peut-être pensait-il simplement que le médiocre est robuste et donne les meilleures assurances pour le maintien de son espèce; il aurait fallu admettre que la première loi de la vie est de se perpétuer, et il était bien possible que ce fût exact. Néanmoins, sans aucun doute, une autre perspective jouait dans ce début. En effet, même s'il est certain que l'histoire humaine ne reçoit pas ses meilleures impulsions de l'homme moyen, au total, génie et bêtise, héroïsme et inertie, elle n'en est pas moins l'histoire des millions d'incitations et de résistances, de qualités, de décisions, d'aménagements, de passions, de découvertes et d'erreurs que l'homme moyen reçoit et répartit de tous les côtés. En lui comme en elle, les mêmes éléments se combinent; de la sorte, elle est en tous cas une histoire de la moyenne, ou, selon qu'on l'entend, la moyenne de millions d'histoires. Ainsi donc, même si elle devait éternellement osciller autour d'une valeur médiocre, quoi de plus absurde que de reprocher à une moyenne d'être moyenne!

Dans ces pensées se glissait cependant aussi le souvenir du calcul des moyennes tel qu'on l'entend dans le calcul des probabilités. Avec une sérénité froide et presque indécente, les règles de la probabilité se fondent sur le fait que les événements peuvent tourner tantôt ainsi, tantôt autrement, parfois même auraient pu aboutir au contraire de ce qu'ils sont. Pour former et fortifier une moyenne, il faut donc que les valeurs supérieures ou particulières soient beaucoup moins fréquentes que les valeurs moyennes, qu'elles ne se présentent presque jamais, et qu'il en aille de même des valeurs anormalement basses. Au mieux, ou au pis, les unes comme les autres restent des « valeurs aux limites », et cela non seulement dans la méthode de calcul, mais dans l'expérience, partout où règnent des conditions d'ordre arbitraire. Il se peut que cette expérience ait été acquise dans les assurances-grêle et les tableaux de mortalité; mais le fait que, dans l'histoire aussi, les créations unilatérales et la réalisation intégrale d'exigences extrêmes n'ont duré que rarement correspond visiblement à la faible probabilité des valeurs « aux limites ». En un sens, cela peut paraître bâtard; en un autre, cela n'a pas peu contribué à sauver l'humanité des génies téméraires ou des sots excités! Involontairement, Ulrich ne cessait d'appliquer les vues de la probabilité aux événements intellectuels et historiques, de confondre la notion mécanique et la notion morale de moyenne. Ainsi revenait-il à cette dualité de la vie d'où il était parti. Les limites et l'inconstance des idées et des sentiments, leur vanité, le lien mystérieux et trompeur entre leur sens et l'apparition de son contraire, tout cela, avec bien d'autres phénomènes semblables, est donné sous forme de conséquence naturelle dès qu'on admet que telle chose est aussi possible que telle autre. Cette supposition est d'ailleurs le fondement du calcul des probabilités et la définition du hasard qu'il a adoptée; qu'elle caractérise aussi le train du monde permet de conclure que celui-ci ne serait pas très différent si tout était livré, dès le commencement, au hasard.

Agathe demanda si confondre le train du monde et le hasard n'était pas une façon capricieuse de noircir la vérité, l'effet d'un pessimisme romantique.

« Pas le moins du monde! répliqua Ulrich. Nous sommes partis de la vanité de toutes les nobles espérances, et nous avons cru y découvrir un perfide mystère. Mais si nous la confrontons maintenant avec les règles de la probabilité, nous expliquerons fort modestement ce mystère, qu'on pourrait intituler ironiquement l'*inharmonie préétablie* de la création, par le fait que rien ne s'y oppose! L'évolution est abandonnée à elle-même, aucun ordre intellectuel ne lui est imposé; elle semble obéir au hasard. Si, dans ces conditions, le Vrai ne peut naître, cette même hypothèse fonde au moins le Vraisemblable! Du même coup, à partir du probable, nous expliquons le règne, la stabilité, l'accroissement fort indésirable de tout ce qui est moyen! Rien là de romantique, ni même peut-être de noir! Qu'on le veuille ou non, ce serait plutôt une tentative courageuse! »

Néanmoins, il ne voulut pas en dire davantage et interrompit là, sans avoir dépassé l'introduction, une recherche qui semblait ingénieuse. Il avait le sentiment d'avoir effleuré avec maladresse et prolixité une grande chose. Cette grande chose, c'était la profonde ambiguïté du monde, progressant et régressant tout ensemble, accablant et exaltant à la fois, incapable de faire sur un esprit supérieur une autre impression, ne serait-ce que parce que son histoire n'est précisément pas celle de l'homme supérieur, mais, évidemment, l'histoire de l'homme moyen dont le visage équivoque et brouillé se reflète en elle. En revanche, si cette démarche, rapide comme une idée, avait été alourdie de prolixité, c'est qu'il avait essayé de donner à l'essence bien connue de l'homme moyen, par une comparaison avec celle de la probabilité, un arrière-plan nouveau mais encore mal exploré. Sans doute l'idée première, dans cette comparaison aussi, était-elle apparemment simple : ce qui est moyen est toujours probable, et l'homme moyen est le sédiment de toute probabilité. Mais Ulrich comparant ce qu'il avait dit avec ce qu'il aurait dû ajouter, était bien près de renoncer à poursuivre ce qu'il avait commencé en confrontant la probabilité et l'histoire.

Agathe dit, avec une hésitation téméraire : « La concierge rêve de loto et espère gagner! Si donc j'ai été digne de te comprendre, le devoir de l'histoire serait de laisser derrière elle une race d'hommes de plus en plus moyenne et de donner une base à sa vie : il se peut que bien des faits parlent, ou du moins murmurent pour cela. A cet effet, elle n'aurait rien de plus simple et de plus sûr à faire que d'obéir au hasard et d'abandonner à ses lois la répartition et le dosage des événements ? » Ulrich approuva de la tête. « C'est un *si*... *alors*... Si l'histoire humaine avait une tâche, et que cette tâche fût telle, elle ne pourrait être mieux qu'elle n'est, et atteindrait un but, assez étrangement, du seul fait de n'en pas avoir! » Agathe se mit à rire. « Voilà pourquoi tu prétends que le bas plafond sous lequel nous vivons aurait une tâche *assez utile* à remplir ? — Une tâche profondément nécessaire, favoriser la moyenne! confirma Ulrich. A cet effet, on veille une fois pour toutes que nul sentiment, nulle volonté ne s'élèvent jusqu'au ciel! — J'aimerais mieux que ce soit le contraire! fit Agathe. Je n'aurais pas besoin de m'user l'oreille à force d'attention pour tout savoir! »

Une conversation comme celle-là sur le génie, la moyenne et la probabilité, parce qu'elle n'intéressait que l'intelligence sans toucher le cœur, semblait à Agathe du temps perdu. Il n'en allait pas absolument de même pour Ulrich, bien qu'il fût profondément mécontent de ce qu'il avait dit. Une seule phrase, dans tout cela, était solide : supposé un jeu de hasard possible, le résultat montrerait la même répartition de chances et de malchances que la vie. Mais que le second membre de cette phrase hypothétique soit vrai ne permet nullement de conclure à la vérité du premier. Pour être croyable, la réversibilité du rapport exigerait une comparaison plus précise qui permettrait d'appliquer les notions de la probabilité aux événements historiques et intellectuels et de confronter deux domaines aussi différents. Ulrich n'en avait maintenant aucune envie; mais plus il sentait l'omission, plus il prenait conscience de l'importance de la tâche effleurée. Non seulement l'influence croissante des masses, intellectuellement moins exigeantes, qui rend l'humanité toujours plus moyenne, a donné de l'importance à tous les problèmes concernant la structure des valeurs médianes; mais, pour d'autres raisons encore, parmi lesquelles des raisons générales et d'origine intellectuelle, le problème fondamental de l'essence du probable semble de plus en plus vouloir se substituer au problème de l'essence de la vérité, bien qu'il n'ait été d'abord qu'un outil pour résoudre des problèmes déterminés.

On aurait pu dire aussi bien que, peu à peu, « l'homme probable » et la « vie probable » prenaient la place de « l'homme vrai », de la « vie vraie » qui n'avait été qu'imagination et duperie. Ulrich avait déjà fait allusion auparavant à un phénomène semblable, et affirmé que toute la question n'était que la conséquence d'une évolution négligente. Sans doute le sens de toutes ces remarques ne lui apparaissait-il pas encore dans son intégralité, mais cette faiblesse même leur permettait d'illuminer de vastes espaces comme les éclairs de chaleur. Ulrich connaissait tant d'autres exemples empruntés à la vie ou à la pensée moderne auxquels ces observations pouvaient convenir, qu'il se sentit pressé de préciser la notion encore sentimentale qu'il en avait. La nécessité d'une suite s'imposait donc, et il résolut, dès que les circonstances s'y prêteraient mieux, de n'y pas manquer.

Cette résolution prise, il ne put s'empêcher de sourire en se découvrant déjà en bon chemin d'instruire Agathe, sans l'avoir voulu, d'une vieille idée qu'il avait traduite naguère en un moment de réflexion, par la formule : « Toujours la même histoire ». C'était le monde de l'agitation insensée qui coule comme un ruisseau dans un sable privé d'herbe; il l'appelait maintenant le monde de « l'homme probable ». Avec une curiosité ravivée, il considéra les fleuves humains dont ils suivaient les rives, tous deux isolés par eux-mêmes de ces passions, de ces habitudes, de ces jouissances étrangères : c'était le monde de ces passions et de ces plaisirs, non celui d'une possibilité non encore rêvée jusqu'au bout! C'était donc pour cette même raison le monde des limites qui s'imposent même au sentiment le plus débordant, et le monde de la vie moyenne. Pour la première fois, Ulrich songea non seulement sentimentalement, mais comme on attend un fait réel, que la différence qui, dans un cas, interdit à l'émotion profane d'obtenir le repos et un accomplissement durable et, dans l'autre, de trouver un mouvement progressif et profane, pouvait peut-être se ramener à deux états, ou à deux espèces essentiellement différentes de sentiment.

Coupant court, il s'écria simplement : « Regarde! » Tous deux prirent conscience du spectacle. Ils traversaient une place connue et, si l'on peut dire, universellement respectée. Là s'élevait la nouvelle Université, imitation de baroque surchargée de détails mesquins; non loin de là, une fort coûteuse église néo-gothique à deux tours qui avait l'air d'une farce de mardi-gras réussie; l'arrière-plan était constitué, outre deux annexes inexpressives de l'Université et un palais bancaire, par un grand bâtiment sombre et pauvre, prison et tribunal tout ensemble, de plusieurs décennies plus âgé. Des voitures promptes ou massives traversaient ce tableau, il suffisait d'un regard pour embrasser aussi bien la solidité de ce qui avait été fait que les prémisses de la réussite à venir, pour vous inciter à admirer l'activité humaine tout en empoisonnant l'esprit d'un imperceptible résidu d'insignifiance. Sans même changer vraiment de sujet de conversation, Ulrich poursuivit : « Suppose qu'une troupe de brigands se soit emparée de la suprématie mondiale, avec pour tout avoir les instincts et les principes les plus grossiers. Au bout de quelque temps, même ce terrain sauvage verrait naître des créations intellectuelles! Puis, quand l'esprit aurait achevé son évolution, il recommencerait à se contrarier lui-même! La moisson grandit, et sa qualité diminue : comme si les fruits prenaient un goût d'ombre quand toutes les branches sont chargées! »

Il ne demanda pas pourquoi. S'il avait choisi cette comparaison, c'était simplement pour laisser entendre qu'à son avis, presque tout ce qu'on nomme la culture évoquait à la fois la troupe de brigands et la paresseuse maturité. S'il en était ainsi, ce pouvait être aussi une excuse pour la conversation à laquelle il s'était laissé entraîner, bien qu'elle eût commencé dans un élan de tendresse.

48. *Un esprit tourné vers la grandeur. Début d'une conversation sur ce thème.*

Si quelqu'un parle de la nature ambiguë et confuse de l'homme, cela laisse supposer qu'il croit pouvoir en imaginer une meilleure.

Un croyant peut le faire, et Ulrich n'en était pas un. Au contraire : la croyance était à ses yeux suspecte de tendance à la précipitation. Que le contenu de cette attitude intellectuelle fût une idée terrestre ou supra-terrestre, ce moyen de locomotion psychique lui rappelait les vaines tentatives de vol d'une poule domestique. Agathe seule l'obligeait à faire une exception : chez elle, il prétendait envier qu'elle pût croire avec tant de précipitation et d'ardeur, et la féminité de ce défaut lui paraissait presque aussi corporelle que les autres différences sexuelles dont la connaissance procure un merveilleux aveuglement. Il lui pardonnait cette spontanéité, même quand elle lui semblait tout à fait impardonnable, ainsi dans le cas du ridicule professeur Lindner sur qui sa sœur lui taisait tant de choses. Il devinait à ses côtés cette réserve d'un corps brûlant et cela lui rappelait une affirmation passionnée qui signifiait à peu près qu'aucun être n'est beau ou laid, bon ou mauvais, supérieur ou ennuyeux en soi, mais que sa valeur dépend toujours du fait que l'on croit ou ne croit pas en lui. C'était une remarque illimitée et généreuse, mais gâtée par une imprécision qui permettait mille contrecoups divers. Comme Ulrich se demandait secrètement si cette remarque ne pouvait pas s'appliquer aussi à ce bouc de la foi nommé Lindner dont il ne connaissait guère que l'ombre, une vague de jalousie jaillit dans le flot rapide et souterrain de ses pensées. Pourtant, lorsqu'il y réfléchit, Ulrich ne put se rappeler si c'était Agathe ou lui-même qui avait fait cette remarque : l'un et l'autre lui parurent également possibles. Alors, grâce à cette confusion où s'effaçaient toutes les différences physiques et psychiques, la vague de jalousie s'éparpilla en tendre écume; maintenant, il aurait pu expliquer ce qu'était sa véritable réserve à l'égard de tout empressement à croire. Croire quelque chose et croire en quelque chose sont des états psychiques qui tirent leur force, pour l'exploiter ou même la gaspiller, d'un autre état, cet autre état n'est pas seulement, comme il semble évident, l'état solide du savoir, mais aussi, quelquefois, un état moins dense encore que la croyance. Le fait que tout ce qui les émouvait, sa sœur et lui, conduisait dans cette dernière direction pressait Ulrich de s'exprimer; mais ses pensées étaient encore loin de vouloir établir une communication si lointaine, c'est pourquoi il préféra changer de sujet.

Même un homme génial porte en soi une mesure qui lui permet de voir que toutes choses, dans le monde, de la façon la plus inexplicable, avancent et reculent concurremment. Mais qu'est-ce qu'un homme génial ? Au départ, Ulrich n'avait pas la moindre envie d'y réfléchir, mais la question le retint, sans qu'il sût pourquoi.

« Il faut distinguer entre le génie en tant qu'espèce et le génie en tant que superlatif individuel, dit-il pour commencer sans avoir trouvé encore la formule juste. J'ai pensé quelquefois, naguère, qu'il n'y avait que deux races humaines importantes, celle du génie et celle de l'imbécile, qui sont difficilement compatibles. Mais les hommes de l'espèce géniale, les hommes géniaux ne sont pas forcément des génies. Le génie qu'on admire ne naît vraiment qu'à la Bourse aux Vanités : dans son éclat rayonnent les miroirs de la bêtise environnante; il est toujours rattaché à quelque chose qui lui vaut de la considération, argent ou honneurs. Si grand que puisse être son mérite, il n'est jamais que la génialité empaillée... »

Agathe l'interrompit, curieuse de ce qui allait suivre : « Je veux bien. Mais la génialité elle-même ?

— Sans doute est-ce ce qui resterait une fois la paille retirée de cet épouvantail » dit Ulrich. Il réfléchit et ajouta, méfiant : « Jamais je ne saurai vraiment ce qu'est le génie, pas plus que je ne sais qui pourrait en décider!

— Un Sénat d'initiés! » dit Agathe en souriant. Son frère l'avait assez souvent tourmentée, dans leurs conversations, de cette opinion fort idéocratique pour qu'Agathe lui rappelât ainsi, un peu hypocritement, le célèbre vœu, jamais réalisé en vingt siècles, du philosophe qui souhaitait que la direction du monde fût confiée à une académie de Sages.

Ulrich hocha la tête. « Cela remonte à Platon. Si ce projet avait pu être réalisé, sans doute Platon aurait-il eu pour successeur à la tête du Gouvernement intellectuel un de ses disciples, jusqu'au jour où (Dieu sait pourquoi) les Plotiniens auraient passé pour les véritables philosophes. Il en va de même pour ce qui passe pour génial. Et qu'est-ce donc que les Plotiniens auraient fait des Platoniciens, ou ceux-ci, d'abord, de ceux-là, sinon ce que toute vérité fait de l'erreur : les rejeter impitoyablement ? Dieu a prudemment agi en s'arrangeant pour qu'un éléphant donne toujours un éléphant, et un chat un chat : d'un philosophe, il naît un perroquet et un contre-philosophe!

— Dieu devrait donc décider lui-même de ce qui est génial! » s'écria Agathe pleine de curiosité, non sans éprouver un léger frisson de fierté à cette idée et en se rendant compte de sa violence prématurée.

« Je crains que cela ne l'ennuie! dit Ulrich. Du moins le Dieu des Chrétiens. Il s'acharne sur les cœurs sans se préoccuper beaucoup s'ils ont ou non de l'intelligence. D'ailleurs, je pense que le peu d'estime de l'Église pour le génie bourgeois a plus d'un avantage! »

Agathe attendit quelque chose, puis répondit simplement : « Je t'ai entendu parler différemment...

— Je pourrais te répondre que l'hypothèse des Païens qui pensaient que toutes les idées qui animent l'homme avaient d'abord séjourné dans l'esprit divin a dû être très belle; mais qu'il est difficile de concevoir des émanations divines depuis qu'on trouve, parmi les idées qui nous importent, le fulmicoton et les pneumatiques », repartit Ulrich. Puis il parut hésiter, comme las de la plaisanterie; et soudain, il avoua à sa sœur ce qu'elle désirait tant savoir. « J'ai toujours cru, et presque de nature, que l'esprit, du fait que l'on sentait en soi sa puissance, vous obligeait à le faire valoir dans le monde. J'ai cru que seule une vie supérieure valait la peine d'être vécue, et j'ai souhaité ne rien faire jamais d'indifférent. La conséquence pour la mentalité générale, qui peut paraître défigurée par l'orgueil, n'en est pas moins inévitablement celle-ci : Seul ce qui est génial est supportable, et les hommes moyens doivent être comprimés pour le produire ou le faire valoir! Mêlée à mille autres, cette idée fait d'ailleurs partie de la conviction commune. Aussi est-il vraiment vexant pour moi de devoir t'avouer mon ignorance de la nature exacte du génie, bien que j'aie innocemment laissé entendre il y a un instant que cette qualité était relative moins à un individu particulier qu'à une variété humaine. »

Il ne semblait pas le prendre trop mal, et Agathe veilla à ne pas laisser retomber la conversation. « Ne te laisses-tu pas souvent aller, toi aussi, à parler d'un acrobate génial ? dit-elle. Il semble donc qu'aujourd'hui l'idée du difficile, de l'extraordinaire, d'une réussite particulière soit liée ordinairement à ce terme.

— Cela a commencé avec les chanteurs : si l'on peut traiter de génial celui qui chante plus haut qu'un autre, pourquoi n'en ferait-on pas de même de celui qui saute plus haut ? De cette façon, on aboutit rapidement à la génialité des chiens d'arrêt : des gens que rien n'arrête la jugent même plus authentique que celle de l'homme qui peut se tirer les cordes vocales du gosier. Il y a là, évidemment, une ambiguïté de langage : outre le caractère génial d'une réussite, caractère qui peut s'étendre à n'importe quoi de sorte que le calembour le plus stupide peut être génial dans son genre, il y a le degré, la dignité et l'importance de la chose réussie, donc une espèce de grade de la génialité. »

Un éclair de gaieté avait chassé le sérieux des yeux d'Ulrich. Aussi Agathe interrogea-t-elle son frère sur une suite qu'il semblait vouloir garder pour lui.

« Je songe tout à coup que j'ai discuté un jour de la question du génie avec notre ami Stumm, dit-il. Il a insisté sur la nécessité de distinguer entre la notion civile et la notion militaire de génie. Pour que tu me comprennes, il faut peut-être que je te donne quelques éclaircissements sur le monde militaire impérial et royal. Les troupes de génie (l'expression même est merveilleuse) s'occupent des travaux de fortification et de communications et se composent de soldats, de sous-officiers et d'officiers qui n'ont pas beaucoup d'avenir, à moins qu'ils ne suivent un *Cours supérieur du Génie* et n'entrent ensuite à *l'État-major du Génie*. Il y a donc à l'armée, dit Stumm von Bordwehr, au-dessus du Génie, l'État-major du Génie. Et tout à fait au-dessus, naturellement, l'État-major général, qui est ce que Dieu a conçu de plus calé. Ainsi tout en continuant avec délices à s'intituler anti-militariste, il a voulu me faire admettre que c'est l'armée qui nous enseigne le bon usage du génie : les débats des civils sur ce sujet étant terriblement dépourvus d'une pareille hiérarchisation. Et comme il mélange tout au point qu'on finit par voir la vérité au fond, nous ne ferions pas mal de suivre son fil conducteur. »

Ce qu'Ulrich ajouta sur les différents sens du mot génie concernait moins son aspect hiérarchique que sa forme type, dont le caractère insaisissable lui paraissait plus troublant et plus pénible. Il lui semblait plus aisé de porter un jugement sur ce qui est tout à fait supérieur que sur la supériorité. Dans le premier cas, il ne s'agit jamais que d'un pas au-delà de quelque chose dont la valeur est déjà établie, donc de quelque chose de fondé sur un ordre plus ou moins traditionnel de valeurs intellectuelles; dans le second cas, au contraire, il faut faire le premier pas dans un espace indéterminé et infini où il n'y a presque pas d'espoir de pouvoir distinguer à coup sûr ce qui est supérieur de ce qui ne l'est pas. Aussi est-il naturel que l'usage de la langue s'en soit tenu au génie considéré comme une hiérarchie de la réussite plutôt qu'à la valeur géniale de celle-ci; il n'en est pas moins compréhensible aussi que l'habitude d'appeler géniale une habileté exceptionnelle s'accompagne d'un sentiment de mauvaise conscience, celui-là même qui naît des tâches abandonnées et des devoirs négligés. Ulrich et Agathe en avaient été choqués par hasard et par plaisanterie, mais ils poursuivirent plus gravement.

« Ce fait saute aux yeux, dit Ulrich à sa sœur, dès qu'on découvre, ce qui ne peut guère être que le fait d'un hasard, un symptôme d'ordinaire négligé : l'habitude de prononcer différemment le substantif *Génie* et l'adjectif *génial*, comme si le second ne venait pas du premier »[1].

Agathe, comme quiconque est rendu attentif à une habitude qui lui était passée inaperçue, s'étonna un peu.

« Après ma conversation avec Stumm, j'ai consulté le dictionnaire de Grimm, dit-il comme pour s'excuser. Le terme

1. Le traducteur s'excuse d'avoir été dans l'impossibilité absolue de rendre en français des remarques trop précises pour être modifiées. Dans ce chapitre comme dans les suivants, Musil emploie tour à tour les substantifs *Genie* et *Genialität* (le second exprimant la nature de ce qui est génial) et les adjectifs *genial* et *genialisch* alors que le français dispose des deux seuls mots *génie* et *génial*. De plus *Genie* se prononce avec un g doux, et les trois autres mots avec un g dur. Quelques écrivains, cependant, ont adopté "génialité", et je les ai suivis là où c'était indispensable. *N. d. T.*

militaire de génie nous est venu naturellement, comme beaucoup d'autres vocables militaires, du français. L'art de l'ingénieur, en cette langue, s'appelle *le génie :* d'où *arme du génie*, *École du génie*, mais aussi l'anglais *engine*, le français *engin* et l'italien *ingegno* dans le sens d'appareil, de machine ingénieuse. Toute cette famille remonte au bas-latin *Genium* et *ingenium* dont le g dur est devenu sch en passant les frontières, et dont le sens premier est habileté et capacité : association analogue à l'archaïque formule *Arts et Métiers* dont nous régalent encore quelquefois des inscriptions ou des textes officiels. De là, une évolution désastreuse conduirait au footballeur, ou même au cheval de course génial, mais il serait logique de prononcer ce *génial*-là comme ce *Génie*-là. Il existe en effet un autre *Génie* et un autre *génial* dont le sens se retrouve dans toutes les langues et qui ne remonte pas à *Genium*, mais à *Genius :* ce qui est plus qu'humain ou tout au moins, ce que l'on peut vénérer de plus noble dans l'esprit et dans l'âme humaine. J'ai à peine besoin de dire que ces deux significations se sont irrémédiablement embrouillées depuis des siècles, dans le langage comme dans la vie, et pas seulement en allemand; mais, chose frappante, en allemand surtout, de sorte que la confusion du génie et de l'ingéniosité peut passer pour particulièrement caractéristique de l'Allemagne. Cette confusion, en allemand, a d'ailleurs une histoire qui, sur un certain point, me touche de près. »

Cette interminable explication, Agathe l'avait suivie, comme il arrive d'ordinaire en pareil cas, avec un peu de méfiance et toute prête à s'ennuyer, mais en attendant toujours le tournant qui chasserait cette incertitude. « Me considérerais-tu comme un maniaque du langage si je te proposais de réhabiliter, pour notre usage personnel, l'adjectif *genialisch?* » demanda Ulrich.

Sans qu'elle le voulût, un sourire et un mouvement de tête d'Agathe trahirent son peu de goût pour ce mot démodé, contemporain de *theatralisch* et de *moralisch* mais tombé en désuétude avec plusieurs autres tels *idealisch* ou *kolossalisch*, et auquel s'était attachée une odeur de vieux bahuts et de vieux costumes.

« C'est un mot vieilli, reconnut Ulrich, mais son emploi fut heureux! Comme je te l'ai dit, j'ai consulté le dictionnaire; et si le fait que nous sommes dans la rue ne te gêne pas, je vais voir ce que je puis t'en dire! » En souriant, il tira un papier de sa poche et déchiffra quelques notes au crayon. « Gœthe, annonça-t-il. *Je pus voir et la pénitence et le regret poussés à la caricature et, comme toute passion peut remplacer le génie, vraiment* genialisch (*génialement*). Wieland : *Le fruit des heures géniales* (genialisch). Hölderlin : *Les Grecs sont demeurés un peuple heureux, beau et génial* (genialisch). Ce même *genialisch*, tu le trouveras encore chez le jeune Schleiermacher. Mais, chez Immermann déjà, tu trouves les mots : *Économie géniale* (genial) et *Libertinage génial* (genial). Tu peux voir ainsi évoluer la notion vers ce sens qui fait que le mot *genialisch*, aujourd'hui, n'est plus guère employé qu'ironiquement. » Il tourna et retourna son papier entre ses mains, le remit dans sa poche et le ressortit une fois encore : « Mais l'histoire et la cause première remontent plus haut, ajouta-t-il. Kant déjà blâme *dans la pensée, cette mode de liberté imitée du génie* (geniemässig) et parle avec irritation des *hommes de génie* et *des singes de génie*. Ce qui l'irrite ainsi, c'est un moment considérable de l'histoire de l'esprit en Allemagne : avant lui et tout autant, chose frappante, après lui, les Allemands ont parlé tantôt avec enthousiasme, tantôt avec mépris de *fièvre de génie*, de *tempêtes du génie*, de *cris de génie*. La philosophie elle-même n'avait pas toujours les mains propres, surtout pas quand elle croyait y tenir la vérité indépendante.

— Comment Kant définit-il donc le génie ? » demanda Agathe à qui ce nom illustre rappelait seulement qu'elle l'avait entendu proclamer « supérieur à tout ».

« Dans l'essence du génie, il a souligné l'aspect créateur et l'originalité, ce qu'il nommait *l'esprit original*, en quoi son influence est restée grande jusqu'à nos jours, répondit Ulrich. Gœthe, plus tard, se référait probablement à lui lorsqu'il expliquait le mot *genialisch* par le fait de *garder présent à l'esprit un grand nombre d'objets et de mettre aisément en relation les plus éloignés. Cela sans trace d'égoïsme ou de suffisance*. Mais c'est une conception qui s'attache surtout aux réalisations intellectuelles et conduit droit au génie acrobatique ou gymnastique qui nous est imposé aujourd'hui. »

Agathe eut un rire incrédule et demanda : « Et maintenant, est-ce que tu sais le sens des mots génie et génial ? »

Ulrich accepta la plaisanterie d'un haussement d'épaules. « Nous avons appris au moins qu'en Allemagne, bien qu'on n'ait pas affaire précisément à l'*esprit original* de Kant, une conduite voyante et téméraire peut aussi passer pour géniale », dit-il.

49. *Le général von Stumm et la génialité.*

La conversation avec Stumm mentionnée par Ulrich avait eu lieu lors d'une rencontre inattendue et n'avait pas duré longtemps. Le général semblait avoir des soucis, il n'en avait pas beaucoup parlé, mais il déplora le chaos créé par la surabondance des génies dans le civil. « Finalement, qu'est-ce qu'un génie ? demanda-t-il. Jamais un général n'a été traité de génie, après tout !

— Sauf Napoléon ! dit Ulrich.

— Lui peut-être, reconnut Stumm. Mais c'est probablement parce que toute sa carrière a été paradoxale ! »

Ulrich n'avait su que répondre à cela.

« Chez ta cousine, j'ai eu mainte occasion de m'instruire sur ceux qu'on appelle des génies, déclara Stumm pensivement. Je crois pouvoir te dire ce qu'est un génie : ce n'est pas simplement un type qui a beaucoup de succès; il faut encore qu'il ait commencé, dans une certaine mesure, à l'envers du bon sens ! » Et Stumm, pour s'expliquer, recourut aussitôt aux grands exemples de la psychanalyse et de la relativité :

« Qu'on ne sût pas telle ou telle chose, cela s'est vu jadis aussi, commença-t-il à sa façon, mais on n'y attachait pas grande importance et, tant que ça ne se passait pas lors d'un examen, ça ne gênait personne. Mais, tout d'un coup, on en a tiré le prétendu inconscient. Depuis lors, chacun a autant d'inconscient que de choses qu'il ignore, et on trouve beaucoup plus important de savoir pourquoi l'on ne sait pas quelque chose que de savoir qu'on ne le sait pas ! Ainsi l'inférieur, chez l'homme, est devenu le supérieur : c'est probablement beaucoup plus simple. »

Comme Ulrich continuait à ne pas voir la conséquence, Stumm poursuivit :

« L'homme qui a inventé cela a établi encore une autre loi. Tu te souviens que naguère, au régiment, quand les officiers se racontaient un peu trop de cochonneries, on leur disait : *Ce sont des choses qu'on ne dit pas, on les fait!* Mais quel est le contraire de ce conseil ? Celui-ci, je crois bien : Si ta condition d'homme civilisé t'empêche de faire ce que tu aimerais faire, parles-en au moins avec un homme instruit : il te convaincra que tout ce qui existe repose sur quelque chose qui ne doit pas exister! Je ne vais pas juger cela du point de vue scientifique, mais cet exemple prouve en tous cas que les règles nouvelles sont à l'opposé de celles qui ont eu cours jusqu'ici. L'homme qui les a introduites passe aujourd'hui pour un génie de première grandeur! »

Comme, apparemment, Ulrich n'était toujours pas convaincu et que lui-même ne jugeait pas être arrivé au but, Stumm reprit son argumentation à propos de la théorie de la Relativité telle qu'il l'entendait : « Tu as appris à l'école que tout ce qui se meut le fait dans l'espace et le temps », tel fut le point de départ de sa réflexion. « Mais qu'en est-il pratiquement ? Permets-moi de te donner un exemple vulgaire : A telle et telle heure, tu dois te présenter à la tête de ton escadron à tel point déterminé sur la carte. Ou bien, tu dois modifier au commandement la disposition de tes cavaliers et former un nouveau front sans rapport avec aucune des lignes droites qu'il y a sur une place d'exercice : cela se fait dans l'espace et le temps, mais cela ne réussit jamais sans incident et ne marche jamais comme tu l'aurais voulu. Moi en tous cas, ça m'a valu je ne sais combien de savons du temps que j'étais à la troupe, je l'avoue franchement. De même ai-je toujours éprouvé, dès l'école, une sorte de répugnance à devoir calculer au tableau un mouvement mécanique dans l'espace et le temps. C'est pourquoi j'ai flairé tout de suite le génie lorsque j'ai entendu dire qu'un type avait enfin découvert que l'espace et le temps étaient des notions très relatives qui se modifient réciproquement à tout instant pour peu qu'on en fasse sérieusement usage, bien qu'elles passent depuis la création du monde pour le comble de la solidité. Grâce à quoi cet homme, à bon droit me semble-t-il, est au moins aussi célèbre que l'autre; mais, de lui aussi, on peut dire qu'il a bridé son cheval par la queue, ce qui semble être, de nos jours au moins, la première idée fixe des génies! Voilà ce que je voudrais te faire comprendre, supposé que mon expérience t'intéresse », conclut Stumm.

Dans sa faiblesse pour le général, Ulrich avait reconnu que les principales doctrines scientifiques contemporaines avaient un côté sensationnel, ou du moins qu'elles ne le redoutaient pas. Peut-être cela n'avait-il pas grande signification; on pouvait aussi, si on voulait, y voir un signe. L'extravagance acceptée, le goût du paradoxe, l'ambition personnelle, la surprise, la modification d'un ensemble à partir de détails contradictoires demeurés jusqu'alors invisibles, étaient indubitablement depuis quelque temps des aspects de la pensée *de bon ton*, car ils s'étaient vus couronnés de succès dans les domaines même où on ne l'eût pas attendu et où réussissaient d'ordinaire une administration, un accroissement prudent des grandes propriétés intellectuelles.

« Mais pourquoi donc ? demanda Stumm. Comment en est-on venu là ? »

Ulrich haussa les épaules. Il se rappela la spécialité qu'il avait abandonnée, le déroulement interminable de ses questions fondamentales, comment elle se réduisait finalement à une critique de la logique. Il n'en allait guère autrement pour d'autres sciences : elles sentaient leur édifice ébranlé par des découvertes qu'il était difficile d'y loger. C'étaient les desseins et la violence de la vérité. Néanmoins, il semblait qu'on pût parler aussi d'une sorte de rassasiement à l'égard du progrès quotidien ininterrompu qui avait été pendant très longtemps, dans le vacarme des opinions, l'objet d'une grande foi silencieuse. On ne pouvait nier que dans tous les domaines apparussent de légers doutes sur la valeur de la simple progression pas à pas. Cela aussi pouvait être une raison. Ulrich, finalement, répondit : « Peut-être est-ce simplement comme quand on sent la fatigue : on a besoin d'un panorama qui vous rafraîchisse, ou d'un coup dans les jambes.

— Mais pourquoi ne s'assiérait-on pas, plutôt ? demanda Stumm.

— Je ne sais. En tous cas, après une longue période d'épanouissement tranquille de l'esprit, on aime mieux faire de l'œil à la révolution. On dirait que c'est ce qui se prépare. Songe donc à l'extravagance croissante des arts. Je comprends peu de chose à la politique : mais peut-être dira-t-on un jour que cette impatience de l'esprit annonçait un bouleversement.

— Pouah! s'écria Stumm à qui les arts et l'agitation révolutionnaire rappelèrent les soirées chez Diotime.

— Peut-être ne sera-ce qu'une transition vers une nouvelle stabilité! » dit Ulrich pour le tranquilliser.

Peu importait à Stumm. « J'ai évité les soirées de Diotime depuis le fameux incident qui s'est produit en présence du Ministre, dit-il. Comprends-moi bien : je n'ai rien contre les génies établis dont nous avons parlé jusqu'à maintenant, sinon, tout au plus, que le culte qu'on leur rend me semble exagéré. C'est à cette racaille que j'en veux! » Au bout d'un instant qui fut bref, mais visiblement amer, il se domina et dit : « Réponds-moi franchement : la génialité est-elle vraiment une valeur si considérable? »

Ulrich ne put s'empêcher de sourire. En dépit de tout ce qu'il avait dit avant, il souligna l'extraordinaire, la féerique délivrance que représentait la solution de chacun de ces problèmes auxquels les spécialistes les plus doués et les plus importants s'étaient attelés en vain. Le génie était la seule valeur humaine absolue, c'était la valeur humaine en soi, dit-il. Sans intervention de la génialité, même le groupe des singes supérieurs n'existerait pas. Dans son ardeur, il alla jusqu'à vanter éloquemment cette espèce de génialité qu'il devait rattacher plus tard à la simple hiérarchie de l'habileté, dans la mesure du moins où elles ne se confondaient pas.

Stumm inclina la tête, rassasié. « Je sais : l'invention du feu et de la roue, de la poudre et de l'imprimerie, et ainsi de suite! En un mot : des pasteurs à Pasteur! » Ayant montré qu'il avait compris, il continua : « Mais voici une autre formule, empruntée aux conversations chez Diotime : *De Sophocle à Feuermaul!* Voilà ce qu'un de ces jeunes singes a proclamé une fois avec le plus grand sérieux!

— Qu'est-ce donc qui te déplaît chez Sophocle?

— Celui-là, je ne le connais pas. Mais Feuermaul! Et tu dis que le génie est une valeur absolue?

— Le contact du génie est le seul moment où *ce détestable et incorrigible élève des dieux qu'est l'homme se montre beau et loyal*, enchérit Ulrich. Mais je n'ai pas dit qu'il soit aisé de distinguer le génie de la simple illusion. Je dis seulement que partout où une vraie valeur nouvelle entre dans le jeu des hommes, il y a de la génialité derrière!

— Comment peut-on savoir ce qu'est une *vraie valeur nouvelle?* »

Ulrich, en souriant, hésita.

« Et comment saura-t-on si la valeur vaut vraiment quelque chose ? ajouta Stumm avec une curiosité maussade.

— On le voit souvent au premier coup d'œil.

— Je me suis laissé dire qu'on se trompait souvent aussi au premier coup d'œil! ... »

Le dialogue tourna court. Stumm préparait peut-être une pointilleuse nouvelle question.

Ulrich dit : « Tu entends les premières mesures de Bach ou de Mozart; tu lis une page de Gœthe ou de Corneille et tu sais que tu as touché la génialité!

— Avec Mozart ou Gœthe peut-être, parce que je le sais d'avance; mais pas avec un inconnu! repartit le général.

— Crois-tu que, jeune homme, ça ne t'aurait pas électrisé ? En soi, l'enthousiasme juvénile est apparenté au génie!

— Pourquoi *en soi?* Enfin, s'il faut absolument que je te réponde : il se peut que j'aie été emballé par une prima donna. Je me suis enthousiasmé aussi pour Alexandre le Grand, César et Napoléon. Mais *en soi*, jamais un écrivain ni un compositeur ne m'a touché le moins du monde! »

Ulrich battit en retraite, bien qu'il se rendît compte d'avoir simplement mal abordé un problème juste. « J'ai voulu dire que le jeune homme dont l'esprit se développe flaire le génie comme les oiseaux migrateurs la bonne direction. Mais ce serait probablement intervertir les faits. En réalité, il n'est accessible à la supériorité que dans une mesure très limitée. Il a moins de sens pour la supériorité que pour ce qui le bouleverse. Il ne recherche pas tant le génie qu'il ne se cherche soi-même avec tout ce qui pourra donner un contenu à ses préjugés. Ce qui lui parle est ce qui lui ressemble, avec le vague que cela suppose. C'est, à peu près, ce qu'il croit pouvoir être lui-même, et cela joue dans sa formation le même rôle que le miroir où il aime tant à se regarder, sans du tout que ce soit pure vanité. Il ne faut donc pas s'attendre que ce soient précisément des œuvres géniales qui aient sur lui cet effet : ce sont plutôt les œuvres actuelles, et parmi elles, celles qui touchent l'humeur plutôt que celles que l'esprit a clairement dessinées, de même qu'il préfère aux miroirs fidèles ceux qui lui amincissent le visage ou lui font les épaules plus larges...

— C'est bien possible, dit Stumm pensivement. Mais crois-tu que l'homme, en vieillissant, devienne plus malin ?

— Sans aucun doute, l'homme mûr a les moyens et l'entraînement nécessaire pour reconnaître la supériorité dans de plus vastes proportions; mais ses buts et ses pouvoirs personnels d'homme mûr l'obligent à écarter beaucoup de choses. Il ne refuse pas par incompréhension, il repousse par force!

— C'est cela! s'écria Stumm soulagé. Il n'est pas aussi limité que le jeune homme; je dirais qu'il est plus borné! Et cela est nécessaire. Quand des gens comme nous doivent fréquenter les jeunes blancs-becs que ta cousine protège, Dieu sait si nous devons être endurcis : notre supériorité est de ne pas comprendre la moitié de leurs propos!

— Mais pourquoi ne les critiquerait-on pas ?

— Ta cousine dit : ce sont des génies! Comment prouver le contraire ? »

Il n'aurait pas déplu à Ulrich d'examiner aussi cette question. « Le génie est l'homme qui, là où beaucoup d'autres ont vainement cherché une solution, la trouve en faisant quelque chose à quoi personne avant lui n'avait songé ». Telle fut la définition qu'il donna pour dépasser une bonne fois sa propre curiosité.

Stumm se déroba courtoisement : « Je puis me contenter des faits. J'ai eu assez souvent l'occasion, chez Mme von Tuzzi, de rencontrer des critiques et des professeurs : chaque fois qu'ils faisaient des déclarations par trop étranges sur ces génies qui font progresser la vie ou les arts, je leur demandais prudemment conseil.

— Et quelle expérience as-tu faite ? demanda Ulrich en acceptant la diversion.

— Oh! ils se sont toujours montrés infiniment respectueux! Ils me disaient : Mon général, ce n'est pas votre affaire! Peut-être y avait-il aussi là, de leur part, une espèce d'arrogance : bien qu'ils fassent un éloge presque angoissé, dirais-je, de tous les artistes, ils n'en paraissent pas moins très fiers que ceux-ci se contredisent dangereusement, se détestent et même, comble de tout, ne sachent peut-être pas ce qu'ils font!

— Aurais-tu appris aussi ce que les esprits qui ont attrapé l'insolation et dont Diotime rafraîchit le front de lauriers pensent des critiques et des professeurs, dans la mesure où ceux-ci ne les louent pas ? demanda Ulrich. Comme si c'était eux qui nourrissaient de leur chair ces bêtes à raisonner; et comme si c'était ces critiques qui réduisaient l'humanité à une bataille autour d'un os!

— Tu ne les as pas ratés! dit Stumm avec le ravissement du connaisseur.

— Mais enfin parmi tant de contradictions, à quoi vois-tu si celui dont tu t'es informé est un vrai ou un faux génie ? » demanda Ulrich logique.

Stumm fit une réponse sinon péremptoire, du moins sincère : « Ah! finalement, c'est du pareil au même! »

Ulrich l'observa sans mot dire. S'il voulait simplement couvrir sa retraite et se dérober à des questions d'une gravité déplacée à ce moment-là, il eut tort de ne pas profiter de cet instant pour « se dégager de l'adversaire », comme la bonne tactique l'eût exigé. Mais lui-même ne comprenait pas son humeur. Il finit par dire : « Rien n'a plus aidé la fortune des faux génies auprès des foules que l'incompréhension dont les vrais génies et, à leur instar, les demi-vrais, témoignent d'ordinaire les uns pour les autres : mais, finalement, les lampistes ne peuvent pas nettoyer Prométhée! »

Sur cette conclusion, Stumm leva vers Ulrich des yeux qui trahissaient aussi bien l'incompréhension totale qu'une profonde compréhension. « Il s'agit de bien saisir ma pensée, précisa-t-il avec prudence. Rappelle-toi avec quel zèle j'ai cherché la grande idée pour Diotime. Je sais ce qu'est la noblesse de l'esprit. Je ne suis pas le comte Leinsdorf qui ne la considérera jamais que comme de la petite noblesse. Tu viens de donner une définition éminemment juste du génie. Comment était-ce ? Il trouve une solution en faisant ce que personne n'avait songé à faire! Au fond, c'est ce que je disais : la première des choses, c'est qu'un génie s'y prend à l'envers du bon sens. Mais ce n'est pas encore la noblesse de l'esprit! Et pourquoi donc ? Parce que l'étoile qui guide notre époque, c'est l'idée qu'en tous cas, quelque chose de supérieur doit se produire! Qu'on appelle ce quelque chose génie, noblesse de l'esprit, progrès ou, comme il arrive de plus en plus souvent, record, notre époque s'en soucie peu!

— Pourquoi donc as-tu parlé de la noblesse de l'esprit ? dit Ulrich impatient.

— Justement, c'est ce que j'ai peine à savoir! dit Stumm. D'ailleurs, poursuivit-il enfiévré par la réflexion, peut-être pourrait-on dire que la noblesse de l'esprit est, entre autres, ce qui empêche le caractère de s'endormir. N'ai-je pas raison ?

— Sans doute ! » s'écria Ulrich encourageant. Ce fut d'ailleurs la première fois, à cet instant, qu'il pensa, encore vaguement, à la différence entre *Geniŭs* et *Genium*.

« Oui, répéta Stumm pensif. Mais qu'est-ce que le caractère ? Est-ce ce qui permet à un homme d'avoir des idées qui le distinguent du commun ; ou est-ce ce qui l'empêche d'en avoir de telles ? Car un homme qui a du caractère ne tourne pas tant autour du pot. »

Ulrich préféra hausser les épaules et sourire.

« Sans doute cela dépend-il de ce qu'on appelle ordinairement les *grandes* idées. Dans ce cas, la noblesse de l'esprit se confondrait avec la possession de grandes idées, poursuivit Stumm hésitant. Mais à quoi reconnaît-on qu'une idée est grande ? Il y a tant de génies, au moins une couple par spécialité. C'est même la caractéristique de notre époque d'avoir trop de génies : comment donc pourrait-on les comprendre tous et n'en omettre aucun ? » La connaissance intime et douloureuse qu'il avait du problème des grandes idées le ramenait au génie.

Ulrich haussa de nouveau les épaules.

« Il y a des gens, il est vrai, j'en ai connu plusieurs, fit Stumm, qui ne laissent pas échapper la moindre bribe de génie dont ils entendent parler !

— Ce sont des snobs, des dandys de l'esprit.

— Mais Diotime n'est-elle pas de ces gens-là ? demanda le général.

— N'empêche, dit Ulrich. Quelqu'un qui se bourre de tout ce qu'il trouve ne peut qu'être informe comme un sac.

— Il est exact, répondit le général non sans une nuance de reproche, que tu as souvent taxé Diotime de snobisme. Et Arnheim également quelquefois. Ainsi me suis-je fait des snobs une idée très excitante ! Je me suis même sérieusement efforcé d'en devenir un et de ne rien laisser échapper. Il m'est donc pénible de t'entendre déclarer soudain que même les snobs ne comprennent pas nécessairement le génie. Auparavant déjà, tu avais dit que la jeunesse ne le pouvait pas, ni l'âge mûr. Nous avons constaté ensuite que les génies eux-mêmes en sont incapables, et à plus forte raison les critiques. Finalement, nous allons découvrir que la génialité se manifeste à tout le monde !

— Cela viendra avec le temps! dit Ulrich en riant pour le tranquilliser. Presque tout le monde pense que le temps, tout naturellement, révèle ce qui est supérieur.

— En effet, je l'ai entendu dire aussi. Mais explique-le moi, si tu peux! dit Stumm impatienté. Je puis comprendre qu'on soit plus malin à cinquante ans qu'à vingt. Mais à huit heures du soir, je ne suis pas plus malin qu'à huit heures du matin; et je n'arrive pas à croire davantage qu'on soit plus intelligent à mille-cent-quatorze ans qu'à mille-huit-cent-quatorze! »

Ainsi continuèrent-ils quelque temps à discuter sur le chapitre du génie, le seul, selon Ulrich, qui pût justifier l'homme; mais aussi le plus passionnant et le plus vexant, parce qu'on ne sait jamais si l'on a affaire au génie ou à l'une de ses sottes imitations. Comment le distinguer ? Comment se transmet-il ? Se développerait-il davantage s'il n'était si souvent brimé ? Est-ce, comme Stumm l'avait demandé, une chose en fin de compte si souhaitable ? C'étaient des questions qui, pour le général, faisaient partie de la beauté et de l'affreux désordre du monde civil. Ulrich, en revanche, les comparait à un bulletin météorologique incapable non seulement de dire s'il fera beau le lendemain, mais encore s'il a fait beau la veille. Les jugements sur le génie changent en effet avec l'esprit des époques, supposé qu'on se pose la question du génie, ce qui n'est nullement le signe de la grandeur de l'âme ou de l'esprit.

Il eût valu la peine de résoudre ces énigmes. C'est pourquoi, à ce moment du dialogue, Stumm, après quelques hochements de tête, servit ses considérations sur l'État-major du Génie qu'Ulrich devait rapporter plus tard à sa sœur. En affirmant que le génie avait besoin d'un état-major, Stumm rappelait d'une manière un peu pénible ce qu'Ulrich lui-même avait défini mi-ironiquement comme un Secrétariat général de l'Ame et de la Précision. Stumm n'oublia pas, d'ailleurs, de lui rappeler qu'il en avait parlé en sa présence et devant le comte Leinsdorf, lors de la malencontreuse soirée chez Diotime. « Tu avais souhaité quelque chose d'assez semblable et, si je ne me trompe pas, c'était un bureau pour le génie et la noblesse de l'esprit... » Ulrich approuva de la tête sans mot dire. « Finalement, en effet, poursuivit le général, la noblesse de l'esprit serait ce qui manque aux génies ordinaires. Peu importe ce qu'on entend par là : nos génies sont des génies, un point c'est tout, de purs spécialistes! Suis-je dans le vrai? Je ne m'étonne pas que tant de gens s'écrient : il n'y a plus de génies! »

Ulrich hocha de nouveau la tête. Il se fit une petite pause.

« Mais il y a une chose que je voudrais savoir, dit Stumm avec cette nuance d'obstination que donne une perplexité prolongée. Jamais on n'a dit d'un général qu'il fût un génie : est-ce un reproche ou un compliment?

— L'un et l'autre.

— L'un et l'autre? Et pourquoi?

— Je ne le sais vraiment pas. »

Stumm perdit pied puis, après avoir réfléchi, déclara : « Tu as parfaitement raison! Tant que le peuple n'est pas en émeute, l'officier est populaire; celui-ci apprend à le connaître : le peuple se fiche bien des génies! Mais, jusqu'à ce qu'il soit général, il doit être un spécialiste; et s'il se trouve être un génie spécialiste, il tombe dans la catégorie où l'on dit qu'il n'y a plus de génies. De la sorte, il n'arrive jamais au point où il serait indiqué d'utiliser ce terme assommant. Sais-tu que j'ai entendu un mot vraiment fin, récemment? J'étais chez ta cousine, dans un cercle tout à fait intime, et nous parlions de problèmes intellectuels, bien qu'Arnheim fût en voyage. Quelqu'un me touche du coude et me dit doucement à son propos : *Lui est un génie! Plus que tous les autres. Un spécialiste universel!* Pourquoi ne dis-tu rien? » Ulrich ne trouvait rien à dire. « La possibilité que laisse entrevoir cette conception m'a surpris. D'ailleurs, toi aussi tu es une sorte de spécialiste universel. C'est pourquoi tu ne devrais pas tant négliger notre Arnheim : finalement, c'est lui qui donnera à l'Action parallèle l'idée rédemptrice, et ça pourrait être dangereux! Je persiste à préférer qu'elle vienne de toi! »

Bien que Stumm, finalement, eût parlé beaucoup plus qu'Ulrich, il s'en sépara en disant : « Comme toujours, j'ai eu le plus grand plaisir à m'entretenir avec toi : de fait, tu comprends tout cela infiniment mieux que les autres! »

50. *Le problème de la génialité.* (Fragment.)

Ulrich avait donc rapporté cette conversation à sa sœur.

Déjà auparavant, il lui avait parlé des difficultés inséparables de la notion de génialité. Qu'est-ce qui l'y incitait ? Il ne voulait pas se faire passer pour un génie; il ne cherchait pas davantage à s'informer poliment des conditions nécessaires pour en devenir un. Il était persuadé, au contraire, que toute l'ambition consommée dans son époque pour obtenir une réputation de génie n'était pas l'expression de la grandeur d'esprit, mais d'un simple malentendu. Néanmoins, tous les grands problèmes actuels s'enchevêtrent en un impénétrable fourré : les problèmes concernant le génie font de même, de sorte que les pensées tantôt sont tentées d'y pénétrer, tantôt restent accrochées aux difficultés.

Son récit terminé, Ulrich était revenu aussitôt là-dessus. Incontestablement, ce qui est génial doit être en même temps significatif; est géniale, en effet, une production significative apparue dans des circonstances exceptionnelles. Toutefois, l'idée de signification, d'importance, ne se rattache pas seulement au rare, mais aussi au général. Il fallait donc d'abord examiner cette notion. Déjà les mots *significatif*, *signifier*, *signifiant*, comme tous les mots d'usage fréquent, ont plusieurs sens. Ils sont liés, d'une part, à la pensée et à la connaissance. Que ceci signifie cela ou ait telle signification, veut dire que ceci renvoie à cela, le fait comprendre, l'affiche, peut, dans certains cas ou même en général, le représenter, qu'il est l'équivalent d'autre chose ou relève de la même notion, qu'il faut le comprendre et l'interpréter sous cette autre forme. Il s'agit là, inévitablement, d'une relation saisissable par la raison et concernant sa nature; de la sorte, évidemment, tout peut signifier quelque chose ou être signifié. D'autre part, cette même expression *etwas bedeuten* s'emploie dans le sens de *avoir de la signification*, *être significatif* ou *important*. Dans ce sens non plus, aucun objet n'en est exclu. Une pensée peut être significative, mais aussi bien un acte, une œuvre, une personnalité, une situation, une vertu, même telle qualité particulière du cœur. La différence avec l'autre usage du mot est ici l'attribution d'un rang et d'une valeur à la signification.

En ce second sens, que quelque chose soit signifiant veut dire qu'il est plus signifiant qu'autre chose ou, simplement, qu'il est extraordinairement signifiant. D'après quoi en décide-t-on ? Cette attribution laisse entendre que ce quelque chose fait partie d'une hiérarchie, d'un système (souhaité) de puissances intellectuelles : même si le critère du système à édifier est aussi vague sur certains points que strict sur d'autres. Cette hiérarchie existe-t-elle ?

Elle se confond avec l'esprit humain : non pas comme notion physiologique, mais comme ce qu'on appelle *l'esprit objectif*.

Agathe demanda ce qu'on entendait par là : c'était une notion que les gens plus scientifiques qu'elles faisaient tournoyer autour d'eux comme une fronde au point qu'elle en rentrait la tête dans les épaules.

Ulrich faillit faire de même. Pour lui, le mot était tout ce qu'il y a de plus courant. On y recourait si souvent alors dans les exposés scientifiques ou semi-scientifiques qu'il finissait par tourner autour de soi-même. « Mon Dieu! Agathe, tu deviens bien pointilleuse! » répliqua-t-il. L'expression lui avait échappé sans qu'il y songeât.

D'ordinaire, on entend par « esprit objectif » les ouvrages de l'esprit, les contributions si diverses qu'il apporte presque continuellement au monde, par opposition à l'esprit subjectif en tant que qualité et expérience personnelles. On entendait aussi par là (et on ne pouvait le faire tout à fait indépendamment de la première interprétation) l'esprit « pur », celui qui se conserve et garde sa valeur, par opposition aux inspirations de l'humeur et de l'erreur. On touchait là à deux contradictions dont la signification n'avait pas été seulement dans la vie d'Ulrich un problème intellectuel pur (il le savait bien et en avait assez souvent parlé), mais une source de fascination et de souci. C'était pourquoi l'emploi qu'il avait fait de l'expression « esprit objectif » relevait de ces deux sens.

Peut-être aurait-il pu dire également à sa sœur qu'on entendait par esprit objectif tout ce que l'homme a rêvé, pensé et voulu : non point comme les parts d'une échéance de l'âme, de l'histoire ou de toute autre réalité temporelle, moins encore comme une entité supra-sensible, mais simplement en soi, selon son contenu et son contexte propres. Il aurait pu dire aussi, dans une contradiction seulement apparente, qu'on le considérait sous réserve de tous les rapports et de toutes les organisations dont il était capable. Ulrich, en effet, assimilait ce qu'une chose signifie ou est en soi au produit des significations qu'elle pourrait prendre dans toutes les circonstances imaginables.

Il suffit d'exprimer cela autrement et de dire : une chose est en soi précisément ce qu'elle n'est jamais en soi, mais plutôt par rapport à ses circonstances; de même, sa signification est l'ensemble de ses significations possibles; il suffit donc de pousser l'expression à l'extrême pour qu'apparaisse aussitôt le doute qui lui est inhérent. Il est en effet d'usage, tout au contraire, ne serait-ce que par habitude de langage, d'établir que ce qu'une chose est ou signifie en soi forme l'origine et le noyau de tout ce qu'on peut dire d'elle selon les relations où elle s'intègre. Ulrich s'était donc laissé guider par une conception particulière de l'essence de la notion et de la signification. D'autant que cette conception n'est pas inconnue, on pourrait aussi l'exprimer ainsi : quoi que les théories logiques entendent par essence de la notion, en tant que notion de quelque chose, elle n'est dans la pratique que la contre-valeur et la possibilité accumulée de tout ce qu'on peut dire de vrai de ce quelque chose. Ce principe, qui renverse les procédés de la logique, est « empirique », c'est-à-dire qu'il évoque, si on veut à tout prix l'estampiller, une orientation célèbre de la pensée philosophique, sans pour autant se confondre avec elle. Ulrich aurait-il donc dû expliquer à sa compagne ce qu'était l'empirisme sous sa forme primitive et sous sa forme moderne, plus modeste et partant, peut-être améliorée ? Comme il arrive souvent quand une pensée gagne en exactitude, la réflexion, devenue plus aiguë, si elle renonce à certaines réponses erronées, renonce aussi à quelques questions plus profondes.

Ce que le langage philosophique a baptisé empirisme est une doctrine qui proclamait que la présence, évidemment surprenante, et le règne immuable des lois de la nature et des règles de l'esprit n'étaient qu'une illusion produite par l'accoutumance à la fréquente répétition des mêmes expériences. Ce qui se reproduit assez fréquemment doit continuer à se reproduire ainsi : telle était à peu près la formule classique. Sous la forme exagérée que lui ont donnée le XVIIIe et le XIXe siècles, c'était une réaction contre la longue spéculation théologique qui avait précédé, la croyance, fondée en Dieu, qu'on peut expliquer Ses œuvres avec l'aide de ce qu'on se met dans la tête. Quand elles ont la force pour elles, les idées et les notions sont aussi enclines que les hommes à se faire adorer et à dispenser des décisions arbitraires. Ainsi, à l'empirisme moderne avait dû se mêler d'abord une réaction un peu superficielle contre le rationalisme foncièrement croyant qui était alors arrivé au pouvoir et grâce à qui une philosophie naturelle et sociale de nature platement matérialiste est devenue entre-temps presque un bien national.

Ulrich sourit en pensant à un exemple, mais sans dire pourquoi. A cet empirisme un peu simple, par trop limité à ses règles, on reprochait volontiers de laisser entendre que si le soleil se levait à l'est et se couchait à l'ouest, c'était uniquement parce qu'il l'avait toujours fait. S'il l'avait dit à sa sœur et qu'il lui eût demandé ce qu'elle en pensait, elle lui aurait sans doute simplement répondu, sans se préoccuper d'argumentation, que le soleil pouvait bien, un jour ou l'autre, s'y prendre autrement. Voilà pourquoi, pensant à cet exemple, il souriait : la parenté de la jeunesse et de l'empirisme lui paraissait profondément naturelle; la tendance de celle-ci à vouloir tout éprouver par elle-même et à espérer les plus surprenantes expériences l'engageait à considérer l'empirisme comme la philosophie même de la jeunesse. Mais, de l'affirmation que la certitude de voir le soleil se lever tous les matins à l'est n'est due qu'à l'habitude, il n'y a qu'un pas à celle que toutes les connaissances humaines sont personnelles, conditionnées par le temps, peut-être même par les impressions d'une classe ou d'une race : affirmation qui s'est répandue ensuite de plus en plus dans l'histoire de l'esprit européen. Il faudrait sans doute ajouter qu'une nouvelle espèce d'hommes est apparue, environ depuis l'époque de nos arrière-grands-parents : celle de l'homme empirique, de l'empiriste (devenu un véritable problème en suspens), capable de tirer de cent expériences dépassées mille expériences nouvelles, mais qui demeurent toujours dans le même cercle : l'homme qui a produit ainsi l'uniformité gigantesque, apparemment profitable, de l'âge technique. L'empirisme comme philosophie pourrait passer pour la maladie infantile de cette nouvelle espèce humaine...

51. *Aime ton prochain comme toi-même !*

Il y avait beaucoup de choses dont on aurait pu dire qu'elles avaient déterminé les propos d'Ulrich ou qu'elles étaient liées nettement, ou épisodiquement, à ses pensées. Par exemple, il n'y avait pas longtemps qu'il avait parlé à sa sœur, et même à d'autres gens lors de la malheureuse soirée chez Diotime, du grand désordre des sentiments auquel on devait aussi bien l'Histoire que les petites divergences d'opinions et les sales histoires, telle celle qui venait de se passer. Maintenant, dès qu'il voulait tenir des propos qui eussent une signification générale, il avait l'impression qu'ils lui venaient aux lèvres quelques jours plus tard. Le désir lui manquait de s'occuper d'affaires qui ne le concernaient pas immédiatement, ou s'il l'éprouvait, cela durait peu. Son âme était plus que prête à s'abandonner avec tous ses sens au monde, quel que fût ce monde. Son jugement ne jouait là autant dire aucun rôle. Bien plus, que quelque chose lui plût ou non n'avait presque aucune importance. Tout le bouleversait au-delà de ce qu'il pouvait comprendre. Ulrich était habitué à s'occuper des autres; mais ç'avait toujours été sur le mode des sentiments et des opinions en général; maintenant cela se produisait dans les petites choses isolées, c'était lié sans aucune raison aux moindres détails; c'était presque l'état qu'un peu auparavant, en présence d'Agathe, il avait suspecté d'être désir de compassion plutôt que véritable sympathie chez un homme incapable de participer réellement. Cela s'était passé quand, à l'occasion d'une assez forte divergence de vues sur la signification de la personnalité, à lui mal connue, du professeur Lindner, il avait risqué cette affirmation blessante que jamais l'on ne participait à rien ni à personne comme il aurait fallu. Et en effet, quand il avait duré un certain temps et atteint sa pleine mesure, l'état où il se trouvait maintenant lui devenait désagréable ou lui paraissait ridicule. Alors, et dans chaque cas avec aussi peu de raisons, Ulrich était prêt aussi bien à s'abandonner qu'à se reprendre.

Cette fois-ci, il n'en alla guère autrement, encore qu'à sa manière, pour Agathe. Sa conscience était oppressée dès que l'exaltation la quittait; Agathe avait pris trop d'élan et se sentait exposée au jugement d'autrui comme une femme debout sur une escarpolette. Dans ces moments-là, elle craignait que le monde ne se vengeât du traitement capricieux qu'elle infligeait aux hommes qui parlaient de la réalité avec sérieux : tels l'époux qu'elle avait provoqué ou le professeur qui veillait sur son âme et conservait la mémoire dudit époux. Dans la multiple et stimulante activité dont la vie est emplie nuit et jour, on n'aurait pu trouver pour elle une seule occupation où elle eût mis tout son cœur; quoi qu'elle entreprît, elle ne pouvait attendre des autres que le blâme, le dédain ou même le mépris. Pourtant, quelle étrange paix procurait cette oppression même! On pourrait dire peut-être, en retournant un proverbe, qu'une mauvaise conscience est un meilleur oreiller qu'une bonne, à condition qu'elle soit suffisamment mauvaise! La perpétuelle activité accessoire de l'esprit pour tirer du chaos d'injustice où il est empêtré une bonne conscience personnelle au bout du compte s'interrompt enfin et laisse à l'âme une indépendance démesurée. Une tendre solitude, un orgueil haut comme le ciel répandaient parfois leur éclat sur ces sorties dans le monde. A côté de ses propres impressions, il arrivait en de tels instants que le monde parût à Agathe enflé comme un ballon captif que cernent des hirondelles, ou ravalé au rang d'un arrière-plan aussi minuscule qu'une forêt à l'horizon du regard. Les obligations bourgeoises auxquelles elle avait failli n'angoissaient pas plus que l'approche encore très lointaine d'un bruit grossier; elles étaient sans importance, sinon sans réalité. Ordre immense réduit à une immense absurdité, voilà ce qu'était devenu le monde. Pourtant, pour cette raison même, chaque détail apparaissant à Agathe avait la tension palpitante de l'exceptionnel, la tension presque excessive de la première découverte personnelle, dont la magie ne peut se répéter deux fois. Quand Agathe voulait en parler, elle le faisait avec la conscience qu'on ne peut dire un mot deux fois sans qu'il change de sens. Tout cela donnait à l'irresponsabilité de ses flâneries avec Ulrich dans la foule une responsabilité nouvelle et difficile à saisir.

A cette époque, l'attitude du frère et de la sœur à l'égard du monde était donc une expression (pas absolument irréprochable) de leur intérêt pour autrui; la sympathie et l'antipathie s'y côtoyaient dans un état d'émotion flottant comme un arc-en-ciel, alors que ces contraires, dans la vie quotidienne, s'installent définitivement en une sorte de mélange. C'est ainsi que leur conversation, un beau jour, prit une direction caractéristique de leur attitude l'un vis-à-vis de l'autre et face à leur entourage, bien qu'elle fût incapable de les conduire au-delà de ce qu'ils connaissaient déjà.

Ulrich dit : « Que signifie au fond le commandement : *Tu aimeras ton prochain comme toi-même?* »

Agathe lui jeta un regard de biais.

« Évidemment : *Tu aimeras aussi le moins prochain!* poursuivit-il. Mais que signifie : *comme soi-même?* Comment donc s'aime-t-on soi-même ? Dans mon cas la réponse serait : Pas du tout! et dans la plupart des autres : Plus que tout! Aveuglément! Sans poser de questions et sans s'imposer de limites!

— Tu es trop agressif! Qui l'est contre soi l'est contre autrui! répondit Agathe en secouant la tête. Et si tu ne te suffis pas, comment te suffirai-je ? » Elle dit cela sur un ton qui hésitait entre celui de la souffrance gaiement supportée et celui de la conversation polie. Ulrich feignit de n'avoir pas entendu et resta sur le plan des généralités, les yeux dans le vide. Il poursuivit : « Peut-être ferais-je mieux de dire : d'ordinaire, chacun s'aime infiniment et se connaît infiniment peu! *Tu aimeras ton prochain comme toi-même* signifierait alors : *Tu l'aimeras sans le connaître et quoi qu'il en soit.* Chose assez singulière, si la plaisanterie n'est pas déplacée, on trouverait dans l'amour du prochain comme dans tout autre amour le mal héréditaire, la morsure dans le fruit de l'Arbre de la Science! »

Agathe, lentement, leva les yeux. « J'étais heureuse que tu aies dit de moi un jour que j'étais ton amour-propre perdu et retrouvé. Mais maintenant, tu dis que tu ne t'aimes pas et donc que si tu m'aimes, logiquement, c'est parce que tu ne me connais pas! Ne devrais-je pas, dès lors, être offensée ? » La souffrance, dans sa voix, avait laissé définitivement la place à la gaieté.

Ulrich plaisanta aussi. Il n'eut pas de peine à demander s'il vaudrait mieux qu'il l'aimât *bien qu'*il la connût. Car cela aussi fait partie de la définition de l'amour du prochain. C'est évoquer l'embarras où cet amour met la plupart des humains. Ils s'aiment les uns les autres, mais ils ne peuvent pas se sentir. « Ils se déplaisent mutuellement ou se rendent compte qu'ils le feront quand ils se connaîtront mieux : et ils prennent beaucoup trop d'élan pour sauter dans les bras l'un de l'autre! » affirma Ulrich.

L'enjouement de ce dialogue était feint. Néanmoins, lui aussi servait à explorer les frontières d'une pensée et d'un sentiment dont la prédiction (quoi qu'il se fût passé ou non depuis lors) avait commencé le jour où Ulrich avait prononcé pour la première fois, au chevet de sa sœur épuisée par les émotions du voyage et de l'arrivée, les mots : « Tu es mon amour-propre perdu », dans une conversation où il avait avoué avoir perdu tout amour pour soi et pour le monde, et qui s'acheva par l'affirmation qu'ils étaient des « Siamois ». A cette exploration, depuis lors, aidaient aussi toutes les considérations qu'ils faisaient sur la vie ordinaire et moyenne, même s'ils venaient de se blesser eux-mêmes contre la gaieté superficielle qu'ils y mettaient.

Tombant brusquement dans un ton plus maussade, Ulrich dit : « Nous aurions simplement dû dire que ce commandement se confond avec ce conseil pratique : *Ne faites pas à autrui ce que vous ne voudriez pas qu'on vous fît!* »

Agathe, comme avant, secoua la tête, mais son regard se réchauffa. « C'est un commandement noblement passionné, joyeusement généreux! s'écria-t-elle sur un ton de reproche. Il signifie : *Aime tes ennemis! Rends le bien pour le mal! Aime sans même poser de questions!* » Soudain elle s'arrêta, désarçonnée, et regarda son frère : « Mais qu'est-ce qu'on aime au fond chez un être, quand on ne le connaît pas du tout ? » demanda-t-elle innocemment. Ulrich prit du temps pour répondre. « N'as-tu pas remarqué qu'on est vraiment troublé, aujourd'hui, lorsqu'on rencontre un être qui vous plaît, et si beau qu'on voudrait en parler convenablement ? » Agathe fit oui de la tête. « Ainsi, reconnut-elle, notre sentiment ne s'oriente ni sur le monde réel ni sur les êtres réels ? » « Il faudrait donc que nous examinions à quelle partie, à quelle refonte ou à quelle transfiguration des êtres ou du monde réel ce sentiment s'adresse... » compléta Ulrich à mi-voix.

Cette fois-ci, ce fut Agathe qui ne répondit pas tout de suite; mais son regard était animé et rêveur. Enfin, elle avança timidement une contre-proposition : « Peut-être que derrière la vérité ordinaire, alors, c'est la grande vérité qui apparaît ? »

Ulrich secoua la tête dans un mouvement d'hésitante dénégation, mais l'affirmation interrogative d'Agathe avait pour elle le profond miroitement de l'évidence. L'air et le plaisir de ces journées étaient si clairs, si tendres qu'on pensait, sans le vouloir, que les êtres et le monde devaient s'y montrer plus réels qu'ils ne l'étaient. Il courait dans cette transparence un léger frémissement d'aventure mystérieuse comme il en court dans la fluide limpidité d'un ruisseau grâce à laquelle le regard peut voir le fond; mais quand il y atteint, vacillant, les pierres, énigmes colorées, sont comme une peau de poisson sous l'éclat lisse de laquelle ce qu'on croyait découvrir se cache définitivement. Agathe n'avait qu'à laisser aller ses regards pour éprouver, tout enveloppée de soleil, le sentiment d'être entrée dans un domaine surnaturel; pendant un très court instant, il lui était facile de croire qu'elle avait heurté une vérité et une réalité supérieures ou, du moins, qu'elle avait atteint ce point de l'existence où une porte dérobée mène du jardin terrestre au monde supraterrestre. Mais, quand elle rendait à son regard sa tension ordinaire et laissait refluer la vie avec violence, elle apercevait soudain un petit drapeau brandi gaiement, sans aucun arrière-plan, par la main d'un enfant, la voiture de la police avec des prisonniers et sa peinture vert sombre qui étincelait dans la lumière, un homme, à casquette de couleur, qui balayait le crottin entre les voitures, enfin un détachement de soldats, le fusil sur l'épaule, le canon pointé vers le ciel. Tous ces détails étaient recouverts de quelque chose qui s'apparentait à l'amour; tous les passants semblaient prêts à s'ouvrir plus que de coutume à ce sentiment. Mais croire que le règne de l'amour avait commencé, finit par dire Ulrich, c'était aussi malaisé que de s'imaginer qu'en cet instant nul chien ne mordrait plus, nul homme ne ferait plus de mal!

Il est peut-être curieux qu'il y ait tant de tentatives d'explication, et que nombre d'entre elles rendent compte de cette impression proprement nuptiale par le fait qu'en ces instants d'amour et de dévotion à la vie, derrière l'homme mi-bon mi-méchant, mais bien présent, de tous les jours, semble en devoir poindre un autre, plus lointain mais plus vrai. Le frère et la sœur examinaient l'une après l'autre ces explications bien intentionnées et n'en croyaient aucune. Ils ne croyaient pas que la nature, dans ses jours de fête, fît ressortir toute la bonté et la beauté d'ordinaire cachées dans les créatures : c'était une sagesse du dimanche. Ils ne croyaient pas à cette explication plus psychologique selon laquelle l'homme, dans cette limpidité délicate, s'il ne se montrait pas vraiment un autre, se donnait aimablement pour celui qu'il désirait paraître : transpirant son amour-propre et son indulgence pour soi-même comme du miel. Ils ne croyaient pas non plus que les hommes manifestassent leur bonne volonté qui certes ne les empêche jamais de mal agir, mais qui, dans ces jours-là, ressortirait miraculeusement intacte de la mauvaise volonté d'ordinaire régnante, comme Jonas du ventre de la baleine. Et certes, ils ne croyaient pas non plus à l'explication la plus courte et la plus enivrante, celle qu'Agathe venait d'effleurer timidement une fois de plus, et qui veut que ce soit notre part immortelle qui brille parfois derrière notre part mortelle. D'ailleurs, toutes ces hypothèses solennelles avaient ceci de commun qu'elles cherchaient le salut de l'homme dans un état qui n'arrive pas à s'imposer parmi les états ordinaires et superficiels de la vie. Le pressentiment de ce dernier état se trouvant nettement dirigé vers le haut, il faut citer un autre groupe, non moins riche, d'illusions dont le pressentiment est non moins nettement dirigé vers le bas : Il s'agit des innombrables et illustres professions de foi et prophéties selon lesquelles l'homme aurait perdu l'innocence de son état naturel, sa naturelle innocence, par la faute de l'orgueil intellectuel et des autres fléaux civilisés.

On trouvait ainsi deux « hommes vrais » qui se présentaient à l'esprit dans la même occasion avec une extrême ponctualité. Pourtant, dans la mesure où l'un devait être un surhomme céleste, l'autre une créature intacte, ils se trouvaient tous deux aussi loin que possible de l'homme réel. Ulrich dit sèchement : « Tout ce qu'ils ont de commun, c'est que l'homme réel, même dans ses moments d'élévation, n'apparaît pas comme l'homme vrai, à moins qu'il n'y ait un quelque chose en plus ou en moins qui lui donne l'impression d'être merveilleusement irréel ! »

Ainsi, Ulrich et Agathe étaient passés d'un cas-limite de l'interprétation à l'autre, et il ne restait plus qu'une possibilité d'expliquer cet amour si doux qui ne faisait plus de distinctions entre les choses et ressemblait à un matin de rosée. Agathe évoqua encore cette possibilité, avec un soupir d'irritation gracieuse : « Le soleil brille, et un élan inconscient vous envahit comme l'écolier et l'écolière! » Ulrich poursuivit : « Au soleil, les besoins sociaux se dilatent comme le mercure dans le thermomètre, aux dépens des besoins personnels qui d'ordinaire leur font équilibre! » Maintenant, le frère et la sœur étaient las de sentir; il arrivait quelquefois qu'un dialogue où ils ne parlaient que de leurs sentiments les fît oublier d'en avoir. De plus, parce qu'elle devenait réellement douloureuse quand elle ne trouvait pas d'issue, ils se vengeaient de la surabondance de l'émotion, à l'occasion, par un mouvement d'ingratitude. Mais, lorsqu'ils eurent ainsi parlé, Agathe, de nouveau, regarda son frère de côté et se hâta de se rétracter : « Et pourtant non! ce n'est pas une simple histoire de potaches qui voudraient étreindre le monde entier sans même savoir pourquoi! »

A peine s'était-elle ainsi exclamée qu'ils comprirent à nouveau l'un et l'autre qu'ils n'étaient pas livrés à une simple chimère, mais à une histoire dont la fin n'était pas prévisible. Dans le débordement de l'émotion une vérité flottait, sous l'apparence se cachait la réalité, la possibilité d'une métamorphose du monde glissait comme une ombre sur le monde! C'était, il est vrai, une réalité curieusement privée de noyau, à peine palpable, qu'ils devinaient; c'était une demi-vérité aussi familière que familièrement insaisissable qui luttait pour être crue : non pas une réalité banale, non pas une vérité pour tout le monde, mais une vérité secrète pour les amants. Pourtant, il était clair qu'elle n'était pas simple caprice, simple illusion. Sa plus secrète suggestion disait : Abandonne-toi à moi sans méfiance et tu apprendras toute la vérité! Mais il était difficile d'entendre cette suggestion sous une forme précise : le langage de l'amour est un langage chiffré, et dans sa suprême perfection aussi muet qu'une étreinte.

Agathe, en souriant, fronça les sourcils et considéra la foule. Ulrich l'imita, et ils regardèrent ensemble le fleuve humain qui les accompagnait ou les croisait. Sentaient-ils l'oubli de soi et la puissance, le bonheur, la bonté, la haute et profonde innocence qui règnent au sein d'une communauté humaine, ne fût-ce que celle tout arbitraire d'une rue animée, au point qu'on ne peut croire qu'il s'y trouve encore du mal ou des séparations ? Leur être propre, avec ses limites propres et son hésitation à s'intégrer, de même que l'être de chaque passant qui marchait obscurément dans cette averse et cette ruée de tendresse dont l'éclat inondait ses yeux, s'en détachaient avec une étrange netteté. A cet instant qui reproduisait sous une forme imagée toutes les questions sur le « règne de l'amour », sur le sens et les incertitudes de l'amour du prochain, et qui y répondait intégralement, Ulrich se pencha vers Agathe pour voir son visage et lui dit : « Parviendrais-tu autrement qu'en songe à aimer quelqu'un sans qu'aucune conviction morale, aucun désir sensuel ne soient liés à cet amour ? »

Depuis qu'ils se promenaient ainsi, c'était la première fois qu'il lui posait une question aussi directe.

Agathe, d'abord, ne répondit pas.

Ulrich dit : « Qu'arriverait-il si nous arrêtions un de ces passants et que nous lui disions : *Reste avec nous, frère!* ou encore : *Arrête-toi, âme pressée! Car nous voulons t'aimer comme nous-mêmes!*

— Il nous regarderait avec stupeur, répondit Agathe, puis il se sauverait en hâtant le pas!

— Ou bien il s'emporterait et appellerait un agent, dit Ulrich. Il penserait, en effet, avoir affaire soit à de braves cinglés, soit à des types qui se fichent de lui.

— Et si nous lui criions : *Espèce de sale type!...* suggéra Agathe.

— Il se pourrait bien que cessant de nous prendre pour des cinglés ou des plaisantins, il nous considère comme ce qu'on appelle des dissidents; des partisans qui l'auraient pris pour un autre. J'ai l'impression que les associations d'aveugles de la haine n'ont pas beaucoup moins d'affiliés que celles de l'amour du prochain! »

Agathe fit un signe d'assentiment, puis elle secoua la tête et regarda en l'air. Le ciel était toujours le même. Elle regarda à terre, et quelque humble détail, un soupirail, une feuille de salade égarée semblaient flamboyer doucement dans la lumière du ciel. Finalement, elle regarda autour d'elle, cherchant simplement quelque chose qui lui plût, un visage ou un objet dans une vitrine, et elle le trouva. Pourtant, ce plaisir réel était une tache aveugle dans l'éclat du jour : Ulrich l'avait déjà dit, mais le contraste s'imposait maintenant à elle avec plus de force. Ce plaisir, loin que sa petite contribution accrût l'amour total pour le monde et autrui, le gênait. Agathe répondit donc : « Tout est tellement irréel! Aujourd'hui, je ne sais même plus si j'aime les choses et les êtres réels, si j'aime réellement quelque chose !

— Serait-ce la réponse à ma question ? demanda Ulrich en la modifiant un peu. Je t'avais demandé si un amour quelconque, fût-il sans limites, pouvait, sans exaucement des sens, être plus que l'ombre d'un amour. Dans tout désir qui n'occupe pas les sens habite déjà une muette tristesse...

— Je suis pleine d'amour et vide d'amour, et tous les deux ensemble », soupira Agathe en souriant, montrant le monde avec un petit geste timide. C'était le soupir du cœur où Dieu a pénétré aussi profondément qu'une épine qu'aucun doigt ne peut plus saisir. Dans les confessions des mystiques qui appellent Dieu de toute leur âme et de tout leur corps, ce singulier désespoir interrompt sans cesse les moments où la transfiguration fut toute proche. Le frère et la sœur se rappelaient maintenant cette heure dans le jardin où Agathe avait lu des passages de ce genre à Ulrich. Après qu'ils furent tombés d'accord sur ce point, Ulrich dit : « Il y a aussi quelque chose de ce mysticisme dans l'amour du prochain : chacun le ressent et lui obéit sans le comprendre. Il se peut que tout grand amour, que toute grande passion même, comporte un élément mystique. Il se pourrait que même dans une vie mesurée, à chaque instant d'ouverture sur les profondeurs, la participation aux êtres et aux choses soit d'ordre mystique et différente de la participation réelle !

— Et qu'est-ce qu'une *participation mystique*, sinon le contraire d'une participation réelle ? » demanda Agathe.

Ulrich ne réfléchit pas, mais hésita. Finalement, il dit avec beaucoup de détermination : « On est à la fois plein d'amour et vide d'amour. On aime tout, et on n'aime rien en particulier. On n'arrive pas à se détacher d'un détail minuscule, et l'on sent en même temps que l'ensemble est sans importance. Ce sont des contradictions : apparemment, les deux termes ne peuvent être réels à la fois. Néanmoins, c'est réel : le nier n'aurait aucun sens ! Si donc je ne puis te demander de voir dans la participation mystique une sorcellerie religieuse, il ne nous reste plus qu'à supposer qu'il y a deux façons de vivre la réalité qui s'imposent à nous plus ou moins fortement ! »

Quelquefois, dans une minute privilégiée, surgissent en un seul faisceau les réponses à de nombreuses questions qui, isolées et en suspens, créaient une mobile inquiétude. Quelquefois, ce raccourci fait illusion; il n'en reste pas moins un présage. Telle fut la minute où Ulrich pensa qu'il y avait dans le monde deux espèces de réalité, ou pour mieux dire, deux espèces de réalité temporelle. Lorsque cette parole eut été prononcée, avant même que le frère et la sœur fussent convaincus de sa crédibilité, il n'y eut pas une question dans leur vie qui n'eût été effleurée par cette réponse. Le tissu serré des expériences et des conjectures extraordinaires des derniers temps, les pressentiments qui les avaient précédées, s'ils ne trouvaient pas d'explication, étaient tous traversés par une neuve assurance. Ainsi une flamme se rassemble obscurément et retient son souffle avant de brûler plus haute.

52. *Conversations sur l'amour.*

L'homme, proprement l'animal doué de parole, est le seul être qui ait le besoin de perpétuer aussi ses conversations, et cela non pas simplement comme une conséquence secondaire de ce don : apparemment, son goût de l'amour est lié essentiellement à sa loquacité, et si mystérieusement, qu'on pense aux philosophes antiques selon qui Dieu, les hommes et les choses sont nés du *Logos*, par quoi ils entendaient tantôt le Saint Esprit, tantôt la Raison, tantôt la Parole. Même les sciences les plus récentes comme la psychanalyse et la sociologie n'ont pu nous apprendre sur ce point quoi que ce soit d'essentiel, bien qu'elles puissent déjà faire concurrence au catholicisme pour l'immixtion dans les affaires humaines. Il faut se résigner à comprendre soi-même pourquoi les conversations, dans l'amour, jouent un rôle presque plus important que tout le reste. L'amour est le plus loquace de tous les sentiments, il est essentiellement loquacité. Quand l'individu est jeune, ces conversations universelles relèvent des phénomènes de croissance; quand il est adulte, elles sont sa roue de paon qui, même quand elle n'est plus faite que de tuyaux de plume, se déploie d'autant plus qu'elle le fait plus tard. La raison en est peut-être que la pensée contemplative est éveillée par les sentiments amoureux et noue avec eux des liens durables : il est vrai qu'ainsi la question ne serait que déplacée, car, si le mot contemplation est employé presque aussi couramment que le mot amour, il n'en est pas plus clair.

Néanmoins, bien qu'Ulrich et Agathe ne fussent jamais las de parler ensemble, on ne peut décider ainsi s'il fallait inculper d'amour les liens qui les unissaient. Tous leurs propos, c'est exact, tournaient autour de l'amour, en tous lieux et quoi qu'il en fût. Mais on peut dire de l'amour comme des autres sentiments que son ardeur s'épanouit d'autant plus largement en paroles qu'il est plus éloigné des actes : ce qui, après leurs premières expériences obscures et violentes, poussait le frère et la sœur à s'engager dans ces conversations et leur semblait quelquefois un ensorcellement, c'était en premier lieu qu'ils ne savaient comment agir. La crainte de leur propre sentiment, leur prudente et curieuse pénétration dans son domaine donnaient parfois à ces dialogues un aspect plus superficiel qu'ils ne l'auraient mérité.

53. *Des difficultés où l'on n'en cherche pas d'ordinaire.*

Qu'en est-il de l'exemple si célèbre (et si volontiers vécu) de l'amour entre ce qu'on appelle deux personnes de sexe différent ? C'est un cas particulier du commandement : Tu aimeras ton prochain sans savoir qui il est, et une épreuve des relations qui existent entre l'amour et le réel.

Chacun fait de l'autre la poupée avec laquelle il avait joué dans ses rêves d'amour.

Ce que l'autre dit, pense ou est réellement ne jouerait-il aucun rôle ?

Tant qu'on l'aime et parce qu'on l'aime, tout est fascinant : mais l'inverse n'est pas exact. Jamais une femme n'a aimé un homme pour ses opinions et ses pensées, jamais un homme n'a aimé une femme pour les siennes. Ces opinions jouent simplement un grand rôle secondaire. On peut en dire autant de la colère, d'ailleurs : si l'on comprend sans parti-pris ce que l'autre veut dire, non seulement la colère, mais souvent, contre toute attente, l'amour lui-même est désarmé.

Pourtant, au début, l'essentiel n'est-il pas d'ordinaire qu'on soit ravi par l'harmonie des opinions ?

L'homme, quand il entend la voix de la femme, s'entend reproduit par un merveilleux orchestre au fond de sa fosse. Les femmes sont les plus inconscients des ventriloques : elles s'entendent donner les réponses les plus subtiles sans que cela passe leurs lèvres. Chaque fois c'est une petite annonciation : un être tombe des nues aux côtés d'un autre, et tout ce qu'il dit semble être une auréole à l'exacte mesure de sa tête! Plus tard, bien sûr, on est comme l'ivrogne qui a cuvé son vin.

Il y a pourtant les œuvres! Les œuvres de l'amour, sa fidélité, ses sacrifices, ses attentions ne sont-elles pas sa meilleure preuve ? Mais les œuvres sont équivoques comme toutes les choses muettes! Se rappelle-t-on sa vie comme une succession animée d'événements et d'actes, c'est comme une pièce de théâtre dont on a oublié le premier mot du dialogue et dont les scènes, avec une affreuse monotonie, ont toujours le même point culminant.

Ainsi, l'on n'aimerait pas selon son mérite et son salaire, dans le chant alterné des esprits immortels mortellement épris ?

N'être pas aimé selon son mérite, c'est la tristesse de toutes les vieilles filles des deux sexes!

Ce fut Agathe qui répondit ainsi. La beauté mystérieuse de l'amour sans cause et la légère ivresse de l'injustice montaient des amours passées et la réconciliaient même avec le manque de dignité et de sérieux dont elle s'accusait parfois à cause de ses rapports avec Lindner et dont elle avait honte chaque fois qu'elle retrouvait Ulrich. C'est Ulrich qui avait amorcé la conversation; comme elle se prolongeait, il avait eu envie d'interroger Agathe sur ses souvenirs. Elle portait sur ces délices le même jugement que lui sur celles qu'il avait connues.

Elle le regarda en riant : « Ne t'est-il jamais arrivé d'aimer quelqu'un par-dessus tout et de t'en mépriser ?

— Je crois pouvoir répondre non, fit Ulrich. Mais je n'en refuserai pas l'hypothèse avec indignation, car cela aurait pu m'arriver.

— N'as-tu jamais aimé un être tout en étant désagréablement convaincu, poursuivit Agathe avec animation, que cet être, qu'il portât une barbe ou une gorge, cet être qu'on croyait bien connaître, qu'on estimait, qui parlait interminablement de soi et de toi, n'était qu'en visite dans l'amour ? On pourrait négliger ses opinions et ses mérites, modifier son destin, on pourrait lui donner une autre barbe et d'autres jambes; on pourrait presque l'abandonner lui-même, et ne l'en aimer pas moins! C'est-à-dire, ajouta-t-elle en atténuant ses propos, dans la mesure où c'est vraiment aimer! »

Sa voix avait une sonorité profonde, avec dans sa profondeur une clarté inquiète comme d'un feu. Se sentant fautive, Agathe se rassit : dans son involontaire ardeur, en effet, elle avait bondi de sa chaise.

Ulrich lui aussi se sentit fautif à cause de la conversation : il sourit. Jamais, il n'avait eu l'intention d'assimiler l'amour à l'un de ces sentiments divisés que l'on commençait à appeler *ambivalents*, ce qui signifiait à peu près que l'âme, comme il arrive aux filous, cligne de l'œil gauche quand elle jure de la main droite. Non. Ulrich s'était simplement diverti à l'idée que l'amour, pour naître et pour durer, ne dépendait de rien d'essentiel. On aime quelqu'un en dépit de tout ou à cause de rien; ou bien le tout est une imagination, ou bien cette imagination est un tout comme en est un ce monde où il n'est pas un passereau qui tombe du toit à l'insu de Celui qui voit tout.

« Finalement, donc, ça ne dépend de rien du tout! s'écria Agathe péremptoire. Ni de ce qu'un être est, ni de ce qu'il pense, ni de ce qu'il veut, ni de ce qu'il fait! »

Ils comprenaient qu'ils parlaient de la certitude de l'âme ou plutôt, comme on préfère éviter de si grands mots, de l'incertitude qu'ils sentaient (en employant cette fois le mot d'une manière générale et modestement vague) dans leur âme. S'il était question de l'amour, en quoi ils se rappelaient l'un à l'autre sa mobilité et son art de la transformation, c'était seulement parce que l'amour est l'un des sentiments les plus intenses et les plus définis qui soient, et néanmoins, comparé au sentiment si rigoureux de la connaissance, un sentiment si suspect qu'il parvient même à ébranler ce dernier. Mais ils avaient déjà trouvé là un point de départ lorsqu'ils flânaient au soleil de l'amour du prochain. Ulrich, se rappelant ce qu'on dit, que même dans ce gracieux embarras l'homme ignore s'il aime réellement les êtres, s'il aime les êtres réels, ou s'il est simplement berné (et alors à travers quelles qualités ?) par une illusion ou une transformation, Ulrich se montra éloquemment empressé à fixer, provisoirement du moins et dans l'esprit de leur bavardage interrompu, le rapport problématique qui lie le sentiment et la connaissance.

« Ces deux contradictions y sont toujours présentes et forment un attelage à quatre chevaux, dit-il. On aime un être parce qu'on le connaît, et parce qu'on ne le connaît pas. On le découvre parce qu'on l'aime; et on ne le connaît pas parce qu'on l'aime. Parfois, cela s'accentue au point de devenir brusquement très sensible. Ce sont ces instants fameux où Vénus découvre dans Apollon, et Apollon dans Vénus, une poupée vide, et s'émerveille d'avoir pu y voir autre chose. Si l'amour, alors, est plus fort que l'étonnement, une lutte s'élève entre les deux, et quelquefois, encore qu'épuisé, désespéré, mortellement blessé, l'amour en sort vainqueur. Mais si l'amour n'est pas assez fort, une lutte s'élève entre les deux personnes qui se jugent leurrées : des offenses, de brutales intrusions du réel, des outrages jusqu'aux derniers, pour faire oublier qu'on a été naïf... » Ulrich avait connu assez souvent ces intempéries de l'amour pour pouvoir les décrire maintenant avec nonchalance.

Agathe, néanmoins, coupa court. « Si tu n'y vois pas d'objection, je te ferai remarquer que ces affaires d'honneur conjugales ou extra-conjugales sont généralement fort surestimées! » dit-elle en cherchant à retrouver une position confortable.

« C'est l'amour dans son ensemble qui est surestimé! Le fou qui brandit un couteau et en transperce un innocent qui se trouvait juste à la place de son hallucination, en amour, c'est lui le normal! » dit Ulrich en riant.

54. *Comme quoi il n'est pas simple d'aimer.*

Une position confortable, un soleil accommodant, doux sans être indiscret, encourageaient ces dialogues. Ils avaient lieu la plupart du temps entre deux chaises-longues qui étaient moins installées à l'abri et à l'ombre de la maison que dans la lumière ombragée qui, venant du jardin, trouvait sur les murs encore matinaux une limite à sa liberté. Il ne faudrait pas croire que les chaises étaient là parce que le frère et la sœur (animés par la stérilité effective au sens ordinaire, et menaçante peut-être même en un sens plus haut, de leurs rapports) auraient eu l'intention d'échanger leurs opinions sur les illusions de l'amour dans un style indianisant à la Schopenhauer, et de se défendre par l'analyse de l'affolement qui pousse à la perpétuation de l'espèce : leur choix de la pénombre, de la clémence, d'une prudente curiosité s'expliquait plus simplement. Le sujet de la conversation lui-même était tel qu'apparaissaient, dans l'immense champ d'expériences à quoi s'éclaire la notion d'amour, les voies de communication les plus diverses d'une question à l'autre. C'est ainsi que la question de savoir comment on peut aimer son prochain qu'on ne connaît pas, et celle de savoir comment on peut s'aimer soi-même, qu'on connaît moins encore, entraînèrent leur curiosité vers une nouvelle question qui les contenait toutes deux, celle de savoir, simplement, comment on aime : autrement dit, ce qu'était, *au fond*, l'amour. Cette question, à première vue, peut paraître un peu sentencieuse et par trop raisonnable pour un couple d'amoureux. Dès qu'on l'étend aux millions de couples d'amoureux divers qui existent, elle n'en devient pas moins singulièrement troublante.

Non seulement ces millions de couples sont distincts par leurs personnes (ce qui fait leur fierté), mais encore ils le sont par leur action, leur objet, leur relation. Il arrive qu'on ne puisse pas parler d'un couple d'amoureux, mais bien d'amour; il arrive aussi qu'on puisse parler de couple, mais pas d'amour : ce dernier cas est plus banal. Dans l'ensemble, le terme comporte autant de contradictions qu'un dimanche de petite ville de province où les jeunes paysans, à dix heures du matin vont à la messe, à onze heures au bordel situé dans une ruelle adjacente, et se retrouvent à midi sur la grand'place pour manger et boire à l'auberge. Est-il sensé de vouloir faire le tour d'un terme pareil ? Pourtant, lorsqu'on l'utilise, on agit inconsciemment comme si on lui trouvait, en dépit de toutes les différences, un fond commun! Rien de plus différent que d'aimer une canne ou d'aimer l'honneur, et personne n'aurait l'idée de dire cela d'un trait si l'on n'était habitué à le faire tous les jours. On peut citer d'autres variétés de ce qui diffère beaucoup tout en étant la même chose : aimer la bouteille, le tabac ou d'autres poisons pires encore. Aimer les épinards et les promenades. Le sport ou l'esprit. La vérité. Sa femme, son enfant, son chien. Ceux qui en parlaient ajoutaient : Dieu. La beauté, la patrie et l'argent. La nature, les amis, la profession, la vie. La liberté. Le succès, la puissance, la justice, ou en un mot, la vertu. Tout cela, ce sont des choses qu'on aime. En bref, il y a presque autant d'objets d'amour qu'il y a de manières de rêver et de parler. Mais quelles sont les différences et quels sont les points communs de ces amours ?

Peut-être sera-t-il bon de penser au mot fourchette. Il existe des fourchettes à manger, des fourchettes de jardinier, la fourchette du sternum, des fourchettes de gantier ou de pendule : toutes ont en commun un caractère distinctif, le « fourchu ». Dans les objets les plus différents qui portent ce nom, le fait essentiel est cette forme fourchue. Si l'on part de ces objets, on se rend compte qu'ils relèvent tous de la même notion; si l'on part de l'impression première du « fourchu », il appert que cette notion est nourrie, enrichie des impressions que donnent les différentes espèces de fourchettes. Ce qui leur est commun, c'est donc une forme, une structure, et les différences résident d'abord dans les multiples formes que cette structure peut prendre; ensuite, pour les objets qui ont cette forme, dans leur matière, leur destination, et ainsi de suite. Mais, si chaque fourchette peut être immédiatement comparée avec une autre et se trouve perceptible aux sens, ne serait-ce que par un coup de crayon ou dans l'imagination, il n'en va pas ainsi des diverses formes de l'amour. Tout le profit de l'exemple se ramène donc à la question de savoir s'il n'y a pas là aussi, analogue au caractère fourchu des fourchettes, un indice capital, un caractère amoureux présent dans tous les cas possibles. Mais l'amour n'est pas un objet de connaissance sensible qui se puisse mesurer d'un regard ou même d'un sentiment, c'est un événement moral comme le sont, de façon plus préméditée, le meurtre, la justice ou le mépris. Cela signifie notamment qu'il est possible d'établir entre tous ses exemples une chaîne de comparaisons (pleine de détours et très diversement fondée) dont les termes les plus éloignés peuvent n'avoir aucune ressemblance et se trouver même contradictoires, tout en étant liés par des rapports d'assonance. Traitant de l'amour, il se peut donc qu'on aboutisse à la haine. La cause n'en est pas, cependant, la fameuse ambivalence ou division des sentiments, mais l'ensemble même de la vie.

Néanmoins, une expression comme celle-là eût fort bien pu introduire la suite de la conversation. Toutes fourchettes et autres ustensiles innocents mis à part, la conversation des gens cultivés, aujourd'hui, manie sans aucune hésitation le noyau et l'essence de l'amour, et en parle d'une manière aussi saisissante que si ce noyau était caché dans toutes les manifestations de l'amour comme le « fourchu » dans la fourchette à salade et la fourchette du sternum. On dit alors (et Ulrich comme sa sœur eût pu y être entraîné par l'habitude générale) que l'essentiel de l'amour est la *libido*, ou l'*éros*. Ces deux termes n'ont pas la même histoire, néanmoins leurs histoires, eu égard à l'époque présente, se peuvent comparer. Lorsque la psychanalyse (parce qu'une époque qui fuit la profondeur intellectuelle ne peut qu'apprendre avec étonnement qu'elle possède une psychologie des profondeurs) commença à devenir une philosophie à la mode et vint rompre la monotonie de la vie bourgeoise, tout s'expliqua par la libido, au point qu'en fin de compte, il est aussi malaisé de dire de cette clef (ou fausse clef) ce qu'elle pourrait être que ce qu'elle n'est pas. On peut en dire autant de l'éros; mais ce n'est pas d'aujourd'hui que les gens convaincus que toutes les relations physiques et psychiques du monde se ramènent à eux veulent tout expliquer par leur éros personnel... Il serait vain de traduire *libido* par instinct et désir (sexuel ou pré-sexuel) et *éros*, en revanche, par tendresse spirituelle ou même supra-sensible : il faudrait introduire une digression historique. La satiété, ici, fait de l'ignorance un plaisir. C'est ainsi que la conversation entre les deux chaises-longues évita de prendre la direction indiquée et trouva plus attrayant et plus reposant un procédé sans doute naïvement insuffisant qui consiste à aligner autant d'exemples possibles de l'amour en s'y prenant de la façon la plus candide, sans dédaigner même les cas les plus sots.

Ainsi, conversant tout à leur aise, Ulrich et Agathe classaient-ils les exemples qui leur passaient par la tête comme ils leur venaient, selon le sentiment, l'objet auquel il s'adressait et l'action qui le manifestait. Mais il était aussi avantageux d'examiner d'abord le comportement et d'observer s'il méritait son nom au sens propre ou au sens figuré. De la sorte, ils rassemblaient un matériel considérable en provenance de toutes les directions.

Mais il avait été question en premier lieu, involontairement, du sentiment : apparemment, la nature de l'amour est tout entière un « sentir ». Il est d'autant plus surprenant d'affirmer que le sentiment constitue la plus petite part de l'amour. Pour l'inexpérience pure, il serait comme du sucre ou des maux de dents : pas tout à fait aussi doux et pas tout à fait aussi douloureux, avec la nervosité d'un troupeau tourmenté par les taons. Peut-être ceux que tourmente l'amour ne jugeront-ils pas tous cette comparaison géniale. Néanmoins, les descriptions classiques de l'amour n'en diffèrent pas beaucoup : des craintes et des feintes, des feux et des vœux, une nostalgie indéfinie... Il y a des siècles qu'elles paraissent incapables de rien dire de plus précis sur cet état. Mais ce manque d'originalité affective n'est pas caractéristique du seul amour. Qu'un homme soit heureux ou triste, il ne le distingue pas aussi irréfutablement, aussi directement qu'il distingue l'âpre du lisse; il est d'autres sentiments qu'on ne peut davantage reconnaître au sentir, on dirait presque « au toucher ». C'est pourquoi, dès ce nouveau chapitre de leur conversation, Ulrich devait faire une remarque qu'il pourrait compléter convenablement ensuite, sur les différences de dispositions et d'élaboration des sentiments. Tels étaient les termes qu'Ulrich employa pour introduire ce chapitre : il aurait pu dire aussi dispositions, élaboration et cristallisation.

Il commença par énoncer une expérience naturelle : tout sentiment comporte une assurance convaincante de sa propre existence qui fait déjà partie, évidemment, de son germe. Pour des raisons non moins générales, il faut admettre que, dès ce germe aussi, commence la distinction des sentiments. Il en donna quelques exemples. L'amour pour un ami a une autre origine et d'autres particularités que l'amour pour une jeune fille; l'amour pour une femme épanouie diffère de celui qu'on porte au saint mystère d'une femme encore fermée. A plus forte raison, des sentiments plus divergents comme le sont, pour en rester à l'amour, l'amour, la vénération, la lubricité, la dévotion, les variantes de l'attrait et de la répulsion, se différencieront-ils dès la source. Si l'on admet ces deux hypothèses, tous les sentiments devraient être du commencement à la fin solides et transparents comme du cristal. Pourtant, aucun sentiment n'est incontestablement ce qu'il paraît être; ni l'observation de soi ni les actes qu'il provoque ne donnent d'assurance à son égard. Certes, cette différence entre l'assurance et l'incertitude des sentiments n'est pas petite. Mais, dès que l'on considère la naissance du sentiment en rapport avec ses causes psychologiques et sociales, elle devient toute naturelle. Ces causes n'esquissent en effet à grands traits, pour ainsi dire, que l'espèce du sentiment, sans en définir les détails : à tout instinct et à toute situation qui déclenche cet instinct, correspond tout un faisceau de sentiments capables de leur donner réponse. Ce qui en est présent au début, c'est une sorte de germe du sentiment, flottant encore entre l'être et le non-être; si on voulait décrire ce germe, quel qu'il soit, on ne pourrait rien en dire de bien précis, sinon qu'il est un Quelque-chose qui, au cours de son évolution et selon ce qui lui sera ou non adjoint, édifiera le sentiment qu'il était voué à devenir. Ainsi, chaque sentiment, outre sa disposition primitive, a un destin; du fait que son évolution postérieure dépend des circonstances qui surviendront, il n'en est pas un seul qui soit dès le début infailliblement lui-même, pas un seul même peut-être qui soit indubitablement et uniquement sentiment. Autrement dit, du fait de cette coopération des dispositions et de l'élaboration, ce ne sont pas le pur événement, l'accomplissement absolu qui règnent dans le domaine du sentiment, mais une approximation progressive, un graduel accomplissement. On pourrait en dire autant de tout ce qui exige du sentiment pour être saisi.

Ainsi s'acheva la remarque introduite par Ulrich; les explications s'étaient enchaînées à peu près dans cet ordre-là. Comme on avait affirmé, dans une exagération brutale, que le sentiment constituait la plus petite part de l'amour, on pouvait dire que l'amour, étant un sentiment, ne pouvait être reconnu au sentiment. Ainsi comprenait-on mieux pourquoi Ulrich avait appelé l'amour un événement moral. Les trois mots *dispositions*, *élaboration* et *cristallisation* avaient été les articulations principales de l'explication du sentiment; du moins dans une certaine optique de principe qu'Ulrich ne dédaignait pas lorsqu'il avait besoin d'un éclaircissement de ce genre. Mais comme un exposé exact de toute la question lui eût imposé des exigences plus grandes et plus méthodiques qu'il ne le désirait, il l'interrompit là.

La suite s'orienta dans deux directions. Selon le programme de la conversation, Ulrich aurait dû commencer à parler de l'objet et des actes de l'amour, afin de déterminer ce qui provoque l'extrême diversité de leurs manifestations, pour finir par apprendre ce qu'était, *au fond*, l'amour. C'est pourquoi il avait été question de l'influence des actions sur la définition d'un sentiment dès son origine; on en reparlerait, à plus forte raison, à propos de son développement postérieur. Mais Agathe posa une question : n'était-il pas possible (elle avait des raisons, sinon de le soupçonner, du moins d'en avoir peur) que l'explication adoptée par son frère ne fût valable que pour des sentiments faibles ou une expérience qui refusât toute intensité ?

Ulrich répliqua : « Pas le moins du monde! C'est précisément lorsqu'il est le plus intense que le sentiment risque d'être le plus incertain. Dans l'extrême angoisse, au lieu de s'enfuir ou de se défendre, on se trouve paralysé ou on pousse des cris. Dans l'extrême bonheur, il y a souvent une souffrance singulière. Ne dit-on pas aussi : Qui trop embrasse mal étreint ? Plus généralement, on peut affirmer que lorsqu'on sent très intensément, les sentiments perdent leur couleur et s'abolissent comme dans un éblouissement. Peut-être le monde de sentiments que nous connaissons n'est-il fait que pour une expérience moyenne et cesse-t-il avant les plus hauts degrés, de même qu'il ne commence pas aux plus bas. » A cela correspondrait indirectement l'expérience que l'on fait en examinant ses propres sentiments, surtout quand on le fait *à la loupe*. Ils deviennent imprécis et difficiles à distinguer. Ce qu'ils perdent alors en netteté due à l'intensité, il semble qu'ils devraient le regagner par l'attention; mais non.

Telle fut la réponse d'Ulrich. Ce n'était pas par hasard qu'il associait l'abolition du sentiment dans l'analyse et celle qui se produit au plus haut degré de l'excitation. Dans les deux cas, il s'agit d'états où l'action est suspendue ou gênée. Comme le rapport entre sentir et agir est intime au point que beaucoup le tiennent pour une unité, ces deux exemples ne se complétaient pas sans raison.

Ce qu'Ulrich évita de dire, c'était précisément ce que tous deux savaient par expérience personnelle : qu'au plus haut degré du sentiment amoureux peut réellement être lié un état d'affaiblissement intellectuel et de désarroi corporel. C'est pourquoi, non sans quelque arbitraire, il détourna la conversation de l'importance de l'action pour le sentiment : en apparence dans l'intention de revenir à la division de l'amour selon ses objets. A première vue, d'ailleurs, cette possibilité un peu chimérique paraissait mieux faite pour remettre de l'ordre dans cette multiplicité de significations. S'il est en effet blasphématoire, pour commencer par un exemple précis, d'employer le même mot pour l'amour de Dieu et l'amour de la pêche, cela tient évidemment à la différence qui sépare les objets auxquels l'amour s'adresse dans chacun des deux cas. D'autres exemples permettraient de mesurer l'importance du rôle de l'objet. Ce qui introduit de si grandes différences dans l'amour, c'est donc plutôt ce qu'on aime que l'amour lui-même. Il est des objets qui rendent l'amour riche et sain; d'autres qui le font pauvre et malade, comme si cela dépendait d'eux seuls. Il est des objets qui doivent répondre à l'amour pour que celui-ci puisse déployer toute sa puissance et sa singularité; d'autres pour qui cette exigence serait absurde a priori. C'est, en principe, la distinction entre l'amour pour les êtres animés et l'amour pour les objets inanimés. Pourtant, même inanimé, l'objet est le vrai partenaire de l'amour, et ses qualités influencent celles de l'amour.

Plus inégale est la valeur de ce partenaire, plus l'amour est déséquilibré, pour ne pas dire défiguré par la passion. Ulrich dit à Agathe : « Compare l'amour si sain que se portent deux jeunes gens et l'amour ridiculement exagéré du solitaire pour son chien, son chat, son canari. Vois la passion entre un homme et une femme s'éteindre ou gêner comme un mendiant qu'on écarte lorsqu'elle n'est pas, ou non complètement, payée de retour. N'oublie pas non plus que dans les relations inégales comme celles qui s'établissent entre parents et enfants, maître et serviteur, ou entre un homme et l'objet de son ambition ou de son vice, le problème de l'amour mutuel est la part la plus fragile, la plus caduque. Partout où manque un échange régulateur naturel entre l'amour et l'objet de l'amour, celui-ci dégénère comme un tissu malade! »

Quelque chose de particulier, dans cette idée, semblait attirer Ulrich. Elle aurait pu se développer à travers cent exemples divers. Tandis qu'il y réfléchissait encore, quelque chose qu'il n'avait pas prévu mais qui traversa le cheminement projeté tel un brusque et délicieux parfum, détourna comme par mégarde sa réflexion sur ce qu'on appelle en peinture *Stilleben* (Vie silencieuse) ou, selon un processus contraire, mais non moins juste, en français, *nature morte*. « En un certain sens, il est ridicule d'apprécier un homard bien peint, poursuivit Ulrich sans aucune transition, des raisins miroitants et un lièvre pendu par les pieds, flanqué de l'inévitable faisan : l'appétit humain est ridicule, mais un appétit en peinture l'est plus encore. » Tous deux sentirent que cette allusion allait plus profond qu'elle n'en avait l'air et constituait la suite de ce qu'ils n'avaient pas voulu dire d'eux-mêmes.

Dans les natures mortes réelles, — objets, animaux, plantes, paysages et corps humains immobilisés par l'enchantement de l'art —, apparaît autre chose que ce qu'elles représentent : la féerie sacrée de la vie peinte. Certains de ces tableaux sont célèbres, Ulrich et Agathe savaient donc à quoi s'en tenir. Il vaut mieux parler cependant, plutôt que d'œuvres déterminées, d'une catégorie d'œuvres qui d'ailleurs ne fait pas école, mais surgit en dehors de toute règle sur un simple signe de l'esprit créateur. Agathe demanda à quoi on la reconnaissait. Ulrich refusa de lui en indiquer un caractère irréfutable, mais répondit lentement en souriant, et sans hésiter : « Son écho infini, indistinct et bouleversant! »

Agathe le comprit. On ne sait comment, tout à coup on se sent sur une plage. De petits insectes bourdonnent. L'air apporte par centaines les parfums des prés. Le sentiment et la pensée cheminent de pair, affairés. Mais, sous les yeux, on n'a que le désert sans réponse de la mer, et tout ce qui, sur le rivage, garde un sens, se perd dans l'émotion uniforme du spectacle infini. Agathe pensa que toutes les vraies natures mortes pouvaient éveiller cette tristesse inépuisable et bienheureuse. Plus on les considère longtemps, plus nettement il apparaît que les objets qui y sont peints semblent debout sur le rivage coloré de la vie, les yeux remplis d'immensité et la langue paralysée.

Ulrich répondit par une autre périphrase. « Au fond, toutes les natures mortes représentent le monde au sixième jour de la Création, quand Dieu et le monde étaient encore en tête à tête, sans les hommes! » A un sourire interrogatif de sa sœur, il ajouta : « Ainsi ce qu'elles éveillent chez l'homme, ce pourrait bien être la jalousie, une curiosité devant le mystère, et le chagrin! »

C'était presque un *aperçu* [1], et même pas des plus faux.

1. En français dans le texte. *N. d. T.*

Ulrich le nota avec déplaisir, car il n'aimait pas ces trouvailles polies et dorées comme des billes. Cependant, il ne fit rien pour se corriger, pas plus qu'il n'interrogea sa sœur. Interroger à fond l'art étrange de la nature morte, une bizarre analogie avec leur propre vie les en empêchait tous deux.

Cette analogie jouait là un grand rôle. Sans qu'il soit nécessaire de rappeler en détail tout ce qui remontait à leurs souvenirs d'enfance communs, ce qu'avait réveillé leur revoir et qui donnait depuis à leurs expériences et à presque tous leurs dialogues un air d'étrangeté, on ne peut se dissimuler qu'y était toujours perceptible le souffle comme paralysé de la nature morte. C'est pourquoi involontairement, sans même accepter une définition qui eût pu les guider, ils tournaient leur curiosité vers tout ce qui pouvait avoir une parenté avec l'essence de la nature morte. Il en résulta à peu près le dialogue suivant, qui retentit et relança une fois de plus, tel un ressort, la conversation.

Devoir implorer un visage inébranlable qui ne répond point jette l'homme dans une ivresse de désespoir, d'agressivité ou de bassesse. En revanche, il est non moins bouleversant, mais indiciblement beau, de s'agenouiller devant un visage immobile que la vie a quitté depuis quelques heures en y laissant comme le reflet d'un coucher de soleil.

Ce second exemple est même un lieu-commun du sentiment s'il en fut. Le monde parle de la dignité sacrée de la mort; le thème poétique de la bien-aimée sur son lit de mort existe depuis des centaines, peut-être des milliers d'années; tout un lyrisme de la mort y est attaché. Sans doute y a-t-il là un peu d'infantilisme. Qui s'imagine que la mort lui offre la plus noble des bien-aimées, sinon celui à qui manque le courage, ou la possibilité d'en avoir une vivante ?

Cet infantilisme poétique mène en droite ligne aux frissons de la conjuration des esprits et des défunts; une autre ligne conduit à l'horreur de la nécrophilie proprement dite; une troisième, peut-être, à ces deux contraires morbides que sont l'exhibitionnisme et la contrainte par la violence.

Ces rapprochements sont surprenants peut-être, pour une part, en tous cas, fort peu appétissants. Mais si on ne se laisse pas effrayer par eux et qu'on les considère d'un point de vue en quelque sorte psychologique et médical, il appert qu'un trait leur est commun à tous : une impossibilité, une impuissance, un défaut de courage naturel ou de courage à vivre naturellement.

Et si, à cet effet, on ne redoute pas les comparaisons risquées, on en apprend autre chose encore : que le mutisme, l'impuissance et quelque imperfection que ce soit chez le partenaire sont liés à l'excès de tension qu'il entraîne dans l'âme.

Nous retrouvons ainsi ce qui a été dit une fois déjà, qu'un partenaire de valeur inégale déséquilibre l'amour ; il faudrait ajouter seulement que bien souvent, c'est un déséquilibre du sentiment qui entraîne le choix d'un tel objet. Inversement, le partenaire parlant, vivant et agissant précise et ordonne les sentiments, évitant qu'ils ne dégénèrent en comédie.

Mais le charme étrange de la nature morte n'est-il pas lui aussi comédie ? Une sorte de nécrophilie éthérée ?

Pourtant, cette même comédie réapparaît dans les regards des amants heureux pour exprimer leur paroxysme. Ils se regardent les yeux dans les yeux, ne peuvent se détacher l'un de l'autre et se noient dans un sentiment extensible à l'infini comme le caoutchouc.

C'est à peu près ainsi que la conversation avait commencé ; mais, à ce point, elle était demeurée en suspens, et même assez longtemps, avant de repartir. Ulrich et Agathe s'étaient regardés l'un l'autre et n'avaient plus pu que se taire.

Si une remarque est nécessaire pour l'expliquer et pour justifier une fois de plus ces dialogues en en révélant le sens, on pourrait dire peut-être ce qu'Ulrich, à cet instant, avait préféré assez naturellement laisser à l'état d'idée tacite, à savoir qu'il est infiniment moins simple d'aimer que ne voudrait le faire croire la nature en en confiant les outils au premier bousilleur venu.

55. *Souffles d'un jour d'été. (Fragment).*

Le soleil, entre temps, s'était élevé dans le ciel. Ils avaient abandonné les chaises telles des barques échouées dans l'ombre plate de la maison et s'étaient étendus sur une pelouse, dans la ronde profondeur du jour d'été. Ils étaient ainsi depuis assez longtemps et, bien que les circonstances eussent changé, ils en avaient à peine conscience. Pas plus qu'ils ne remarquaient l'arrêt de la conversation : elle était restée en suspens sans trahir la moindre faille.

Tel un fleuve silencieux, une neige de fleurs sans éclat tombant d'un groupe d'arbres en train de se faner flottait dans le soleil; le souffle qui la portait était si doux qu'aucune feuille ne bougeait. Nulle ombre qui en descendît sur le vert des pelouses : celui-ci semblait s'assombrir de l'intérieur comme un regard. Tendrement et généreusement vêtus de feuilles par le jeune été, les arbres et les buissons qui se dressaient de chaque côté ou composaient l'arrière-plan du jardin semblaient des spectateurs déconcertés qui eussent participé, surpris et figés dans leur costume joyeux, à ces funérailles et à cette fête de la nature. Le printemps et l'automne, le langage et le silence de la nature, la magie de la vie et de la mort se mêlaient dans cette image. Les cœurs comme arrêtés, comme retirés de la poitrine semblaient s'associer dans l'air au silencieux convoi. « Alors le cœur me fut enlevé de la poitrine », a dit un mystique. Agathe s'en souvint.

Elle savait aussi qu'elle avait lu à Ulrich ce passage d'un de ses livres.

Cela s'était produit dans ce même jardin, non loin de l'endroit où ils se trouvaient maintenant. Le souvenir se compléta. D'autres passages qu'elle avait rappelés à son frère lui revinrent : « Est-ce toi, ou n'est-ce pas toi ? Je ne sais où je suis, et je ne veux pas le savoir! » « J'ai surmonté tous mes pouvoirs hormis la force obscure! Je suis amoureuse, et je ne sais de qui! J'ai le cœur plein d'amour et vide d'amour tout à la fois! » Ainsi s'élevait à nouveau en elle la plainte des mystiques dans le cœur desquels Dieu s'est enfoncé aussi profondément qu'une épine qu'aucune pointe de doigts ne peut plus atteindre. Elle avait lu alors à Ulrich un grand nombre de plaintes semblables. Peut-être, maintenant, ne les retrouvait-elle pas textuellement : la mémoire traite un peu tyranniquement ce qu'elle désire réentendre; mais Agathe comprenait le sens, et elle prit une résolution. Ainsi donc, comme en ces funérailles des fleurs, une fois déjà le jardin lui avait paru mystérieusement abandonné et animé; et c'était justement après que lui furent tombés entre les mains les écrits mystiques qu'Ulrich avait dans sa bibliothèque. Le temps s'arrêta, un siècle ne pesait pas plus lourd qu'un battement de paupières, elle était au seuil du Règne millénaire, Dieu lui-même, peut-être, s'approchait. Et tandis qu'elle ressentait cela *successivement*, bien qu'il ne dût plus y avoir de temps; tandis que son frère, afin qu'elle ne fût pas effrayée par ce rêve, était *à côté* d'elle, bien qu'il ne parût plus y avoir d'espace, le monde, en dépit de ces contradictions, semblait envahi jusqu'en ses derniers recoins par la transfiguration.

Ce qu'elle avait vécu depuis lors, comparé à ce qui avait précédé, ne pouvait que lui sembler limité par les bavardages. Pourtant, bien qu'ayant perdu l'immédiateté quasi charnelle de la première inspiration, quelle ampleur et quelle force cela ne lui donnait-il pas! Dans ces circonstances, Agathe décida de se montrer très prudente cette fois devant un ravissement qui l'avait d'abord assaillie dans le jardin comme un rêve. Elle ne savait pourquoi elle y associait le nom du Règne millénaire. C'était une expression claire au cœur et presque tangible, mais la raison n'y pouvait entrer. Voilà pourquoi elle pouvait jouer avec cette idée comme si le Règne millénaire était prêt à venir à tout instant. On l'appelle aussi le Règne de l'amour, Agathe le savait; mais elle ne pensa qu'en dernier lieu au fait que ces deux expressions dataient de la Bible et signifiaient le Royaume de Dieu sur la terre, dont l'avènement imminent est entendu de la manière la plus concrète. Ulrich lui-même, sans croire pour autant aux Écritures, employait parfois ces expressions aussi innocemment que sa sœur. Elle ne s'étonna donc pas davantage de paraître savoir, sans effort, comment il fallait se comporter dans ce Royaume. « Il faut y rester tout à fait tranquille, lui soufflait-on. On ne doit laisser place à aucun désir d'aucune sorte; même pas à celui d'interroger. On doit se dépouiller aussi du bon sens avec lequel on traite ses affaires. On doit priver son esprit de tous ses outils afin qu'il ne devienne pas un outil. Il faut lui enlever toute science et toute volonté. Il faut bannir la réalité et l'ambition de se tourner vers elle. Il faut se contenir jusqu'à ce que la tête, le cœur et les membres ne soient plus que pur silence. Quand on a atteint ainsi l'extrême désintéressement, le dedans et le dehors se touchent, comme si un coin qui divisait le monde en deux avait sauté!... »

Peut-être y avait-il un peu d'exaltation dans ces pensées.

Mais il semblait à Agathe que, si on le voulait vraiment, on pouvait y atteindre; elle se concentra, comme pour faire la morte. Mais il apparut bientôt qu'il était aussi impossible d'immobiliser entièrement les pensées, les communications des sens et de la volonté, qu'il l'avait été dans l'enfance de ne pas commettre de péché entre la confession et la communion; après quelques efforts, elle y renonça tout à fait. Elle découvrit alors qu'elle n'était attachée qu'extérieurement à son projet et que son attention s'en était détournée depuis longtemps. Celle-ci, en cet instant, se penchait sur une question tout à fait différente, un petit monstre déserteur : Agathe se demandait de la façon la plus folle, et elle était très entichée de cette folie : « Ai-je jamais été vraiment violente, méchante, haineuse et malheureuse ? » Elle se souvint d'un homme sans nom, à qui le nom manquait parce qu'elle le portait sur elle et l'avait emporté avec elle. Quand elle pensait à lui, elle sentait ce nom telle une cicatrice; mais elle n'éprouvait plus de haine pour Hagauer, et elle répéta sa question avec l'obstination un peu mélancolique qu'on met à suivre du regard une vague qui s'éloigne. Où donc était passé le désir de le blesser mortellement ? C'était comme si elle l'avait perdu par distraction et qu'elle dût le retrouver pas très loin d'elle. D'autre part, il était possible que Lindner fût un succédané de ce désir d'hostilité; elle se le demanda aussi et pensa un instant à lui. Peut-être s'étonna-t-elle alors de tout ce qui lui était arrivé déjà : les jeunes gens s'émerveillent plus volontiers du nombre de leurs expériences que leurs aînés, pour qui la mobilité des passions et des phases de l'existence est devenue aussi banale que les changements de temps. Mais rien ne pouvait toucher davantage Agathe que de voir en ce même instant se découper à nouveau, énigmatiquement, sur le fond mouvant de la vie, la fuite de ses passions et de ses phases, l'étrange flux des sentiments (dans lequel la jeunesse, d'ordinaire, se croit rendue à la splendeur naturelle), le ciel constellé de l'immobile rêverie dont elle venait de s'éveiller.

Ainsi, ses pensées étaient toujours sous le charme de la fête et des funérailles florales; mais elles n'allaient plus dans le même sens ni avec leur muette solennité. Agathe « pensait de ci de là », comme on pourrait dire par opposition à cet état d'esprit où la vie dure « mille années » sans un battement d'ailes. Cette différence de deux états d'esprit lui était très sensible; Agathe fut un peu surprise de voir combien de fois cette distinction, ou quelque chose qui lui était apparenté, était revenue dans ses conversations avec Ulrich. Sans même le vouloir, elle se tourna vers celui-ci et, sans quitter des yeux le spectacle environnant, lui demanda, en respirant profondément : « En un pareil instant, et comparé à lui, tout le reste ne te semble-t-il pas caduc ? »

Ces quelques mots divisèrent le lourd nuage du silence et du souvenir. Ulrich aussi avait regardé la neige des fleurs poursuivant son chemin sans but; comme ses pensées et ses souvenirs étaient accordés à ceux de sa sœur, il n'y eut pas besoin d'autre introduction pour lui faire dire ce qui allait répondre même aux pensées cachées d'Agathe. Il s'étira lentement et déclara : « Il y a longtemps, déjà quand nous parlions de ce qu'on appelle la nature morte et, somme toute, tous les jours, que je voulais te dire quelque chose, même au risque de ne pas tomber dans le mille : en forçant la contradiction, il existe deux façons de vivre passionnément, deux sortes d'hommes passionnés. Ou bien on éclate en hurlements de rage, de dépit ou d'enthousiasme à chaque coup comme un enfant, en se débarrassant de son émotion dans un tourbillon bref et sans consistance. Dans ce cas, le plus courant, le sentiment est, en fin de compte, le quotidien médiateur de la vie quotidienne; plus il est violemment et aisément excitable, plus il évoque l'agitation qui règne dans une cage de fauve à l'heure du repas, quand la viande passe devant les grilles, agitation à laquelle succède bientôt la fatigue de la satiété. N'est-il pas vrai ? Mais voici l'autre manière d'être et d'agir passionnément : On se contient, on refuse absolument de s'engager dans les actes auxquels les moindres sentiments vous poussent. Dans ce cas, la vie devient pareille à un rêve étrange où le sentiment monte jusqu'à la cime des arbres, au sommet des tours, au zénith du ciel! Selon toute vraisemblance, c'est à cela que nous pensions alors que nous feignions de ne parler encore que de tableaux... »

Agathe, poussée par la curiosité, s'appuya sur un coude. « N'as-tu pas dit une fois, demanda-t-elle, qu'il existe deux possibilités foncièrement différentes de vivre, et qu'elles correspondent justement à deux tonalités distinctes du sentiment ? L'une serait celle du sentiment *profane*, à qui sont refusés le repos et l'accomplissement; l'autre, je ne sais si tu lui avais donné un nom, devrait être sans doute celle du sentiment *mystique*, dont l'harmonie perdure, mais qui n'atteint jamais à la *pleine réalité ?* » Bien qu'elle marquât de l'hésitation, elle avait parlé trop vite et acheva dans l'embarras.

Néanmoins, Ulrich reconnut fort bien ce qu'il semblait avoir dit; il fit le mouvement d'avaler comme s'il avait eu un morceau trop brûlant dans le gosier, et essaya de sourire. Il fit : « Si vraiment j'ai voulu dire cela, il s'agit maintenant d'être d'autant plus modeste! Aussi, suivant un exemple connu, nommerai-je simplement ces deux modes de vie passionnée le mode appétitif et le mode non-appétitif, que cela sonne agréablement ou pas. Il y a en tout homme une faim qui évoque le comportement du fauve; et une absence de faim, libérée de toute avidité et de toute satiété, qui mûrit tendrement comme une grappe au soleil d'automne. L'un et l'autre se retrouvent même dans chacun de ses sentiments.

— Somme toute, une disposition végétative, pour ne pas dire végétarienne, et une disposition animale ? dit Agathe avec une nuance de plaisir et de taquinerie.

— C'est presque cela! répondit Ulrich. Peut-être cette opposition des convoitises animales et végétales serait-elle même une découverte extrêmement féconde pour un philosophe! Mais il faudrait que je souhaite en être un! Tout ce que j'ose faire, c'est de dire, comme je l'ai essayé à l'instant, que ces deux modes d'existence passionnée trouvent un modèle, et peut-être même leur origine, dans chaque sentiment. Dans chaque sentiment, on peut discerner ces deux aspects », poursuivit-il. Mais, chose curieuse, il ne parla plus dès lors que de l'aspect qu'il nommait appétitif. C'est celui qui pousse à l'action, au mouvement, à la jouissance; sous son influence, le sentiment devient œuvre, idée, conviction ou déception. C'est ainsi qu'il se détend, ou quelquefois aussi se retend et reprend vigueur. De cette façon, le sentiment se modifie, se détériore, se perd dans son succès et y trouve sa fin; d'autres fois, il s'y enkyste et transforme sa force vivante en une force d'accumulation qui, plus tard, lui rend sa force vivante, assortie à l'occasion d'intérêts composés. « Ce fait n'explique-t-il pas à lui seul que l'activité robuste de notre sentiment profane et sa caducité dont tu t'es si agréablement plainte, ne fassent pas une grande différence à nos yeux, quand bien même elle serait profonde ?

— Il se peut que tu n'aies que trop raison! répondit Agathe. Mon Dieu! toutes ces œuvres du sentiment, sa richesse profane, ces volontés et ces joies, ces actes et ces infidélités, pourquoi ? Parce que ça donne du mouvement! Et tout ce qu'on éprouve et oublie, tout ce qu'on pense et qu'on veut si passionnément, pour l'oublier quand même après : tout cela est beau comme un pommier chargé de pommes de toutes les couleurs, mais aussi monotone et informe que tout ce qui mûrit et tombe chaque année de la même façon! »

A cette réponse pleine de véhémence et de tristesse, Ulrich approuva de la tête. « C'est à la part appétitive de nos sentiments que le monde doit toutes ses œuvres et toute sa beauté, tous ses progrès, mais aussi son agitation et, en fin de compte, son absurde mouvement circulaire! Sais-tu d'ailleurs que par *appétitif*, on entend simplement la part que nos instincts innés prennent à chaque sentiment ? Ainsi donc, sans nous en douter, nous avons dit que c'est aux instincts que le monde doit la beauté et le progrès.

— Sa confuse agitation aussi, répéta Agathe.

— C'est ce qu'on dit toujours, et c'est précisément pourquoi il me paraît utile de ne pas oublier l'autre aspect! N'est-il pas au moins inattendu que l'homme doive attribuer son progrès à ce qu'il y a en lui d'animal! » Il sourit. Lui aussi, maintenant, s'était accoudé et s'était tourné franchement vers sa sœur, comme s'il voulait l'éclairer. Mais il mit de la retenue dans la suite de ses propos, comme quelqu'un qui veut d'abord se sentir éclairé par les termes qu'il cherche. « Sans aucun doute, dit-il, les sentiments entreprenants de l'homme (tu as parlé avec raison d'une disposition animale) comportent essentiellement les mêmes instincts que l'animal. C'est très net dans les sentiments primordiaux : dans la faim, la colère, la joie, l'entêtement ou l'amour, le voile psychique ne recouvre qu'à peine la plus nue des intentions! »

On aurait dit qu'il voulait continuer de la sorte. Mais, quoique la conversation (issue d'un rêve de la nature, du spectacle de la chute des fleurs qui semblait encore flotter dans le cœur, en dehors de tout événement) n'eût jamais trahi le problème capital du frère et de la sœur, mais fût du premier au dernier mot sous l'influence de ce symbole, dominée par l'énigmatique idée d'un « événement sans événement », et baignée d'une douce oppression, elle avait abouti finalement à l'opposé de cette image première et de cette atmosphère, lorsque Ulrich n'avait pu s'empêcher de souligner, à côté de leur activité négative, l'activité constructive des instincts violents. Une réhabilitation si nette des instincts, et par là même de l'homme instinctif et actif aurait pu relever d'une mentalité « occidentale, faustienne » comme le dit le langage des livres par opposition à ce que ce même langage nomme « oriental » ou « asiatique ». Ulrich se souvint de ces prétentieuses expressions à la mode. Mais il n'était pas dans l'intention, ni dans les habitudes du frère et de la sœur de donner à un événement qui les touchait si profondément, à l'aide de notions aussi mal enracinées, une signification trompeuse. Tout ce dont ils parlaient ensemble, ils le tenaient pour authentique et réel, quand même l'origine en eût été dans les nuages.

C'est pourquoi Ulrich avait eu plaisir à étayer d'une explication de style scientifique le doux brouillard du sentiment; et cela, en fait (même s'il favorisait ainsi, en apparence, la mentalité « faustienne »), simplement parce que l'esprit de fidélité au réel promettait d'exclure toute imagination démesurée. Du moins Ulrich avait-il donné le point de départ d'une telle explication. Il était d'autant plus étrange qu'il ne l'eût indiqué que pour ce qu'il nommait l'élément appétitif du sentiment, en négligeant tout à fait la possibilité d'appliquer une idée analogue à son élément non-appétitif, bien qu'il n'y eût certainement pas accordé moins d'importance au début. Il n'en fut pas ainsi sans raison. Il se pouvait que l'analyse psychologique et biologique lui parût plus malaisée pour cet aspect du sentiment, il se pouvait aussi qu'il la tînt pour un expédient fâcheux. Mais autre chose surtout l'influença. Cette autre chose, il l'avait laissé prévoir quelquefois, dès l'instant où Agathe, par un profond soupir, avait trahi le douloureux et enivrant contraste entre les inquiètes passions passées et cette passion apparemment impérissable qui habitait l'intemporel silence d'un fleuve de fleurs. En effet, pour redire une fois encore ce qui fut répété déjà plusieurs fois, ce n'est pas seulement dans les sentiments qu'on peut distinguer deux dispositions selon lesquelles et par lesquelles il se transforme en passion; il existe aussi deux espèces d'hommes, et en chaque homme divers moments de son destin que distingue la prééminence de l'une ou l'autre disposition.

Ulrich voyait là une différence importante. Les hommes de

la première espèce, on l'a déjà dit, portent la main sur tout et besognent partout; ils passent par-dessus les obstacles comme les torrents ou se ruent dans d'autres lits en écumant; leurs passions sont fortes et changeantes, le résultat en est une carrière fortement articulée qui ne laisse derrière elle que le bruit de son passage. C'est à cette espèce d'hommes que correspondait la notion d'appétitif dont Ulrich avait voulu faire l'un des éléments primordiaux de la vie passionnée. L'autre espèce, en revanche, y correspondrait aussi peu que possible : elle est timide, rêveuse, vague; lente à se résoudre, chargée de chimères et de nostalgies, concentrée à l'intérieur de sa passion. Parfois (dans des réflexions dont il n'était pas question maintenant), Ulrich la définissait aussi par l'adjectif « contemplatif » qu'on comprend d'ordinaire autrement, dans le sens assez tiède de « recueilli »; pour Ulrich, il signifiait un peu plus et équivalait à « oriental », dans le sens anti-faustien. Peut-être ce mot de contemplatif, associé à son contraire l'appétitif exprimait-il une distinction capitale de la vie : cela attirait Ulrich plus qu'aucun système. Mais le fait qu'on pouvait réduire des notions vécues aussi complexes et ambitieuses à une division en deux couches perceptible déjà au niveau des sentiments isolés, cette possibilité élémentaire d'explication n'en était pas moins une satisfaction pour lui.

Bien entendu, il ne lui échappait pas que ces deux espèces d'hommes se ramenaient aussi à l'opposition de l'homme « sans qualités » et de l'homme disposant de toutes les qualités possibles. On pourrait appeler le premier un nihiliste qui rêve des rêves de Dieu, et l'opposer à l'activiste qui est cependant lui aussi, dans son style impatient, une sorte de rêveur de Dieu, et rien moins qu'un réaliste, capable d'agir dans le monde et de le comprendre. « Pourquoi donc ne sommes-nous pas des réalistes ? » se demanda Ulrich. Ni lui ni elle ne l'étaient, leurs pensées et leurs actes ne permettaient plus d'en douter depuis longtemps. Ils étaient des nihilistes et des activistes tour à tour, c'était selon — — — — — — — — —

56. *La constellation du frère et de la sœur ou : Ni séparés, ni réunis.*

Souvent, même dans les années où Ulrich avait cherché sa voie seul et non sans insolence, le mot de sœur avait été chargé pour lui d'une nostalgie vague, bien qu'il n'eût jamais songé alors qu'il possédait une sœur réelle et vivante. Il y avait là une contradiction d'origine obscure sur laquelle on pourrait dire beaucoup de choses que le frère et la sœur, d'ordinaire, dédaignaient. Non qu'elles leur parussent fausses, mais, à côté de la vérité dont ils se savaient proches, elles n'avaient pas plus d'importance qu'un angle rentrant pour l'arrondi d'un mur largement arqué.

Incontestablement, des phénomènes analogues sont fréquents. Dans plus d'une existence, la sœur irréelle, imaginaire n'est rien d'autre que la forme juvénile, insaisissable, d'un besoin d'amour qui plus tard, les rêves refroidis, se contente d'un oiseau, d'un animal quelconque, ou se tourne vers l'humanité et le prochain. Dans la vie de beaucoup d'autres êtres, c'est une solitude, une peur juvénile de la vie, un double imaginaire plein de grâce feinte qui atténue l'angoisse de la solitude par la tendresse d'une entente solitaire. En mainte autre nature, cette image adorée passionnément n'est qu'une forme confite de l'amour-propre et de l'égoïsme, un désir démesuré d'être aimé qui conclut une alliance rusée avec la douceur du désintéressement. En tous cas, on ne peut douter que nombreux soient les hommes et les femmes qui portent dans leur cœur un tel pendant. C'est une image de l'amour, le signe de relations déficientes et tendues avec le monde. Ces désirs, les châtrés et les déséquilibrés de nature ne sont pas seuls à les connaître, les bien constitués les éprouvent aussi.

Ainsi Ulrich entreprit-il d'entretenir sa sœur d'une expérience qu'il lui avait contée une fois déjà; il reprit l'histoire de la femme la plus merveilleuse qui eût croisé sa route, Agathe mise à part. Cette femme était une enfant, une fillette d'une douzaine d'années, merveilleusement accomplie en tous ses gestes, qui avait fait un bout de trajet avec quelque parent dans le même tramway que lui et l'avait ravi comme un poème d'amour écrit en secret et dont les allusions sont chargées d'un bonheur encore inconnu. Plus tard, ce flamboiement d'amour lui avait donné quelques scrupules, car il était assez étrange et permettait sur son compte certaines déductions. C'est pourquoi, à évoquer avec émotion ce souvenir, il préféra parler de ses scrupules, encore qu'il ne les généralisât pas tout à fait froidement. « Une petite fille, à cet âge, a souvent des jambes plus belles qu'après, dit-il. Sans doute est-ce à cause de ce qu'elles portent immédiatement au-dessus d'elles qu'elles s'épaississent ensuite; quand la croissance n'est pas achevée, elles sont longues, libres, elles peuvent courir, et si les jupes, dans un geste trop vif, découvrent les cuisses dont la rondeur contient déjà comme une suave croissance (oh! je songe au croissant de la lune à la fin de sa tendre adolescence lunaire!), c'est superbe! Plus tard, je me suis sérieusement interrogé sur les raisons de cette beauté. A cet âge, la chevelure a son éclat le plus doux. Le visage présente son plus beau dessin. Les yeux sont comme de la soie lisse, pas encore froissée. L'esprit, destiné à devenir bientôt mesquin et cupide, est encore au milieu de ses obscurs désirs une pure flamme sans trop de clarté. Et ce qui n'est certes pas beau encore à cet âge, par exemple le ventre enfantin ou l'expression aveugle de la poitrine, gagne grâce au vêtement, dans la mesure où il feint adroitement l'âge adulte, et grâce à l'imprécision rêveuse de l'amour, tout ce que peut donner un masque de théâtre plein de charme. Il est donc tout à fait honnête et normal d'admirer une telle créature, et comment le ferait-on sans un soupçon d'amour ?

— N'est-il pas contre-nature de rapporter de telles émotions à une enfant ? demanda Agathe.

— Seule une convoitise grossièrement directe serait contre-nature, répondit Ulrich. L'homme qui en serait capable engage du même coup la créature innocente, ou en tous cas désarmée et inachevée encore, dans des histoires pour quoi elle n'est pas faite. Il doit faire abstraction de l'immaturité de ce corps et de cet esprit en formation, jouer sa passion avec un partenaire muet et caché. Bien pis! loin de faire simplement abstraction des obstacles, il les saute grossièrement! C'est une tout autre attitude avec de tout autres suites!

— Mais peut-être *faire abstraction* est-il à peine moins pernicieux que *sauter ?* » dit Agathe. Peut-être était-elle jalouse des rêveries de son frère; en tous cas, elle le combattait. « Qu'on néglige les obstacles ou qu'on ne les sente pas, je n'y vois pas grande différence!

— Tu as raison sans avoir raison, répliqua Ulrich. Si j'ai raconté cette histoire, c'est qu'elle est une préface à l'amour fraternel!

— L'amour fraternel ? » demanda Agathe en feignant l'étonnement, comme si elle entendait ce terme pour la première fois. Mais comme elle enfonçait de nouveau ses ongles dans le bras d'Ulrich, peut-être y mit-elle trop de force, et les doigts lui tremblèrent. Ulrich, qui eut l'impression que cinq petites sources chaudes s'étaient ouvertes dans son bras, dit brusquement : « Celui dont les excitations les plus fortes sont liées à des expériences qui sont toutes d'une manière ou d'une autre impossibles, refuse les expériences possibles! Il se peut que l'imagination soit une fuite devant la vie, un refuge pour la lâcheté et une caverne de vices, comme beaucoup le prétendent. Je crois que l'histoire de la petite fille et tous les autres exemples dont nous avons parlé, loin de relever de la monstruosité ou de la faiblesse, révèlent un refus du profane, une insubordination, un désir démesuré et démesurément passionné d'amour! » Ulrich oubliait qu'Agathe ne pouvait rien savoir des autres exemples et des comparaisons douteuses auxquelles ses pensées avaient associé auparavant l'amour fraternel; maintenant, il se sentait de nouveau au clair et avait surmonté ce goût d'ivresse, ce glissement vers la léthargie qui faisaient partie de son expérience, de sorte que cette allusion se glissa sans qu'il l'eût voulu par une lacune de ses pensées.

Celles-ci continuaient à être dirigées vers la généralité : les cas personnels pouvaient aussi bien y être comparés que s'en détacher. Quand on laisse de côté, au profit de la cohésion interne de ces pensées, la question de leur élaboration et de leur succession, il demeure un contenu plus ou moins impersonnel qui présente à peu près l'aspect que voici : Pour l'édifice de la vie, la haine peut être aussi importante que l'amour. Il semble y avoir autant de raisons d'aimer que de détester le monde. Dans la nature humaine, ces deux instincts existent, prêts à l'usage, dans un rapport de forces variable selon les individus. Mais on ne saurait dire comment est sauvegardé l'équilibre entre le plaisir et le déplaisir pour nous permettre de continuer à vivre. Tout ce qu'on peut dire est qu'il est erroné de penser, comme on le fait souvent, qu'il y faut un excédent de plaisir : nous continuons aussi bien à vivre dans le déplaisir, avec un excédent de malheur, de haine ou de mépris pour la vie, et nous y circulons avec autant d'assurance que lorsqu'il y a excédent de bonheur. Ulrich songea néanmoins que ces deux types, l'homme qui aime la vie comme celui qu'assombrit le dégoût sont des extrêmes; c'est pourquoi il évoqua ce compromis multiple qu'est l'homme ordinaire. Dans ce compromis d'amour et de haine, comme dans les méthodes et les images à l'aide desquelles ces deux sentiments se concertent, on trouvera, par exemple, la justice et toutes les autres formes du maintien de la mesure; on y trouvera aussi bien les fédérations à deux ou à plusieurs, ces associations ceinturées d'épines à l'extérieur comme tout nid bien garni, et l'assurance de l'existence de Dieu. Ulrich savait que dans ce groupe, l'image à la fois spirituelle et charnelle de la « sœur » avait aussi sa place, comme un moyen très risqué. De quelle faiblesse de l'âme ce rêve tirait-il son humidité, la question restait donc en retrait, alors que sur le devant, à titre d'origine, apparaissait un malentendu proprement surhumain. C'est probablement pour cette raison qu'Ulrich avait parlé de refus du profane : celui qui connaît la profondeur de la passion, bonne ou mauvaise, voit tous les intermédiaires possibles entre les deux se défaire. Ce n'était donc pas pour excuser la passion qu'on éprouve pour son propre sang qu'il s'était ainsi exprimé.

Sans pouvoir s'expliquer pourquoi, il raconta alors à Agathe une autre petite histoire qui parut d'abord n'avoir un rapport quelconque avec la première. « C'est une histoire que j'ai dû lire un jour quelque part et qui s'est passée vraisemblablement à l'époque de la Guerre de Trente ans, les événements ayant entraîné un extraordinaire brassage des individus et des peuples, dit-il. Dans un groupe de fermes isolées, la plupart des hommes avaient été pris par le service militaire, aucun d'eux ne revenait, et les femmes devaient mener seules le train campagnard, ce qui leur était aussi désagréable que fatigant. Or, l'un des absents revint au pays un beau jour et, après maintes aventures, s'annonça chez son épouse. Je préfère te dire tout de suite que ce n'était pas le vrai mari, mais un vagabond et un escroc qui avait partagé pendant quelques mois la vie de l'absent peut-être défunt et avait si bien assimilé les récits qu'il lui faisait quand le mal du pays lui déliait la langue qu'il fut capable de se faire passer pour lui. Il connaissait le petit nom de la femme et de la vache, les noms et les habitudes des voisins qui, d'ailleurs, n'étaient guère voisins. Il avait une barbe à l'endroit même où l'autre la portait, et de la même coupe. Il avait une manière de regarder, avec ses yeux sans nuance particulière, telle qu'on pouvait fort bien penser qu'il ne regardait pas différemment naguère; bien que sa voix surprît au début, on pouvait se l'expliquer en pensant qu'on n'y avait guère porté d'attention autrefois. En un mot, l'homme sut imiter trait pour trait son prédécesseur, comme un portrait grossier et peu ressemblant commence par choquer, mais devient d'autant plus ressemblant qu'on reste plus longtemps seul avec lui, pour finir par s'imposer entièrement à la mémoire. J'imagine cependant qu'un frisson devait parfois avertir la femme qu'il n'était pas « le bon »; mais elle voulait ravoir son homme, ou simplement peut-être un homme, de sorte que l'étranger s'est fortifié graduellement dans son rôle...

— Comment cela a-t-il tourné ? demanda Agathe.

— Je ne m'en souviens plus. Un incident quelconque a dû, vraisemblablement, finir par démasquer l'imposteur. Mais, généralement; l'homme n'est pas démasqué de toute sa vie !

— Tu veux dire qu'on ne fait jamais qu'aimer le substitut de l'être vrai ? Ou veux-tu dire que celui qui aime pour la seconde fois, s'il ne confond pas les personnes, trouve dans le portrait de la nouvelle, en plus d'un endroit, une simple retouche de l'ancien ? demanda Agathe en bâillant gracieusement.

— Je voulais en dire plus encore, et de plus ennuyeux si c'est possible, répondit Ulrich. Essaie de te représenter un homme aveugle aux couleurs et pour qui les valeurs tiennent lieu presque entièrement de monde coloré : il ne voit pas une seule couleur, et néanmoins il peut vraisemblablement s'arranger pour qu'on ne le remarque pas : ce qu'il réussit à voir lui tenant lieu de ce qu'il ne peut discerner. Mais ce qui se produit ici dans un domaine particulier se retrouve pour nous tous à l'égard de la réalité. Dans toutes nos expériences et nos recherches, elle ne se montre jamais à nous qu'à travers un verre qui, tout en laissant passer le regard, reflète aussi celui qui regarde. Quand je considère la blancheur légèrement rosée de ta main, quand je sens entre mes doigts l'intériorité indocile de ta chair, j'ai sous les yeux du réel, mais non pas tel qu'il est réellement. Pas davantage si je le réduis à ses atomes et à une formule!

— Pourquoi donc se donner tant de mal pour le réduire à quelque chose d'odieux ?

— Te rappelles-tu ce que je t'ai dit de la reproduction de la nature par l'esprit, de l'image sans ressemblance ? Il est beaucoup de manières de considérer une chose comme la reproduction exacte d'une autre chose; mais il faut toujours que tout ce qui apparaît dans ce tableau ou en résulte soit, de ce point de vue précis, une reproduction de ce que l'analyse de l'original révèle. Si tout cela est sauvegardé là où, originellement, on ne pouvait pas le prévoir, alors le tableau est justifié de la seule façon possible. C'est là une conception très répandue et très concrète de la figuration. Elle suppose un rapport précis entre deux domaines et laisse entendre que peut être compris comme reproduction tout ce qui s'étend sur les deux domaines à la fois, sans exception. En ce sens, une formule mathématique peut être l'image d'un phénomène naturel aussi bien qu'une ressemblance concrète extérieure peut justifier une reproduction. Une théorie, dans ses conséquences, peut coïncider avec la réalité, et la réalité avec la théorie. Une valse, en musique, est la copie d'une mélodie, et une action la copie d'un sentiment oscillant. Dans les mathématiques, où le simple développement de la pensée entraîne à ne se fier guère qu'à ce qui peut se calculer sur les dix doigts, on se contente d'ordinaire de parler de l'exactitude de la coordination, qui doit être possible de point en point. Au fond, tout ce qu'on appelle correspondance, équivalence, permutabilité ou égalité par rapport à quelque chose, indistinction, conformité réciproque selon tel ou tel critère, peut aussi être considéré comme une forme de reproduction. Ainsi, *grosso modo*, une reproduction est-elle une relation de correspondance intégrale, eu égard à l'un quelconque de ces termes... »

Ulrich avait donné cette explication avec un peu de maussaderie, comme un pensum, et Agathe l'interrompit : « Tu aurais là de quoi ravir un de nos peintres modernes!...

— Et pourquoi pas ? répondit-il. Comment peut-on parler

de fidélité à la nature et de ressemblance là où l'espace est remplacé par une surface, les couleurs de la vie par le métal ou la pierre ? C'est pourquoi les artistes qui condamnent comme photographiques ces notions d'imitation concrète et de ressemblance et qui ne reconnaissent, en dehors de quelques lois transmises en même temps que matière et instruments, que l'inspiration ou telle ou telle théorie à eux révélée, n'ont pas entièrement tort; mais les clients portraiturés qui se jugent, après la mise en application de ces lois, des victimes d'une sorte d'erreur judiciaire, la plupart du temps n'ont pas tort non plus. »

Ulrich fit une pause. Bien que son intention eût été de ne parler de la notion strictement logique de reproduction que pour pouvoir en tirer les conséquences libres, mais nullement arbitraires, qui régissent les différentes relations de modèle à image offertes par la vie, maintenant, il ne disait plus mot. Il était mécontent de se surprendre dans cette tentative. Les derniers temps, il avait oublié beaucoup de choses qui lui étaient jusqu'alors familières ou, plus exactement, il les avait mises à l'écart; même les expressions et les notions aiguës de son ancien métier, auxquelles il avait recouru si souvent, ne lui obéissaient plus et, quand il les poursuivait, non seulement il y devinait une déplaisante sécheresse, mais il craignait de parler en gâte-métier.

« Tu disais qu'un homme aveugle aux couleurs, lorsqu'il considère le monde, il ne lui manque rien! dit Agathe pour l'encourager.

— Oui. Bien entendu, je n'aurais pas dû m'exprimer exactement comme ça, répondit Ulrich. En fin de compte, ce problème reste obscur. Même quand on se limite à l'image intellectuelle que la raison peut se faire de quelque chose, dès qu'on se demande si elle est vraie, on se heurte aux pires difficultés, bien qu'on respire un air sec et baigné de lumière. Or, les images que nous nous formons dans la vie pour pouvoir agir et sentir correctement ou efficacement ne dépendent pas seulement de la raison, ce sont même, souvent, des images tout à fait déraisonnables et, pour la raison, nullement ressemblantes. Pourtant, elles doivent servir afin que nous restions en accord avec la réalité et avec nous-mêmes. Il doit donc y avoir une quelconque clef, un quelconque mode d'emploi selon lesquels elles seraient justes et complètes elles aussi, conformément à la notion qui définit l'espèce de reproduction, même si cette notion laisse place à des réalisations très diverses... »

Agathe l'interrompit avec vivacité. Elle avait compris brusquement le rapport. « Le faux paysan était donc une reproduction du vrai ? » dit-elle.

Ulrich approuva de la tête. « A l'origine, l'image représentait toujours intégralement son objet. Elle vous donnait un pouvoir sur lui. Quiconque crevait les yeux ou perçait le cœur d'une image, tuait la personne qu'elle représentait. Celui qui s'emparait en cachette de l'image d'une belle inaccessible, la belle lui tombait dans les bras. Le nom lui aussi est une image : on pouvait conjurer Dieu, c'est-à-dire le rendre docile, à travers son nom. Comme tu le sais, d'ailleurs, on dérobe aujourd'hui encore des souvenirs, on s'offre des anneaux avec le nom gravé dessus, on porte sur son cœur des portraits et des boucles en guise de talisman. Quelque chose, au cours des temps, s'est donc scindé en deux : l'ensemble s'est dégradé en superstition, tandis qu'un fragment se haussait à la sèche dignité de la photographie, de la géométrie et d'autres images analogues. Mais imagine l'hypnotisé qui, à belles dents, mord dans une pomme de terre qu'on lui fait prendre pour une pomme juteuse, ou songe aux poupées de ton enfance, d'autant plus passionnément aimées qu'elles étaient plus simples et plus éloignées de toute ressemblance humaine : tu t'apercevras que ce n'est pas l'apparence qui importe, et tu en reviendras au totem en forme de poteau qui figure une divinité...

— Ne pourrait-on pas dire, même, que plus une image s'éloigne de la ressemblance, plus on éprouve pour elle de passion dès le moment qu'on s'y est attaché ? demanda Agathe.

— C'est juste! dit Ulrich. Sur ce point, notre raison et notre perception se sont séparées de nos sentiments. On peut dire que les substituts les plus émouvants comportent toujours un défaut de ressemblance. » Il regarda sa sœur de biais en souriant et ajouta : « Quand je ne suis pas en ta présence, je ne te vois pas ressemblante comme quelqu'un qui voudrait te peindre : c'est plutôt comme si tu avais jeté les yeux sur l'eau et que je m'efforce en vain d'y suivre ton image du doigt. J'affirmerais volontiers qu'on ne voit juste et ressemblant que ce qui nous est indifférent.

— Étrange! repartit Agathe. Moi, je te vois très bien! Peut-être parce que ma mémoire est trop inexacte et pas assez indépendante!

— La ressemblance dans la reproduction est une approximation de ce que la raison juge réel et semblable : c'est une concession à la raison! » dit gentiment Ulrich en ajoutant ces propos conciliants : « N'oublions pas les images qui s'adressent à notre sentiment. Un tableau, par exemple, est un mélange de ces deux exigences. Mais si tu veux aller au-delà et atteindre ce point où une chose n'en représente plus une autre que pour le sentiment, tu aboutiras à des exemples tels que le drapeau flottant qui, parfois, est une image de notre honneur...

— Il s'agit là d'un symbole, non plus d'une image! fit Agathe.

— Symboles, comparaisons, images, tout cela se confond, fit Ulrich. Même des exemples comme le diagnostic et les plans de cure d'un médecin ne sont pas déplacés ici. Ils exigent l'imprécision inventive de l'imagination en même temps que la précision du réalisable. Cette limite souple entre l'imagination qui projette et l'image qui doit pouvoir tenir tête au réel est, dans notre vie, toujours importante et malaisée à tracer.

— Comme nous sommes différents! » répéta Agathe pensive.

Ulrich, en souriant, rejeta ce reproche. « Très différents! Je parle de l'imprécision qu'il y a à prendre une chose pour une autre comme d'une divinité féconde et je m'efforce d'y introduire autant d'ordre qu'elle en peut supporter : et tu ne remarques pas que je parle aussi, depuis longtemps, de la possibilité offerte à des jumeaux d'avoir deux âmes et d'en être une seule ? » Il poursuivit : « Imagine-toi des jumeaux qui se ressemblent *comme deux gouttes d'eau*, imagine-les dans la même attitude, séparés seulement par une cloison indiquée par un trait qui t'assure qu'il s'agit bien de deux êtres autonomes. Suppose maintenant, par une gradation étrange, qu'ils se répètent aussi dans leurs actes, à tel point que tu reportes involontairement cette ressemblance sur leur être intime : qu'y a-t-il d'étrange dans cette idée ? C'est que nous ne pouvons les distinguer en rien, alors qu'ils sont deux! Que, dans tout ce que nous pouvons faire d'eux, l'un vaut l'autre, alors que chacun d'eux a une espèce de destin personnel! En bref, qu'ils sont identiques à nos yeux, mais pas aux leurs!

— Pourquoi me racontes-tu ces histoires à dormir debout sur les jumeaux ?

— Parce que c'est un cas fréquent. Confusions, équivalences, visions globales, représentations : un des chapitres importants des coutumes de la vie. Je l'ai orné pour qu'il te soit plus visible. Maintenant, j'inverse le problème : Quelles circonstances seront-elles nécessaires pour que des jumeaux nous paraissent deux êtres distincts et se sentent un seul et même être ? Est-ce encore une histoire à dormir debout ? »

Agathe serra le bras d'Ulrich et soupira. Puis elle dit : « S'il est possible que deux êtres soient identiques pour le monde, il se pourrait aussi qu'un seul être nous apparaisse double... Mais tu me fais dire des absurdités! » ajouta-t-elle.

— Imagine deux poissons rouges dans un bocal, dit Ulrich.

— Non! dit résolument, mais non sans rire, Agathe. Je ne marche plus!

— Je t'en prie, imagine-les! Un grand bocal en forme de boule comme on en voit parfois dans les salons. Tu peux également imaginer ce bocal aussi vaste que notre propriété. Puis deux poissons d'un rouge doré, mouvant leurs nageoires comme des voiles, montant et descendant lentement. Ne nous soucions pas de savoir s'ils sont deux ou un seul en réalité. Pour eux, en tous cas, ils seront d'abord deux : la lutte pour la pitance et le sexe y pourvoiront. D'ailleurs, lorsqu'ils se sentent trop proches l'un de l'autre, ils s'évitent. Je puis cependant m'imaginer fort bien qu'ils ne fassent plus qu'un pour moi : il suffit que je réduise mon attention à ce mouvement qui se resserre ou se déploie avec lenteur pour que la bête isolée et miroitante ne soit plus qu'une partie sans indépendance de ce mouvement commun de montée et de descente. Mais ce que je demande, c'est quand ils pourront eux-mêmes avoir ce sentiment.

— Ce sont des poissons rouges! dit Agathe. Non un corps de ballet atteint d'imaginations surnaturelles!

— Ils sont toi et moi, répliqua son frère songeur, et c'est pourquoi je voudrais essayer de mener ma comparaison à chef. Imaginer comment le monde passe devant leur mouvement unique et divisé ne me paraît pas une tâche insoluble. Il en va de même quand le paysage tourne devant un train dont la voie suit de nombreux méandres. Pour les poissons, simplement, le phénomène est doublé, si bien qu'à chaque instant de l'être double correspondent deux positions du monde qui, psychiquement, peuvent coïncider : c'est-à-dire que jamais ils n'auront l'idée de faire un mouvement pour passer de l'une à l'autre; que jamais ils n'auront l'impression d'une distance entre les deux, ni de quoi que ce soit de pareil. Il me semble qu'il ne serait pas impossible de se retrouver dans un tel monde, ni même d'imaginer, de différentes manières, la conformation des instruments des sens et les opérations intellectuelles qui y seraient nécessaires. » Ulrich s'arrêta un instant et réfléchit. Il avait songé à maintes objections, aussi bien qu'à leur réfutation possible. Il sourit comme quelqu'un de fautif. Puis il dit : « Mais si nous supposons que cette conformation est pareille à la nôtre, le problème sera beaucoup plus simple! Alors, les deux créatures flottantes auront le sentiment de ne faire qu'une sans que la diversité de leurs perceptions les gêne et sans qu'il soit nécessaire pour cela d'une géométrie ou d'une physiologie supérieures : pourvu que tu acceptes de croire qu'elles sont liées davantage à elles-mêmes qu'au monde extérieur! Si quelque chose qui leur importe à toutes deux est infiniment plus fort que leur diversité d'expériences, qu'il la recouvre ou même la dissimule à leur conscience; si l'intrusion gênante du monde extérieur leur semble indigne de leur attention, ils atteindront à cette unité! Une suggestion partagée peut y conduire, ou une impression pleine de douceur dans les habitudes de perception, qui confonde tout; ou une tension, une contention unilatérale qui ne laisse plus de place qu'à la chose désirée; l'un comme l'autre, me semble-t-il, peuvent y conduire. »

Alors, Agathe se moqua : « A quoi bon avoir fait tant d'exercices sur la précision dans les relations d'image à modèle ?

— Tout cela se tient, » dit Ulrich en haussant les épaules. Puis il se tut.

Lui-même sentait que ses prospections ne l'avaient amené nulle part, et leur diversité gênait son souvenir. Il prévoyait qu'elles se répéteraient. Mais il était las. Comme le monde, dans la lumière qui se tarit, prend une lourdeur intime et tire à soi chacun de nos membres, la proximité d'Agathe s'insinua de nouveau charnellement dans ses pensées, tandis que son esprit renonçait. Tous deux s'étaient habitués à ces conversations difficiles. Depuis un certain temps, l'élan de l'imagination et les vains efforts de la raison pour le canaliser s'y mêlaient si étroitement que le frère et la sœur n'étaient pas surpris tantôt d'espérer une décision, tantôt de se laisser bercer par leurs propos, dans la rue ou au jardin, un peu comme on écoute le monologue d'une fontaine qui, avec le plaisir d'un enfant, parle en bégayant de l'éternité. Dans cet état, Ulrich songea rétrospectivement à quelque chose et revint à sa parabole si méticuleusement ébauchée. « C'est une chose étonnamment simple, mais étrange, et je ne sais comment la dire pour te convaincre, fit-il. Tu vois ce nuage, là-bas, à un endroit un peu différent que je ne le vois, et tu le vois un peu autre aussi, probablement. Nous avons dit que ce que tu vois, fais ou imagines ne sera jamais l'équivalent de ce qui m'arrive et de ce que je fais. Nous nous sommes demandé s'il ne serait pas néanmoins possible de ne faire absolument plus qu'un et de vivre à deux avec une seule âme. Nous avons indiqué toutes sortes de réponses tirées au compas, mais j'ai oublié le plus simple : si ces deux êtres étaient résolus et capables de considérer tout ce qu'ils vivent comme une simple comparaison! Songe que toute comparaison, si elle est équivoque pour la raison, n'a jamais pour le sentiment qu'un seul sens. Celui pour qui le monde n'est qu'une comparaison pourrait donc éprouver comme une unité, selon ses mesures, ce qui est deux aux yeux du monde. » A ce moment, Ulrich songea que même le rêve d'être une personne en deux corps circulant séparément, dans une vie où l'ici ne serait que l'image du là-bas, perdrait l'aiguillon de l'impossibilité; et il s'apprêtait à en parler.

Mais Agathe l'interrompit et, diserte, montra le nuage : « Hamlet : *Voyez-vous ce nuage, là-bas, qui a presque la forme d'un chameau?* Polonius : *Par la messe! on dirait que c'est un chameau, vraiment!* Hamlet : *On dirait qu'il ressemble à une belette.* Polonius : *Oui, il a le dos d'une belette.* Hamlet : *Ou plutôt à une baleine.* Polonius : *Une baleine, oui, vraiment.* » Avec le ton d'Agathe, ces propos devenaient une caricature du consentement empressé.

Ulrich comprit l'objection, mais ne se laissa pas arrêter : « D'une comparaison, on dit aussi qu'elle est une image. On pourrait dire de même de toute image qu'elle est une comparaison. Mais aucune n'est une égalité. Du fait même que l'image relève d'un monde organisé non pas selon l'égalité, mais selon ses possibilités de comparaison, s'expliquent la puissance de représentation et l'intense efficacité propres aux imitations grossières et obscures dont nous avons parlé! » Cette pensée elle-même s'accroissait d'être ténébreuse, et Ulrich ne la mena pas à chef; le souvenir immédiat de ce qu'ils avaient dit de la reproduction s'y mêlait à l'image des jumeaux et à cette brusque raideur d'Agathe, belle comme une image, que son frère avait eue si souvent sous les yeux. Ce mélange était encore animé de loin par l'idée que ces conversations, quand elles venaient du fond de l'âme et atteignaient à leur plus grande beauté, tendaient souvent elles-mêmes à ne plus s'exprimer qu'en termes de comparaisons. Ce jour-là ce n'était pas le cas. Comme un bon tireur, Agathe, d'une remarque, toucha chez son frère un point sensible : « Pourquoi, au nom du ciel! la femme à qui vont tous tes vœux et tous tes propos devrait-elle être, avec une précision fantastique, ta deuxième édition ? » s'écria-t-elle sans penser qu'elle allait le blesser. Pourtant, elle craignit un peu sa réplique et s'en protégea en revenant aux généralités : « Comment s'expliquer que l'idéal de tous les amants soit de devenir un seul être, quand ces ingrats doivent presque tout l'attrait de l'amour au fait qu'ils sont deux et de sexe délicieusement différent ? » Hypocritement, mais en visant avec plus de malice encore, elle ajouta : « Ils se disent même l'un à l'autre, quelquefois, comme s'ils voulaient te prévenir : *Ma poupée!* »

Ulrich accepta la plaisanterie. Il l'estimait juste, et il était difficile d'y répondre par une nouvelle accommodation. D'ailleurs, ce n'était pas nécessaire à ce moment-là. Bien que le frère et la sœur parlassent très différemment, ils étaient d'accord. A partir d'un certain seuil, ils se sentaient un seul être : comme de deux personnes qui jouent à quatre mains ou lisent à deux voix un écrit important pour leur salut naît un seul être dont le contour mobile et plus clair se détache vaguement sur un fond d'ombre. Le rêve flottait devant leurs yeux de se fondre en un seul corps, rêve aussi incompréhensible, convaincant et douloureusement beau que quand deux êtres apparaissent côte à côte alors qu'ils n'en font qu'un; les réflexions de ces derniers temps l'avaient tantôt fortifié, tantôt troublé. A propos de ces réflexions, on pourrait dire qu'il ne devait pas être impossible de refaire à l'état de veille ce que l'émotion obtient dans le sommeil; peut-être avec des restrictions, sans doute d'une autre manière et par d'autres procédés. On pouvait aussi espérer que cela se produirait alors avec une plus grande capacité de résistance aux influences dissolvantes du monde de la veille. A vrai dire, ils se sentaient assez éloignés de ce point, et il n'était pas jusqu'au choix des moyens que chacun préférait qui ne les différenciât : Ulrich porté plutôt au calcul et Agathe à des décisions irréfléchies de pure croyance.

C'est pourquoi il n'était pas rare que la fin d'une explication parût plus éloignée de son but que le début, comme ce fut le cas cette fois-là dans le jardin : la rencontre, qui avait commencé presque comme une tentative de ne plus respirer, avait abouti finalement à des hypothèses sur l'architecture de divers châteaux de cartes. Mais, au fond, il était naturel qu'Ulrich et Agathe sentissent un empêchement à agir selon l'excessive hardiesse de leurs pensées : comment auraient-ils réalisé des projets qui étaient intentionnellement irréalité pure, comment l'action aurait-elle pu être facile dans un esprit qui n'était autre que celui, malin, de l'inactivité ? C'est pourquoi ils souhaitèrent soudain violemment, du cœur de leur conversation érémitique, reprendre contact avec les hommes.

57. *Édition spéciale d'une grille de jardin. (Ébauche.)*

Ainsi le frère et la sœur, sans s'être concertés, s'engagèrent-ils bientôt lentement dans une allée qui les rapprocha des humains, c'est-à-dire des limites de leur petit royaume végétal. On aurait pu voir aussi que ce n'était pas la première fois. Lorsqu'ils arrivèrent en vue de la rue qui cavalcadait derrière la haute grille de fer sur son socle de pierre, ils abandonnèrent le sentier, profitèrent de l'abri des arbres et des buissons et s'arrêtèrent sur un petit tertre dont le sol sec nourrissait quelques grands vieux arbres. Là, l'image de leur repos se perdait dans le jeu de l'ombre et de la lumière. Il était improbable qu'on les découvrît de la rue; ils en étaient pourtant si près que les passants inconscients donnaient cette impression étrange d'extériorité qui naît chaque fois qu'on considère la mobilité de la vie sans y prendre part. Les visages semblaient pauvres comme des objets quotidiens, plus pauvres mêmes, comme des disques plats, des disques de signalisation dont on ne recevait, dans cette hâte, aucun signal. Quand, tout d'un coup, des mots étaient apportés, c'étaient des mots épars, incompréhensibles; comme les pièces inhabitées, ils avaient une sonorité d'autant plus forte. Les deux observateurs n'eurent pas besoin d'attendre longtemps, d'ailleurs, pour que l'un ou l'autre de ces passants s'approchât plus encore de leur demi-cachette. Parfois, quelqu'un s'arrêtait et considérait avec surprise ces vastes verdures qui s'ouvraient inopinément sur son chemin; un autre profitait de l'occasion pour poser un instant sur le socle de pierre de la clôture ce qu'il portait, ou pour y appuyer le pied et lacer un soulier dénoué; parfois, deux promeneurs s'arrêtaient pour parler dans l'ombre courte que les piliers projetaient sur le trottoir, tandis que derrière eux les autres s'écoulaient toujours. Plus ces incidents paraissaient arbitraires, plus se détachait de la diversité et de la prétendue richesse de tant d'actions l'efficacité immuable de la grille, fermeture d'une sorte de piège dont ni l'un ni l'autre n'avait conscience. Elle proclamait presque impudemment sa monotonie devant la bigarrure de l'action et des sentiments qui s'y rattachent.

Mais par un autre biais encore, la grille était un symbole : elle séparait et unissait. Ulrich et Agathe avaient découvert cette signification du jour où ils avaient erré avec une ardeur incertaine dans les rues. Ce qui les attirait, c'était que ce mouvement jamais abouti de l'homme vers la béatitude intérieure, comme celui d'un être vers un autre et d'un amant vers ce à quoi il voudrait intimement participer; que ce jeu de bien et de mal, de ferveur et d'hostilité, de noblesse et de brutalité dont ils observaient le vain déroulement chez eux-mêmes et dans la vie des autres, ne pesât pas un gramme de plus que la liberté donnée par une fenêtre grillagée. Presque tout ce dont Agathe et Ulrich avaient parlé alors faisait maintenant l'effet d'être dépassé, un puéril gaspillage de temps; mais le nom qu'ils avaient donné à la grille à cause de son symbolisme, comme à l'endroit où ils se trouvaient pour les avantages de sa situation : *Ni séparés, ni unis*, ce nom, depuis lors, avait pris plus de substance, car ils étaient eux-mêmes « ni séparés, ni unis » et ils croyaient comprendre, ou pressentir, que toutes choses, dans le monde, étaient logées à la même enseigne. Il est une vérité raisonnablement résignée, fort étrange, et pourtant fort commune : que le monde, tel qu'il est, laisse partout transparaître un monde qui aurait pu, qui aurait dû être; de sorte que tout ce qui ressort de l'activité de ce monde est entaché d'exigences qui ne seraient compréhensibles que dans un autre monde. Mais, au regard du frère et de la sœur, ce qui se mélange dans l'âme de l'individu comme dans la communauté s'était scindé en deux : le rassurant compromis entre la hauteur des bonnes passions et la bassesse des passions mauvaises; les idées médiatrices; enfin, en eux-mêmes, l'équilibre naturel de la passion et de la réserve. Leur destin voulait sans doute qu'ils tinssent la vie extatique dont le miroir apparaît, brisé, sous la vie ordinaire, pour aussi réelle que celle-ci. Ils n'avaient aucun dédain, d'ailleurs, à l'égard de la vie ordinaire (même s'ils s'en isolaient résolument), et s'ils poursuivaient le symbole grossier de la grille de jardin, c'était dans le désir de s'imposer une nouvelle épreuve, mi-plaisante, mi-grave, au regard des autres hommes.

Agathe posa sa main, dont la chaleur sèche et légère était comme de très fine laine, sur la tête d'Ulrich et la lui tourna dans la direction de la rue. Elle laissa la main s'attarder sur l'épaule de son frère de qui elle chatouilla l'oreille avec ces mots : « Mettons donc à l'épreuve notre amour du prochain. Qu'arriverait-il si nous tentions d'aimer un de ces passants comme nous-mêmes ?

— Je ne m'aime pas moi-même! fit Ulrich.

— Tu ne me flattes donc guère quand tu m'appelles ton amour-propre changé en femme!

— Erreur! Tu es mon autre amour-propre, le bon!

— Explication! dit Agathe sans lever les yeux.

— Un homme bon a d'aimables défauts; chez un méchant, même les vertus sont mauvaises. L'un aura donc un bon amour de soi, l'autre un mauvais.

— Je le crois, mais cela reste obscur.

— C'est pourtant d'un très grand penseur! Le christianisme lui a beaucoup pris, mais hélas! non pas précisément cette pensée! Cinq siècles avant le Christ, il enseignait que celui qui n'a pas le vrai amour de soi ne peut aimer vraiment les autres.

— Voilà qui n'est pas plus clair!

— Il suffit de retourner la phrase, dit Ulrich. Au lieu de penser que celui qui est bon ne peut que s'aimer convenablement soi-même, c'est-à-dire d'ordinaire modérément, dis que celui qui possède le vrai amour de soi ne peut être que bon! Voilà la phrase d'aplomb. Ainsi droite et bien plantée, elle affirme que celui qui ne s'aime pas ne peut être bon, annonçant ainsi une nouvelle qui est presque le contraire du christianisme! Là, celui qui est bon pour les autres est jugé bon; ici, celui qui est bon en soi l'est nécessairement envers les autres. Il s'agit d'un amour de soi créateur, viril, sans faiblesse, un accord belliqueux de bonheur et de vertu, une vertu au sens noble!

— Tu es cet intolérable professeur de gymnastique qu'on attend tous les matins, dit Agathe en protestant. Le coq chante à peine qu'il faut déjà se démancher! J'ai envie de dormir!

— Non, j'ai encore besoin de ton aide. »

Ils étaient étendus côte à côte, contre le sol. Quand ils levaient la tête, ils voyaient la rue; sinon, ils voyaient les débris desséchés d'un grand arbre parmi de jeunes herbes effilées. Pourquoi parlaient-ils de l'amour de soi ? Peut-être parce qu'ils étaient couchés tout près l'un de l'autre et que la chaleur d'un corps rampait vers l'autre comme deux créatures privées de tête. Peut-être aussi parce qu'aucun d'eux ne s'aimait soi-même, n'aimait sa vie passée, et parce qu'ils cherchaient dans l'autre un dédommagement pour ce qui, d'un point de vue ordinaire, leur manquait. Peut-être enfin parce que ce rêve d'aimer l'autre autant que soi était le problème même, douloureux et radieux, des jumeaux.

« Qui donc a dit cela ? demanda Agathe.

— Je ne sais : Aristote peut-être » répondit Ulrich. Puis il se tut.

De nouveau ils tournèrent les yeux vers la rue. Le flot des passants et des voitures s'écoulait devant eux, sans but précis. Dans cet état du corps, les pensées aussi se dissipaient en grandes masses mouvantes parmi lesquelles se détachait avec plus ou moins de netteté quelque détail.

L'idée aristotélicienne de l'amour de soi, de la *philautia* (noble et virile relation de soi à soi qui n'est pas de l'égoïsme mais éclaire, comme une leçon authentique, l'amour essentiel des parties basses de l'âme pour sa partie la plus haute), cette idée en apparence fort décente, en réalité fort audacieuse, avait fasciné Ulrich naguère; malheureusement, même après ses études, il en était resté à cette première et brève rencontre. La tradition érudite et chrétienne a réduit cette notion, sans comprendre sa passion spirituelle, au plaisir avec lequel un maître d'école considère la discipline scolaire. Une époque plus novatrice (qui accorde de nouveau quelque attention aux passions, surtout quand elles sont inférieures) l'assimilerait volontiers à la relation pédagogique qui s'établit entre la personne morale, trônant sur des charbons ardents, et ce feu couvant des instincts : cela non plus ne plaisait pas à Ulrich. Il avait son hypothèse personnelle : elle aussi risquait d'être erronée. Mais, depuis toujours, l'association de la bonté pour autrui et de la bonté pour soi-même (et surtout, par suite, la description possible, avec un peu d'audace, de la bonne conduite comme d'un mouvement qui saisit, de l'extérieur et de l'intérieur à la fois, l'amant et l'aimé, le voulu et le voulant, en un mot, celui qui donne et celui qui reçoit) lui était apparue comme une de ces associations d'idées réservées aux seuls être qui ne sont pas entièrement fermés à l'expérience mystique. Comme on a l'impression de marcher sur un terrain plus solide quand on y reconnaît les traces d'un prédécesseur, il n'abandonna plus cette idée; ainsi, peu à peu, quelques instants de rêverie gaiement douloureuse à quoi la conversation avait dû de naître se trouvèrent étayés par une préhistoire, avec quelques objections et interventions d'Agathe.

« Pourquoi penses-tu à de si vieilles histoires ? » demanda-t-elle d'abord. Au nom du philosophe n'était lié pour elle que de la méfiance, comme elle en aurait éprouvé à l'égard d'une barbe nuageuse et longue infiniment.

« Peux-tu te rappeler nos sentiments tandis que nous venions ici en parlant, suspendus l'un à l'autre ? répondit Ulrich. Quand tu disais un mot, l'instant d'après je croyais que c'était ma voix qui l'avait prononcé. Quand quelque chose changeait dans ta voix, mes pensées changeaient. Quand tu sentais quelque chose, les conséquences immanquablement se faisaient jour dans mon sentiment.

— Je crains que tu ne mentes en ce moment, mon amour-propre! dit Agathe en riant. Autant que je me rappelle, plus d'une fois je ne t'ai pas compris, et plus d'une fois nos opinions furent différentes!

— Sinon, il n'y aurait eu entre nous qu'harmonie, sensiblerie même, peut-être! repartit Ulrich. C'était plus que cela. Une manière particulière de se compléter, comme deux miroirs se renvoient la même image de plus en plus pressante. Et la nature était de la partie autant que nous.

— Était-ce donc la *philautia?* demanda Agathe sur un ton qui exprimait sa méfiance à l'égard de telles considérations.

— Oui et non, justement, dit Ulrich hésitant. Il y a là deux notions que j'ai dû mélanger. Le grand penseur a développé également l'idée qu'il existe des causes d'une espèce particulière qui, loin de se fondre en leurs conséquences comme les autres, leur sont liées dès l'abord (un peu comme un orateur est influencé par ceux qui l'écoutent), de sorte qu'elles s'influencent mutuellement sans cesse. Une cause finale détermine les événements, et les événements, du même coup, servent à développer la cause. Tu retrouves ce phénomène partout où des intentions, des processus de croissance et d'adaptation, des interactions, des effets bilatéraux sont en jeu : dans la vie, par conséquent, et singulièrement dans la vie de l'âme et dans la finalité. C'est pourquoi il fut un temps où l'on crut posséder là un antidote aux froides observations des sciences naturelles; aujourd'hui encore, c'est une idée qui hante plus d'un cerveau. Mais excuse-moi de t'entretenir de souvenirs que j'ai oubliés à moitié et qui n'ont probablement jamais signifié quoi que ce fût de parfaitement clair et définitif!

— Si ça te semble inévitable! » s'écria courageusement Agathe; elle était à la fois celle qui supporte avec tendresse et celle qui atteste qu'elle espère aussi comprendre.

« Ainsi a dû se mêler à la description de notre petite promenade ou à celle de notre vie à tous deux, poursuivit Ulrich, quelque chose de très obscur, mais de très connu, qui n'est rien de moins qu'une doctrine ésotérique. Mais peut-être n'ai-je pas eu tort de l'y mêler. L'expérience première, en effet, demeure cet état où toi et moi, l'homme et la nature aussi bien, sont bercés par la même branche. Qu'un mystique croie alors vivre l'animation du monde, que le chercheur ou le trouveur pondéré y découvre l'élément fondamental d'une description de la nature vivante opposée à la nature inorganique, il ne s'agit là peut-être que d'interprétations divergentes. » Il leva les yeux vers la cime d'un arbre qui bougeait sans bruit dans le bleu du ciel. Derrière la grille, les passants s'écoulaient avec le bruit étrangement glissant d'un fleuve, ce frottement des pierres sur le lit de cailloutis, quand on se laisse porter par les vagues.

« Par où commencerons-nous ? » demanda résolument

Agathe après que son regard eut suivi celui d'Ulrich qui s'était retourné vers la rue.

« Ça ne peut pas se faire sur ordre! dit Ulrich en souriant.

— Non. Mais nous pourrions faire un essai. Peu à peu, nous nous habituerons à lui.

— Ça doit venir naturellement.

— Faisons quelque chose à cet effet! proposa Agathe. Par exemple, arrêtons de parler et abandonnons-nous entièrement à ce que nous voyons!

— Après tout! » dit Ulrich.

Ils restèrent donc un instant sans rien dire, et Agathe perçut quelque chose qui lui rappela l'instant où le soyeux cortège des fleurs fanées avait flotté dans l'air et paralysé tous leurs sentiments. Mais, un instant plus tard, une autre idée lui était venue. « Finalement, aimer quelque chose à la manière ordinaire, n'est-ce pas le préférer à autre chose ? murmura-t-elle. Ainsi, nous, nous devrions nous efforcer de faire entrer l'un de ces passants dans notre cœur, mais en laissant, comme qui dirait, la porte ouverte!

— Ne parle pas! Avant tout, il faut se taire! » dit Ulrich.

Ils regardèrent encore un instant au dehors.

« Ça ne réussit pas! » dit Agathe en soupirant doucement. Puis elle s'accouda et regarda son frère avec des yeux pleins de doute. « Au fond, nous sommes d'affreux fainéants!

— Tu oublies, dit Ulrich en riant, que même le désir de béatitude n'est pas un travail!

— Si nous faisions un geste de bonté! dit-elle brusquement. A la grille, nous en trouverons bien l'occasion!

— Il faudrait d'abord être bon. Sinon tu ne sauras pas ce qui est bon. C'est pourquoi j'ai parlé de la *philautia :* je le comprends enfin. »

Agathe répondit avec une amère gaieté : « C'est un principe commode! Quand on est bon, tout ce qu'on fait et tout ce qu'on ne fait pas est bon!

— Peut-être », dit Ulrich. Il poursuivit avec un mélange de gravité et de légèreté qu'on impute d'ordinaire à la virtuosité intellectuelle, et qui est dû, en réalité, au flottement des sentiments : « Un homme bon peut aussi tuer. Il a en tous cas le droit de se défendre. Une gravité intense, au fond heureuse, le contraire de la brutalité agressive, mettra jusque dans ses sentiments hostiles plus de sentiment que d'hostilité!

— Allons! tu es le dernier à croire qu'on puisse se battre sans brutalité!

— Sans doute! dit Ulrich. Chez un homme de notre temps, et j'en suis un, le mépris de la mort n'est somme toute qu'un mépris de la vie, donc, finalement, un mépris de soi. Nous estimons davantage la mort que le bonheur...

— Ne veux-tu donc rien faire du tout ? » demanda Agathe en interrompant cette méditation.

Ulrich se mit à rire. Il était nerveux. Devait-il avouer qu'en cet instant, à côté de sa sœur, la bataille d'hommes et le courage lui paraissaient une fois de plus le seul bonheur enviable et digne de l'homme, simplement parce qu'il avait fait l'expérience douce-amère que tout autre bonheur vous rendait lâche et hésitant ?

Agathe ne comprenait plus la plaisanterie. « Est-ce que tu penses *tout* cela sérieusement ? demanda-t-elle.

— C'est l'ombre de mon sérieux! »

Elle se leva pourtant et ne céda point.

58. *Le soleil brille sur les justes et les injustes.* (Tiré d'une ancienne ébauche pour *Édition spéciale d'une grille de jardin.*)

Oui, Agathe résistait sérieusement. « Nous n'avons pas à clore un débat, mais, si tu me passes l'expression, à ouvrir notre cœur, dit-elle avec une acuité railleuse. Et la manière dont nous devrions commencer n'est pas un tel secret depuis quelque temps, disons depuis l'Evangile! Rejette loin de toi toute haine, toute résistance, toute agressivité! Ou simplement, cesse de croire que cela existe! Ne blâme point, ne te mets pas en colère, ne condamne personne, ne te défends de rien! Ne lutte plus, ne formule ni ne marchande plus! Oublie, désapprends de nier! Ainsi, comble toutes les failles, toutes les fissures qui existent entre toi et eux! Aime, crains, supplie et marche avec eux! Considère tout ce qui se produit dans le temps et l'espace, ce qui va et vient, la beauté et le désordre, non point comme le réel, mais comme une parole ou une parabole du Seigneur. Voilà comment il faudrait aller au-devant d'eux! »

Comme il arrivait d'ordinaire, son visage, pendant ce long discours passionné et exceptionnellement résolu, avait pris une coloration plus profonde. « Parfait! Chaque mot est une lettre d'une grande écriture! s'exclama Ulrich admirativement. Et nous aussi, il faudra que nous prenions courage. Mais ce courage-là ? Le voudrais-tu vraiment ? »

Agathe surmonta sa ferveur et fit non de la tête, loyalement. « Pas absolument! » ajouta-t-elle pour ne pas le nier tout à fait.

« C'est la doctrine de celui qui nous a conseillé de tendre la joue gauche quand nous recevons un soufflet sur la droite. Aberration la plus douce qui fût jamais, poursuivit Ulrich pensif. Mais n'oublie pas que cette bonne nouvelle est aussi, dans son application, une méthode psychologique! Elle suppose une certaine attitude, un ensemble d'idées et de sentiments qui s'étaient mutuellement. Je veux dire tout ce qui, en nous, est souffrant, patient, tendre, sensible, secourable, tout ce qui est abandon et amour. C'est à une telle distance de tout le reste, en particulier de ce que nous avons de dur, d'agressif, d'actif et d'efficace que ces autres sentiments et ces autres idées, comme les amères nécessités, échappent complètement au regard. Cela ne signifie pas qu'ils sortent de la réalité, mais simplement qu'on cesse de s'en irriter, de les nier ou même d'y penser : c'est donc comme un toit sous lequel le vent peut s'engouffrer et qui ne tiendra pas longtemps debout...

— Mais on *croit* à la bonté! C'est de la foi! Tu l'oublies un peu trop! dit Agathe en guise d'objection.

— Non, je ne l'oublie pas, mais on n'en est venu là que plus tard... En substituant la doctrine du Royaume qui viendra à la fin des temps à celle de la béatitude que le Fils de l'Homme a connue dès cette terre, on voulait économiser pour l'avenir!...

— C'était une promesse! Pourquoi en médis-tu ? Pouvoir croire à quelque chose non seulement de toute son âme, mais avec sa peau et ses cheveux, son ombrelle et sa robe, n'est-ce donc rien ?

— Le souffle de l'Annonciation n'était ni promesse ni croyance, c'était un pressentiment! Un état dans lequel on aime les comparaisons! Un état plus audacieux que la foi!

Je ne suis pas le premier qui le constate. La seule réalité véritable, pour le Sauveur, ce fut l'expérience de ces comparaisons et de ces pressentiments sur la non-résistance joyeuse et sur l'amour; l'horrible reste que nous appelons réalité, la vie naturelle, solide, dangereuse, n'a fait que se refléter, entièrement dématérialisée, dans son âme, comme un rébus! Par Iahvé et Jupiter! cela suppose, d'abord, la civilisation, car nul n'est si misérable qu'il ne trouve un brigand pour l'abattre; et cela suppose un désert où il y a sans doute de mauvais esprits, mais pas de lions. Ensuite, il semble bien, néanmoins, que cette bonne et noble nouvelle soit née dans l'ignorance de la civilisation qui lui était contemporaine. Elle est quitte de la diversité de la culture et de l'esprit, quitte de ses doutes, mais aussi du choix, quitte de la maladie, mais aussi de presque toutes les découvertes faites pour la combattre; en un mot, elle est quitte de toutes les faiblesses, mais aussi de tous les avantages du savoir et du pouvoir humains (qui, de son temps, n'étaient pas si médiocres). C'est pourquoi, soit dit en passant, elle se fait une idée un peu simple du bien et du mal, du beau et du laid. Et, dès l'instant où tu acceptes ces objections et ces conditions, tu es obligée de te contenter du procédé un peu plus complexe qui est le mien!... »

Agathe n'en résista pas moins. « Tu oublies une chose, répéta-t-elle, c'est que cette doctrine prétend venir de Dieu : dès lors, toute complication qui s'en éloigne est fausse ou indifférente!

— Silence! dit Ulrich en lui mettant un doigt sur la bouche. Ne t'entête pas à parler de Dieu aussi tangiblement qu'aux premiers jours du christianisme, comme s'il était caché là derrière ce buisson!

— Il est vrai que je ne le puis, reconnut Agathe. Mais permets-moi de te dire une chose. Toi-même, tu es tout prêt, quand tu t'imagines la béatitude sur la terre, à renoncer à la science, aux recherches des arts, au confort et à toutes les nouveautés. Pourquoi donc tant le reprocher aux autres ?

— Là, tu as sûrement raison », dit Ulrich. Il avait trouvé une petite branche sèche et en curait pensivement le sol. Le frère et la sœur avaient glissé un peu plus bas, de sorte qu'il n'y avait plus que leur tête pour dépasser le sommet du tertre, et encore fallait-il qu'ils la lèvent. Ils étaient couchés sur le ventre comme deux chasseurs qui ont oublié ce qu'ils épient. Agathe, touchée par la souplesse de son frère, lui mit le bras autour du cou et fit à son tour une concession. « Regarde! qu'est-ce qu'elle fait ? » s'écria-t-elle en montrant du doigt, à côté de la branchette, une fourmi qui en attaquait une autre.

« Elle tue, dit froidement Ulrich.

— Empêche-l'en! » dit Agathe qui, d'énervement, replia une de ses jambes le pied vers le ciel.

Ulrich fit une proposition : « Essaie de n'y voir qu'une comparaison. Tu n'as pas le temps de lui donner une signification particulière, prive-la simplement de la sienne! Ce sera comme un souffle âpre ou comme l'odeur de soufre des feuillages pourrissants de l'automne : une goutte de mélancolie vaporisée qui fait frémir cette part de l'âme toujours prête à se dissoudre. Je crois même qu'ainsi, on réussirait à passer doucement sur sa propre mort : mais seulement, à vrai dire, parce qu'on ne meurt qu'une fois et qu'on y accorde du même coup une grande importance. Car, devant le petit désordre perpétuel et les discordances de la nature, l'intelligence des héros et des saints est bien peu glorieuse! »

Pendant qu'il parlait, Agathe lui avait pris la petite branche des doigts pour essayer de sauver la fourmi assaillie; elle parvint finalement à séparer les combattants, non sans les avoir presque écrasées l'une et l'autre. Avec une vitalité diminuée, elles retournaient maintenant vers de nouvelles aventures.

« Ton geste eut-il un sens ? demanda Ulrich.

— Je comprends : tu veux dire par là que notre essai à la grille eût été contre la nature et la raison, répondit Agathe.

— Pourquoi ne le dirais-je pas ? fit Ulrich. En tous cas, j'ai voulu dire, à ta vive surprise, que la magnificence divine ne cille pas quand se produit un malheur. Peut-être, aussi, que la vie absorbe les cadavres et les immondices sans que se trouble son sourire. Et sûrement, que l'être humain est fascinant tant qu'on ne l'accable pas d'exigences morales... » Ulrich, oubliant toute responsabilité, s'étira au soleil. Il suffisait qu'Agathe et lui modifiassent légèrement leur position, sans même se lever, pour que le monde qu'ils avaient épié disparût et fût remplacé par une vaste pelouse entourée d'arbustes frémissants qui descendait en pente douce jusqu'à leur belle vieille demeure, sous la lumière de l'été. Ils avaient abandonné les fourmis et se rôtissaient aux rayons du soleil sans en être entièrement conscients, baignés de loin en loin par un souffle plus frais. « Le soleil brille sur les justes et les injustes! dit Ulrich paisiblement moqueur, en guise d'amen.

— *Aimez vos ennemis, car il fait lever son soleil sur les méchants et sur les bons,* précisa Agathe à mi-voix comme si elle le confiait à l'air.

— Est-ce vraiment le texte ? Comme je le disais, ce serait merveilleusement naturel!

— Mais ta citation est inexacte.

— En es-tu certaine ? D'où cela vient-il, d'ailleurs ?

— De la Bible, bien sûr. J'irai contrôler à la maison! Je veux te montrer une bonne fois que je puis aussi avoir raison! »

Il voulut la retenir, mais déjà elle était debout à côté de lui, déjà elle était partie. Ulrich ferma les yeux, les rouvrit, les referma. La solitude sans Agathe était abandonnée de tout : comme si lui-même n'était plus là. Puis les pas revinrent. De grandes traces sonores dans le silence comme dans la neige molle. Alors le sentiment indescriptible de la proximité se réinstalla; puis cette proximité s'éclaira d'un joyeux sourire, annonçant les paroles suivantes : « Il est écrit : *Aimez vos ennemis, car Il fait lever son soleil sur les méchants et sur les bons, et Il fait pleuvoir sur les justes et sur les injustes!*

— Et où est-ce donc ?

— Nulle part ailleurs que dans le Sermon sur le Montagne, que tu sembles fort bien connaître, mon cher.

— Voilà le médiocre théologien démasqué, dit Ulrich en riant. Continue donc à lire! »

Agathe avait dans les mains une lourde Bible, un objet pas spécialement ancien ou précieux, mais tout de même pas une édition très récente, et elle lut : « *Vous avez entendu qu'il a été dit : Tu aimeras ton prochain et tu haïras ton ennemi. Mais moi, je vous dis : Aimez vos ennemis et priez pour ceux qui vous persécutent, afin que vous soyez les fils de votre Père qui est dans les cieux; car Il fait lever son soleil sur les méchants et sur les bons, et Il fait pleuvoir sur les justes et sur les injustes.*

— Connaîtrais-tu autre chose encore ? demanda Ulrich plein de curiosité.

— Oui, répondit Agathe. Ceci : *Vous avez entendu qu'il a été dit aux anciens : Tu ne tueras point; et : Celui qui aura tué sera passible du jugement. Mais moi, je vous dis : Quiconque se met en colère contre son frère sera passible du jugement. Et celui qui lui dira : fou, sera passible de la géhenne du feu.* Et cela encore, que tu connais si bien : *Mais moi, je vous dis de ne pas résister au méchant. Au contraire, si quelqu'un te frappe sur la joue droite, présente-lui aussi l'autre. Si quelqu'un veut plaider contre toi pour prendre ta tunique, laisse-lui encore le manteau, et si quelqu'un veut te contraindre à faire un mille avec lui, fais-en deux.*

— Que te dire ? Ça ne me plaît guère ! » fit Ulrich.

Agathe feuilleta. « Peut-être cela te plaira-t-il mieux : *Si ta main droite te fait tomber dans le péché, coupe-la et jette-la loin de toi; car il vaut mieux pour toi qu'un de tes membres périsse, que d'avoir ton corps tout entier jeté dans la géhenne.* »

Ulrich lui prit le livre et le feuilleta à son tour. « Cela se retrouve même sous plusieurs formes », s'écria-t-il. Puis il posa le livre dans l'herbe, attira Agathe près de lui et resta un instant silencieux. Il répondit enfin : « Pour parler sérieusement, je suis comme tous les hommes... ou du moins il m'est naturel, comme à tous les hommes, d'appliquer ces sentences à l'envers. Si *sa* main te fait tomber dans le péché, coupe-la, et si tu as frappé quelqu'un sur la joue droite, par précaution donne-lui encore un crochet au cœur. »

59. *Tentatives pour aimer un monstre.* (Variante pour le chapitre : *Édition spéciale d'une grille de jardin.* Tirée d'une ébauche.)

Un autre jour, Agathe demanda : « De quel droit peux-tu parler d'un *monde* de l'amour ? De l'amour considéré comme *la vie elle-même?* Tu es bien léger, mon cher ! » Elle avait l'impression de se balancer sur une très haute branche qui menaçait à tout moment de rompre sous l'effort. Elle n'en continua pas moins : « Finalement, si l'on parle d'un monde de l'amour, ne pourrait-on pas parler aussi bien d'un monde de la colère, de l'envie, de la fierté, de la rudesse ?

— Les autres sentiments durent moins longtemps, repartit Ulrich. Ils n'ont même pas la prétention de durer éternellement.

— Mais ne trouves-tu pas un peu comique cette prétention de l'amour ?

— A mon avis, répondit Ulrich, les autres sentiments doivent aussi être capables de donner naissance à des mondes particuliers, d'une seule face, pour ainsi dire, ou d'une seule couleur; mais, de tous temps, on a accordé sur ce point un certain avantage à l'amour, le droit de créer des mondes... La brutalité générale, aujourd'hui, est intolérable. Mais c'est que la bonté elle aussi est adultérée! L'une ne dépend pas de l'autre comme les deux plateaux d'une balance dont l'un monte quand l'autre descend : elles sont liées comme les parties du corps qui sont malades ou saines ensemble. Rien n'est donc plus faux, poursuivit-il, que de s'imaginer, ainsi qu'on le fait d'ordinaire, que de la victoire du mal soit responsable une défaite du bien : au contraire, le mal ne s'accroît, visiblement, que par l'accroissement d'un faux bien!

— J'ai déjà entendu ça quelque part! dit Agathe avec une pointe de raillerie délicieusement sèche. Mais, apparemment, il n'est pas simple d'être bon de la bonne manière!

— Non, il n'est pas simple d'aimer! » répéta Ulrich en riant.

Ils étaient étendus et regardaient l'azur ensoleillé; puis de nouveau, au-delà de la grille, la rue qui, sous les yeux éblouis par le ciel d'été, paraissait se rouler dans une grisaille fiévreuse et fumante. Le silence s'installa. Lentement, le moi qui, dans la conversation, s'était senti exalté perdit tout pouvoir, et même toute existence. Ulrich dit à mi-voix : « J'ai inventé une couple d'idées d'une merveilleuse prétention : *l'égocentrique et l'allocentrique*. Le monde de l'amour, on le vit en égocentrique ou en allocentrique. Le monde ordinaire ne connaît que l'égoïsme et l'altruisme, couple de frères bien raisonnablement querelleur en comparaison de l'autre. Etre égocentrique, c'est vivre comme si l'on avait le centre du monde au centre de soi. Etre allocentrique, c'est n'avoir plus de centre du tout; participer au monde sans réserve, sans rien garder pour soi; au sommet, cesser simplement d'être. Je pourrais dire aussi que le monde s'extériorise et que le moi s'intériorise. Ce sont les extases de l'amour de soi et du désintéressement. Bien que l'extase soit apparemment une excroissance de la vie saine, on peut aussi dire, apparemment, que les notions morales de la vie saine ne sont que le ratatinement de notions extatiques à l'origine. »

Agathe songeait : « Nuit de lune... Deux mille... » Bien d'autres choses flottaient dans sa tête. Ce qu'Ulrich lui racontait n'en était qu'une version de plus; elle n'avait pas l'impression de perdre quelque chose quand son attention se relâchait, bien qu'elle écoutât avec plaisir. Puis elle se rappela l'affirmation de Lindner, qu'il fallait vivre pour quelque chose et ne pas penser à soi, et elle se demanda si c'était aussi une attitude « allocentrique ». Se perdre dans une tâche, comme il l'exigeait ? Elle en doutait. Des êtres pieux ont posé leurs lèvres avec enthousiasme sur les plaies des lépreux : chose horrible à imaginer, « exagération contraire à la vie », comme Lindner aimait à dire! Mais bâtir un hôpital pour faire ce qui agréait à Dieu selon lui, cela la laissait froide. Alors, elle tira son frère par la manche et l'interrompit en disant : « Notre homme est arrivé! » Soit plaisanterie, soit accoutumance, ils avaient élu en effet un type particulièrement déplaisant pour leurs expériences intellectuelles : c'était un mendiant qui tous les jours travaillait un moment devant leur grille. Il se servait du socle de pierre comme d'un banc tout préparé pour lui, commençait par étaler à côté de soi sur un papier gras des restes de repas dont il s'empiffrait à son aise jusqu'au moment où il reprenait son air professionnel et remballait les reliefs; l'homme était trapu avec une chevelure gris-fer abondante et le visage cendreux et sournois d'un buveur. Quelquefois déjà, il avait défendu avec la plus grande brutalité son domaine contre d'autres mendiants qui s'approchaient innocemment. Ulrich et Agathe haïssaient ce convive qui insultait leur propriété (ou, plus subtilement, ce qu'ils avaient en propre, leur solitude), avec un naïf instinct de possession dont ils ne pouvaient s'empêcher de rire, tant il leur paraissait inadmissible. C'est aussi pourquoi ils utilisaient leur hôte, avec sa laideur et sa malice, dans les plus audacieuses et les plus douteuses conjurations de l'amour du prochain.

A peine l'avaient-ils aperçu qu'Ulrich dit en souriant : « Je le répète : Pour peu que tu te mettes à sa place, comme on dit, ou que tu te sentes à son égard n'importe quelle vague responsabilité sociale, pour peu même que tu l'envisages comme un truand à peindre, tu éprouves déjà quelques millièmes de véritable amour du prochain. Maintenant, il s'agit d'essayer à cent pour cent! »

Agathe secoua la tête en riant.

« Imagine que tu sois d'accord avec cet homme autant que tu l'es avec toi-même! dit Ulrich.

— Je n'ai jamais été d'accord avec moi-même, protesta Agathe.

— Tu le seras alors », dit Ulrich. Il lui prit la main. Agathe se laissa faire et regarda l'homme. Elle devint étrangement sérieuse, et dit au bout d'un moment : « Il m'est plus étranger que la mort. »

Ulrich enferma plus complètement dans la sienne la main d'Agathe, et répéta : « Essaie encore!

— C'est comme si j'étais suspendue à cette figure, moi, et pas seulement ma curiosité! » répondit-elle au bout d'un moment. L'effort de l'attention réduite à un seul objet donnait à son visage une expression involontaire de somnambule.

Ulrich l'aida : « C'est un peu comme dans un rêve : avec une âpre douceur, à la fois soi-même et étranger à soi-même, on se rencontre sous la forme de quelqu'un d'autre...

— Non, dit Agathe en souriant, ce n'est certes pas la magie sensuelle de ces rêves-là... »

Le regard d'Ulrich était posé sur son visage. « Fais comme si tu le rêvais! dit-il d'un ton persuasif. Prudents épargnants, nous vivons d'ordinaire, dans l'état de veille, de don et de reprise : nous participons tout en nous réservant. En rêve, nous pressentons en tremblant la splendeur d'un monde où tout serait prodigalité!

— Peut-être en est-il ainsi », répondit Agathe hésitante et distraite. Ses regards étaient toujours fixés sur le mendiant. « Dieu merci! dit-elle lentement au bout d'un moment, le voilà redevenu un monstre banal! » L'homme s'était levé, avait rassemblé ses hardes et s'en allait. « Il ne se sentait pas à l'aise! » affirma Ulrich en riant. Lorsqu'il se tut, le bruit régulier de la rue grandit et se mêla aux rayons du soleil en donnant un curieux sentiment de tranquillité. Un moment plus tard, Ulrich demanda pensivement : « N'est-il pas étrange que chaque homme, ou presque, se connaisse plus mal, et s'aime mieux qu'aucun autre ? C'est évidemment un système de protection. De même *Tu aimeras ton prochain comme toi-même :* aime-le sans le connaître, avant de le connaître, bien que tu le connaisses. Je puis comprendre qu'on tienne cela pour une simple exagération, mais je doute qu'ainsi le commandement soit observé. Pris à la lettre, il signifie : Tu l'aimeras sans intervention de l'intelligence. C'est ainsi qu'un commandement apparemment banal, lorsqu'on l'entend au pied de la lettre, relève du domaine de l'extase !

— Du même coup, le *monstre* est vraiment devenu presque beau !

— Je crois que la beauté, dit Ulrich, n'est pas autre chose que l'expression du fait qu'une chose a été aimée. Toute beauté de l'art ou du monde trouve son origine dans le pouvoir de rendre un amour intelligible... »

Agathe pensa aux hommes avec qui elle avait partagé sa vie. Le sentiment d'être obombré par un autre être, puis d'ouvrir les yeux dans cette ombre, est bizarre. Elle se le représenta. N'y avait-il pas là un élément étranger, presque hostile, qui fondait dans le baiser de deux vies ? Les corps, unis, demeurent séparés. Si on fait attention à eux, on en éprouve le côté répugnant, hideux, dans toute sa force. Avec terreur, même. De plus, on est certain de n'avoir rien à faire intellectuellement ensemble. La différence et la séparation des personnes sont douloureusement nettes. S'il y avait eu d'abord l'illusion d'un accord secret, d'une identité ou d'une ressemblance, elle se dissipe à cet instant comme un brouillard. Non, songeait Agathe, on ne se fait pas la moindre illusion. Néanmoins, le sens du moi vacille, le moi est rompu, il pénètre dans un état nouveau avec des symptômes qui signifient aussi bien violence que doux sacrifice. Tout cela pourrait-il être provoqué par une « excitation épidermique » ? Il est incontestable que les autres espèces d'amour n'ont pas tant de pouvoir. Peut-être Agathe avait-elle été si souvent encline à aimer des hommes qui lui déplaisaient parce que c'était là que l'étrange métamorphose était la plus déraisonnable. L'attrait singulier que Lindner, récemment, avait exercé sur elle, n'avait pas d'autre signification, elle ne pouvait en douter. Mais elle savait à peine qu'elle y pensait; Ulrich lui aussi avait avoué une fois qu'il aimait souvent ce qui lui déplaisait, et elle croyait penser à lui. Elle se souvint que toute sa vie elle avait cru demeurer désespérément la même dans un entourage toujours mouvant. Jamais elle n'avait pu changer de son propre gré et maintenant, comme un cadeau, sans aucun effort, un flottement sur les puissances de l'été avait remplacé le dégoût et la satiété. Reconnaissante, elle dit à

Ulrich : « Tu m'as fait ce que je suis parce que tu m'aimes! »

Après s'être entrelacées, leurs mains s'étaient dénouées et ne se touchaient plus que par la pointe des doigts; maintenant, elles reprenaient conscience, et Ulrich enveloppa dans la sienne la main de sa sœur. « Tu m'as entièrement changé, répondit-il. Peut-être ai-je de l'influence sur toi, mais en réalité c'est toi encore qui flue à travers moi! »

Agathe frotta sa main contre celle qui l'enveloppait. « Au fond tu ne me connais pas du tout! dit-elle.

— La connaissance des êtres m'importe peu, répondit Ulrich. La seule chose qu'on doive savoir d'un être, c'est s'il féconde nos pensées. Il ne devrait pas y avoir d'autre connaissance des humains!

— Mais comment suis-je réellement ? demanda Agathe.

— Justement, tu n'es pas réelle, répondit Ulrich en riant. Je te vois comme j'ai besoin de toi, et tu me fais voir ce dont j'ai besoin. Qui donc pourrait dire sans difficulté, dans ces circonstances, où est le commencement, le fondement ? Nous sommes un ruban flottant dans l'air. »

Agathe éclata de rire et dit : « Si je te déçois, ce sera donc ta faute ?

— Sans doute, dit Ulrich. Il y a des hauteurs où faire une distinction entre : *Je me suis trompé sur ton compte* et *Je me suis trompé sur mon propre compte*, n'a plus de sens. Par exemple dans la foi, dans l'amour, dans la magnanimité. Quiconque agit par magnanimité ou, comme on dit aussi, avec grandeur, ne se préoccupe ni des illusions, ni de sa sécurité. Il est même bien des choses qu'il ne doit pas souhaiter de savoir, il ose le saut par-dessus le mensonge...

— Ne pourrais-tu pas être magnanime aussi à l'égard du professeur Lindner ? » demanda Agathe de façon plutôt inattendue. D'ordinaire, elle ne parlait jamais de Lindner si son frère n'en parlait pas. Ulrich savait qu'elle lui taisait quelque chose. Elle ne cachait pas précisément qu'elle eût une certaine forme de relations avec Lindner, mais elle ne disait pas laquelle. Il le devinait vaguement et s'accommodait mal de la nécessité de laisser Agathe suivre ce détour personnel. Celle-ci, à l'instant où pour Dieu sait quelle raison cette phrase lui était échappée, avait aussitôt constaté combien le mot Lindner s'accordait mal avec le mot magnanimité. Elle sentait que la magnanimité, d'une certaine manière, ne pouvait être professionnelle, comme elle sentait que Lindner avait une façon désagréable d'être bon. Ulrich n'avait plus envie de parler. Elle chercha à voir son visage, et comme il s'efforçait de le détourner, elle le tira par la manche. Elle utilisa cette manche comme un cordon de sonnette jusqu'à ce que le visage rieur d'Ulrich apparût dans l'embrasure du chagrin; alors, il lui fit une petite exhortation, disant que celui à qui sa magnanimité faisait quitter trop tôt le sol réel s'exposait aisément au ridicule. Il ne visait pas ainsi seulement l'empressement d'Agathe à se montrer magnanime envers un homme aussi suspect que Lindner; il cherchait aussi à jeter un doute sur cette vraie sensibilité, impossible à tromper, pour laquelle la vérité et l'erreur ont infiniment moins d'importance que le durable rayonnement du sentiment et le pouvoir qu'il a de tout ramener à soi.

60. *Réflexion.*

Depuis cette scène, Ulrich avait l'impression d'être porté en avant. En fait, il eût fallu dire que quelque chose d'incompréhensible s'était produit, qu'il considérait comme un accroissement de réalité. Peut-être était-ce un peu de sa part agir comme celui qui lit ses opinions imprimées et se trouve persuadé, dès lors, qu'elles sont irréfutables : mais, s'il pouvait en sourire, il n'y pouvait rien changer. Et au moment même où il allait tirer ses conclusions à partir du Règne millénaire ou peut-être, simplement, exprimer une fois de plus sa surprise, Agathe lui avait coupé la parole en ces termes : « Il y a longtemps que nous en avons discuté! » Ulrich sentait bien qu'elle finissait toujours par avoir raison. En effet, bien qu'il ne fût absolument pas exact que tout eût été dit entre eux (surtout pas le mot décisif de la vérité!), et qu'il leur manquât, au contraire, cet événement libérateur, cette formule magique qu'on avait pu espérer encore au commencement, Ulrich savait pourtant que les problèmes qui régnaient sur sa vie depuis près d'un an s'étaient maintenant resserrés autour de lui sous une forme non plus intellectuelle, mais vivante. Tout comme si le moment approchait où ils en auraient assez parlé, même si la réponse ne se traduisait pas en mots.

Il était fort loin de pouvoir se rappeler intégralement ce qu'il en avait dit et pensé au cours de sa vie. Bien sûr, il était parti dans la vie pour en parler avec tout le monde; mais l'objet même de sa recherche voulait que rien de ce qu'on en pouvait dire ne s'organisât d'une manière progressive : la dispersion y était aussi multiple que les contacts. Toujours le même mouvement de l'esprit recommençait, parfaitement distinct de l'ordinaire, et la richesse de ce qu'il recouvrait allait croissant; mais, quoi qu'Ulrich se rappelât, il y avait toujours d'une illumination à l'autre la même distance qui eût séparé celle-ci d'une troisième : nulle part une affirmation ne se distinguait par une situation privilégiée. De la sorte, Ulrich se rappela aussi que cette « équidistance » qui régnait maintenant entre ses pensées, pesante et décourageante, s'était établie naguère pour son plus grand bonheur entre lui et le monde qui l'environnait : apparente ou réelle, une abolition de l'esprit de séparation, presque de l'espace lui-même. Cela s'était produit dans ses meilleures années d'homme jeune, sur l'île où il avait fui la majoresse avec son image dans le cœur. Il l'avait presque décrit avec les mêmes mots. La plénitude de l'amour avait modifié toutes choses d'une manière étrangement visible comme s'il n'avait jamais connu jusqu'alors que la pire pauvreté. Même la souffrance était bonheur, et son bonheur même était presque une souffrance. Tout s'attachait à lui. Il semblait que toutes les choses connussent sa présence, et que lui connût la leur; que toutes les créatures fussent conscientes les unes des autres, et que néanmoins il n'y eût pas de savoir, mais que l'amour avec sa plénitude débordante et sa maturation fût la seule loi absolue et souveraine de cette île. Souvent, plus tard, avec quelques petites modifications, il avait utilisé cette expérience comme base de discussion; et depuis peu, il aurait pu en recommencer plus ou moins la description. Il n'était nullement difficile de la prolonger, moins on y mettait de scrupules et plus c'était fructueux. Mais ce qui lui importait le plus maintenant, c'était cette indétermination même. Si ses pensées étaient liées de telle sorte qu'on ne pouvait rien y ajouter d'essentiel qu'elles n'eussent accueilli comme un retardataire vite absorbé par une vaste assemblée, cela ne faisait que démontrer leur ressemblance avec les sentiments qui les avaient fait naître pour la première fois dans la vie d'Ulrich. Cet accord d'une modification du monde des sens qui semblait s'être emparée du monde pour la seconde fois, grâce à Agathe, et d'une pensée modifiée (dont on aurait pu dire aussi qu'elle se tordait sur place dans des rêves sans fin, d'où une fois déjà elle était sortie épuisée!), ce curieux accord qu'Ulrich envisageait pour la première fois maintenant dans son ensemble, lui inspirait à la fois du courage et de l'appréhension. Il se rappelait avoir dit, alors, qu'il était tombé dans le cœur du monde. Était-ce possible ? Était-ce plus qu'une périphrase ? A l'exigence mystique de l'abandon total, il n'aurait cédé qu'en excluant la tête : mais ne devait-il pas s'avouer du même coup qu'il n'en savait guère plus aujourd'hui qu'alors ?

Il continua à longer ces grands espaces qui semblaient n'accorder nulle part l'accès de leurs profondeurs. Une autre fois, il avait appelé cela la « vie juste »; il n'y avait pas si longtemps, s'il ne faisait erreur. Et jadis, même au temps de ses occupations les plus exactes, il n'eût jamais répondu autre chose à qui lui eût demandé de quoi il retournait, sinon que ces occupations étaient les préparatifs d'une vie juste. N'y pas songer lui était tout à fait impossible. Il est vrai qu'on ne pouvait dire l'aspect de cette vie, même pas si elle existait vraiment, et ce n'était peut-être qu'une de ces idées qui sont plutôt des signes que des vérités. Mais une vie dépourvue de sens, une vie qui n'obéirait qu'aux prétendus besoins, à son hasard déguisé en destin, donc une vie de perpétuelle instantanéité (à ce moment lui revint une autre formule à lui : l'inutilité des siècles!), une telle vie était pour lui une représentation insupportable! Mais non moins une vie « pour quelque chose », cette longue route ombragée de bornes à travers des étendues sans limites. Tout cela, pour lui, c'était la vie avant la découverte de la morale. C'était une autre de ses idées : la morale n'était pas faite par les hommes, elle ne changeait pas avec eux, mais elle était révélée, elle se déployait en époques et en zones, on pourrait la découvrir. Dans cette pensée, actuelle autant qu'inactuelle, ne s'exprimait peut-être que le souci de voir la morale ayant une morale ou l'espoir qu'elle en ait une en secret, au lieu d'être simplement des commérages tournant autour d'eux-mêmes sur une planète roulant à la destruction. Sans doute n'avait-il jamais pensé que l'objet de ce désir pût être découvert d'un coup; il lui semblait simplement souhaitable d'y penser à temps, c'est-à-dire dans une époque qui, après quelques millénaires d'inutile tournage en rond, paraissait relativement favorable à la conquête d'une expérience. Mais à vrai dire, qu'en savait-il ? Pas grand'chose, sinon que ce cercle de problèmes avait été soumis pendant sa vie à la même loi, ou au même destin que les autres cercles qui se recoupaient de toutes parts sans jamais former de centre.

Il en savait, naturellement, davantage. Par exemple, que philosopher comme il le faisait là passait pour affreusement frivole : à cet instant, il ne souhaitait rien tant que pouvoir réfuter cette erreur. Il savait aussi comment on s'y prenait : il connaissait à peu près l'histoire de la pensée; il aurait pu y retrouver des efforts semblables et la lutte âpre, railleuse ou paisible qu'on avait menée contre eux. Il aurait pu ordonner, classer sa matière; il aurait pu prendre pied et dépasser son cas personnel. Un instant, il se souvint douloureusement de son activité antérieure et en particulier de cette mentalité qui lui était si naturelle qu'elle lui avait valu le sobriquet d' « activiste ». N'était-il donc plus celui qui n'oubliait jamais qu'il faudrait travailler à « l'ordre de l'ensemble » ? N'avait-il pas comparé, non sans entêtement, le monde à un « laboratoire », à une « communauté expérimentale » ? N'avait-il jamais parlé de « l'indolente conscience humaine », qu'il aurait fallu transformer en volonté ? Exigé qu'on « fît » l'histoire ? N'avait-il pas enfin souhaité réellement, encore que sur un ton railleur, un « Secrétariat général de l'Ame et de la Précision » ? Tout cela n'était pas oublié, car ce sont des points sur lesquels on ne change pas si soudainement; c'était seulement hors service, provisoirement! On ne pouvait pas non plus ne pas voir à quoi cela tenait. Ulrich n'avait jamais tenu le compte de ses pensées; mais, même s'il avait pu se les rappeler toutes d'un coup, il savait qu'il ne lui aurait pas été possible de les examiner, de les comparer simplement, de les confronter à diverses explications possibles pour tirer finalement d'un nuage de vapeur la fine lamelle de métal de la vérité. L'une des caractéristiques de cette sorte de pensées était de ne pas progresser vers la vérité. Bien qu'Ulrich présupposât qu'un tel progrès devait être possible par une démarche infiniment lente de l'ensemble, cela ne lui était d'aucune consolation, car il n'avait plus la patience de la fourmi qui supporte de n'apporter sa petite contribution qu'à un ensemble qui lui survivra. Depuis longtemps, ses pensées n'étaient plus en très bons termes avec la vérité : de nouveau, c'était cela qui lui semblait la question à résoudre avant toute autre.

Ainsi, il revenait à l'opposition de la vérité et de l'amour qui lui était familière. Il se rappela combien de fois Agathe, dans les dernières semaines, s'était moquée d'un amour de la vérité, à son goût infiniment trop pédant encore; parfois, elle avait dû en éprouver du chagrin! Soudain, il se surprit à penser qu'il n'était pas de termes plus contradictoires que ceux d'*amour de la vérité*. « Il est cent façons de vénérer la vérité, seul l'aimer est impossible, parce qu'elle se dissout dans l'amour », pensa-t-il. Et cette affirmation (rien à voir avec celle, pusillanime, que l'amour ne supporte aucune vérité!) était pour lui aussi familière, aussi illimitée que tout le reste. Dès qu'un amour connaît l'amour non plus comme une expérience vécue, mais comme la vie même, ou au moins comme une espèce de vie, il découvre plusieurs vérités. Celui qui juge sans amour les appelle opinions, conceptions personnelles, subjectivité ou arbitraire; celui qui aime sait que loin d'être insensible à la vérité, il y est hypersensible. Il vit dans une sorte d'enthousiasme de la pensée où les mots s'ouvrent jusqu'en leur fond. Bien entendu, ce peut être une illusion, Ulrich ne l'oubliait pas, la conséquence naturelle d'une trop grande participation du sentiment. Il faut le sang-froid pour que la vérité apparaisse; le sentiment lui est injure, et l'attendre dans les affaires de sentiment paraît aussi absurde à l'expérience que d'exiger la justice d'un homme en colère. Pourtant, ce qui distinguait l'amour en tant que la vie même, de l'amour en tant qu'expérience de la personne était indubitablement un contenu général, une participation à l'être et à la vérité. Ulrich, en réfléchissant, mesura combien les difficultés que lui offrait l'organisation de sa vie avaient toujours été liées à cette idée d'un amour tout-puissant et comme dépassant ses compétences. Du lieutenant qui sombrait dans le cœur du monde à l'Ulrich de cette dernière année affirmant avec plus ou moins de conviction qu'il existait deux états essentiellement différents et mal assortis de la vie, du moi et peut-être même du monde, les fragments du souvenir, aussi loin qu'il pouvait les rassembler, étaient tous liés d'une manière ou de l'autre à un désir d'amour, de tendresse et de paisibles campagnes intérieures. Dans ces étendues logeait aussi l'idée de la « vie juste » : autant elle était vide à la lumière limpide de l'intelligence, autant le sentiment l'enrichissait de commencements d'ombres.

Il ne lui était nullement agréable de trouver dans sa pensée un privilège si net accordé à l'amour; il avait espéré y trouver plus de choses, des éléments autres et, à la suite des émotions de cette dernière année, un mouvement dans diverses directions; il lui paraissait même étrange que le conquérant, puis l'ingénieur de la morale qu'il s'était attendu à devenir dans sa maturité dussent aboutir à un chevalier de l'Amour.

61. *Promenade matinale.*

Sur les lèvres de Clarisse, le rire luttait avec des difficultés; tantôt elles s'ouvraient, tantôt elles se pinçaient. Clarisse s'était levée très tôt. Walter dormait encore, elle avait passé rapidement une robe légère et était partie se promener. Le chant des oiseaux venait de la forêt dans le silence vide du matin. La demi-sphère du ciel n'était pas encore envahie par la chaleur. Même la lumière était encore à un niveau très bas. « Elle ne m'arrive pas plus haut que les chevilles, songeait Clarisse, le coq du matin vient d'être remonté! Tout est avant le temps! » Clarisse était impressionnée à l'idée qu'elle rôdait dans le monde avant le temps. Sans y lier aucune idée précise, elle était près d'en pleurer.

Sans en rien dire ni à Walter ni à Ulrich, Clarisse était retournée une deuxième fois à l'asile. Depuis, elle était particulièrement excitable. Tout ce qu'elle avait vu au cours de ses deux visites, elle le ramenait à soi. Trois faits surtout la préoccupaient : le premier était qu'on l'eût prise pour un homme et saluée comme le fils d'un empereur. Lorsque cette affirmation s'était répétée, Clarisse avait senti très nettement sa résistance diminuer, tout comme si un obstacle banal qui contrariait d'ordinaire l'élément princier, s'était évanoui. Une joie inexprimable l'avait envahie. Le deuxième fait qui la troublait était que Meingast se transformait aussi, et profitait pour cela de leur présence, à Walter et à elle. Depuis qu'elle l'avait traqué dans le jardin potager (il y avait bien quelques semaines de cela!) et qu'elle l'avait terrifié en prophétisant qu'elle aussi allait changer et peut-être devenir un homme, il l'évitait. Dès lors, même pour les repas, elle ne l'avait plus vu que rarement : il s'enfermait avec son travail ou restait toute la journée absent de la maison; quand il avait faim, il allait piller l'office en cachette. Peu de temps auparavant, pourtant, elle avait enfin réussi à lui parler seul à seul. Elle lui avait dit : « Walter m'a interdit de parler de ta transformation! » et elle avait cligné des yeux. Meingast, là encore, avait dissimulé, feint la surprise et même l'irritation. Clarisse lui avait dit : « Je te préviendrai, peut-être! » Elle mettait cela en rapport avec le premier fait. Cette corrélation ne brillait pas par la réflexion, et sa teneur en réalité était mince; mais on pouvait y sentir nettement la volupté de faire sortir de son propre fond un nouvel être.

Clarisse était convaincue que les fous l'avaient devinée. Comme ni le général von Stumm, secrètement désapprobateur, ni Ulrich ne lui procuraient l'invitation nécessaire pour reprendre la visite interrompue, après de longues hésitations elle avait appelé elle-même le Dr. Friedenthal en lui annonçant qu'elle irait le voir à l'asile. Tout de suite, le docteur avait trouvé du temps pour elle. Lorsqu'elle lui avait demandé, à peine arrivée, si les fous ne savaient pas quantité de choses que les gens sains ne devinaient pas, il avait hoché la tête en souriant, l'avait regardée attentivement dans les yeux et lui avait répondu sur un ton complaisant : « Les *médecins* des fous savent beaucoup de choses que les gens sains ignorent! » Lorsqu'il dut commencer sa tournée, il s'offrit à emmener Clarisse auprès de Moosbrugger et à commencer là où ils s'étaient arrêtés la fois précédente. Clarisse s'était glissée de nouveau dans la blouse blanche que lui tendait Friedenthal comme si déjà, c'était entièrement naturel.

Mais (et c'était là le troisième fait, celui qui même rétrospectivement et plus que les autres, avait troublé Clarisse), une fois de plus, il avait été impossible de voir Moosbrugger. Un incident remarquable s'était produit. Lorsqu'ils avaient quitté le dernier pavillon, respirant tout en marchant l'air aromatique du parc, et comme Friedenthal, plein de feu, s'écriait : « Voici maintenant le tour de Moosbrugger! », un gardien était accouru porteur d'un message. Friedenthal avait haussé les épaules et dit : « Étrange! De nouveau ça ne va pas! En ce moment, le patron est chez Moosbrugger avec une commission. Je ne puis vous emmener! » Après qu'il lui eut promis de l'inviter aussitôt que possible pour la suite de la visite, il s'était éloigné à grands pas, tandis que le gardien ramenait Clarisse dans la rue.

Clarisse jugea ce deuxième échec singulier, extraordinaire, et lui soupçonna une raison cachée. Elle avait l'impression qu'on s'efforçait de ne pas la laisser parvenir jusqu'à Moosbrugger et qu'on imaginait chaque fois une autre échappatoire. Peut-être même avait-on l'intention de faire disparaître Moosbrugger avant qu'elle ne l'eût approché.

Comme Clarisse y repensait, elle faillit pleurer. Elle s'était laissé rouler à sa plus grande honte : Friedenthal n'avait plus donné aucune nouvelle. Mais, tandis qu'elle s'animait ainsi, elle retrouvait en même temps son calme. Une idée qui la préoccupait souvent depuis quelque temps lui revint, que beaucoup de grands hommes, dans le cours de l'histoire, avaient été écartés ou tourmentés par leurs contemporains, que nombre d'entre eux, même, avaient disparu dans des asiles. « Ils n'ont pu ni se défendre ni s'expliquer, parce qu'ils n'avaient pour leur époque que du mépris! » pensa-t-elle. Elle se rappela Nietzsche, qu'elle idolâtrait, avec sa grande moustache triste et ce mutisme qui s'était installé derrière.

Mais elle se sentit inquiète. Ce qui venait encore de la blesser, de l'humilier, la victoire du rusé médecin, lui parut soudain annoncer qu'à elle aussi était réservé le destin d'un grand homme. Son regard chercha la direction de l'asile; elle savait que cette direction représentait pour elle quelque chose de particulier, même quand elle n'y pensait pas. Se sentir pareillement faire corps avec les fous était terriblement angoissant, mais elle se dit : « S'assimiler à l'inquiétant, c'est choisir le génie! »

Le soleil entre temps s'était levé, et le paysage en parut plus vide encore : frais et vert avec des traînées de sang. Le monde continuait à être très bas et ne montait pas plus haut que les chevilles de Clarisse, debout sur une petite éminence. De temps en temps, un oiseau criait comme une âme en peine. La bouche étroite de Clarisse s'épanouit et sourit à la ronde de l'aube. Clarisse était debout, enveloppée dans son sourire, comme la Mère de Dieu au-dessus de la terre ceinte de péché (le croissant de lune). Elle se demanda ce qu'il lui fallait faire. Une humeur de sacrifice l'envahit : trop de choses lui avaient passé par la tête dans les derniers temps. Plusieurs fois, elle avait pensé que tout commençait enfin pour elle : faire quelque chose de grand de toute son âme! Mais elle ne savait quoi.

Elle sentait seulement que quelque chose l'attendait. Elle en avait peur, et désirait cette peur. Dans le vide du matin, cela planait comme une croix au-dessus de ses épaules. En fait, c'était plutôt une active souffrance. Une grande action. Une transformation. Elle retrouvait là cette curieuse corrélation. Les pensées qu'elle lui donnait, les efforts qu'elle faisait pour se la représenter couraient en tous sens dans sa tête. Les hirondelles aussi, entre temps, avaient commencé de voler en tous sens dans les airs.

Clarisse retrouva soudain sa gaieté, mais sans que la menace la quittât entièrement. Il lui sembla qu'elle s'était considérablement éloignée de chez elle. Elle rebroussa chemin et commença à danser. Elle étendait les bras horizontalement et levait les genoux. C'est ainsi qu'elle parcourut la dernière partie du trajet.

Comme elle arrivait chez elle, à un détour du sentier, elle rencontra le général von Stumm.

62. *Le général von Stumm et Clarisse.*

« Bonjour, chère madame! Comment allez-vous ? s'écria le général d'assez loin déjà.

— Très bien! » répondit Clarisse le visage sévère, d'une voix souple mais incolore.

Stumm était en uniforme, ses petites jambes rondes dans des bottes et des culottes de cheval couleur militaire portant les bandes rouges réservées aux généraux. Au Ministère, belliqueusement, il feignait d'entreprendre de temps en temps des cavalcades matinales avant le service; en fait, il se baladait en compagnie de Clarisse à la lisière des champs et dans les prairies qui avoisinaient la maison. A cette heure-là, Walter dormait encore ou s'inquiétait fiévreusement de ses vêtements, de son petit déjeuner, de crainte d'arriver en retard au bureau. Quand il regardait par les fenêtres, plein de jalousie, il voyait le soleil étinceler sur les boutons et les couleurs d'un uniforme à côté duquel, d'ordinaire, le vent déployait une robe d'été rouge ou bleue comme il arrive aux robes des anges, dans les vieux tableaux, au moment où ils abordent la terre.

« Si nous allions au *tremplin de ski?* » dit Stumm gaiement. Le *tremplin* était une petite carrière entre des collines qui n'avait rien à voir avec cette dénomination. Mais Stumm trouvait ce nom inventé par Clarisse « dynamique et délicieux ». « Comme si c'était l'hiver! s'écria-t-il. Chaque fois ça me fait rire. Et un vrai tremplin, chère madame, sans doute l'appelleriez-vous *plongeoir?* »

Clarisse aimait qu'il l'appelât *chère madame*. Elle fut tout de suite d'accord pour repartir avec lui, car la compagnie du général, depuis qu'elle s'y était habituée, lui était agréable. D'abord parce qu'il était général, et non pas « rien » comme Ulrich, Meingast ou Walter. Ensuite, parce qu'elle avait découvert que le fait de toujours porter un sabre sur soi supposait avec le monde une relation particulière qui répondait aux vastes et terribles sentiments qui l'agitaient souvent. Elle appréciait aussi le loquace général parce qu'elle devinait inconsciemment qu'il ne la convoitait pas, comme les autres, d'une manière qui la déshonorait quand elle-même n'en avait pas envie. « Il y a quelque chose d'étrangement pur en lui! » avait-elle dit à son mari jaloux. Enfin, elle avait besoin de quelqu'un pour parler, car toutes les idées qu'elle devait garder pour elle lui pesaient. Elle sentait que tout ce qu'elle faisait ou disait était bon, quand le général l'écoutait. « Vous avez quelque chose, chère madame, qui vous distingue de toutes les femmes que j'ai eu l'honneur d'approcher, disait-il volontiers. C'est chez vous que j'apprends l'énergie, le courage militaire, la victoire sur l'indolence autrichienne! » Il souriait, elle ne remarquait pas qu'il ne pensait pas sincèrement tout cela.

Mais leur principal sujet de conversation, comme c'est la règle en amour aussi, c'était les souvenirs de leur grande expérience commune, la visite à l'asile d'aliénés. Cette fois encore,

Clarisse entreprit d'avouer au général qu'elle y était retournée.

« Avec qui donc ? demanda celui-ci, heureux déjà d'avoir échappé à une tâche pénible.

— Toute seule, dit Clarisse.

— Sapristi ! » s'écria Stumm en s'arrêtant, bien qu'ils n'eussent fait encore que quelques pas. « Vraiment seule ? Rien ne vous effraie donc ? Avez-vous vu encore quelque chose de spécial ? demanda-t-il avec curiosité.

— La maison du crime », répondit Clarisse en souriant.

Le Dr. Friedenthal, en bon metteur en scène, avait trouvé cette formule lorsqu'ils avaient foulé la mousse silencieuse sous les arbres du vieux parc en direction d'un groupe de petits bâtiments d'où leur arrivaient des cris abominables, curieusement réguliers. Friedenthal avait souri également et raconté à Clarisse ce que celle-ci racontait maintenant au général, que chaque habitant de ce groupe de pavillons avait tué au moins un homme, parfois plusieurs.

« Et ils crient, maintenant qu'il est trop tard ! » dit Stumm sur le ton de qui ne s'accommode pas du train du monde sans protester.

Clarisse ne daigna pas relever sa réponse. Elle se rappela qu'elle aussi avait demandé ce que signifiaient ces cris. Friedenthal lui avait répondu que c'étaient des crises de frénésie ; mais à voix basse, très prudemment, comme s'il ne fallait pas déranger. Au même moment, les gardiens géants qui avaient ouvert les portes blindées étaient réapparus à leurs côtés. Clarisse, retrouvant l'atmosphère de ce moment, rejouait l'excitante scène en chuchotant le mot « frénésie » et en regardant gravement le général dans les yeux.

Puis elle se détourna et fit quelques pas, de sorte que le général fut presque obligé de courir pour la rattraper. Lorsqu'il se retrouva à côté d'elle, elle lui demanda ce qu'il pensait de la peinture moderne et, avant même qu'il eût pu rassembler ses esprits, elle lui révéla brusquement qu'à cette peinture, chose curieuse, correspondait une architecture inspirée par l'esprit des asiles d'aliénés : « Les bâtiments sont des cubes, les malades logent donc dans des cubes de béton évidés, expliqua-t-elle. Il y a un corridor central, des cellules à droite et à gauche, et dans chaque cellule un homme avec l'espace autour de lui. Même le banc sur lequel il est assis est coulé d'un bloc avec la paroi. Il est vrai que toutes les arêtes sont soigneusement arrondies pour qu'il ne puisse se blesser », ajouta-t-elle avec précision : elle avait tout examiné très attentivement.

Elle ne trouvait pas de mots pour ce qu'elle voulait dire. Comme elle avait passé toute sa vie avec des artistes et n'ignorait pas les soucis que leur donne l'art, cette île était restée relativement imperméable aux altérations survenues ailleurs dans sa pensée; comme, de plus, sa propre activité artistique ne naissait pas d'une passion spontanée, mais n'était qu'un accessoire de son ambition et une conséquence des conditions dans lesquelles elle vivait, son jugement dans ce domaine, en dépit de la maladie qui avait fait de nouveaux progrès en elle dans les derniers temps, ne s'était pas faussé plus qu'il n'est d'usage périodiquement dans l'évolution des arts. C'est pourquoi elle pouvait fort bien manier des idées comme « l'architecture fonctionnelle » ou le « style imposé par la destination d'un asile de fous »; seul le fait que ces bâtisses modernes fussent habitées par des fous semblait une surprenante nouveauté et lui chatouillait le nez comme des parfums en train de se consumer.

Stumm von Bordwehr l'interrompit en remarquant modestement qu'il s'était toujours imaginé les cellules de frénétiques capitonnées.

Clarisse se troubla : les cellules étaient peut-être de caoutchouc clair, et elle trancha l'objection. « Autrefois, au temps des rideaux à glands, il se peut que les cellules de frénétiques aient été capitonnées, dit-elle résolument. Aujourd'hui que la pensée est objective et spatiale, c'est tout à fait exclu. L'évolution intellectuelle ne s'arrête pas, même au seuil des asiles! »

Stumm, à étudier le problème des rapports entre les frénétiques et la peinture moderne, préférait apprendre quelques détails sur le comportement des aliénés. Il répliqua donc : « Très intéressant! Mais je suis vraiment curieux de savoir comment ça s'est passé dans ces bâtiments modernes!

— Vous serez étonné, dit Clarisse. C'était calme comme un cimetière!

— Curieux! Je me souviens en effet que dans la cour aux criminels que nous avons visités ensemble, il y avait eu quelques moments de silence analogue!

— Cette fois, un seul malade portait une blouse rayée, poursuivit Clarisse. C'était un petit vieux débile avec des yeux clignotants. » Soudain, elle éclata de rire. « Il a rêvé que sa femme le trompait et le matin, en se réveillant, il l'a tuée d'un coup de tire-bottes! »

Stumm rit à son tour. « Avec le tire-bottes, à peine réveillé ? Merveilleux! Il était vraiment pressé! Et les autres ? Pourquoi dites-vous qu'il n'y en avait qu'un en blouse ?

— Parce que les autres étaient noirs. Plus silencieux que des morts, répondit Clarisse reprise par la gravité.

— En fait, ils n'ont pas l'air d'être bien gais! fit Stumm.

— Oh! rappelez-vous le casse-noix! » objecta Clarisse.

Le général, sur le moment, ne vit pas qui elle voulait dire. « Celui qui avait ces dents en casse-noix, qui m'a dit que Vienne était une belle ville!

— Et ceux de cette fois, que vous ont-ils dit ? demanda le général en souriant.

— Je vous ai expliqué qu'ils étaient muets!

— Mais, chère madame, ce n'était donc pas des frénétiques ?

— C'est qu'ils attendaient la crise!

— Comment, ils attendaient ? Il est singulier qu'on attende une crise comme on attend un commandant de corps à l'inspection. Et vous dites qu'ils étaient en noir : une tenue de parade, pour ainsi dire. J'ai bien peur, chère madame, que vous n'ayez mal observé! Je vous prie encore une fois de m'excuser, mais j'ai l'habitude d'une extrême précision dans ces domaines! »

Clarisse, à qui il ne déplaisait pas du tout que le général fût soucieux de précision, elle aussi étant oppressée par quelque chose d'encore obscur, répondit : « Le docteur Friedenthal me l'a expliqué de la sorte, et je ne puis que vous répéter, général, qu'il en était ainsi. Trois messieurs attendaient : tous trois avaient des vêtements noirs, leurs cheveux et leur barbe étaient noirs. L'un était un médecin, l'autre un avocat, le troisième un riche commerçant. Ils avaient l'air de martyrs politiques au moment d'être fusillés.

— Pourquoi avaient-ils cet air-là ? dit Stumm incrédule.

— Parce qu'ils n'avaient ni col, ni cravate.

— Peut-être ces messieurs venaient-ils d'être livrés ?

— Du tout, Friedenthal m'a dit qu'ils étaient là depuis longtemps, dit Clarisse en s'échauffant. Néanmoins, ils avaient un air à pouvoir à tout instant se lever, retourner à leur bureau ou à leurs patients. C'était vraiment singulier...

— Après tout, peu m'importe, chère madame, » dit Stumm en changeant de ton, mais avec une dignité qui lui était inhabituelle. En même temps, il frappait hardiment ses bottes de sa badine. « J'ai déjà vu des fous en uniforme et je ne vois pas plus de gens dérangés qu'il n'y en a pour me juger tel. Mais les frénétiques, je me les représentais plus... vivants, même en admettant qu'on ne puisse exiger de personne qu'il le soit continuellement. Et que tous les trois aient été si tranquilles... je regrette de n'avoir pas été là, car j'ai toujours pensé que ce Friedenthal était homme à vous leurrer!

— Lorsqu'il parlait, ils l'écoutaient sans souffler mot, poursuivit Clarisse. Au fond, on ne se serait pas aperçu qu'ils étaient malades si on ne les avait rencontrés en ce lieu. Et croyez-vous, lorsque nous sommes partis, celui qui était médecin s'est levé, m'a offert de passer devant avec un geste vraiment courtois, en disant à Friedenthal : *Docteur, vous nous amenez si souvent des visites. Vous conduisez des hôtes. Aujourd'hui, je viendrai avec vous.*

— Alors, bien entendu, ces mâtins, ces brutes de gardiens n'ont pas attendu... » dit le général, véhément, bien que la tragédienne, peut-être, le touchât plus que la tragédie.

« Non, on ne l'a pas empoigné, dit Clarisse l'interrompant. On l'a empêché de me suivre avec un véritable respect. Et, je vous assure, tout s'est passé de la même manière courtoise, muette, bouleversante. Le monde, là-bas, semble recouvert d'une lourde étoffe coûteuse, et les mots qu'on voudrait dire n'ont aucun son. Il est difficile de les comprendre, ces êtres! Il faudrait passer soi-même un long temps à l'asile pour pouvoir pénétrer dans leur monde!

— Une fameuse idée, bon Dieu! dit rapidement le général. Vous savez, chère madame, que je vous dois d'avoir compris que le meurtre et la maladie pouvaient avoir une valeur de libération pour l'esprit bourgeois, mais il est certaines limites qu'il ne faut pas franchir! »

Tout en devisant ainsi, ils étaient parvenus à la colline où ils désiraient se rendre, et le général reprit haleine avant d'entreprendre la montée en dehors de tout sentier. Clarisse le considéra avec une sollicitude reconnaissante et un peu de tendre moquerie, ce qui lui arrivait rarement. « Il y en a un, pourtant, qui a eu une crise! » lui dit-elle malicieusement, comme on sort un cadeau qu'on avait gardé caché.

« Eh bien! eh bien! vous voyez! » s'écria le général sans trouver autre chose à dire. Mais sa bouche resta ouverte et chercha, toute seule, un mot; soudain, Stumm tapota de nouveau sa botte de la badine. « Bien sûr, le cri! ajouta-t-il. Dès le début, vous aviez parlé de cris qu'on entendait, et le silence de mort me l'a fait oublier. Vous racontez si merveilleusement qu'on en oublie tout!

— Comme nous nous étions arrêtés devant une porte d'où sortait tantôt un cri terrible, tantôt un curieux gémissement, dit Clarisse, Friedenthal m'a demandé une dernière fois si je voulais vraiment entrer. J'étais si excitée que j'ai à peine pu répondre; les gardiens ne s'en sont pas soucié, ils ont commencé à ouvrir. Vous pouvez imaginer, mon général, la peur que j'aie eue à ce moment-là : finalement, je ne suis qu'une femme. Je me disais : quand la porte s'ouvrira, le frénétique se jettera sur toi!...

— On dit en effet que ces sortes de fous ont une force terrifiante!

— Oui. Mais quand la porte fut ouverte, nous étions tous sur le seuil, il ne s'est pas occupé de nous du tout!

— Pas du tout ? demanda Stumm.

— Pas le moins du monde! Il était presque aussi grand qu'Ulrich et peut-être de mon âge. Il était debout au centre de la cellule, la tête inclinée en avant et les jambes écartées. Comme ça! ajouta-t-elle en l'imitant.

— Lui aussi habillé de noir ? demanda le général.

— Non, tout nu. »

(Le général considère Clarisse de haut en bas.)

« Il y avait une bave épaisse dans sa barbe châtain, les muscles, à cause de sa maigreur, étaient très visibles, il était nu et ses poils, je veux dire certains poils...

— Vous racontez si plastiquement qu'on croirait y être! dit Stumm apaisant pour montrer qu'il avait compris.

— Ils étaient clairs et sans éclat, d'une pâleur indécente; il nous regardait, fixement, comme avec un œil qui vous voit sans vous voir! »

(Tant d'intimité, finalement, monte à la tête du général.)

Clarisse était arrivée au sommet, et le général était assis à ses pieds. Du haut du « tremplin », on voyait des prairies et des vignobles en pente, de petites et de grandes maisons dispersées sans beaucoup d'ordre à la base et, à un certain endroit, le regard s'enfonçait dans la charmante profondeur d'un pays de collines qui s'achevait à l'horizon en hautes montagnes. Mais, quand on était assis, comme Stumm, sur une souche basse, on n'apercevait que des croupes de forêts sur le ciel, des nuages blancs qui s'éloignaient en forme de gros ballons, et Clarisse. Celle-ci était debout, les jambes écartées, devant le général, et lui mimait l'attaque de frénésie. Elle tenait un bras replié à angle droit tout contre le corps, elle avait penché la tête en avant et exécutait avec le torse, très régulièrement, un mouvement semi-circulaire et saccadé tout en pliant un doigt après l'autre, comme elle si comptait. Elle accompagnait chacun de ces mouvements d'un cri haletant dont elle modérait prudemment la violence. « Mais l'essentiel, on ne peut pas l'imiter, expliqua-t-elle. C'est l'extraordinaire effort à chaque coup, comme si l'homme, chaque fois, devait arracher son corps d'un étau!

— C'est la *mora!* s'écria le général. Ne connaissez-vous pas ce jeu de hasard ? Celui qui devine juste le nombre de doigts a gagné. Mais il ne faut pas plier un doigt après l'autre, vous devez en montrer le nombre qui vous passe par la tête. A la frontière italienne, tous nos paysans y jouent.

— C'est en effet la *mora*, dit Clarisse qui avait vu ça en voyage. Et il faisait comme vous l'avez décrit!

— Ainsi, c'est la *mora*, dit Stumm tranquillisé. Mais comment ces idées viennent aux fous, j'aimerais bien le savoir! » Ainsi commença la partie astreignante de la conversation.

Clarisse s'assit à côté du général sur la souche, mais en s'écartant un peu de lui pour pouvoir, s'il le fallait, le *tenir à l'œil;* chaque fois, cela lui causait une peur grotesque, comme si une lucane le pinçait. Clarisse était prête à lui expliquer la vie affective des fous, telle qu'elle la comprenait après de longues réflexions. L'un des éléments essentiels de ces réflexions (qui lui permettait de tout ramener à elle) était que les prétendus aliénés sont une sorte de génies qu'on fait disparaître et qu'on frustre de leurs droits sans qu'ils puissent jamais, pour des raisons que Clarisse n'avait pas encore décelées, s'en défendre. Il était naturel que le général ne pût approuver cette conception, et cela n'étonna ni lui ni elle.

« Je veux bien, chère madame, qu'un fou puisse deviner des choses que nous ignorons, dit-il. C'est ainsi qu'on leur prête parfois une sorte d'aura. Mais qu'ils pensent plus que nous autres, sains d'esprit : là, je vous en prie! »

Clarisse, néanmoins, insista gravement sur le fait que les hommes sains d'esprit pensaient moins que les aliénés. « Il vous arrive parfois de couper les cheveux en quatre, n'est-ce pas ? » demanda-t-elle à Stumm qui fut obligé de l'admettre. « Mais n'avez-vous jamais fait l'inverse ? » demanda-t-elle encore. Stumm, après avoir réfléchi un moment pour comprendre ce qu'elle voulait dire, voulut moins encore le nier. Car l'orgueil de l'homme est non seulement son pouvoir d'analyse, mais sa volonté de synthèse pour aboutir à l'unité de la vérité.

Clarisse tira les conséquences de la réponse : « Vous voyez! Cette réflexion toujours calculée et organisée, c'est de la pure lâcheté! A cause de leur lâcheté, les hommes n'arriveront jamais à rien!

— C'est absolument incroyable! » s'écria Stumm révolté.

Clarisse s'approcha du regard. « Je suis sûre qu'une femme vous a déjà murmuré : ô Dieu-homme! »

Stumm ne se le rappelait pas, mais ne voulait pas l'avouer; il se contenta d'un geste qui pouvait signifier : Hélas non! ou aussi bien : On n'entend ça que trop! En paroles, il répondit : « Il y a beaucoup de femmes très exaltées! Mais quel rapport avec notre conversation ? Ce n'est finalement qu'un compliment excessif!

— Vous rappelez-vous le peintre dont Friedenthal nous a montré les dessins ? demanda Clarisse.

— Oui, bien sûr. C'était tout à fait éminent, ce qu'il faisait!

— Il était mécontent de Friedenthal parce que celui-ci ne comprend pas son art. *Montre-les à ce monsieur!* a-t-il dit en me désignant, poursuivit Clarisse en regardant à nouveau fixement le général. Croyez-vous que ç'ait été de sa part un simple compliment de m'appeler monsieur ?

— C'est encore, justement, une de ces idées, fit Stumm. Je n'y ai vraiment pas réfléchi. J'admettrais volontiers qu'il s'agit là de ce qu'on appelle une association, une analogie, ou quelque chose de ce genre. Il a dû avoir une raison quelconque de vous prendre pour un homme! »

Bien que Stumm fût persuadé d'avoir expliqué quelque chose à Clarisse grâce à ces derniers mots, il n'en fut pas moins surpris par la chaleur avec laquelle elle s'écria : « Très juste! Il me suffit de vous dire maintenant que c'est la même raison qui pousse une amoureuse à parler d'un dieu-homme! En fait, le monde est plein d'êtres doubles! »

Bien entendu, on n'ira pas croire qu'il fût agréable à Stumm d'entendre Clarisse parler ainsi, de voir ses yeux demi-fermés lui jeter un regard bifide. Il se demandait plutôt s'il ne vaudrait pas mieux, pour des conversations pareilles, renoncer à l'uniforme et venir en civil à la prochaine promenade. D'autre part, le bon Stumm qui admirait Clarisse avec une grande prudence, pour ne pas dire une secrète terreur, nourrissait l'ambitieux désir de comprendre cette jeune femme passionnée et d'être compris d'elle : aussi trouva-t-il rapidement à sa déclaration un bon côté. Il la traduisit à sa manière en pensant que presque tout, chez l'homme et dans le monde, était équivoque, ce qui s'accordait à merveille avec son récent pessimisme, et il se tranquillisa en supposant que des expressions comme homme-dieu ou homme-femme ne signifiaient pas davantage que ce qu'on peut dire de chacun, qu'il est un peu un gentilhomme et un peu un cochon. Néanmoins, il préféra ramener la conversation à des vues plus naturelles, et entreprit de déployer ses connaissances sur les analogies, les métaphores et les symboles.

« Permettez-moi, chère madame, d'adopter pour un instant votre suggestion et de m'imaginer que vous êtes réellement un homme... » Ainsi débuta le général inspiré par l'ange gardien de l'intuition; et il poursuivit de même : « ... vous pourriez alors comprendre ce qui arrive quand une dame porte une épaisse voilette et ne montre qu'une toute petite partie de son visage; ou, ce qui revient presque au même, lorsqu'une robe de bal, pendant une danse, se soulève et laisse entrevoir une cheville : c'était encore ainsi il y a quelques années, lorsque j'étais major. Ces allusions vous frappent beaucoup plus fortement, je dirais même plus passionnément, que lorsqu'on voit une dame jusqu'aux genoux ou, pour ainsi dire, sans obstacles... oui! obstacles est bien le mot juste! Car c'est ainsi que je décrirais la nature de l'analogie, de la comparaison ou du symbole : ils opposent des obstacles à la pensée, l'excitant ainsi beaucoup plus que ce n'est le cas d'ordinaire. Je pense que c'est ce que vous entendez quand vous dites que la réflexion ordinaire est un peu lâche! »

Ce n'était pas du tout ce que Clarisse entendait. « L'homme

a le devoir de dépasser les simples allusions! affirma-t-elle.

— Tout à fait surprenant! s'écria Stumm, sincèrement ému. Le vieux comte Leinsdorf ne dit pas autre chose. Tout récemment encore, je me suis très longuement entretenu avec cet auguste personnage des comparaisons et des symboles; au sujet de l'Action patriotique, il s'est exprimé exactement comme vous, chère madame : selon lui, nous avons tous le devoir de dépasser la comparaison pour atteindre au réel!

— Un jour, je lui ai écrit pour lui demander d'aider à l'acquittement de Moosbrugger, dit Clarisse.

— Et que vous a-t-il répondu ? Évidemment, il ne pouvait faire cela. Je veux dire, même s'il le pouvait, il ne le pourrait pas. C'est un personnage beaucoup trop conservateur, beaucoup trop attaché à la loi!

— Mais vous le pourriez, vous ? demanda Clarisse.

— Non : ce qui est à l'asile doit y rester! Si équivoque que ça puisse être. Vous le savez, la prudence est la mère de la sagesse!

— Et qu'est-ce donc que cela ? » demanda Clarisse en souriant : elle avait découvert, tissé sur la dragonne du général, l'aigle double, marque distinctive de la monarchie impériale et royale. « Qu'est-ce que cet aigle double ?

— Je ne comprends pas. Que voulez-vous qu'il soit. L'aigle double, c'est l'aigle double!

— Mais qu'est-ce qu'un aigle double ? Un aigle à deux têtes ? On n'en a jamais vu voler dans notre ciel! Je vous rends donc attentif au fait que vous portez sur votre sabre le symbole d'un être double! Je vous le répète, général, il est probable que tout ce qui nous fascine repose sur une très ancienne folie!

— Chut! je n'ai pas le droit de vous entendre! » dit le général en souriant, sur la défensive...

63. *Armistice couronné de feuillage entre Walter et Clarisse.* (Ébauche.)

Tandis qu'elle s'approchait à nouveau de sa demeure, comme au théâtre, elle s'imaginait être un personnage qui revient de très loin. Elle avait cessé de danser, mais, pour une raison quelconque, un chant bourdonnait dans sa tête : « Mon père Parsifal portait sa couronne, moi, son chevalier, je me nomme Lohengrin. » Lorsqu'elle franchit la porte et se sentit passer, par un brusque changement, de la clarté déjà dure et chaude du jeune matin dans la pénombre endormie de la cage d'escalier, elle se crut tombée dans une trappe. Les marches qu'elle gravit rendirent sous son poids léger un son à peine perceptible, comme un souffle, un soupir à quoi rien dans toute la maison ne répondit. Clarisse ouvrit prudemment la porte de la chambre à coucher : Walter dormait encore. Une lumière café au lait et l'odeur de chambre d'enfants de la nuit finissante l'accueillirent. Les lèvres de Walter semblaient chaudes et fières comme celles d'un jeune garçon; mais le visage, maintenant, était simple, même appauvri. On y trouvait beaucoup moins de richesses qu'il n'avait d'ordinaire l'apparence d'en recéler. On n'y observait plus qu'un voluptueux besoin de puissance qui restait habituellement caché. Clarisse, debout immobile au chevet de son mari, le considéra longuement; il se sentit dérangé dans son sommeil par cette intrusion et se tourna de l'autre côté. Elle jouit avec quelque hésitation de la supériorité de qui est éveillé sur qui est endormi; elle eut envie de l'embrasser, de le caresser ou de lui faire peur, mais ne put s'y résoudre. Elle ne voulait pas s'exposer au risque que suggérait la chambre à coucher, et il était évident qu'elle ne s'était pas attendue à trouver Walter encore endormi. Elle déchira le coin d'un sac de papier qui était resté sur la table après des achats et y écrivit en grosses lettres : « J'ai rendu visite au dormeur et je l'attends dans la forêt. »

Quand Walter, peu après, s'éveilla et aperçut le lit vide à côté du sien, il se rappela vaguement que quelque chose s'était passé dans la chambre pendant son sommeil. Il regarda l'heure, découvrit le billet et se débarrassa rapidement de la confusion de la nuit : il s'était proposé de se lever et de travailler particulièrement tôt ce jour-là. Comme cela se révélait désormais impossible, ajourner une fois de plus son travail lui parut après un moment de réflexion également justifié et, bien qu'il se vît contraint de préparer lui-même à grand'peine son petit déjeûner, il se trouva bientôt debout, de la meilleure humeur du monde, sous le soleil du matin. Il supposa que

Clarisse avait dû se cacher et s'annoncerait sous la forme d'une attaque par surprise dès qu'il pénétrerait dans la forêt. Il prit la route habituelle, un chemin de terre large et carrossable qu'il fallait environ une demi-heure pour parcourir. C'était un jour demi-férié, c'est-à-dire un de ces jours fériés non reconnus officiellement où, assez bizarrement, les bureaux officiels et les professions supérieures qui leur sont liées chôment tout à fait, alors que les gens et les affaires moins importantes travaillent la moitié de la journée. La conséquence en était que Walter put se promener en homme privé dans une nature presque privée où ne divaguaient, à part lui, que quelques poules. Il tendit le cou pour essayer de découvrir à l'orée ou même peut-être encore sur la route une robe de couleur, mais on ne voyait rien. Bien que le trajet, au commencement, fût assez beau, avec la chaleur grandissante le plaisir du marcheur décrut. La rapidité de son pas amollit son col et les pores de son visage jusqu'à lui donner ce sentiment désagréable de chaleur humide qui ravale le corps humain au niveau d'un linge mouillé. Walter se promit de se réhabituer à la nature; se donna une excuse en se disant qu'il était peut-être simplement trop habillé; s'inquiéta d'une maladie possible. Ses pensées, très animées au début, perdirent progressivement leur cohérence et finirent par trembloter carrément dans ses souliers, tandis que le trajet s'allongeait indéfiniment.

A un moment donné, il se dit : « La pensée de l'homme soi-disant normal n'est vraiment guère moins incohérente que celle d'un aliéné! » Puis il pensa : « On dit d'ailleurs : il fait follement chaud! » Il sourit faiblement à l'idée qu'on ne s'exprimait pas ainsi tout à fait sans raison, puisque la modification apportée par la fièvre dans un cerveau, par exemple, est vraiment intermédiaire entre les symptômes de la chaleur ordinaire et ceux d'une aliénation d'esprit. Ainsi, sans le prendre tout à fait au sérieux, pouvait-on peut-être affirmer de Clarisse qu'elle avait toujours été, comme on dit, un peu folle, sans être malade pour autant. Walter aurait donné cher pour pouvoir répondre à cette question. Le frère et médecin disait qu'il n'y avait aucun danger. Walter, lui, croyait savoir depuis longtemps que Clarisse se trouvait déjà au-delà d'une certaine limite. Il lui semblait parfois qu'elle flottait autour de lui comme les trépassés, dont on dit aussi qu'ils ne se séparent pas tout de suite de ce qu'ils ont aimé. Cette idée n'était pas peu faite pour nourrir sa fierté : peu d'autres hommes eussent été à la hauteur d'un tel combat (atrocement beau, disait-il) de l'amour avec l'horreur. A vrai dire, parfois, il se sentait un peu effrayé. Un choc, une crise brusque pouvait plonger sa femme dans le monde du laid, du rebutant : cela n'était pas le pire, mais qu'arriverait-il si elle ne le rebutait pas ? Non ! Walter supposait qu'elle ne pourrait que le rebuter : l'esprit détraqué est si laid ! Alors, il faudrait mettre Clarisse à l'asile, et il n'en aurait pas les moyens. Tout cela était très décourageant. Quelquefois pourtant, quand l'âme de Clarisse semblait déjà flotter au-delà des fenêtres, il s'était senti si hardi qu'il ne voulait pas savoir s'il devait encore la ramener à lui ou se jeter au-dehors à sa suite.

Tout à ces pensées, il oublia la marche rendue pénible par le soleil. Finalement, il oublia même de penser, l'esprit demeurant animé, mais vide, ou empli d'affreuses banalités qu'il accueillait avec pathétique. Walter marchait comme un rythme sans mélodie; lorsqu'il trouva Clarisse, il faillit buter dessus. Elle aussi avait commencé par suivre le chemin carrossable; à l'orée de la forêt, elle avait trouvé un petit enfoncement où la lumière répandue par le soleil venait lécher l'ombre, à chaque coup de vent, comme une déesse un animal. Le sol s'y élevait en pente douce. Clarisse, étendue sur le dos, voyait le monde avec d'étranges yeux. Grâce à quelque association de formes, l'humeur inquiète qui si souvent, ce jour-là, s'était glissée dans sa gaieté, la réenvahit; à force de regarder ce paysage comme aplati par l'angle de vision, Clarisse se sentit en deuil, comme si elle devait se charger d'une souffrance, d'un péché ou d'un destin. Il y avait dans le monde une grande solitude, quelque chose de prématuré et de prêt au sacrifice, comme lors de sa première sortie, quand le jour ne lui arrivait pas « au-delà des chevilles ». Involontairement, ses yeux cherchèrent le lieu où devaient se situer, derrière des coteaux plus lointains, invisibles pour elle, les bâtiments épars de l'asile d'aliénés. Lorsqu'elle crut l'avoir trouvé, elle se sentit plus tranquille, comme s'apaise l'amant qui sait dans quelle direction ses pensées trouveront la bien-aimée. Mais ses pensées n'y « volèrent » point. « Elles sont blotties maintenant à côté de moi au soleil, muettes, comme de grands oiseaux noirs », pensa-t-elle. Le sentiment de magnanimité et de mélancolie lié à cette idée dura jusqu'à ce que Clarisse, de loin, aperçût Walter. Brusquement, elle en eut assez de sa souffrance; elle se cacha derrière les arbres, mit les mains en porte-voix devant sa bouche et cria, aussi fort qu'elle put : « Coucou! » Puis, elle se leva et s'enfonça en courant dans la forêt; changeant bientôt d'idée, elle alla se jeter dans les hautes herbes sylvestres à proximité du chemin que Walter devait emprunter. Le visage de celui-ci apparut alors, se croyant inobservé, n'exprimant qu'une attention inconsciente, mais assez vive, aux obstacles du chemin, ce qui lui prêtait un air étrangement, même virilement résolu. Lorsqu'il fut tout près, et toujours ne se doutant de rien, Clarisse étendit le bras et saisit sa cheville : ce fut à ce moment que Walter faillit tomber et qu'il aperçut enfin sa femme, presque couchée à ses pieds et levant les yeux vers lui en souriant. En dépit de ses craintes, il ne la trouva pas laide le moins du monde.

Clarisse éclata de rire, Walter s'assit à côté d'elle sur une souche et s'épongea la nuque avec son mouchoir. « Toi, alors!... » commença-t-il par dire; au bout d'un instant, il ajouta : « Aujourd'hui, j'étais décidé à travailler!...

— Décidé ? » dit Clarisse moqueuse. Mais cette fois, il ne fut pas blessé. Le mot siffla sur sa langue et se mêla au gai bourdonnement des mouches qui sifflait au soleil et dans l'oreille comme de petites flèches de métal.

Il répondit : « Je reconnais que je n'ai pas cru bon de travailler ces derniers temps, où l'on pouvait aussi bien aller respirer le parfum des jeunes fleurs. Le travail est partial, et contredit au devoir d'intégralité! »

Comme il faisait une petite pause, Clarisse jeta en l'air, puis rattrapa une ou deux fois une pomme de pin qui lui était tombée dans les mains.

« Bien entendu, je n'ignore pas les objections qu'on pourrait me faire! » dit Walter.

Clarisse laissa tomber la pigne et demanda vivement : « Ainsi, tu vas recommencer à travailler ? Ce qu'il faut à l'art d'aujourd'hui, ce sont des coups de pinceaux et des intervalles musicaux grands comme ça! » Elle fit un geste des bras d'un mètre d'envergure.

« Je n'ai pas besoin de commencer tout de suite, dit Walter. De toutes façons, le problème de l'artiste individuel me demeure suspect. Ce qu'il nous faut aujourd'hui, c'est une problématique de l'ensemble... » Mais, à peine Walter avait-il prononcé le mot « problématique » qu'il lui parut, dans le silence de la forêt, tout à fait excessif. C'est pourquoi il ajouta : « Au fond, exiger d'un homme qu'il peigne ce qu'il aime, c'est aller contre la vie : dans le cas d'un peintre de paysages, ce serait la nature...

— Mais un peintre peint aussi celle qu'il aime, objecta Clarisse. Le peintre peint d'une part, et aime de l'autre! »

Walter vit sa dernière belle idée se ratatiner. Il n'était pas d'humeur à lui insuffler une nouvelle vie. Néanmoins, il demeurait persuadé que l'idée avait été importante et ne manquait que d'une élaboration attentive. Et le chant des pinsons, les tapotements des pics, le bourdonnement des petits insectes, tout cela, loin de porter au travail, vous enfonçait plutôt dans un abîme de paresse.

« Malgré tout, nous nous ressemblons beaucoup, toi et moi, dit Walter avec satisfaction, comme peu de couples au monde! D'autres peignent, composent, écrivent; je me l'interdis : c'est aussi radical que ta ferveur! »

Clarisse se tourna vers lui, s'appuya sur le coude et ouvrit la bouche pour une réplique fulgurante. « Bientôt, je te libérerai entièrement! » dit-elle rapidement.

Walter lui jeta un regard plein de tendresse. « Que veux-tu dire exactement quand tu prétends que nous devons être délivrés de notre corps de péché ? » demanda-t-il avec avidité.

Clarisse, cette fois, ne répondit pas. Elle avait le sentiment que, si elle parlait maintenant, tout s'épanouirait et se fanerait trop vite et, bien qu'elle eût eu l'intention de parler, elle se sentait troublée par la forêt. La forêt était de son côté : c'est quelque chose qu'on peut clairement observer, sinon exprimer clairement.

Walter retourna le couteau dans la douce plaie. « En as-tu vraiment reparlé avec Meingast ? » demanda-t-il, à la fois exigeant et hésitant, inquiet même à l'idée qu'elle pouvait l'avoir fait en dépit de son interdiction.

Clarisse mentit : elle secoua la tête. Mais elle souriait.

« Te souviens-tu encore du temps où nous prenions sur nous les *péchés* de Meingast ? » dit-il encore. Il lui prit la main. Clarisse ne lui abandonna qu'un doigt. Il est étrange pour un homme de devoir penser, avec autant de répugnance que d'empressement, que presque tout ce que sa bien-aimée lui donne a déjà appartenu à un autre : c'est peut-être le signe d'un amour trop intense, peut-être celui d'une âme trop faible, et Walter, quelquefois, recherchait ce sentiment. Il aimait la Clarisse de quinze à seize ans, jamais entièrement conquise, presque plus que la Clarisse actuelle; le souvenir de ses caresses qui étaient peut-être le reflet des audaces de Meingast l'excitait plus violemment que le caractère incontestable, et glacial en comparaison, du mariage. Il lui était presque agréable de savoir que Clarisse jetait de temps en temps un coup d'œil du côté d'Ulrich et surtout de ce nouveau Meingast, si magnifiquement métamorphosé; la manière dont ces deux hommes influençaient défavorablement l'imagination de Clarisse accroissait son désir pour elle, comme les ombres de la débauche et du plaisir sous les yeux les font paraître plus grands. Certes, les hommes dont la jalousie ne tolère rien à côté d'eux, les hommes « pleins » ne connaîtront pas cela. Mais sa jalousie était pleine d'amour : alors, le tourment se fait si précis, si net, si vivant, qu'il se confond presque avec le plaisir. Quand Walter se représentait sa femme s'abandonnant à un autre, il avait des sensations plus fortes que quand il la tenait dans ses bras; un peu déconcerté, il se dit, pour son excuse : « Si, peintre, je veux voir un visage avec les plus subtiles inflexions de ses lignes, il faut que je le regarde non pas directement, mais dans un miroir... » (Comme tous les dilettantes, il accordait beaucoup de prix à ces idées-là.) Il fut éperonné par l'idée qu'il se laissait aller à ces réflexions dans une forêt, dans la saine nature; les mains qui emprisonnaient le doigt de Clarisse commencèrent à trembler. Il fallait qu'il dît quelque chose, mais ce ne pouvait être ce qu'il pensait. Un peu oppressé, il plaisanta : « Tu veux donc prendre sur toi mes péchés, maintenant, mais comment feras-tu ? » Il sourit; Clarisse remarqua qu'un tremblement léger courait sur ses lèvres. Cela lui déplut, bien que soit toujours étrange jusqu'au ridicule le spectacle d'un homme traînant un trop gros ballot de pensées inutiles qui cherche à passer toutes les petites portes vers lesquelles il se sent entraîné. Elle s'assit tout à fait, considéra Walter d'un œil railleusement grave, secoua une fois de plus la tête, et commença pensive :

« Ne crois-tu pas que, dans le monde, les époques de manie alternent avec les époques de dépression ? Les époques d'élan, denses, animées, fécondes, créatrices, avec les siècles ou les décennies de découragement, d'abattement, de médiocrité ? »

Walter la regarda, inquiet. « C'est comme ça, simplement je ne puis te dire les dates, poursuivit-elle. L'élan n'a pas besoin nécessairement d'être beau, il peut même ébranler bien des belles choses, il peut ressembler à une maladie. Je suis convaincue que l'humanité doit connaître de temps en temps la démence pour renouveler la synthèse et rendre la santé à des êtres supérieurs! »

Walter se refusait à comprendre.

Clarisse continua : « Des gens sensibles comme toi et moi le devinent! Nous vivons dans une époque de décadence et c'est pourquoi tu ne peux pas travailler. De plus, il y a des siècles sensuels et des siècles qui se détournent de la sensualité. Tu dois te préparer à souffrir... »

Walter fut curieusement ému que Clarisse eût dit « Toi et moi ». Elle ne l'avait pas fait depuis longtemps.

« Il y a aussi, naturellement, des époques de transition, ajouta-t-elle. Des Jean-Baptiste, des précurseurs : peut-être sommes-nous des précurseurs. »

Walter répondit : « Maintenant que tu as eu ce que tu voulais, que tu es allée à l'asile, nous devrions nous retrouver d'accord!

— Tu veux dire que je ne dois pas y retourner ? dit Clarisse en souriant.

— N'y retourne pas! » dit Walter. Mais il le dit sans force de persuasion, il le sentit lui-même, sa prière n'était destinée qu'à le couvrir.

Clarisse répondit : « Tous les *précurseurs* se plaignent de l'irrésolution de l'esprit, car ils n'ont pas encore la foi entière. Mais aucun n'ose mettre fin à l'irrésolution! Meingast non plus n'ose pas !

— Mais que faudrait-il oser ? demanda Walter.

— Tu comprends, un peuple ne peut pas être dément, dit Clarisse d'une voix plus basse encore. Il n'y a qu'une démence personnelle. Si la démence est générale, tout le monde est sain d'esprit. N'est-ce pas exact ? Le peuple des fous est donc le plus sain de tous : il faut simplement le traiter comme un peuple, non comme un ensemble de malades. Et crois-moi! les déments pensent plus que les sains d'esprit, ils mènent une vie résolue dont nous n'avons jamais le courage. Il est vrai, on les force à la vivre dans leur corps de péché, ou ils ne peuvent encore faire autrement! »

Walter avala sa salive et dit : « Mais qu'est-ce que le corps de péché ? Tu en parles sans cesse, comme tu parles sans cesse de métamorphose, de péchés à prendre sur soi, d'êtres doubles et de quantité d'autres choses que je ne comprends qu'à moitié ! »

Clarisse sourit : c'était son sourire embarrassé et excité. « On ne peut répondre en deux mots, dit-elle. Les malades, justement, sont des êtres doubles.

— Tu l'as déjà dit. Mais qu'est-ce que ça signifie ? » Walter fouillait, il voulait savoir ce qu'elle ressentait, sans égards pour elle.

Clarisse réfléchit. « Il est beaucoup de représentations d'Apollon à la fois homme et femme. D'autre part, l'Apollon à l'arc n'était pas l'Apollon à la lyre, et la Diane d'Ephèse n'était pas la Diane d'Athènes. Les dieux grecs étaient des êtres doubles, nous l'avons oublié, mais nous le sommes aussi. »

Au bout d'un moment, Walter dit : « Tu exagères. Bien entendu, le Dieu, lorsqu'il tue un homme, est différent de ce qu'il est lorsqu'il joue de la lyre...

— Ce n'est pas du tout naturel, repartit Clarisse. Toi, tu serais le même ! Seule ton excitation serait différente. Ici, dans la forêt, tu n'es pas exactement ce que tu es à la maison, mais tu n'es pas un autre. Je dirais que tu ne te métamorphoses jamais entièrement en ce que tu fais ; mais je ne voudrais pas trop en dire. Nous ne pouvons plus traduire ces phénomènes en paroles. Les Anciens le pouvaient, les Grecs, le peuple de Nietzsche !

— Oui, dit Walter, peut-être. Peut-être pourrait-on être différent de ce qu'on est. » Puis il se tut. Fit craquer une branchette. Ils étaient étendus maintenant tous les deux, la tête tournée l'un vers l'autre. Finalement, Walter dit : « Quelle sorte d'être double suis-je donc ? »

Clarisse rit.

Il prit sa petite branche et lui en chatouilla le visage.

« Tu es bouc et aigle, dit-elle en riant.

— Je ne suis pas un bouc, protesta Walter boudeur.

— Tu es un bouc avec des ailes d'aigle ! précisa Clarisse.

— C'est en ce moment que tu as trouvé ça ? » demanda Walter.

Elle venait en effet d'y penser, mais elle put ajouter quelque chose qu'elle savait depuis longtemps déjà : « Tout homme a un animal en qui il peut reconnaître son destin. Nietzsche avait l'aigle.

— Tu penses peut-être à ce qu'on appelle le totem. Sais-tu que chez les Grecs encore, les dieux avaient des animaux attachés à leurs pas : le loup, le taureau, l'oie, le cygne, le chien…

— Tu vois ! dit Clarisse. Je ne le savais pas, mais c'est vrai. » Soudain, elle ajouta : « Sais-tu que les malades font des cochonneries ? Comme le type qui était venu sous ma fenêtre, l'autre fois ? » Elle lui raconta l'histoire du vieux, à l'asile, qui lui avait fait signe et s'était si mal conduit.

« Une jolie histoire, et devant le général, encore ! dit Walter avec feu. Décidément, tu n'y retourneras pas !

— Voyons ! le général a peur de moi, c'est tout !

— Pourquoi donc aurait-il peur ?

— Je ne sais. Mais toi aussi tu as peur, père avait peur, Meingast aussi a peur de moi, dit Clarisse. Je dispose probablement d'une force maudite qui fait que les hommes un peu détraqués s'offrent à moi ! En un mot, je te le dis, les malades sont des êtres doubles, dieu et bouc !

— J'ai peur pour *toi !* chuchota doucement et tendrement Walter, plus qu'il ne le dit.

— Les malades ne sont pas seulement dieu et bouc, mais encore homme et enfant, tristesse et gaieté », poursuivit Clarisse sans faire attention.

Walter secoua la tête. « Pour toi, tous les hommes sont rattachés au bouc ?

— C'est comme ça, mon Dieu ! dit tranquillement Clarisse. Moi-même je porte en moi la figure du bouc !

— La figure ! » dit Walter un peu railleur, sans le vouloir. Ce perpétuel miroitement d'images le fatiguait.

« L'image, le modèle, le démon… appelle ça comme tu voudras ! »

Walter avait besoin d'une pause, il souhaita faire une interruption et répliqua : « Je reconnais d'ailleurs que nous sommes réellement, à plus d'un égard, des êtres doubles. La psychologie moderne…

— Il ne s'agit pas de psychologie, dit violemment Clarisse. Vous pensez tous beaucoup trop !

— Mais n'as-tu pas prétendu que les fous pensent plus que

les hommes sains d'esprit ? demanda Walter sans le vouloir.

— Je me serai mal exprimée. Ils pensent autrement. Plus énergiquement! D'ailleurs, ce qu'on pense est indifférent : dès qu'on agit, ce qu'on a pensé avant n'importe plus. C'est pourquoi j'estime qu'il faut cesser de parler et aller trouver les fous à l'asile.

— Un moment! dit Walter. Quel être double es-tu ?

— Je suis, essentiellement, homme et femme!

— Il y a un instant, pourtant, tu parlais de bouc ?

— Oui, cela aussi! On ne peut définir ça avec la règle et le compas.

— Non, c'est impossible! » gémit soudain Walter. Il se mit les mains sur les yeux, et serra les poings. Comme il restait ainsi couché sans mot dire, Clarisse rampa vers lui, lui mit le bras autour du cou et l'embrassa une ou deux fois.

Walter resta étendu sans faire un mouvement.

Clarisse chuchotait, murmurait à son oreille. Elle lui expliquait que le type sous sa fenêtre lui avait été envoyé par le bouc, que le bouc représentait la sensualité qui, en tous lieux, s'était dissociée du reste de l'être. Chaque soir, tous les humains rampent l'un vers l'autre dans le lit, et ils abandonnent le monde; il faudrait empêcher cette basse dissipation des forces de plaisir cachées en l'homme : alors, le bouc deviendrait dieu! Voilà ce que Walter entendait. N'avait-elle pas raison ? Comment cela se faisait-il qu'il y prît du plaisir ? Que, depuis longtemps, il ne prît de plaisir à rien d'autre ? Ni aux tableaux qu'il avait admirés naguère; ni aux compositeurs qu'il avait aimés; ni aux beaux vers, ni aux pensées puissantes ? Mais qu'il prît plaisir à entendre Clarisse lui raconter des histoires que tout autre eût tenues pour des chimères ? Telles étaient les questions que Walter se posait. Tant que sa vie avait été devant lui, elle lui avait paru déborder de plaisir et de fantaisie; depuis, décidément, l'éros s'en était détaché. Y avait-il encore quelque chose qu'il fît de toute son âme ? Tout ce qu'il touchait n'était-il pas immatériel ? Vraiment, l'amour s'était séparé de la pointe de ses doigts ou de sa langue, de ses entrailles, de ses yeux et de ses oreilles, et ce qui restait n'était plus que de la cendre feignant la vie ou, comme il le disait maintenant avec emphase, « de l'eau croupie dans un verre de cristal »,... le bouc! A côté de lui, tout près de son oreille, c'était Clarisse : un petit oiseau qui s'était mis soudain à prophétiser dans la forêt! Il ne trouva pas le ton suggestif et autoritaire qu'il eût fallu pour lui dire à quel moment ses idées allaient trop loin. Elle débordait d'images pêle-mêle : lui aussi avait été comme cela, il s'en persuadait maintenant. Mais de ces grandes images non plus, on ne sait jamais lesquelles sont réalisables. Tout homme portait en soi un corps de lumière, c'est ce qu'affirmait Clarisse, mais les meilleurs se contentaient de vivre dans un corps de péché. Walter trouvait qu'on pouvait dire de lui aussi qu'il portait un corps de lumière, bien qu'il vécût, peut-être par pénitence, en tous cas volontairement, dans la cendre. Il existait aussi un corps de lumière pour le monde. Cette image lui parut merveilleuse. Elle n'expliquait rien, mais à quoi bon expliquer ? C'était l'ambition de l'humanité, toujours ressuscitée d'entre les pires défaites, qui s'y exprimait. Alors, Walter songea qu'il y avait un an au moins que Clarisse ne l'avait pas embrassé volontairement, et qu'elle venait de le faire.

64. *Une feuille de papier. Journal d'Ulrich.*

Souvent, Ulrich pensait que tout ce qu'il éprouvait avec Agathe n'était qu'une suggestion mutuelle, explicable uniquement si l'on imaginait qu'un destin exceptionnel les avait élus. Tantôt ce destin leur apparaissait sous le signe des Siamois, tantôt sous celui du Règne millénaire, de l'Amour séraphique, des mythes de l'expérience *concave* du monde. Sans doute ces conversations ne se reproduisaient-elles plus, mais elles avaient revêtu dans le passé cette ombre plus forte du réel dont il a été question une fois. On peut appeler cela une demi conviction, si l'on veut dire que la conviction suppose une pensée parfaitement sûre de son affaire; mais il existe aussi une conviction entière qui naît simplement de l'absence d'objections, une émotion forte et partiale qui écarte tous les doutes de la conscience. Quelquefois, Ulrich se sentait presque convaincu déjà, sans même savoir de quoi. Se demandait-il ce qu'Agathe et lui avaient pu s'imaginer en premier l'un à l'égard de l'autre (car il lui fallait bien supposer que son imagination était troublée), si c'était ce sentiment singulier l'un pour l'autre ou cette altération non moins curieuse de la pensée par laquelle ce sentiment s'exprimait, il n'était pas possible d'en décider : l'un et l'autre étaient apparus dès le début, et, si on les isolait, l'un était aussi peu justifié que l'autre.

Quelquefois, cela l'incitait à croire à un phénomène de suggestion. Il éprouva l'étrange inquiétude qui envahit la volonté indépendante lorsqu'elle se sent attaquée par surprise et enchaînée de l'intérieur. « Que dois-je entendre par là ? Comment explique-t-on cette fameuse notion de suggestion que j'emploie aussi couramment que tout le monde, sans la comprendre ? Aujourd'hui, j'ai lu quelques pages à ce propos, écrivit Ulrich sur un billet. Le langage des animaux est constitué par des manifestations d'affect qui provoquent les mêmes affects chez ses congénères. Il y a des cris différents pour l'avertissement, la faim et l'amour. Je puis ajouter qu'ils éveillent non seulement le même affect, mais encore, immédiatement, l'action correspondante. La peur... le cri amoureux glace les membres! Ta parole est en moi et me touche : si l'animal était un être humain, il aurait le sentiment d'une mystérieuse union physique! Mais cette suggestibilité par l'affect doit demeurer intacte chez l'homme malgré le développement du langage intellectuel. L'affect est contagieux : panique, bâillement. Il provoque facilement les représentations qui lui correspondent : un homme gai rend gai. Il s'étend aussi à des objets mal choisis : cela arrive à tous les niveaux, de la niaiserie du gage d'amour aux inventions de la grande folie amoureuse, digne de l'asile. Mais l'affect sait aussi exclure ce qui ne lui agrée pas. D'une façon comme de l'autre, il entraîne ce comportement uniforme et persistant qui donne à l'état de suggestion la force des idées fixes. L'hypnose n'est qu'un cas particulier de ces phénomènes généraux. Cette explication me plaisant, je l'adopte. Un comportement à sa manière uniforme et persistant, mais qui nous isole de la vie dans son ensemble ; voilà notre état! »

Ces billets, Ulrich commençait à les accumuler. Ils constituaient une sorte de journal à l'aide duquel il cherchait à préserver dans son cerveau une clarté qu'il sentait menacée. A cette première remarque, il en ajouta aussitôt une seconde : « Peut-être ce que j'ai appelé générosité est-il aussi lié à la suggestion. La suggestion, en négligeant ce qui ne relève pas d'elle et en attirant à soi ce qui lui sert, est généreuse. » Une fois écrites, évidemment, ses remarques lui parurent infiniment moins importantes; il se remit à chercher un signe distinctif indubitable de l'état où ils se trouvaient, sa sœur et lui. Il découvrit à nouveau que la pensée et le sentiment y étaient modifiés dans le même sens : non seulement, ils s'harmonisaient étrangement, mais ils se détachaient, comme quelque chose d'exclusif, presque en suspens ou en attente, de l'état ordinaire où des aspirations et des idées de toute espèce se mélangent indistinctement. Quand leurs conversations trouvaient leur rythme juste (et ils le sentaient tout de suite), elles ne donnaient jamais l'impression qu'un mot contraignît le suivant ou qu'une action en entraînât une autre : quelque chose s'éveillait dans l'esprit, à quoi succédait une réponse qui en était le degré supérieur. Tout mouvement de l'âme devenait découverte d'un mouvement plus beau encore (ils s'y aidaient mutuellement), de sorte qu'on avait l'impression d'une gradation sans fin, d'une énonciation sans temps faibles. Jamais le dernier mot ne paraissait pouvoir être dit, car toute fin était un commencement, tout résultat dernier le premier d'une nouvelle ouverture, de sorte que chaque seconde rayonnait comme le soleil levant tout en gardant la paisible fragilité du soleil couchant. « Si je croyais en Dieu, je trouverais là confirmation de cette idée obscure que la proximité de Dieu nous donne à la fois une élévation indicible et le sentiment accablant de notre impuissance! » écrivit Ulrich.

Il se souvint d'avoir lu avec passion naguère, au début de sa vie intellectuelle, la description de sensations analogues dans toutes sortes de livres qu'il ne finissait jamais, parce que l'impatience et une volonté d'autorité personnelle l'en empêchaient : pourtant, ou peut-être à cause de cela, il en était bouleversé. Puis, il n'avait pas mené la vie qu'on aurait pu attendre. Lorsqu'il reprit quelques-uns de ces livres (il le faisait maintenant volontiers), revoir ces vieux témoignages fut pour lui comme s'il entrait silencieusement par une porte qu'il avait autrefois fermée avec dédain. Sa vie semblait s'étendre, irréalisée, derrière lui, ou peut-être encore devant lui. Les projets irréalisés sont parfois comme les bien-aimées dédaignées dans les rêves, demeurées belles pendant des années alors que celui qui revient, surpris, se retrouve ravagé : dans une curieuse extension de puissance, on croit rajeunir à leur contact, et c'était dans cette humeur flottant entre la hardiesse et le doute, entre la flamme et la cendre, qu'Ulrich se trouvait maintenant le plus souvent. Il lisait beaucoup. Agathe aussi. Elle était heureuse du simple fait que son éternelle passion de lire ne servît plus à la distraire, mais eût enfin un but. Elle marchait du même pas que son frère, comme une jeune fille à qui sa robe flottante ne laisse pas le temps de penser au trajet. Il arrivait que le frère et la sœur se levassent la nuit, après s'être couchés, et se retrouvassent devant leurs livres, ou que, malgré l'heure avancée, ils s'empêchassent mutuellement de dormir. Ulrich écrivit à ce sujet : « Cela paraît être la seule passion que nous nous permettions. Même quand nous sommes épuisés, nous ne voulons pas devoir nous séparer. Agathe dit : *Ne sommes-nous pas frère et sœur?* Elle veut dire : siamois; sinon, cela ne signifierait rien. Même quand nous sommes trop las pour parler, elle refuse d'aller au lit, parce que nous ne pouvons pas dormir ensemble. Je lui promets de rester assis près d'elle jusqu'à ce qu'elle s'endorme, mais elle ne veut pas se déshabiller et se coucher : non par pudeur, parce qu'elle aurait un avantage sur moi. Nous passons un vêtement d'intérieur. Quelquefois, déjà, nous nous sommes endormis appuyés l'un à l'autre. Elle était brûlante de ferveur. Pour la soutenir, sans s'en rendre compte, j'avais passé mon bras autour de son corps. Elle a moins de pensées que moi et une température plus élevée. Elle doit avoir une peau très chaude. Le matin, nous sommes pâles de fatigue et nous dormons dans la journée. D'ailleurs, il n'en sort pas le moindre progrès intellectuel. Nous brûlons dans nos livres comme la mèche dans l'huile. Nous ne les prenons somme toute que pour brûler… »

Ulrich ajouta : « L'homme jeune n'écoute que d'une oreille distraite la voix des livres qui forment son destin : déjà il se sauve pour élever sa propre voix! Il ne cherche pas la vérité, il *se* cherche. Il en fut ainsi pour moi. Conséquence en gros : il y a toujours d'autres hommes, et toujours les mêmes vieux événements autrement combinés! Caducité des siècles, du point de vue moral. Ils sont, pour l'essentiel, comme notre lecture, une façon de brûler pour l'amour de soi. Quand me suis-je dit cela pour la dernière fois ? Juste avant l'arrivée d'Agathe. L'ultime cause de ce phénomène ? Le défaut de système, de principes, de but, par conséquent le manque de possibilités de gradation et de logique dans la vie humaine. A ce propos, j'espère pouvoir retenir encore quelques idées qui me sont venues. Cela relève du *Secrétariat général.* Mais l'étrange, dans mon état présent, est que je n'aie jamais été aussi éloigné d'une telle participation active à l'évolution de l'esprit. C'est l'influence d'Agathe. Elle répand l'immobilité autour d'elle. Pourtant, cet état d'incohérence a un grand poids. Il est dense. Je dirais que ce qui le caractérise, c'est sa grande teneur en béatitude : mais cette dernière notion est évidemment aussi vague que tout le reste. Limitation hésitante dont je me rends coupable! Notre état est l'autre vie que j'ai si souvent rêvée. Agathe y agit, et je me demande si c'est réalisable sous forme d'existence réelle ? Elle aussi, récemment, me l'a demandé... »

Mais Agathe, ce faisant, avait simplement laissé tomber son livre et dit : « Peut-on aimer deux êtres ennemis l'un de l'autre ? » Elle ajouta en guise d'explication : « Il m'arrive parfois de lire dans un livre un passage qui en contredit un autre dans un autre livre, et de les aimer également tous deux. Alors, je songe que nous aussi, toi et moi, nous nous contredisons sur plus d'un point. Cela n'a-t-il pas d'importance ? Ou est-ce un manque de conscience ? »

Ulrich se rappela aussitôt qu'elle lui avait posé une question semblable dans l'état d'irresponsabilité où elle avait modifié le testament. Cela créa, au-dessous de son état actuel, une étrange profondeur, une excavation, car le courant principal de ses pensées ramena involontairement la phrase d'Agathe à Lindner. Ulrich savait qu'elle allait le voir; jamais elle ne le lui avait dit, mais jamais elle n'avait rien fait pour le lui cacher.

Le journal d'Ulrich, c'était sa réponse à cette sorte de cachotterie.

Agathe ne devait rien en savoir.

Quand il y inscrivait quelque chose, il souffrait de l'impression de commettre une infidélité. Ou bien, il se fortifiait et se délivrait ainsi : en le refroidissant, le mal qu'il faisait en secret dérangeait l'ensorcellement intellectuel qu'il redoutait autant qu'il le désirait.

C'est pourquoi Ulrich, pour toute réponse à la question d'Agathe, avait souri.

Alors, tout à coup, Agathe, avait demandé : « As-tu des

maîtresses ? » Ce fut la première fois qu'elle lui reposa une question de ce genre. « Bien entendu, tu en as, ajouta-t-elle, mais tu m'as dit toi-même que tu ne les aimais pas ? » Puis, elle demanda : « As-tu un autre ami que moi ? » Elle dit cela en l'air, comme si elle n'attendait plus de réponse; mais c'était aussi, dans un jeu léger, comme si elle regardait au creux de sa main une infime quantité d'une substance précieuse.

Tard dans la nuit, Ulrich inscrivit dans son journal la réponse qu'il lui avait donnée.

65. *Une note. Projet pour une utopie de la vie motivée.*

« Qu'elle m'ait posé ces questions, ce n'était qu'une petite provocation de la vie, et cela voulait dire : Toi et moi, néanmoins, nous vivons encore en dehors de *l'état!* On pourrait s'écrier aussi bien : *S'il-te-plaît, passe-moi l'eau!* ou *Attends! n'éteins pas encore!* C'est une demande d'un instant, quelque chose de hâtif, d'incontrôlé, rien de plus. Je dis : *rien de plus*, et je sais que ce n'est rien de moins que si une déesse courait derrière un autobus dans l'espoir d'y être encore admise! Une démarche dépouillée de tout mysticisme, une débâcle du délire! De petits incidents de ce genre montrent clairement que notre état présuppose une disposition déterminée du cœur et chavire à la moindre rupture d'équilibre.

Pourtant, ces instants vous rendent vraiment heureux. Comme la voix d'Agathe est belle! Que de confiance dans une petite demande comme celle-là, surgie dans un contexte si élevé, si solennel! Elle est touchante comme le serait, dans un bouquet de fleurs de prix, un fil de laine détaché des vêtements de la bien-aimée ou un bout de fil de fer en saillie que les doigts de la fleuriste n'ont pu reployer. Dans de tels instants, bien qu'on sache parfaitement qu'on se surestime, tout ce qui vous dépasse, toutes les pensées de l'humanité semblent une toile d'araignée, et le corps un doigt qui la déchire en une seconde en en gardant sur lui un lambeau.

Je viens de dire : « les mains de la fleuriste » en m'abandonnant au balancement d'une comparaison, comme s'il était exclu que cette personne fût une femme âgée ou obèse : clair de lune de mauvais aloi. C'est pourquoi j'ai préféré faire un exposé méthodique à Agathe, au lieu d'une réponse immédiate. Au fond, je n'ai fait que décrire la vie que je rêve. Je vais recommencer ici, en essayant d'améliorer ma description.

Au centre, il y a ce que j'ai appelé la « motivation ». Dans la vie ordinaire, nous n'agissons pas selon une motivation, mais selon la nécessité, dans un enchaînement de causes et d'effets; il est vrai qu'une part de nous-mêmes intervient dans cet enchaînement, nous permettant de nous juger libres. Cette liberté de la volonté est le pouvoir qu'a l'homme de faire volontairement ce qu'il veut involontairement. La motivation, elle, n'a aucun contact avec la volonté; on ne peut la soumettre à l'opposition de la contrainte et de la liberté, elle est l'extrême contrainte profonde et l'extrême liberté. J'ai choisi ce mot faute de mieux; il est lié sans doute au terme « motif » dans le langage des peintres. Quand un peintre de paysage sort le matin dans l'intention de chercher un motif, la plupart du temps il le trouve; c'est-à-dire qu'il trouve quelque chose qui comble son intention ou, plus justement, qui lui convient, comme un mot convient à toutes les bouches à condition qu'il ne soit pas trop gros. Car ce qui comble est rare, déborde aussitôt l'intention, et saisit l'être tout entier. Le peintre qui voulait peindre *quelque chose*, encore que dans une *transposition personnelle*, peint maintenant en soi, pour le salut de son âme; c'est seulement dans ces moments-là qu'il a réellement un motif devant soi; dans tous les autres, il ne fait que se l'imaginer. Quelque chose a fondu sur lui qui détruit l'intention et la volonté. Si je dis que ce quelque chose n'a rien à voir avec l'intention et la volonté, il est entendu que j'exagère. Mais il faut exagérer quand on a devant soi la patrie de son âme. Il y a sûrement toutes sortes de nuances, mais c'est comme dans le spectre : il faut d'innombrables transitions pour passer du vert au rouge, mais quand on arrive au rouge on y est vraiment, et il n'y a plus trace de vert.

Agathe a dit qu'il y avait la même gradation entre « laisser faire presque tout », « faire une ou deux choses par inclination » et enfin « agir par amour ».

En tous cas, on retrouve à peu près le même phénomène dans le langage. On peut faire une distinction très nette entre une pensée qui est pure pensée et une pensée qui émeut l'être entier. Entre deux, il y a toutes sortes de degrés. J'ai dit à Agathe : nous ne voulons plus parler que de ce qui émeut l'être entier!

Quand je suis seul, je vois pourtant combien cela est vague. Je puis aussi être ému par une pensée scientifique. Mais ce n'est pas l'espèce d'émotion dont il s'agit. (D'autre part, un affect peut aussi m'émouvoir entièrement, mais il ne m'en reste que stupeur.) Plus une chose est vraie, plus elle est, singulièrement, éloignée, détournée de nous, même si elle nous touche de près. Mille fois déjà je me suis interrogé sur cet étrange phénomène. On serait tenté de penser que moins une chose est objective, (donc plus elle est subjective), plus elle devrait être, du même coup, *tournée vers nous :* or c'est faux. La subjectivité tourne le dos à notre être intérieur autant que l'objectivité. On est subjectif à l'égard de certains problèmes lorsqu'on pense aujourd'hui comme ci et demain comme ça, soit faute d'information, soit que l'objet en question dépende lui-même de l'arbitraire du sentiment. Or, ce qu'Agathe et moi voudrions nous dire n'est pas l'expression prématurée ou incidente d'une conviction qu'une meilleure occasion pourrait élever au rang de vérité, mais qui pourrait aussi bien se révéler erreur; rien n'est plus étranger à notre état que le caractère frivole et ébauché de ces fines trouvailles; entre nous, une loi stricte domine toutes choses, quand bien même nous ne pouvons la traduire en mots. La frontière entre la subjectivité et l'objectivité traverse celle que nous longeons sans la toucher.

Dois-je plutôt m'en référer à la subjectivité bouillante de nos polémiques de jeunesse ? A ce mélange de sensibilité personnelle et d'objectivité, à leurs conversions, à leurs apostasies ? Dans leur contenu vague et changeant, elles sont le prélude de la politique, de l'histoire, de l'humanisme. Elles émeuvent toute la personne, elles sont en relation avec ses passions et cherchent à leur donner la dignité d'une loi intellectuelle, l'apparence d'un système infaillible. L'importance qu'elles ont pour nous tient à ce qu'elles nous indiquent comment nous devons nous comporter. Et quand Agathe dit quelque chose, c'est toujours comme si son propos passait en moi, et non pas seulement dans le domaine intellectuel auquel il s'adressait. Mais ce qui se passe entre nous ne semble pas avoir tant d'importance. C'est si tranquille. Cela se dérobe à la connaissance. Je pense au mot *laiteux*, au mot *opale;* ce qui se passe entre nous est comme un mouvement dans un liquide brillant, mais pas très translucide, que ce mouvement entraîne avec soi. Ce qui se passe est presque entièrement indifférent : tout passe par le centre de la vie. Ou en vient jusqu'à nous. Se produit avec le sentiment étrange que tout ce que nous avons fait ou pourrions encore faire est co-intéressé. Si j'essaie d'en donner une description aussi tangible que possible, je dirai ceci : Agathe me donne telle ou telle réponse ou fait telle ou telle chose, et aussitôt cela prend autant d'importance pour moi que pour elle, et même, apparemment, la même importance, ou une toute semblable. Il se peut qu'en réalité je ne la comprenne pas exactement, mais je la complète dans le sens de son mouvement intérieur. Évidemment, parce que nous connaissons la même excitation, nous devinons ce qui peut accroître ce mouvement, et nous sommes irrésistiblement entraînés à suivre... Quand deux êtres se mettent en colère ou s'aiment, ils s'exaltent mutuellement de la même manière. Mais ce qui est extraordinaire, c'est la nature particulière de cette excitation et de la signification que toutes choses prennent en elle.

Si je pouvais dire que nous avons le sentiment de vivre en accord avec Dieu, ce serait très simple : mais comment décrire sans présupposition cette excitation constante ? *En accord* est juste, mais on ne peut dire avec quoi. Le sentiment ne nous quitte pas que nous avons atteint le centre de notre être, le centre mystérieux où la vie perd la force de s'enfuir, où le tournoiement incessant de l'expérience cesse, où le tapis roulant des impressions et des expulsions qui fait ressembler l'âme à une machine s'arrête, où le mouvement est repos; le sentiment que nous sommes enfin au moyeu de la roue. Ce sont des expressions symboliques, et je hais les symboles, du fait même qu'ils sont si prompts à se présenter à l'esprit et se déploient à l'infini sans aucun résultat. Je préfère essayer encore, aussi froidement que possible : l'excitation où nous vivons est l'excitation de la justesse. Je me sens un peu apaisé par ce mot, aussi insolite que froid dans cette acception. Dans le sentiment de la justesse sont contenus la satisfaction et l'exaucement des désirs, la conviction et l'apaisement, c'est l'état profond où l'on tombe lorsqu'on atteint le but. Si je continue à essayer de m'en faire une idée et me demande : quel but est atteint ? je ne puis le dire. C'est de nouveau l'accord avec on ne sait quoi. Au fond, il n'est même pas exact de parler d'un but atteint : du moins est-il également vrai de dire que cet état comporte une impression durable de gradation. Mais une gradation sans progrès. De même, c'est un état d'intense bonheur, mais qui ne nous mène pas au-delà d'un faible sourire. A chaque seconde nous nous sentons emportés vers les hauteurs, mais, intérieurement et extérieurement, nous sommes presque immobiles; le mouvement ne cesse jamais, mais c'est une vibration dans un espace très limité. Un recueillement profond s'allie à une distraction considérable, la conscience d'une vive activité à la soumission à des événements que nous comprenons à peine. Ainsi mon projet de me limiter à la plus froide description retombe-t-il bientôt dans d'étranges contradictions. Mais ce qui apparaît si déchiré à l'esprit est, à le vivre, parfaitement naturel : c'est là, simplement. Ne devrait-ce donc pas être aussi simple pour une compréhension juste ?

Agathe et moi sommes d'ailleurs absolument du même avis : à la question que nous nous sommes posée, *comment dois-je vivre?* la réponse est : *c'est ainsi qu'on doit vivre.*

Et quelquefois, cela me paraît insensé. »

66. *Fin de la note. Pensées vivantes.*

« Mais je vois le problème plus clairement encore. Il y a quelque chose, dans la vie humaine, qui impose au bonheur la brièveté, au point que bonheur et brièveté semblent inséparables comme frère et sœur. Cela enlève toute cohérence aux grandes heures de bonheur de notre vie (un temps en morceaux dans le temps), et cela donne à toutes les autres une cohérence nécessaire, une cohérence d'urgence. Ce quelque chose fait que la vie que nous menons nous laisse profondément indifférents; qu'on peut indifféremment manger de la chair humaine et bâtir des cathédrales. C'est pour cela que *c'est toujours la même histoire*, que seule se produit une réalité tout extérieure. C'est par la faute de ce quelque chose que toutes nos passions nous dupent. C'est ce quelque chose, encore, qui provoque l'inutilité toujours recommencée de la vertu et l'absurde révolution éternelle des époques. C'est à cause de lui que seul le besoin d'activité, et non l'homme, entre en activité, que nos actions s'enchaînent si nécessairement, comme si elles étaient liées davantage les unes aux autres qu'à nous-mêmes, que nos expériences sont dans l'air au lieu d'être dans notre volonté. Ce quelque chose est assimilable au fait que malgré notre intense production d'esprit, nous sommes incapables de rien faire de bien; c'est à cause de lui que nous ne nous aimons pas, que nous pouvons sans doute nous trouver doués, mais sans jamais trouver un but en quoi que ce soit.

Ce quelque chose, c'est le fait que nous sortons perpétuellement de l'état de signification pour entrer dans l'absolument insignifiant à l'effet d'y porter la signification. Nous sortons de ce qui est plein de sens pour entrer dans le nécessaire, le nécessiteux, nous sortons de l'état de vie pour entrer dans le monde de la mort. Mais, voyant cela écrit, je m'aperçois que c'est une tautologie et que ce que je dis, apparemment, ne veut rien dire. Pourtant, avant d'écrire, j'avais une phrase dans la tête : *Agathe me donne telle ou telle réponse, un signe, qui me rend heureux;* puis cette pensée : *Nous ne sortons pas du monde de l'esprit pour porter l'esprit là où il n'est pas.* Il me semblait que cette pensée était complète et, par cette image de la sortie, exprimait exactement ce que je voulais dire. D'ailleurs, je n'ai qu'à me retransporter dans cet état pour retrouver cette impression.

Je me demande comment un étranger me comprendrait. Si je dis *signification*, il comprendra certainement : *ce qui est significatif.* Si je dis *esprit*, il comprendra avant tout animation, réflexion, perception et volonté intenses. Il lui semble naturel qu'on doive sortir du monde de l'esprit et porter sa signification dans la vie, il juge même que ce désir de *spiritualisation* est l'une des tâches les plus dignes de l'homme. Comment puis-je expliquer que la *spiritualisation* est déjà le péché originel, que *Ne pas abandonner le monde du spirituel* est un commandement sans degré auquel on ne peut désobéir qu'entièrement ?

Entre-temps, j'ai pensé à une explication meilleure. La fièvre dans laquelle nous vivons, Agathe et moi, n'incite ni à des actes, ni à des vérités, c'est-à-dire qu'elle ne pratique aucune coupure, mais reflue, à travers ce qu'elle provoque, vers elle-même. Il est vrai, ce n'est là qu'une description de la forme du phénomène. Mais si je décris ainsi ce que je vis, je saisis le rôle nouveau, entièrement autre qu'y jouent mon attitude, mon action : ce que je fais n'est plus le soulagement d'une tension, la forme définitive d'un certain état où je me trouvais, c'est un passage, un relais sur le chemin du retour à la signification!

J'ai failli dire : *retour à un accroissement de ma tension.* Mais j'ai retrouvé là une des contradictions de notre état, à savoir que, ne faisant pas de progrès, il ne peut comporter d'accroissement. Ensuite, j'ai cru devoir dire : *Retour à moi-même* (tant tout cela est imprécis!), mais cet état est tourné amoureusement vers le monde, nullement égocentrique. C'est pourquoi j'ai fini par écrire *signification :* ce terme est à l'aise dans son contexte, sans que j'aie réussi encore à en dévoiler le contenu.

Si incertain que tout cela demeure, j'ai toujours rêvé d'une vie dont ce serait l'élément essentiel. Avec tout autre mode de vie, j'ai toujours eu le vague sentiment que j'avais aperçu cet élément, que je l'avais oublié, sans pouvoir le retrouver. Cela m'a privé de la satisfaction qu'avaient pu me donner le calcul et la pensée pure, cela m'a laissé, après toutes mes aventures et toutes mes passions, la fadeur de l'échec, jusqu'à ce que finalement je perde toute envie d'agir. Cela s'est produit parce que je me refusais absolument à être contraint par quoi que ce fût à quitter le domaine de la signification. Maintenant, je pourrais dire aussi ce qu'est le *motif.* Le motif, c'est ce qui me conduit de signification en signification. Quelque chose arrive, quelque chose est dit : cela accroît le sens de deux vies humaines, ce sens renforce leur union; mais ce qui se passe, quelle notion physique ou juridique l'événement représente, cela n'a aucune importance, c'est une tout autre affaire.

Toutefois, puis-je me représenter ce que cela signifie dans toute son acception, ou ne serait-ce que dans son acception la plus proche ? Il faut que j'essaie. Un homme fait quelque chose... mais je me dérobe : le professeur Lindner fait quelque chose! Il éveille l'intérêt d'Agathe. Je devine ce qui se passe, je voudrais détruire, réfuter ces événements et... à l'instant où je cède à mon aversion, je sors du cercle de la signification. Que ma poitrine déborde d'humeur ou de colère, que ma tête soit un arsenal d'objections piquantes ou étincelantes, peu importe, mon cœur est vide! Mon état, tout à coup, est négatif. Il cesse d'être positif. Voilà encore un merveilleux couple de notions! Pourquoi donc me sont-elles venues à l'esprit ? Je me souviens inespérément d'un jour où j'étais aussi assis devant une feuille de papier à essayer d'écrire, ce devait être cette fois-là une lettre à Agathe. Peu à peu, cela me revient : le *Fais!* et le *Ne fais pas!* étaient les deux éléments de toute morale, le premier dominant quand la morale est en période de croissance, le second quand elle a atteint la satiété et la souveraineté. Ce rapport du commandement et de l'interdiction ne se confond-il pas avec celui du positif et du négatif ? Je me souviens d'avoir parlé alors de la bonté passionnée, affirmative, d'Agathe qui avait l'air, dans une époque où on ne comprend plus ces choses-là, d'un vice barbare. J'ai dit : c'est comme quand on rentre au pays après très longtemps et qu'on va boire à la fontaine de son village! Un commandement, cela ne signifie pas, bien entendu, que nous commandions, mais que tout ce que nous faisons nous commande toujours le meilleur de nous-même.

Vivre sans quitter le cercle du significatif, serait-ce donc vivre dans le positif pur ? Je m'effraie presque à l'idée que c'est aussi *vivre essentiellement :* pourtant, j'aurais dû m'y attendre. Quelle autre signification pourrait avoir le mot *essentiel?* Sans doute vient-il de la mystique ou de la métaphysique et s'oppose-t-il aux événements terrestres, instables et douteux; mais, depuis que nous nous sommes séparés du ciel, il a réintégré la terre sous la forme d'un désir : celui de trouver entre mille convictions morales l'unique qui donne à la vie un sens inaltérable. Conversations interminables entre Agathe et moi à ce sujet! Son juvénile désir d'instruction morale à côté de ses provocations : rêver de tuer Hagauer et, en tous cas, le léser dans ses biens! Et la même quête de conviction partout dans le monde! Le pressentiment que l'homme ne peut vivre sans morale, et la profonde inquiétude à constater que ses propres sentiments sapent toute morale! Où trouver la possibilité d'une vie *totale*, d'une conviction *entière*, d'un amour pur, sans nulle trace d'égoïsme ? C'est le désir de vivre dans le positif absolu. Et cela signifie : n'accepter aucun événement sans *signification*, chaque fois que je parle d'un état illimité par opposition à l'éternelle et vaine instantanéité de notre activité ordinaire, ou de la subordination de tout état momentané à un état prolongé du sentiment qui nous rend la responsabilité. Je pourrais continuer pendant des pages à aligner ces formules qui décrivaient, sous tel ou tel aspect, ce que nous voulions dire. Nous avons résumé tout cela (et nous savons que d'autres ont fait de même) dans la formule *vivre essentiellement*, mais toujours avec le sentiment d'un mensonge à cause des harmoniques emphatiques, supraterrestres de ce mot; mais nous n'en avions pas trouvé de plus simple à utiliser. La surprise n'est pas mince de trouver tout à coup presque sous la main ce que je cherchais dans les nuages!

Il est vrai que l'une des caractéristiques de notre état est que toute observation nouvelle absorbe les précédentes, de sorte qu'il n'existe aucune hiérarchie entre elles : on dirait plutôt un immense entrelacs. Je pourrais continuer et qualifier tout aussi bien notre état de généreux, je l'ai fait d'ailleurs il y a quelques jours. Je pourrais aussi le dire *créateur*, car le travail et la création ne sont possibles qu'au sein d'une conduite absolument positive : là encore, cela concorde. Finalement, une telle vie, dont chaque instant serait aussi significatif que possible, pourrait être assimilée à cette *vie de l'exigence maximum* que j'ai imaginée parfois comme le complément de la science réelle, avec son laconisme résolu. Mais qu'on choisisse le mot maximum, généreux, créateur ou significatif, essentiel ou intégral, comment ferai-je pour que mes sentiments à l'égard du professeur Lindner puissent être ainsi qualifiés ? Voilà la question à laquelle il faut revenir, l'*experimentum crucis*, le carrefour! Je me souviens d'avoir dénié à Lindner la possibilité de s'intéresser à Agathe. Pourquoi ? Parce que l'intérêt, la simple compréhension même, ne sont jamais possibles en se mettant à la place de l'autre : il faut que l'un et l'autre participent à quelque chose de plus vaste. Moi non plus je ne peux ressentir les maux de tête de ma sœur; mais je me trouve transporté avec elle dans un état où il n'y a plus de maux, où les maux eux-mêmes ont les ailes de la béatitude!

Je n'en suis pas certain, je vois bien l'exagération. Mais peut-être est-ce simplement parce que je suis incapable d'extase ?

A l'égard de Lindner aussi, je devrais me conduire à peu près comme si je lui étais associé en Dieu. Même un ensemble plus petit comme la nation ou une fraternité quelconque suffirait. Même une idée commune suffit. Il faut seulement que ce soit quelque chose de vivant qui ne soit ni Lindner ni moi. Ainsi devrai-je répondre à Agathe qui me demande ce que signifient les contradictions de deux livres qu'on aime également tous les deux : jamais un calcul, un soupèsement, mais une nouvelle entité vivante qui enveloppe les deux autres. Telle était la vie que j'ai toujours eue devant les yeux, encore que rarement bien nette : les hommes unis, moi uni aux hommes par quelque chose qui nous oblige à renoncer à toute espèce d'aversion. On ne peut nier les contradictions et les oppositions entre nous, mais on peut les imaginer abolies, comme le puissant cours d'un fleuve abolit les obstacles qu'il rencontre. Alors, entre les hommes, il est certaines sensations qui disparaîtraient, d'autres qui viendraient les remplacer. Toutes les sensations impossibles pourraient être dites neutres, négatives; ou encore mesquines, bourrelantes, oppressantes, basses, mais aussi bien indifférentes ou simplement nées de la pure nécessité. Celles qui subsisteraient seraient grandes, débordantes, exaltantes, lourdes, affirmatives, ascendantes : je suis trop pressé pour les décrire avec précision, mais c'était comme un rêve dans la profondeur de mon corps. A la fin, ne désirais-je pas simplement aimer la vie, aimer tous les hommes ? Ne serais-je au fond, avec mes bras, mes muscles entraînés jusqu'à la férocité, qu'un être altéré d'amour, fou d'amour ? Est-ce là la formule secrète de ma vie ?

Je puis me l'imaginer quand je rêve ou quand je pense au monde et aux hommes, mais non quand je pense à Lindner, à l'homme déterminé, grotesque, qu'Agathe retournera peut-être voir demain pour l'entretenir de ce dont elle parle avec moi. Que reste-t-il donc ? Le fait qu'il existe deux groupes plus ou moins distincts de sentiments que j'aimerais désigner comme des états positifs ou négatifs, sans pourtant les évaluer, simplement selon la nature de leur apparition; bien que j'aime l'un de ces états du plus profond, c'est-à-dire aussi du plus secret de mon âme. Il demeure également réel que je me trouve maintenant presque constamment dans cet état, de même qu'Agathe! Peut-être le destin entreprend-il avec moi une grande tentative. Peut-être tout ce que j'ai tenté ne l'a-t-il été que pour que je vive cela. Mais je crains aussi que ne se dissimule dans tout ce que j'ai cru deviner jusqu'ici un cercle vicieux. En effet, si je reviens maintenant au motif initial : je ne veux pas sortir de l'état de *signification*, et que je cherche à comprendre ce qu'est la signification, je retombe toujours sur l'état où je suis maintenant, c'est-à-dire mon refus de sortir d'un certain état! Je ne pense donc pas voir la vérité; mais ce que j'éprouve n'est pas absolument subjectif non plus, par mille chemins divers cela tend à la vérité. C'est pourquoi j'y pourrais vraiment voir une suggestion. Tous mes sentiments sont remarquablement semblables ou convergents, tous les autres sont exclus, et cet état affectif où l'activité est soumise à un règlement uniforme est précisément ce qu'on considère comme l'élément caractéristique de la suggestion. Mais quelque chose dont je puis retrouver presque tout au long de ma vie l'annonce et la première trace peut-il être simple suggestion ?

Que reste-t-il donc ? Ce n'est ni imagination, ni réalité; si ce n'est pas non plus de la suggestion, ne devrai-je pas en déduire qu'il s'agit d'un commencement de surréalité ? »

67. *Où le général von Stumm lâche une bombe. Congrès mondial de la paix.*

Un soldat ne doit se laisser intimider par rien : c'est ainsi que le général Stumm von Bordwehr fut le seul à pouvoir pénétrer chez Ulrich et Agathe. Peut-être était-il aussi le seul à qui ils n'eussent pas rendu la chose entièrement impossible : on voit bien des êtres décidés à fuir le monde s'arranger pour recevoir leur courrier tous les quinze jours...

Faisant donc irruption dans leur conversation, le général, ravi, s'écria : « Il n'a pas été facile de franchir tous les retranchements et d'enlever la position! » Puis il baisa galamment la main d'Agathe et s'adressa plus particulièrement à elle : « Je serai illustre rien que de vous avoir vue! Tout le monde demande quelle catastrophe a englouti les inséparables, tout le monde vous réclame, et je suis en quelque sorte délégué par la société, que dis-je ? par la patrie, pour découvrir la raison de votre disparition! Aussi vous prié-je de m'excuser si je fais figure d'intrus! »

Agathe lui souhaita la bienvenue comme il se doit; mais ni elle, ni son frère ne purent immédiatement cacher leur distraction à ce visiteur debout en face d'eux comme l'incarnation même de la faiblesse et des défauts de leurs rêves. Lorsque le général Stumm s'écarta d'Agathe, il se fit un bizarre silence. Agathe était debout d'un côté de la table, Ulrich de l'autre, et le général, tel un voilier surpris par une brusque accalmie, à peu près à mi-chemin. Ulrich voulait aller au devant de son hôte, mais restait figé. Stumm s'aperçut alors qu'il les avait dérangés réellement, et se demanda comment sauver la situation. Chacun portait sur son visage l'ébauche grimaçante d'un sourire aimable. Ce silence paralysant dura à peine un instant; enfin, le regard de Stumm tomba sur un petit cheval de papier mâché qui se dressait, seul comme un monument, au milieu de la table vide.

Joignant les talons, il le montra d'un geste solennel du plat de la main et, soulagé, s'exclama : « Mais qu'est-ce que c'est que ça ? J'aperçois dans cette demeure le grand totem, l'animal sacré, l'idole de la cavalerie ? »

A cette remarque de Stumm, la gêne d'Ulrich s'évanouit; courant droit au général mais s'adressant aussi à sa sœur, il répondit vivement : « C'est un cheval de trait, mais à part ça tu as merveilleusement deviné! En effet, nous parlions précisément des idoles, et de leur naissance. Dis-moi donc un peu : Qu'est-ce qu'on aime, quel fragment, quelle transformation ou transfiguration aime-t-on quand on aime son prochain sans le connaître ? Dans quelle mesure l'amour est-il dépendant du monde, du réel, dans quelle mesure est-ce l'inverse ? »

Stumm von Bordwehr avait regardé Agathe d'un œil interrogateur.

« Ulrich parle de ce petit objet, dit-elle un peu gênée en montrant le cheval de pâtissier. Autrefois, il a eu une passion pour lui.

— J'espère que c'était il y a longtemps, dit Stumm stupéfait. Car, si je ne me trompe, il s'agit d'une bonbonnière ?

— Ce n'est pas une bonbonnière! protesta Ulrich cédant à une envie perverse de développer ce thème avec le général. Ami Stumm! Quand tu tombes amoureux d'une selle trop chère pour toi, d'un uniforme ou d'une paire de bottes aperçus dans une vitrine, qu'aimes-tu donc ?

— C'est parler sans pudeur! On ne peut pas parler d'*aimer!* dit le général indigné.

— Ne nie pas! répliqua Ulrich. Il y a des gens qui peuvent rêver jour et nuit d'une étoffe ou d'une malle qu'ils ont vue dans une vitrine; chacun de nous a fait des expériences un peu semblables; toi-même, ça a dû t'arriver au moins pour ton premier uniforme de lieutenant! Tu reconnaîtras volontiers que cette étoffe ou cette malle peuvent être inutilisables, qu'il n'est pas nécessaire non plus qu'on soit en mesure de les convoiter vraiment : aimer quelque chose avant de le connaître ou sans le connaître, voilà donc une expérience très facile à faire. Me permettras-tu d'ailleurs de te rappeler que tu t'es épris de Diotime au premier coup d'œil ? »

Cette fois, le général leva les yeux d'un air malicieux. Entre temps, Agathe l'avait fait asseoir, nanti d'un cigare, parce qu'Ulrich négligeait tous ses devoirs; le général était enveloppé de petits nuages bleus et dit innocemment : « Depuis, Diotime est devenue un manuel d'amour, et les manuels, à l'école déjà, je n'aimais pas beaucoup ça! Mais je continue à admirer et à respecter cette personne », ajouta-t-il avec une modération pleine de dignité qu'on ne lui connaissait pas.

Ulrich, malheureusement, n'en tint pas compte tout de suite. « Tout cela n'est qu'idoles, dit-il en continuant à développer les questions posées à Stumm. Tu vois maintenant leur naissance. Les instincts déposés dans notre nature n'ont besoin que d'un minimum de mobiles ou de justifications externes : ce sont d'énormes machines qu'un petit commutateur suffit à mettre en marche. Ces instincts, alors, agrémentent leur objet de représentations capables de supporter une critique sévère, mais dans une mesure qui correspond à l'oscillation de la lumière et de l'ombre dans un éclairage de fortune...

— Halte! dit Stumm derrière son nuage. Qu'est-ce que cet *objet?* Parles-tu de nouveau des bottes et de la malle ?

— Je parle de la passion. De la passion pour Diotime comme de la passion pour la cigarette défendue. Je voudrais te faire comprendre que toute relation affective se fait ouvrir la voie par des perceptions et des représentations provisoires liées au réel; mais qu'aussitôt, elle entraîne elle-même des perceptions et des représentations qu'elle habille à sa manière. En bref, le sentiment arrange son objet comme il lui convient, le crée même, de sorte qu'il finit par s'adresser à un objet qui, né de la sorte, serait méconnaissable. Mais, précisément, il est destiné à la passion, non à la connaissance! Cet objet né de la passion et flottant en elle, conclut alors Ulrich en revenant à son point de départ, est naturellement autre chose que l'objet auquel la passion extérieurement s'attache, qu'elle peut toucher; et cela est également vrai de l'amour. Dire je *t*'aime, c'est faire une confusion : on croit aimer *toi*, cette personne qui a provoqué la passion et qu'on peut prendre dans ses bras, alors que celle qu'on aime réellement, c'est la personne provoquée par la passion, cette idole barbare, qui n'est pas la même!

— A t'entendre, dit Agathe en interrompant son frère par une objection qui trahissait son intérêt, il faudrait croire qu'on n'aime pas réellement la personne réelle, et qu'on aime réellement une personne irréelle!...

— C'est exactement ce que j'ai voulu dire, et je t'ai déjà entendu tenir des propos semblables.

— Mais, en réalité, les deux finissent par ne faire qu'un!

— Là est le nœud de l'affaire : dans tous les rapports extérieurs, la personne réelle doit représenter la personne rêvée et même ne faire qu'un avec celle-ci. D'où les innombrables confusions qui donnent au naïf commerce de l'amour un caractère spectral si fascinant!

— Peut-être que la personne réelle ne devient tout à fait réelle que dans l'amour ? Peut-être ne devient-elle complète qu'à ce prix ?

— Pourtant, les bottes ou la malle dont on rêve ne sont pas autres, en réalité, que celles qu'on voudrait acheter!

— Peut-être la malle elle-même ne s'accomplit-elle que quand on l'aime ?

— En un mot, on en revient à se demander ce qui est réel. L'éternelle question de l'amour! s'écria Ulrich impatienté et néanmoins satisfait.

— Au diable cette malle! » A la vive surprise du frère et de la sœur, ce fut la voix du général qui interrompit ainsi leur combat simulé. Stumm avait fait passer confortablement une jambe sur l'autre, ce qui, lorsqu'il y parvenait, lui donnait une grande assurance. « Ne nous perdons pas dans les généralités, reprit-il en complimentant Ulrich. Jusqu'à maintenant, tu as de nouveau dit une ou deux choses éminemment remarquables. Les gens croient toujours que rien n'est plus simple que de s'aimer, et chaque jour, on est obligé de les avertir: Très chère madame, ce n'est pas aussi simple que chez la marchande de pommes! » Courtoisement, il se tourna vers Agathe pour lui expliquer cette expression plus militaire que civile. « Nous invoquons la marchande de pommes, chère madame, chaque fois que quelqu'un s'imagine une tâche plus aisée qu'elle n'est. Dans les mathématiques supérieures, par exemple, quand, au chapitre de la division abrégée, un type abrège tout de suite si carrément qu'il n'aboutit qu'à un résultat faux, on lui rappelle la marchande de pommes, et c'est comme si un être ordinaire disait : ce n'est pas si simple! » Puis, il se tourna de nouveau vers Ulrich et poursuivit : « Ton histoire des deux personnes m'intéresse d'autant plus que je répète constamment à tout le monde qu'on ne peut aimer l'homme qu'en deux parties : en théorie, ou, comme tu dis, à titre de personne rêvée, il faut, à mon avis, l'aimer; mais dans la pratique, il faut le traiter sévèrement, et même durement! Il en est ainsi entre homme et femme, et dans la vie en général! Les pacifistes, par exemple, avec leur amour éthéré, n'en ont pas la moindre idée, et un lieutenant connaît l'amour dix fois mieux que ces amateurs! »

Par le sérieux et la pondération de son discours, plus encore peut-être par la hardiesse avec laquelle, en dépit de la présence d'Agathe, il avait condamné la femme à l'obéissance, Stumm von Bordwehr donnait l'impression d'un homme qui a fait une expérience importante et s'est efforcé, non sans succès, de la dominer. Ulrich ne l'avait pas encore compris et dit : « Décide donc, s'il te plaît, à quelle personne l'amour s'adresse en vérité, et quelle personne n'est que le figurant!

— Cela me dépasse », affirma calmement Stumm. Il tira une bouffée de son cigare et ajouta négligemment : « J'ai été heureux de constater que tu parlais toujours aussi bien; mais tu parles de telle manière qu'on se demande si c'est vraiment ton unique occupation. J'avoue m'être attendu à te trouver, après ta disparition, occupé à des travaux plus importants...

— C'est important, ami Stumm! s'écria Ulrich. L'histoire du monde, en effet, est pour moitié au moins une histoire d'amour! Bien entendu, en comptant toutes les espèces d'amour! »

Le général hocha la tête, peu convaincu. « C'est possible. » Il se retrancha derrière l'allumage d'un nouveau cigare, et grommela : « L'autre moitié, dans ce cas, est une histoire de colère. Il ne faut pas sous-estimer la colère! Je suis depuis quelque temps un spécialiste de l'amour, et je le sais! »

Ulrich comprit enfin que son ami avait changé. Plein de curiosité, il le pria de lui dire ce qui lui était arrivé.

Stumm von Bordwehr le considéra un instant sans répondre, puis considéra Agathe; il répondit enfin de telle sorte qu'il était difficile de dire s'il avait différé sa réponse par irritation ou pour le plaisir. « Peut-être cela te semblera-t-il dérisoire à côté de tes occupations. Voici simplement ce qui s'est produit : l'Action parallèle a trouvé un but! »

Cette nouvelle d'une entreprise à laquelle on avait voué tant d'intérêt, fût-il feint, aurait fait son chemin même dans des esprits plus recueillis et moins distraits. Quand Stumm constata son effet, il se réconcilia avec le destin et retrouva pour un bon moment sa vieille et candide éloquence. « Si tu le préfères, je puis dire aussi bien que l'Action parallèle a trouvé une fin! » dit-il prévenant.

La chose était arrivée tout à fait incidemment. « Nous nous étions tous habitués déjà à l'idée que rien ne se passait, mais que quelque chose allait se passer! dit Stumm. Et tout à coup, quelqu'un, au lieu d'une proposition nouvelle, nous a apporté la nouvelle d'un Congrès mondial de la paix qui aurait lieu cet automne, et qui plus est, ici même!

— Voilà qui est étrange! fit Ulrich.

— Comment, étrange ? Nous n'en savions absolument rien!

— C'est ce que je voulais dire.

— Là, tu n'as pas tout à fait tort, dit Stumm von Bordwehr. On prétend même maintenant que c'était une nouvelle lancée de l'étranger. Leinsdorf et Tuzzi ont supposé qu'il s'agissait d'une intrigue russe dirigée contre notre Action patriotique, peut-être même d'une intrigue allemande. N'oublie pas que nous n'avons pas besoin d'être prêts avant quatre ans : il serait tout à fait possible qu'on veuille nous fourrer dans une histoire que nous n'avions nullement prévue. A ce sujet, les versions diffèrent. La vérité n'a pu être établie, bien que nous nous soyons empressés, naturellement, d'écrire un peu partout pour tâcher d'avoir des précisions. Chose curieuse, on était partout au courant de ce congrès pacifiste, ma parole! dans le monde entier! Les particuliers, les journaux aussi bien que les chancelleries! On a supposé néanmoins, ou fait courir le bruit que le projet émanait de notre Action, et on n'a pu que s'étonner de ne pas obtenir de nous la moindre réponse sensée à toutes les interpellations et demandes d'informations. Peut-être quelqu'un s'est-il fichu de nous. Tuzzi a pu se procurer discrètement quelques-unes des invitations : les signatures étaient imitées très grossièrement, mais le papier à lettres et le style étaient quasi authentiques. Naturellement, nous nous sommes adressés alors à la Police, qui a découvert rapidement que toute l'affaire laissait supposer une source indigène; on a découvert du même coup qu'il existait vraiment ici des gens qui voudraient convoquer un Congrès mondial de la paix en automne, parce qu'une dame qui a écrit un roman pacifiste fêtera alors je ne sais quel anniversaire, ou le fêterait si elle n'était morte. Mais on a pu établir que ces gens n'avaient rien à faire avec les bruits qui ont couru nous concernant. De la sorte, l'origine est demeurée dans l'ombre », dit Stumm découragé, mais avec la satisfaction que donne toujours une histoire menée à bonne fin. Le difficile exposé de ces problèmes avait dessiné des ombres sur son visage, mais le soleil de son sourire finit par percer à travers le désarroi, et c'est avec une nuance aussi innocente que sincère de mépris qu'il ajouta : « Le plus singulier est encore que tout le monde se soit trouvé d'accord avec cette idée de congrès, ou du moins que personne n'ait voulu dire non! Maintenant, dis-moi : que nous restait-il à faire? Surtout quand on a proclamé qu'on allait entreprendre quelque chose qui servirait de modèle au monde entier, et qu'on n'a cessé de donner la consigne de l'action? Nous avons dû travailler comme des forcenés pendant quinze jours pour obtenir au moins que les choses aient, après coup, à peu près l'air qu'elles auraient eu préparées à l'avance! Je dois dire que nous nous sommes montrés à la hauteur de l'organisation prussienne, si tant est qu'il se soit agi de Prussiens! Nous parlons maintenant de *prélude aux fêtes*. Le gouvernement supervise la partie politique et nous, à l'Action, nous nous occupons plutôt des cérémonies et du côté culturel, parce que ce serait trop de travail pour un Ministère...

— Ça n'en reste pas moins une drôle d'histoire! dit Ulrich gravement, bien que ce dénouement fût assez risible.

— Un hasard historique! dit le général satisfait. De telles mystifications ont eu assez souvent de grandes conséquences...

— Et Diotime? demanda prudemment Ulrich.

— Eh bien! elle s'est dépêchée de mettre Amour et Psyché au rancart : elle projette maintenant, avec l'aide d'un peintre, le cortège costumé. Il s'appellera : *Les groupes ethniques d'Autriche et de Hongrie rendent hommage à la Paix* », rapporta Stumm. Puis, quand il s'aperçut qu'Agathe aussi allait sourire, il l'implora : « Je vous en conjure, chère madame, ne faites pas d'objection et ne lui permettez pas d'en faire! Le cortège costumé et, vraisemblablement, un défilé militaire sont les seules choses qui soient fixées, jusqu'ici, pour les cérémonies. Les Tireurs tyroliens défileront sur le Ring, leurs culottes vertes, leurs plumes de coq et leurs longues barbes font toujours un spectacle pittoresque; puis, les bières et les vins de la Monarchie rendront hommage aux bières et aux vins du reste du monde. Mais déjà là, par exemple, on n'arrive pas à décider si seuls les bières et vins austro-hongrois doivent rendre hommage à ceux du reste du monde, afin que l'amabilité autrichienne paraisse d'autant plus hospitalière qu'on n'exigera pas d'hommage en retour; ou si les bières et vins étrangers doivent défiler aussi, et dans ce cas, s'ils doivent payer ou non des droits d'entrée. En tous cas, une chose est sûre, c'est qu'il n'y a jamais eu et qu'il n'y aura jamais chez nous de cortège sans participants assis en costumes anciens sur des tonneaux ou des chevaux de brasseur : je me demande seulement comment ils faisaient au moyen âge, quand les costumes anciens n'étaient pas encore anciens, à peine plus anciens d'allure qu'aujourd'hui un smoking ? »

Lorsque cette question eut été suffisamment appréciée, Ulrich en posa une plus sérieuse : « J'aimerais bien savoir ce que les nationalités non-allemandes vont dire de tout ça!

— C'est très simple : elles défileront! dit Stumm satisfait. Si elles ne le font pas, nous jetterons un régiment de dragons bohêmes sur le cortège, nous recommencerons la guerre des hussites, et nous ferons venir un régiment de uhlans qui seront les Polonais libérant Vienne des Turcs!

— Et que dit Leinsdorf de ces projets ? » demanda Ulrich lentement.

Stumm replaça ses jambes côte à côte et devint grave. « A vrai dire, il n'est pas précisément enchanté », avoua-t-il. Il raconta que le comte Leinsdorf n'employait jamais le mot *cortège*, mais s'obstinait à dire *manifestation*. « Il est probable qu'il n'a pas oublié les manifestations qu'il a subies », fit

Ulrich. Stumm en tomba d'accord : « Il m'a dit plus d'une fois que celui qui faisait descendre le peuple dans la rue assumait une grave responsabilité... Comme si j'y pouvais quelque chose ! A la vérité, je ne te cacherai pas que nous sommes assez souvent ensemble depuis quelque temps, lui et moi... »

Stumm fit une pause, comme s'il voulait laisser la place à une question. Comme ni Ulrich, ni Agathe ne la posait, il poursuivit avec prudence : « Son Altesse a essuyé encore une autre manifestation. Tout récemment, à B..., au cours d'un voyage, les Tchèques comme les Allemands ont failli l'assommer.

— Pourquoi donc ? » demanda Agathe avec intérêt. Ulrich manifesta lui aussi quelque curiosité.

« Parce qu'il est connu comme pacificateur ! dit Stumm. En réalité, l'amour de la paix et de l'humanité n'est pas aussi simple...

— Que chez la marchande de pommes ! dit Agathe en riant.

— Je voulais dire, en fait, que pour une bonbonnière », dit Stumm. A ce reproche discret à l'égard d'Ulrich, il ajouta ce compliment pour Leinsdorf : « Un homme comme lui, néanmoins, une fois qu'il y est décidé, remplit intégralement la fonction qui lui est échue !

— Et quelle fonction ? demanda Ulrich.

— Toutes les fonctions ! affirma le général. Il sera assis à la tribune officielle à côté de l'Empereur, seulement, bien entendu, dans le cas où Sa Majesté y prendra place elle-même. En outre, il prépare l'hommage de nos peuples à notre tout-puissant Souverain. Même si cela devait être provisoirement tout, je suis persuadé que cela ne le restera pas : quand il n'a pas de soucis, il s'en crée aussitôt : c'est une nature si énergique ! En ce moment, d'ailleurs, il aimerait te parler... » insinua Stumm en guise de sondage.

Ulrich parut ne pas entendre, mais il s'était fait attentif.

« On n'accorde pas une *fonction* à un Leinsdorf ! dit-il avec méfiance. Depuis qu'il respire, il a toujours été le grand patron !

— Oui ! fit le général non sans réserve. Mettons que je n'ai rien dit : c'est tout de même un grand monsieur. Mais écoute : Tuzzi m'a pris à part tout récemment et m'a dit en confidence : *Mon général ! Si, dans quelque sombre ruelle, un homme me frôle, je m'écarte; mais si, dans la même situation, il me demande aimablement l'heure, je cherche ma montre, mais du même coup mon pistolet!* Qu'en dis-tu ?

— Que puis-je en dire ? Je ne vois pas le rapport!

— C'est la prudence du Gouvernement en ce moment, expliqua Stumm : à l'idée de ce Congrès mondial de la paix, il pense à toutes les possibilités, alors que Leinsdorf en reste toujours à ses principes. »

Ulrich comprit soudain. « Ainsi, en un mot : on veut écarter Leinsdorf de la direction, parce qu'on a peur de lui ? »

Le général ne répondit pas directement. « Il m'a prié de te demander de reprendre tes bonnes relations avec ta cousine Tuzzi, afin qu'on sache ce qui se passe : je le dis tout droit, il s'est exprimé bien entendu avec plus de circonspection », dit Stumm. Après une brève hésitation, il ajouta en guise d'excuse : « Ils ne lui disent pas tout! A vrai dire, c'est l'habitude des ministères : nous non plus, nous ne nous disons pas tout!

— Mais quelles étaient donc les relations de mon frère avec notre cousine ? » demanda Agathe.

Sans se douter de rien, Stumm déclara, avec l'agréable illusion de faire une plaisanterie appréciée : « Elle l'aime en secret! » puis, encourageant, il ajouta à l'adresse d'Ulrich : « Je ne sais ce qui s'est passé entre vous, mais elle le déplore sûrement! Elle dit que tu es un indispensable mauvais patriote, que tu plairais énormément à tous les ennemis de la patrie qu'il faudra bien, finalement, accueillir les bras ouverts. N'est-ce pas charmant, de sa part ? Il y a seulement qu'elle ne peut pas faire le premier pas, bien entendu, quand tu t'es si obstinément caché! »

Dès ce moment, les compliments d'adieu furent un peu courts, et Stumm fut accablé de devoir rentrer dans l'ombre après être monté au zénith.

C'est ainsi qu'Ulrich et Agathe finirent par apprendre une nouvelle qui leur rendit leur gaieté et redonna des couleurs plus aimables au visage du général. « Nous sommes débarrassés de Feuermaul! » s'écria-t-il, ravi d'y avoir pensé encore à temps. Plein de mépris pour l'humanitarisme du poète, il ajouta : « De toutes façons, maintenant, ça n'a plus aucun sens! » Même la résolution « répugnante » de la dernière séance, selon laquelle on ne pouvait forcer personne à mourir pour les idées d'autrui, mais que chacun devait le faire pour les siennes, même cette résolution essentiellement pacifiste avait été annulée, ainsi qu'il apparaissait maintenant, avec tout ce qui appartenait au passé; sur la suggestion du général, on n'en avait même pas tenu compte dans le procès-verbal. « Nous avons interdit une revue qui l'avait reproduite : aujourd'hui, il n'y a plus personne pour ajouter foi à ces propos excessifs! » ajouta Stumm : quand on songeait aux préparatifs du Congrès pacifiste, cette déclaration n'était pas absolument claire. Agathe prit donc les jeunes gens sous sa protection, Ulrich lui-même rappela à son ami que Feuermaul n'était pas responsable de l'incident. Stumm ne fit aucune difficulté à l'admettre et reconnut que Feuermaul, dont il avait fait la connaissance dans la maison de sa protectrice, était un homme charmant. « Tellement plein d'intérêt pour tout! Et vraiment bon naturellement! » s'écria-t-il dans une sincère reconnaissance de ses mérites.

« Dans ce cas, ce serait un précieux enrichissement pour ce Congrès! » dit Ulrich en insistant.

Mais Stumm qui, entre temps, s'était mis sérieusement en devoir de partir, secoua vivement la tête. « Non! Je ne puis expliquer en trois mots les raisons profondes, dit-il résolument. Mais le Congrès doit éviter les excès! »

68. *Description d'une ville cacanienne.* (Projet de variante pour: *Où le général von Stumm lâche une bombe.*)

— — — — — — — — —

Incontestablement, tandis qu'Ulrich et Agathe vivaient derrière des murs de cristal (non point irréellement ni sans regarder le monde, mais dans une lumière exceptionnelle, unique), ce monde baignait chaque matin dans la lumière multiple d'un nouveau jour. Chaque matin, des villes et des villages s'éveillaient; où qu'ils le fissent, c'était toujours, Dieu le sait, de la même manière. Mais un oiseau qui vole d'une branche à une autre ne proclame pas le même droit à l'existence qu'un transatlantique naviguant entre deux continents. Ainsi, dans le monde, tout ce qui se passe est à la fois uniforme, simplifié et inutilement sujet à cent variantes, dans une abondance irrémédiable et bienheureuse qui rappelle les livres d'images, merveilleux et limités, de l'enfance. Ulrich et Agathe, à ce moment-là, sentirent que leur livre du monde s'ouvrait : B... n'était autre que la ville où ils s'étaient retrouvés après la mort de leur père qui y avait longtemps vécu.

« Et il a fallu que ça arrive justement à B...! répéta le général d'un air significatif.

— Tu y as été aussi en garnison, n'est-ce pas ? dit Ulrich.

— Et le poète Feuermaul y est né, ajouta Agathe.

— C'est juste! s'écria Ulrich. Derrière le théâtre! C'est probablement là qu'il a pris l'ambition d'être poète. Te souviens-tu encore de ce théâtre ? Il doit y avoir eu dans les années 80 ou 90 un architecte qui bâtissait dans la plupart des villes d'une certaine importance ces théâtres en forme de cassettes, ensevelis sous les ornements et les statues. Feuermaul, c'est vrai, est né dans cette ville de filatures et de tissages : il était le fils d'un opulent commissionnaire en drap. Je me souviens que ces intermédiaires, pour des raisons que j'ignore, gagnaient plus que les fabriquants eux-mêmes; les Feuermaul étaient déjà parmi les habitants les plus riches de B... lorsque le père a commencé une nouvelle carrière, plus brillante encore, en Hongrie, dans le salpêtre ou Dieu sait quelle industrie meurtrière. C'est sans doute pour t'informer de Feuermaul que tu es venu ? dit Ulrich à Stumm.

— En fait, non, répliqua celui-ci. J'ai constaté que son père avait de grandes livraisons de poudre pour le Ministère de la Guerre. Ainsi, l'humanitarisme de son fils est d'avance bridé. La résolution restera un simple épisode, je m'en porte garant. »

Ulrich n'écoutait pas. Depuis longtemps il n'avait goûté au plaisir de s'entendre parler d'une manière tout à fait quotidienne; il semblait que ce fût aussi le cas pour Agathe. « D'ailleurs, ce vieux B... est une sale ville, reprit-il. Au centre, sur une montagne, s'élève une affreuse vieille forteresse dont les casemates sont réputées pour avoir servi de prison politique du milieu du XVIIIe au milieu du XIXe siècle, et toute la ville en est fière!

— Riant-Mont! (Mont-du-Jeu, Mont-des-Grâces) confirma poliment le général.

— Un drôle de Riant-Mont! » s'exclama Agathe. Elle s'irrita de son besoin de banalité quand le général apprécia son jeu de mots et l'assura que de ses deux années de garnison à B... il n'avait jamais songé à ce rapprochement.

« Mais le véritable B..., naturellement, c'est la ville des fabriques, la ville du fil et du drap, poursuivit Ulrich en se tournant vers Agathe. Je me souviens de ces grands immeubles sales, étroits, en forme de boîte, avec leurs innombrables trous de fenêtres, de ces ruelles faites uniquement de murs de cours et de portails de fer, de ces rues méandreuses, défoncées, sinistres! » Il avait erré une ou deux fois dans ces quartiers après la mort de son père. Il revoyait les hautes cheminées d'où pendaient les drapeaux sales du royaume; puis, sa mémoire se perdit sans transition dans la campagne, laquelle commençait en effet sans transition derrière les murs des fabriques, avec une terre lourde, grasse, fertile, qui apparaissait, au printemps, d'un brun presque noir, avec de longs villages bas le long des routes et des maisons dont les crépis non seulement étaient criards, mais criaient encore dans une langue incompréhensible. C'était une campagne humble et pourtant mystérieuse d'où l'industrie (l'activité de la ville) tirait ses ouvriers et ses ouvrières parce qu'elle était encastrée dans les vastes plantations de betteraves à sucre des grands propriétaires qui ne lui avaient même pas laissé le minimum de bien-être. Chaque matin, les sirènes des fabriques amenaient à la ville des troupes de ces paysans et les éparpillaient à nouveau le soir dans la campagne; avec les années, cependant, ces Tchèques au visage et aux mains noircis par la poussière huileuse de la laine restèrent de plus en plus fréquemment à la ville et y accrurent considérablement la petite bourgeoisie slave qui s'y trouvait précédemment.

Cela créa quelques difficultés, car la ville était allemande. Elle était même sise dans une enclave de langue allemande, encore qu'à son extrême pointe, et se savait mêlée depuis le XIIIe siècle aux fiers souvenirs de l'histoire allemande. On pouvait apprendre, dans ses écoles allemandes, que le Prêtre des Turcs, Kapristan, avait prêché déjà en cette ville contre les hussites, en un temps où de bons Autrichiens pouvaient encore être nés à Naples; que le pacte de succession réciproque entre les maisons de Habsbourg et de Hongrie qui, en 1364, fonda la monarchie austro-hongroise, n'avait pas été conclu ailleurs qu'en cette ville; que les Suédois, pendant la Guerre de ... ?, avaient assiégé tout un été cette courageuse cité sans pouvoir l'enlever; les Prussiens, pendant la Guerre de Sept ans, en avaient été moins capables encore. De ce fait, naturellement, la ville était aussi mêlée aux fiers souvenirs hussites des Tchèques et à l'histoire indépendante des Hongrois; peut-être aussi, d'ailleurs, à celle des Napolitains, des Suédois et des Prussiens. Dans les écoles non-allemandes de la ville, on n'épargnait pas les allusions au fait que la ville n'était pas allemande, « et que les Allemands étaient un peuple de voleurs qui s'appropriaient jusqu'au passé des autres ». Que cela ne fût pas interdit était curieux, mais relevait de la sage modération cacanienne. Il y avait alors en Cacanie nombre de villes analogues, et toutes présentaient le même aspect. A l'endroit le plus élevé trônait une prison, un peu au-dessous un évêché et tout autour, habilement répartis dans la ville, il y avait encore environ une dizaine de couvents et de casernes. Une fois ce qu'on appelait « les nécessités de l'Etat » ainsi établies, on n'exagérait, pour le reste, ni l'uniformité ni l'harmonie : de grandes expériences historiques avaient enseigné à la Cacanie la méfiance à l'égard de tous les choix absolus : on n'y oubliait jamais que le monde devait contenir plus de contradictions encore, contradictions qui ont fini d'ailleurs par la perdre. Le principe de gouvernement de la Cacanie était « aussi bien ceci que cela » ou plutôt encore, avec une modération pleine de sagesse, « ni ceci, ni cela ». C'est pourquoi, en ce pays, on défendait l'idée qu'il n'était pas prudent de trop instruire les gens simples qui n'en ont que faire, et l'on ne se préoccupait nullement du fait que leur économie fût immodestement prospère. On donnait volontiers à ceux qui avaient déjà beaucoup, parce que cela n'est pas dangereux, et on se disait que si les autres avaient quelque chose dans le ventre, ça finirait bien par sortir : les difficultés sont faites pour éduquer des hommes.

La chose fut avérée en effet : des hommes furent éduqués parmi les adversaires, et les Allemands, parce que le capital et la culture à B... étaient allemands, reçurent avec l'aide de l'Etat toujours plus de capital et toujours plus de culture. Quand on se promenait dans les rues de B..., on le reconnaissait au fait que les quelques beaux témoignages de l'architecture ancienne qui avaient été conservés s'élevaient, pour la plus grande fierté des riches bourgeois, au milieu d'un grand nombre de témoignages des temps modernes qui ne se contentaient pas d'être gothiques, Renaissance ou baroques, mais ne reculaient pas devant la possibilité d'être tout cela à la fois. Parmi les grandes villes de Cacanie, B... était l'une des plus riches et le proclamait aussi par son architecture : même les environs, du moins les environs boisés et romantiques, eurent ainsi droit aux tourelles rouges, aux toitures dentelées bleu ardoise et aux créneaux des villes opulentes. « Et quels environs! dit Ulrich dans un élan d'hostilité contre sa patrie. Cette ville de B... était sise à la fourche de deux rivières, mais cette fourche était très largement ouverte et ces rivières n'étaient pas vraiment des rivières : c'étaient en plusieurs endroits de larges ruisseaux endigués, à d'autres des eaux stagnantes qui n'en coulaient pas moins à la dérobée. Le paysage lui non plus n'était pas simple; il se composait, si l'on faisait abstraction de la région rurale déjà mentionnée, de trois éléments plus développés : d'un côté une vaste plaine ouverte avec nostalgie vers le lointain, qui, certains soirs, se colorait délicatement d'argent et d'orange; de l'autre un pays de collines boisées, avec taillis et cimes de forêts, loyalement allemand (mais ce n'était justement pas le côté allemand), menant l'œil des proches verdures aux lointains bleutés; enfin, d'un troisième côté, un paysage héroïque, aride comme la Judée, d'une monotonie quasi grandiose, avec des collines rondes, vert-de-grisées, où paissaient des moutons, et des champs bruns au-dessus desquels flottait comme le marmonnement du bénédicité qu'on entend par les fenêtres basses d'une ferme.

On pourrait donc proclamer que cette région intimement cacanienne au milieu de laquelle B... s'élevait était à la fois montagneuse et plate, forestière et ensoleillée, héroïque et modestement grandiose; pourtant, il s'en fallait chaque fois d'un rien; de sorte que, dans l'ensemble, elle n'était ni ceci ni cela. On ne pouvait jamais savoir non plus si les habitants de la ville la jugeaient belle ou laide. Disait-on à l'un d'eux que B... était laide, il répondait à coup sûr : « Tout de même, la Montagne-rouge, c'est joli, et même la jaune, et ces champs noirs!... » Il suffisait qu'il citât ces noms évocateurs pour qu'on reconnût que le paysage sonnait bien. Disait-on en revanche qu'elle était belle, l'habitant cultivé riait et vous disait qu'il revenait de Suisse, des Pyrénées, que B... était un trou, pas même comparable à Bucarest. Mais cela aussi était cacanien, cette pénombre des sentiments à l'égard du destin de ces gens, cette agitation au sein d'un repos trop vite établi, qui les cachait et les enterrait à la fois. Si on dit que pour ces gens-là, tout était simultanément plaisir et déplaisir, on mesure à quel point ils furent des précurseurs : le plus doux de tous les Etats, sur plus d'un point, prit une avance étonnante sur son temps. Les habitants de B... vivaient de la production de drap et de fil, de la production et du commerce de tout ce qu'emploient les gens qui fabriquent ou vendent du drap et du fil, enfin de la production et du traitement des litiges, maladies, connaissances, plaisirs, etc., correspondant aux besoins d'une grande ville. Tous ses habitants riches avaient encore cette qualité qu'il n'y eût pas au monde un seul endroit de quelque beauté ou réputation où un natif de cette ville ne rencontrât un autre natif de la même ville; ainsi, lorsqu'ils se retrouvaient chez eux, ramenaient-ils, outre le souvenir des grands espaces, la conviction bien ancrée que toute la grandeur du monde ne pouvait aboutir qu'à B...

Une telle situation, créée par la production du drap et du fil, par le zèle, l'économie, le théâtre municipal, les tournées de virtuoses, les bals et les soirées, ne peut être surmontée par les mêmes moyens. Peut-être la lutte d'un prolétariat révolté pour le pouvoir politique y fût-elle parvenue, ou une lutte contre une classe supérieure, ou une lutte impérialiste pour le marché mondial telle qu'en menaient les autres puissances : en un mot, non pas le gain selon le mérite, mais un reste de sens du pillage, tout animal, dans lequel la chaleur de la vie se maintient constante. Mais, en Cacanie, si l'on gagnait beaucoup d'argent injustement, on n'avait pas le droit de piller, et même si des crimes avaient été autorisés dans cet Etat, on aurait fait très attention qu'ils ne fussent commis que par des criminels patronnés par les autorités. Cela donnait à toutes les villes du genre de B... l'air d'une grande salle basse de plafond. Une couronne de poudrières où l'armée mettait en dépôt ses munitions entourait toutes les grandes villes, et il y en avait assez pour faire sauter d'un coup un quartier entier; mais, devant chaque poudrière, une sentinelle et une barrière noire et jaune veillaient à ce que les citoyens ne souffrissent aucun dommage. La police était équipée de sabres aussi longs que ceux des officiers, traînant jusqu'à terre sans que personne sût pourquoi : peut-être par modération, car les policiers étaient obligés de toujours tenir leur sabre d'une main pour ne pas l'avoir entre les jambes, de sorte qu'ils n'avaient plus que l'autre pour arrêter les malfaiteurs. Personne ne savait non plus pourquoi l'Etat, dans des vues à longue échéance, édifiait dans les cités en croissance, sur les terrains qui avaient de l'avenir, des hôpitaux militaîres, des dépôts de cavalerie et des boulangeries de garnison dont les immenses rectangles entourés de murs, plus tard, entravaient le développement urbain. Qu'on ne croie surtout pas à du militarisme, comme on en a si légèrement accusé la vieille Cacanie : c'était de la sagesse, de la simple prudence, c'était, par sa nature même, dans l'ordre des choses : l'ordre ne peut être que dans l'ordre, alors que toute autre attitude politique entraîne une insécurité perpétuelle. Depuis l'avènement de François-Joseph, cet ordre était devenu en Cacanie une véritable nature, presque un paysage. Sans aucun doute, si la paix avait duré plus longtemps, les ecclésiastiques eux-mêmes auraient fini par porter le sabre, puisque déjà les inspecteurs d'Université, après les juges, les gardes-pêche, les conseillers financiers et les employés des Postes, en portaient; un grand bouleversement mondial n'eût-il pas entraîné des conceptions nouvelles, le sabre serait peut-être même devenu, en Cacanie, une arme intellectuelle. — (On a cru que c'était jalousie à l'égard de l'Allemagne. Les Etats étrangers ont cru que c'était du militarisme.)

Quand la conversation, passant des échanges de vues aux souvenirs qui en faisaient l'accompagnement tacite, en fut arrivée à ce point, le général Stumm intervint : « D'ailleurs, Leinsdorf a déclaré lui-même que les prêtres, au prochain concordat, devraient porter le sabre, en signe qu'ils remplissent aussi une fonction dans l'Etat. Il est vrai qu'il a atténué ce paradoxe en précisant que de petits poignards suffiraient, avec une poignée de nacre et d'or, comme en portaient jadis les fonctionnaires.

— Es-tu sérieux ?

— *Lui* est sérieux, répondit le général. Il m'a appris que les prêtres, pendant la Guerre de Trente ans, en Bohême, montaient à cheval avec des vêtements sacerdotaux brochés d'or et doublés de cuir, de vraies cuirasses de messe. Il est furieux de l'hostilité générale contre l'Etat et s'est souvenu qu'on conservait un de ces uniformes dans une des chapelles de son château. Tu sais ce qu'il répète constamment, que la Constitution de 61 a donné le pouvoir au Capital et à la Culture, et qu'une grande déception a suivi...

— Comment es-tu allé le voir ? demanda Ulrich en souriant.

— Ça s'est trouvé comme ça, un jour qu'il revenait de ses propriétés de Bohême, fit Stumm sans préciser davantage. D'ailleurs, il t'a fait demander trois fois et tu n'y es jamais allé. *Vous êtes son ami, pourquoi ne vient-il pas quand je le mande?* Il ne me restait plus qu'à lui dire : *Si vous voulez me confier quelque chose, je lui ferai la commission!* »

Stumm fit une pause.

« Et alors ?... demanda Ulrich.

— Eh bien! tu sais que ce qu'il veut dire n'est jamais très facile à comprendre. Il a commencé par me parler de la Révolution française. Chacun sait qu'elle a coupé la tête à quantité d'aristocrates et, chose curieuse, il trouve cela bien, encore qu'à B... il ait failli être lapidé. Il prétend que l'Ancien régime avait ses défauts et la Révolution ses idées justes. Mais il se demande ce qui est résulté de tout ce mal. Et il répond : Aujourd'hui, par exemple, la poste est plus rapide et plus sûre que jadis; mais, quand elle était plus lente, on écrivait de meilleures lettres. Ou bien : les vêtements, aujourd'hui, sont plus pratiques et moins ridicules; mais, quand ils avaient l'air d'une mascarade, on leur consacrait de la meilleure étoffe. Il reconnaît qu'il recourt lui-même à l'automobile pour les trajets un peu longs parce que c'est plus rapide et plus confortable que la calèche, mais il prétend que cette boîte de conserves sur quatre roues a enlevé toute distinction aux voyages. Tout cela est comique, à mon sens, mais vrai. N'as-tu pas dit toi-même un jour que, dans le progrès humain, il y a toujours une jambe qui recule quand l'autre avance ? Sans qu'il le veuille, chacun de nous, aujourd'hui, a une dent contre le progrès. Et Leinsdorf m'a dit : *Jadis, mon général, nos jeunes gens parlaient de chiens et de chevaux, maintenant les fils de patrons parlent de chevaux-vapeur et de châssis. Le libéralisme, depuis la Constitution de 61, a mis la noblesse à l'écart, mais une corruption nouvelle s'installe partout, et si la révolution sociale se fait un jour contre toute attente, elle coupera la tête aux fils de patrons sans que rien ne s'améliore!* On a l'impression qu'il bout, qu'il va déborder! D'un autre, on dirait peut-être qu'il ne sait pas ce qu'il veut!

— Mais, pour le moment, nous en sommes encore à la Révolution nationale. Sais-tu ce qu'il veut? demanda Ulrich.

— Après l'histoire de B..., la Drangsal a essayé de lui faire dire qu'il était grand temps, désormais, de se donner sans conditions à l'humanité, et Feuermaul aurait déclaré qu'il valait mieux un Autrichien incapable de maîtriser la résistance des nationalités qu'un Allemand transformant son pays en place d'armes. A cela, il se contente de répondre que ce n'est pas *réaliste*. Il exige une démonstration de force; il faut, bien entendu, que ce soit aussi une démonstration d'amour, car telle était l'idée première de l'Action parallèle. *Mon général, nous devons*, tels furent ses propres termes, *démontrer notre union : c'est moins contradictoire qu'il ne paraît, mais aussi moins aisé!* »

A ces mots, Ulrich s'oublia et fit une réponse plus sérieuse : « Dis-moi, tous ces bavardages autour de l'Action parallèle ne te paraissent-ils jamais un peu puérils? »

Stumm le dévisagea étonné. « Bien sûr! dit-il non sans hésitation. Quand je tiens des propos de ce genre avec toi ou Leinsdorf, j'ai quelquefois l'impression de parler comme un gamin ou de t'entendre philosopher sur l'immortalité des hannetons : mais n'est-ce pas à cause du sujet? Quand il s'agit de grandes tâches, on n'a jamais le sentiment de pouvoir parler comme on est! »

Agathe se mit à rire.

Stumm l'imita. « Je ris aussi, chère madame! » dit-il avec courtoisie. Puis, la gravité recouvrit à nouveau son visage, et il poursuivit : « A strictement parler, néanmoins, ce que dit Son Altesse n'est pas si faux. Par exemple, qu'entends-tu par libéralisme? » Sur ces mots, il se tourna de nouveau vers Ulrich, mais, sans attendre une réponse, enchaîna : « A mon avis, c'est quand on laisse les gens à eux-mêmes. Et tu auras remarqué, bien sûr, que ça se démode peu à peu. On n'a abouti qu'à une vaste salade. Mais n'y a-t-il que cela? Il me semble que les gens veulent encore autre chose. Ils ne sont pas contents d'eux. Moi non plus : j'étais, jadis, un type plein de gaieté. On ne faisait rien de particulier, mais on était content de soi. Le service n'était pas terrible, et en dehors du service on jouait à l'écarté ou on allait à la chasse. Il y avait dans tout cela une certaine culture. Une certaine unité. N'est-ce pas ton impression ? Pourquoi n'en est-il plus ainsi aujourd'hui ? Je crois, autant que je puis en juger sur moi, qu'on se sent trop calé. Veut-on manger une côtelette, on se dit qu'il y a des gens qui ne le peuvent pas. Veut-on suivre une belle poulette, on se rappelle brusquement qu'on doit réfléchir au règlement de tel ou tel conflit. C'est ce funeste intellectualisme dont on n'arrive plus à se défaire : voilà pourquoi rien ne progresse. Sans même le savoir, les gens voudraient autre chose. C'est-à-dire qu'ils en ont assez de cet intellect trop compliqué, de ces mille possibilités de vie : ils veulent être contents de ce qu'ils font, sans plus d'histoires. Pour cela, il suffit d'une foi, d'une conviction ou encore... eh bien! comment définir ce dont ils ont besoin ? J'aimerais bien avoir ton avis là-dessus ! »

Mais cette question faisait partie de la jouissance de Stumm dans l'animation de son esprit : avant même qu'Ulrich eût pu allonger son visage, il lâchait déjà sa surprise : « On peut évidemment parler de croyance aussi bien que de conviction, mais, après mûre réflexion, je préfère parler d'unité de l'esprit ! »

Stumm ménagea une pause destinée à l'encaissement des approbations avant de donner une vue plus étendue de son atelier mental. Puis, dans l'expression pénétrée de son visage s'en insinua une autre, mêlée de supériorité et de satiété. « Nous avons souvent parlé naguère des problèmes de l'ordre, dit-il à son ami, assez pour n'avoir pas besoin de nous y arrêter aujourd'hui. Dans une certaine mesure, l'ordre est une notion paradoxale. Tout homme digne de ce nom éprouve le besoin d'un ordre intérieur et extérieur, mais on n'en supporte pas une trop grande dose : l'ordre parfait serait la ruine du progrès et du plaisir. Cela tient à la notion même d'ordre. Il faut donc se demander ce qu'est l'ordre. Comment se fait-il que nous nous imaginions ne pouvoir vivre sans ordre ? Quelle sorte d'ordre cherchons-nous ? Un ordre logique, pratique, personnel, général, un ordre du sentiment, de l'esprit, de l'action ? De fait, il existe un grand mélange d'ordres divers : les douanes et impôts en sont un, la religion en est un autre, le règlement de service un troisième : on n'en finirait pas d'en énumérer. Je me suis beaucoup occupé de ce problème, comme tu le sais, et je ne crois pas qu'il puisse y avoir jamais au monde beaucoup de généraux qui prennent leur tâche plus au sérieux que je ne l'ai fait durant cette dernière année. A ma manière, j'ai aidé à chercher une idée supérieure, mais tu as toi-même fini par proclamer qu'on aurait besoin, pour l'ordre intellectuel, d'un véritable secrétariat mondial! Or cet ordre, tu le reconnaîtras, on ne peut pas l'attendre indéfiniment! Et ce n'est pas une raison pour laisser faire le premier venu! »

Stumm se renfonça dans son fauteuil et reprit haleine. Le plus dur était dit; il éprouva le besoin de s'excuser auprès d'Agathe pour la sombre objectivité de ses propos : « Vous voudrez bien me pardonner, chère madame, j'avais un vieux compte à régler avec votre frère. Ce qui suit conviendra mieux à une dame : j'en reviens en effet à ce que je disais il y a un instant, que les gens n'ont pas besoin d'une intelligence si subtile, qu'ils préféreraient croire, être persuadés. Si on analyse ce phénomène, on s'aperçoit que l'ordre souhaité par les hommes, il importe fort peu que la raison puisse ou non l'approuver : il existe des ordres parfaitement dénués de fondement, à l'armée par exemple, où l'on prétend que le supérieur a toujours raison : c'est-à-dire, évidemment, tant qu'un supérieur encore supérieur n'intervient pas! Que de fois, jeune officier, ne me suis-je pas indigné contre ce que j'appelais une insulte au monde des idées! Et que vois-je aujourd'hui ? Aujourd'hui, on appelle cela le principe du guide!...[1]

— D'où tiens-tu ça ? » demanda Ulrich interrompant le discours : il soupçonnait fortement le général de n'avoir pas puisé ces idées uniquement dans une conversation avec Leinsdorf.

« Tout le monde réclame un guide fort, aujourd'hui! En outre, bien entendu, je pense à Nietzsche et à ses commentateurs, repartit Stumm parfaitement à son aise et ferré à glace. On exige déjà deux philosophies et deux morales : une pour le guide et une pour les guidés! Puisque nous parlions de militaires, je dois ajouter que l'armée n'est pas seulement un élément durable d'ordre en soi, mais qu'elle est toujours prête à intervenir quand les autres ordres ont démissionné!

— Les choses décisives s'accomplissent au delà de la raison, et la grandeur de la vie prend racine dans l'irrationnel! » dit Ulrich, imitant de mémoire sa cousine Diotime.

1. Rappelons que guide, en allemand, se dit *Führer*. *N.d.T.*

Le général comprit aussitôt, mais ne se fâcha pas. « Oui, c'est ainsi que parlait votre cousine quand elle n'était pas encore dans l'intimité des choses de l'amour », expliqua-t-il en s'adressant à Agathe.

Agathe répondit d'un sourire.

Stumm se tourna de nouveau vers Ulrich : « Je ne sais si Leinsdorf te l'a déjà dit, c'est en tous cas éminemment juste : il prétend que l'essentiel d'une croyance, c'est de croire toujours la même chose. C'est à peu près ce que j'appelle l'unité de l'esprit. Les civils en sont-ils capables ? lui ai-je demandé. Non, lui ai-je répondu, les civils portent chaque année d'autres vêtements, et tous les deux ans le parlement vote pour pouvoir voter différemment. L'unité de l'esprit, vous la trouverez plutôt à l'armée!

— Tu as donc persuadé Leinsdorf qu'un militarisme supérieur était le véritable exaucement de ses vœux ?

— Dieu m'en garde, je n'ai rien dit de pareil! Nous nous sommes simplement entendus pour renoncer dorénavant à Feuermaul, ses vues étant par trop inutilisables. Pour le reste, Leinsdorf m'a chargé d'une série de messages pour toi...

— C'est tout à fait superflu!

— Tu dois lui procurer rapidement des contacts avec les milieux sociaux...

— Le fils de mon jardinier est un membre zélé du Parti, voilà en quoi je pourrais lui rendre service!...

— Oh! pour ce qui est de moi!... C'est sans doute pur scrupule de sa part, il s'est mis ça une bonne fois dans la tête. Ensuite, il faut que tu ailles le voir aussitôt que possible!...

— Je pars dans quelques jours!

— Eh bien! dès que tu seras de retour!

— Je ne reviendrai probablement pas. »

Stumm von Bordwehr se tourna vers Agathe. Agathe sourit, ce qui l'encouragea. « Est-il fou ? » demanda-t-il.

Agathe haussa vaguement les épaules.

« Bon! Je me résume une fois de plus... dit Stumm.

— Notre ami est las de la philosophie! fit Ulrich en l'interrompant.

— En tous cas, tu ne peux pas dire ça de moi! s'écria Stumm indigné. Simplement, nous ne pouvons pas attendre la philosophie.... Je n'hésite pas à affirmer qu'une conception vraiment puissante de la vie ne peut attendre l'intelligence;

elle doit être dirigée contre l'intelligence, sinon elle ne sera jamais en mesure de la soumettre. Cette unité de l'esprit, le civil la cherche dans une perpétuelle inconstance, alors que l'armée bénéficie, en quelque sorte, d'une unité permanente de l'esprit! Chère amie, dit Stumm interrompant l'excès de son zèle, ne croyez pas que je sois militariste : tout au contraire, l'armée m'a toujours paru un peu mal dégrossie. Mais la logique de ces réflexions vous empoigne, c'est comme quand on joue avec un gros chien : il commence par mordre par jeu, puis il se prend au jeu et devient féroce. J'aimerais, en quelque sorte, offrir à votre frère une dernière occasion...

— Comment accordes-tu cela avec la manifestation de force et d'amour ? demanda Ulrich.

— Bon Dieu! je l'avais oublié en chemin, répondit Stumm. Il est évident que les explosions nationales que nous subissons en ce moment dans notre patrie sont les explosions d'un amour malheureux. Et même dans ce domaine, dans cette synthèse de la force et de l'amour, l'armée peut servir de modèle. L'homme doit avoir quelque amour pour son pays, et s'il ne l'a pas pour son pays, il l'a pour autre chose. Il suffit de s'en emparer. Un exemple m'en vient à l'esprit en ce moment : l'expression *Volontaire d'un an :* qui irait croire qu'un type qui fait ses douze mois soit un volontaire ? en tous cas pas lui! Il l'était pourtant, il l'est encore selon la loi. C'est en ce sens qu'il faudrait faire de tous les hommes, à nouveau, des volontaires! »

69. *Agathe découvre le Journal d'Ulrich.*

Ulrich ayant raccompagné le visiteur, Agathe, par défi à sa conscience, mit à exécution le projet qu'elle avait conçu en un éclair. Dès avant l'entrée de Stumm et une deuxième fois en sa présence, elle avait remarqué dans un tiroir du secrétaire des papiers épars; et ce, les deux fois, à cause d'un mouvement réprimé de son frère qui laissait croire qu'il avait voulu se référer à ces papiers dans la conversation, mais qu'il n'avait pu s'y résoudre ou se l'était interdit. Agathe, du fait de l'intimité qui régnait entre elle et son frère, l'avait deviné plutôt que constaté; de même pressentit-elle plus qu'elle ne comprit que ce secret devait concerner leurs rapports. C'est pourquoi, à peine son frère eut-il quitté la pièce, elle ouvrit le tiroir. Que ce fût justifiable ou non, elle le fit avec ce sentiment qui provoque les décisions rapides et écarte tout scrupule. Mais les notes souvent raturées, incohérentes et pas toujours aisées à déchiffrer qui lui tombèrent sous la main imposèrent bientôt à sa curiosité passionnée un rythme plus lent.

« L'amour est-il un sentiment ? Au premier abord, cette question peut paraître absurde, tant il semble assuré que l'amour tout entier est un « sentir ». La réponse exacte surprend d'autant plus : vraiment, le sentiment est ce qui importe le moins dans l'amour ! Considéré comme un simple sentiment, l'amour est à peine aussi violent, en tous cas bien moins net qu'une rage de dents ! »

La deuxième note, non moins bizarre, disait : « Un homme peut aimer son chien et sa femme. Un enfant peut aimer un chien plus tendrement qu'un homme sa femme. Un tel aime son métier, un tel la politique. Nous aimons surtout, sans doute, des états d'ordre général ; je veux dire (quand nous ne les haïssons pas !) leur action obscure, leur coopération, que j'appellerais le sentiment de l'écurie : nous sommes à l'aise dans notre vie comme un cheval sur sa litière !

« Mais pourquoi donner le nom d'amour à des choses si différentes ? Là, dans ma tête, à côté du doute et de l'ironie, une très vieille pensée s'est installée : tout dans le monde est amour ! L'amour est l'essence tendre, divine, recouverte de cendre mais inextinguible, du monde ! Je ne saurais dire ce que j'entends par *essence*. Mais, quand je ne crains pas d'accepter cette idée dans son intégralité, j'en retire une certitude étrangement naturelle. Par instants du moins. »

Agathe rougit : les notes suivantes commençaient par son prénom. « Agathe m'a montré un jour des passages de la Bible. Je m'en rappelle à peu près la teneur et me suis proposé de les noter : *Tout ce qui se fait dans l'amour se fait en Dieu. Car Dieu est amour*. Un autre disait : *L'amour est de Dieu, et quiconque aime Dieu est né de Dieu*. Ces deux passages sont évidemment en contradiction : une fois l'amour vient de Dieu, l'autre fois l'amour est Dieu lui-même !

« Ainsi, même les initiés semblent avoir eu du mal à exprimer le rapport de l'amour et du monde : comment la raison des non-initiés n'y renoncerait-elle pas ? Nommer l'amour l'essence du monde n'était qu'échappatoire : cela me laisse toute liberté de dire que la plume et l'encrier avec lesquels j'écris sont faits d'amour en vérité, ou qu'ils le sont en réalité. Que signifierait alors *en réalité?* Seraient-ils faits d'amour, ou en seraient-ils simplement la conséquence, une forme visible, une allusion ? Chacun d'eux est-il déjà amour, ou ne le sont-ils qu'ensemble ? Sont-ils amour par nature, ou s'agit-il de la réalité d'une surnature ? Et l'expression *en vérité?* Est-ce une vérité pour l'intelligence aiguisée ou pour la pauvreté d'esprit bénie ? Est-ce la vérité de la réflexion ou une relation symbolique incomplète qui ne dévoilera toute sa signification que dans l'universalité des événements de l'esprit assemblés autour de la personne divine ? De tout cela, qu'ai-je dit ? A peu près rien, à peu près tout !

« De l'amour, j'aurais pu dire aussi bien qu'il était la raison divine, le logos néo-platonicien. Ou encore : l'amour est le sein du monde, le tendre sein où les événements se déroulent sans se comprendre eux-mêmes. J'aurais pu m'écrier : O mer de l'amour ! ce n'est pas celui qui te franchit, mais celui qui sombre en toi qui te comprend ! Toutes ces exclamations tirent leur signification du seul fait qu'elles tiennent aussi peu parole les unes que les autres.

« Le plus honnête est encore de sentir que la terre n'est qu'un point dans l'espace céleste, que l'homme, plus démuni que le moindre des enfants, en est réduit à l'amour. Mais ce n'est là que l'appel désespéré à l'amour, nullement une réponse !

Peut-être cependant puis-je parler, sans exagération dangereuse, de la manière suivante : il existe dans le monde un état dont la vue nous est offusquée, mais que les objets libèrent parfois ici ou là, lorsque nous-mêmes nous trouvons dans une sorte particulière d'excitation. C'est dans cet état seul que nous nous apercevons que les choses sont *faites d'amour.* C'est dans cet état seul que nous comprenons ce que cette phrase signifie. Lui seul alors est réel, et nous sommes vrais.

Voilà une description à laquelle je ne voudrais rien reprendre. Il est vrai que je ne puis rien y ajouter non plus. »

Agathe fut surprise. Dans ces notes intimes, Ulrich se montrait beaucoup moins réservé que d'ordinaire. Elle comprit sans doute qu'il se le permettait en raison de cette intimité même, mais elle n'en crut pas moins le voir devant elle qui tendait les bras, avec une émotion indécise, vers elle ne savait quoi.

Les notes continuaient : « Voici encore une idée qui pourrait même venir à la raison, du moins à une raison sortie de sa quiétude ordinaire : voir dans l'Amour universel l'Artiste éternel. Il aime la création tant qu'il y travaille, mais son amour se détourne des parties achevées. L'artiste doit aimer jusqu'à la laideur pour pouvoir lui donner forme; mais ce qu'il a créé, si bon que ce soit, se refroidit à ses yeux, se vide d'amour au point qu'il ne se comprend plus lui-même; rares et imprévisibles sont les instants où son amour renaît et jouit de l'œuvre faite. On pourrait donc penser ceci : ce qui règne au-dessus de nous aime ce qu'il créé; mais de la part achevée de la création, son amour s'éloigne et se rapproche en un flux bref et un très long reflux. Cette idée s'accorde avec le fait que les âmes et les choses de ce monde sont comme des morts qui ressuscitent parfois pour quelques secondes. »

Puis venaient des remarques rapides, qui semblaient jetées à titre d'essai.

« Un lion sous le ciel de l'aube! Une licorne au clair de lune! Tu peux choisir entre le feu de l'amour et le feu des canons. Il faut donc supposer au moins deux états fondamentaux : l'amour et la violence. Or, sans aucun doute, c'est la violence qui tient le monde éveillé, non l'amour!

« On pourrait glisser ici l'hypothèse d'un monde de plus en plus soumis au péché. Autrefois, l'amour et le paradis. Cela signifierait : le monde fini, c'est le péché! Le monde possible, l'amour!

« Autre question difficile : les philosophes se figurent Dieu sous les traits d'un philosophe, d'un esprit pur. Ne serait-il pas naturel que les officiers le voient en uniforme ? Mais moi, qui suis mathématicien, je verrais dans l'Etre universel l'amour ? Comment donc en suis-je venu là ?

« Et comment pourrions-nous participer tout de suite à l'une des expériences les plus intimes de l'Artiste éternel ? »

Le feuillet s'interrompait là. Le visage d'Agathe se couvrit à nouveau de rouge quand, sans lever les yeux, elle prit le suivant et lut : « Ces derniers temps, Agathe et moi, nous avons fait souvent une curieuse expérience! Quand nous nous promenions en ville. Par temps particulièrement beau, le monde semble heureux et cohérent au point qu'on perd tout à fait de vue les innombrables différences d'âge et de nature dont il est constitué. Tout repose ou bouge avec le plus grand naturel. Pourtant, dans un état de présence en apparence si indiscutable, dès qu'on n'y participe plus entièrement, il y a quelque chose qui se perd étrangement dans le vide, quelque chose comme une offre d'amour restée sans réponse ou une compromission quelconque.

« Nous marchons dans les rues bleu-violet de la ville lesquelles plus haut, là où elles s'ouvrent à la lumière, brûlent comme du feu. Ou nous sortons de ces volumes bleus pour entrer dans une place librement inondée de soleil : quoique ses maisons soient alors en retrait, comme collées au mur, elles n'en sont pas moins expressives, comme si quelqu'un les avait gravées sur un fond clair avec le trait délicat d'un burin qui souligne tous les détails. Dans un tel moment, nous ne savons plus si cette beauté rassasiée d'elle-même nous bouleverse ou nous laisse froids. Les deux choses sont vraies. Cette beauté est sur une lame de couteau entre plaisir et chagrin.

« Mais le spectacle de la beauté n'a-t-il pas toujours pour effet d'éclairer le chagrin de la vie quotidienne et d'en assombrir la gaieté ? Il semble que la beauté appartienne à un monde dans la profondeur duquel il n'y a plus ni chagrin, ni gaieté. Peut-être même n'y a-t-il plus de beauté dans ce monde, seulement une gravité sereine, presque indescriptible : la beauté n'étant que la diffraction de cet état indicible dans l'atmosphère ordinaire. C'est ce monde que nous cherchons, Agathe et moi, sans pouvoir nous décider; nous longeons ses confins et savourons avec prudence son rayonnement profond là où il se confond presque encore avec la puissante lumière des journées! »

On avait l'impression qu'Ulrich avait été amené par son idée de l'Artiste éternel à inclure dans ses réflexions la question de la beauté, d'autant plus qu'elle traduisait pour sa part l'extrême sensibilité du frère et de la sœur. Mais, du même coup, il avait changé de méthode. Dans cette nouvelle série de remarques, il ne parlait plus de la pénombre mentale qui régnait au point de fuite de ses expériences, mais du premier plan, plus clair, et même si clair, en certains endroits dont il se souvenait, que l'arrière-plan réapparaissait au travers.

Ulrich continuait donc de la sorte. « J'ai dit à Agathe : *La beauté, vraisemblablement, n'est que le fait d'avoir été aimé.* Aimer quelque chose et l'embellir, c'est tout un. Répandre son amour et faire découvrir aux autres leur beauté, c'est aussi tout un. Ainsi, tout peut devenir beau, et toute beauté redevenir laide : dans les deux cas, cela dépendra de nous tout en nous contraignant de l'extérieur, parce que l'amour ne connaît ni causalité ni obligation juridique. Je ne suis pas sûr de ce que j'en ai dit à Agathe, mais cela explique une autre impression fréquente dans nos promenades : nous regardons les passants et nous cherchons à participer à la joie qu'ils portent sur leur visage, nous nous sentons presque contraints d'y participer; mais nous en ressentons aussi un malaise, presque une inquiétante répugnance. La même chose avec les maisons, les vêtements et tout ce qu'ils se fabriquent. Lorsque j'ai réfléchi à cette explication, j'ai abordé un cercle de réflexions plus étendu qui m'a ramené finalement à mes premières notes, apparemment si fantaisistes.

Une ville comme la nôtre, vieille et belle, avec ce cachet architectural qu'entraînent les changements périodiques du goût, est un vaste témoignage de la capacité d'aimer et de l'incapacité de le faire durablement. La fière succession de ses bâtiments ne dessine pas seulement une grande histoire, mais un perpétuel changement des directions de l'opinion. Considérée sous cet angle, elle est une versatilité pétrifiée qui, tous les quarts de siècle, se vanterait autrement d'avoir raison pour toujours. Son éloquence muette est celle des lèvres mortes. Plus fascinante est sa séduction, plus intense le mouvement aveugle de recul ou d'effroi qu'elle doit provoquer au plus profond du plaisir et de la contemplation désintéressée.

« *C'est ridicule et séduisant*, m'a répondu Agathe. *Ainsi, les queues d'hirondelle de ces flâneurs et les étranges coiffures que les officiers portent comme des pots sur la tête doivent être belles, puisque leurs propriétaires les aiment très résolument, les offrent à l'amour des autres, et que la faveur des femmes leur est acquise!* Nous en avons tiré un jeu. Nous l'avons savouré dans une sorte de dépit joyeux; à chaque pas, pendant un moment, comme par désobéissance à la vie, nous nous demandions : Que veut donc ce rouge sur cette robe, pour être si rouge ? A quoi riment finalement ce bleu, ce jaune et ce blanc sur le col des uniformes ? Pourquoi donc, au nom du ciel, les ombrelles des dames sont-elles rondes et non carrées ? Nous nous sommes demandé à quoi le fronton grec du Parlement, avec ses jambes écartées, voulait en venir :

faire le grand écart, comme seuls peuvent le faire une danseuse ou un compas, ou répandre l'idéal classique ? Quand on se replace ainsi dans un état premier d'insensibilité où l'on refuse aux choses les sentiments qu'elles attendent complaisamment, on ruine la fidélité et la foi de l'existence. C'est comme quand on regarde quelqu'un manger muettement sans partager son appétit : on ne remarque bientôt plus que des mouvements masticatoires qui n'apparaissent rien moins qu'enviables.

J'appelle cela *se fermer à l'opinion de la vie*. Pour préciser ma pensée, je commencerai en disant que sans aucun doute, dans la vie, nous cherchons le solide aussi instamment qu'un animal terrestre tombé à l'eau. C'est pourquoi nous surestimons l'importance du savoir, du droit et de la raison non moins que la nécessité de la contrainte et dc la violence. Peut-être n'est-ce pas surestimer que je devrais dire; en tous cas, la plupart des manifestations de notre vie reposent sur l'incertitude de l'esprit. Parmi elles règnent la croyance, la conjecture, la supposition, le pressentiment, le désir, le doute, l'inclination, le commandement, le préjugé, la persuasion, les vues personnelles et toutes les autres formes de la demi-certitude. Comme l'opinion, sur cette échelle, tient à peu près le milieu entre le jugement fondé et le jugement arbitraire, j'adopte son nom pour le tout. Si ce que nous exprimons à l'aide des mots, si grandioses soient-ils, n'est la plupart du temps qu'une opinion, ce que nous exprimons sans leur aide l'est toujours.

Je dirai donc : notre réalité n'est en grande partie, pour autant qu'elle dépend de nous, que l'expression d'une opinion, bien que nous lui imaginions Dieu sait quelle importance. Nous avons beau donner une certaine expression à notre vie dans la pierre des maisons, c'est toujours pour l'amour d'une opinion. Nous pouvons tuer ou nous sacrifier, nous n'agissons que sur la foi d'une conjecture. Je dirais presque que toutes nos passions ne sont que conjectures; très souvent nous faisons erreur sur leur compte; il nous arrive d'y céder par simple nostalgie d'une résolution! Faire quelque chose de sa *libre* volonté suppose, au fond, que cela n'est possible qu'à l'occasion d'une opinion. Depuis quelque temps, Agathe et moi sommes sensibles à une sorte de mouvement d'esprits au sein du réel. Le moindre détail dans l'expression de ce qui nous entoure *nous parle*, veut dire quelque chose, proclame qu'il est issu d'une intention tout autre que passagère. Il n'est sans doute qu'une opinion, mais il se présente comme une conviction. Il n'est qu'une idée, mais feint d'être une volonté inébranlable. Les temps et les siècles se tiennent là debout sur leurs jambes bien plantées, mais une voix derrière eux chuchote : absurdité! Jamais encore l'heure n'a sonné, le temps n'est venu!

Je paraîtrai peut-être obstiné, mais seule cette remarque me permet de comprendre ce que je vois : cette opposition entre la ferveur pour soi-même qui permet à nos œuvres, imbues de leur magnificence, de bomber le torse, et cette nuance cachée d'abandon, de délaissement qui apparaît à la première minute, cette opposition s'accorde parfaitement avec l'idée que tout n'est qu'opinion. De là que nous nous découvrons dans une situation singulière. Toute opinion, en effet, présente un double caractère : tant qu'elle est nouvelle, elle rend intolérant à l'égard de toutes les opinions qui la contredisent (quand les ombrelles rouges sont à la mode, les bleues sont *impossibles*, et c'est un peu la même chose pour nos convictions) ; la seconde caractéristique de l'opinion est d'être abandonnée non moins automatiquement avec le temps, dès qu'elle cesse d'être nouvelle. J'ai dit un jour que la réalité s'abolissait elle-même. On pourrait exprimer la même idée encore autrement : quand l'homme ne manifeste essentiellement que des opinions, il ne se manifeste jamais tout entier ni durablement; mais, quand il ne peut jamais s'exprimer tout entier, il essaie de toutes les manières possibles, et c'est ainsi qu'il peut avoir une histoire. Il n'en a donc, apparemment, qu'à la suite d'une faiblesse : bien que les historiens, assez naturellement, tiennent le pouvoir de faire l'histoire pour une qualité particulière! »

Ulrich semblait s'être écarté un peu du sujet, mais il poursuivait dans la même direction : « Voilà probablement la raison pour laquelle je remarque aujourd'hui ceci : L'histoire se fait, les événements se font, l'art même se fait… par manque de bonheur. Ce manque ne tient pas aux circonstances, en ce sens qu'elles nous empêcheraient d'obtenir le bonheur, mais à notre sentiment. Notre sentiment est le porte-croix de ces deux particularités : il n'en tolère aucun autre à côté de soi, et lui-même ne dure pas. C'est pourquoi tout ce qui lui est lié feint de valoir pour l'éternité; pourtant, nous avons tous le désir d'abandonner les créations de notre sentiment et de modifier l'opinion qui s'exprime à travers elles. Un sentiment se modifie dès l'instant où il dure : il n'a ni durée, ni identité; il doit être renouvelé. Non seulement les sentiments sont altérables et inconstants (comme chacun le sait et le dit), mais ils le deviendraient encore dès l'instant où ils ne le seraient pas. Dès qu'ils durent, ils perdent leur authenticité. S'ils veulent tenir, il faut qu'ils renaissent constamment, et même alors ils deviennent autres. Une colère qui tiendrait cinq jours ne serait plus une colère, mais un trouble mental : elle se change en pardon ou en vengeance, et tous les sentiments subissent une évolution analogue.

Notre sentiment cherche dans ce qu'il forme sa consistance, et la trouve toujours pour un temps. Mais Agathe et moi sentons dans ce qui nous entoure l'étrangeté peu rassurante, le rêve d'éclatement des éléments associés, la révocation au sein de l'évocation, le déplacement des murs prétendus solides : nous voyons et nous entendons cela tout d'un coup. Etre situés dans une époque nous semble une aventure, comme si nous étions tombés dans une assemblée douteuse. Nous nous trouvons dans la forêt magique. Et bien que nous n'ayons pas encore fait le tour de *notre* sentiment, de ce sentiment d'une autre espèce, que nous le connaissions à peine, nous sommes inquiets pour lui et nous aimerions le retenir. Mais comment retient-on un sentiment ? Comment pourrait-on s'attarder au plus haut degré de la béatitude, supposé qu'on puisse y atteindre ? Au fond, c'est la seule question qui nous préoccupe. Nous devinons un sentiment qui échappe à la caducité des autres. Il est devant nous comme une merveilleuse ombre immobile dans le mouvant. Mais, pour pouvoir durer, ne devrait-il pas arrêter le monde dans sa route ? J'en arrive à la conclusion que ce ne peut pas être un sentiment dans le même sens que les autres. »

Ulrich concluait soudain : « J'en reviens ainsi à la question : l'amour est-il un sentiment ? Je crois que non. L'amour est une extase. Dieu lui-même, pour pouvoir aimer durablement le monde, y compris sa part achevée, comme un dieu artiste, devrait se trouver perpétuellement en extase. On ne peut le concevoir qu'ainsi... »

La note s'arrêtait là.

70. *De grands changements.*

Si Ulrich avait accompagné lui-même le général, c'était dans l'intention d'apprendre ce que celui-ci ne désirait peut-être lui dire qu'en tête-à-tête. En descendant l'escalier, il s'efforça d'abord de lui donner une explication innocente de son éloignement de Diotime et des autres, afin que la vérité restât préservée. Stumm, insatisfait, demanda : « As-tu été blessé ?

— Pas le moins du monde.

— En ce cas, tu n'avais pas le droit de nous laisser tomber ainsi ! » répliqua l'autre fermement.

Cependant, les changements survenus au sein de l'Action parallèle, changements dont Ulrich, dans son isolement, n'avait rien deviné, lui faisaient maintenant un effet rafraîchissant, comme quand on ouvre brusquement une fenêtre dans une salle surchauffée. Il poursuivit : « J'aimerais bien savoir ce qui se passe en réalité. Puisque tu as jugé bon de m'ouvrir à demi les yeux, tu auras la bonté de me les ouvrir maintenant tout à fait ! »

Stumm s'arrêta, appuya son sabre contre la pierre de l'escalier et leva les yeux vers le visage de son ami : geste noble, qui dura d'autant plus longtemps qu'Ulrich se trouvait une marche plus haut. « Très volontiers, dit-il. Je n'étais pas venu pour autre chose.

— Qui manœuvre contre Leinsdorf, dit Ulrich en commençant calmement l'interrogatoire. Tuzzi et Diotime ? Ou le Ministère de la Guerre avec Arnheim et toi ?...

— Mon cher ami, tu t'égares complètement ! dit Stumm. Et tu passes aveuglément à côté de la simple vérité, comme le font, semble-t-il, tous les hommes d'esprit. Et d'abord, je te prie d'être convaincu que je ne t'ai transmis le vœu de Leinsdorf (qui désire te revoir chez lui et chez ta cousine) que par la complaisance la plus désintéressée...

— Parole d'officier ? »

Le général s'égaya. « Si tu me rappelles l'honneur spartiate de ma profession, tu conjures le danger de me voir te mentir : un plus haut devoir pourrait en effet m'y contraindre. Je préfère donc te donner ma parole de particulier, dit-il avec dignité. J'ai même l'intention de te confier que je me suis vu contraint quelquefois, ces derniers temps, de réfléchir sur ces difficultés : il m'arrive de mentir avec autant de plaisir qu'un porc se vautre dans la boue. » Soudain, il se tourna carrément vers son ami au-dessus de lui et dit : « D'où vient que le mensonge soit si agréable quand on a une excuse pour mentir ? Dire simplement la vérité vous paraît, en comparaison, stérile et niais ! Connaître ton avis là-dessus était un des buts de ma visite.

— En ce cas, rapporte-moi loyalement ce qui se passe, dit Ulrich intraitable.

— Très loyalement, et très simplement : je n'en sais rien !

— Enfin, tu as une mission ! dit Ulrich.

— En dépit de ta disparition vraiment inamicale, répondit le général, je suis passé sur le cadavre de mon amour-propre pour te la confier. Mais c'est une mission partielle. Une petite mission ! Je ne suis maintenant qu'un rouage minuscule. Un petit fil. Un Amour dans le carquois duquel on n'a laissé qu'une seule flèche !... » Ulrich considéra ce personnage rondelet à boutons dorés. Stumm était devenu nettement plus indépendant ; d'ailleurs, il n'attendit pas la réponse d'Ulrich mais s'ébranla pour sortir, son sabre sonnant à chaque marche. Lorsqu'ils se trouvèrent sous les voûtes du vestibule dont les lignes aristocratiques lui inspiraient d'ordinaire quelque respect pour le maître de maison, Stumm lui jeta par-dessus l'épaule : « Visiblement, tu n'as pas encore compris que l'Action parallèle n'était plus une affaire privée ou de famille, mais un événement politique d'importance internationale !

— C'est donc le Ministère des Affaires étrangères qui la dirige ?

— Vraisemblablement.

— Et Tuzzi du même coup ?

— Je le suppose ; mais je ne le sais pas, ajouta rapidement Stumm. Bien entendu, il feint aussi de l'ignorer. Tu le connais : ces diplomates prennent l'air ignorant même quand ils le sont réellement ! »

Ils franchirent la porte, et l'attelage s'avança. Soudain, en confidence, mais sur un ton de comique supplication, Stumm dit à Ulrich : « C'est précisément pourquoi tu devrais retourner chez eux, qu'on aie là-bas, en quelque sorte, une personne de confiance! »

Ulrich sourit de cette machination et lui mit le bras sur l'épaule; il repensait à Diotime. « Que fait-elle ? demanda-t-il. Reconnaît-elle enfin en Tuzzi l'homme véritable ?

— Ce qu'elle fait ? répondit le général dépité... L'impression d'être fort irritée! » Puis, débonnaire, il ajouta : « Ce qui est plutôt touchant, pour un connaisseur! Le Ministère de l'Instruction publique ne lui confie plus guère d'autres tâches que de décider si le groupe patriotique *Escalopes viennoises* ou celui du *Roastbeef aux croquettes*[1] défileront aussi... »

Ulrich, méfiant, l'interrompit. « Tu parles du Ministère de l'Instruction publique ? Et tu viens de me dire que c'était le Ministère des Affaires étrangères qui avait mis la main sur l'Action ?

— Mon Dieu! peut-être que les escalopes relèvent du Ministère de l'Intérieur. Ou du Ministère du Commerce. Qui peut le savoir ? dit Stumm sentencieux. En tous cas, le Congrès mondial de la paix, dans l'ensemble, relève des Affaires étrangères, dans la mesure où il ne concerne pas également les deux Présidences du Conseil. »

Ulrich l'interrompit de nouveau. « Quant au Ministère de la Guerre, tu l'écartes résolument ?

— Ne sois donc pas si agressif! dit paisiblement Stumm. Il est évident qu'un Congrès mondial de la paix intéresse très vivement le Ministère de la Guerre : non moins, dirais-je, qu'un Congrès international d'anarchistes intéresserait la Préfecture de police. Mais tu connais les Ministères civils : ils ne veulent pas nous laisser la moindre place!

— Et ?... » demanda Ulrich. Il continuait à douter de l'innocence de Stumm.

« Il n'y a pas de *et!* répondit celui-ci. Tu brusques tout! Quand une affaire scabreuse concerne plusieurs ministères, ou bien l'un essaie de la fourrer à l'autre, ou l'autre essaie de la prendre à l'un : le résultat de ces tentatives, dans les deux cas, est l'institution d'une commission interministérielle. Rappelle-toi combien de comités et de sous-comités l'Action parallèle a dû fonder au début, lorsque Diotime était encore en

1. Il s'agit exactement du *Rindsbraten mit Nockerln*, plat typiquement viennois. *N. d. T.*

pleine possession de son énergie : et je puis t'assurer que notre bienheureux concile était une « nature morte » à côté des travaux d'aujourd'hui! »

L'attelage attendait, le cocher était debout, très raide sur son siège, mais Stumm, irrésolu, regardait au delà de la voiture ouverte le jardin qui s'épanouissait en claires verdures. « Pourrais-tu me donner un mot pas très connu composé avec *inter?* » dit-il. Puis, en s'aidant de hochements de tête, il énuméra : « Je connais déjà intéressant, interministériel, international, intermédiaire, interpellation, interdiction, interne, et quelques autres : ce sont des termes que tu entendras aujourd'hui, au buffet de l'État-major général, plus souvent que le mot saucisse. Mais si j'arrivais avec un mot qu'ils ne connaissent pas, je ferais sensation! »

Ulrich ramena les pensées du général à Diotime. Il voyait bien que la direction de toute l'affaire était au Ministère des Affaires étrangères, d'où il présumait avec vraisemblance que les rênes étaient dans les mains de Tuzzi : comment un autre ministère pouvait-il faire essuyer des affronts à la femme du grand responsable ? A cette question, Stumm haussa vaguement les épaules. « Tu ne t'es toujours pas suffisamment mis dans la tête que l'Action parallèle est une affaire politique! » répondit-il. Il ajouta spontanément : « Tuzzi est plus malin que nous ne le pensions. Lui-même n'aurait jamais pu exiger d'elle quelque chose de pareil; la technique interministérielle lui a permis de livrer sa femme à un autre ministère! »

Ulrich rit doucement. A cette nouvelle, exprimée en termes un peu bizarres, il pouvait se représenter nettement les deux personnages : la sublime Diotime (*l'installation d'éclairage*, ainsi que l'appelait Agathe) et le maigre sous-secrétaire pour lequel il avait une sympathie tout à fait inexplicable, bien qu'il se sût sous-estimé par lui. Ce qui l'attirait vers cet homme raisonnable, aussi virilement sec qu'une boîte à cigares vide, c'était sa crainte des nuits de lune. Pourtant, les souffrances de l'âme qui avaient fondu sur ce diplomate l'avaient amené à ne voir plus partout que machinations pacifistes : le pacifisme était pour Tuzzi la forme la plus tangible de la vie de l'âme! Ulrich se souvint qu'il avait fini par voir dans les manœuvres d'Arnheim, à la longue presque publiques, concernant les gisements de pétrole et sa propre épouse, une simple diversion destinée à détourner l'attention d'une intrigue de nature pacifiste : tant les événements survenus dans sa maison avaient troublé Tuzzi! Le sous-secrétaire devait avoir souffert terriblement, et c'était compréhensible : la passion intellectuelle qu'il avait dû brusquement affronter n'offensait pas seulement, comme l'eût fait un adultère physique, sa notion de l'honneur : elle mettait carrément en doute le pouvoir conceptuel qui est, chez les hommes d'âge, le véritable siège de la dignité virile.

Ulrich, ravi, poursuivit à haute voix ses réflexions : « Evidemment, dès l'instant où l'Action parallèle de sa femme est devenue l'objet d'une mystification publique, Tuzzi a dû retrouver la pleine possession des forces intellectuelles qui reviennent de droit à un haut fonctionnaire. Alors au moins, il aura reconnu qu'il se passe au sein de l'histoire universelle plus de choses qu'il ne s'en pourrait loger dans le sein d'une femme, et votre Congrès mondial de la paix, surgi du néant comme un mystérieux enfant trouvé, l'aura éveillé d'un coup de tonnerre! » Avec un plaisir âpre, Ulrich se peignait l'état crépusculaire, fantômal, qui avait dû précéder, puis cet éveil auquel ne s'était peut-être nullement lié le sentiment d'un éveil. Car à l'instant même où les âmes voilées d'Arnheim et de Diotime avaient entraîné des conséquences réelles, Tuzzi s'était retrouvé, libéré de tout fantôme, dans ce domaine des nécessités où il avait passé presque toute sa vie. « Sans doute va-t-il interdire la société de sauvetage du monde et de relèvement de la patrie qu'avait fondée sa femme ? Elle a toujours été une écharde dans sa chair! » s'écria Ulrich, satisfait, en se tournant vers son compagnon d'un air interrogatif.

Stumm était toujours sur le seuil, pensif et rondelet. « Autant que je sache, il a expliqué à sa femme qu'elle devait à sa position, les circonstances ayant changé, de donner à l'Action parallèle une issue honorable. Elle sera décorée. Mais il faut qu'elle accepte la protection et la surveillance du ministère qu'il a choisi à cet effet, dit-il consciencieusement.

— Et il a fait la paix avec vous, je veux dire avec Arnheim et le Ministère de la Guerre ?

— Il semble. A cause du Congrès de la paix, il aurait appuyé auprès du Gouvernement le projet de modernisation à brève échéance de l'artillerie, et se serait mis d'accord avec le ministre de la Guerre sur les conséquences politiques. On dit qu'il fera passer les lois nécessaires devant le Parlement avec l'aide des partis allemands, qu'il conseille donc maintenant, en politique intérieure, l'orientation allemande. C'est Diotime elle-même qui me l'a raconté.

— Une minute! dit Ulrich. L'orientation allemande ? J'ai tout oublié!

— C'est bien simple : il a toujours dit que tout ce qui était allemand nous portait malheur; maintenant, il dit le contraire. »

Ulrich objecta que le sous-secrétaire Tuzzi ne s'exprimait jamais si nettement.

« Avec sa femme, si, répliqua Stumm. Or, entre elle et moi, il y a une sorte d'alliance fatale.

— Et qu'en est-il de ses rapports avec Arnheim ? demanda Ulrich que Diotime intéressait plus, à ce moment-là, que les soucis du gouvernement. Il n'a plus besoin d'elle; et je suppose que son âme en souffre! »

Stumm secoua la tête. « Il semble que ce ne soit pas si simple non plus! » déclara-t-il avec un soupir.

Jusqu'alors, il avait répondu consciencieusement, mais avec indifférence, et pour cette raison même peut-être assez intelligemment. Mais, depuis l'allusion à Diotime et Arnheim, il semblait vouloir raconter autre chose qui lui paraissait plus important que le retour de Tuzzi à soi-même. « On croirait depuis longtemps, commença-t-il, qu'Arnheim en a assez d'elle. Mais ce sont de grandes âmes! Il se peut que tu les comprennes en partie, mais, eux, ils le sont! On ne peut pas dire qu'il y avait quelque chose, ou qu'il n'y avait rien entre eux. Ils continuent à parler comme naguère, mais on a vraiment le sentiment que cette fois, il n'y a rien entre eux. Ils en sont toujours, en quelque sorte, aux dernières paroles! »

Ulrich se souvint de ce que Bonadea, la praticienne de l'amour, lui avait dit de la théoricienne Diotime; il représenta à Stumm ce qu'il en avait froidement dit, qu'elle était devenue un manuel d'amour. Le général sourit d'un air pénétré. « Peut-être ne voyons-nous pas tous les aspects de la chose, avança-t-il prudemment. Je remarquerai cependant que je n'ai jamais entendu une autre femme parler de la sorte : quand elle commence sur ce ton, j'ai l'impression de porter une vessie à glace sur le corps! D'ailleurs, elle le fait déjà plus rarement; il lui arrive tout de même de dire que ce Congrès mondial de la paix sera une expérience de l'érotisme universel : alors, je me sens dévirilisé par son savoir. Mais... » il fit une petite pause pour souligner l'importance de ce qu'il allait dire, « il doit y avoir là un besoin, une caractéristique de l'époque : même au Ministère de la Guerre, on commence à parler ainsi. Depuis qu'il est question de ce Congrès, tu pourrais entendre des officiers d'Etat-major parler de l'amour de la paix et de l'amour de l'humanité comme de la mitrailleuse modèle 8 ou du fourgon sanitaire modèle 82 ! C'est simplement répugnant !

— Voilà donc pourquoi tu t'intitulais spécialiste déçu de l'amour !

— Oui, mon cher. Tu voudras bien m'excuser : je n'ai pu me retenir, lorsque je t'ai entendu parler, toi aussi, avec cette partialité ! Dans mon service, néanmoins, tout cela me procure de grands avantages !

— Tu n'as donc plus du tout d'enthousiasme pour l'Action parallèle, le culte des grandes idées, et cætera ? demanda Ulrich curieux.

— Même une femme aussi expérimentée que ta cousine en a assez de la culture, répondit le général. J'entends la culture pour elle-même. De plus, même l'idée la plus sublime ne te met pas à l'abri d'une gifle !

— Elle peut faire que ce soit l'autre qui reçoive la suivante.

— C'est juste, dit Stumm. Mais seulement si tu te sers de l'esprit, non si tu le sers gratuitement ! » Là-dessus, il regarda Ulrich avec curiosité pour jouir de l'effet de ce qu'il allait dire. Sûr de son succès, il baissa la voix et dit : « Mais même si je le voulais, je ne le pourrais plus : on m'a réduit à l'impuissance !

— Mes respects ! » s'écria Ulrich en reconnaissant sans le vouloir l'intelligence des autorités militaires. Puis il obéit à une autre idée et dit rapidement : « C'est Tuzzi qui t'a joué ce tour ?

— Absolument pas, voyons ! » dit le général sûr de lui.

Jusqu'alors, ce dialogue avait continué à se dérouler à proximité de la porte d'entrée. Outre les deux interlocuteurs, un troisième personnage y était intéressé en ce sens qu'il en attendait la fin en regardant devant soi dans une immobilité telle que le monde, pour lui, était tout entier limité par deux paires d'oreilles chevalines. Seuls ses poings où passaient les rênes, dissimulés dans des gants blancs en fil, se mouvaient discrètement sur un rythme irrégulier et apaisant : les chevaux, moins perméables à la discipline militaire que l'homme, étaient de plus en plus las d'attendre et s'impatientaient dans les brancards. Le général commanda enfin à cet homme de gagner la sortie et de donner quelque mouvement aux chevaux jusqu'à ce qu'il montât. Puis, il invita Ulrich à faire la traversée du jardin à pied, afin qu'il pût lui confier dans l'ordre les principaux événements sans que personne fût à portée de voix.

Mais Ulrich croyait se représenter très vivement ce dont il s'agissait et, d'abord, ne le laissa pas parler. « Que Tuzzi t'ait mis hors jeu ou non, peu importe, dit-il. Dans cette histoire, tu ne m'en voudras pas si je dis que tu ne joues qu'un rôle accessoire. L'essentiel est que dès l'instant où, le congrès l'ayant fait réfléchir, il a commencé à prévoir une difficile épreuve de charge, il a très rapidement simplifié à la fois l'état de la politique et le sien propre. Il s'est avancé comme, à l'annonce d'une grande tempête, le capitaine qui ne se laisse pas influencer par une mer encore rêveuse. Ce qui jusqu'alors lui avait été si contraire, Arnheim, votre politique militaire, l'orientation allemande, il s'y est maintenant associé; il se serait même associé aux efforts de sa femme si les circonstances n'avaient pas rendu plus utile qu'il les anéantît. Je ne sais comment m'expliquer. Cela tient-il au fait que la vie se simplifie dès qu'on ne se soucie plus de sentiments, qu'on ne se préoccupe que de son but ? Ou est-ce une jouissance criminelle à compter avec les sentiments au lieu d'en souffrir ? Il me semble que je vois le Diable jetant une pleine poignée de sel dans la nourriture éthérée de la vie! »

Le général était feu et flamme. « Je te l'ai dit dès le début! s'exclama-t-il. Il est vrai que je ne parlais que de mensonges, mais la mentalité authentiquement hypocrite est, sous toutes ses formes, quelque chose d'étrangement excitant! Même Leinsdorf, par exemple, a retrouvé sa prédilection pour le réalisme politique; il dit : la politique réaliste, c'est le contraire de ce qu'on aimerait faire! »

Ulrich poursuivit : « L'essentiel, c'est que les propos de Diotime et d'Arnheim, naguère, déconcertaient Tuzzi. Maintenant, ils ne peuvent que le ravir, parce que l'éloquence des êtres qui ne peuvent cacher leurs sentiments offre toutes sortes de points d'appui aux tiers. Il n'a plus besoin de leur prêter son oreille intérieure (ce qui ne lui réussissait jamais), mais simplement l'extérieure : c'est à peu près la même différence qu'entre avaler et assommer un serpent répugnant!

— Hein ? dit Stumm.

— Avaler et assommer!

— Avec les oreilles ?

— J'ai voulu dire que Tuzzi, pour son bonheur, avait passé de la face interne à la face externe du sentiment. Mais peut-être n'aurais-tu pas compris sous cette forme, c'est une idée à moi.

— Non, non c'était fort bien dit! affirma Stumm. Mais pourquoi allons-nous chercher l'exemple des autres ? Diotime et Arnheim sont de grandes âmes, pour cette raison seule ça ne collera jamais! » Ils flânaient le long d'un des sentiers du parc et n'avaient pas fait beaucoup de chemin encore. Le général s'arrêta : « Mais ce qui m'est arrivé n'est pas seulement une histoire de service! » dit-il à son ami étonné.

Ulrich comprit qu'il n'avait pas laissé parler Stumm, et s'excusa. « Ainsi, ce n'est pas sur Tuzzi que tu as buté ? demanda-t-il poliment.

— Un général trébuche peut-être sur un ministre civil, mais pas sur un sous-secrétaire, déclara Stumm avec objectivité et fierté. Je crois que j'ai trébuché sur une idée! » Tel fut le début de son récit.

71. *Pour son plus grand déplaisir, Agathe tombe sur un abrégé historique de la psychologie des sentiments.*

Agathe, cependant, avait découvert une nouvelle série de feuillets où les remarques de son frère se poursuivaient sur un tout autre mode. Il semblait qu'il eût décidé tout à coup d'établir ce qu'était un sentiment, mais d'une manière purement conceptuelle et sans lyrisme. Il devait aussi s'être remémoré toutes sortes de choses ou en avoir lu à cet effet, car ces feuillets étaient couverts de notes qui se référaient tantôt à l'histoire, tantôt à l'analyse de la notion de sentiment. Le tout formait un recueil de fragments dont la liaison organique n'était pas immédiatement discernable.

Agathe trouva d'abord une indication sur ce qui avait pu pousser Ulrich dans cette voie en lisant en marge, au commencement, les mots : « Affaire de sentiment! ». Elle se rappela la conversation qu'ils avaient eue sur ce sujet dans la demeure de sa cousine, avec ses oscillations profondes qui mettaient à nu le fond de l'âme. Elle comprenait que si l'on voulait savoir ce qu'était une affaire de sentiment, il fallait bon gré mal gré se demander ce qu'était un sentiment.

Cela l'aida à s'y retrouver. Les remarques commençaient en disant que tout ce qui arrivait aux humains avait son origine soit dans les sentiments, soit dans la privation de sentiments. En dépit de quoi il n'était pas certain qu'on trouvât une réponse à la question posée dans l'innombrable littérature qui s'en était préoccupée : même les travaux les plus récents, qu'Ulrich tenait pour de réels progrès, exigeaient une assez grande dose de confiance volontaire. Autant qu'Agathe pût voir, il avait laissé de côté la psychanalyse. Elle commença par s'en étonner : comme tous les gens qui ont le goût de la littérature, elle en avait entendu parler plus souvent que de la psychologie classique. Ulrich précisait que s'il la laissait de côté, ce n'était pas qu'il méconnût les mérites de cette importante théorie, riche de notions nouvelles et la première à permettre une explication de beaucoup de phénomènes qui étaient restés jusqu'alors de l'ordre de l'expérience privée la plus anarchique. C'était plutôt que, dans son dessein, elle ne jouerait pas un rôle digne de l'extrême exigence de sa conscience. Son dessein, c'était d'abord de comparer entre elles les principales réponses données à la question de l'essence du sentiment. Ulrich poursuivait en disant que ces réponses se réduisaient à trois, dont aucune n'avait été élaborée avec assez de clarté pour qu'elle pût exclure les deux autres.

Suivaient les notes destinées à exposer ce problème : « La théorie la plus ancienne, demeurée très vivace, part de la conviction qu'une distinction tranchée est possible entre l'état de celui qui sent, et les causes et les effets de cet état; elle entend par sentiment un ordre d'événements intérieurs foncièrement différent des autres (ceux-ci étant, selon elle, la sensation, la pensée et la volonté). Cette conception est populaire, traditionnelle, et incline à considérer le sentiment comme un état : cela ne devrait pas être, mais tient à l'impression vague que non seulement, à chaque moment du sentiment, au cœur même de ses modifications, nous pouvons distinguer que nous sentons, mais encore que nous l'éprouvons comme quelque chose d'apparemment immobile, que nous pouvons persister dans cet état.

En revanche, la théorie moderne part de l'observation du fait que le sentiment est étroitement lié à l'action et à l'expression. Il s'ensuit qu'elle tend à considérer le sentiment comme un phénomène et, en même temps, comme un tout inséparable de ses manifestations et de ses origines. Cette théorie est apparue d'abord en physiologie et en biologie. A l'origine, elle cherchait à donner une explication physiologique des phénomènes psychiques ou, plus nettement encore, à envisager le tout physique auquel même les phénomènes psychiques seraient subordonnés. On peut en considérer le résultat comme la deuxième réponse principale à la question de la nature du sentiment.

Une même orientation de la curiosité vers l'ensemble plutôt que vers un élément, et vers la réalité plutôt que vers une idée préconçue distingue aussi des anciennes les récentes recherches psychologiques concernant le sentiment. Mais leurs intentions et leurs idées directrices sont empruntées, tout naturellement, à leur propre science. Ainsi donnent-elles à la question de la nature du sentiment une troisième réponse qui se fonde sur les deux autres tout en gardant son autonomie. Toutefois, cette troisième réponse ne relève plus d'une considération rétrospective : avec elle commence l'examen des théories actuellement admises, ou jugées admissibles.

Puisque je viens d'effleurer la question de savoir si le sentiment était un état ou un phénomène, j'ajouterai qu'en fait, dans l'évolution à laquelle je faisais allusion, cette question ne joue autant dire aucun rôle, sinon celui d'une faiblesse commune à toutes les conceptions et peut-être pas entièrement sans objet. Si, comme les théories anciennes sembleraient y incliner, je vois dans un sentiment quelque chose de constant qui agit à l'extérieur et à l'intérieur et subit les réactions de ces deux côtés, il est évident que je n'ai pas seulement devant moi un sentiment unique, mais un nombre indéfini de sentiments changeants. Il est vrai que la langue nous fournit rarement un pluriel pour ces sous-espèces du sentiment : elle ne connaît ni *Neide* (envies), ni *Zörner* (colères), ni *Trotze* (dépits), ce sont là, pour elle, les variations du sentiment sous les différentes formes et dans les différents états de son évolution.

Pourtant, il est certain qu'une succession d'états, autant qu'une succession de sentiments, nous renvoie à un phénomène. Croit-on au contraire, conformément à ces observations et aux idées nouvelles, avoir affaire à un phénomène, on ne peut résoudre sans détours la question de savoir ce qu'est *au fond* un sentiment, le point où quelque chose cesse d'appartenir à soi seul et commence à relever de ses causes, de ses conséquences et de toute son escorte. J'y reviendrai plus loin, ces réponses doubles révélant d'ordinaire une erreur dans la manière de poser la question. Il apparaîtra alors, je suppose, que la question de savoir s'il s'agit d'un état ou d'un phénomène n'est qu'une fausse question derrière laquelle s'en dissimule une autre. Je la garderai donc en évidence, en prévision de cette possibilité dont je ne puis décider encore. »

« Je continue à examiner la théorie primitive du sentiment qui distingue quatre actions principales ou quatre états fondamentaux de l'âme. Elle remonte à l'Antiquité et doit être le pendant intact de l'idée que le monde physique était constitué par quatre éléments, le feu, l'eau, l'air et la terre. Aujourd'hui encore, on parle souvent de quatre classes particulières, irréductibles les unes aux autres, d'éléments de conscience; dans la classe des sentiments, le *plaisir* et le *déplaisir* occupent d'ordinaire une situation privilégiée. Ils passent en effet pour être les deux seuls sentiments, ou du moins les seuls qui ne soient absolument pas mêlés. En vérité, peut-être ne sont-ils pas des sentiments, mais une coloration, une accentuation de ceux-ci où se seraient conservées l'antique distinction entre l'attraction et la répulsion, l'opposition entre la réussite et l'échec et d'autres oppositions relevant de la conduite de la vie, fort symétrique à l'origine. La vie qui réussit est tout plaisir : Aristote l'a dit bien avant Nietzsche et nos contemporains. Kant a dit encore : *Le plaisir est le sentiment d'une vie encouragée, le déplaisir celui d'une vie contrariée.* Spinoza a dit du plaisir qu'il était le *passage d'une perfection plus petite à une perfection plus grande.* Toujours, le plaisir a eu cette réputation un peu excessive d'être l'explication dernière (même chez ceux qui le soupçonnaient d'être une illusion).

Chez des penseurs de qualité moyenne et d'un enthousiasme suspect, cela peut atteindre au grotesque. Je citerai ce beau passage d'un manuel contemporain dont je ne voudrais pas oublier une virgule : *Quoi de plus différent, en apparence, que la joie procurée par la solution élégante d'un problème de mathématiques et celle donnée par un bon repas! Pourtant, considérées comme sentiment pur, ces deux joies sont une seule et même chose, du plaisir!* J'ajouterai encore cet extrait d'un jugement rendu tout récemment : *L'indemnité a pour but de donner au sinistré la possibilité de se procurer des sentiments de plaisir correspondant à sa condition ordinaire et qui compensent les sentiments de déplaisir entraînés par le dommage et par ses suites. Dans le cas qui nous occupe, la seule considération du choix limité des sentiments de plaisir correspondant à l'âge de deux ans et demi et de la facilité à s'en procurer les moyens suffit à faire ressortir que l'indemnité exigée est trop forte.* La clarté pénétrante de ces deux exemples nous autorise à faire respectueusement remarquer que le plaisir et le déplaisir resteront longtemps encore le B-A-Ba des théories du sentiment. »

« Poursuivant ces considérations, je constate que la théorie qui équilibre si soigneusement plaisir et déplaisir entend par *sentiments mixtes l'association des éléments de plaisir et de déplaisir avec les autres éléments de la conscience*, voulant dire par là la tristesse, la sérénité, l'irritation et ainsi de suite, toutes choses auxquelles les profanes accordent tant de prix qu'ils voudraient bien en savoir plus que le nom. Des *états d'âme généraux* comme la vivacité ou l'abattement, *où dominent des sensations mixtes de même espèce*, sont définis par elle *unité de situation affective*. Elle nomme *affect* une situation affective qui apparaît *avec soudaineté et violence*, et *passion* celle qui est *chronique*. Si les théories avaient une morale, la morale de cette doctrine pourrait se traduire à peu près comme suit : Si tu veux faire de grands bonds, commence par faire de petits pas! »

« Mais dans des distinctions telles que celles-ci : s'il n'y a qu'un plaisir et qu'un déplaisir ou s'il y en a plusieurs; s'il existe d'autres oppositions, par exemple celle de la tension et du relâchement (officiellement : théorie singulariste et théorie pluraliste); si un sentiment peut se modifier ou si, se modifiant, il en devient déjà un autre; si un sentiment, supposé qu'il consiste en une série de sentiments, se trouve avec ces derniers dans un rapport d'espèce à genre ou dans celui de l'effet aux causes; si les états que parcourt un sentiment, étant admis qu'il en soit un lui-même, sont les états d'un état ou des états différents, donc des sentiments différents; si un sentiment peut entraîner sa propre modification par l'effet des actions et des pensées qu'il déclenche, ou si parler d'entraînement à propos d'un sentiment est aussi impropre et aussi léger que de dire que le laminage d'une tôle entraîne son amincissement, ou le développement des nuages un ciel couvert, — dans toutes ces distinctions, la psychologie traditionnelle a obtenu des résultats qu'il ne faut pas sous-estimer. On pourrait se demander ensuite, il est vrai, si l'amour est une *substance* ou une *qualité*, et le rôle que jouent, à son égard, l'*eccéité* et la *quiddité*. Mais est-on jamais certain qu'on ne devra pas reposer un jour cette question ? »

« Toutes les questions de ce genre supposent un sens de l'ordre extrêmement utile, bien qu'il semble légèrement dérisoire si l'on songe à la nature innocente du sentiment, et qu'il nous soit de peu de secours si l'on songe à la manière dont nos sentiments déterminent nos actes. Ce sens de l'ordre, essentiellement logique et grammatical, muni de mille tiroirs et étiquettes comme une pharmacie, est un reliquat du moyen âge, de l'observation aristotélicienne et scolastique de la nature : l'échec de cette logique grandiose est dû moins aux expériences faites avec son aide qu'à celles où l'on avait cru pouvoir s'en passer. La faute en a été surtout au développement des sciences naturelles : l'évolution de la raison a fait passer la question du réel avant la question du logique. Mais, tout autant, la fatalité qui a voulu que la nature ait paru n'attendre que cette défaillance de la philosophie pour se laisser découvrir, et qu'elle ait répondu avec un empressement qui est loin de s'être épuisé aujourd'hui. Néanmoins, tant que cette évolution n'aura pas pondu le nouvel œuf du monde philosophique, il sera toujours utile de lui donner de temps en temps à mâcher les coquilles de l'ancien, comme on fait aux poules qui vont pondre. Cela est particulièrement vrai de la psychologie du sentiment. Si, dans son vêtement logique bien boutonné, elle s'est révélée finalement complètement impuissante, le contraire n'est que trop vrai des psychologies qui lui ont succédé : eu égard à ce rapport entre vêtement logique et fécondité, elles ont été, du moins dans les belles années de leur jeunesse, de vraies sans-culottes! »

« De ces premières années, que rappellerai-je pour le profit de tous ? Avant tout ceci : la psychologie nouvelle a commencé par la compassion secourable que la Faculté de Médecine garde toujours en réserve pour la Faculté de Philosophie; elle a liquidé l'ancienne psychologie du sentiment en cessant de parler de sentiments pour ne plus parler, scientifiquement, que d'*instinct*, d'*actes instinctifs* et d'*affects*. (Non que l'idée de l'homme considéré comme un être que dominent ses instincts et ses affects fût neuve; mais elle devint une médecine nouvelle du fait qu'il n'allait plus être considéré désormais que comme tel).

L'avantage résidait dans la perspective de ramener le comportement supérieur de l'homme à l'attitude plus générale qui se fonde sur les contraintes puissamment naturelles de la faim, du sexe, de la peur et d'autres états fondamentaux de la vie auxquels l'âme est adaptée. Ainsi, certains phénomènes sont appelés *actes instinctifs*, se produisent sans intention ni réflexion dès qu'une excitation faisant partie du groupe qui leur correspond se manifeste, et sont accomplis de la même manière par tous les animaux de la même espèce, souvent même indifféremment par l'homme et l'animal. On nomme *instinct* une disposition personnelle, mais héréditaire et presque immuable, à de tels actes. Dans ce contexte se rattache ordinairement au terme d'*affect* l'idée un peu vague qu'il doit être l'aspect vécu de l'acte instinctif et des instincts mis en action.

Du même coup, le plus souvent, on présuppose avec plus ou moins de force que tous les actes humains sont des actes instinctifs ou des liaisons entre de tels actes, et que tous nos sentiments sont des affects, des parties, ou des associations d'affects. J'ai feuilleté aujourd'hui quelques manuels de psychologie médicale pour rafraîchir ma mémoire : je n'y ai pas trouvé une seule fois, à l'index, le mot sentiment! Avouons que c'est assez original pour une psychologie du sentiment! »

« Ainsi beaucoup de milieux nourrissent-ils encore maintenant le projet, plus ou moins avoué, de remplacer l'observation intellectuelle de l'âme, qui ne mène à rien, par des notions scientifiques aussi tangibles que possible. Au début, on rêvait que les sentiments ne fussent que des sensations dans les entrailles et les articulations; on affirma plus tard, entre autres, que la peur était une accélération de l'activité cardiaque et un trouble de la respiration, ou que la pensée était une parole intérieure, donc au fond une excitation du larynx. Aujourd'hui, plus noblement, on souhaiterait ramener toute la vie intérieure à des arcs réflexes et autres choses semblables; une école importante et florissante estime même que c'est la seule tâche permise aux psychologues.

Si le but de la science est donc de s'ancrer, si possible avec une ancre automatique en acier, dans le règne naturel, il s'y mêle néanmoins une sorte d'exagération particulière qui pourrait s'exprimer à peu près par cette phrase : ce qui est bas est solide. Ce fut naguère, lorsqu'on dépassa la théologie de la nature, un excès de négation, une *spéculation à la baisse sur les valeurs humaines*. L'homme préférait se considérer comme un fil dans l'étoffe du monde que comme un être debout sur son tapis. On comprend aisément que la psychologie elle-même, quand, tardivement tapageuse, elle se rua dans le matérialisme, comme un jeune homme désireux de jeter sa gourme, ait eu ce désir luciférien, humiliant, de bassesse. Plus tard, en bons concierges d'église, tous les pieux ennemis de la pensée scientifique le lui ont reproché; pourtant, secrètement, ce n'était qu'un brave romantisme noir, un amour enfantin, mais blessé, pour Dieu, et du même coup pour son image; et cet amour continue à agir aujourd'hui, inconsciemment, dans la manière dont cette image est maltraitée. »

« Pourtant, qu'une source d'idées tombe dans l'oubli sans qu'on s'en aperçoive est toujours dangereux : bien des éléments qui ne devaient leur assurance candide qu'à cet oubli se sont maintenus ainsi, non moins candidement, dans la psychologie médicale, de sorte qu'un grand désordre s'est produit ici ou là, auquel participent précisément les notions fondamentales, en particulier celles d'instinct, d'affect et d'acte instinctif. Prenons la question de la nature et du nombre des instincts : non content d'en donner des réponses extrêmement différentes, on le fait encore sans la moindre hésitation. J'ai eu sous les yeux un ouvrage où l'on distinguait les *groupes d'ins-*

tincts de la nutrition, de la sexualité et de la conservation; un autre, que je lui comparai, citait un instinct de vie, un besoin de paraître et cinq autres instincts; la psychanalyse, qu'on pourrait aussi bien qualifier accessoirement de psychologie animale, a longtemps semblé n'en connaître qu'un seul; et ainsi de suite. Il n'y a pas moins de divergences dans la définition du rapport entre l'acte instinctif et l'affect : sans doute s'accorde-t-on d'ordinaire pour dire que l'affect est l'aspect vécu de l'acte instinctif. Mais est-ce tout l'acte qui est vécu comme affect, donc aussi le comportement extérieur, ou est-ce seulement le comportement intérieur ? Est-ce une partie du comportement intérieur, ou des parties de l'un et de l'autre dans un certain dosage ? On affirme tantôt ceci, tantôt cela, et quelquefois les deux ensemble. On n'est même pas d'accord partout sur le fait que j'ai noté il y a un instant de mémoire sans y rien objecter, qu'un acte instinctif se produit *sans intention ni réflexion.* »

« Faut-il s'étonner dès lors si, derrière les explications physiologiques de notre conduite, réapparaît finalement cette simple idée familière que nous laissons les réflexes en chaîne, les secrétions et les mystères de notre corps guider cette conduite uniquement parce que nous cherchons le plaisir et évitons la douleur ? Ce n'est pas seulement dans la psychologie, mais aussi dans la biologie générale et même dans l'économie politique, en un mot partout où l'on cherche à fonder un comportement, que le plaisir et la douleur continuent à jouer ce rôle : deux sentiments si misérables, qu'il est malaisé d'en imaginer de plus simples. Sans doute l'idée infiniment plus diverse de la satisfaction des instincts serait-elle en mesure de colorer un peu ce tableau, mais la vieille habitude est bien ancrée : ne nous arrive-t-il pas de lire même, quelquefois, que les instincts aspirent à être satisfaits parce que cette satisfaction est précisément le plaisir ? Autant dire que l'échappement est la partie motrice d'un moteur! »

C'est ainsi qu'Ulrich en était venu finalement à parler du problème de la simplicité, encore que ce fût sans doute une digression.

« Pourquoi y a-t-il un tel attrait pour l'esprit à croire qu'il doit ramener le monde des sentiments au plaisir et à la douleur ou aux processus physiologiques les plus simples ? Pourquoi accorde-t-il à un élément psychologique quelconque d'autant plus de valeur explicative qu'il est plus simple ? Pourquoi ces éléments psychologiques eux-mêmes lui semblent-ils moins précieux pour l'explication que les éléments physicochimiques et, surtout, que la réduction au mouvement des atomes ? C'est rarement pour des motifs rationnels, plutôt à demi-inconsciemment; quoi qu'il en soit, ce préjugé est très répandu. Sur quoi donc se fonde la croyance que le secret de la nature doit être simple ?

Il faut distinguer deux choses. La réduction du composé au simple et au petit est, dans la vie quotidienne, une habitude qu'a justifiée une expérience profitable : un tel nous apprend à danser en nous montrant les pas, et nous enseigne qu'on comprend mieux une chose du moment qu'on l'a démontée puis remontée. En revanche, la science ne voit dans la simplification qu'une étape intermédiaire : même ce qui paraît être une exception à cette règle y est en réalité soumis. Finalement, en effet, loin de ramener le composé au simple, elle soumet le particulier aux lois générales dont la recherche est son véritable but, et celles-ci ne sont pas tellement simples que synthétiques. Elles ne simplifient la diversité des événements que dans leur application, c'est-à-dire de seconde main.

De la sorte, dans la vie, il est deux simplicités qui tranchent l'une sur l'autre : ce qui est simple d'avance, et ce qui ne l'est qu'après coup, ne sont pas simples de la même façon. Ce qui est simple d'avance, quoi que ce puisse être, l'est le plus souvent par manque de contenu et de forme, c'est donc aussi un peu simplet, ou mal observé. Mais ce qui *devient* simple, qu'il s'agisse d'une idée, d'une manœuvre ou de la volonté, participe et détient en soi quelque chose de la puissance de la vérité et du pouvoir qui maîtrise la confusion du divers. D'ordinaire, on confond ces deux simplicités : soit qu'on parle dévotement de la simplicité et de l'innocence de la Nature; soit qu'on croie qu'une morale simple est en toutes circonstances plus proche de l'éternel qu'une morale compliquée; soit qu'on confonde la volonté brutale avec la volonté forte. »

Quand Agathe fut arrivée à ce point de sa lecture, elle crut entendre sur le gravier du jardin le pas d'Ulrich qui rentrait : elle remit rapidement les feuillets dans le tiroir. Mais, quand elle se fut persuadée de son erreur et assurée que son frère s'attardait encore dans le jardin, elle les reprit et poursuivit un moment sa lecture.

72. *Les dossiers D et L.*

Quand, dans le jardin, le général Stumm von Bordwehr avait commencé à expliquer pourquoi il pensait avoir trébuché sur une idée, il apparut bientôt qu'il le faisait avec le plaisir que donne un sujet bien potassé. Tout avait commencé par le blâme qu'il avait reçu, comme il s'y attendait, à la suite de la sotte résolution qui avait obligé le Ministre de la Guerre à quitter presque en fuyard la maison de Diotime. « J'avais tout prévu ! » s'écria le général assez content de lui. Puis il ajouta, plus modestement : « Sauf ce qui devait suivre. » En dépit de toutes les précautions, quelque chose du fâcheux incident avait filtré dans les journaux, et on l'avait ressorti lors des excès dont le comte Leinsdorf avait été la victime. Comme Stumm l'avait laissé entendre déjà en présence d'Agathe et selon qu'il l'expliquait maintenant en détail, le comte Leinsdorf, de retour de ses propriétés de Bohême, était tombé avec sa calèche, dans une ville où il voulait prendre l'express, entre les deux fronts d'une bagarre politique. Stumm décrivit le reste de la sorte : « Bien entendu, ils avaient organisé leurs troubles pour une tout autre raison : pour quelque ordonnance du gouvernement sur l'emploi des langues nationales dans les bureaux ou je ne sais quelle autre de ces histoires sur lesquelles on s'est échauffé si souvent qu'on ne le peut presque plus. Il y avait donc simplement, d'un côté des rues, les habitants de langue allemande qui criaient « Fi ! » aux autres, et de l'autre côté les citadins d'autres langues qui criaient aux Allemands : « Pouah ! » : ça n'aurait pas été plus loin. Mais Leinsdorf est connu pour être un pacificateur : il veut que les groupes ethniques réunis sous le sceptre de la monarchie forment un seul peuple, et il le dit constamment. Or, si je puis m'exprimer ainsi puisque personne ne nous écoute, tu sais aussi que deux chiens qui se contentaient de gronder l'un contre l'autre, dès qu'on veut les apaiser, se sautent dessus. On reconnut Leinsdorf : les sentiments y trouvèrent un aliment considérable. Les manifestants formèrent d'abord un chœur parlé en deux langues et demandèrent : *Où donc en est l'enquête pour la détermination des vœux des milieux intéressés, monsieur le Comte?* puis ils se mirent à hurler : *Tu joues au pacificateur, et tu es un assassin dans ta maison!* Te rappelles-tu l'histoire qu'on lui attribue, selon laquelle, il y a cent ans, alors qu'il était encore un jeune homme, une cocotte serait morte une nuit qu'elle se trouvait chez lui ? On prétend maintenant qu'ils voulaient aussi faire allusion à ce drame. Et tout cela à cause de cette stupide résolution selon laquelle il faudrait se faire tuer pour ses idées, et non pour celles des autres, résolution qui n'existe pas, puisque j'ai empêché qu'on l'inscrive au procès-verbal! Mais il semble qu'elle se soit ébruitée, et comme nous ne l'avons pas laissé passer, on nous soupçonne tous, maintenant, d'être des assassins du peuple! Cette histoire est parfaitement déraisonnable, mais somme toute logique! »

Ulrich fut frappé par cette distinction.

Le général haussa les épaules. « Je la tiens du Ministre de la Guerre lui-même. Comme il m'avait fait venir à son bureau après le grabuge Tuzzi, il m'a dit : Mon cher Stumm, tu n'aurais pas dû laisser les choses aller aussi loin! Je lui ai répondu ce qui me venait à l'esprit, lui ai parlé de l'esprit du temps, lui ai expliqué que l'esprit du temps avait besoin de s'exprimer et aussi d'être étayé : en un mot, je me suis efforcé de lui prouver qu'il était important de chercher une idée d'époque, de s'enthousiasmer pour elle, même si elle était provisoirement deux idées qui se contredisent et s'exaspèrent mutuellement au point qu'il est impossible de jamais prévoir ce qui en sortira. Mais il m'a répliqué : Mon cher Stumm, tu es un philosophe! Mais un général *doit* savoir! Quand tu conduis une brigade au combat, l'ennemi ne te confie pas non plus ses projets et l'état de ses forces! Là-dessus, il m'a imposé une fois pour toutes la plus grande réserve. » Stumm n'interrompit son récit que pour faire provision de souffle, et poursuivit : « C'est pourquoi, quand l'histoire Leinsdorf s'est produite, je me suis fait annoncer immédiatement chez le Ministre : j'avais prévu qu'on mettrait de nouveau toute la faute sur l'Action parallèle, et j'ai voulu prévenir cela. Excellence! ai-je dit. Ce que le peuple a fait là-bas était déraisonnable, mais on aurait pu le prévoir, car il en va toujours ainsi. Dans un cas pareil, je ne compte pas avec la raison, mais avec les passions, les slogans, et cætera. Sans même parler de cela, c'eût été inutile, car Son Altesse est un vieux monsieur têtu et difficilement influençable... Voilà à peu près ce que j'ai dit : le Ministre m'a écouté tout au long sans mot dire, en hochant la tête. Mais, ou il a oublié ce qu'il m'avait dit la fois précédente, ou la moutarde lui est montée au nez, car il m'a répliqué brusquement : Je te l'ai dit, tu es un philosophe, Stumm! Ni Son Altesse ni le peuple ne m'intéressent. Mais tu parles tantôt de raison, tantôt de logique, comme si c'était une seule et même chose, et je suis obligé de te faire remarquer que ce n'est pas du tout le cas! Un civil peut avoir de la raison, il n'y est pas obligé. Mais ce qu'il faut pour affronter la raison, ce que je dois absolument exiger de mes généraux, c'est la logique. Le peuple n'a aucune logique, mais il doit la deviner chez ses supérieurs ! C'est ainsi que s'est terminé notre entretien, conclut Stumm von Bordwehr.

— Je ne comprends absolument pas ce qu'il voulait dire, mais il me semble que ton Chef suprême en second, dans l'ensemble, n'est pas mal disposé envers toi! » dit Ulrich.

Ils arpentaient les allées du jardin. Stumm fit encore quelques pas sans répondre, puis s'arrêta si brusquement que le gravier crissa sous ses semelles. « Tu ne comprends pas? s'écria-t-il. Moi non plus, au début, je n'ai pas compris. Mais, peu à peu, j'ai compris dans toute leur portée les raisons qui donnaient raison à Son Excellence le Ministre! Pourquoi donc a-t-il raison? demanda Stumm intraitable. Parce que le Ministre de la Guerre a toujours raison! Quand il y a un scandale chez Diotime, je ne peux pas filer avant lui, je ne peux pas non plus deviner l'avenir de la Bohême : il est déraisonnable d'exiger ça de moi! Et je ne puis pas davantage, comme dans le cas Leinsdorf, tomber en disgrâce pour une affaire qui ne me regarde pas plus que la naissance de feu ma grand-mère! Néanmoins, le Ministre de la Guerre qui exige tout cela de moi a raison, parce que le supérieur a toujours raison! C'est une banalité, et ce n'en est pas une. Comprends-tu, maintenant ?

— Non, dit Ulrich.

— Mais voyons! supplia Stumm, tu me fais des difficultés parce que tu te sens indépendant, parce que tu as le sentiment du droit ou pour je ne sais quelle raison de ce genre, et tu ne veux pas reconnaître qu'il s'agit là de quelque chose de plus sérieux! En fait, tu t'en souviens très bien : à toi aussi, à l'armée, on t'a répété à chaque occasion : un officier doit savoir penser logiquement! La logique est précisément ce qui distingue à nos yeux un militaire d'un civil! Mais entend-on par là la raison ? Non. La raison est réservée à l'aumônier, au médecin militaire, aux fonctionnaires des Archives de la science militaire. Mais la logique n'est pas la raison. La logique consiste à agir en toutes circonstances honorablement, mais conséquemment, sans égards et sans pitié, et à ne se laisser égarer par rien! Le monde n'est pas régi par la raison : il doit être gouverné par une logique d'acier, même si, depuis qu'il existe, il n'a connu que parlottes! C'est ce que le Ministre m'a laissé entendre : tu avoueras que ça n'est pas tombé chez moi dans un sol absolument stérile, puisqu'il ne s'agit de rien d'autre que de la bonne vieille mentalité d'officier. Depuis, je la sens renaître un peu en moi. Tu ne le nieras pas : il faut que nous soyons prêts à nous battre avant de commencer à parler de la Paix éternelle; il faut que nous corrigions nos erreurs et nos défauts pour ne pas être handicapés dans la grande fraternité universelle. Notre esprit n'est pas prêt à se battre! Il n'est jamais prêt du tout! L'esprit civil est un ballottement, des montagnes russes avec beaucoup de gravité, tu l'as comparé toi-même un jour à une perpétuelle guerre de religion : nous ne pouvons pas nous laisser ruiner par cette guerre! Il nous faut quelqu'un qui, comme on dit à l'armée, ait de l'initiative et prenne le commandement : les supérieurs sont là pour ça, je le reconnais moi-même. Et je ne suis pas tout à fait sûr de ne m'être pas laissé entraîner trop loin, quelquefois, par mon intérêt pour les entreprises intellectuelles. »

Ulrich dit : « Que serait-il arrivé si tu ne l'avais pas reconnu ? Est-ce qu'on t'aurait dégommé ?

— Ça non, dit Stumm. Supposé, bien entendu, que le sens militaire des rapports de force ne me fasse pas défaut aussi.

On m'aurait donné une brigade de *landwehr* à Wladischmirschowitz ou à Knobljoluka au lieu de me laisser au croisement de la puissance militaire et de l'illumination civile où je puis peut-être me montrer encore utile à la culture qui nous est à tous commune! »

Ils avaient déjà parcouru plusieurs fois dans les deux sens les allées qui séparaient la maison de la sortie près de laquelle la voiture attendait, mais, cette fois encore, le général revint sur ses pas avant qu'ils eussent atteint la grille. « Tu te méfies de moi, dit-il d'un air désolé. Tu ne m'as même pas demandé une seule fois ce qui s'était passé à l'annonce du Congrès de la Paix!

— Eh bien! que s'est-il passé ? Le Ministre t'a de nouveau appelé à son bureau, et que t'a-t-il dit ?

— Non! Il ne m'a rien dit! J'ai attendu huit jours, mais il n'a plus rien dit! » Après un moment de silence, le général ne put plus se contenir et s'écria : « Mais ils m'ont enlevé le dossier D!

— Qu'est-ce que le dossier D ? demanda Ulrich bien qu'il le devinât.

— Dossier Diotime, naturellement, répondit Stumm avec une douloureuse satisfaction. Dans un ministère, il n'est pas de problème un peu important qui n'ait son dossier : c'est ce qui s'est produit lorsque Diotime a organisé ses congrés privés pour la découverte d'une idée patriotique et lorsque notre attention a été mise en éveil par le vif intérêt qu'y prenait Arnheim. Ce dossier m'a été confié, comme tu l'auras remarqué sans doute; on m'a donc demandé comment il fallait l'appeler : on ne peut pas cataloguer ça comme un dépôt de médicaments ou un cours d'intendance, et le nom de Tuzzi, pour des raisons interministérielles, ne pouvait être cité. Je ne trouvais rien de décisif, de sorte que j'ai fini par proposer, pour ne dire ni trop ni trop peu, de l'appeler le dossier D. D, pour moi, c'était Diotime, mais personne ne le savait, et ça n'en a pas moins eu pour les autres un son éminemment authentique, comme le nom d'un livret de service, sinon même comme un secret accessible au seul État-major général. Ç'a été une de mes meilleures idées, conclut Stumm qui ajouta en soupirant : J'avais encore le droit d'avoir des idées, alors! »

Néanmoins, il ne semblait pas suffisamment ragaillardi. Quand Ulrich, de qui le goût de rentrer dans le monde était presque passé et les provisions de loquacité en tous cas épuisées, après un sourire approbateur, retomba dans le silence, Stumm recommença ses doléances. « Tu ne me fais pas confiance. Après ce que j'ai dit, tu me prends pour un militariste. Parole d'honneur! je me défends d'en être un, et je ne veux pas laisser disparaître sans plus de façons ce à quoi j'ai cru si longtemps! Ce sont ces idées sublimes qui font du soldat un homme : crois-moi, ami! quand j'y pense, j'ai l'impression d'être un veuf que sa meilleure moitié a précédé dans l'autre monde! » Il retrouva un peu de feu : « Bien entendu, la République des esprits est aussi anarchique que les autres. Mais quel bonheur vous donne la seule idée que personne n'a affermé la vérité pour soi seul et qu'il existe encore une quantité d'idées que l'on n'a pas encore trouvées (à cause, peut-être, du manque d'ordre qui règne parmi elles)! En ce sens, pour l'armée, j'étais un novateur! Ils pouvaient bien m'appeler à l'État-major, à cause de mes propositions changeantes, la « batterie mobile », ils n'en ont pas moins profité des richesses que je leur dispensais!

— Et tout cela est fini ?

— Ça pourrait ne pas l'être absolument; mais j'ai moi-même perdu un peu de ma confiance en l'esprit! gronda Stumm, appelant la consolation.

— Là, tu as raison! dit sèchement Ulrich.

— C'est toi qui me dis cela ?

— Je l'ai toujours dit. Je t'ai averti dès le début, avant le Ministre. L'esprit ne convient que modérément aux gouvernants. »

Stumm voulut récuser cette proposition. Il affirma : « Ç'a toujours été mon avis aussi!

— L'esprit est inséparable de la vie comme d'une roue qu'il fait rouler et qui le *roue*. »

Stumm ne le laissa pas poursuivre. « Si tu allais supposer que ces circonstances extérieures ont été déterminantes pour moi, dit-il, tu m'humilierais. Il s'agit aussi d'une clarification de l'esprit. De plus, le dossier D m'a été retiré en tout honneur. Le Ministre m'a fait venir pour me dire en personne que c'était nécessaire parce que le chef de l'État-major général voulait un rapport personnel sur le Congrès mondial de la paix : ils ont tout de suite retiré le tout au Service culturel pour l'annexer au Service des renseignements du Bureau de contrôle...

— Le deuxième Bureau ? demanda Ulrich ranimé.

— Quel autre verrais-tu ? Celui qui ne sait pas ce qu'il veut doit au moins savoir ce que veulent les autres. Or, je te le demande un peu, qu'est-ce qu'un État-major général peut bien vouloir à un Congrès mondial de la paix ? L'empêcher serait barbare, l'encourager serait peu militaire ! Ils l'observent. Qui donc a dit : *Le tout est d'être prêt?* Peu importe, mais celui qui l'a dit comprenait un peu les questions militaires... »

Stumm avait oublié son chagrin. Il se tournait de ci de là sur ses courtes jambes et essayait de décapiter une fleur du fourreau de son sabre. « Je crains seulement que ce soit trop difficile pour eux et qu'ils ne reviennent me demander à genoux de reprendre mon dossier ! Finalement, toi et moi, avec notre expérience presque vieille d'un an, nous savons comment ce genre de congrès se divise en projets et contre-projets. D'ailleurs, crois-tu vraiment (en faisant abstraction maintenant des difficultés particulières du gouvernement) qu'un ordre puisse venir uniquement de l'esprit ? »

Il avait cessé de s'occuper des fleurs et, le front plissé, le fourreau du sabre à la main, il regardait son ami avec insistance, les yeux dans les yeux.

Celui-ci lui sourit et ne dit rien.

Stumm laissa retomber son sabre parce qui'il avait besoin des pointes de ses doigts, gantés de blanc, pour une définition délicate : « Il faut que tu comprennes bien la distinction que je fais entre l'esprit et la logique. La logique, c'est l'ordre. L'ordre est indispensable ! C'est le principe de l'officier, et je m'y soumets. Mais peu importe sur quelles idées se fonde l'ordre : c'est affaire à l'esprit (ou, comme le dit le Ministre, de façon un peu démodée, à la raison), et l'officier n'a rien à y voir. Mais l'officier se méfie des dispositions du civil à devenir raisonnable de soi-même, quelles que soient les idées sur lesquelles il se fonde pour le tenter. Peu importe : à quelque genre d'esprit qu'on ait eu affaire au cours des temps, il y a toujours eu une guerre au bout ! »

C'est ainsi que Stumm exposa ses vues nouvelles et ses scrupules. Sans le vouloir, Ulrich le résuma par une allusion à une déclaration bien connue en lui demandant : « Tu serais donc tenté de dire, au fond, que la guerre est un élément de l'ordre du monde institué par Dieu ?

— C'est une façon de parler trop intellectuelle, dit Stumm

d'un air approbateur, mais réservé. Je me demande simplement si on ne peut pas se passer de l'esprit. Si je peux manier l'homme par l'éperon et la barrière, comme une pièce de bétail, il faut que j'aie en moi une pièce de bétail : un vrai cavalier est plus près de son cheval, par exemple, que de la philosophie du droit! Les Prussiens appellent ça le cochon que chacun porte en soi, et ils le domptent à la spartiate. En tant que général autrichien, je préfèrerais dire ceci : plus un État est ordonné, moins on y a besoin d'esprit : si l'État est parfait, on s'en passe complètement! Voilà un singulier et difficile paradoxe! Mais de qui est ce que tu as dit? Si c'est de quelqu'un...

— De Moltke. Il a dit que les plus hautes vertus humaines, le courage, le renoncement, la fidélité au devoir, le sens du sacrifice ne se développaient que dans la guerre, et que le monde, sans la guerre, sombrerait dans le pire matérialisme.

— Tu vois! s'écria Stumm. C'est intéressant! Ce qu'il dit là, je me le suis dit plus d'une fois!

— Mais Moltke dit dans une autre lettre au même correspondant, donc presque d'une même haleine, que même une guerre victorieuse est une catastrophe nationale, ajouta Ulrich.

— Là, l'esprit l'a tenaillé! dit Stumm avec conviction. Je n'ai jamais lu une ligne de lui, je l'ai toujours trouvé trop militaire. Et crois-moi, j'ai toujours été antimilitariste. Toute ma vie, j'ai pensé : plus personne aujourd'hui ne croit à la guerre, on ne peut plus qu'en rigoler. Et je ne voudrais pas que tu croies que j'ai changé parce que je suis différent! »

Il avait fait signe à la calèche de s'approcher et avait déjà mis le pied sur le marchepied quand une hésitation lui vint. Il regarda Ulrich d'un air à vouloir forcer sa conviction. « Je suis resté fidèle à moi-même! Mais si j'ai aimé l'esprit civil, jadis, avec des sentiments de jeune fille, je l'aime maintenant, si je puis dire, comme aime une femme mûre : ce n'est pas un idéal, on n'arrive même pas à l'accorder avec lui-même. C'est pourquoi je t'ai dit (pas aujourd'hui seulement, mais depuis toujours) qu'il fallait traiter les hommes autant par la bonté que par la force, il faut les aimer *et* les couillonner pour obtenir un résultat. Finalement, ce n'est pas autre chose que la mentalité militaire, au-dessus des partis, celle qui doit distinguer le soldat du civil. Je ne prétends à aucun mérite personnel, je veux seulement te montrer que cette mentalité parlait en moi depuis longtemps!

— Tu vas me répéter maintenant que la Guerre civile de 66 a éclaté quand tous les Allemands se sont proclamés frères! fit Ulrich en souriant.

— Bien sûr! dit Stumm. Et maintenant, ce sont tous les hommes qui se proclament frères! On se demande ce qui va en sortir! Ce qui arrive réellement est toujours si inattendu. Nous avons réfléchi près d'un an, et les choses se sont passées tout autrement. Il semble que mon destin ait voulu que l'esprit, dès que j'y ai voué toute mon attention, me ramène au militaire! Néanmoins, si tu réfléchis à tout ce que je t'ai dit, tu aboutiras à ceci : sans m'identifier à rien, je découvre en tout une parcelle de vérité. Voilà à peu près la quintessence de ce dont nous avons parlé! »

Stumm, après un coup d'œil à sa montre, voulut donner le signal du départ : le plaisir d'avoir dit ce qu'il voulait dire était si vif qu'il en avait oublié tout le reste. Mais Ulrich, amicalement, mit la main sur lui et dit : « Tu ne m'as pas encore confié ce qu'était ta nouvelle petite mission. »

Stumm se récusa : « Aujourd'hui c'est trop tard. Je dois filer. »

Mais Ulrich l'avait attrapé par un des boutons dorés qui étincelaient sur son ventre et le retint jusqu'à ce qu'il se rendît. Stumm accrocha la tête d'Ulrich et lui dit à l'oreille : « Tout à fait entre nous, alors : Leinsdorf!

— Je suppose qu'il doit être écarté, ô assassin politique! » chuchota encore Ulrich, mais si tranquillement que Stumm, offensé, lui fit signe que le cocher était là. Ils se redressèrent et Ulrich s'éloigna de la portière. Ils jugèrent préférable dès lors de parler à voix haute, mais en évitant de citer le nom. « Laisse-moi réfléchir moi-même, dit Ulrich, et voir si je me retrouve encore dans votre univers : *Il* a fait tomber le dernier ministre des Cultes et, depuis le nouvel affront qu'*Il* a subi, on peut s'attendre qu'*Il* impose le même sort au nouveau. En ce moment, ce serait fâcheux, et on doit le prévenir. D'autre part, pour une raison ou pour une autre, *Il* demeure toujours attaché à ses convictions : les Allemands sont un danger pour l'État, le baron Wisnietzky, qu'ils ne peuvent souffrir, est l'homme qu'il faut pour la propagande auprès d'eux, le Gouvernement n'aurait pas dû modifier son orientation, et ainsi de suite... »

Stumm eût pu interrompre Ulrich, mais il l'écoutait volontiers et lui vint même en aide. « Finalement, c'est lui qui a donné le mot d'ordre de l'action à l'Action parallèle. Tandis que tous les autres s'écrient simplement : C'est l'esprit nouveau, *Il* dit à qui préfèrerait ne pas l'entendre : Il faut que quelque chose se passe!

— Et on ne peut pas le faire tomber, c'est une personne privée. De toutes manières, on a déjà tué l'Action sous sa selle, fit Ulrich.

— Le danger est donc qu'il entreprenne autre chose! expliqua le général.

— Mais que veux-tu faire là-contre? demanda Ulrich curieux.

— Mon Dieu! j'ai simplement pour mission de le distraire, de l'occuper et, si tu veux, de le surveiller aussi un peu...

— Somme toute, un dossier L? O azur trompeur!

— Tu peux l'appeler comme ça entre nous, mais, bien entendu, il n'a pas de nom officiel. J'ai simplement pour mission » (et cette fois Stumm voulut tout de même savourer le nom, en baissant la voix) « de me coller au cou de Leinsdorf comme une tique : ce sont les propres gracieuses paroles de Son Excellence!

— Il faut bien pourtant qu'il t'ait donné un but à atteindre?»

Le général se mit à rire. « Parler! Je dois parler avec lui. Entrer dans le détail de ses pensées, parler jusqu'à ce qu'il se trahisse, si possible, et ne fasse rien d'imprévu. *Taris-le!* m'a dit Son Excellence en ajoutant que c'était une grande preuve de confiance et une mission honorifique. Au cas où tu me demanderais si c'est tout, je pourrais seulement te répondre que c'est déjà beaucoup. Ce vieux seigneur est extraordinairement cultivé, et c'est une personnalité éminemment intéressante. » Il avait donné au cocher le signal du départ et cria encore : « Le reste une autre fois! Je compte sur toi! »

Il fallut que le roulement de l'attelage se fût éloigné pour qu'Ulrich songeât que Stumm avait peut-être eu aussi l'intention de le rendre inoffensif à son tour, lui qu'on avait naguère soupçonné de pouvoir inspirer au comte Liensdorf quelque autre invention saugrenue.

73. *Naïve description de la formation d'un sentiment.*

Agathe avait lu encore une grande partie des feuillets suivants.

Ils ne contenaient pas l'exposé promis de l'évolution actuelle de la notion de sentiment : avant qu'Ulrich n'examinât ces conceptions dont il espérait tirer le plus grand profit, il avait essayé, selon ses propres termes, de « représenter la naissance et la croissance d'un sentiment comme en l'épelant d'un doigt grossier, avec la naïveté d'un profane non dépourvu d'entraînement intellectuel. »

Ces remarques continuaient ainsi : « On considère d'ordinaire le sentiment comme quelque chose qui a des causes et des conséquences, et je me bornerai à l'hypothèse que la cause est un stimulant extérieur. Ce stimulant, bien entendu, suppose des circonstances favorables, c'est-à-dire des circonstances aussi bien extérieures qu'intérieures, une disposition intérieure, et c'est de cette trinité que dépend d'abord la réponse donnée au stimulant. D'ordinaire en effet, qu'un sentiment se déclenche par surprise ou rétrospectivement, son développement et son cours, les idées qu'il entraîne, sa nature enfin, dépendent autant de l'état où se trouvait celui qui en est atteint, de son entourage, que du stimulant lui-même. Pour l'état personnel de celui qui sent, donc pour son tempérament, son caractère, son âge, son éducation, ses dispositions, ses principes, ses expériences passées et ses tensions présentes, cela semble aller de soi, bien que ces conditions n'aient pas de limite précise et se perdent dans les profondeurs de la personne et de son destin. Mais le milieu, ou même ce qu'on sait, ou ce qu'on suppose à part soi du milieu où l'on vit peut étouffer ou favoriser un sentiment : la vie sociale en offre cent exemples. Il y a dans toute situation des sentiments qui conviennent et d'autres qui ne conviennent pas; les groupes de sentiments qui dominent, ou du moins qui sont favorisés dans la vie publique comme dans la vie privée, et ceux qui sont étouffés changent selon les contrées et les époques; on a même vu se relayer des époques pleines de sentiment et des époques pauvres en sentiment.

A cela s'ajoute le fait que les circonstances extérieures et les circonstances intérieures, de même que celles-ci et le stimulant, ainsi qu'on peut aisément le constater, ne sont pas indépendantes les unes des autres. L'état intérieur a été adapté aux circonstances extérieures et aux stimulants qui leur correspondent : il était donc dépendant d'eux. Les circonstances extérieures, elles, ont dû être enregistrées, de sorte que leur apparition aussi dépendait de l'état intérieur avant qu'une rupture de cet équilibre introduisît un nouveau sentiment et que celui-ci préparât, ou représentât lui-même, un nouvel équilibre. De même, d'ordinaire, le stimulant n'agit pas directement, mais selon la manière dont il est accueilli : et cet accueil lui-même ne se produit que sur la base de perceptions auxquelles devaient être déjà liés, nécessairement, les débuts de l'excitation.

Cela mis à part, le stimulant capable de faire naître un sentiment dépend déjà de ce dernier dans la mesure où ce qui exciterait, par exemple, un homme affamé, demeure indifférent à un blessé, ou inversement. »

« Des complications analogues apparaissent quand il faut décrire *dans l'ordre* ce qui suit. Ainsi, il est impossible de dire quand un sentiment *est là*, bien que selon la conception fondamentale de sa naissance et de son action, un tel moment doive exister. En vérité, le stimulant ne frappe pas l'état existant comme la balle la cible mécanique qui déclenche un carillon de conséquences : il se prolonge et entraîne une recrudescence de forces intérieures qui, autant qu'elles agissent dans son sens, modifient son action. De même, une fois qu'il est là, le sentiment ne s'épuise pas immédiatement dans son action, pas plus qu'il ne reste ne serait-ce qu'un instant identique à lui-même ou qu'il ne demeure comme suspendu à mi-chemin entre les phénomènes qu'il subit ou qu'il engendre : non! le sentiment est inséparable d'une constante modification de tout ce qui lui est lié extérieurement et intérieurement; il ressent le contre-coup des deux côtés.

Les sentiments ont en propre une tendance très vive, souvent passionnée à modifier les stimulants auxquels ils doivent leur naissance, à les éliminer ou à les encourager; et les principales directions de la vie sont celles qui viennent de l'extérieur ou qui y vont. C'est pourquoi la colère comporte déjà la contre-attaque, le désir l'approche, la crainte le passage à la fuite, à la paralysie ou, entre deux, au cri. Le sentiment trouve aussi une grande part de sa singularité, de son contenu même, dans le contre-coup de ce comportement actif; la phrase célèbre d'un psychologue américain : *Nous ne pleurons pas parce que nous sommes tristes, nous sommes tristes parce que nous pleurons* est peut-être exagérée, mais il est certain qu'on n'agit pas seulement comme on sent : on apprend assez vite à sentir comme on agit, quelles qu'en soient les raisons. On trouve un exemple bien connu de ces réactions dans le jeu des chiens qui commence en folâtrerie et finit en combat sanglant; mais on peut observer des phénomènes semblables chez les enfants et les êtres simples. Et n'en trouvera-t-on pas un autre exemple plus vaste dans le côté théâtral de la vie, avec ses attitudes mi-graves, mi-légères d'honneur et de vénération, de menace, de gentillesse, de modération, ses attitudes de représentation, qui éliminent le jugement et influencent directement le sentiment ? Le *drill* même relève de ce phénomène et repose sur le fait qu'une longue contrainte finit par engendrer les sentiments dont elle aurait dû, normalement, être le résultat. »

« A vrai dire, dans cet exemple comme dans les autres, ce qui est plus important que le contre-coup de l'action, c'est qu'une expérience vécue change de signification quand elle sort du champ des forces qui la déterminaient au début pour entrer dans d'autres réseaux psychiques. Car des phénomènes analogues à ceux de la face extérieure se produisent sur la face intérieure. Le sentiment cherche à pénétrer dans l'intérieur : il *envahit l'être tout entier*, comme dit non sans justesse le langage courant; il évince ce qui ne lui convient pas et favorise ce dont il peut s'alimenter. J'ai trouvé dans un traité de psychiatrie, pour traduire cela, les bizarres expressions *force de commutation* et *activité de relai*. Mais, de la sorte, le sentiment engage l'être intérieur à se tourner vers lui. Les dispositions intérieures qui ne s'épuisent pas du premier coup s'imposent peu à peu au sentiment; et finalement, dès que celui-ci s'empare de forces plus grandes, accumulées dans les pensées, les souvenirs, les principes et ailleurs encore, celles-ci s'emparent de lui à leur tour et le modifient au point qu'il est difficile de décider s'il faut parler de *saisie* ou de *saisissement.*

Lorsqu'un sentiment, par ce processus, à atteint son point culminant, il faut bien que, par le même processus, il perde peu à peu de sa force et de sa densité. Son domaine sera envahi alors par des sentiments et des expériences qui ne lui seront plus entièrement soumis et finiront même par le supplanter. Au fond, ce mouvement contraire d'apaisement et d'usure commence dès la naissance du sentiment : qu'il grandisse en effet ne signifie pas seulement un accroissement de sa puissance, mais un soulagement des besoins dont il est né ou dont il se sert.

On peut faire la même remarque à propos de l'action : dans l'action, si le sentiment s'exalte, il se détend aussi; son assouvissement, s'il n'est pas traversé par un autre sentiment, peut aller jusqu'au dégoût, c'est-à-dire jusqu'à l'apparition précisément, d'un sentiment nouveau. »

« Un fait surtout est à mentionner. Tant qu'un sentiment se soumet l'être intérieur, il entre en contact avec des activités qui agissent sur sa façon de vivre et de comprendre le monde extérieur; il sera donc également capable de copier partiellement le monde tel que nous le comprenons sur son propre patron, dans son propre sens, et trouvera un regain de forces en ce reflet. Les exemples en sont connus : un sentiment violent rend aveugle à ce que perçoivent les esprits rassis et fait découvrir ce que les autres ne voient pas. Le chagriné voit noir et punit par le mépris ce qui pourrait l'éclairer; aux yeux du réjoui, le monde s'illumine, et il est incapable de voir quelque ombre que ce soit. Les pires créatures témoignent de la confiance à celui qui aime; le dépité non seulement trouve sa méfiance partout justifiée : les justifications semblent accourir vers lui. De la sorte, chaque sentiment, quand il atteint une certaine intensité et une certaine durée, se crée un monde choisi, irrésistible, son propre monde, ce qui n'est pas sans jouer son rôle dans les rapports humains! C'est à cela qu'il faut rapporter notre célèbre versatilité et l'inconstance de nos opinions. »

Là, Ulrich avait tiré un trait. Il était revenu pour un peu de temps à la question de savoir si le sentiment était un état ou un phénomène, question qui apparaissait plus nettement que jamais comme un faux-problème. En guise de résumé et de suite, voici les remarques qui se rattachaient à la description précédemment donnée :

« En partant de la notion traditionnelle du sentiment considéré comme un état avec cause et conséquences, j'ai été amené à une description qui évoque incontestablement un phénomène, quand on considère le résultat sur une certaine étendue. Mais si je pars de l'impression générale de phénomène et que je veuille fixer cette idée, je vois non moins clairement que partout, entre deux éléments voisins, la succession, pourtant indispensable dans un phénomène, fait défaut, et même toute indication d'un mouvement dans une certaine direction. Au contraire, ce qui apparaît entre les éléments isolés, c'est une dépendance, une présupposition réciproques, et même l'image d'effets qui ont l'air de préciser leur cause. De même, il n'apparaît jamais de relations temporelles dans la description. Tout cela, pour diverses raisons, nous ramène à la notion d'état.

Ainsi, à strictement parler, je puis seulement dire du sentiment qu'il semble être aussi bien un état qu'un phénomène, et qu'il ne semble être ni un état, ni un phénomène : une affirmation paraissant aussi fondée que l'autre.

Mais cela même, il est aisé de le démontrer, ne dépend pas moins de la façon de décrire que de l'objet décrit. Il ne s'agit pas d'une particularité des phénomènes psychiques, à plus forte raison des seuls sentiments : on le voit dans d'autres domaines de la description de la nature, par exemple partout où il est question d'un système et de ses articulations ou d'un tout et de ses parties : ce qui apparaît comme un état par rapport à l'une des parties semble un phénomène par rapport à une autre. La seule durée d'un phénomène, d'ailleurs, est liée dans notre esprit à la notion d'état. Je ne dirais pas que la formation de ce double concept soit d'une logique limpide, mais elle dépend probablement du fait que la distinction entre état et phénomène relève plutôt du langage que de l'observation scientifique qui la modifiera peut-être, ou la remplacera par une autre. »

« L'allemand dit : la colère est en moi, ou : je suis en colère. Il dit : je suis furieux, je me sens furieux, j'éprouve de la fureur. Il dit : je suis amoureux, ou : je me suis enamouré. Souvent, sans doute, les noms qu'il a donnés aux sentiments indiquent, dans l'histoire de la langue, que celle-ci a été influencée par les actes auxquels ces sentiments entraînaient et par l'attitude dangereuse ou frappante qu'on prenait à leur égard. Néanmoins, la langue parle du sentiment tantôt comme d'un état incluant divers phénomènes, tantôt comme d'un phénomène constitué par une série d'états; quelquefois, comme les exemples le montrent, elle adopte sans façons dans ses expressions, tantôt d'une manière, tantôt de l'autre, les images de la personne, du dedans et du dehors. Dans l'ensemble, elle agit avec autant de caprice et d'imprévu que si elle avait voulu justifier dès le début le célèbre désordre germanique des sentiments.

Cette diversité dans l'expression parlée de nos sentiments, née d'expériences profondes mais incomplètes, se reflète aujourd'hui encore dans les conceptions de la science; surtout lorsqu'on considère celle-ci dans son étendue plus que dans sa profondeur. Il y a des théories psychologiques où le Moi est la réalité la plus certaine, perceptible dans chaque mouvement de l'âme et particulièrement dans le sentiment, comme il y a des théories qui le laissent complètement de côté et considèrent que seules sont accessibles à l'expérience les relations entre ses manifestations, les décrivant comme des phénomènes dans un champ de forces dont la source est hors de considération. Il y a donc des psychologies du Moi et des psychologies sans Moi. Mais les autres différences elles aussi semblent s'être élaborées accidentellement. De la sorte, le sentiment apparaît un jour comme un phénomène auquel seraient soumises les relations du Moi et du monde extérieur, un autre jour comme un cas particulier et un état de la relation, et ainsi de suite : distinctions qui s'imposent aisément dans une orientation plus conceptuelle de la curiosité scientifique, tant que la vérité n'est pas évidente.

Beaucoup d'éléments, ici, restent encore abandonnés à l'opinion, même quand on prend soin d'en distinguer les faits. Il nous semble bien clair qu'un sentiment ne se forme pas quelque part dans le monde, mais à l'intérieur d'un être vivant, et que c'est le Moi qui sent, ou qui se découvre à la lumière de son excitation. Il est évident que quelque chose se passe en moi quand je sens, et que je modifie mon état; bien que le sentiment provoque une relation plus intense avec le monde extérieur qu'une sensation, il me semble plus *intérieur* qu'elle. C'est un premier groupe d'impressions. D'autre part, au sentiment se trouve liée une prise de position de la personne tout entière : c'est l'autre groupe. Du sentiment, à la différence de la sensation, je sais que plus que celle-ci, il me concerne *tout entier*. De même, ce n'est qu'en passant par la personne qu'un sentiment agit sur l'extérieur, soit que celle-ci passe à l'action, soit qu'elle commence à voir le monde autrement. On ne pourrait même pas affirmer qu'un sentiment est une modification à l'intérieur de la personne sans ajouter aussitôt que le rapport de celle-ci au monde extérieur en est également modifié. »

« La vie du sentiment se déroule-t-elle donc *en* nous, sur nous ou avec nous ? J'en reviens à ma description personnelle. Si, malgré sa naïveté, je puis y ajouter foi, les relations qu'elle a prudemment éclairées confirment une fois encore la même chose : mon sentiment se forme en moi et en dehors de moi; il se modifie de l'intérieur et de l'extérieur; de l'intérieur, il modifie le monde immédiatement, et de l'extérieur, il le fait médiatement, c'est-à-dire à travers mon comportement. Il est donc à la fois à l'intérieur et à l'extérieur, dût cela contrarier notre préjugé, ou du moins si mêlé à l'un et à l'autre que la question de savoir ce qui, dans un sentiment, est extérieur et ce qui est intérieur, ce qui est le Moi et ce qui est le monde, perd presque tout son sens.

Cette constatation peut donc servir de base; elle le peut d'autant mieux que, traduite en termes plus mesurés, elle signifie simplement que dans tout sentiment l'expérience est faite d'une direction double, ce qui lui donne l'aspect d'un phénomène de transition : direction vers l'intérieur, vers la personne, et vers l'extérieur, vers l'objet dont il est occupé. En revanche, ce qui est intérieur ou extérieur, plus particulièrement ce que signifie le fait d'appartenir au Moi et au monde, autrement dit ce qui se trouve au bout de ces deux directions et qui permettrait de les comprendre : cela, bien entendu, ne peut être saisi clairement en une seule expérience, et, par son origine même, n'est pas plus net que tout ce que l'on vit sans savoir comment. On ne peut s'en faire une notion précise que par une expérience et une étude prolongées.

C'est pourquoi une psychologie qui tient à être une véritable science expérimentale ne maniera pas ces notions autrement qu'elle le fait des notions d'état et de phénomène. Les idées voisines de personne, d'âme et de Moi, de même qu'une représentation complète de celles d'intérieur et d'extérieur, lui sembleront donc quelque chose à expliquer plutôt que quelque chose à l'aide de quoi on puisse expliquer le reste sans plus de façons. »

« Une vérité quotidienne de la psychologie s'accorde d'ailleurs remarquablement avec ces remarques. Nous supposons d'ordinaire, sans beaucoup réfléchir, qu'un homme qui se comporte comme il convient à un sentiment déterminé l'éprouve réellement. Il n'est donc pas rare, il est même très fréquent, qu'un comportement extérieur soit saisi immédiatement dans son entier et avec une grande assurance, en même temps que les sentiments qu'il comporte.

Nous commençons par sentir immédiatement, à l'ensemble, si les dispositions de quelqu'un qui s'approche de nous sont amicales ou agressives, et, dans les meilleurs cas, nous ne nous demandons qu'après si ce sentiment était juste. D'ailleurs, ce qui s'approche de nous, dans notre première impression, ce n'est pas quelque chose qui pourrait se révéler terrible, c'est le Terrible en soi, quand bien même, un instant plus tard, apparaîtrait l'erreur. Et si nous arrivons à rétablir notre première impression, nous retrouvons cette apparente inversion de l'ordre raisonnable là où nous affrontons quelque chose de beau, de ravissant, d'offensant ou de répugnant.

Cette confusion s'est d'ailleurs maintenue dans des formes d'expression très courantes : de même que nous disons que nous jugeons ceci ou cela effrayant, ou charmant, en voulant dire par là que les sentiments dépendent de la personne, nous disons que quelque chose est effrayant ou charmant, nous parlons de l'effrayant ou du charmant en général, en voulant dire par là, au contraire, que l'origine de nos sentiments prend racine dans les choses ou les événements comme une qualité. Cette ambiguïté, ce caractère presque amphibie des sentiments nous encourage à penser qu'il faut les observer non seulement dans la vie intérieure, mais aussi dans le monde extérieur. »

Ces dernières remarques amenaient Ulrich à la troisième réponse donnée à la question de la nature du sentiment ou, plus modestement, à la conception actuellement prédominante.

74. *Sentiment et comportement. L'incertitude du sentiment.*

« L'école de psychologie théorique, la plus féconde actuellement, traite le sentiment et les actes émotionnels comme une communauté indissoluble. Pour elle, ce que nous sentons en agissant est un aspect, et comment nous agissons en sentant, un autre aspect d'un seul et même processus. Elle examine ces deux aspects simultanément. Pour les théories de ce groupe, le sentiment est (si l'on recourt à leurs formules de prédilection) un comportement, un événement, une action à la fois intérieurs et extérieurs. Comme cette alliance du sentiment et du comportement a fait ses preuves, la question de savoir comment les dissocier et les distinguer à nouveau l'un de l'autre est devenue, au moins provisoirement, presque secondaire. C'est pourquoi, au lieu d'une seule réponse à cette question, il en existe tout un faisceau, ce qui entraîne un certain désordre. »

« On affirme quelquefois que le sentiment n'est pas autre chose que les événements extérieurs et intérieurs; d'ordinaire, on prétend seulement que ceux-ci doivent lui être assimilés. Quelquefois, on voit en lui, dans un sens assez peu clair, le *phénomène total*, quelquefois simplement les actions, le comportement, le déroulement *intérieurs*. Quelquefois aussi, il semble que deux conceptions du sentiment soient utilisées côte à côte : celui-ci étant à la fois, au sens le plus large, le *tout* et, dans un sens plus restreint, un résultat partiel qui, d'une manière assez obscure, aurait donné son nom, et même sa nature, à l'ensemble. D'autres fois encore, on a l'air de supposer que tout ce qui paraît être un phénomène si divers à l'observateur devient, dans l'expérience vécue, sentiment, de sorte que le sentiment serait alors l'expérience vécue, le résultat, en quelque sorte le « revenu » conscient du phénomène.

L'origine de ces contradictions est sans doute toujours la même. Chacune de ces descriptions du sentiment présente des éléments (les plus nombreux même) qui ne sont évidemment pas des sentiments mais, en vertu de la même évidence, des sensations, des conceptions, des idées, des volontés ou des processus extérieurs, qui peuvent être vécus comme tels en tout temps et qui enfin, tels qu'ils sont, jouent leur rôle dans l'ensemble de l'expérience vécue. Mais, non moins évidemment, il existe dans tout cela, ou au-dessus de tout cela, quelque chose qui en soi, dans le sens le plus simple et le plus net du mot, semble être un sentiment, et rien d'autre : ni une action, ni une pensée, ni quoi que ce soit d'autre.

On peut donc ramener ces explications à deux groupes : ou bien elles décrivent le sentiment comme un *aspect*, une *partie*, un *moment* d'un déroulement d'ensemble, ou bien elles le décrivent comme sa *prise de conscience*, son *expérience intérieure* ou autres choses semblables, expressions qui trahissent assez l'embarras de n'en pas trouver de meilleures!

Ce qu'il y a de plus original dans ces théories, c'est qu'elles laissent d'abord dans le vague la relation du sentiment à tout ce qu'il n'est pas et qui l'emplit pourtant, tout en laissant entendre que cette relation, de quelque manière qu'on l'imagine, doit être de telle nature qu'elle n'autorise aucune modification incohérente, que tout se modifie pour ainsi dire d'une seule haleine.

Prenons l'exemple de la mélodie. Dans une mélodie, les notes ont leur indépendance et peuvent être distinguées isolément; de même, leur voisinage, leur ensemble, leur succession, tout ce qu'on peut en entendre enfin, ne sont pas de pures notions, mais des réalités parfaitement perceptibles aux sens. Pourtant, bien que tout cela puisse être entendu isolément en dépit de sa cohérence, cela peut également s'entendre ensemble : la mélodie, c'est cela. Quand on l'entend, il n'y a pas un élément nouveau *à côté* des notes, des intervalles et des mesures, mais *avec* eux. La mélodie ne vient pas s'ajouter comme un supplément, mais comme une autre façon d'apparaître, une deuxième forme d'existence, au-dessous de laquelle on peut encore discerner, précisément, les formes d'existence particulières. On peut en dire autant du sentiment par rapport aux pensées, aux mouvements, aux sensations, aux intentions et aux forces muettes qui se réunissent en lui. Et le sentiment n'est pas moins sensible à l'égard d'une action ou d'une idée qui interviennent dans son cours qu'une mélodie ne l'est à l'égard de toute modification de ses *parties*, au point qu'elle prend aussitôt une autre forme, quand elle ne se détruit pas.

Ainsi, quels que soient les rapports du sentiment avec le comportement *extérieur et intérieur*, on voit qu'à chaque modification de celui-ci correspondrait une modification déterminée de celui-là, et inversement, comme s'ils étaient les deux faces complémentaires d'une même réalité. »

« (Il existe nombre d'exemples qui confirment la grande portée de cette idée théorique et il en est d'autres, empruntés à la science, qu'elle éclaire vaguement, que ce soit de la lumière de l'illusion ou de celle de la vérité. J'aimerais en noter un : l'intensité de certains portraits (et il y a aussi des portraits, pas seulement des images, de *choses*) repose en grande partie sur le fait qu'en eux, l'existence individuelle s'ouvre sur elle-même en se fermant au reste du monde. Les forces autonomes de la vie, en effet, même si elles ont l'air relativement fermé, participent toujours du monde distrayant et changeant qui les entoure. Ainsi, lorsque j'ai pris Agathe dans mes bras et que nous nous sommes sentis tous deux arrachés au cadre de la vie et transportés dans un autre, notre sentiment éprouvait peut-être quelque chose d'analogue. Je ne connaissais pas le sien, elle ne connaissait pas le mien, mais ils n'étaient là que pour eux seuls, ouverts, dépendants l'un de l'autre, alors que toute autre dépendance avait disparu. C'est pourquoi nous disions que nous étions sortis du monde pour entrer en nous-mêmes, c'est pourquoi, pour désigner ce suspens mobile, ce véritable retour sur soi et cette union d'éléments étrangers, nous avons recouru à la singulière image du tableau.) »

« L'idée originale dont j'ai à parler enseigne donc que les modifications et les modulations du sentiment, et celles du comportement extérieur et intérieur peuvent correspondre point par point sans que le sentiment doive nécessairement être assimilé au comportement ou à une part de celui-ci, et sans qu'on puisse rien affirmer de lui, sinon qu'il possède des qualités qui avaient déjà droit de cité ailleurs dans la nature. Ce résultat a l'avantage de ne pas toucher à la différence naturelle entre un sentiment et un événement, tout en la franchissant comme un pont de telle sorte qu'elle perd son importance. Il prouve de la manière la plus générale que deux domaines extrêmement différents peuvent néanmoins s'imiter.

Ainsi, la question de savoir comment un sentiment pourrait être fait d'autres processus psychiques ou même physiques trouve une orientation toute nouvelle et fort remarquable. Mais, de la sorte, on explique seulement comment à chaque modification du comportement peut correspondre un changement du sentiment, et inversement, et non pas comment ces modifications, qui ont lieu pendant toute la durée du sentiment, peuvent se produire. Si le sentiment, ainsi qu'il apparaît maintenant, n'était que l'écho d'un acte affectif, et cet acte le reflet du sentiment, on aurait peine à comprendre qu'ils se modifient alternativement.

Ici intervient une autre idée capitale, la deuxième que l'on doive à la nouvelle orientation de la psychologie du sentiment; je l'appellerai l'idée de la mise en forme et de la consolidation. »

« Cette idée s'édifie à l'aide de plusieurs représentations et considérations. Comme je voudrais m'en faire une image nette, je rappellerai d'abord ce que nous disons volontiers, que le sentiment influence un comportement et que le comportement, en retour, influe sur le sentiment. A cette observation un peu sommaire, il est facile d'en opposer une meilleure, à savoir qu'il existe plutôt entre ces deux pôles une relation de renforcement et de résonance mutuelle, un engrènement dans lequel les deux parties se modifient en commun. Le sentiment est traduit dans la langue de l'action, et l'action dans la langue du sentiment : comme dans toute traduction, quelques éléments nouveaux apparaissent et quelques autres sont perdus.

Parmi les relations les plus simples, une expression bien connue évoque ce phénomène, c'est *la peur vous court par tout le corps :* on pourrait dire aussi bien, en effet, que *le corps vous fait courir dans la peur.* C'est sur cette deuxième expression que repose, par exemple, la différence entre *figé d'effroi* et *flageolant de peur.* Ce qui est affirmé là du plus simple mouvement expressif peut l'être aussi de l'action affective dans toute son étendue : ainsi, le sentiment ne se modifie-t-il pas seulement à la suite de l'action qu'il entraîne, mais dès cette action qui le reçoit, le reproduit et le modifie à sa manière, de sorte qu'ils se façonnent et se consolident mutuellement. C'est de la même façon que s'engrènent avec le sentiment les pensées, les désirs et les impulsions de quelque espèce que ce soit. »

« Bien entendu, une relation de ce genre suppose une différence entre les divers éléments de l'engrenage : ceux-ci doivent se relayer par degrés à la direction, de sorte que c'est tantôt le sentiment, tantôt l'acte, tantôt une décision, un doute, une pensée qui l'emporte, qui prend la direction, apportant une contribution qui fait progresser l'ensemble dans une orientation commune. Ainsi se complète l'idée d'une mise en forme et d'une consolidation réciproques.

Du côté opposé, il faut que l'unité précédemment décrite soit capable d'accueillir des modifications tout en conservant sa singularité de comportement affectif plus ou moins déterminé; il faut aussi qu'elle soit capable d'exclusion, car elle accepte ou refuse, selon les cas, les influences extérieures et intérieures. Jusqu'ici, je ne connais de cette unité que la loi qui régit son état définitif. C'est pourquoi il faut pouvoir indiquer aussi l'origine de ces influences et expliquer enfin grâce à quelle prévision ou à quels aménagements elles peuvent agir dans le sens d'une évolution commune. »

« Or, selon toute prévision, on ne peut attribuer à la seule unité, au résultat, à la seule forme du phénomène, un pouvoir de persistance et de rétablissement, une fermeté (un degré de fermeté), donc finalement une *énergie* propre; et il est peu probable qu'il existe d'autres forces internes réservées à une coopération dans ce sens. En revanche, il est probable que ces forces n'ont qu'un rôle accessoire : car les mêmes relations internes, toujours prêtes à jouer, et les mêmes dispositions, inclinations, les mêmes principes, intentions et besoins constants qui provoquent nos actions régissent nos sentiments et nos pensées. Ils en sont les réserves de forces, et on peut admettre que les forces qui en sortent provoquent d'une manière ou d'une autre la mise en forme et la consolidation du sentiment. »

« Je tâcherai de comprendre comment cela se produit à l'aide d'un préjugé qui n'est pas peu répandu : on entend souvent avancer qu'il existe entre un sentiment, son objet et l'action qui les lie une *parenté interne*. Ainsi, pense-t-on, serait-il plus aisé de comprendre qu'ils constituent un tout cohérent, qu'ils se relaient mutuellement, et ainsi de suite. Le noyau de cette idée, c'est qu'un instinct ou un sentiment déterminé, par exemple l'instinct de la nourriture et la faim, ne se fixent pas sur des objets ou des actes quelconques, mais de préférence, naturellement, sur ceux qui leur promettent satisfaction. On ne secourt pas un affamé avec une sonate, mais avec des aliments, c'est-à-dire quelque chose qui fait partie d'un groupe d'objets ou d'actes plus ou moins déterminés. Ainsi se crée l'apparence que ce groupe et cet état d'excitation sont liés une fois pour toutes, ce qui est, d'ailleurs, partiellement vrai. Mais cette vérité n'est pas plus mystérieuse que de dire qu'il faut utiliser pour le potage une cuillère plutôt qu'une fourchette.

« Si nous agissons ainsi, c'est que la cuillère nous semble mieux appropriée; et ce n'est rien d'autre que cette banale apparence de propriété qui sert d'intermédiaire entre un sentiment, son objet, les actes, les pensées, les décisions correspondantes et ces impulsions plus profondes qui se dérobent le plus souvent à l'observation. Quand nous agissons dans une intention, un désir, un dessein, celui par exemple d'être utile ou de nuire à quelqu'un, il nous semble naturel que nos actes soient déterminés par un souci de propriété (et qu'ils tournent parfois tout autrement, d'ailleurs). On peut en dire autant de chaque sentiment. Un sentiment recherche aussi tout ce qui paraît propre à le satisfaire, ce critère étant appliqué plus ou moins strictement; et c'est précisément cette association plus ou moins souple qui mène par un chemin naturel à la mise en forme et à la consolidation du sentiment. »

« Il arrive en effet aux instincts eux-mêmes, à l'occasion, de faire fausse route; et en quelque endroit qu'un sentiment s'applique et s'épuise, il arrive qu'un acte soit seulement ébauché, qu'interviennent des intentions et des pensées qui se révèlent ensuite mal appropriées et sont abandonnées, enfin que le sentiment pénètre dans un champ de forces (ou inversement) dont il se détache ensuite. Ainsi, dans le cours du phénomène, tout n'est pas toujours mis en forme ni consolidé, bien des éléments sont abandonnés. En d'autres termes, il existe aussi une mise en forme sans consolidation; elle constitue même une part indispensable de la mise en forme avec consolidation. Tandis que l'unité que constitue le comportement affectif accueille tout ce qui lui paraît propre à servir les forces directrices, mais n'en conserve que ce qui l'est vraiment, le caractère commun, le relaiement et la persistance interviennent d'eux-mêmes dans le sentiment, l'action et la pensée, laissant entendre qu'ils se façonnent et se consolident mutuellement. »

« Le point faible d'une telle explication se situe à l'endroit précis où l'unité définie qui s'établit à la fin doit être associée au domaine indéterminé, proche de l'inconnu, des impulsions, lequel se trouve à l'origine. Ce domaine est à peine distinct de ce qu'embrassent les notions générales de *personne* et de *moi* dans la mesure de leur participation, et nous n'en savons que peu de chose. Si l'on considère que, dans l'instant d'un sentiment, même le plus intime de l'être puisse être entièrement refondu, on n'exclura pas la possibilité que, dans cet instant, même l'unité définitive, visible, du processus s'étende aussi loin. Si l'on considère en revanche tout ce qui doit se passer avant d'obtenir qu'un homme renonce ainsi à des principes ou à des habitudes, on abandonnera de nouveau toute représentation supposant une efficacité instantanée. Supposons enfin que l'on se contente d'admettre qu'aux sources du sentiment, d'autres lois et d'autres correspondances doivent avoir cours qu'à son point d'émergence, là où il devient perceptible sous forme d'événement intérieur ou extérieur, on se heurtera une fois de plus au fait que l'on n'a encore aucune idée des lois selon lesquelles pourrait s'opérer la transition des forces agissantes à la forme agie. Peut-être l'hypothèse d'une unité souple, générale, embrassant l'ensemble du phénomène, s'accorderait-elle avec le fait qu'elle produit à la fin une unité solide et définie; mais cette question dépasse les limites de la psychologie et aussi, pour le moment, nos moyens. »

« On a donc répondu que, si l'on peut bien déceler une unité dans l'évolution du sentiment de sa source à son embouchure, il est impossible de dire, en revanche, quand et comment cette unité prend la forme fermée propre au comportement affectif définitif (que j'ai éclairé en recourant à l'exemple de la mélodie) : cette réponse plutôt négative, chose curieuse, nous permet de passer à une idée grâce à laquelle la réponse, jusqu'ici constamment différée, à la question de la conception actuelle du sentiment peut aboutir à une conclusion originale. Cette idée, c'est la reconnaissance du fait que le phénomène réel ne correspond jamais entièrement, même dans sa forme terminale, à la représentation conceptuelle qu'on s'en est faite, ce qui, par une sorte de double négation, se révèle en fin de compte assez profitable. On se dit que peut-être on ne rencontrera jamais réellement l'unité pure qui, en théorie, doit être la loi du sentiment achevé : elle est même impensable, parce qu'elle serait un cercle si parfait qu'elle ne pourrait plus accueillir aucune espèce d'influence. Mais, se dit-on du même coup, il n'existe pas non plus de sentiments en forme de cercle parfait! En d'autres termes : les sentiments n'apparaissent jamais purs, mais toujours, uniquement, sous forme d'approximation. En d'autres termes encore : le processus de mise en forme et de consolidation n'est jamais achevé. »

« Or, c'est cela même qui caractérise sous tous les rapports aujourd'hui la réflexion psychologique. On ne voit dans les notions psychiques fondamentales que des propositions de loi selon lesquelles s'ordonnent les phénomènes intérieurs, mais on n'espère plus que ceux-ci se construisent à partir de tels éléments comme une quadrichromie. En vérité, selon cette conception, on ne trouvera pas plus, dans le monde intérieur, ces pures dispositions du sentiment, de la représentation, de la sensation et de la volonté, qu'on ne trouve, dans le monde extérieur, des *fils du courant* ou *des points cruciaux;* il n'y a qu'un ensemble complexe qui semble tantôt vouloir, et tantôt penser, selon que telle ou telle disposition l'emporte en lui.

Ainsi, les noms des différents sentiments ne désignent que des types dont les phénomènes réels se rapprochent sans jamais coïncider exactement. De la sorte, si l'on me permet de m'exprimer grosso modo, apparaît à la place de l'axiome de la psychologie traditionnelle selon lequel le sentiment, expérience élémentaire, aurait une nature absolument définie ou serait vécu de telle manière qu'il se distinguerait une fois pour toutes de toutes les autres expériences, une thèse telle à peu près qu'il suit : il n'existe pas d'expériences qui soient dès l'origine un sentiment déterminé, non pas même des sentiments proprement dits; seulement des expériences destinées, propres à devenir sentiment, et sentiment déterminé.

De la sorte, l'idée du façonnement et de la consolidation du sentiment signifie aussi que, dans ce phénomène, le sentiment et le comportement non seulement se forment, se consolident, et dans la mesure où cela leur est donné, se déterminent, mais qu'ils naissent en lui. Autrement dit, qu'on n'a jamais affaire, pour commencer, à tel ou tel sentiment déterminé (même sous une forme encore faible) avec sa manière d'agir, mais seulement à quelque chose qui est destiné à devenir ce sentiment et cette action, selon une élaboration qui n'est jamais absolument pure. »

« Mais, bien entendu, ce quelque chose n'est pas absolument n'importe quoi; il faut qu'il soit d'avance, dans sa nature même, destiné et apte à devenir un sentiment, et encore un sentiment déterminé. En fin de compte, la colère n'est pas la fatigue, et probablement pas davantage au commencement : on ne peut pas non plus confondre, fût-ce dans leurs rudiments, la faim et la satiété. Il doit exister dès l'origine quelque chose d'inachevé, un rudiment, un germe de l'ordre du sentiment, de la nature de tel sentiment déterminé. Un *sentir*, dirais-je, plutôt qu'un sentiment. Mais un exemple vaudra mieux, et je recourrai à celui, relativement simple, de la souffrance physique venue de l'extérieur.

Elle peut être une sensation localisée qui vous tenaille ou

vous brûle à tel endroit, désagréable mais extérieure à vous. Elle peut s'enflammer et étendre sa torture à toute la personne. Souvent aussi, il n'y a pour commencer à sa place qu'une tache vide d'où la sensation ou le sentiment ne sourdent que l'instant d'après : les enfants ne sont pas seuls à ne pas savoir d'abord, quelquefois, s'ils ont vraiment mal. On pensait naguère que, dans ces cas, un sentiment s'ajoutait à la sensation; aujourd'hui, on préfère supposer qu'un germe d'événement interne qui, à l'origine, n'est pas plus sensation que sentiment, peut évoluer aussi bien vers l'une que vers l'autre.

Cet événement originel comporte déjà l'ébauche d'un acte réflexe ou instinctif, d'un brusque recul, d'un sursaut de défense, d'une involontaire contre-attaque. Comme cela entraîne plus ou moins fatalement une participation de toute la personne, il faut qu'y soit lié un état interne de fuite ou de défense, donc une coloration affective de l'ordre de l'angoisse ou de l'agressivité. Cette coloration est accentuée encore, naturellement, par les instincts mis en état d'alarme : ceux-ci ne sont pas seulement les germes d'une action efficace; dès qu'ils sont éveillés, ils créent des états d'âme encore vagues que nous désignons sous le nom d'anxiété, d'irritation, ailleurs de susceptibilité, d'intérêt amoureux, et ainsi de suite. Même l'inaction, l'impossibilité d'agir ont de ces colorations affectives; mais, le plus souvent, les instincts sont associés à un vouloir plus ou moins défini. Bientôt s'opère une reconnaissance consciente de la situation qui est déjà, en soi, une prise de position, avec par conséquent, une coloration agressive. Elle peut aussi tendre à la froideur et au calme. Ou bien, la douleur est très violente, cette prise de position est négligée, et l'on évite brusquement la source du mal. Ce seul exemple flotte donc, dès les premiers moments, entre sensation, sentiment, réaction autonome, volonté, fuite, défense, attaque, souffrance, curiosité, colère, froide concentration; il démontre qu'on n'a pas tellement affaire à un état affectif premier qu'à des germes d'états divers qui se relaient ou se complètent.

Ainsi, dire qu'il y a là un *sentir* et pas encore de sentiment, c'est qu'il y a toujours là une *disposition* à tel ou tel sentiment, mais qui n'a pas besoin de se réaliser, c'est dire aussi qu'il y a toujours un germe, mais qu'il peut avoir servi de germe à d'autres sentiments par derrière. »

« Cette curieuse façon qu'a le sentiment d'être et de ne pas être présent au commencement peut s'exprimer sous forme de comparaison : il faut se représenter son évolution à l'image de la forêt, non à celle de l'arbre. Un bouleau, par exemple, demeure lui-même de la graine au dépérissement; une forêt de bouleaux, en revanche, peut commencer mêlée à d'autres essences et devenir forêt de bouleaux dès que ces arbres (pour des causes qui peuvent être fort diverses) l'emportent en nombre et que les déviations de l'essence pure ne pèsent plus dans la balance.

Il en va de même du sentiment et, ce qui occasionne maint malentendu, de l'acte affectif. Ils ont toujours leur singularité, mais celle-ci est modifiée par tout ce qui se combine avec elle, jusqu'à ce qu'elle prenne avec une netteté grandissante les caractères d'un sentiment connu et *mérite* son nom, ce qui garde toujours une nuance d'appréciation libre. Mais le sentiment et l'acte affectif peuvent s'écarter de nouveau de ce type et se rapprocher d'un autre : cela n'est pas extraordinaire, puisqu'un sentiment peut osciller et passer par différentes formes. Ce qui distingue néanmoins cette conception de la conception traditionnelle, c'est que dans celle-ci le sentiment est tenu pour une expérience déterminée mais que nous ne reconnaissons pas toujours avec détermination; la conception nouvelle, elle, attribue l'indétermination au sentiment lui-même, s'efforce de la comprendre à partir de la nature de celui-ci et d'en tracer les limites d'une manière probante. »

Dans un appendice suivaient quelques exemples isolés qui auraient dû servir de notes marginales mais avaient été écartés de leur place primitive pour ne pas interrompre l'argumentation. De la sorte, ces retardataires égarés n'avaient plus de place réservée, bien qu'ils fissent partie de l'ensemble et enregistrassent des idées utiles à son éventuelle application :

« Ce qui, dans l'expression *aimer quelque chose* comporte d'aussi énormes différences que celle qui sépare l'amour de Dieu de l'amour de la pêche, ce n'est pas l'amour, mais le *quelque chose*. Le sentiment lui-même (les transes, les désirs, les ardeurs, les langueurs, en un mot : l'amour) ne laisse paraître aucune différence. »

« Aimer sa canne ou aimer l'honneur n'en sont pas moins certainement deux choses absolument différentes, pas seulement parce qu'elles ne se ressemblent pas, mais parce que l'usage que nous en faisons, les circonstances qui leur prêtent de l'importance, en un mot chaque groupe d'expérience, diffèrent. C'est parce qu'il paraît impossible de confondre ces groupes d'expériences que nous avons la certitude de connaître nos sentiments. C'est aussi pourquoi nous ne les connaissons vraiment que lorsqu'ils ont agi sur le monde extérieur, lorsqu'ils se sont façonnés à son contact : nous ne savons pas ce que nous sentons avant que notre action n'en ait décidé. »

« Quand nous disons que notre sentiment est partagé, nous ferions mieux de dire qu'il n'est pas achevé encore ou que nous ne sommes pas encore arrêtés, installés. »

« Là où il apparaît sous forme de contradiction ou de mélange paradoxal, il y a souvent autre chose. Nous disons que le brave méprise la souffrance. En vérité, le sel amer de la souffrance bouillonne dans la bravoure; chez le martyre, il monte en flambée vers le ciel. Chez le lâche, en revanche, l'angoisse de l'attente donne à la souffrance une densité intolérable. Un exemple plus frappant encore : ces sensations qui, acceptées, sont volupté extrême, et qui, imposées par la violence, deviennent répulsion, dégoût.

Il y a là, évidemment, des sources différentes, et des mélanges; il y a surtout des directions différentes dans l'élaboration du sentiment dominant. »

« Parce qu'ils sont un flux perpétuel, on ne peut arrêter les sentiments, ni, à plus forte raison, les examiner *à la loupe :* plus nous les observons avec précision, moins nous savons ce que nous sentons. L'attention à elle seule est une modification du sentiment. Mais s'ils étaient un *mélange*, celui-ci devrait n'être jamais plus visible qu'au moment de l'arrêt, même si l'attention s'en mêlait à son tour. »

« Comme l'action extérieure n'a pas de signification autonome pour l'âme, on ne peut distinguer les sentiments uniquement d'après elle. Combien de fois ne savons-nous pas ce que nous sentons alors que nous agissons avec vigueur et décision ! C'est sur cette indistinction que repose l'énorme ambiguïté des actes de l'homme qui observe avec malignité ou jalousie. »

« L'indistinction du sentiment ne prouve pas sa faiblesse d'autant. C'est justement lorsqu'on ressent le plus violemment que les sentiments s'évanouissent. A partir d'une certaine intensité, ils deviennent extrêmement labiles : voyez le *courage du désespoir* ou le brusque changement du bonheur en souffrance. Ils entraînent aussi, alors, des actes contradictoires, on est paralysé au lieu de fuir, on a le sentiment de *s'étrangler* de rage. Dans les excitations très violentes, les sentiments perdent pour ainsi dire leur couleur, de sorte qu'il ne reste plus que la sensation morte des phénomènes corporels qui leur sont associés, frisson de la peau, accélération du pouls, voile sur les sens. Enfin, au plus haut degré se produit un éblouissement. On serait tenté de dire que l'organisation de nos sentiments, tout leur univers par conséquent, ne convient qu'aux degrés moyens. »

« Dans ces degrés moyens, il est évident, on le redit une fois de plus, que nous ne reconnaissons et ne nommons pas les sentiments autrement que les autres phénomènes pris dans leur flux. Établir une distinction entre la haine et la colère est à la fois aussi simple et aussi malaisé que de le faire entre le meurtre et l'assassinat, l'écuelle et le plat. Il ne s'agit pas d'arbitraire verbal, mais chaque aspect, chaque flexion de la chose peut aider à la comparaison, à la définition du concept. C'est sans doute de la même manière que se combinent les mille et une espèces d'amour dont Agathe et moi n'avons pas plaisanté sans quelque tristesse. Pourquoi désigne-t-on du même terme d'*amour* des choses aussi différentes ? Pour la même raison qui nous pousse à parler sans réflexions de fourchettes à salade, de fourchettes de jardinier, de fourchettes de pendule ! A la base de toutes ces impressions de fourchette, il y a un caractère commun de *fourchu :* il n'est pas en elles comme un germe commun; il faudrait dire plutôt qu'il n'est qu'une comparaison qui peut s'appliquer à chacune d'entre elles. Elles n'ont même pas besoin, en effet, d'être toutes semblables, il suffit que l'une entraîne l'autre, que l'on passe de l'une à l'autre, que les éléments voisins soient semblables : les plus éloignés le deviennent alors par leur intermédiaire. Bien plus : même ce qui fait la ressemblance, ce qui lie les éléments voisins, dans un enchaînement de cette espèce, peut se modifier. On va d'une extrémité du chemin à l'autre avec enthousiasme sans même savoir comment on a fait pour le parcourir ainsi. »

« Mais si nous voulions, comme nous sommes tentés de le faire, considérer la ressemblance qui existe entre tous les amours comme une ressemblance avec une sorte d'*amour originel* qui se tiendrait au milieu d'eux, sans jambes et sans bras, on commettrait probablement la même erreur qu'en croyant à une *fourchette originelle*. Pourtant nous avons la preuve vivante qu'un tel sentiment existe réellement. Seul le degré de ce *réellement* est difficile à déterminer. C'est une autre réalité que celle du monde réel. Un sentiment qui n'est pas un sentiment pour quelque chose; un sentiment sans désir, sans préférence, sans mouvement, sans connaissance, sans limites; un sentiment qui ne suppose aucune action, aucun comportement, du moins pas un comportement tout à fait réel. Aussi vrai que ce sentiment ne se sert ni de bras, ni de jambes, il n'a cessé de venir au devant de nous, plus vivant en apparence que la vie! Amour est déjà pour lui une dénomination trop particulière, bien qu'il ait une parenté très étroite avec un amour pour lequel la tendresse et l'inclination seraient encore des expressions trop concrètes. Il se réalise de beaucoup de manières différentes et dans de nombreux rapports, mais il ne se laisse jamais évincer entièrement par cette réalisation qui le souille. C'est ainsi qu'il est apparu et disparu à nos yeux, simple pressentiment, toujours semblable à lui-même. Il semble que les réflexions prosaïques dont j'ai couvert ces feuillets aient peu à faire avec lui : je suis presque certain, pourtant, qu'elles m'ont conduit à la juste transition! »

75. *Retour au réel. Ou : le Propre-à-tout chante.*

Le professeur Auguste Lindner chantait une chanson. Il attendait Agathe.

Ah! les yeux de l'Enfant
m'ont paru si beaux, si clairs,
quelque chose en eux rayonne
qui m'a conquis tout le cœur.

S'il voulait tourner ces yeux
pleins de douceur vers les miens!
Il y verrait son image,
il me dirait son amour.

Je me voue entièrement
au service de ses yeux,
quelque chose en eux rayonne
qui m'a conquis tout le cœur.

C'était une chanson d'origine espagnole. Dans l'appartement de Lindner, il y avait un petit piano, souvenir du temps de madame le professeur, et qui servait de temps en temps à parfaire l'éducation de Peter, ce pourquoi celui-ci en avait supprimé déjà quelques cordes. Lindner lui-même ne l'utilisait jamais, sinon pour y frapper de loin en loin quelques accords solennels. Bien qu'il y eût déjà un moment qu'il marchait de long en large devant l'instrument, il ne s'était risqué à son extraordinaire tentative qu'après s'être prudemment assuré que ni sa gouvernante, ni Peter n'étaient à la maison. Sa voix lui avait beaucoup plu : c'était un baryton assez haut, parfaitement apte à l'expression du sentiment. En ce moment, Lindner avait laissé le piano ouvert, et il se tenait debout à côté, un bras appuyé dessus, les jambes croisées, réfléchissant. Agathe avait plus d'une heure de retard. Le vide de la maison, qui tenait en partie à cela, en partie aux dispositions prises par

Lindner, lui apparut soudain comme une machination coupable.

Il avait trouvé une âme qu'il s'était efforcé de sauver, qui donnait l'impression de se confier à lui, et qui était d'une confondante richesse : quel homme ne serait ravi de découvrir une créature féminine inespérée, et qu'il puisse éduquer selon ses vues! Pourtant, les notes basses de la gêne troublaient cette harmonie. Lindner tenait la ponctualité pour une obligation de la conscience et ne l'estimait pas moins que la fidélité aux traités ou la loyauté. Les êtres incapables d'horaire précis lui semblaient d'une étourderie maladive; si, par-dessus le marché, ils forçaient les gens sérieux à perdre leur temps, il les méprisait plus que des voleurs. Il considérait alors comme de son devoir de faire comprendre poliment, mais impitoyablement à ces natures que son temps appartenait à son activité, non à lui-même; comme les mensonges forcés lèsent l'âme du menteur, mais que les humains sont inégaux, les uns influents et les autres pas, cela lui avait donné mille occasions diverses d'exercer son caractère : ainsi, quantité de sentences, les unes redoutables, les autres flatteuses, lui revenaient maintenant à l'esprit, troublant la douce émotion provoquée par la chanson.

Néanmoins, il n'avait plus chanté de chant religieux depuis sa jeunesse, et il en jouit avec un discret effroi. « Quelle naïveté méridionale, quel charme dans ces vers si profanes! songea-t-il. Comme l'évocation de l'enfant Jésus est délicate, plaisante! » Il chercha à imiter leur candeur en lui-même, et le résultat fut qu'il se dit : « Si je n'étais pas mieux au fait, je croirais presque percevoir en moi, en ce moment, le chaste espoir de la jeune fille qui attend son amoureux! » On aurait donc le droit de dire qu'une femme qui provoque de tels hommages, qui touche ce qu'il y a de plus noble chez un homme, doit être elle-même un être noble. Mais, à ce point, Lindner sourit, mécontent, et se décida à fermer le piano. Ensuite, il dessina des deux bras un de ces mouvements qui recréent l'harmonie de la personne, et se recueillit. Une pensée désagréable lui était venue. « Elle n'a pas de cœur! soupira-t-il en serrant les dents. Elle rirait! »

En ce moment, il avait sur le visage quelque chose qui eût rappelé à sa défunte mère le petit garçon auquel, chaque matin, avant le départ pour l'école, elle nouait un beau grand nœud sous le menton : on aurait pu appeler ce quelque chose un manque total de rudesse virile. Aux yeux des autres, un tel manque rend un garçon impossible. Sur sa haute personne chétive à jambes en tuyaux de pipe, la tête semblait piquée au bout d'une lance au-dessus de l'arène grondante des camarades qui huaient le nœud amoureusement noué par sa mère. Encore maintenant, le professeur Lindner avait parfois des cauchemars où il se retrouvait ainsi debout, souffrant pour le Bon, le Beau et le Vrai. C'est précisément pourquoi il ne reconnaissait jamais que la rudesse fût une qualité aussi indispensable à l'homme que le gravier qu'on mélange au mortier pour lui donner sa consistance. Depuis qu'il était devenu l'homme qu'il se flattait d'être, il ne voyait dans ce défaut de jeunesse qu'une confirmation du fait qu'il était né pour améliorer, ne fût-ce que dans une modeste mesure, le monde. Aujourd'hui, plus personne n'a le droit d'ignorer que les grands orateurs sont nés d'un défaut d'élocution et les héros d'une faiblesse, autrement dit, que notre nature commence toujours par creuser un trou là où elle veut édifier une montagne. Comme les demi-savants et demi-sauvages qui règnent sur le cours de la vie ont bientôt fait de proclamer le premier bègue venu un Démosthène, on comprend que le critère actuel du bon goût soit de considérer le bégaiement originel, chez un Démosthène, comme l'essentiel. On n'a pas encore réussi, pourtant, à ramener les Travaux d'Hercule à une enfance chétive, les records de saut en hauteur à un pied plat, ni le courage à l'angoisse. On est donc bien obligé de reconnaître qu'un talent particulier ne peut se fonder exclusivement sur son défaut!

Le professeur Lindner n'était donc nullement tenu de penser que les taquineries et les coups qu'il avait redoutés enfant pussent avoir été la cause de son développement intellectuel. Néanmoins, l'organisation de ses principes et de ses sentiments l'aidait à transformer en triomphe de l'esprit les impressions les plus diverses imposées par le désordre du monde. Même son habitude d'entremêler ses propos d'expressions guerrières ou sportives, sa tendance à donner à ses paroles et à ses actes l'empreinte d'une volonté sévère et inflexible avaient commencé à se développer dans la mesure où, mûrissant, vivant aussi parmi des compagnons plus mûrs, il avait été à l'abri des assauts corporels directs. A l'Université, il avait même fait partie d'une de ces sociétés d'étudiants qui portent le plastron, la casquette, les bottes, le ruban et les armes aussi pittoresquement que les ferrailleurs qu'elles méprisent, mais n'en font qu'un emploi pacifique parce que leur philosophie leur interdit le duel. C'est là que son goût du courage qui ne fait pas couler le sang s'était définitivement formé. Du même coup, il témoignait qu'on peut associer une mentalité noble avec la pétulance de la vie et aussi, en d'autres termes il est vrai, que Dieu ne descend jamais mieux en l'homme que lorsqu'il imite le Diable qui l'y a précédé!

Chaque fois que Lindner, et c'était malheureusement fréquent, représentait à son fils et subordonné Peter que l'indulgence à l'égard de l'idée de force affaiblissait l'individu, ou que la force de l'humilité, le courage de renoncer étaient plus nobles que la force et le courage physiques, il ne parlait donc pas en profane, mais savourait les émotions du magicien qui réussit à mettre les démons au service de Dieu. Bien qu'il n'y eût en effet absolument rien, sur les hauteurs de sa prospérité, qui pût lui faire perdre l'équilibre, il éprouvait une aversion toute proche de l'anxiété (de même qu'une blessure cicatrisée vous laisse parfois un boitillement) à l'égard des plaisanteries et du rire, même quand il ne faisait qu'en soupçonner la lointaine possibilité. « Les chatouillements de la plaisanterie et de l'humour, aimait-il à dire à son fils, relèvent d'un excès de confort, de la malignité et d'une imagination oisive; ils ont tôt fait d'inciter un homme à tenir des propos que sa part la meilleure condamne! En revanche, s'exercer à ravaler ses trouvailles dites spirituelles est une belle épreuve de force, une façon de tremper sa volonté, et d'autant plus bénéfique pour la personne tout entière qu'on sait mieux profiter du silence ainsi obtenu pour examiner de plus près sa plaisanterie. Nous découvrons alors d'ordinaire, disait-il pour conclure cette exhortation debout, le désir de s'élever aux dépens des autres, la coquetterie et la frivolité qui se cachent dans la plupart des traits d'esprit, les progrès de la compassion qu'ils entravent en nous et chez les autres, l'effrayante brutalité et l'esprit de raillerie qui apparaissent dans le rire que nous avons brigué chez nos auditeurs! »

Peter, donc, devait soigneusement dissimuler devant son père son goût tout juvénile de la moquerie et de la plaisanterie; il ne l'en possédait pas moins, et le professeur Lindner sentait souvent le souffle de l'esprit malin autour de lui sans pouvoir situer le venimeux fantôme. De sorte que le père, tout en tenant son fils en respect d'un regard impérial, le redoutait secrètement, crainte qui n'allait pas sans évoquer un indéfinissable rien qui avait flotté entre les époux lorsque la rondelette madame Lindner était encore de ce monde. Etre maître chez soi, déterminer l'esprit de son foyer et savoir sa famille autour de soi comme un jardin paisible où il avait planté ses principes était aux yeux du professeur une des conditions indispensables de la satisfaction. Mais Mme Lindner, qu'il avait épousée peu après la fin de ses études comme il louait une chambre chez sa mère, avait hélas! cessé rapidement de partager ses principes et adopté une manière de le contredire qui irritait Lindner plus que la contradiction elle-même. Il ne pouvait oublier certains regards du coin de l'œil alors que la bouche restait docilement close : après quoi il s'était retrouvé chaque fois dans une situation qui n'était peut-être pas au-dessus de toute critique. Par exemple, dans une chemise de nuit trop courte, prêchant à son épouse que sa dignité de femme devait lui interdire toute complaisance envers les jeunes gens licencieux et brutaux qui régnaient alors, avec leur ivresse et leurs balafres, sur la vie estudiantine et qui de ce fait, comme locataires, n'étaient pas aussi mal vus qu'il aurait fallu.

Le goût secret des femmes pour la raillerie est d'ailleurs un chapitre étroitement lié à leur incompréhension pour les problèmes virils les plus importants. A l'instant où Lindner se le rappela, les opérations intellectuelles qui s'étaient déroulées jusqu'alors dans son esprit avec le plus grand désordre frayèrent la route à la pensée d'Agathe. Comment pouvait-elle être quand on vivait tout près d'elle ? « Sans aucun doute, elle n'est pas ce qu'on pourrait appeler tranquillement une bonne créature. Elle ne s'en cache même pas! » se dit-il. Un jour, elle avait affirmé en riant, il s'en souvenait soudain, que les bons n'étaient pas moins coupables que les mauvais de la pourriture du monde : les cheveux de Lindner se hérissaient à ce souvenir. Pourtant, bien que ces « opinions effrayantes » le troublassent chaque fois, il leur avait enlevé leur venin en se les expliquant une fois pour toutes d'une phrase : « Elle ne connaît pas la réalité! » Bien qu'il considérât Agathe comme une « fille d'Eve » gâtée par de mauvais instincts, il la tenait pour une créature essentiellement noble. La bonne conduite, si évidente aux yeux du croyant, semblait à Agathe la chose la plus incertaine, le problème le plus difficile de la vie! Elle paraissait se faire une idée extrêmement confuse du bien et du droit, une idée anarchique et pas plus cohérente qu'un rassemblement arbitraire de poèmes. « Elle est étrangère au réel! se répéta-t-il. Si, par exemple, elle connaissait l'amour, elle n'oserait affirmer avec un tel cynisme qu'il est impossible, ou que sais-je ? » Il fallait lui montrer le vrai amour.

Mais Agathe, sur ce point, lui préparait d'autres difficultés. Il fallait qu'il se l'avouât courageusement : elle était blessante! Elle n'aimait que trop arracher de son piédestal ce qu'on avait pris grand soin d'y mettre; la blâmait-on, son esprit critique ne reculait devant rien, elle ne cachait pas qu'elle cherchait à blesser. Il existe des natures qui se déchaînent ainsi contre elles-mêmes et frappent la main qui veut les secourir. Mais jamais un homme de quelque fermeté ne fera dépendre son comportement de celui des autres. En cet instant, Lindner voyait devant lui l'image d'un homme calme à longue barbe se penchant au chevet d'une malade effrayée, sur la défensive, et découvrant tout au fond de son cœur une blessure. La logique ne régnait pas précisément en cet instant, il n'était donc pas dit que cet homme fût lui; mais Lindner se redressa, il empoigna réellement sa barbe qui, entretemps, avait beaucoup perdu de son abondance, et une rougeur nerveuse envahit son visage. Il s'était souvenu qu'Agathe avait la coupable habitude de lui suggérer, mieux qu'aucun être n'avait pu le faire, qu'elle pouvait partager ses plus secrètes, ses plus sublimes pensées, bien plus, qu'elle attendait, dans son anxiété, un effort particulier de sa part pour ensuite, lorsqu'il lui livrait les trésors de son âme, l'offenser méchamment. Elle lui donnait des ailes! Lindner se l'avouait et n'aurait pu faire autrement, car il y avait dans sa poitrine une étrange agitation qu'on eût pu comparer par manque d'amour (mais c'était loin d'être son cas) à un panier plein de poules turbulentes. Puis, tout à coup, Agathe pouvait se mettre à rire d'un rire absolument indéfinissable ou laisser échapper quelque parole froidement mondaine qui lui brisait le cœur, comme si elle avait eu pour seul souci de le leurrer! Aujourd'hui encore, avant même d'être là, ne l'avait-elle pas bouleversé avec ce piano ? Lindner le regarda. Il était à côté de lui comme une servante avec laquelle le maître a fauté.

Lindner ne pouvait savoir ce qui poussait Agathe à jouer ce jeu; elle-même n'aurait pu s'en expliquer à personne, surtout pas à Ulrich. Sa conduite était capricieuse; mais, dans la mesure où cela signifie que ses sentiments changeaient, elle n'en avait pas moins une intention, le désir de secouer et d'alléger son émotion, comme un homme étire ses membres quand ils ont eu à porter un doux fardeau. Ainsi, l'attrait bizarre qui l'avait déjà conduite plus d'une fois en secret chez Lindner avait-il comporté dès le début une résistance à l'égard d'Ulrich, ou plutôt de la dépendance totale où elle était vis-à-vis de lui. L'autre la distrayait un peu, lui rappelait la diversité du monde et des hommes. Mais ce n'était que pour lui faire sentir plus chaleureusement cette dépendance. Il en allait de cela pour elle comme du journal secret pour Ulrich, ou simplement de la volonté qu'il avait de laisser l'intelligence juge, à côté ou au-dessus du sentiment. Mais si cela suffisait à distraire son frère, l'impatience d'Agathe, la tension qu'elle tenait prête pour une aventure dont il était impossible de dire quel chemin elle prendrait avaient besoin d'exutoire. Dans la mesure où Ulrich l'exaltait ou la décourageait, Lindner, à qui elle se sentait supérieure, lui redonnait la patience ou l'insolence. Elle gagnait une certaine maîtrise d'elle-même en abusant de l'influence qu'elle exerçait sur lui. Cela lui était nécessaire.

Un autre élément jouait encore son rôle. A cette époque, en effet, il n'était plus jamais question entre elle et Ulrich ni de son divorce et des lettres d'Hagauer, ni de la falsification légère, insensée même, du testament en un instant exceptionnel, falsification qui exigeait d'être réparée, bourgeoisement ou féériquement. Agathe était quelquefois oppressée par ce qu'elle avait fait; elle savait aussi que dans le désordre qu'on laisse au-dessous de soi, Ulrich ne voyait pas un bon présage pour l'ordre auquel on aspire à un degré supérieur; il le lui avait dit assez nettement, et bien qu'elle ne se rappelât plus tous les détails de la conversation qui s'était rattachée aux soupçons d'Hagauer à son égard, elle ne s'en trouvait pas moins comme exilée, en suspens entre le bien et le mal. Il y avait bien quelque chose qui tirait ses qualités vers le haut pour une justification miraculeuse, mais elle ne pouvait y croire encore : c'était donc aussi son sentiment du droit, lésé et récalcitrant, qui trouvait une issue dans ses disputes avec

Lindner. Elle lui était très reconnaissante qu'il semblât lui attribuer toutes les qualités négatives qu'Hagauer avait découvertes en elle, et que, sans le vouloir, il la tranquillisât par le seul spectacle qu'il lui donnait ce faisant.

Lindner, incapable d'aboutir à un jugement précis, avait commencé à arpenter la chambre avec agitation, soumettant les visites qu'Agathe lui avait faites à un examen sévère et minutieux. Elle semblait se plaire chez lui, elle l'avait questionné sur mille détails de sa maison et de sa vie, sur ses principes d'éducation et sur ses livres. Il ne se trompait certainement pas en admettant qu'on ne pouvait s'intéresser tant à une vie que si on souhaitait la partager : il est vrai qu'il fallait avaler comme une originalité d'Agathe la manière qu'elle avait de le dire! Il se souvint qu'elle lui avait parlé un jour d'une femme (hélas! une ancienne maîtresse de son frère!) qui, chaque fois qu'elle s'amourachait de quelqu'un, attrapait une tête « comme une noix de coco », « avec les cheveux en dedans »; elle avait ajouté que c'était ce qui lui arrivait chez lui. Tout était si uniforme qu'on finissait par avoir « peur pour soi-même »! Cette peur, pourtant, semblait lui faire plaisir. Lindner reconnut dans ce trait contradictoire le goût anxieux de l'âme féminine pour le don de soi, d'autant plus qu'elle lui laissait entendre qu'elle avait gardé une impression analogue des premiers temps de son mariage.

Sans doute est-il naturel qu'un homme comme Lindner ait plutôt des pensées de mariage que des pensées coupables. Aussi s'était-il déjà demandé plusieurs fois secrètement, dans et même hors les heures réservées dans son horaire aux problèmes vitaux, s'il ne serait pas bon de redonner une mère au jeune Peter. Maintenant encore, au lieu d'analyser plus avant le comportement d'Agathe, il s'attarda sur une image qui lui parlait mystérieusement au cœur. Dans une profonde anticipation de son destin, Agathe, depuis le début de leurs relations, ne lui parlait de rien aussi passionnément que de son divorce. Il était exclu qu'il approuvât ce péché, mais il ne pouvait faire que ses avantages ne lui parussent de jour en jour plus évidents. En dépit de ses vues habituelles sur l'essence du tragique, il était enclin à trouver tragique le sort qui l'obligeait à manifester une amère aversion à l'égard de ce qu'il commençait presque à souhaiter. A cela s'ajouta le fait qu'Agathe exploitait au maximum cette résistance pour lui faire comprendre, plus blessante que jamais, qu'elle ne croyait pas à la sincérité de sa conviction. Il avait beau invoquer la morale, se retrancher derrière l'Église, déclamer toutes les sentences qui lui avaient été d'un usage si courant toute sa vie, elle souriait en lui répondant, et ce sourire lui rappelait la madame Lindner des dernières années, avec l'avantage de l'inquiétante et mystérieuse nouveauté. « C'est le sourire de Monna Lisa! s'écria intérieurement Lindner. Railleur dans un pieux visage! » Cette prétendûment grande découverte le troubla et le flatta à tel point que, dans l'instant, il se révolta moins contre la prétention qu'avait Agathe, outre ce sourire, de l'interroger sur la solidité de sa foi. Cette incroyante ne demandait pas un enseignement, elle en voulait toucher la source du doigt; peut-être même lui était-il imposé, à lui Lindner, d'écarter un peu la pierre qui la couvrait pour permettre à Agathe d'y jeter un coup d'œil : qui lui garantissait qu'il n'en serait pas ainsi, quelque déplaisante, angoissante même que fût pour lui cette pensée ? Et tout à coup, bien qu'il fût toujours seul dans la pièce, Lindner s'avança avec fermeté et s'écria tout haut : « Ne croyez pas que je ne vous comprenne pas! Ne croyez pas que la soumission que vous me voyez soit d'une nature qui fut toujours soumise! »

Comment Lindner était devenu ce qu'il était, l'histoire, à vrai dire, était infiniment plus banale qu'il ne le croyait. Elle commençait par le fait qu'il aurait pu aussi bien devenir autre chose : il se rappelait très bien sa prédilection de petit garçon pour la géométrie dont les belles preuves, intelligemment disposées, finissaient par se refermer avec un léger claquement sur la vérité, lui procurant le même plaisir que s'il avait attrapé un géant dans une trappe à souris. Rien ne disait qu'il eût eu des dispositions religieuses particulières; maintenant encore, il était d'avis qu'on devait *conquérir* une foi, et non la recevoir des fées. S'il avait été un excellent élève en religion, c'est qu'il y montrait la même joie de savoir, et de mieux savoir, que dans toutes les autres branches. Il est vrai que son âme avait adopté très jeune le langage de la tradition religieuse : seul son esprit bourgeois, tôt développé, se révolta un temps là-contre, comme on le vit d'une manière très inattendue dans la seule heure exceptionnelle de sa vie. Ce fut au temps où il préparait son baccalauréat. Il travaillait énormément depuis plusieurs semaines. Un soir qu'il était assis à sa table de travail, dans sa chambre, une transformation incompréhensible se produisit en lui. Son corps, au regard du monde, lui parut devenir aussi léger que de la cendre de papier; une indicible joie l'envahit, comme si une bougie s'était allumée sous les sombres voûtes de sa poitrine et répandait son doux éclat dans tous ses membres. Avant même qu'il pût se demander raison de cette imagination, cette lumière assiégea aussi sa tête. Il en fut très effrayé; sa tête, néanmoins, continuait à irradier. Une merveilleuse clarté intellectuelle inonda tous ses sens, et le monde s'y refléta sur des étendues qui dépassaient le pouvoir du regard normal. Il leva les yeux et ne vit que sa chambre à demi éclairée : ce n'était donc pas une vision, mais l'élan durait, si contradictoire que cela pût paraître. Il se consola en pensant que c'était l'homme *intellectuel* en lui qui vivait cela, alors que l'homme *corporel* était toujours assis prosaïquement sur sa chaise, occupant entièrement l'espace habituel. Il persévéra ainsi pendant un moment et déjà il s'était presque accommodé de son étrange état, tant on s'habitue vite à l'extraordinaire lorsqu'on peut encore espérer qu'il se révèlera bientôt être un enfant, même diabolique, de l'Ordre. Mais un phénomène nouveau se produisit : Lindner entendit soudain une voix qui lui disait sur un ton mesuré, comme s'il y avait un moment déjà qu'elle lui parlait, mais avec beaucoup de netteté : « Lindner, où me cherches-tu? *Si tu tuus et ego ero tuus* », ce qui signifiait à peu près : il suffit que tu deviennes Lindner pour que je sois auprès de toi! Pourtant, la teneur de ces propos bouleversa l'étudiant ambitieux (il pouvait les avoir lus ou entendus, au moins en partie, quelque part, et les avoir oubliés depuis), moins que la résonance physique des paroles : celle-ci venait de l'extérieur d'une manière si autonome, si surprenante, elle était d'une plénitude et d'une fermeté si convaincantes, elle avait un son si différent de celui de l'acharnement au travail qui avait marqué l'heure tardive, que toute tentative de ramener le phénomène à un surmenage ou à une surexcitation était exclue d'avance. Que cette issue fût si proche et pourtant barrée accrut naturellement le trouble de Lindner. Quand, par-dessus le marché, avec ce trouble, une lumière toujours plus magnifique lui inonda le cœur et le cerveau et commença à ruisseler dans tout son corps, c'en fut trop. Il se prit la tête à deux mains, la secoua, bondit de sa chaise, s'écria « Non! » avec véhémence trois fois de suite et prononça presque en criant la première prière qui lui vint à l'esprit, après quoi le sortilège s'évanouit enfin. Mortellement effrayé, le futur candidat professeur se réfugia dans son lit.

Il passa son baccalauréat peu après avec mention très bien et entra à l'Université. Il ne se sentait pas la vocation ecclésiastique (pour répondre à d'absurdes questions d'Agathe, il ne l'avait jamais sentie de sa vie); à cette époque même, il n'était pas croyant intégralement : les doutes qui ne sont épargnés à aucune intelligence en formation le visitèrent lui aussi. Mais jamais il n'oublia la terreur mortelle que lui avaient inspirée les puissances religieuses qu'il recélait. Plus l'événement s'éloignait dans le souvenir, moins il croyait, bien sûr, que Dieu lui eût réellement parlé : il commença à redouter dans l'imagination une puissance effrénée qui risquait fort de vous faire sombrer dans l'égarement. Son pessimisme, auquel l'homme apparaissait comme une créature essentiellement menacée, gagna lui aussi en profondeur. Ainsi, sa résolution de devenir pédagogue fut, d'une part, le début d'une sorte d'éducation posthume des camarades d'école qui l'avaient tourmenté, et d'autre part celui d'une éducation du mauvais esprit ou du dieu irrégulier qui logeait peut-être encore dans la caverne de sa poitrine. S'il voyait mal jusqu'à quel point il était croyant, il comprit fort vite et fort bien qu'il était un adversaire des incroyants; il s'habitua à penser avec conviction qu'il était convaincu et qu'il fallait que tout le monde le fût. A l'Université, il apprit d'autant mieux à reconnaître les faiblesses d'un esprit livré à une trop grande liberté, qu'il savait moins combien la liberté est innée aux esprits créateurs.

Il est difficile de dire l'essentiel de ces faiblesses en peu de mots. On pourrait le voir, par exemple, dans le fait que toutes les grandes constructions de la philosophie autonome, dont les dernières ont été édifiées entre le milieu du XVIIIe et le milieu du XIXe siècle, ont été minées par les transformations de l'existence, en particulier par les résultats même de la pensée et de l'expérience; sans que l'abondance des nouvelles découvertes (rendues presque quotidiennes par la science) ait conduit l'humanité à une nouvelle prise de position ferme, n'eût-elle été que provisoire; bien plus, sans même que la volonté d'y aboutir se soit manifestée assez publiquement et assez sérieusement, de sorte que la richesse des connaissances est devenue presque aussi accablante qu'exaltante.

On peut aussi partir, plus généralement, du fait que l'extraordinaire réussite de Capital et Culture avait abouti à un état de détresse sournoise qui, peu après cette journée où Lindner, pour se reposer de la partie la plus astreignante de ses souvenirs, méditait sur les erreurs du monde, devait être interrompue par le premier coup de massue de la catastrophe. Supposé que quelqu'un soit venu au monde en 1871, l'année de naissance de l'Allemagne, à trente ans déjà il aurait pu s'apercevoir que, pendant la courte durée de son existence, le réseau des chemins de fer, en Europe, avait triplé, et quadruplé sur l'ensemble du globe, que les communications postales avaient triplé elles aussi, que les lignes télégraphiques étaient même sept fois plus nombreuses : bien d'autres choses avaient évolué dans le même sens. Le rendement des moteurs avait passé de 50 à 90 %. La lampe à pétrole avait été remplacée successivement par l'éclairage au gaz, le bec Auer et enfin l'électricité, qui invente continuellement de nouveaux systèmes d'éclairage. Aux attelages, qui avaient duré pendant des siècles, avaient succédé les automobiles. Les avions étaient non seulement au monde, mais déjà sortis de l'enfance. La durée moyenne de la vie elle-même, grâce au progrès de la médecine et de l'hygiène, s'était considérablement élevée et, depuis la dernière explication belliqueuse, les relations entre les peuples s'étaient faites visiblement plus douces et plus confiantes. Le contemporain de ces événements pouvait bien penser que le progrès durable de l'humanité, si longtemps attendu, était enfin venu : qui ne jugerait cela normal d'une époque où lui-même vit!

Mais il semble que ce bien-être psychique et bourgeois ait reposé sur des bases précises et nullement éternelles. On nous explique aujourd'hui qu'alors il existait d'immenses surfaces cultivables et d'autres richesses naturelles dans le monde, dont il fallait d'abord prendre possession; qu'il y avait des peuples de couleur, sans défense, qui n'avaient pas encore été pillés (la violence étant compensée, se disait-on, par le don de la civilisation); qu'il y avait aussi des millions d'hommes blancs qui devaient payer, sans pouvoir se défendre, les frais du progrès industriel et commercial (mais on rassurait sa conscience avec la certitude pas tout à fait injustifiée qu'après cinquante ou cent ans de progrès continuel, les déshérités auraient une situation meilleure qu'avant le déshéritement). En tout cas, la corne d'abondance d'où débordait la réussite physique et intellectuelle était si profonde, si inépuisable, qu'elle demeurait invisible, ne laissant que l'impression de croissance dans tous les domaines. Aujourd'hui, il est absolument impossible de faire comprendre à quelqu'un combien il était alors naturel de croire à la durée de ce progrès, de voir dans la réussite et dans l'esprit quelque chose qui, comme l'herbe, se propage partout où on ne l'a pas arraché volontairement.

Le pâle et maigre étudiant Lindner pour qui la croissance était plutôt un tourment éprouvait une aversion naturelle à l'égard de cette confiance aveugle, de ce délire de réussite, de ce libéralisme dangereusement jovial; il avait une sensibilité naturelle à tous les défauts, une réceptivité intense pour tous les exemples du contraire. Sans doute l'économie politique n'était-elle pas son domaine, et ne put-il juger sensément de ces faits que plus tard; mais il était d'autant plus clairvoyant pour l'autre aspect de cette évolution, pour le pourrissement progressif d'une mentalité qui, au nom de la liberté de l'esprit, avait commencé par mettre la liberté du commerce à la tête des préoccupations humaines, puis avait confié cette même liberté de l'esprit à ce même libre-échange : Lindner flairait l'effondrement spirituel qui d'ailleurs n'a pas manqué de s'ensuivre. Cette croyance au destin dans un monde qui se reposait sur le progrès était la plus forte de toutes les qualités de Lindner; mais il aurait pu aussi bien, probablement, faire un socialiste, ou encore l'un de ces solitaires fatalistes qui ne s'occupent que de mauvais gré de politique parce que leur amertume s'étend à tout, et qui assurent la continuité de l'esprit en maintenant le droit dans leur petit cercle, en agissant toujours, personnellement, avec gravité, et en abandonnant la thérapeutique de la culture aux charlatans. Si Lindner, aujourd'hui, se demandait comment il était devenu malgré tout ce qu'il était, il pouvait donc se donner une réponse apaisante : la chose s'était produite comme elle se produit d'habitude quand on adopte une profession quelconque. Dès la dernière année du lycée, il avait fait partie d'un groupe dont le plan de travail était d'exercer une critique implacable aussi bien sur l'*Antiquité païenne* officieusement admirée à l'école que sur l'*Esprit moderne* qui rôdait au dehors. Dans la suite, peu sensible à la turbulence des étudiants, il était entré dans une société où les influences de la lutte politique évinçaient déjà, comme la barbe le blanc-bec, les innocentes conversations juvéniles. Ainsi, lorsqu'il en fut à ses derniers semestres, une découverte, recevable pour toute espèce d'opinion, s'était imposée avec autorité chez lui : que l'incroyance était le meilleur soutien de la croyance, parce qu'elle offrait au croyant qui l'observait et la combattait chez autrui, de fréquentes occasions d'éprouver son zèle.

Dès l'instant où Lindner avait décidé que la religion était essentiellement une institution pour les hommes, et non pour les saints, il avait retrouvé la paix. Entre le désir d'être ou un enfant ou un serviteur de Dieu, il avait choisi. Dans l'immense palais où il voulait servir, il y avait sans doute une pièce cachée où les miracles étaient conservés; tout le monde y songeait à l'occasion, mais aucun des serviteurs ne restait longtemps dans ce sanctuaire, tous se contentaient d'en vivre; on le protégeait anxieusement de l'indiscrétion des profanes, qui semblait évoquer d'assez mauvaises expériences. Cette méthode convenait admirablement à Lindner. Il distinguait entre l'élévation et l'exaltation. L'activité d'antichambre, avec la hiérarchie complexe de ses besognes et de ses employés, l'emplissait d'admiration et d'ambition; le travail à l'extérieur, auquel il se soumettait lui-même (influencer les associations politiques, morales et pédagogiques, imprégner la science de principes religieux) supposait des tâches pour lesquelles il aurait eu besoin non pas d'une, mais de cent vies, et qui lui donnaient en échange ce perpétuel mouvement au sein de l'invariabilité intérieure qui est le bonheur des bienheureux : du moins le pensait-il dans ses heures de satisfaction, mais il confondait peut-être avec le bonheur des hommes politiques. Il entra donc dans des sociétés, rédigea des brochures, tint des conférences, fréquenta des assemblées, noua des relations : avant même d'avoir quitté l'Université, le conscrit de la foi était inscrit sur la liste des officiers et disposait de protecteurs influents.

Une personnalité à la base si large et au sommet si élevé ne devait donc pas se laisser intimider par les critiques impertinentes d'une jeune femme. Quand Lindner revint au moment présent, il tira sa montre et constata qu'Agathe n'était pas encore arrivée alors que le retour de Peter était imminent.

Néanmoins, il rouvrit le piano; sans s'exposer aux surprises du chant, il n'en laissa pas moins son regard errer à plusieurs reprises sur les paroles en les accompagnant d'un fredonnement. Il s'aperçut pour la première fois qu'il les accentuait mal, qu'il y mettait trop de sentiment pour être en accord avec une musique sévère en dépit de sa séduction. Il vit devant lui un enfant Jésus qui semblait « un vrai Murillo » : outre les yeux noirs comme des cerises, il portait les haillons pittoresques des jeunes mendiants de ce maître, de sorte qu'il n'avait en commun avec le Fils de Dieu que sa part la plus tendrement humanisée, mais celle-là avec excès, et même sans beaucoup de goût. Cela fit à Lindner une impression pénible et, une fois de plus, lui rappela Agathe. Il se souvint de ce qu'elle lui avait dit un jour, que rien ne serait plus étrange que de voir le goût auquel on devait les cathédrales gothiques et les Passions relayé par le goût des fleurs en papier, des broderies de perles, des petits toits dentelés et du langage douceâtre : comme si la foi n'avait plus de goût et que le pouvoir de rendre l'Insaisissable sensible au goût et à l'odorat se fût réfugié chez les sceptiques ou les incroyants! Lindner se dit qu'Agathe était une « esthète » : cela évoquait un monde moins sérieux que l'économie politique et la morale, mais qui pouvait être fascinant dans certains cas : et celui-ci en était un. Jusqu'alors, Lindner avait jugé l'invention des fleurs en papier belle et sensée; tout à coup, il se décida à en écarter un bouquet qui se trouvait sur la table et à le cacher, provisoirement, derrière son dos.

Le geste avait été presque involontaire, et il en fut un peu déconcerté. En même temps, il pensa pouvoir donner de l'étrange phénomène qu'Agathe avait seulement évoqué en passant une explication qu'elle n'attendrait pas de lui. La parole de l'Apôtre lui revint : « Quand je parlerais les langues des hommes et celles des anges, si je n'ai pas l'amour, je ne suis qu'un airain qui résonne, ou une cymbale qui retentit. » Fronçant les sourcils, les yeux à terre, il songea que depuis nombre d'années, tous ses actes étaient en relation avec l'Amour divin. Il faisait partie d'une admirable communauté d'amour (c'était cela qui le distinguait des intellectuels ordinaires) où rien ne se passait qui n'eût, même dans ce monde-ci, une relation allégorique avec l'Éternité : oui, cette relation était la signification la plus profonde de ces actes, même si la conscience qu'on en avait n'était pas absolument propre. Mais il y a une immense différence entre l'amour qu'on possède sous forme de conviction et l'amour qui vous possède; une différence de fraîcheur, aurait-il aimé à dire, même quand la différence entre le savoir purifié et la trouble turbulence subsistait à bon droit. Lindner ne doutait pas que la conviction purifiée ne dût être estimée davantage; mais, plus elle vieillit, plus elle se purifie, c'est-à-dire qu'elle se débarrasse des irrégularités du sentiment qui l'a produite. Peu à peu, de ces passions, il ne reste même plus la conviction, mais seulement la possibilité de s'en souvenir et de s'en servir quand on en a besoin. Ainsi s'explique que les œuvres du sentiment se dessèchent quand une expérience amoureuse directe ne vient pas les rafraîchir.

C'était dans ces réflexions quasi hérétiques que Lindner était plongé lorsque brusquement la sonnette retentit.

Il haussa les épaules, referma le piano et s'excusa auprès de soi-même en ces termes : « La vie n'a pas besoin seulement de moines en prière : il lui faut des ouvriers! »

76. *La réalité et l'extase.*

Agathe n'avait pas terminé la lecture des notes de son frère lorsqu'elle entendit pour la deuxième fois ses pas sur le chemin de gravier sous la fenêtre, et cette fois si nettement qu'elle ne pouvait s'être trompée. Elle se proposa de forcer une nouvelle fois sa cachette, dès que l'occasion s'en présenterait, et sans qu'il en sût rien; si étrangère que fût à sa nature cette manière de réfléchir, elle n'en voulait pas moins la connaître et la comprendre. Il y avait aussi une part de vengeance; elle voulait faire payer le clandestin par du clandestin : il fallait qu'elle ne fût pas découverte. Elle remit donc hâtivement de l'ordre dans les feuillets, les rangea et effaça toute trace qui eût pu trahir son intervention. Un coup d'œil à sa montre lui rappela d'ailleurs qu'elle aurait dû avoir quitté la maison depuis longtemps et qu'elle était attendue probablement avec impatience ailleurs, ce que son frère ne devait pas savoir non plus. Cet usage de deux mesures la fit sourire soudain. Elle savait que son manque de sincérité ne trahissait pas réellement sa fidélité; qu'il était pourtant bien plus grave que celui d'Ulrich. Grâce à cette satisfaction naturelle, elle parut se séparer de sa découverte dans un sentiment de réconciliation.

Lorsque son frère regagna son bureau, il ne l'y trouva plus, mais ne s'en étonna point. Il s'était enfin aperçu, après que les personnes et les circonstances dont il avait été question lui avaient si vivement occupé l'esprit, qu'il était resté quelque temps encore à errer dans le jardin après le départ de Stumm. Après une longue période d'abstinence, un verre de vin bu un peu rapidement peut provoquer une vivacité analogue, une simple apparence de gaieté, alors qu'on demeure sombre et intact derrière la multiplicité de ses changements de décor. Ainsi n'avait-il même pas songé que les personnes au destin de qui il semblait à nouveau si vivement s'intéresser n'habitaient pas bien loin de chez lui, qu'il pouvait les atteindre quand il le voudrait. Ses relations réelles avec elles étaient restées paralysées comme un muscle coupé.

Pourtant, quelques souvenirs faisaient exception et avaient éveillé en lui des pensées vers lesquelles le sentiment jetait encore des ponts, fussent-ils vacillants. Ainsi, ce qu'il avait défini comme le « retour du sous-secrétaire Tuzzi de l'intérieur à l'extérieur du sentiment » lui procura l'intense satisfaction de penser que ses notes tendaient à une distinction entre ces deux faces du sentiment. Mais il voyait aussi Diotime devant lui dans sa beauté différente de celle d'Agathe, et il était flatté qu'elle songeât encore à lui, bien qu'il lui abandonnât de nouveau de grand cœur, dans les instants où ce cœur battait pour ainsi dire à nouveau dans la chair, le plaisir d'être domptée par son époux. Entre toutes les conversations qu'il avait eues avec elle, il se souvint de celle où elle avait évoqué la possibilité que l'amour développât dans les êtres des puissances occultes : parole inspirée par son amour pour l'homme richissime qui voulait, lui aussi, avoir de l'âme. Ainsi Ulrich repensa-t-il également à Arnheim. Il lui devait encore une réponse à l'offre touchante qui voulait lui permettre d'agir sur la vie efficace; il se demanda ce qui pouvait être advenu de la non moins vague proposition de mariage qui avait enivré Diotime naguère. Vraisemblablement la même chose : Arnheim tiendrait sa parole si on le lui rappelait mais ne s'opposait pas à ce qu'on l'oubliât. La grimace railleuse qui avait crispé le visage d'Ulrich au souvenir des fastes de Diotime s'atténua. Il songea que c'était très décent de sa part de ne pas retenir Arnheim. C'était la voix de la raison dans son esprit surpeuplé. Elle avait parfois des accès de prosaïsme où elle se sentait abandonnée par le sublime, et devenait alors très agréable. Ulrich avait toujours ressenti pour elle un peu de sympathie cachée au sein de l'antipathie, et il n'excluait pas qu'elle eût fini par remarquer elle-même le ridicule du couple qu'elle formait avec Arnheim : elle prête à consommer le sacrifice de l'adultère, lui le sacrifice du mariage, de sorte qu'une fois de plus ils ne se rencontraient pas et se faisaient entrevoir d'inaccessibles ciels pour se dispenser de l'accessible. Mais, se souvenant des récits de Bonadea sur l'École d'amour, Ulrich finit par se dire que Diotime était une personne insupportable : rien n'excluait qu'elle ne portât une fois sur lui aussi toute son énergie amoureuse.

Ainsi Ulrich avait-il laissé errer ses pensées après sa conversation avec Stumm. Il s'était dit que les gens normaux devaient penser de la sorte lorsqu'ils s'intéressaient selon le bon usage les uns aux autres : lui en avait perdu complètement l'habitude.

Lorsqu'il était rentré, tout cela s'était évanoui en fumée. Debout de nouveau devant son secrétaire, il eut un moment d'hésitation, puis se remit à parcourir ses notes.

Il réfléchit. A l'exposé des différents concepts du sentiment, dans ses papiers, se rattachaient quelques remarques sur les états d'extase, ce qui lui parut justifié. Un comportement entièrement soumis à un sentiment unique, tel qu'il l'avait mentionné à l'occasion, était déjà un comportement extatique. Être la proie de la colère ou de l'angoisse est une extase. Sous les yeux d'un individu isolé qui voit rouge, ou qui ne voit plus partout que menaces, le monde ne tient pas longtemps, c'est pourquoi on ne parle pas d'un monde, mais d'imaginations et d'illusions; mais quand ce sont les foules qui y sont soumises, apparaissent des hallucinations d'une puissance et d'une extension effrayantes.

Une autre extase à laquelle il avait fait allusion déjà, c'était celle des degrés extrêmes d'un sentiment. Quand ceux-ci sont atteints, l'action n'est plus unilatérale, elle devient incertaine, souvent même absurde; dans une sorte d'ardeur blanche, le monde perd ses couleurs; le Moi s'abolit jusqu'à son ultime enveloppe. Cet anéantissement de l'ouïe et de la vue est sans doute une extase appauvrissante (d'ailleurs, tout état de ravissement est plus pauvre en diversité que les états ordinaires). Elle ne prend de l'importance que par sa liaison avec l'extase orgiastique, le ravissement frénétique, ou encore l'état qu'entraînent les efforts physiques excessifs, les pires tourments dont elle peut former quelquefois l'ultime degré. Pour plus de brièveté, dans ces exemples, Ulrich avait fondu ensemble la forme surabondante et la forme tarissante de l'extase, et cela non sans raison : si la différence, de l'autre point de vue, était très importante, eu égard à ces dernières remarques, elle disparaissait presque complètement. L'homme emporté par le ravissement orgiastique se jette dans sa perte comme dans une lumière, déchirer ou être déchiré sont pour lui feu couvant, amour, liberté, de même que l'homme à bout de fatigue ou profondément désespéré, malgré toutes les différences, se laisse tomber dans son malheur et trouve dans cet événement ultime une libération, donc un peu de la douceur de l'amour et de la liberté. Ainsi se fondent, au plus haut degré de l'expérience, l'action et la passion.

Bien entendu, ces extases où règne seul un sentiment porté à l'état de crise sont, plus ou moins, des créations intellectuelles; les extases réelles (que ce soient les extases mystiques, guerrières ou celles réservées aux communautés amoureuses ou à d'autres enthousiasmes) présupposent toujours un groupe de sentiments apparentés et naissent d'un ensemble d'idées qui les reflète. Sous une forme moins solide, qui tantôt cristallise et tantôt se dissout, ces visions du monde irréelles, formées dans le sens de certaines idées et de certains groupes de sentiments (conceptions du monde ou manies personnelles) sont si fréquentes dans la vie quotidienne que la plupart d'entre elles ne sont pas considérées comme des extases, bien qu'elles en soient l'amorce autant qu'une allumette de sûreté dans sa boîte est l'amorce d'une allumette enflammée.

Ulrich avait noté enfin qu'une vision du monde d'essence extatique naît aussi lorsque le sentiment et les idées qui sont à son service passent avant la réflexion objective : c'est la vision du monde sentimentale, exaltée, la vie enthousiaste qui a parfois existé dans la littérature et probablement aussi, au moins partiellement, dans la réalité, au sein de communautés plus ou moins importantes. A cette énumération ne manquait donc que ce qui importait le plus à Ulrich, la mention de l'unique état de l'âme et du monde qu'il tînt pour une extase comparable à la réalité. Mais ses pensées, à ce point, s'écartèrent de leur objet : s'il voulait se décider à juger cette exception si fascinante, il était absolument nécessaire (et Ulrich y était amené aussi par le fait qu'il avait parlé, avec incertitude, tantôt du monde, tantôt d'une vision du monde de l'extase) qu'il examinât d'abord la relation qui s'établit entre notre sentiment et le monde réel, autrement dit ce monde auquel nous attribuons cette qualité par opposition aux illusions de l'extase.

Mais les mesures qui nous servent à mesurer ce monde sont celles de la connaissance, comme les conditions dans lesquelles nous le mesurons. Or, la connaissance (même si une définition très précise de ses limites et de ses droits donne les plus grandes difficultés à l'intelligence) offre une particularité aisée à observer et à définir par rapport au sentiment : pour connaître, il faut autant que possible laisser les sentiments de côté. Pour être « objectifs » nous les déclenchons, ou nous nous transportons dans un état où les sentiments qui restent s'annulent réciproquement, ou encore nous nous abandonnons à un groupe de sentiments plutôt froids qui, traités avec quelques précautions, cessent de gêner la connaissance. Ce que nous arrivons à connaître dans cet état de sang-froid nous sert de terme de comparaison quand, dans d'autres cas, nous parlons des « illusions » dues au sentiment. De la sorte, c'est un degré zéro, un état de neutralisation, en un mot un certain état affectif qui est la condition tacite des expériences et des opérations intellectuelles à l'aide desquelles nous jugeons purement subjectif ce que nous révèlent les autres états affectifs. Une expérience millénaire a confirmé que nous ne sommes jamais mieux en mesure de satisfaire aux exigences du réel que lorsque nous nous maintenons dans le dit état, et que celui qui veut non seulement connaître, mais agir, en a lui aussi besoin. Même un cycliste ne peut se passer de l'objectivité (qui s'appelle chez lui « ne pas perdre les pédales ») : sur la piste, il n'a pas plus le droit de se mettre en colère que de perdre courage, s'il ne veut pas avoir le dessous. Ainsi, notre comportement sensible, quand il est adapté au réel, dépend-il lui aussi non seulement des sentiments qui nous animent ou de leurs soubassements instinctifs, mais encore de cet état affectif durable qui garantit la compréhension du réel et n'est d'ordinaire pas plus visible que l'air que nous respirons.

Cette découverte personnelle d'une correspondance d'habitude négligée avait conduit Ulrich à réfléchir plus longuement aux rapports du réel et du sentiment. Il faut faire ici une distinction entre les perceptions des sens et les sentiments. Celles-là aussi « illusionnent » : on sait bien que l'image sensible qu'elles nous offrent du monde n'est pas la réalité, de même que l'image intellectuelle que nous nous en formons, si elle est indépendante de notre variété personnelle d'esprit, ne l'est pas de sa variété humaine. Mais, bien qu'il n'y ait aucune espèce de ressemblance tangible entre la réalité et sa représentation même la plus exacte, plutôt un abîme de dissemblance impossible à combler, et bien que nous ne puissions jamais voir l'original, nous sommes néanmoins capables de décider, d'une manière assez compliquée, si et dans quelles conditions l'image donnée par les sens est juste. Il en va autrement des sentiments : bien que ceux-ci, pour rester dans le même style, nous donnent des images fausses, ils nous maintiennent en accord avec le réel : simplement, d'une autre manière que les sens. Peut-être ce souci de rester en accord avec la réalité exerçait-il un attrait particulier sur Ulrich; n'oublions pas, cependant, qu'il est le signe distinctif de tout ce qui, dans la vie, se maintient. On peut donc en déduire une excellente formule pour déterminer si l'image que la perception et l'entendement nous fournissent est juste et véridique, bien que cette formule ne soit pas exhaustive : nous exigeons que les conséquences de l'image spirituelle que nous nous sommes faite de la réalité s'accordent avec l'image intellectuelle des conséquences qui se produisent dans la réalité : alors seulement, nous estimons qu'une image intellectuelle est juste. On pourrait dire au contraire des sentiments qu'ils se chargent de nous maintenir continuellement dans des erreurs qui continuellement s'annulent.

Pourtant, ce n'est là que la conséquence d'une division du travail grâce à laquelle la sensation qui recourt à l'outil des sens et les opérations intellectuelles influencées par elle se sont développées jusqu'à devenir, pour parler brièvement, des sources de connaissance, alors qu'il n'est plus resté au domaine des sentiments que le rôle d'un moteur plus ou moins aveugle. Aux temps primitifs, nos sentiments et nos sensations étaient unis dans la même racine, dans un comportement qui intéressait toute la personne quand celle-ci était l'objet d'une excitation du dehors. Cette division du travail postérieure peut, aujourd'hui encore, s'exprimer excellemment de la sorte : les sentiments font sans la connaissance ce que nous ferions avec elle si nous pouvions faire quoi que ce soit sans son impulsion! Peut-être pourrait-on esquisser du comportement affectif l'image suivante : des sentiments, nous admettons qu'ils faussent les couleurs et les traits du monde réel, qu'ils le représentent mal. La science aussi bien que le comportement quotidien comptent le sentiment au nombre des « subjectivités »; ils supposent qu'il ne fait que modifier « le monde que nous voyons », car ils prévoient qu'un sentiment, au bout de quelque temps, s'évapore, et que les modifications qu'il a provoquées dans l'apparence du monde s'effacent, de sorte que « la réalité », plus ou moins rapidement, « perce » de nouveau.

Ulrich avait trouvé très remarquable que cet état partiellement paralysé du sentiment qui est à la base de l'expérience scientifique et du comportement dit objectif eût son pendant dans le fait que l'abolition du sentiment caractérise aussi la vie temporelle. En effet, l'influence de nos sentiments sur ce qui passe pour vrai et nécessaire, sur les représentations objectives de notre esprit s'abolit, par l'effet du temps écoulé comme de l'étendue, pour aboutir à peu près à zéro; et l'influence du sentiment sur ses représentations inobjectives, sur les idées, les idéologies, les pensées, les conceptions et les attitudes changeantes, nées de sentiments incertains, qui déterminent les unes après les autres ou simultanément la vie historique, s'abolit également, mais pour aboutir au contraire d'une certitude, à pire que rien, au hasard, au désordre, à la versatilité et à l'impuissance, en bref, à ce qu'Ulrich appelait avec répugnance les « affaires de sentiment ».

Il aurait volontiers élaboré cette note avec plus de précision, lorsqu'il l'eut relue. Il ne put le faire, parce que la marche des pensées dont la rédaction s'achevait ici et se poursuivait encore un peu plus loin par quelques gros titres, exigeait de lui qu'il réglât d'abord des problèmes plus immédiats. En effet, si nous esquissons l'image intellectuelle du monde, celle qui correspond à la réalité (bien que ce ne soit jamais qu'une image, c'est au moins l'image exacte) en présupposant un état déterminé du sentiment, il est temps de se demander ce qui arriverait si nous étions sous l'influence non moins active d'autres états affectifs. Que cette question ne soit pas absurde apparaît au seul fait que toute émotion forte déforme l'image du monde à sa manière : un mélancolique ou un euphorique pourrait objecter aux « imaginations » dont parle l'homme équilibré que s'ils sont gais ou sombres, ce n'est nullement à cause de leur sang, mais bien à cause des expériences qu'ils ont faites dans un monde de ténèbres pesantes ou de céleste légèreté. De même qu'on peut imaginer une image du monde sur la base de la prééminence d'un sentiment où d'un groupe de sentiments, même orgiastiques par exemple, elle peut reposer aussi bien sur une prééminence du sentiment en général, comme dans la conception enthousiaste, sentimentale, de tel individu ou de telle communauté; mais il est absolument quotidien de voir le monde peint différemment, la vie différemment vécue, jusqu'à l'absurdité publique, selon que certains groupes d'idées sont à la base.

Ulrich n'avait nullement l'intention de voir dans la connaissance une erreur ou dans le monde une illusion. Il lui semblait néanmoins admissible qu'on parlât non seulement d'une image modifiée du monde, mais aussi d'un autre monde, quand, à la place du sentiment qui sert à nous adapter à la réalité, en prédomine un autre. Ce monde-là serait « irréel » en ce sens qu'il serait presque entièrement privé d'objectivité; on n'y retrouverait aucune des idées, des supputations, des décisions et des actions qui sont adaptées à la nature, et les différends entre les hommes pourraient y demeurer longtemps inconnus; lorsqu'ils apparaîtraient, ils seraient difficilement apaisables. Finalement, il n'y aurait avec notre monde qu'une différence de degré. Pour décider de la possibilité d'un tel monde, il s'agirait seulement de savoir si une humanité soumise à de telles conditions pourrait encore vivre et atteindre à une certaine continuité dans les assauts changeants du monde extérieur et dans son propre comportement. On peut imaginer beaucoup de choses écartées de la réalité, ou remplacées par d'autres, sans que ce nouveau monde rende la vie impossible aux humains. Beaucoup de choses sont capables de devenir réelles ou de constituer un monde, qui n'apparaissent pas dans une certaine réalité et dans un certain monde.

Ulrich ne fut pas précisément satisfait de ce qu'il avait noté là. Il ne souhaitait pas que toutes les réalités possibles parussent également justifiées. Il se leva et arpenta sa chambre.

Il manquait encore quelque chose comme une distinction entre la « réalité » et la « réalité intégrale », ou entre la « réalité pour quelqu'un » et la « réalité réelle »; en d'autres termes, il manquait un exposé de la hiérarchie des valeurs de réalité, et une explication du fait que nous exigeons une préséance pour ce qui est considéré comme vrai et réel dans toutes les circonstances, préséance dépendant de conditions réalisables, devant ce qui ne vaut que dans certaines circonstances. D'une part, en effet, on peut dire que l'animal aussi se trouve parfaitement à l'aise dans le réel : comme ce serait impossible si son âme était absolument obscure, il faut qu'il y ait en lui quelque chose qui corresponde aux représentations humaines du monde et de la réalité, sans que ce quelque chose doive pour autant leur ressembler le moins du monde. D'autre part, nous non plus, nous ne possédons pas la vraie réalité : nous pouvons simplement, par un travail infini, améliorer les représentations que nous en avons, tandis que sous la pression de la vie nous utilisons parfois simultanément des représentations d'une profondeur très diverse, comme Ulrich s'en était lui-même aperçu au cours de cette dernière heure avec l'exemple d'une table et d'une belle femme[1]. Arrivé au bout de ces réflexions, il se retrouva délivré de son inquiétude et décida que cela suffisait. Quoi qu'on pût ajouter encore à ces remarques, ce n'était pas à lui de le faire, et à cette heure. Il se contenta de s'assurer une fois encore qu'il n'y avait rien, dans son exposé, qui s'opposât à une explication plus précise, et de noter pour la bonne forme quelques mots qui allaient dans le sens de ce qui manquait.

Lorsque ce fut fait, il interrompit toute activité, jeta par la fenêtre un coup d'œil dans le jardin qu'envahissait la lumière d'une fin d'après-midi ; il sortit même un instant pour prendre l'air. Maintenant, il redoutait presque d'en pouvoir dire trop ou pas assez : ce qui attendait d'être noté lui semblait encore plus important que le reste.

1. Allusion à un exemple auquel Musil avait sans doute pensé, mais qui est absent du texte. *N.d.T.*

77. *Ulrich et les deux mondes du sentiment.*

« Quelle est la meilleure manière de commencer ? » se demanda Ulrich en flânant dans le jardin : tantôt le soleil lui brûlait les mains et le visage, tantôt se posait sur eux l'ombre rafraîchissante des feuillages. « Dois-je commencer en disant que tout sentiment existe de deux manières différentes dans le monde et porte en soi l'origine de deux mondes aussi différents l'un de l'autre que le jour et la nuit ? Ou ferai-je mieux de partir de l'importance qu'a pour notre représentation du monde le sentiment refroidi, pour en venir ensuite, par un chemin inverse, à l'influence de l'image du monde née de notre action et de notre savoir sur l'image que nous nous faisons de nos sentiments ? Ou dirai-je qu'on a déjà vu des extases (que j'ai décrites en passant comme des mondes) où les sentiments ne s'annulent pas réciproquement ? » Mais, tandis qu'il se posait encore ces questions, la décision s'était prise d'elle-même qu'il commencerait par toutes en même temps : l'idée pour laquelle il tremblait tant qu'il en avait cessé d'écrire était aussi riche qu'une vieille amitié, on ne pouvait même plus préciser quand et comment elle s'était formée. Pendant son travail de mise en ordre, Ulrich n'avait cessé de se rapprocher d'elle (il ne l'avait d'ailleurs entrepris que pour elle), mais maintenant qu'il arrivait à la fin, derrière les brouillards dispersés, serait-ce le vide ou la clarté qui apparaîtrait ? Le moment où il trouva les premiers mots qui devaient être définitifs ne fut pas un moment agréable : « Il y a dans tout sentiment deux possibilités de développement foncièrement différentes qui d'ordinaire se fondent en une; mais elles peuvent aussi s'affirmer séparément. C'est ce qui se produit en particulier dans l'extase! »

Il se proposa de commencer par appeler ces deux possibilités le développement intérieur et le développement extérieur, et par les considérer sous leur aspect le plus innocent. Il avait à sa disposition une quantité d'exemples : complaisance, amour, colère, méfiance, générosité, dégoût, envie, timidité, angoisse, convoitise... et il les organisa mentalement en une série. Puis il en constitua une autre : bons sentiments, tendresse, irritation, suspicion, noblesse, anxiété, nostalgie, à laquelle il ne manquait que les articulations pour lesquelles il ne trouvait pas de noms. Il compara les deux séries. L'une contenait des sentiments déterminés tels qu'en éveille en nous une coïncidence déterminée, l'autre des sentiments indéterminés, d'autant plus intenses qu'on ignore ce qui les a fait naître. Pourtant, c'était chaque fois les mêmes sentiments : ici dans un état général, là particulier. « Je dirai donc qu'il faut distinguer dans tout sentiment une évolution vers la détermination et une évolution vers l'indétermination, pensa Ulrich. Mais il vaut mieux que je note d'abord les différences qui s'y rattachent. »

Il aurait pu énumérer la plupart d'entre elles les yeux fermés, mais elles paraîtront tout à fait banales à quiconque emploiera pour les « sentiments indéterminés » dont Ulrich avait formé sa deuxième série le mot de « Stimmung » (*humeur, disposition*), bien qu'Ulrich ne l'évitât pas sans intention. Si on distingue entre sentiment et humeur, il est aisé de remarquer que le « sentiment déterminé » s'adresse toujours à quelque chose, naît d'une certaine situation, suppose un but et s'exprime dans un comportement plus ou moins précis, alors que pour une humeur, c'est à peu près le contraire qui se produit : elle est vaste, sans but, inactive, il y a une part d'indétermination jusque dans sa netteté, et elle est toujours prête à se répandre sur n'importe quel objet sans que rien ne se passe et sans qu'elle se modifie. Ainsi, au sentiment déterminé correspond un comportement déterminé à l'égard de quelque chose, et au sentiment indéterminé un comportement général à l'égard de l'ensemble des choses; l'un nous engage dans les événements, l'autre se contente de nous y faire assister derrière une vitre de couleur.

Ulrich s'attarda un instant à cette différence de comportement des sentiments déterminés ou indéterminés à l'égard du monde. Il se dit : « J'ajouterai ceci : quand un sentiment évolue vers la détermination, il s'aiguise, en quelque sorte, il étrécit sa signification et se termine, en fin de compte, au dedans et au dehors, dans une sorte de cul de sac; il conduit à une action ou à une décision, et quand il ne s'achève pas avec celles-ci, il se trouve modifié comme l'eau à la sortie du moulin. S'il évolue, au contraire, vers l'indétermination, il semble n'avoir aucune énergie. Mais, alors que le sentiment déterminé évoque un être aux bras tendus pour s'emparer de quelque chose, le sentiment indéterminé modifie le monde avec l'indifférence et le désintéressement du ciel modifiant ses couleurs; et les choses, les événements, en lui, changent comme les nuages au ciel. Le comportement du sentiment indéterminé à l'égard du monde a quelque chose de magique et, en comparaison avec l'autre, Dieu me pardonne! quelque chose de féminin! » Voilà ce qu'Ulrich se dit. Soudain, une idée lui vint qui l'emmena fort loin : que c'était évidemment l'évolution vers la détermination qui entraînait l'instabilité et la caducité de la vie de l'âme. Le fait qu'on ne peut jamais saisir l'instant où l'on sent, que les sentiments se fanent plus vite que les fleurs et se changent en fleurs artificielles quand on veut les conserver, que le bonheur et la volonté, les opinions et les arts passent, tout cela dépend de la détermination du sentiment qui lui impose une signification et l'oblige à entrer dans le mouvement de la vie où il se dissout ou s'altère. En revanche, le sentiment qui persiste dans son indétermination reste relativement immuable. Une comparaison vint à l'esprit d'Ulrich : « L'un meurt comme l'individu, l'autre dure comme une espèce ou un genre. » Peut-être retrouve-t-on ainsi réellement, encore que très indirectement, dans l'organisation du sentiment, une organisation plus générale de la vie; Ulrich ne pouvait pas estimer ce fait, mais il ne s'y attarda pas. Pour l'essentiel, il avait l'impression d'avoir des choses une vue plus claire qu'il n'en avait jamais eu.

Il aurait pu remonter en hâte dans sa chambre, mais il s'attarda encore un peu : il voulait repasser tout le plan dans sa tête avant de passer à la rédaction. « J'ai parlé de deux possibilités d'évolution et de deux états d'un seul et même sentiment, se dit-il en réfléchissant. Mais il faut évidemment qu'il y ait dès l'origine une sorte de germe où cela puisse commencer. En fait, même les instincts qui alimentent notre âme d'une vie qui ressemble encore à du sang animal, présentent déjà cette disposition bipartite. Un instinct pousse à agir, c'est semble-t-il sa tâche principale; mais il donne aussi à l'âme une humeur. Quand il n'a pas encore trouvé son but, on peut observer très aisément chez lui une sorte d'extension indéterminée : beaucoup de gens y verront même le signe de l'instinct qui s'éveille. L'instinct sexuel est un bon exemple, mais il y a aussi une nostalgie dans la faim et les autres instincts. On retrouve donc en eux la détermination et l'indétermination. J'ajouterai, se dit Ulrich, que les organes corporels qui sont intéressés à ce que le monde extérieur éveille en nous une émotion peuvent la provoquer eux-mêmes en une autre occasion, lorsqu'ils sont excités par les instincts; il n'en faut pas plus pour atteindre à l'extase! »

Puis il s'avisa que d'après les résultats de la recherche scientifique et surtout l'interprétation qu'il en donnait dans ses notes, il fallait admettre aussi que le germe d'un sentiment pouvait toujours servir pour un autre, et qu'aucun de ceux-ci, dans le processus de son façonnement et de sa consolidation, n'aboutissait jamais à une fin déterminée. Mais, si cela était exact, non seulement aucun sentiment n'atteignait jamais sa pleine détermination, mais il était très probable qu'aucun n'atteignait jamais non plus une indétermination parfaite, de sorte qu'il n'y avait jamais ni sentiment absolument déterminé, ni sentiment absolument indéterminé. En fait, il arrive presque toujours que les deux possibilités du sentiment s'associent en une seule réalité commune, où prédomine tantôt l'une et tantôt l'autre. Il n'y a pas d'humeur qui ne comporte une part de sentiments déterminés qui se forment et se redéfont en elle. Il n'y a pas de sentiment déterminé qui, au moins en ce point où l'on peut dire de lui qu'il « rayonne », qu'il « embrasse », qu'il « agit par lui-même », qu'il « s'étend » ou qu'il agit « immédiatement », sans mouvement visible, sur le monde, ne laisse deviner une part d'indétermination. Mais il y a des sentiments qui correspondent assez exactement à l'un ou à l'autre genre.

Bien entendu, les mots « déterminé » et « indéterminé » présentent cet inconvénient que même un sentiment déterminé demeure toujours insuffisamment déterminé et, dans ce sens, est indéterminé : néanmoins, cette indétermination-là était facile à distinguer de l'indétermination essentielle. « Il ne restera donc plus qu'à décider pourquoi les sentiments indéterminés, et toute l'évolution dans ce sens, passent pour moins réels que leur contraire, pensa Ulrich. Les deux sont dans la nature. Il faut donc que cette évaluation différente dépende du fait que le développement extérieur du sentiment nous importe plus que son développement intérieur, ou que l'orientation vers la détermination compte plus à nos yeux que l'autre. Et il faudrait vraiment que notre vie soit tout autre pour qu'il n'en aille pas ainsi! C'est une singularité non négligeable de la civilisation européenne qu'on y proclame à tout bout de champ que le « monde intérieur » est le plus beau trésor de la vie, en dépit de quoi ce même monde intérieur n'est jamais traité que comme une annexe de l'autre. Comment cela se fait, c'est le secret commercial de cette civilisation, mais c'est un secret de Polichinelle : on oppose le monde extérieur et la « personnalité »; on admet que le monde extérieur éveille dans une personne des opérations internes qui lui donnent la possibilité d'y répliquer conformément à un but. En ouvrant aux pensées cette voie qui d'une modification du monde à travers une modification de la personne ramène à une modification du monde, on obtient cette ambiguïté particulière qui nous permet d'honorer le monde intérieur comme le plus noble domaine de l'homme tout en présupposant que tout ce qui s'y passe a pour tâche ultime de déboucher à nouveau dans une action extérieure. »

Ulrich songea soudain qu'il serait intéressant de considérer dans ce sens le comportement de la civilisation à l'égard de la religion et de l'art; mais il lui importait davantage de garder la direction que ses pensées avaient prises. A la place de « monde intérieur », on pouvait dire « sentiment » : celui-ci en effet, plus que toute autre chose, souffre de l'ambiguïté d'être essentiellement intérieur tout en étant traité d'ordinaire comme un simple reflet de l'extérieur. Cela est particulièrement vrai, bien entendu, de tout ce qu'Ulrich avait cru pouvoir distinguer comme développement intérieur, indéterminé, du sentiment. Cela apparaît déjà dans le fait que les expressions qui nous servent à décrire la vie intérieure sont presque toutes empruntées au monde extérieur; il est évident que nous reportons l'aspect actif des événements extérieurs sur la vie intérieure ne serait-ce qu'en représentant celle-ci comme une activité, que ce soit un rayonnement ou un enclenchement, une saisie, ou tout autre acte analogue. Si ces images, empruntées au monde extérieur, sont devenues courantes pour le monde intérieur, c'est que nous n'en trouvions pas de meilleures. Même les théories scientifiques qui décrivent le sentiment comme un engrènement ou une juxtaposition au même niveau d'actes intérieurs et extérieurs (du fait même qu'elles parlent d'une action en négligeant la distance où se trouve la véritable intériorité de toute action), font une concession à cette habitude. Pour ces seules raisons, il est inévitable que le développement intérieur du sentiment nous apparaisse ordinairement comme une simple annexe de son développement extérieur, ou même comme sa réitération en plus trouble, avec des contours moins précis et des structures plus confuses, donnant ainsi l'impression de négligence d'un déroulement accessoire.

Bien entendu, ce qui est en jeu n'est pas seulement une façon de parler ou une prééminence mentale : ce que nous sentons « en réalité » a cent façons de dépendre de la réalité, donc aussi du développement déterminé, extérieur du sentiment, auquel le développement intérieur et indéterminé se soumet, quand il n'est pas entièrement absorbé par lui. « Je n'entrerai pas dans les détails, pensa Ulrich, mais il serait facile de montrer en chacun d'eux que non seulement la notion que nous nous faisons de nos sentiments a pour tâche d'en mettre la part « subjective » au service des représentations que nous avons de la réalité, mais encore que dans l'acte même de sentir, les deux dispositions se confondent dans une opération d'ensemble qui associe dans un dosage très inégal l'évolution vers l'extérieur et l'évolution vers l'intérieur. Plus simplement nous sommes des créatures agissantes; nous avons besoin pour agir d'une pensée sûre; nous avons donc besoin également d'un sentiment capable de neutralisation... La forme particulière de nos sentiments tient à ce que nous les insérons dans l'image de la réalité que nous nous faisons, alors que l'extase, c'est l'inverse. Pour cette raison même, il doit y avoir en nous la possibilité d'inverser notre manière de sentir et de vivre autrement notre monde! »

Il se sentit impatient d'écrire, et il eut l'assurance que ces pensées résisteraient victorieusement même à une analyse minutieuse. Arrivé dans sa chambre, il alluma, parce que les parois étaient déjà dans l'ombre. On n'entendait pas le moindre écho de la présence d'Agathe. Ulrich hésita un instant avant de commencer.

Ce qui le paralysait, c'était de se rappeler que dans l'impatience de la conception, qui tend toujours à abréger, il avait employé les notions d'*intérieur* et d'*extérieur*, celles de *per-*

sonne et de *monde*, comme si la différence entre les deux rôles du sentiment coïncidait avec ces représentations. Il n'en allait pas ainsi, bien entendu. La distinction particulière que faisait Ulrich entre l'évolution vers la détermination et l'évolution vers l'indétermination recoupe, dès qu'on l'admet, les autres différences. Vers le dehors et le monde extérieur, comme vers l'intérieur et la personne, le sentiment évolue de l'une ou de l'autre façon. Ulrich chercha le terme juste, car les mots *déterminé* et *indéterminé*, bien qu'ils fussent significatifs, ne lui plaisaient pas beaucoup. « La différence originelle apparaît de la manière la plus évidente et la plus expressive dans le fait qu'il existe une manifestation du sentiment aussi bien qu'une intériorité vers l'extérieur et vers l'intérieur ! » songea-t-il. Cela le satisfit, jusqu'à ce qu'il jugeât cette formule aussi insuffisante que la douzaine d'autres qu'il tenta. Mais cela ne changea rien à sa conviction. Il eut simplement l'impression que ce serait une difficulté de plus dans la tâche qui l'attendait, due au fait que le langage n'était pas adapté à cet aspect de l'existence. « Si j'examine tout cela encore une fois et le juge juste, peu m'importe de continuer à parler jusqu'au bout de notre sentiment ordinaire et de notre *autre* sentiment ! » conclut-il.

En souriant, il prit sur les rayons un livre où se trouvait un signet, et recopia ces quelques lignes avant de noter ses propres réflexions : « Quand bien même le ciel, comme le monde, est soumis à une suite d'événements alternants, toute idée et toute représentation de l'espace et du temps font défaut aux anges. Bien que chez eux aussi tous les événements se déroulent les uns après les autres, en parfait accord avec le monde, ils ne savent pas ce que signifie le temps, parce que dans le ciel ce ne sont pas les années ni les jours qui règnent, mais des modifications d'états. Là où il y a des années et des jours, règnent les temps, là où il y a des modifications d'état règnent des états. Comme les anges n'ont aucune représentation du temps à l'instar des humains, il leur manque toute possibilité de déterminer le temps; ils ne connaissent même pas sa répartition en années, mois, semaines, heures, en hier, aujourd'hui et demain. Entendent-ils un humain en parler (et Dieu a mis les anges en permanence aux côtés des hommes), ils entendent par là des états et des changements d'états. L'homme pense à partir du temps, l'ange à partir de l'état : ainsi, la représentation naturelle de l'homme devient chez l'ange représentation spirituelle. Dans le monde spirituel, tous les processus de mouvement sont dus à des modifications d'état. Comme ce problème me préoccupait, je fus élevé dans les sphères célestes à la conscience des anges et conduit par Dieu à travers les royaumes du ciel jusqu'aux grandes constellations de l'univers, et cela en esprit, tandis que mon corps ne bougeait pas de sa place. Tous les anges se déplacent de lieu en lieu, mais il n'y a pour eux ni écarts, ni distances, seulement des états et des modifications d'états. Toute approche est une ressemblance d'états intérieurs, tout éloignement une différence dans ces mêmes états : dans le ciel, les espaces ne sont que des états extérieurs qui correspondent aux états intérieurs. Dans le monde spirituel, chacun apparaît à l'autre dès qu'il a un urgent besoin de sa présence : il suffit qu'il se transporte dans son état. Inversement, s'il éprouve de l'aversion, il s'en éloignera. De même, tout être qui change de séjour en sa compagnie, dans des salles ou des jardins, arrive plus rapidement en un point si sa nostalgie en est plus intense; et plus lentement, si elle est moindre : je l'ai souvent constaté non sans étonnement. Et comme les anges ne peuvent se faire aucune idée du temps, ils ont une autre représentation de l'éternité que les hommes de la terre : ils entendent par là, non un temps infini, mais un état infini. »

Ulrich avait trouvé cela par hasard quelques jours auparavant en feuilletant un choix de Swedenborg qu'il possédait sans l'avoir jamais lu attentivement. Il l'avait un peu condensé en le notant, parce qu'il lui était agréable d'entendre ce vieux métaphysicien, ce savant ingénieur (qui d'ailleurs n'avait pas fait une médiocre impression sur Gœthe, et même sur Kant) parler du ciel et des anges avec autant d'assurance que s'il s'était agi de Stockholm et de ses habitants. Cela s'accordait si bien à sa propre préoccupation que la différence, assez importante, qui demeurait, s'en détachait avec une netteté presque inquiétante. Il éprouvait un grand plaisir à s'y tenir, à évoquer sur un mode nouveau, parmi les vues plus prudentes d'un siècle postérieur, les affirmations sans doute sèches et précises, néanmoins un peu bizarres dans leur assurance prématurée, d'un visionnaire.

Puis il consigna le résultat de ses dernières réflexions.

78. *Conversation nocturne.* (Ébauche et étude.)

Il avait allumé toutes les lampes dans la pièce, comme si les mots devaient lui venir plus facilement dans la surabondance exaltante de l'éclairage, et il était resté longtemps à écrire avec ardeur. Mais, quand l'essentiel fut noté, le sentiment qu'Agathe n'était pas rentrée encore l'envahit et devint de plus en plus gênant. Ulrich ne savait pas qu'elle était chez Lindner, il ignorait tout de ces visites; mais, comme ce secret et son journal étaient la seule chose qu'ils se cachassent, il pouvait deviner et presque comprendre ce qu'elle faisait. Il n'y accordait pas plus d'importance qu'il ne fallait et s'en montrait plus étonné que jaloux; d'ailleurs, si elle empruntait des chemins qu'il ne pouvait approuver, il en attribuait la faute à sa propre irrésolution. Néanmoins, que dans cette heure de concentration il ne sût même pas où elle était et pourquoi elle s'attardait le gênait de plus en plus et diminuait la foi qu'il aurait pu mettre en ses pensées. Il décida de s'interrompre et de sortir lui aussi pour échapper à l'énervement de l'attente; il reprendrait le travail aussitôt après. Lorsqu'il quitta la maison, il songea qu'aller au théâtre serait pour lui la meilleure distraction, et même un stimulant; il le fit, bien qu'il ne fût même pas habillé pour cela. Il choisit une place discrète, et au début, éprouva très intensément le plaisir d'arriver en pleine représentation. Cela justifiait sa venue : ce reflet animé de sentiments plus que connus dont le théâtre vit sous prétexte qu'il leur donne un sens rappela à Ulrich la valeur du travail qu'il avait laissé chez lui et redoubla son désir d'aller jusqu'au bout de la réflexion qui, partie de l'origine des sentiments, devait finalement le conduire à leur sens. Lorsqu'il reporta son attention sur les événements qui se déroulaient sur la scène, il songea que la plupart des acteurs qui travaillaient si magnifiquement et si légèrement à mimer les passions portaient le titre de professeur ou de conseiller aulique : Ulrich se trouvait en effet au Théâtre de la Cour, ce qui donnait à l'ensemble un comique quasi national. Il quitta la salle avant même que le spectacle fût terminé, mais l'esprit plus frais.

De nouveau, il inonda sa chambre de lumière, et il éprouva du plaisir à s'entendre écrire dans le silence perméable de la nuit. Cette fois, des signes furtifs, à peine perceptibles à la conscience, lui avaient dit partout, à son entrée dans la maison, qu'Agathe était revenue; mais, plus tard, quand il y songea et que le silence se fut rétabli, il craignit de s'en assurer. La nuit fut bientôt très avancée. Il était descendu une fois encore dans le jardin entièrement baigné par l'obscurité, plus inhospitalier, plus mortellement hostile que des eaux noires. Néanmoins, il avait marché à tâtons jusque vers un banc et y était resté assez longtemps. Même dans ces circonstances, il était difficile de croire que ce qu'il écrivait eût de l'importance. Pourtant, lorsqu'il se retrouva assis dans la lumière, il se mit en devoir d'aller jusqu'au bout de son plan. Il n'en était pas loin; mais à peine avait-il commencé qu'un bruissement léger l'interrompit. Agathe, qui s'était rendue dans la chambre de son frère lorsqu'il se trouvait au théâtre, et qui avait réitéré cette visite pendant sa flânerie au jardin, s'était rapidement glissée dehors à son retour, avait attendu un moment derrière la porte; et maintenant, elle en abaissait doucement la poignée.

« J'ai lu.

— Tu n'aurais pas dû. »

Agathe rit. (Comment rit-elle, en fin de compte ? Un rire sonore ? Non. Un son agréable dont on ne pourrait rien dire de précis; une espièglerie radieuse qui se répand dans la chambre paisible. Pourtant la tonalité est sombre, d'une gaieté sombre. Comme une clochette d'argent accordée bas, avec une tonique sombre et un doux éclat argenté — une douce gaieté par dessus).

« C'était une infidélité de ta part de me le cacher!

Ulrich : J'écris, parce qu'il y a beaucoup de choses que j'aimerais comprendre mieux.

Agathe : Mais pourquoi veux-tu que ce soit toi seulement, et en secret, qui comprenne mieux ? Cela ne me concerne-t-il pas ?

Ulrich : Si, beaucoup de choses te concernent. Mais... —

Pourquoi vas-tu voir en cachette Lindner, ce saule-pleureur ?

Agathe : C'est aussi pour mieux me comprendre. D'ailleurs, il ne verse que des larmes de rage.

Ulrich : Étais-tu chez lui aujourd'hui ?

Agathe : Oui.

Ulrich : Cela ne me plaît pas de toi.

Agathe : Moi non plus, je ne me plais pas beaucoup en le faisant. Mais ce que tu écris me plaît : le commencement et la fin naturellement ; et même ce qui est entre deux, bien que je n'aie pas tout compris. J'ai tout lu ; il y a beaucoup de choses qu'il faudrait que tu m'expliques ; beaucoup d'autres que tu n'as pas besoin de m'expliquer, parce que je ne les comprendrais pas quand même ; j'ai décidé de t'en croire. »

Ulrich avait encore dans l'oreille sa question : Pourquoi écris-tu ?

« Dans ces quelques jours, mieux que pendant des mois auparavant, répéta-t-il, je suis parvenu à me mieux connaître (moi, ma morale — le milieu de ma vie ou quelque chose d'approchant — mes actes et mes omissions). J'ai compris aussi combien j'étais plus avancé aujourd'hui qu'il y a un an (à l'époque où nous nous sommes revus), combien je me comprends mieux, moi et ce que je veux... Je ne t'en ai pas parlé parce que je voulais rester à l'abri de toute influence. (Riant) : Ce devait être une trahison. Tu sais que nous ne devons pas croire avant d'avoir épuisé toutes les chances de savoir.

Agathe — — — fait quelque chose qui détourne son visage d'Ulrich : Ne m'en veux pas si je te dis qu'il y a là quelque chose d'étrangement comique. Tu analyses soigneusement la possibilité de tendre la main, selon les lois de la nature et de la pensée. Pourquoi ne tends-tu pas la main, tout simplement ?

Ulrich : Je ne peux pas simplement la tendre. Te souviens-tu de l'histoire de la majoresse ?

Agathe fait oui de la tête.

Ulrich : Cela ne doit pas finir comme ça.

Agathe (obéissant à une objection a posteriori) : La majoresse était une sotte personne (une personne vulgaire), expliqua-t-elle calmement.

Ulrich : Oui. Mais mon sentiment a fait miroiter devant mes yeux de nouvelles expériences qui sont comme une forêt de grandes fleurs ; j'ai pu toucher ces fleurs aussi souvent que je le désirais, mais jamais je n'ai pu les écarter pour me tenir au milieu d'elles!

(Comme une trace d'humidité dans le sable sèche rapidement) : En outre, la vie ordinaire, la vie énergique et active, ne s'attarde pas aux réflexions. Si on sent, c'est pour agir. Personne ne réfléchit à un moyen si répandu de transport et de communication. C'est pourquoi on méprise tous les sentiments qui ne sont pas moyens, ou prescrits par la moyenne (à moins qu'on ne s'incline devant les sentiments très forts). Analyser ses sentiments, dans la vie, passe pour une faiblesse. Mais quand on parle de son sentiment, ce qui arrive quand même très fréquemment, on l'exprime; on en parle tout en sentant, on dit, on explique comment on sent et ce qu'on sent, de telle sorte que l'attention dirigée vers le sentiment, l'observation intellectuelle, la curiosité psychologique n'arrivent pas, là non plus, à se développer. Où qu'elles se produisent, elles représentent un trouble du sentiment naturel. Mais cela n'est pas vrai pour les cas exceptionnels. (Agathe pourrait rappeler alors — et y revient probablement plus tard — que l'amant ne doit pas sortir de son amour, ou quelque chose d'approchant).

Agathe : Je ne t'ai rien dit de Lindner parce que c'est indifférent. Ou parce que je savais que ce serait indifférent un jour. Tu es plus fort que moi; je suis plus forte que lui. Ce sont des événements de Lilliputiens.

Éventuellement, alors, Ulrich : Tu n'y retourneras plus ?

(Agathe) : Ne peux-tu t'imaginer qu'on se sauve par pusillanimité ? Ne peux-tu t'imaginer que je revienne ensuite plus forte (plus courageuse) ?

Ulrich : Est-ce que tu n'y vas pas aussi parce qu'il ne parle pas simplement de Dieu et de la participation en Dieu, comme moi, par parenthèses, incidemment ?

(Agathe, maintenant, devrait revenir au journal :) Explique-moi plutôt tes pensées. J'ai l'impression que tout est contenu là-dedans. Pourquoi avons-nous erré si longtemps dans nos conversations ? Maintenant tout est en ordre. Simplement, je ne comprends pas tout. Par exemple, j'ai toujours pensé que l'essentiel de l'extase était qu'on renonçait à son âme, à son âme ordinaire. Mais entre-t-on dans un autre monde ? Ou est-on seulement très amoureux ? Meurt-on au monde extérieur ? Ou est-on simplement en plein enthousiasme ? Suffit-il que toute réflexion cesse? Non! il vaut mieux que tu t'expliques!

79. *Conversation avec Schmeisser.* (Ébauche.)

Le comte Leinsdorf n'exprimait pas pour la première fois l'opinion qu'un politicien réaliste devrait se servir même de la Social-démocratie pour s'en faire une alliée à la fois contre le progrès et contre le nationalisme. Souvent déjà, il avait prié Ulrich de cultiver ces relations qu'il ne pouvait s'autoriser encore personnellement, pour des raisons politiques. C'est pourquoi il lui avait conseillé aussi de ne pas s'adresser d'abord aux responsables, mais à des personnalités plus jeunes dont l'énergie et la corruption encore partielle laissaient espérer qu'on pourrait exercer à travers elles une influence rajeunissante et patriotique sur le Parti. Ulrich, dans un accès de bonne humeur, s'était souvenu alors qu'habitait chez lui un jeune homme qui ne le saluait pas quand il le rencontrait, ce qui était à vrai dire assez rare, mais qui détournait les yeux d'un air buté. C'était l'étudiant technicien Schmeisser. Son père était jardinier. Il habitait déjà la propriété au moment où Ulrich l'avait achetée et depuis, en échange du logement et de quelques cadeaux occasionnels, il soignait le vieux petit parc, partie de sa propre main, partie en répartissant et surveillant les travaux indispensables. Ulrich approuvait le fait que le jeune homme qui vivait chez son père et payait ses études en donnant des leçons et en se livrant à quelques petites activités littéraires, le considérât comme un riche oisif auquel il fallait manifester son mépris. L'expérience d'inactivité à laquelle il s'était voué lui donnait parfois cette apparence à ses propres yeux. Il fut heureux de provoquer lui-même sa critique, le jour où il l'interpella pour la première fois. Il apparut que l'étudiant lui aussi (qui d'ailleurs, vu de près, devait bien avoir vingt-six ans) n'avait attendu que ce moment : la tension de ce voisinage se soulagea immédiatement en attaques violentes qui tenaient le milieu entre un essai de conversion et l'exposé de griefs personnels. Ulrich parla de l'Action parallèle et crut bien faire en ne dissimulant pas le grotesque de sa mission tout en évoquant les avantages qu'en pourrait tirer un homme résolu. Il s'attendait que Schmeisser se laissât prendre au piège, et l'affaire, avec l'aide de Dieu, aurait pu prendre une tournure assez étrange. Mais ce jeune homme n'était pas un aventurier, un bourgeois romantique; il écouta, la bouche rusée, jusqu'à ce qu'Ulrich ne sût plus que dire. Il avait une poitrine étroite entre des épaules ossues, et il portait des lunettes très fortes. Ces lunettes étaient la seule beauté de ce visage à la peau grasse, cendreuse, mal irriguée : de dures nuits de travail forcé sur les livres les avaient rendues nécessaires. Accusées par la pauvreté qui n'avait pas eu de médecin à sa disposition dès les premiers troubles de la vue, ces fortes lunettes étaient devenues pour le cœur simple de Schmeisser le symbole de sa libération : quand il apercevait dans la glace son visage boutonneux, le nez bâté et les maigres joues de prolétaire recouvertes par l'éclat des verres, il croyait y voir la Pauvreté couronnée par l'Esprit; et cela se produisait assez souvent depuis qu'il admirait de loin, à contre-cœur, Agathe. Depuis lors, il haïssait aussi Ulrich, bâti en athlète, auquel il n'avait accordé jusque-là que peu d'attention. Celui-ci lut sa condamnation dans les verres de lunettes et, bavardant comme il le faisait, il eut l'impression d'être un enfant qui joue devant deux bouches de canon. Lorsqu'il eut terminé, Schmeisser lui répondit, avec des lèvres qui pouvaient à peine se séparer tant elles prenaient de plaisir à ce qu'elles disaient : « Le Parti n'a que faire de ces aventures : nous atteindrons le but par nos propres moyens! »

Il avait eu son compte, le bourgeois!

Après ce refus, Ulrich eut de la peine à trouver une suite; il attaqua franchement l'adversaire et finit par dire en riant : « Si j'étais celui pour qui vous me prenez, vous devriez verser du poison dans ma tuyauterie ou scier les arbres sous lesquels je flâne : pourquoi ne faites-vous pas quelque chose de ce genre dans un cas où ce serait peut-être vraiment indiqué ?

— Vous n'avez aucune idée de ce qui compte en politique, répliqua Schmeisser, parce que vous êtes un bourgeois affligé de romantisme social, au mieux un anarchiste! Les vrais révolutionnaires ne pensent pas à des révolutions sanglantes! »

Depuis lors, Ulrich avait assez souvent de petites conversations avec ce révolutionnaire qui ne voulait pas faire de révolution. « Que tôt ou tard l'humanité reçoive une organisation d'aspect socialiste, lui disait-il, je le savais déjà lorsque j'étais lieutenant de cavalerie; c'est, en quelque sorte, la dernière chance que lui a laissée Dieu. Car le fait que des millions d'hommes sont opprimés de la manière la plus brutale pour que quelques milliers d'autres ne sachent rien faire de bien de la puissance qu'ils en retirent, ce fait est non seulement injuste et criminel, mais encore stupide, mal pratique et de l'ordre du suicide! »

Schmeisser répliqua ironiquement : « Vous vous êtes toujours contenté de le savoir. N'est-ce pas ? Voilà l'intellectuel bourgeois! Vous m'avez parlé quelquefois d'un directeur de banque avec qui vous étiez lié : je vous assure que ce directeur est mon ennemi, je le combats, je lui montre que ses convictions ne sont que des prétextes à profit, mais au moins, il a des convictions! Il dit oui là où je dis non! Mais vous ? En vous tout s'est déjà dissous, le mensonge bourgeois est déjà prêt à tomber en morceaux! »

Ulrich fit une objection paisible : « Il se peut que ma façon de penser soit d'origine bourgeoise : c'est même, pour une part, vraisemblable. Mais : *Inter fæces et urinam nascimur*, pourquoi n'en irait-il pas de même de nos opinions ? Qu'est-ce que cela prouve contre leur justesse ? »

Quand Ulrich parlait avec cette courtoisie de l'esprit, Schmeisser ne pouvait plus se contenir; infailliblement, il explosait : « Tout ce que vous dites relève de la fausseté morale de la société bourgeoise! » proclamait-il alors, ou quelque phrase analogue. Il ne haïssait rien tant que cette forme déraisonnable de la bonté qu'on voit à l'amabilité. D'ailleurs, la forme en général, et même celle de la beauté, lui était suspecte. Jamais il n'acceptait les invitations d'Ulrich; il acceptait tout au plus du thé et des cigarettes comme dans les romans russes. Ulrich aimait à l'agacer bien que ces conversations n'eussent aucun sens. Il n'avait aucun intérêt pour la politique. Depuis 1848, l'année de la liberté et la fondation de l'Empire allemand, événements dont il n'y avait plus qu'une minorité à se souvenir personnellement, la majorité des gens cultivés considérait la politique comme un atavisme plutôt que comme une chose importante. Presque rien ne laissait deviner que derrière ces événements extérieurs poursuivant leur train-train, les événements intellectuels se préparassent déjà à cette perte de forme, à cette décadence, à cette volonté de suicide par dégoût de soi-même qui amollissent un État et sont probablement la condition préalable des périodes de grands changements politiques. Ainsi Ulrich avait-il été habitué toute sa vie à ne pas espérer que la politique fît jamais ce qui devait se produire, mais seulement, dans les meilleurs cas, ce qui aurait dû se produire depuis longtemps. Ce qu'il voyait le plus souvent en elle, c'était l'image d'une criminelle négligence. Même la question sociale, qui était tout l'univers de Schmeisser, lui semblait moins une question qu'une réponse différée. Mais il aurait pu citer une centaine d'autres « questions » de ce genre sur lesquelles l'esprit avait terminé ses enquêtes et qui n'attendaient plus, si l'on peut ainsi parler, que de ne pas croupir au bureau des Expéditions. Quand il en parlait et que Schmeisser était d'humeur douce, ce dernier disait : « Attendez que nous soyons au pouvoir ! »

Mais Ulrich répondait : « Vous êtes trop bon pour moi, car ce que j'affirme n'est pas du tout exact. Presque tous les intellectuels ont ce préjugé de croire que les questions pratiques, auxquelles ils ne connaissent rien, sont faciles à résoudre : à la réalisation, on voit simplement qu'ils n'avaient pas songé à tout. D'autre part, et là je vous donne raison, si l'homme politique voulait penser à tout, il n'agirait jamais. C'est pourquoi la politique participe peut-être autant de la richesse du réel que de la pauvreté de l'esprit (ou du manque de représentations)... »

Schmeisser trouva là l'occasion d'une interruption tentatrice : « Des hommes comme vous ne passent jamais à l'action parce qu'ils ne cherchent pas la vérité ! Le prétendu esprit bourgeois, dans son ensemble, n'est qu'ajournement et échappatoire !

— Mais pourquoi des hommes tels que moi ne veulent-ils pas ? demanda Ulrich. Ils pourraient vouloir : la richesse, par exemple, n'est pas quelque chose qu'ils convoitent réellement. Je ne connais pas un homme dans l'aisance à qui cela n'ait pas donné quelque faiblesse, moi compris, mais je n'en connais aucun qui aime l'argent pour l'argent, en dehors des avares, et l'avarice est un trouble de comportement qui existe aussi dans l'amour, dans la puissance, dans l'honneur : la nature maladive de l'avarice prouve même que donner est un plus grand bonheur que prendre, ne croyez-vous pas ?

— Vous pouvez poser cette question chez des beaux-esprits! répliqua Schmeisser.

— Voici ce que je crains, moi, répondit Ulrich : tous vos efforts resteront vains tant que vous ne saurez pas s'il y a plus de bonheur à donner ou à prendre, ou comment ces deux gestes se complètent! »

Schmeisser ironisa : « Sans doute voulez-vous convertir l'humanité à la bonté ? D'ailleurs, dans l'État socialiste, l'équilibre du prendre et du donner ira de soi!

— J'affirme alors, précisa Ulrich en souriant, que vous échouerez sur autre chose, par exemple, sur le fait que nous sommes capables de traiter quelqu'un de chien alors même que nous préférons notre chien à notre prochain ? »

Un miroir tranquillisa Schmeisser en lui renvoyant l'image d'un jeune homme qui portait de fortes lunettes sous un front volontaire. Il ne crut pas nécessaire de répondre.

80. « *Pour* » *et* « *Dans* ». (Ancienne ébauche.)

L'étudiant ingénieur Schmeisser vivait dans la même maison qu'Agathe. Lui sous la terre, elle dans la lumière, ainsi qu'il le constatait avec une cruelle satisfaction lyrique. Son complet avait des épaules trop étroites et des manches trop courtes, des bosses aux coudes et aux genoux. Son corps était sous-alimenté et surmené, jamais il ne s'était développé assez librement. Pour la première fois, Schmeisser entrevit quelque chose : il s'avança un soir devant une petite glace qu'il disposa à grand'peine de telle manière qu'il pût se voir en pied, et il se considéra dans sa nudité. Il était laid. Son rêve de bains de soleil, de fuite hors de la hiérarchie capitaliste du vêtement dans le monde de la beauté naturelle, fut ébranlé. Agathe descendait les escaliers comme un nuage : un nuage lourd, mais cette espèce-là aussi est d'une légèreté de nuage. Dans la robe qui bougeait, les senteurs semblaient de minuscules éclairs. Le parfum était tout différent de celui des petites créatures féminines auxquelles il avait affaire : rien de surajouté, mais un rayonnement.

Dans un parc princier, une fontaine s'élevait. Le jet d'eau mince, bercé par le vent, retombait dans un bassin de marbre. Infinité du regard et de l'ouïe. Le petit-fils de prolétaire, alors, avait posé la pointe du doigt sur le rebord poli et n'avait cessé de tourner autour, glissant sur le marbre, sans pouvoir se rassasier, comme Tantale.

Schmeisser proclamait avec violence que son seul amour était le socialisme. Ce n'était pas vrai. Depuis qu'il était en mesure de penser, il vivait *pour* le socialisme. Quand il avait faim ou qu'il était humilié, quand il se rinçait la bouche ou quand il cherchait un bouton arraché, c'était une étape dans sa marche vers un but. Cela ne le gênait pas de ne pouvoir guère espérer vivre l'arrivée au but; peut-être ne pouvait-il même pas se le représenter exactement. Mais tout ce qu'il faisait avait un but et cet équilibre d'un mouvement qui n'oscille pas. Debout d'un autre côté du monde que le professeur Lindner, il lui ressemblait en ceci que Dieu, pour ce dernier, était un but qu'on évite respectueusement en se contentant de petits buts intermédiaires, mais sûrs; buts que l'on atteint en se comportant comme celui qui exige des autres qu'ils se comportent de la même manière : en hommes assurés de la possibilité de se rencontrer.

Mais, depuis que Schmeisser voyait Agathe, sa sécurité était menacée d'effondrement. Il luttait contre les sensations que lui donnait cette femme qu'il eût aimé mépriser pour son origine bourgeoise. Il lui disait que la surestimation de l'amour était un stigmate du monde capitaliste. Mais quand il s'oubliait, quand il se demandait ce que cette jeune femme, dont il savait qu'elle avait quitté son mari, pouvait faire ici, et quand son imagination, sans même s'en apercevoir, l'entraînait à se figurer le moment où Agathe mettait ses bras autour des hanches de l'étudiant ingénieur Schmeisser, il était comme un être qui n'a connu que des surfaces et découvre pour la première fois le mystère de l'espace. Le professeur Lindner aurait dit que c'était comme lorsqu'on a toujours vécu *pour* Dieu, et qu'on se met brusquement à vivre *en* Dieu... si le professeur Lindner s'était autorisé de pareilles pensées.

81. *Pourquoi les hommes, à être bons, beaux et véridiques, préfèrent simplement vouloir l'être.* (Ébauche.)

C'est ce jeune homme qu'Ulrich avait choisi pour le général. Il lui proposa donc d'aller avec le général rendre visite à Meingast. Schmeisser connaissait ce prophète et, bien que ce fût un faux prophète, Schmeisser avait l'habitude de fréquenter aussi des réunions d'adversaires. Quant à son ami Stumm, Ulrich avait deviné qu'il récoltait déjà quelques impressions en cachette auprès de Clarisse, et que celle-ci lui avait fait connaître le Maître, qui ne lui avait pas laissé une médiocre impression. Pourtant, quand Ulrich confia son projet à Agathe, elle n'en voulut rien savoir.

Ulrich se mit à plaisanter. « Je parie que ce brave Schmeisser t'adore en secret, et pour Lindner ce n'est plus un secret. Tous deux sont des hommes du *pour*. Meingast aussi. Tu finiras par le conquérir lui aussi. »

Bien entendu, Agathe voulut savoir (quand même) ce qu'étaient les hommes du *pour*.

« Lindner est un homme de bien, n'est-ce pas ? » demanda Ulrich.

Agathe acquiesça, bien que cette conviction, depuis longtemps, eût cessé de l'enthousiasmer comme au début.

« Mais il vit plutôt *pour* la religion que *dans* un état religieux ? »

Cela, Agathe l'admit très volontiers.

« Voilà ce qu'est l'*homme du pour*, expliqua Ulrich. L'activité considérable qu'il accorde à sa croyance en est peut-être l'exemple le plus important mais ce n'est encore qu'un exemple de la technique à laquelle on recourt pour adapter les idéaux à l'usage quotidien. » Il lui expliqua donc longuement cette notion, improvisée, de la *vie-pour* et de la *vie-dans*.

La vie humaine, apparemment, est juste assez longue pour que l'on puisse y parcourir, quand on vit pour quelque chose, le trajet qui va du suiveur au précurseur. Ce faisant, ce pour quoi l'on vit importe beaucoup moins à la satisfaction des hommes que de pouvoir vivre pour quelque chose : tel Nestor allemand de la production du cognac et le pionnier d'une philosophie nouvelle jouissent, en dehors d'honneurs semblables, d'un même avantage : que la vie, en dépit de son effrayante richesse, ne comporte aucune question qui ne devienne simple aussitôt qu'on l'associe à une philosophie, mais aussi à la production du cognac. Cet avantage, c'est exactement ce qu'on appelle en d'autres termes la rationalisation, avec cette seule différence qu'ici ce ne sont pas des manipulations, mais des idées qui sont rationalisées : il n'est personne aujourd'hui qui ne conçoive ce que cela signifie. Dans le pire cas, cette vie « pour quelque chose » est encore comparable à la possession d'un calepin où l'on enregistre tout et où l'on biffe soigneusement tout ce qui a été vécu. Celui qui ne le fait pas vit dans le désordre, n'en a jamais fini avec les choses dont les allées et venues ne cessent de le tourmenter. En revanche, celui qui possède un calepin ressemble à ce père de famille modèle qui ramasse le moindre clou, le moindre bout de caoutchouc, la moindre effilochure d'étoffe, sachant que ces trouvailles, un jour, seront utiles à son économie. Mais cette conception bourgeoise de la vie-pour, telle que nos pères nous l'ont transmise comme la quintessence d'un travail digne, mais aussi comme une sorte de dada ou d'idée fixe, était, alors déjà, un peu démodée; on tendait à voir plus grand, à rdéveloppe la vie-pour aux proportions des grandes masses.

C'est ainsi que ce dont Ulrich avait commencé par parler en plaisantant prit une signification plus grave. La distinction qu'il avait imaginée lui ouvrit des perspectives inépuisables; elle fut, en cet instant, comme un couteau qui coupe le monde en deux telle une pomme et en découvre l'intérieur. Agathe fit remarquer qu'on disait assez souvent que quelqu'un « s'absorbait entièrement dans quelque chose », bien qu'il fût certain que, selon les définitions d'Ulrich, ces gens zélés le fissent *pour* quelque chose. Ulrich reconnut qu'il serait plus exact de faire une distinction entre « se trouver dans l'état de son idéal » et « se trouver dans l'état de l'action pour son idéal », distinction dans laquelle ou bien le second *dans* était en réalité un *pour*, ou bien la relation en question avec l'action était d'ordre exceptionnel, extatique. D'ailleurs, le langage avait de bonnes raisons de ne pas procéder avec autant d'exactitude : vivre *pour* quelque chose, c'est la définition même de l'existence profane. *Dans*, en revanche, c'est toujours ce pour quoi l'on feint de vivre ou l'on prétend vivre : la relation de ces deux états est très embarrassée. L'homme, en secret, n'ignore pas ce fait étrange que tout « ce pour quoi il vaut la peine de vivre » deviendrait quelque chose d'irréel, sinon d'absurde, sitôt qu'on chercherait à s'y absorber entièrement : bien entendu, il n'est pas possible de l'avouer. L'amour ne se relèverait plus de sa couche, la moindre preuve de sincérité politique serait l'anéantissement de l'adversaire, l'artiste devrait dédaigner tout commerce avec les créatures moins parfaites que les œuvres d'art, et la morale, au lieu d'être tissée de prescriptions intermittentes, devrait nous ramener à cet état enfantin de l'amour du bien et de l'horreur du mal qui prend toute chose à la lettre. Celui qui a vraiment horreur du crime ne devrait pas reculer devant le recrutement de véritables diables professionnels pour martyriser les prisonniers comme sur les vieilles représentations de l'Enfer, et celui qui aime sans réserve la vertu devrait ne se nourrir que de Bien jusqu'à en avoir l'estomac sur la langue. L'étrange est que cela s'est réellement produit quelquefois, mais que ces époques d'inquisition (ou au contraire, d'enthousiasme humanitaire) ont laissé de fort mauvais souvenirs.

C'est donc probablement pour le salut de la vie que l'humanité a réussi à inventer, à la place de « ce pour quoi il vaut la peine de vivre », la vie-pour, ou en d'autres termes, à remplacer son état idéal par son idéalisme. C'est une *vie préliminaire :* au lieu de vivre, on *aspire :* on tend de toutes ses forces à l'accomplissement, mais on est débarrassé du souci d'aboutir. *Vivre pour quelque chose* est le succédané définitif de la *vie-dans.* Tous les désirs, et pas seulement ceux de l'amour, entraînent la tristesse lorsqu'ils sont satisfaits; mais, dans l'instant où l'on a réussi à remplacer le désir par l'activité-pour-le-désir, on a très subtilement aboli ce défaut : l'inépuisable système des moyens et des obstacles a remplacé le but. Même le monomane ne craint plus la monotonie, ayant constamment autre chose à faire; même celui qui ne pourrait absolument pas vivre *dans* ce qui fait la teneur même de sa vie (cas plus fréquent aujourd'hui qu'on ne le pense : par exemple un professeur de l'École d'Agriculture qui ouvre de nouvelles perspectives au problème du fumier et du purin) vit sans difficultés *pour* ce contenu; s'il est un homme actif, il goûte le plaisir d'écouter de la musique ou tout autre plaisir comme si c'était en l'honneur du fumier. Cette manière de faire ceci « en l'honneur de cela » est d'ailleurs encore un peu plus éloignée de ce « cela » (souvent ce n'est plus qu'un bourdonnement apaisant) que ne l'est la vie-pour. Elle représente la méthode la plus couramment employée, et en quelque sorte la moins coûteuse pour faire au nom d'un idéal tout ce qui est inconciliable avec lui.

Car le moindre avantage de la vie-pour ou en-l'honneur-de n'est pas que le service de l'idéal réintroduise dans la vie tout ce que l'idéal lui-même en excluait. Les trouvères du moyen âge nous en offrent un exemple classique, eux qui tombaient comme des chiens furieux sur tous ceux des leurs qu'ils rencontraient, en l'honneur d'un état de leur cœur aussi doux, aussi parfumé qu'un cierge coulant goutte à goutte. L'actualité ne manque pas non plus de particularités analogues. Par exemple, qu'on organise des soirées de haut-luxe pour les miséreux. Ou qu'il y ait tant d'esprits stricts qui insistent sur la mise en pratique de principes officiels auxquels ils se savent soustraits. La fausse concession qui veut que la fin justifie les moyens est du même ordre : en réalité, c'est d'ordinaire pour l'amour des moyens, toujours changeants et variés, qu'on accepte des fins morales et sans aucun attrait. Ces exemples semblent-ils frivoles ? L'objection tombe dès qu'on remarque, non sans quelque effroi, que la vie civilisée tend indubitablement aux explosions de brutalité, et que ces explosions ne sont jamais aussi brutales que lorsqu'elles se produisent en l'honneur de grands sentiments, sacrés ou même quelquefois tendres ! A-t-on alors l'impression qu'elles se trouvent excusées ? Ou n'est-ce pas plutôt l'inverse ?

C'est ainsi, par plusieurs chemins apparentés, qu'on en arrive à constater que les hommes, à être bons, beaux et véridiques, préfèrent vouloir l'être; on devine comment, sous le prétexte que l'idéal est inaccessible par nature, ils dissimulent la question difficile de savoir pourquoi il en est ainsi. Voilà à peu près comment Ulrich parla, sans épargner les attaques contre Lindner et le sens lindnérien du Bien, attaques qui pouvaient tout naturellement s'en déduire. Sans aucun doute, affirma-t-il, Lindner était dix fois plus sûr de son livret et des règles de la moralité que de son Dieu, mais il se dérobait à cette difficulté presque entièrement en luttant pour sa conviction. Il se transférait ainsi dans un état de croyance, dans une conception où ce dont il aurait aimé être convaincu était si habilement mêlé à ce dont il pouvait l'être que lui-même ne faisait plus la distinction.

Agathe fit observer que toute action était douteuse. Elle se rappelait un paradoxe d'Ulrich : seuls les êtres qui ne faisaient pas beaucoup de bien pouvaient rester intimement et réellement bons. Cette remarque, maintenant, lui semblait élargie et confirmée par la possibilité, agréable à ses yeux, que l'état d'activité fût, essentiellement, une falsification d'un autre état dont il naissait et qu'il feignait de servir.

Ulrich l'approuva une fois de plus, et se résuma : « Nous avons donc d'un côté les hommes qui vivent *pour* quelque chose et *dans* quelque chose (si on ne prend pas cette dernière préposition au sens strict), ceux qui ne cessent de s'agiter, qui aspirent, qui tissent, labourent, sèment et moissonnent, en un mot les idéalistes : tous les idéalistes, aujourd'hui vivent *pour* leurs idéaux. De l'autre côté se trouvent ceux qui aimeraient vivre dans leurs dieux d'une manière qui n'a pas encore trouvé de définition...

— Qu'est-ce donc que ce *dans?* » demanda Agathe avec insistance.

Ulrich haussa les épaules, puis esquissa quelques approximations. « On pourrait rapprocher le Pour et le Dans de ce qu'on a appelé l'expérience concave et l'expérience convexe. Peut-être la légende psychanalytique qui veut que l'âme humaine rêve de retourner à la vie pré-natale, intra-utérine est-elle une mauvaise interprétation du *dans*, peut-être non. Peut-être ce *dans* est-il le pressentiment de l'autorité de Dieu sur toute vie (sur toute morale). Peut-être faut-il simplement en chercher l'explication dans la psychologie : toute émotion comporte une exigence de totalité, de régner seule, de former ce *dans* où tout le reste est absorbé. Mais nulle émotion ne peut garder longtemps le pouvoir sans s'altérer de ce seul fait, c'est pourquoi elle rêve d'émotions contraires pour y trouver un regain de vie, ce qui est une sorte de reflet de notre *pour* indispensable... Il suffit! Une chose est sûre, c'est que toute vie sociale relève du *pour* et que l'humanité est une association dont le but avoué est de vivre pour quelque chose : elle défend âprement ces buts. Tout ce que l'évolution politique nous fait voir aujourd'hui n'est que tentative pour mettre à la place de la communauté religieuse disparue un autre *pour*. La vie-pour-quelque-chose de l'individu a fini avec l'époque gœthéenne des pères de famille, et la religion bourgeoise de l'avenir se contentera peut-être de grouper les masses autour d'une croyance dont le contenu sera totalement absent, mais d'autant plus puissante l'orientation unique... » (*Pour* = mise au pas) — — —

On ne pouvait douter qu'Ulrich se dérobât à une décision (sur le problème) : qu'importait à Agathe l'évolution politique ? ?

82. *Schmeisser et Meingast.* (D'une ébauche.)

Ulrich voulait revoir Meingast; cet aigle descendu des montagnes de Zarathoustra dans le ménage de Walter et de Clarisse piquait sa curiosité. Obéissant à une inspiration subite, il invita Schmeisser à l'accompagner. Il pensait sans doute inspirer à son accusateur quelque indulgence à son égard en lui montrant ses amis. Il ne dit rien à Agathe de leur sortie : il savait qu'elle ne viendrait pas.

— — —

Quand Meingast descendit, Walter se joignit à lui et on décida, sans beaucoup se préoccuper de l'avis des hôtes, d'aller ensemble à la colline aux pins qui se trouvait à mi-chemin de la maison et de l'orée du bois. Lorsqu'ils y furent, Meingast se montra enchanté. Les cimes des pins flottaient sur leurs troncs de corail comme des îles vert-sombre dans le bleu ardent, marin, du ciel : des couleurs dures, exigeantes, s'imposaient côte à côte; des représentations comme des « îles sur des troncs de ocraux », si choquantes une fois exprimées qu'on n'ose plus y penser qu'avec un sourire gai, étaient spectacle et réalité. Meingast indiqua le ciel du doigt et dit avec Nietzsche : « Un Oui, un Non; une ligne droite : formule de mon bonheur! » Clarisse, qui s'était couchée sur le dos, le comprit dans l'instant et répondit, les yeux dans le bleu, retenant les mots entre ses dents comme un personnage au dernier acte, quand on commence à parler avec incohérence : « (Lueurs du Sud!) Sereine cruauté! Le Destin au-dessus de soi! » Qu'avait-on besoin de phrases qui collent (collées) quand la Nature était une scène sonore : elle savait que Meingast la comprenait. Walter aussi la comprenait. Mais, comme toujours, il comprenait quelque chose de plus. Il voyait la vivacité féminine de sa femme dans la vivacité féminine du paysage : tout autour, des prairies descendaient vers la vallée en vagues douces; une petite carrière, outre le groupe de pins, était le seul trait héroïque dans un lieu gentiment terrestre qui le touchait aux larmes, parce que Clarisse n'en voyait rien, ne savait rien d'elle-même, et qu'il avait fallu qu'elle choisît précisément le seul endroit où le paysage était en contradiction avec elle-même. Walter était jaloux de Meingast, mais non pas banalement : il était aussi fier que Clarisse de ce nouvel ancien ami qui leur était revenu chargé de gloire comme leur propre délégué dans le monde. Ulrich nota que Meingast, en peu de temps, avait acquis une très forte influence sur Clarisse, et que la jalousie à l'égard de Meingast tourmentait Walter beaucoup plus que celle qu'il avait eue à son propre endroit : Walter sentait la supériorité de Meingast, alors qu'il n'en avait jamais reconnu d'autre à Ulrich que purement physique. En tous cas, ces trois êtres semblaient profondément engagés dans leur histoire; leurs conversations se prolongeaient depuis des jours, et les hôtes ne pouvaient pas plus les rattraper qu'on ne rattrape des explorateurs engagés dans la jungle. Meingast, d'ailleurs, semblait se soucier fort peu d'être compris des nouveau-venus, reprenant carrément la conversation là où elle s'était interrompue quelques heures ou quelques jours plus tôt.

La musique, expliqua-t-il, était un phénomène supra-psychique. Non pas, bien entendu, la musique de chefs d'orchestre ou d'automates qui règne sur le théâtre; pas davantage la musique des érotiques, sur quoi vint une explication foudroyante de ce qu'étaient ces érotiques, un grand zig-zag des origines de l'art au temps présent ; mais la musique absolue. « La musique absolue est dans le monde d'un coup, comme un arc-en-ciel, d'une extrémité à l'autre; c'est une voûte rayonnante que rien n'annonce; un monde sur des ailes cliquetantes, un monde de glace flottant dans un autre comme une averse de grêle. »

Clarisse et Walter écoutaient, flattés. Clarisse mit soigneusement de côté le rapprochement musique-glace-grêle pour le retourner contre Walter dès leur prochaine querelle de musique de chambre.

Cependant, Meingast s'expliquait, cédant à son enthousiasme, à l'aide d'exemples empruntés à l'ancienne musique italienne, la seule qui fût encore saine. Il sifflait les airs. Il s'était mis un peu à l'écart et semblait un totem dans les prés, la main qui expliquait tout au bout d'un long bras, parlant comme on prêche aux Gentils. Depuis longtemps, ce n'était plus simplement de l'art ou une discussion esthétique : Meingast sifflait des exemples métaphysiques, des formes absolues, des phénomènes sonores qui n'apparaissent que dans la musique et nulle part ailleurs. Il sifflait des courbes flottantes ou des images insaisissables faites de colère, d'amour ou de gaieté, il demandait aux époux d'examiner dans quelle mesure cela ressemblait à ce qu'on entend par là dans la vie, et il attendait de Clarisse et de Walter que, suivant leurs impressions personnelles, ils aboutissent à l'extrémité d'un pont coupé d'où ils pourraient voir s'élancer, insaisissable, la figure mélodique absolue.

Ils y arrivèrent en effet, sembla-t-il : un frisson de bonheur les paralysa tous trois. « Maintenant que je vous l'ai fait remarquer, dit Meingast, vous sentez vous-mêmes que la musique ne peut venir de nous-mêmes. Elle est l'image d'elle-même, et ne peut être celle de vos sentiments. Elle n'est donc pas une image du tout. Rien qui puisse recevoir son existence de l'existence d'autre chose. Elle est simplement existence, être, dédaigneuse de toute justification. » Alors, d'un geste de la main, Meingast rejeta les arts loin derrière lui, où ils ne furent plus que le fragment d'un vaste ensemble, « car, dit-il, l'art n'idéalise pas, mais réalise. Pour atteindre à l'essentiel, il faut rompre avec l'idée que l'art exalte ou embellit quelque chose en nous. C'est juste l'inverse. Prenez la tristesse, la grandeur, la sérénité, ce que vous voudrez : ce n'est que la vide définition terrestre d'opérations infiniment plus puissantes que ne l'est le dérisoire fil que notre intelligence en saisit pour tirer dessus. En vérité, toutes nos sensations sont inexprimables. Nous en exprimons une goutte et nous les assimilons à cette goutte, alors qu'elles sont le nuage qui court derrière ! Tout ce que nous éprouvons est davantage que ce que nous croyons en éprouver. Je pourrais y appliquer simplement l'exemple de la musique : toutes nos expériences seraient alors de la nature de la musique, s'il n'y avait un cercle plus vaste encore qui les englobe. Car... »

Il y eut alors une fâcheuse intervention. Schmeisser, dont les lèvres sèches s'étaient depuis longtemps étroitement accouplées, ne put contenir plus longtemps la naissance d'une objection. Il dit à très haute voix : « Si vous déduisez la naissance de la morale de l'esprit de la musique, vous oubliez que tous les sentiments dont vous pouvez parler tirent leur sens d'habitudes bourgeoises, et dans des conditions bourgeoises! »

Meingast se tourna vers le jeune homme avec aménité. « Lorsque je suis allé à Zurich pour la première fois, il y a dix ans, dit-il lentement, une affirmation de ce genre eût encore semblé révolutionnaire. Votre intervention, alors, aurait eu du succès auprès de nous. Je puis vous apprendre en effet que j'ai reçu là-bas ma première formation intellectuelle dans l'aile gauche de votre parti, où se groupaient des gens des quatre coins du monde. Mais nous savons aujourd'hui que le résultat pratique de la Démocratie-sociale (il insista sur le mot démocratie) est autant dire nul, et qu'elle ne fera jamais que repeindre aux couleurs révolutionnaires les thèmes culturels du libéralisme! »

Schmeisser n'avait pas l'intention de répondre. Il suffisait de rejeter sa chevelure en arrière en faisant jouer les muscles de la nuque et de sourire sans desserrer les lèvres. Peut-être aurait-on pu dire aussi : « Je vous en prie, ne vous laissez pas interrompre par ce que j'ai dit! » Il se disait que quelques lignes dans *Le Cordonnier*, quelques gloses piquantes seraient toujours à leur place pour rappeler qu'il fallait se méfier des bourgeois qui ne restent jamais longtemps dans le mouvement. Mais Ulrich intervint : « Surtout, ne le pourfendez pas d'une citation de Marx! M. Meingast vous répondrait avec Gœthe, et nous ne rentrerions plus de la journée! » Schmeisser ne put se tenir de répondre quand même. Comme il n'avait pas envie de lutter, ce fut un peu trop discret : il dit simplement : « La nouvelle civilisation que le socialisme a donnée au monde, c'est le sens de la solidarité... » La réponse ne vint pas tout de suite; Meingast parut se donner du temps et répliqua lentement : « C'est exact. Mais c'est terriblement peu. » Schmeisser perdit patience : « La prétendue science universitaire, s'écria-t-il, a perdu depuis longtemps le droit d'être prise au sérieux, de former un centre pour l'esprit! Fouiller les antiquités, barbouiller des essais sur les poèmes de quelque poétereau, prêcher le droit des canons : cela n'entraîne que vain orgueil. Les véritables travailleurs intellectuels, depuis longtemps, sont produits par le mouvement ouvrier, conscient de son but : ce sont eux, les combattants de la lutte des classes, qui supprimeront la barbarie de l'exploitation et jetteront les bases de la civilisation future! »

Cette fois, ce fut Walter qui s'emporta; il y avait des années qu'il n'avait pas éprouvé autant d'ardeur pour la civilisation contemporaine qu'en face de ce combattant de l'avenir. D'un mouvement plein de bonté, Meingast interrompit la contre-attaque. « Nous sommes beaucoup moins loin l'un de l'autre que vous le croyez, répondit-il à Schmeisser. Moi aussi, j'ai peu d'estime pour l'érudition, et moi aussi je pense que ce qu'il y a de plus important dans l'évolution actuelle, c'est un nouveau sens de la communauté, l'abandon de l'individualisme de l'époque précédente. Mais... » Meingast fut de nouveau comme un totem dans les prés, la main soulignant ses propos au bout d'un très long bras, et il put reprendre au point où il en était resté. Cela datait d'avant sa nouvelle doctrine de la volonté. Par volonté, bien entendu, on ne doit pas comprendre le projet d'aller dans un certain magasin parce que le papier à dessin y est meilleur marché. Ou l'idée de faire un poème en vers libres parce qu'on n'a fait jusqu'ici que des vers réguliers. Assommer un chef de file pour arriver soi-même en tête n'est pas davantage une manifestation de volonté. Au contraire : ce n'est que l'écume jaillie des nombreux récifs auxquels la volonté se heurte aujourd'hui, donc une volonté brisée. Le fait qu'on utilise pour cela le terme de volonté prouve que son vrai sens n'est plus compris aujourd'hui. Le brevet de Meingast, c'était le courant cosmique, infrangible, de la volonté. Il expliquait son rôle chez des grands hommes comme Napoléon. (Cf. ce que dit Shaw, que seuls les grands hommes font quelque chose, et le font en vain.) La volonté de ces hommes est activité ininterrompue, une sorte de combustion comme la respiration; elle ne peut cesser de produire de la chaleur et du mouvement, car, pour ces natures, l'arrêt ou le retour en arrière équivalent à la mort. On peut retrouver cette volonté dans les temps mythiques : quand la roue fut inventée, le langage, le feu et la religion : ce furent là des sursauts à quoi rien de postérieur ne peut être comparé. On trouvera tout au plus chez Homère, et encore! les dernières traces de cette grande simplicité de la volonté, de cette concentration du pouvoir créateur. Puis, avec une force extraordinaire, Meingast unit ces deux exemples divergents : Ce n'était pas un hasard s'ils évoquaient un artiste et un homme d'État. « Si vous vous rappelez ce que je vous ai dit de la musique, le phénomène esthétique est ce qui ne nécessite aucun complément en dehors de soi, ce qui, en tant que phénomène, est déjà tout ce qu'il peut être : la pure réalisation de la volonté! (La volonté ne relève pas de la morale, mais de l'esthétique, des phénomènes sans justification.) On en tirera trois conclusions : le monde n'est justifiable qu'à titre de phénomène esthétique : toute tentative de le fonder moralement a échoué d'ailleurs, et nous comprendrons maintenant pourquoi il devait en être ainsi. Deuxièmement : comme l'antique sagesse platonicienne le souhaitait déjà, nos hommes d'État doivent réapprendre la musique : Platon en avait trouvé la suggestion dans la sagesse de l'Orient. Troisièmement : L'exercice systématique de la cruauté est le seul moyen dont disposent encore les peuples européens, abrutis par l'humanitarisme, pour recouvrer leur force! »

Si ces propos pouvaient comporter pour l'oreille et l'entendement quelques éléments incompréhensibles, il n'en allait pas de même pour le regard et le sentiment : ils fondaient du haut de ces sommets philosophiques où tout est unité, et Clarisse en sentait le sifflement. Cela l'enthousiasmait. En elle, tous les sentiments étaient soulevés et flottaient à leur tour, si l'on peut dire, dans du sentiment. Un moment, elle s'était rapprochée de Meingast dans les prés pour entendre mieux et cacher son excitation derrière un regard apparemment perdu dans les lointains. Mais la combustion interne du monde qu'évoquait Meingast ouvrait ses pensées comme des noix d'où jaillissaient des flammes. Des choses étranges lui devenaient claires : des après-midi d'été frissonnants d'une fièvre inquiète; des nuits d'étoiles comme des poissons aux écailles d'or; des événements qui la surprenaient parfois en dehors de toute réflexion et de toute attente et demeuraient sans réponse, sans contenu même; une tension, quand elle jouait sans doute plus mal que n'importe quel virtuose et pourtant de son mieux, avec le sentiment inquiétant, mais insistant, que quelque chose de titanesque, des événements sans nom, un homme encore anonyme, plus grand que la plus grande musique n'en pouvait concevoir, pesaient aux extrémités de ses doigts. Elle comprenait maintenant ses combats avec Walter : c'était, tout à coup, comme quand un bateau passe sur un lieu particulièrement profond, une chose qu'il était impossible de faire comprendre à quiconque avec des mots. Les phalanges et les poignets de Clarisse commencèrent imperceptiblement à bouger; on voyait la jeune femme traduire dans sa propre volonté corporelle la sagesse du prophète. L'influence qu'il exerçait sur elle ressemblait à la danse, à une marche dansante. Les pieds se délivrèrent du présent appauvri et desséché; l'âme se délivra de l'irrésolution et de la faiblesse des instincts; les lointains se cabrèrent. Clarisse tenait une fleur triple à la main : « Succéder à Meingast », « Successeur du Christ », « Sauver Walter », telles étaient les trois fleurs, et en même temps elles ne l'étaient pas, parce que Clarisse ne pensait pas comme on compte ou on lit, de gauche à droite, mais comme un arc-en-ciel d'une extrémité à l'autre de sa courbe... De l'arc-en-ciel montait le parfum d'une armoire où elle gardait ses habits de voyage, puis les trois fleurs furent « l'amour », « la propreté », « l'amour-propre », Clarisse avait déjà oublié ce qu'elles étaient avant, Walter était une tige, Meingast lui-même n'était plus qu'une tige, Clarisse grandissait toujours plus sur ses deux pieds, ce fut d'une rapidité foudroyante, à perdre haleine : enfin Clarisse se jeta dans l'herbe, effrayée par son enthousiasme. Ulrich, qui y était couché déjà, avait mal compris ses mouvements et la chatouilla distraitement avec un brin d'herbe. Clarisse étincela de dégoût.

Walter avait observé Clarisse, mais quelque chose dont il devait parler l'attira plus fortement vers Meingast. C'était Homère. Homère était-il déjà une manifestation de la décadence ? Non, la décadence ne commençait qu'avec Voltaire et Lessing ! Meingast était sans doute l'homme le plus important qu'on pût rencontrer aujourd'hui, mais ce qu'il disait de la musique prouvait seulement combien il était malheureux que Walter fût trop affaibli par son existence pour coucher ses vues personnelles dans un livre. Il pouvait si bien comprendre Clarisse. Depuis longtemps, il voyait combien elle était fascinée par Meingast; elle lui faisait pitié; elle se trompait, elle continuait à placer les *fortissimi* de l'enthousiasme sur des prétextes insignifiants. Cette association fatale fit jaillir ses sentiments pour elle en grandes flammes. Tandis qu'il s'avançait vers Meingast, Clarisse couchée dans l'herbe, Ulrich à ses côtés qui ne comprenait rien à tout cela et déplaçait simplement par sa présence le centre de gravité du tableau légèrement de son côté, Walter partageait l'émotion de l'acteur qui traverse la scène : ici, ils jouaient leur destin, leur histoire; au moment de parler à Meingast, il sentit la seconde qui se détachait, se figeait en un silence glacé : il était l'acteur, le poète de soi-même.

Meingast le vit venir. Quatre pas comme quatre âges du monde à traverser. Depuis peu, il avait comparé l'impuissance de Walter à une démocratie de sentiments : il lui avait donné ainsi la clef de son état, mais il n'avait aucune envie de poursuivre cette explication. Avant que Walter l'eût rejoint, il s'était tourné vers son combatif interlocuteur.

« Vous êtes peut-être socialiste, dit Schmeisser, mais vous êtes un ennemi de la démocratie!

— Je suis heureux que vous vous en aperceviez! » Meingast se tourna résolument vers lui et parvint à oublier Walter et Clarisse. « Comme je vous l'ai dit, j'ai été socialiste moi aussi. Mais vous dites qu'une civilisation nouvelle naîtra toute seule du mouvement ouvrier, et moi je vous dis : du train où va le socialisme dans notre pays, jamais! »

Schmeisser haussa les épaules. « Ce n'est pas en parlant d'amour, d'art et de dieu sait quoi que le socialisme (le monde) sera en meilleur chemin!

— Qui parle d'art? Il semble que vous ne m'ayez pas compris le moins du monde. Je suis de votre avis : l'état actuel ne se prolongera pas longtemps. La civilisation bourgeoise individualiste périra, comme ont péri toutes les autres civilisations. De quoi? Je puis vous le dire : de l'accroissement des quantités sans accroissement correspondant de la qualité centrale. De la multiplication des êtres, des objets, des conceptions, des besoins, des volontés. Les forces qui consolident : la foi de la communauté en sa tâche, sa volonté de progrès, sa solidarité, la coopération des institutions privées et publiques, tout cela ne croît pas au même rythme, le hasard s'en charge la plupart du temps, et le retard grandit chaque jour. Dans toute civilisation arrive un moment où ce malentendu devient trop grave. Dès ce moment, elle est vulnérable comme un organisme anémié, et il suffit d'un coup pour qu'elle s'écroule. Il est devenu presque impossible, aujourd'hui, de maîtriser la complication croissante des relations et des passions... »

Schmeisser secoua la tête. « C'est nous qui donnerons le coup, quand le moment sera venu.

— Sera venu! Il ne viendra jamais! La conception matérialiste de l'histoire conduit à la passivité! Peut-être le moment sera-t-il là demain. Peut-être est-il déjà venu ? Vous n'en profiterez pas, parce que la démocratie fiche tout en l'air! La démocratie n'éduque ni penseurs ni hommes d'action, seulement des bavards! Quelles sont ses créations propres ? Le Parlement et la Presse! Quelle invention, s'écria Meingast, de ne garder d'un ensemble d'idées qu'on prétend mépriser que la plus grotesque, celle de démocratie! »

Walter était resté un moment indécis puis, comme la politique lui répugnait, avait rejoint Ulrich et Clarisse. Ulrich dit : « Une théorie de ce genre ne fonctionne que quand elle est fausse, mais c'est alors une extraordinaire machine à bonheur! Je crois voir un distributeur de billets de quai se disputer avec un distributeur de bonbons. » Sa remarque n'eut aucun écho.

Schmeisser avait affronté Meingast en souriant, sans répondre. Il se disait que l'opinion d'un seul n'avait aucune importance.

Meingast dit : « Il nous faut un nouvel ordre, une nouvelle structure, un nouveau rassemblement de forces : c'est exact. L'individualisme et le libéralisme pseudo-héroïques ont fait faillite : c'est exact. La masse s'avance : c'est exact. Mais il faut une concentration puissante, brutale, féconde! » Sur ces mots, il sonda Schmeisser du regard, se détourna, cueillit un brin d'herbe et s'éloigna sans rien ajouter.

Ulrich se sentit de trop et se mit en route avec Schmeisser. Schmeisser n'ouvrit pas la bouche. « Nous voilà côte à côte, songeait Ulrich, portant au bout de notre cou chacun un ballon de verre. Tous deux transparents, différemment colorés, merveilleusement clos. Surtout ne butons pas : ils se briseraient! »

Walter et Clarisse restèrent seuls sur leur « scène ».

83. *Pourquoi Ulrich est apolitique.* (Études.)

[*L'épisode Schmeisser s'interrompt brusquement après la rencontre Schmeisser-Meingast. D'après les « feuilles d'études pour la deuxième partie du volume II, deux autres chapitres étaient prévus pour le développer. L'un est désigné comme « Chapitre du Musée », l'autre devait s'appeler « Stumm et les Prophètes ». On n'en possède pas d'ébauches élaborées. Les premières études sont réunies pour l'essentiel sur une feuille d'étude « Problème social ». Les problèmes soulevés dans le chapitre du Musée s'y trouvaient au premier plan. Les indications pour le deuxième projet se réduisent à de brèves notes. Elles laissent supposer que l'ébauche de chapitre « Schmeisser et Meingast » qui ne porte pas de titre dans le manuscrit, doit être considérée comme une première version du chapitre des Prophètes*] [1].

Extrait de *Corrections au volume II*-2 : Thème fondamental du volume-II 2 ? Peut-être, malgré tout, l'utopie de « l'autre état ».

26. XII. 31 : Thème principal des conversations Ulrich-Agathe : « l'autre état »; car il constitue l'action. La morale, la conviction et ainsi de suite dépendent de lui. Comme « l'autre état » est trop individualiste, introduire tout de suite le problème social.

— — — A de vastes chapitres de morale avec Ulrich et Agathe se rattachent quelques chapitres avec les autres personnages et ceux-ci sont déterminés purement par l'histoire d'ensemble. — — Il faut que l'ensemble prenne un autre aspect. — — La description de l'époque qui conduit à la guerre doit être le fondement sur lequel joue l'histoire Ulrich-Agathe, les problèmes de « l'autre état » doivent être mis en relation plus étroite avec l'époque, afin qu'on les comprenne et ne les tienne pas pour pure extravagance.

1. Note de l'éditeur allemand, comme tout ce qu'on pourra lire dans la suite entre parenthèses carrées.

Extrait de *Grandes lignes de la construction.* — 1-1-32 : La peinture immanente de l'époque qui a conduit à la catastrophe doit former le vrai corps du récit, le contexte auquel il peut toujours se référer, de même que l'idée toujours présente en tout. Tous les problèmes tels que recherche de l'ordre et de la conviction, rôle de « l'autre état », situation de l'homme scientifique etc., sont aussi des problèmes de l'époque et doivent être décrits tour à tour comme tels.

Extrait de *Feuille d'étude sur la question sociale :* Voilà le vrai pendant au problème de l'amour et de la vie possible chez Ulrich ! — — Les notes là-dessus étaient jusqu'ici dispersées. Nécessité de les rassembler — — Il apparaît aussitôt que le chapitre avec Meingast et Schmeisser — — en tire une signification accrue, un certain rôle à jouer.

18 *août* 33 ! 34 ? : Dans les — — chapitres du général [von Stumm] etc., il faut une abondance, dans le chapitre du Musée il s'agit de la décision. C'est-à-dire qu'il s'agit simplement de documenter Ulrich sur le problème social. Presque toute la matière — — doit être ramenée à quelques idées fondamentales. L'expérience sociale n'existe que dans les recommencements et elle est infiniment plus complexe que l'individuelle. D'où s'ensuit en fin de compte l'amoralisme, la mentalité criminelle des meilleurs parmi les individus. Voilà ce qu'exprime Ulrich. D'ailleurs, une certaine opposition au social, une position complémentaire du problème s'est toujours manifestée chez le frère et la sœur. A cela s'ajoute le problème : Dieu et l'anti-social. « Toujours la même histoire », c'est ainsi qu'Ulrich dépeint l'époque. On est mené par d'innombrables facteurs du monde extérieur et intérieur, facteurs d'harmonie qui conduisent à la guerre lorsqu'on prend conscience de leur indétermination. (La force de « renouvellement » intellectuel, les changements d'humeur de l'histoire se ramènent en tout événement moral à un reste indéterminé.) Chercher un point d'appui pour les sentiments conduit au comportement inductif. La morale — essentiellement problème Ulrich/Agathe — doit se réduire, pour le social, à cette question : nous en avons besoin d'une. Et ce ne peut être qu'une morale inductive. Ulrich exige un comportement inductif avec intervention du sentiment. — — — En quoi « Tout est moral, sauf la morale »

signifie à peu près : il est temps de constituer une morale morale, c'est-à-dire une morale qui satisfasse elle-même aux critères qu'elle impose. C'est une affaire pour Ulrich et qui relève probablement du chapitre du Musée. (Les matériaux donnés ici n'en sont qu'une partie).

Dans une nouvelle orientation, on peut envisager le reste ainsi : la vie est une perpétuelle oscillation entre le désir et la satiété. Quand on a fait quelque chose pendant quelque temps, on désire son contraire. (Il faut donc dire aussi : les sentiments exigent le dogme et n'en tolèrent aucun.) Cela est vrai des instincts, mais aussi des occupations plus nobles. La question est simple : y a-t-il quelque chose qu'on puisse faire longtemps ? y a-t-il un comportement durable ? Apparemment, seul « l'autre état » peut arrêter la périodicité construction-destruction... (Chose remarquable, construction-destruction, c'est cela même qu'Agathe reproche à Ulrich.) — — On essaie d'expliquer « l'étrange phénomène du défraîchissement des sentiments » en rappelant que les représentations se fanent lorsque l'expérience n'en est pas réactualisée (les mots par exemple). La conséquence serait : Dieu en tant qu'empirisme. On accuse d'autre part la transformation d'un pressentiment vécu en une foi qui n'est pas vécue. D'où la conclusion : toutes les disputes viennent de la foi. (La conséquence de la périodicité mentionnée plus haut est analogue : il ne faudrait pas assumer complètement le désir et la satisfaction. Mais selon le sens du possible. Alors, dit Agathe, apparaît le risque que la vie ne soit plus qu'un jeu frivole, du snobisme, sans passion. Ulrich : Oui, ce danger existe.)

Exigence minimum : une méthode de la vie en commun, une psycho-technique du collectif. L'époque de l'individualisme tire à sa fin, opposé à l'individualisme d'Ulrich et d'Agathe.

Étude pour le chapitre du Musée : Dernière idée : avec le général [von Stumm]. Le général continue à persuader Ulrich. Réponse principale d'Ulrich. A peu près :

Le général : Cette époque exige l'action, parce que l'idéologie ou le rapport de l'idéologie aux autres puissances a fait faillite.

Ulrich : Concevoir la vie comme une solution partielle. (Ce

sont les utopies qui l'animent.) Contre le désir d'action de l'époque. Contre la surestimation de l'action, etc. Aujourd'hui, on ne manque pas d'hommes d'action, mais d'actions d'homme. L'homme sans qualités est contre l'action : c'est un homme que ne satisfait aucune des solutions présentes.

Agathe en revanche modifie le reste : on veut une décision, oui ou non! (Songeons à l'action contre l'intellect au sein du national-socialisme. Au désir de la jeunesse actuelle de trouver une décision, etc. Décision : synonyme d'action. De même : conviction. Cela donne de l'importance à Hans Sepp et à son groupe.)

Ulrich : (La réponse est jusqu'ici) Secrétariat mondial de l'Ame et de la Précision. Personne ne veut m'en croire! Contre la foi : une méthodologie de ce qu'on ne sait pas. Le pressentiment. (Peut-être comme suit : Ulrich répète cette réponse de temps en temps et personne ne le croit ou ne le prend au sérieux.) Toutes les controverses humaines se déroulent sur le terrain de la foi. C'est une forme intermédiaire, dangereuse. La morale est entre l'éthique et le savoir; c'est une forme de la foi. C'est pourquoi il faut se détourner de la morale. C'est parce que l'humanité ne s'applique pas à pressentir et à savoir, mais résout la plupart de ses problèmes sous la forme de la foi qu'il y a des différends et des guerres.

Agathe en revanche : seuls sont heureux les convaincus.

(La conviction totale est identique au bonheur — — Vu sous cet aspect, « l'autre état » est plus plausible qu'à travers la théorie. Éviter la théorie de « l'autre état ». Agathe et Ulrich cherchent une conviction. L'époque en cherche une. Une allusion : le bolchevisme en apporte une, mais ce n'est pas l'ultime, de sorte que lui aussi cessera de donner du bonheur, et n'est pas définitif.)

Le général est d'accord avec elle.

Ulrich : du savoir à la loi suprême. Tentative d'une morale naturelle de la coopération inductive. Idée de l'époque inductive. L'induction a besoin elle aussi de présuppositions : mais celles-ci n'ont pas besoin d'être « crues » — — —

(Concevoir la vie comme une solution partielle, etc. est inactuel. Cela remonte à l'époque d'avant-guerre, où l'ensemble paraissait encore relativement solide même à celui qui n'y croyait pas. Aujourd'hui toute l'existence est précipitée dans le chaos; discussions, articles, dissertations et variations ne profitent pas — — Il faut fortifier le moment doctrinal du livre, établir une formule pratique — —)

Extrait de *Feuille d'étude sur la question sociale* (*Suite*) — 26. *VIII.* [33*!* 34 *?*] : Après l'introduction au chapitre sur Schmeisser un problème s'est posé : — — Accuser et défendre la position sociale d'Ulrich : Pourquoi Ulrich est-il apolitique? C'est, d'une part, le complément à la réponse qu'Ulrich aurait dû donner à la proposition de Stumm (et qu'Agathe, elle, donne), d'autre part cela débouche, au-delà, sur le problème politique en général.

3.*IX.* : Dès les conversations avec Schmeisser... apparaît le rapport avec le chapitre des nations [*Description d'une ville cacanienne*] et les autres chapitres du général [von Stumm], de sorte que de la question de savoir pourquoi Ulrich ne s'intéresse pas à la politique dépend tout le problème politique.

En fait, le rapport d'Ulrich avec la politique se ramène à ce qui suit : Comme tous les hommes qui ont, objectivement ou personnellement, une tâche propre, il souhaitait d'être dérangé le moins possible par la politique. Il ne comptait pas que ce qui avait de l'importance pour lui pût être encouragé par elle. Qu'il y eût de toutes façons dans la continuité une certaine mesure d'encouragement, en d'autres termes, que les choses pussent beaucoup s'aggraver, il n'y avait jamais pensé. A ses yeux, un politicien était un spécialiste qui se consacrait à une tâche d'ailleurs peu aisée : la fusion et la défense des intérêts. Il eût été prêt aussi à se soumettre et à accepter des sacrifices dans une mesure tolérable.

Le fait que la puissance est liée à la notion de politique ne lui avait pas échappé, à lui qui s'était demandé souvent si rien de bon pouvait être fait sans l'appui d'une impulsion vers le mal. La politique est commandement. Chose curieuse, son propre maître, Nietzsche : Volonté de Puissance! Mais il l'avait sublimé, transféré dans le domaine spirituel. La puissance est en contradiction avec les principes (les conditions d'existence) de l'esprit. Deux exigences de puissance se font ici concurrence. La puissance sous la forme de la politique, de même que la puissance sous la forme de la guerre, sortait de son champ visuel. Cela arrive, mais laisse un arriéré comme les bagarres d'enfants.

S'y opposait le marasme de la démocratie. L'hypothèse qui est tacitement à la base du parlementarisme, c'est que du bavardage sort le progrès, qu'il y a une approche progressive du vrai. Il ne semblait pas. Les journaux et ainsi de suite. L'horrible notion de « Weltanschauung[1] ». De mentalité. Il n'y a plus aujourd'hui que des convictions malhonnêtement gagnées. Politisation de l'esprit, du fait que seul a cours ce qui plaît. Par dessus, la fiction toujours plus usée de l'unité de civilisation. (Représentée par la monarchie. On n'avait pas encore enlevé à la démocratie la peau [de la monarchie].) Ce qui était bon, dans cette vie, venait des individus. Si Ulrich ne tient pas compte de son aventure de l' « autre état », le rapport de la puissance et de l'esprit demeurera toujours, mais il peut prendre des formes sublimées (et il le fera peut-être après toute une série de tentatives collectives qui ne font que commencer).

Quand Ulrich voyait cela sous l'angle pratique : il faudrait commencer par l'école, non, on ne sait pas par quoi il ne faudrait pas commencer! C'est le sentiment — — — d'abandon de l'individu qui le conduit à l'expérimentation et au crime.

En d'autres termes : Un esprit règne, sans être élaboré jusque dans les détails. Puis quelqu'un vient qui impose autre chose. Autrement dit, peut-être : la totalité se modifie par le fait d'un individu (le produit, disent certains). Cela paraît aux autres absurdité, délire, crime. Au bout de quelque temps ils s'y adaptent. La douche écossaise, le fameux manque de caractère, si méprisable, de l'homme, qu'est-ce au fond ? L'esprit n'est jamais qu'une décoration de chambre, on peut lui prescrire la chambre. C'est pourquoi il n'est jamais durable et change avec la puissance.

Corrélativement : Nietzsche l'a prédit. L'esprit se comporte à peu près comme une femme, il se soumet à la force, on le couche, il résiste, et il finit par y trouver son plaisir. Et il embellit, il fait des reproches, il persuade dans les détails. Donne du plaisir. Sur quel besoin s'appuie-t-il ?

« Si l'Europe ne s'unit pas, la civilisation européenne sera anéantie bientôt par la race jaune... » et ainsi de suite. On

1. Le mot est souvent cité tel quel en français ; il signifie : " conception du monde ". *N. d. T.*

pourrait l'exprimer dans cette formule : ils préfèrent encore détruire eux-mêmes leur propre civilisation! C'est assez comique, ce soudain sentiment de passion, désespérément honnête sur l'instant, pour la civilisation. — A la base de cela, de plus, il y a l'expérience que les États dépendants sont traités sans égards. Exactement comme les individus dépendants. — C'est un sentiment d'amour pour son trantran. Le progrès serait commun, vous unirait. — Ils défendent la civilisation au lieu de la posséder.

L'homme de la civilisation est seul partout.

Il n'y a que deux conceptions : Civilisation! Alors, tout ce qui se produit est inversé. Ou Puissance! ou quelque chose d'analogue. Combat de races animales. De peuples élus. Une vision grandiose dans certaines circonstances, mais totalement dépourvue de fondement, puisque les peuples n'ont pas d'autre but que de s'affirmer.

Addition (16.*II*.36) *:* Comment celui que préoccupe le problème de la sœur pourrait-il s'intéresser à la politique ?

— — —

Comment résumer et compléter cela ? La politique relève du problème… amour — Violence, Pathein — Agathe etc., dans sa partie active, méchante. Ne peut donc être améliorée que par la raison. Dans le monde du sentiment, cela relève de la part extérieure. Ulrich en connaît donc la réponse utopique. L'autre ne l'intéresse-t-elle pas ? Il hait la politique avec sa prétention absurde que la vérité soit une dégénérescence de l'exigence politique. Verrait-on commencer ici la fuite hors du monde, une mentalité consciente de « criminel » ?

Extrait de l' « *étude pour le chapitre des Prophètes* » *:* Le chapitre est maintenant dans la ligne Ulrich-politique-action qui mène au chapitre du Musée, et dans la ligne civilisation, qui mène à la fin du livre. Son entourage immédiat, c'est le groupe inactif [Ulrich et Agathe]. En opposition à cela, les figures actives, Schmeisser et Meingast. — — En pensant à « (Combien différent d'Ulrich!) », une idée : l'une des raisons de ce chapitre est de montrer les prophètes. Toute chose est plus qu'elle n'est, etc. — — Rapport direct avec Meingast et Schmeisser : l'échec de Capital et Culture — — —

Note marginale : — — — Schmeisser (et Rotbart éventuellement) est le nouveau secrétaire du comte Leinsdorf, recommandé par Ulrich. (Rotbart recommandé par Tuzzi) — — —

Faire de Hans Sepp et de Rotbart un seul personnage ? Hans Sepp serait aussi recommandé par Ulrich. Les deux secrétaires très exigeants et très insolents (comme il convient à l'évolution récente.)

84. *Agathe chez Lindner.* (Ébauche.)

Pendant toute cette période, Agathe poursuivit ses visites chez Lindner. Le compte pour les pertes de temps imprévues fut donc très souvent mis à contribution, et trop souvent son dépassement signifia une soustraction aux autres travaux. De plus, la compassion pour cette jeune femme requérait beaucoup de temps même quand elle n'était pas là.

— — —

« Ma visite vous est-elle donc pénible ? lui avait-elle demandé à la première reprise.

— Et qu'en dit votre frère ? répliquait Lindner avec gravité chaque fois.

— Je ne lui en ai encore rien dit, confia Agathe à son interlocuteur. Peut-être cela ne lui plairait-il pas, à la fin. Vous m'avez rendue anxieuse. »

Allons ! il ne faut pas refuser sa main à qui est en péril.

Mais Agathe, à chaque rendez-vous, arrivait en retard. En vain lui disait-on que le manque de ponctualité était aussi grave qu'une rupture de traité ou un défaut de conscience. « On peut en conclure que vous vous trouvez à tout moment dans une sorte de somnolence de la volonté et vous abandonnez, comme en rêve, à des circonstances imprévues, au lieu de vous libérer à temps avec toute votre énergie ! lui reprochait Lindner.

— Si seulement c'était comme en rêve ! » répliquait Agathe.

Mais Lindner s'écriait avec véhémence : « Un pareil manque d'empire sur soi fait craindre n'importe quelle autre insuffisance !

— C'est probable. Je les crains aussi, répondait Agathe.

— N'avez-vous donc pas de volonté ?

— Non.

— Vous êtes fantasque et indisciplinée!

— Oui. » Après une brève pause, elle ajouta en souriant : « Mon frère dit que je suis un fragment d'être humain, c'est charmant, n'est-ce pas ? même si on n'est pas sûr de ce que cela signifie. On peut penser à un volume inachevé de poésies inachevées. »

Lindner, irrité, ne dit mot.

« Mon mari, en revanche, prétend fort impoliment que je suis un cas pathologique, une névrosée, ou je ne sais quoi », poursuivit Agathe.

Alors, malgré tout, Lindner s'exclama, plein d'une amère ironie : « Que me dites-vous là! Nos contemporains sont toujours ravis quand les tâches morales semblent se ramener à des tâches médicales! Mais je ne vous faciliterai pas ainsi les choses. »

Le seul succès éducatif que Lindner obtint, il le dut à l'observation d'un principe : cinq minutes avant la fin, fixée à l'avance, de chacune de ces visites, et en dépit du retard du commencement et de l'intérêt qu'il prenait à la conversation, il cessait de parler et laissait entendre à Agathe que son temps était réservé désormais à d'autres tâches. Agathe souriait de cette impolitesse, mais l'acceptait avec reconnaissance. Car ces minutes de conversation serties, au moins d'un côté, comme par un bord de métal, communiquaient un peu de leur précision au reste de la journée. Après les conversations démesurées avec Ulrich, c'était comme quand on se sent mince et bien serré dans une ceinture.

Dans ces circonstances, c'était pour Agathe un maître sévère.

Mais, quand elle le dit à Lindner, croyant lui faire plaisir, il laissa aussitôt passer un quart d'heure et fut très mécontent de lui-même le lendemain.

Mais Agathe était une élève bizarre. Cet homme qui voulait son bien, encore que depuis quelque temps il semblât gêné, continuait à lui inspirer confiance, à la consoler même, lorsqu'elle était prête à désespérer de faire avec Ulrich aucun progrès. Alors, elle allait voir Lindner, non pas seulement parce qu'il était, pour on ne savait quelles raisons externes, l'adversaire d'Ulrich, mais surtout parce qu'il trahissait aussi visiblement qu'involontairement sa jalousie, à la seule mention de celui-ci. Évidemment, ce n'était pas une rivalité personnelle : Agathe savait que les deux hommes se connaissaient à peine; c'était une rivalité entre deux espèces d'esprit, de même qu'il y a des races d'animaux qui ont leurs ennemis désignés qu'elles reconnaissent dès la première rencontre, et dont l'approche la plus lointaine les met en état d'excitation. Chose remarquable, elle pouvait comprendre Lindner : il y avait aussi dans ses sentiments pour Ulrich quelque chose qu'on aurait pu appeler de la jalousie, une impossibilité de marcher à son pas, une fatigue humiliante peut-être encore, plus simplement, une jalousie féminine à l'égard de son goût viril pour les idées. Aussi écoutait-elle avec plaisir et une sorte de bien-être triste Lindner combattre des vues qui pouvaient être d'Ulrich, ce qu'il faisait toujours avec prédilection. Elle pouvait s'y laisser aller avec d'autant moins de risques qu'elle se sentait plus à la hauteur de Lindner que de son frère : il avait beau prendre des airs belliqueux et même l'effrayer quelquefois, elle éprouvait toujours une secrète méfiance à son endroit, analogue parfois aux sentiments qu'éprouvent les femmes pour les aspirations d'autres femmes.

Agathe continuait à avoir des battements de cœur quand elle restait un moment seule dans le décor lindnérien, comme si la menaçaient des émanations de vapeur entêtantes. La tentation et le déplaisir de s'y complaire, la possibilité bouffonne que cela se produisît, lui rappelaient toujours l'histoire d'une fille séduite qui, élevée parmi des étrangers, semble se faire illusion sur elle-même et devenir une étrangère à son tour : sans avoir beaucoup d'importance à ses yeux, cette histoire, remontant à son enfance, était l'une de celles qui avaient joué un rôle, quelquefois, dans les tentations de sa vie et les excuses qu'elle y trouvait. Ulrich lui avait donné son interprétation personnelle de ces histoires dont on aurait pu déduire simplement une connaissance insuffisante de l'âme, et Agathe croyait plus passionnément que lui-même à cette interprétation. Dieu, en effet, n'a pas créé seulement, selon les dimensions du temps, la vie que nous menons, elle n'est en aucune manière la vraie vie, c'est une des nombreuses tentatives qu'il a projetées avec espoir; pour nous qui ne sommes pas aveuglés par l'instant, il n'y a glissé aucune nécessité. Parlant ainsi de Dieu et décrivant l'imperfection du monde, son mouvement sans but, constitué de faits absurdes, le masque transparent de son ordre comme la vision personnelle de Dieu et l'avance la plus prometteuse dans sa direction, Ulrich lui apprenait à comprendre aussi dans ce sens ce que signifie le plaisir d'être un autre, incertain en soi-même, ombre faisant des projets à côté de soi-même.

Ainsi, Agathe sentait Ulrich proche d'elle tandis qu'elle observait attentivement les murs de la maison de Lindner, couverts de tableaux à sujets pieux. Elle remarqua que s'il y avait des gravures d'après Raphaël, Murillo et le Bernin au mur, il n'y avait pas de Titien, ni même d'œuvres gothiques. En revanche dominaient en grand nombre des reproductions modernes dans ce style baroque qui ressemble à des omelettes trop grasses absorbant des quantités énormes de sucre. Quand on longeait les parois en regardant ces images, l'accumulation de vêtements boursouflés, de visages vides, ovales, levés vers le ciel et de corps suavement nus oppressait. Agathe dit : « Il y a tant d'âme là-dedans que l'ensemble agit comme une abolition de l'âme. Voyez vous-même : le mouvement vers le haut est devenu conventionnel à tel point que la vivacité irrépressible de l'humain s'est réfugiée dans les détails moins visibles pour s'y dissimuler. Ne trouvez-vous pas que ces bas de robe, ces souliers, ces positions de la jambe, ces bras, ces plis et ces nuages débordent de la sexualité refoulée ailleurs ? On n'est pas loin du fétichisme! »

Agathe devait connaître ce phénomène de débordement. Cette façon de se pencher nostalgiquement d'un balcon sur le vide. Ou juste l'inverse : une façon de s'approcher toujours plus près. On retrouvait cela avec effroi, ici, à la limite entre la lubie maladive et l'élévation.

Lindner n'en avait aucune idée. Mais il fut effrayé par le reproche et s'efforça d'abord de parler avec dédain de la beauté. L'artiste devait se servir de la matière, du charnel, et y restait accroché : d'où le niveau inférieur de l'art. Agathe le surestimait. L'art pouvait sans doute propager les grandes expériences humaines, mais non les faire revivre.

Agathe lui représenta avec irritation qu'il avait trop de ces images. Il semblait que les libertés que l'on devait accorder, de l'avis même de Lindner, à la part inférieure de l'artiste eussent aussi quelque importance à ses yeux. « Non ? » dit Agathe.

Mis au pied du mur, Lindner exposa sa conception de l'art. L'art véritable est animation de la matière. Il ne pouvait représenter le nu que si le règne de l'âme sur la matière était exprimé par l'image.

Agathe objecta qu'il s'illusionnait, car ce n'était pas la suprématie de l'âme, mais celle de la convention qui parlait.

Tout à coup, il éclata : Croyait-elle donc que le culte du nu, chez les peintres et les sculpteurs, pût se justifier aux yeux d'un homme sérieux ? « L'être humain nu est-il vraiment si beau ? Si extraordinaire ? Les délices des amateurs d'art ne sont-elles pas risibles, même quand on renonce à leur appliquer des notions morales sérieuses ? »

Agathe : « Le corps nu est beau ! » Mon Dieu ! c'était un mensonge, uniquement pour faire enrager son vis-à-vis. Agathe n'avait jamais fait attention à la beauté des corps virils. La plupart du temps, aujourd'hui, les femmes ne considèrent le corps de l'homme que comme un piédestal pour la tête. Les hommes estiment la beauté un peu davantage. Mais il faudrait réunir une fois sur une place tous les corps nus dont ils ont empli nos musées et nos expositions, puis que l'un d'eux sorte de cette cohue de chenilles [?] blanches ceux qui seraient réellement beaux. On remarquerait aussitôt que le corps nu, d'ordinaire, n'est que nu : nu comme un visage qui a porté une barbe pendant des dizaines d'années et qu'on a rasé soudain. Mais beau ? Le fait que le monde s'arrête quand paraît un être réellement beau montre que la beauté est un mystère; parce que la beauté = l'amour et que l'amour est précisément un mystère, cela semble être en gros assez juste. De même, le fait qu'on a perdu la notion de beauté (le commerce de l'art). Ainsi, elle est assise là, et c'est Ulrich qui parle par sa bouche.

Mais Lindner, aussitôt, saute sur le défi. « C'est ainsi ! s'écria-t-il. C'est évident, le culte moderne du corps excite unilatéralement l'imagination et l'enflamme d'exigences que la vie ne peut satisfaire ! Même une hygiène excessive, comme les Américains l'ont introduite chez nous, constitue un grand danger !

— Vous êtes un visionnaire », dit Agathe indifférente.

Là-dessus Lindner : « Beaucoup de femmes pures qui accueillent et acceptent cela sans connaître la vie ne songent pas qu'elles évoquent ainsi des esprits qui détruiront peut-être leur propre vie et celle de leurs proches ! »

Agathe répondit avec âpreté : « Faut-il ne se baigner que tous les quinze jours ? Se ronger les ongles ? Porter de la flanelle et sentir la vaseline camphrée ? » Elle attaquait ce décor, mais en même temps elle se sentait prisonnière et châtiée d'une manière dérisoire par l'obligation de disputer sur de pareils lieux-communs.

Souvent, Agathe se moquait et piquait Lindner afin qu'il s'échauffât et « aboyât ». Ainsi, cette fois-là, elle répliqua encore, et Lindner accepta le combat.

Une âme vraiment virile devait montrer la plus grande réserve non seulement à l'égard des beaux-arts, mais encore à l'égard du théâtre, en supportant sereinement l'ironie et les plaisanteries de ceux qui sont trop mous pour refuser qu'on leur chatouille les sens! affirma-t-il. Il inclut aussi la littérature romanesque en faisant remarquer que la plupart des romans respiraient visiblement l'esclavage charnel et la surexcitation de leurs auteurs, excitant les aspects inférieurs du lecteur en voilant toutes choses sous les dehors aimables de l'illusion poétique!

Il semblait supposer qu'Agathe le méprisait pour son incompréhension de l'art, et s'efforçait d'imposer sa supériorité. « C'est une sorte de dogme, s'écria-t-il, qu'il faut avoir tout vu et tout entendu pour pouvoir en parler! Il vaudrait mieux laisser les autres bavarder et se montrer fier de son inculture! On ne se persuaderait pas que voir de la saleté à la lumière électrique fait partie de la culture! »

Agathe le considéra en souriant, sans répondre. Ses remarques étaient si désespérément niaises que les yeux de la jeune femme se mouillèrent. Lindner se sentit incertain devant ce regard mi-humide, mi-railleur.

« Toutes ces remarques, bien entendu, ne concernent pas le vrai grand art », ajouta-t-il.

Comme Agathe se taisait toujours, il fit un pas de plus. « Ce n'est pas de la pruderie, dit-il comme pour se défendre. La pruderie serait elle-même le signe d'une imagination corrompue. Mais la beauté nue éveille le tragique dans l'âme en même temps que des forces intellectuelles qui cherchent à expier, à résoudre ce tragique : comprenez-vous ce que je ressens ? » Il restait debout devant elle. Il était de nouveau immobilisé par elle. Il la considérait. « C'est pourquoi il faut voiler le nu ou l'associer à des rêves supérieurs, poursuivit-il, afin que son action ne soit ni excitante ni avilissante, mais apaisante et libératrice. » Il en avait toujours été ainsi dans les grands moments de l'art, dans les personnages de la frise du

Parthénon, dans les figures sublimées de Raphaël. Michel-Ange associait les corps transfigurés au monde surnaturel, Titien bridait la convoitise par une expression de visage qui n'appartenait pas au monde des instincts.

Agathe était debout devant lui. « Attendez ! dit-elle. Vous avez une bribe de laine dans la barbe », et rapidement elle parut en enlever quelque chose. Lindner ne put voir si c'était réel ou feint, car il recula involontairement avec tous les signes de l'effroi pudique, tandis que déjà elle se rasseyait. Il fut exaspéré par sa maladresse, son manque d'empire sur soi, et il chercha à le masquer en prenant un ton rauque. A nouveau, comme un cavalier du dimanche, il chevaucha ce mot de tragique qui lui convenait si mal. Il avait dit que la beauté éveillait le tragique de l'âme, et il ajouta que ce tragique se retrouvait dans l'art dont les forces, en dépit de tout, n'atteignaient pas à la spiritualisation complète. Ce n'était pas très éclairant, mais il en ressortit avec évidence que l'âme de l'homme n'était pas une protection contre les sens, plutôt leur puissant écho. Oui, la sensualité n'était si puissante que parce que ses trompeuses promesses envahissaient et conquéraient l'âme de l'homme.

« Serait-ce un aveu ? demanda Agathe avec une sécheresse effrontée.

— Comment un aveu ? s'écria Lindner. Quelle arrogance dans vos vues ! Quel délire de pouvoir ! Au fond : pour qui me prenez-vous ? » Mais il fuyait, il cédait du terrain, il reculait même réellement devant Agathe.

L'homme ne devine rien si rapidement que l'incertitude intérieure d'un autre homme : alors, il saute dessus comme le chat sur un coléoptère traînant la patte. En fait, c'était la capricieuse technique du pensionnat de jeunes filles avec ses passions entre grandes admirées et petites enamourées (l'éternelle forme de ce jeu où l'âme joue à l'esclavage) qu'Agathe appliquait contre Lindner : tantôt elle semblait accepter et comprendre ses paroles, tantôt elle l'attaquait froidement et l'effrayait, lorsqu'il se croyait en sécurité dans la réciprocité des sentiments.

Du fond de la pièce, alors, tonna sa voix à laquelle il donnait une fausse intrépidité et une fausse profondeur, comme si c'était lui qui attaquait : « Permettez-nous d'en parler une fois sans ménagement. Comprenez à quel point la procréation, en tant que simple phénomène naturel, est insuffisante, insatisfaisante! Même la maternité! Son mécanisme physiologique est-il vraiment quelque chose de si merveilleux, de si extraordinairement parfait ? Que d'affreuses souffrances il apporte, que de hasards absurdes, intolérables! Nous laisserons donc tranquillement la divinisation de la Nature à ceux qui ne savent pas ce qu'est la vie, et nous ouvrirons nos yeux au réel : la procréation n'est ennoblie et élevée au-dessus d'un obscur esclavage que si on la sanctifie par la fidélité et la conscience, que si on la subordonne aux idéaux de l'esprit! »

Agathe se taisait, semblait songeuse. Puis, implacable, elle dit : « Pourquoi me parlez-vous de la procréation ? »

Lindner eut peine à reprendre son souffle : « Parce que je suis votre ami! Schopenhauer nous a montré que ce que nous voudrions prendre pour notre expérience la plus personnelle n'est qu'une excitation tout à fait indépendante de la personne. Mais, de ce mensonge de l'instinct de reproduction sont exceptés les sentiments nobles, la fidélité, par exemple, l'amour désintéressé, l'admiration, le dévouement...

— Et pourquoi donc ? demanda Agathe. Les sentiments qui vous conviennent devraient avoir une origine surnaturelle, et les autres n'être que nature ? »

Lindner hésita, il luttait. « Je ne puis me remarier, dit-il d'une voix basse et enrouée. Je le dois à mon fils, à Peter.

— Mais qui vous le demande ? Je ne vous comprends plus », dit Agathe.

Lindner tressaillit. « Je voulais dire que même si je le pouvais, je ne le ferais pas. » Puis il prit un nouvel élan : « De plus, l'amitié entre homme et femme exige une hauteur de sentiments qu'on ne peut comparer à cela. Vous connaissez mes principes, vous comprendrez donc que mon offre soit de vous servir en frère, d'éveiller en la femme, en quelque sorte, le contrepoids de la femme, de fortifier en vous Marie contre Ève... » Il était près de transpirer, tant garder la ligne stricte de son propos était astreignant.

« Vous m'offrez une sorte d'amitié éternelle, dit tranquillement Agathe. C'est très beau de votre part. Vous savez bien que votre cadeau était accepté d'avance. »

Elle saisit sa main, comme il se doit en de pareils instants, et s'effraya un peu de ce morceau de peau inconnue dans la sienne. Lindner ne put retirer ses doigts : il lui semblait qu'il devait le faire, mais aussi qu'il pouvait ne pas le faire. Même l'irrésolution d'Ulrich engageait parfois Agathe à jouer avec elle ainsi, mais Agathe était désespérée de s'y voir réussir, car la puissance de la coquetterie s'associe à la séduction, à la ruse et à la contrainte, non à l'amour. Comme le souvenir d'Ulrich lui revenait, elle regardait l'homme hésitant qui dansait maintenant en soi-même comme un bouchon, avec une humeur proche des larmes et toute bardée de mauvaises pensées.

« Je voudrais que vous m'ouvriez votre cœur obstiné et fermé, dit Lindner avec une chaleur et une timidité assez comiques. Ne pensez pas à l'homme en moi. Il vous a manqué une mère!

— C'est bien, répondit Agathe. Mais le supporterez-vous ? Seriez-vous prêt à me garder votre amitié (elle retira sa main) si je vous disais que j'ai volé, que j'ai un inceste sur la conscience ou quoi que ce soit pour quoi on est exclu de la communauté des autres ? »

Lindner eut un sourire contraint. « Ce que vous dites là est certes assez fort, et risquer une pareille plaisanterie est bien indigne d'une femme. Savez-vous à quoi vous me faites penser en ce moment ? A un enfant qui cherche à exaspérer un aîné! Mais ce n'est pas le moment », ajouta-t-il blessé d'avoir fait cette comparaison.

Soudain, Agathe eut dans la voix quelque chose qui partagea la conversation en deux jusqu'au fond : « Vous croyez en Dieu, vous me l'avez avoué : de quelle manière vous répond-il quand vous lui demandez conseil et jugement à propos d'un péché grave ? »

Lindner repoussa cette question avec la sévérité inquiète et indignée qu'affiche un domestique de château bien stylé quand on l'interroge sur la vie conjugale des maîtres.

Agathe : Dieu en relation avec le crime, et le Dieu de saint Augustin, l'abîme. Aussi augustinien que possible : « Je ne vois aucune possibilité d'être bonne de mon propre pouvoir. Je ne comprends pas quand je fais le bien, quand je fais le mal, seule sa grâce peut m'emporter vers en haut... » Cela suppose, sans doute, qu'elle s'est préoccupée de cela peu auparavant. La question reste provisoirement sans réponse.

Lindner dut bien deviner un peu de la passion de ces paroles, c'est pourquoi sa réponse est suave, comme d'un directeur de conscience : « Je ne connais pas votre vie, vous n'y avez fait que de rares allusions. Mais j'estime possible que vous agissiez parfois comme le ferait un être mauvais. Vous n'avez pas appris à prendre la vie au sérieux dans les petites choses, peut-être ne le pourrez-vous donc pas dans les grandes décisions. Vous devez être capable de faire le mal et de dépasser toute mesure pour la seule raison que ce que pensent les autres vous est indifférent, mais cela seulement parce que, si vous avez le désir du bien, vous ignorez combien ce dessein suppose de sagesse et d'obéissance. » Il lui prit la main et s'écria : « Dites-moi la vérité.

— La vérité est à peu près ce que je vous ai déjà dit, répéta Agathe calmement et avec force.

— Non!

— Oui! » Dans ce oui si simple, il y avait quelque chose qui fit que Lindner, brusquement, repoussa sa main.

Agathe dit : « Ne vouliez-vous pas me rendre meilleure ? Si donc je suis comme une pièce d'or tordue que vous voulez redresser, ne suis-je pas tout de même une pièce d'or, ou... ? Mais vous perdez courage. L'exigence (divine ?) qui vous est transmise par ma personne se heurte à votre répartition conventionnelle des actions en noir et blanc. Je vous le dis : identifier Dieu avec la morale humaine est un blasphème! »

La voix avec laquelle elle dit cela eut, au moins pour Lindner, un retentissement de trompettes, quelque chose d'étrangement agité; lui aussi devina la sauvage beauté juvénile d'Agathe; déjà lorsqu'il lui faisait des reproches, il souffrait d'une angoisse insinuante, indicible. Car ses principes, où étaient ses principes ? Ils étaient autour de lui, mais à très grande distance. Et dans l'espace vide dont le vide le plus central était sa poitrine s'agitait quelque chose de méprisable, mais d'aussi vivant qu'une corbeille pleine de chiots. Sans doute voulait-il frapper cette jeune femme obstinée au cœur, mais le cœur qu'il visait ressemblait à un petit morceau de chair fleurie. Depuis que Lindner était veuf, il vivait comme un ascète, évitait par principe les prostituées et les femmes légères; mais, pour le dire franchement, plus il s'échauffait pour le salut d'Agathe, plus se justifiait sa crainte de se trouver un jour dans un état d'excitation illicite. C'est pourquoi, souvent, dans les moments de colère ou d'amour, il comptait mentalement jusqu'à cinquante. Le résultat fut étrange : plus il chassait l'excitation de son point d'attaque supposé, plus l'excitation envahissait son corps entier, qui semblait ainsi luire de l'intérieur. Avec une netteté effrayante, inexprimable, cela lui rappela l'événement terriblement exaltant qui, dans son adolescence, l'avait averti une fois pour toutes de la puissance du sentiment. Lindner se sentit châtié par un grand mépris de soi quand il dut songer que ce qui s'était dissimulé alors, avec une ruse diabolique, sous une forme divine, devait apparaître maintenant, dans sa maturité, comme une vulgaire sensualité, exactement comme l'affirment les plates conceptions des matérialistes.

« Ne vous en allez pas avec ce mensonge! dit-il suppliant.

— Le testament ? répondit Agathe. Ce n'est pas un mensonge. J'ai falsifié un testament! »

Pris d'une fureur subite, Lindner l'empoigna par le bras comme une écolière et s'écria : « Sortez!

— Non! répliqua Agathe. Dans notre combat, il était tacitement entendu que nous chasserions mutuellement nos démons.

— Vous êtes orgueilleuse et vaine! s'écria Lindner. Mais là derrière se cachent la souffrance, la déception, l'humiliation! » Il avait presque dit vrai. Mais ce n'était que presque : Agathe fut soudain lasse de lui et le planta là.

Addition : Bien que le chapitre comporte de longues prémisses, le point culminant est : « J'aime mon frère! » Ce qui s'ensuit a besoin d'être développé : à peu près... : Lindner cite toutes les critiques possibles du point de vue de la morale sociale, et les réponses d'Agathe tournent autour de cette objection : Pourquoi ne pourrais-je pas aimer mon frère comme un homme, puisque vous qui êtes un homme m'offrez un amour de frère.

85. *Le rêve.* (Ébauche.)

L'attitude de son frère, son propre trouble, encore accru par sa visite à Lindner, excitaient Agathe avec une force dont elle-même n'avait pas conscience. Sans qu'elle pût savoir quand ni comment, son âme s'était soudain trouvée séparée de son corps, jetant des regards curieux sur un monde qui lui était étranger.

Agathe rêvait.

Son corps était couché sur le lit, immobile, et respirait. Elle le regardait, et sa vue lui causait une joie lisse comme du marbre. Puis elle considéra les objets qui continuaient à occuper sa chambre; elle les reconnaissait tous, et pourtant ce n'étaient pas tout à fait les choses qui lui appartenaient d'ordinaire. Car les objets aussi étaient en dehors d'elle, comme son corps qu'elle voyait étendu parmi eux. C'était pour elle une souffrance pleine de douceur.

Pourquoi cela lui faisait-il mal ? Probablement à cause d'une certaine ressemblance avec la mort; elle ne pouvait bouger ni agir, c'était comme si on lui avait coupé la langue de sorte qu'elle ne pouvait rien en dire non plus. Mais elle sentait en même temps une grande force. Elle comprenait les choses à peine appréhendées, car tout était évident, éclatant comme le soleil, la lune et les étoiles quand ils se reflètent dans l'eau. Agathe se dit : « Vous avez blessé mon corps avec une rose » et se tourna vers le lit pour se réfugier dans son corps.

Elle découvrit alors que c'était le corps de son frère. Lui aussi était couché dans ce somptueux miroitement de la lumière comme dans un caveau, elle ne le voyait pas avec exactitude, mais bien plus intensément qu'à l'ordinaire, elle le touchait dans le secret de la nuit. C'est ainsi qu'elle le souleva; il pesait lourd dans ses bras, pourtant elle avait la force de le porter, de le tenir, et cette étreinte était d'un agrément surnaturel. Le corps de son frère se serrait si tendrement, avec tant de bonté contre elle qu'elle se sentait reposer en lui comme lui en elle; rien en elle ne bougeait plus, même son beau désir. Et dans ce repos, se trouvant un et sans séparation, sans séparation même à l'intérieur de soi, au point que leur intelligence semblait perdue, leur mémoire vide, leur volonté inutile, elle se tenait debout dans ce repos comme devant un lever de soleil et se perdait toute en lui, elle et ses particularités terrestres. Tandis que cela se déroulait avec lenteur, dans une intense joie, Agathe aperçut autour d'elle une foule déchaînée qui, semblait-il, souffrait grande crainte pour elle. Les gens, affolés, couraient en tous sens, faisaient des gestes d'avertissement et d'indignation. Cela se passait, comme souvent dans les rêves, tout près d'elle, sans pourtant la toucher de près, jusqu'au moment où le vacarme et l'épouvante forcèrent ses sens. Alors Agathe eut peur et se hâta de réintégrer son corps endormi; elle ignorait parfaitement comment tout avait pu changer ainsi et, pour un moment, renonça à rêver.

— — —

Au bout d'un moment, néanmoins, elle s'y reprit. De nouveau elle quitta sa chair; mais, cette fois, elle rencontra son frère aussitôt. Le corps d'Agathe était de nouveau couché nu sur le lit, et ils le regardaient ensemble : la toison sur le sexe de ce corps abandonné à son impuissance brûlait comme un petit feu d'or sur un tombeau de marbre. Comme il n'y avait entre eux ni Toi ni Moi, cette scène à trois n'avait rien qui pût les surprendre. Ulrich regardait sa sœur avec une douceur grave qu'elle ne lui connaissait pas. Ils considérèrent aussi ensemble le décor, et c'était évidemment leur maison, mais, bien qu'Agathe reconnût sans peine les objets, elle n'eût pu préciser dans quelle chambre ils se trouvaient; cela aussi était d'un étrange agrément, car il n'y avait plus ni gauche ni droite, ni avant ni après; quand leurs regards se rencontraient sur un même objet, ils se sentaient unis comme un mélange d'eau et de vin, plus ou moins doré ou argenté selon le dosage. Agathe comprit aussitôt : « Voilà ce dont nous avons tant parlé, l'Amour total » et elle se fit très attentive pour que rien ne lui échappât. Le comment des choses, pourtant, s'obstinait à lui échapper. Alors elle regarda son frère, mais lui aussi avait le regard vague, un sourire figé, embarrassé. A ce moment elle entendit quelque part une voix qui disait, et cette voix était si démesurément belle qu'elle n'avait plus rien à voir avec la terre : « Jette tout ce que tu possèdes au feu, jusqu'à tes souliers; si tu ne possèdes plus rien, ne pense même plus à ton linceul et jette-toi nu dans le feu! » Tandis qu'elle écoutait cette voix, se rappelant que la phrase lui était connue, un éclat monta jusqu'à ses yeux et en rayonna, ôtant à Ulrich aussi son exact contour terrestre, et elle n'eut pas l'impression que cela le privât de quelque chose; chacun de ses membres, au contraire, en éprouvait à sa manière une grâce et un bonheur infinis. Sans le vouloir, elle fit quelques pas vers lui. Il en fit autant de son côté.

Il n'y avait plus maintenant entre leurs corps qu'un étroit abîme, et Agathe sentit qu'il fallait faire quelque chose. A ce moment du rêve, elle fit encore un grand effort pour réfléchir. « S'il aime quelque chose, qu'il le reçoive et en jouisse, se dit-elle, il ne sera plus lui-même, et son amour sera mon amour! » Elle sentait bien que cette phrase, telle qu'elle la prononçait, devait être un peu estropiée ou tronquée, mais elle ne l'en saisissait pas moins parfaitement, dans une signification illuminante. « En rêve, s'expliquait-elle, il suffit de ne pas penser, et tout arrive! » Car elle croyait voir arriver tout ce qu'elle pensait, ou plutôt, ce qui arrivait, ayant part à la volupté de la matière, avait une égale part à la volupté de l'esprit et pénétrait en elle, sous forme de pensée, aussi profond qu'il est possible. Elle crut que cela lui donnait une grande supériorité sur Ulrich; alors qu'il continuait à rester là, perplexe, sans bouger, elle, non seulement le même éclat qu'avant montait à ses yeux et l'envahissait, mais ce feu mouillé, tout à coup, jaillit de ses seins, voilant tout ce qui lui faisait face dans une émotion ineffable. Ce feu, maintenant, passait à son frère; Ulrich commençait à brûler, sans que le feu y perdît ou y gagnât en force. « Eh bien! tu vois, pensait Agathe. On s'est toujours trompé. On se contente toujours de bâtir un seul pont, aussi solide que possible, et c'est sur ce seul pont que l'on passe de soi à l'autre : c'est partout qu'il faut franchir l'abîme! » Elle avait pris les mains de son frère et voulait l'attirer à elle; alors, cependant qu'elle tirait, ce corps d'homme brûlant et nu se changea en un fourré, en un mur de fleurs, et s'approcha sous cette forme, détaché. Agathe sentit s'évanouir toute intention, toute pensée; elle était couchée sur son lit, impuissante de plaisir, et pendant que le mur la traversait, il lui semblait devoir franchir d'infinis ruisseaux de fleurs soyeuses, elle allait sans pouvoir faire cesser l'enchantement. « Mais, je suis amoureuse! » pensa-t-elle comme on trouve un moment pour reprendre haleine, car elle pouvait à peine supporter la violence de cette excitation qui semblait ne pas vouloir finir. Depuis qu'il s'était transformé, elle ne voyait plus son frère, et pourtant il était là.

C'est en le cherchant ainsi qu'elle s'éveilla; mais elle se sentait encore attirée en arrière, son bonheur ayant atteint une intensité telle qu'il ne cessait de grandir.

Lorsqu'elle sauta du lit, elle était bouleversée; sa tête commençait à s'éveiller, mais dans toutes les autres parties de son corps demeurait le rêve inachevé qui semblait refuser de finir.

86. *Trop de douceur, ou les trois sœurs.* (Ébauche et étude.)

Depuis ce rêve, mûrissait en Agathe le projet d'induire son frère à quelque folle tentative. Laquelle, elle le voyait mal encore. — — —

Ulrich demanda : « Que veux-tu de moi, mes vêtements, mes livres, ma maison, mes perspectives d'avenir ? Que dois-je t'offrir ? Je voudrais te donner tout ce que j'ai. »

Agathe répartit : « Coupe-toi un bras pour moi, ou au moins un doigt ! »

Ils étaient au rez-de-chaussée, dans le salon de réception dont les hautes et étroites fenêtres, arrondies du haut, laissaient tomber sur le parquet miroitant la jeune et douce lumière du matin, mêlée à l'ombre des arbres. Baissant les yeux, on aurait cru apercevoir sous ses pieds le ciel décoloré, avec ses nuages et sa clarté, à travers un verre bruni. Ulrich et Agathe vivaient si retirés que le risque d'une visite était presque exclu.

« Tu es trop modeste ! poursuivit Ulrich. Réclame au moins ma vie ! Je crois que je m'en déferais, pour toi. Mais un doigt ? Je te l'avoue : un doigt m'importe peu ! »

Il rit. Sa sœur rit à son tour, mais son visage gardait l'expression de qui voit autrui plaisanter sur ce qui est cher à son cœur.

Ulrich passa à l'attaque : « Quand on aime, on donne, on ne garde rien pour soi, on ne veut rien posséder seul : pourquoi veux-tu posséder Lindner pour toi seule ?

— Mais je ne le possède pas du tout ! répliqua Agathe.

— Tu possèdes tes sentiments secrets pour lui, tes pensées secrètes sur lui. Ton erreur sur son compte !

— Pourquoi donc ne te coupes-tu pas un bras ? demanda Agathe comme par défi.

— Nous le couperons, répondit Ulrich. Pour le moment je me demande encore quelle vie nous obtiendrions si j'abandonnais réellement tout égoïsme et que les autres fassent de même, que tous se possèdent en commun avec tous les autres : pas seulement l'écuelle et le lit, mais réellement eux-mêmes, de sorte que chacun aimerait son prochain comme lui-même et que personne ne serait plus proche de soi que des autres. »

Agathe dit : « Cela devrait être possible d'une manière ou d'une autre.

— Peux-tu imaginer d'avoir un amant en commun avec une autre femme ? demanda Ulrich.

— Je puis me l'imaginer, affirma Agathe. Peut-être même serait-ce très beau ! Il n'y a que la femme que je ne puisse imaginer. »

Ulrich rit.

Agathe eut un geste de protestation. Elle dit : « J'ai une aversion toute personnelle à l'égard des femmes.

— Justement, justement ! Et moi, je n'aime pas beaucoup les hommes ! »

Agathe fut un peu vexée par la plaisanterie d'Ulrich : elle sentait que celle-ci n'était pas injustifiée, et elle ne dit pas ce qu'elle avait songé à dire.

Pour lui redonner courage, dans le vide qui s'était établi Ulrich commença à raconter quelque chose à quoi il avait rêvé peu de temps auparavant, dans cet état de distraction où l'on est quand on se rase. « Tu sais qu'il y a eu des époques où les dames de la haute société, quand un esclave leur plaisait, avaient le droit de le faire castrer, de sorte qu'elles pussent y prendre leur plaisir sans menacer la pureté de leur descendance. »

Agathe l'ignorait, mais ne le montra pas. En revanche, elle se souvint d'avoir lu un jour que chez certaines peuplades primitives, les femmes épousaient tous les frères de leur mari et devaient les servir en tout : chaque fois qu'elle imaginait cette humiliation, un frisson de dégoût, non sans quelque attrait néanmoins, la parcourait. Mais elle n'en avoua rien à son frère.

« Si la chose s'est produite souvent ou exceptionnellement, je l'ignore, cela n'a aucune importance, avait poursuivi Ulrich. Je ne pensais en effet, je dois le reconnaître, qu'à l'esclave. Je pensais, pour être précis, à l'instant où il quitte pour la première fois sa couche d'opéré et affronte le monde à nouveau. D'abord, bien entendu, la volonté paralysée au début de l'opération va se ranimer, se dégeler ; puis viendra la conscience qu'il est trop tard. La colère s'élèvera, puis se succéderont : le souvenir de la souffrance subie, le lâche éveil d'une angoisse à qui seule la conscience avait été enlevée, enfin cette humilité qui est humiliation irrévocable. Ces sentiments maintiendront la colère couchée comme on a maintenu l'esclave lui-même pendant l'opération. » Ulrich interrompit cette bizarre évocation et chercha ses mots, il avait baissé les paupières comme quelqu'un qui réfléchit. « Physiquement, sans nul doute, il pourrait reprendre un courage d'homme, poursuivit-il, mais une honte étrange l'empêchera de le faire : il est obligé de reconnaître que c'est absolument inutile, il n'est plus un homme, il est réduit à une existence de jeune fille, à l'existence d'un mouchoir, d'une tasse, de ces choses qui ont le droit de servir seulement, mais non sans délicatesse. Je voudrais connaître le moment où il est appelé pour la première fois devant celle qui sera son bourreau et où il lit dans ses yeux ce qu'elle veut faire de lui... »

Agathe éclata d'un rire moqueur. « Tu as des rêveries bien étranges, Ulo! Et quand je pense que ton esclave, avant d'être châtré, était peut-être un boucher, un valet de chambre impudent... »

Ulrich s'associa innocemment à son rire. « Alors, je trouverais ma description du réveil de son âme étrangement comique », avoua-t-il. Il était lui-même heureux que cet épisode douteux eût pris fin. D'autres idées, qui n'en faisaient pas partie, devaient lui être passées aussi par la tête, à l'improviste : comme si quelque chose, depuis les déesses mythologiques dévorant leurs adorateurs et depuis les frères siamois jusqu'au masochisme et au complexe de castration, avait effleuré de son ongle le clavier douteux de la psychologie contemporaine! Il avait à peine cessé de rire que son visage se fit amer.

Agathe mit la main sur son bras. Dans ses yeux gris frémissaient les ombres minuscules d'une fièvre cachée. « Pourquoi donc m'as-tu raconté cela ? dit-elle.

— Je ne sais, dit Ulrich.

— Je crois que tu pensais à moi, affirma-t-elle.

— Absurde! » protesta Ulrich. Un moment après, il demanda : « Sais-tu qu'il est arrivé aujourd'hui une nouvelle lettre d'Hagauer ? » Il parut ainsi se mettre à parler d'autre chose.

Les lettres d'Hagauer devenaient de plus en plus menaçantes. « Dans ces circonstances, je ne comprends pas pourquoi il ne prend pas le train pour venir nous imposer une explication, poursuivit Ulrich.

— Sans doute n'en trouve-t-il pas le temps », dit Agathe.

C'était bien le cas. Au commencement, Hagauer en avait pris la décision quelquefois, mais chaque fois quelque chose était venu se mettre en travers; puis il s'était habitué à être seul. Il lui semblait excellent de vivre quelque temps sans femme : l'homme ne doit pas être trop heureux ni trop à l'aise, c'est là une conception plus héroïque de la vie. Ainsi Hagauer affronta-t-il énergiquement son infortune et eut-il la satisfaction de constater que non seulement le temps, mais encore le manque de temps pouvait guérir les blessures. Bien entendu, cela ne l'empêcha pas de continuer à exiger le retour d'Agathe : il put même se consacrer à ce problème d'ordre avec l'intelligence sereine de l'homme qui a envoyé au bain ses enfants les sentiments. Il examina minutieusement une fois encore tous le documents qu'il avait classés avec soin; il passa plusieurs soirées à feuilleter toutes les lettres personnelles de son beau-père sans y trouver nulle part la moindre allusion à la surprise qu'on lui avait réservée. Qu'un homme en qui il avait toujours pu vénérer un modèle eût pu changer d'opinion au dernier moment ou qu'il eût eu la négligence de ne pas adapter lentement son testament au changement des circonstances paraissait à Hagauer d'autant plus invraisemblable qu'il avait plus souvent dénoué les rubans et écarté les étiquettes qui l'aidaient à tenir en ordre sa correspondance et ses autres écritures. Il évita de se demander comment le résultat qui, finalement, était là, avait pu se produire, et s'accorda à penser qu'il devait y avoir là-derrière quelque erreur, quelque faute d'attention, quelque négligence (coupable ou innocente), quelque tour d'avocat. Établi dans cette opinion qui lui permettait d'épargner son cœur sans perdre son temps à réfléchir, il se contenta de réclamer des exposés et des preuves précises et, comme celles-ci ne venaient pas, de demander le conseil d'un avocat. En homme amoureux de l'ordre, il supposait qu'Agathe et Ulrich, dans leur entêtement, avaient dû faire de même, et il ne pouvait pas rester en arrière. L'avocat prit donc la correspondance en mains, renouvela l'exigence d'explication en y associant celle du retour d'Agathe, en partie parce qu'Hagauer, qui attribuait le comportement de sa femme à l'influence d'Ulrich, le souhaitait ainsi, en partie parce qu'il semblait indiqué, dans cette affaire obscure et peut-être sinistre, de s'en tenir d'abord au fait assuré de « l'abandon volontaire »; le reste devait être laissé à l'avenir et à une prudente évaluation des points d'attaque possibles.

Dès ce moment, Ulrich recommença à lire les lettres et ne les brûla point. Mais chaque fois qu'il représentait à sa sœur l'urgence de s'armer juridiquement, elle n'en voulait rien savoir; elle ne pouvait même pas écouter ses récits. Finalement, il avait dû faire le premier pas sans elle jusqu'à ce que son propre avocat insistât sur la nécessité où il était d'entendre Agathe elle-même et d'obtenir d'elle-même les pleins pouvoirs. C'était cela qu'Ulrich lui communiquait maintenant, tout à la fois, en ajoutant que ce qu'il avait d'abord appelé pour la ménager « un mot d'Hagauer », était une fort désagréable lettre d'avocat. « Il est probablement inévitable et tout à fait urgent que nous confiions à notre avocat, avec le maximum de prudence et de réserve, quelques éléments de la scabreuse histoire du testament ».

Agathe le regarda longuement, irrésolue, avec un regard aveuglé par l'intérieur, avant de lui répondre à mi-voix : « Je n'avais pas voulu cela!... »

Ulrich fit de ses deux bras un geste d'excuse et sourit. On pouvait vivre dans le feu de la bonté, même sans incendie, et le tour de passe-passe criminel qu'Agathe avait fait subir au testament de son père était depuis longtemps superflu : mais il était accompli, et on ne pouvait y remédier sans se découvrir. Ulrich comprit l'alliance de timidité et de protestation dans la réponse de sa sœur. Entretemps, Agathe s'était levée et avait marché de ci de là parmi les objets de la chambre, sans parler. Puis elle s'assit un peu plus loin et continua à regarder son frère sans un mot. Ulrich comprit qu'elle voulait l'attirer dans son silence qui était comme une natte de petites flammes : un suave martyre réclamait son cœur.

Comme dans la musique ou la poésie, comme au chevet d'un malade ou dans une église, le cercle de ce qui pouvait être dit était limité; dans leurs relations, il s'était établi une distinction très nette entre les conversations qui étaient permises et celles qu'on ne pouvait avoir. Ce n'était pas à cause de la solennité ou d'une attente sublime, la raison en devait être en dehors de la personne. Tous deux hésitaient. Que serait la parole suivante, que devaient-ils faire ? L'incertitude ressemblait maintenant à un filet où s'étaient prises toutes les paroles non dites encore : sans doute le tissu pouvait-il s'étendre, mais ils ne parvenaient pas à passer au travers, et dans ce manque de vocabulaire les regards et les mouvements paraissaient aller plus loin que d'habitude, les contours, les couleurs, les surfaces avoir un poids irrésistible : une rétention secrète qui s'exerce d'ordinaire dans l'organisation du monde et qui impose des limites à la profondeur des sens s'était affaiblie, ou s'abolissait de temps en temps. Ils ne purent éviter alors le moment où la maison dans laquelle ils se trouvaient se mit à ressembler à un bateau glissant sur une immense étendue aride qui ne reflète plus que lui seul : les bruits du rivage deviennent de plus en plus faibles, finalement tout mouvement cesse. Les objets deviennent alors tout à fait muets et perdent cette voix inaudible avec laquelle ils parlent aux humains; avant même d'être pensés, les mots tombent comme des oiseaux malades et meurent; la vie n'a même plus la force de provoquer ces petites décisions agiles qui sont aussi importantes qu'insignifiantes : se lever, prendre un chapeau, ouvrir une porte ou dire quelque chose. Entre la maison et la rue, il y eut soudain un rien que ni Ulrich ni Agathe ne pouvait franchir, mais dans la chambre l'espace était poncé jusqu'à un éclat extrême, frêle et aiguisé comme toute perfection ultime, même si le regard ne le percevait pas directement. C'était l'angoisse des amants qui, à la cime de l'émotion, ne savent plus quelle direction conduit en bas, et quelle en haut. Se regardaient-ils maintenant, l'œil dans un doux tourment ne pouvait se détacher de ce qu'il voyait et sombrait comme dans une haie de fleurs sans jamais se heurter à un fond. « Qu'importent les montres, maintenant ? » pensa soudain Agathe en se rappelant la stupide petite aiguille des secondes sur la montre d'Ulrich, avançant régulièrement le long de l'étroite circonférence : la montre était dans une poche au-dessous de la dernière côte, comme si c'était là l'ultime refuge de la raison, et Agathe eut envie d'aller l'en tirer. Son regard se détacha de celui de son frère : comme ce recul était douloureux ! Tous deux sentaient à quel point ce silence commun sous le poids d'une énorme montagne de bonheur et d'impuissance frôlait le comique.

Tout à coup, sans même avoir songé d'abord à dire cela, Ulrich fit : « Le nuage de Polonius, tantôt vaisseau, tantôt chameau, n'est pas du tout faiblesse de courtisan indulgent : c'est la façon même dont Dieu nous a créés! »

Agathe ne pouvait savoir ce qu'il voulait dire : mais le sait-on toujours, dans un poème ? Quand il plaît, il fait ouvrir les lèvres et sourire, et Agathe souriait. Elle était belle avec ses lèvres gonflées, mais cela donna du temps à Ulrich, et peu à peu il retrouva ce qu'il avait pensé avant de rompre le silence. Naturellement, il avait pensé à quantité de choses. Par exemple, il s'était représenté qu'Agathe portait des lunettes. A cette époque, une femme avec des lunettes passait encore pour quelque chose de comique et avait vraiment l'air ridicule ou déplaisant; pourtant, l'époque se préparait déjà où cela lui donnerait l'air, comme c'est encore le cas aujourd'hui, entreprenant ou même juvénile. La chose tient à ces solides habitudes de la conscience qui changent, mais n'en demeurent pas moins toujours présentes dans une combinaison ou une autre, pochoirs à travers lesquels passent toutes les perceptions avant d'arriver à la conscience, de sorte que, en un certain sens, c'est toujours le tout que l'on croit éprouver qui est la cause de ce qu'on éprouve. On se fait rarement une idée des proportions que prend ce phénomène qui, de la distinction entre beau et laid, bon et mauvais (où il paraît encore naturel), puisque le nuage de l'un est chameau pour l'autre, en passant par la distinction entre amer et doux, odorant et malodorant (qui a déjà quelque chose d'objectif), s'étend aux choses elles-mêmes, dans leurs qualités définies avec précision et objectivité, choses dont la perception paraît entièrement indépendante des préjugés intellectuels et ne l'est en réalité qu'en partie. En fait, le rapport du monde extérieur au monde intérieur n'est pas celui d'un poinçon qui imprime son image dans une matière, mais celui d'un pain de cire qui se déforme, de sorte que son dessin, sans que le rapport soit détruit, peut aboutir à des images étrangement différentes. De sorte également qu'Ulrich, quand il pensait voir Agathe avec des lunettes devant lui, pouvait aussi bien penser qu'elle aimait Hagauer ou Lindner, qu'elle était sa « sœur » ou cet « être à demi confondu avec lui comme un jumeau » : jamais ce n'était une autre Agathe qui était assise devant lui, mais seulement une autre façon d'être assise, un autre monde autour d'elle, telle une sphère transparente plongeant dans une lumière ineffable. Il leur semblait à tous deux que le sens le plus profond de l'appui qu'ils cherchaient l'un dans l'autre et que l'homme cherche en général dans autrui, se trouvait là. Ils ressemblaient à deux êtres qui, main dans la main, sont sortis du cercle qui les tenait captifs sans être encore chez eux dans aucun autre cercle. Il y avait là quelque chose qu'on ne pouvait subordonner aux concepts habituels de la vie en commun...

— — —

Ils s'étaient proposé de vivre comme frère et sœur, si l'on ne prend pas ce terme dans le sens des documents d'état-civil, mais dans un sens poétique : ils n'étaient ni frère et sœur, ni homme et femme, leurs désirs étaient comme du brouillard blanc où couve un feu. Mais cela suffisait à retirer à leur apparition l'un pour l'autre son appui sur le monde. Il s'ensuivait que cette apparition prenait une force insensée. De tels instants recélaient une tendresse sans but et sans limites. Sans nom et sans recours. Faire quelque chose pour l'amour de quelqu'un comporte, dans l'action, mille relations avec le monde; faire un plaisir à quelqu'un comporte, dans l'action, toutes les réflexions qui nous lient aux autres hommes. Une passion, en revanche, est un sentiment qui, libre de tout mélange, ne peut se satisfaire elle-même. Elle est en même temps le sentiment d'une impuissance dans la personne et d'un mouvement émanant de la personne pour envahir le monde tout entier.

On ne peut nier qu'Agathe savourât, dans la compagnie de son frère, la douceur âcre d'une passion. Aujourd'hui, on confond souvent passion et vice. La cigarette, la cocaïne, le besoin fréquent, très apprécié, du coït ne sont pas du tout des passions. Agathe le savait; elle connaissait le succédané de la passion et reconnaissait la passion du premier coup d'œil au fait qu'en elle non seulement le Moi, mais le monde aussi brûle : c'est comme si toutes les choses se tenaient derrière cet air qui flotte au-dessus de la pointe d'une flamme. Elle aurait remercié le Créateur à genoux de revivre cela, bien que ce fût autant le sentiment d'une destruction que d'un bonheur.

— — —

Ulrich s'efforçait souvent de trouver un mot, une plaisanterie; peu eût importé ce dont on eût parlé, il fallait seulement que ce fût quelque chose d'indifférent et de réel qui serait chez soi dans la vie, qui remettrait les âmes en contact avec la réalité. On peut aussi bien parler de l'avocat que de n'importe quelle remarque intelligente. Il faudrait seulement que ce fût une trahison de l'instant : alors le mot tombe dans le silence, et un instant après étincellent tout autour d'autres cadavres de mots, comme des poissons morts montent en foule à la surface quand on verse du poison dans l'eau!

— — —

Quand Ulrich protestait : « N'empêche que nous avons une activité, une tâche dans le monde! » Agathe répondait : « Moi je n'en ai pas, et la tienne, tu l'imagines! Nous savons à peu près ce que nous avons à faire : être ensemble! Qu'est-ce donc que le progrès du monde ? »

Ulrich ne l'approuvait pas et tentait de la persuader par l'ironie de l'impossibilité de ce qui l'enchaînait lui-même. « Il n'y a qu'une explication à peu près satisfaisante de l'inaction : reposer en Dieu ou entrer en Dieu. On peut remplacer Dieu par un autre mot : l'Un primitif, l'Être, l'Absolu... il existe quelques douzaines de termes, tous impuissants. Tous opposent, à l'effroi de voir la douce cessation de l'humain, l'assurance qu'on est arrivé au bord de quelque chose de plus qu'humain. Les préjugés philosophiques font le reste. » Agathe répliqua : « Je ne comprends rien à la philosophie. Mais si nous cessions de manger, tout simplement ? Essayons, pour voir ce que ça donnerait! » Ulrich nota qu'il y avait une fine ligne noire dans la claire puérilité de cette proposition.

« Ce que ça donnerait ? répondit Ulrich. D'abord la faim, ensuite l'épuisement, puis de nouveau la faim, de frénétiques rêves de nourritures et enfin : manger ou mourir!

— On ne peut le savoir avant d'avoir essayé!

— Mais Agathe, l'essai en a été fait mille fois!

— Par des professeurs! ou des spéculateurs en faillite! Tu sais, mourir ne doit pas être du tout ce qu'on dit. J'ai failli mourir, une fois : c'était tout autre chose. »

Ulrich haussa les épaules. Il ne savait pas du tout combien étaient proches en Agathe ces deux sentiments, franchir d'un bond toutes les années perdues et, quand cela échouait, désirer d'en finir. Jamais elle n'avait éprouvé comme Ulrich le besoin de rendre le monde meilleur qu'il n'est : elle restait volontiers étendue n'importe où, alors qu'Ulrich était toujours sur ses jambes : enfants, il y avait eu déjà cette différence entre eux, cela devait être une différence jusqu'à la mort. Ulrich craignait moins celle-ci qu'il n'y voyait une offense, couronnement ultime de tout effort. Agathe avait toujours eu peur de la mort, lorsqu'elle se la représentait, comme le font tous les êtres jeunes et sains, sous cette forme insupportable et incompréhensible : aujourd'hui tu es, un jour tu ne seras plus! En même temps, elle avait appris à connaître dès sa première jeunesse ce détachement progressif qui peut se glisser dans le laps de temps le plus bref, cette façon terriblement rapide en dépit de sa lenteur, de se détourner de la vie, de s'en lasser, de n'y plus attacher de prix et de désirer avec confiance le néant imminent, détachement et désir qui s'installent en vous quand le corps est gravement lésé par une maladie sans que les sens se troublent. Elle avait confiance en la mort. Peut-être n'est-elle pas si terrible, pensait-elle. Finalement, c'est toujours naturel et agréable de finir : dans tout ce qu'on entreprend. Mais la pourriture, tout ce que la mort comporte d'horrible : mon Dieu! n'est-on pas habitué que toutes sortes de choses vous arrivent sans qu'on ait rien à y voir ? « Sais-tu comment tu es, Ulrich ? dit Agathe pour conclure. Quand on te donne des feuilles et des branches, tu les recouds ensemble pour en faire un arbre; moi, j'aimerais voir une fois ce qui arriverait si, par exemple, nous nous cousions les feuilles au corps... »

Pourtant, Ulrich lui aussi le sentait : ils n'avaient rien d'autre à faire qu'à être ensemble. Quand Agathe criait d'une chambre à l'autre : « Laisse la lumière un moment encore! », appel rapide avant qu'Ulrich, en sortant, plongeât dans l'ombre la pièce où Agathe voulait retourner, il se disait : « Une prière, hâtive, quoi de plus ? Oui! quoi de plus? Rien de moins que si Bouddha courait après un tram pour essayer de l'attraper! Une démarche impossible. Un effondrement du délire. Pourtant, que la voix d'Agathe était belle! Quelle confiance il y avait dans cette brève prière, quel bonheur dans le fait qu'un être puisse crier cela à un autre sans être compris de travers! » Certes, un tel instant était comme un morceau de fil terrestre liant deux mystérieuses fleurs, mais il était touchant, en même temps, comme un fil de laine qu'on met autour du cou de sa bien-aimée parce qu'on n'a rien d'autre à lui donner. Puis, quand ils sortaient dans les rues et que, marchant côte à côte, ils ne pouvaient guère se voir, mais seulement sentir la tendre force d'un contact involontaire, ils étaient unis comme un seul objet au milieu d'un vaste espace

La nature même de ces expériences pousse à les raconter. Dans leur pauvreté en événements extérieurs, elles contiennent une richesse intérieure telle qu'elle doit absolument se frayer un passage. — — — — On peut comparer cela à la façon dont les jeunes gens accueillent les influences intellectuelles : quand on est jeune, on n'accepte pas non plus n'importe quelle vérité, seulement celle à quoi quelque chose en nous correspond, celle qui, par conséquent, dans un certain sens, ne fait que s'éveiller, de sorte qu'on la connaît déjà au moment où on la découvre. A cet âge, il y a des vérités qui nous sont destinées et d'autres pas. Des découvertes sont vraies aujourd'hui, fausses demain, des pensées s'illuminent ou s'éteignent, — non pas parce que nous changeons d'opinion, mais parce que nous sommes encore liés par toute notre vie à nos pensées et que, nourris aux mêmes sources invisibles, nous montons et descendons avec elles. Elles sont vraies quand, dans l'instant où nous pensons, nous nous sentons monter, et elles sont fausses quand nous nous sentons retomber. Il y a en nous et dans le monde quelque chose d'inexprimable qui s'en trouve alors accru ou diminué. Plus tard, cela change : la disposition des sentiments cristallise, l'intelligence devient cet outil extraordinairement mobile, ferme, incassable que nous connaissons quand nous ne nous laissons influencer par aucune espèce de sentiment. A ce moment-là, le monde s'est déjà divisé : d'un côté le monde des objets et des sensations sûres à leur propos, des jugements et, en quelque sorte, des pensées ou des volontés reconnues; de l'autre, le monde de la subjectivité, c'est-à-dire de l'arbitraire, dè la croyance, du goût, du pressentiment, des préjugés et de toutes les incertitudes envers lesquelles on se comporte comme on peut, selon un code privé qui ne prétend à aucune reconnaissance officielle. Quand cette division s'est produite, que l'activité personnelle flaire ou accueille en soi tout ou rien, il est bien rare que dans l'âme tannée par le soleil, les parois puissent encore s'étendre et se déplacer sous le feu de l'impression.

Mais ce comportement permet-il vraiment de se sentir aussi en sécurité dans le monde qu'il veut le faire croire ? Ce monde solide, avec toutes nos sensations, nos maisons, nos paysages et nos actes, ne flotte-t-il pas sur d'innombrables petits nuages ? Sous chaque perception il y a la musique, la poésie, le sentiment. Mais cela est enchaîné, pétrifié, mis hors-circuit, parce que nous voulons percevoir les choses en dehors de tout sentiment pour nous diriger d'après elles, au lieu de les diriger sur nous, ce qui, comme on sait, signifie ni plus ni moins que le fait que nous avons fini par apprendre réellement et brusquement à voler après avoir rêvé de voler pendant des siècles. A ce sentiment enchaîné dans les choses correspond du côté de la personne l'esprit d'objectivité qui réduit la passion à l'état d'imperceptibilité où sommeille en chaque homme le sentiment de sa valeur, de son utilité et de son importance, sentiment intouchable, sentiment fondamental d'équilibre entre lui et le monde. Pourtant, il suffit que cet équilibre soit troublé sur un point pour que les petits nuages enchaînés s'envolent de partout. Un peu de fatigue, un peu de poison, un léger excès d'excitation, et l'homme voit, entend des choses auxquelles il ne veut pas croire, le sentiment se soulève, le monde perd l'équilibre et coule à l'abîme, ou s'élève, mobile, unique, comme une vision incompréhensible!

Souvent Ulrich ne voyait plus, dans tout ce qu'Agathe et lui entreprenaient, voyaient et vivaient, qu'une métaphore. Cet arbre ou ce sourire sont réalité, parce qu'ils possèdent cette qualité déterminée de n'être pas simple illusion; mais n'y a-t-il pas beaucoup de réalités ? N'était-ce pas hier que nous portions des perruques, possédions des machines rudimentaires et écrivions d'excellents livres ? N'était-ce pas avant-hier que nous portions l'arc et les flèches et, pour les fêtes, des coiffes d'or, des joues peintes en bleu-nuit et des orbites jaune-orange ? Une vague compréhension pour ces choses vibre encore aujourd'hui en nous. Tant de choses étaient comme aujourd'hui et tant de choses différentes, comme s'il s'agissait d'une langue en images dont aucune ne veut être la dernière. Ne s'ensuit-il pas de là qu'on ne peut avoir une confiance absolue en celle de maintenant ? Ce qui est mauvais aujourd'hui sera peut-être déjà partiellement bon demain, et la beauté laideur; des pensées passées inaperçues seront devenues de grandes idées, d'autres, pleines de dignité, auront sombré dans l'indifférence. Tout ordre est d'une certaine manière absurde comme figures de cire, quand on le prend trop au sérieux, tout objet est un cas particulier figé entre beaucoup de possibilités rejetées. Ce ne sont pas là des doutes, mais une indétermination mouvante, élastique, qui se sent capable de tout.

Une caractéristique de ces expériences est d'être presque

toujours vécues dans la non-possession. Ainsi le monde se modifie quand l'être consumé aspire au Dieu qui se cache à lui, ou l'amoureux à la bien-aimée lointaine qui lui a été enlevée. Agathe comme Ulrich avait connu cela, et le revivre dans une présence réciproque leur créait quelquefois des difficultés. Involontairement, ils écartaient la réalité en se racontant pour la première fois l'histoire de leur passé, du temps où cette sorte d'expériences s'était produite. Ces histoires, à leur tour, renforçaient le merveilleux de leur rencontre et s'achevaient dans la pénombre, dans un contact hésitant des mains, le silence et le frémissement d'un fleuve qui courait le long de leurs bras.

— — —

C'est un état d'extraordinaire puissance intérieure confondue avec la puissance du monde. Mais vouloir devenir maître de cette expérience (de cet état) paraissait quelquefois grotesque à Ulrich. Je suis devenu sa femme, se disait-il. Nous sommes trois sœurs, Agathe, moi et cet état.

Ou bien : Mais Ulrich, quelquefois, pensait tout autrement.

Ou bien : Mais ce n'était là qu'un des innombrables aspects à partir desquels on pouvait faire quelque pas en avant, et pas plus.

Quelquefois, Ulrich avait des inspirations très singulières.

Faisons une supposition (se disait-il par exemple pour l'écarter ensuite) et admettons le cas où Agathe aurait de la répugnance pour l'amour viril. Pour pouvoir lui plaire, étant homme, il faudrait que je me comporte comme une femme. Il faudrait que je lui témoigne de la tendresse sans la convoiter. Pour ne pas effrayer son amour, il faudrait que je sois également bon pour toutes choses. Je n'aurais pas le droit de soulever une chaise (pierre) avec indifférence pour la transporter à un autre endroit d'un espace sans nerfs; je n'ai pas même le droit de la toucher à la suite d'une quelconque idée : ce que je fais doit être quelque chose et avoir part à cet événement (à cet être) intellectuel comme un montreur qui prête son corps à une idée. Cela est ridicule ? Non, mais simplement solennel. C'est le sens des cérémonies sacrées où chaque geste a sa signification. C'est le sens de toutes les choses quand elles réapparaissent pour la première fois chaque matin à nos regards, avec le soleil. Non, la chose n'est pas pour nous un moyen. C'est un détail, ce petit ongle, un sourire, une boucle de cheveux chez notre troisième sœur. Toi et moi ne sommes d'ailleurs que des choses nous aussi. Mais nous sommes de ces choses qui échangent des signaux, voilà ce qui nous donne le merveilleux : quelque chose coule entre nous dans les deux sens, je ne puis voir dans ton œil quelque chose de mort, nous brûlons aux deux extrémités. Mais si je veux agir pour l'amour de toi, la chose non plus n'est pas un objet mort. Je l'aime, c'est-à-dire qu'entre elle et moi quelque chose se passe, et je ne veux pas exagérer, je ne veux nullement prétendre que la chose vive comme moi (ressente et parle avec moi), mais elle vit avec moi, nous sommes en relation l'un avec l'autre.

J'ai dit que nous étions des sœurs. Tu ne t'opposes point à ce que j'aime le monde, mais je dois l'aimer comme une sœur, non comme un homme, ou comme un homme aime une femme. Un peu de sensiblerie : toi, lui et moi nous nous faisons des cadeaux. Je n'enlève rien de la tendresse que je t'offre si j'en offre aussi au monde : au contraire, toute prodigalité accroît notre richesse. Nous savons que chacun de nous a ses relations particulières, impossibles à révéler entièrement, même si on le voulait, mais ces secrets n'excitent aucune jalousie. (Ainsi vivent des sœurs entre elles). La jalousie suppose qu'on veut faire de l'amour une possession. Moi, je puis être couché dans l'herbe, serré sur le sein de la terre, et tu connaîtras aussi la douceur de cet instant. Il faut seulement que je ne considère pas la terre en artiste ou en chercheur : alors je me l'approprie, et nous formons un couple qui en tant que tiers s'exclut.

— — —

Au fond, dans la vie ordinaire, qu'est-ce qui distingue l'émotion amoureuse la plus primitive de la convoitise purement sexuelle ? Au désir de violence se mêle une pudeur, une tendresse, on pourrait presque dire qu'au masculin s'ajoute quelque chose de féminin. Il en va ainsi de tous les sentiments : ils sont curieusement privés de noyau et agrandis.

— — —

La morale ? La morale, dans un état où tout mouvement est justifié du fait qu'il contribue à sa gloire (la gloire de Dieu), la morale est une offense.

— — —

Le principal péché dans ce paradis pourrait porter plusieurs noms différents : avoir, vouloir, posséder, savoir. Là autour se groupent les péchés mineurs, envier, être offensé [— —].

Tous proviennent du fait qu'on veut imposer à soi et à l'autre une relation exclusive. Du fait que le Moi veut s'imposer comme un cristal qui se dégage d'un liquide. Il y a là un centre, et tout autour ne se forment plus que des centres.

Mais si nous sommes sœurs, tu ne veux t'approprier ni l'homme, ni la chose, ni aucune pensée. Tu ne dis pas : je dis. Car tout est dit par tous. Tu ne dis pas : j'aime. Car notre bien-aimé à tous est l'amour, et quand il t'étreint, il me sourit...

87. *Le tir considéré comme un remède aux idées de suicide.* (Ancienne ébauche.)

Il y eut aussi des révoltes pleines de violence.

Agathe avait un piano. Elle était assise dans le crépuscule et jouait. Son incertitude jouait avec les notes. Ulrich entra. Quand il salua Agathe, sa voix était froide et sourde. Elle cessa de jouer. Lorsque le silence eut recouvert les paroles, ses doigts firent quelques pas de plus dans le pays illimité de la musique.

« Reste assise! » ordonna Ulrich qui avait reculé, et il tira de sa poche un pistolet. « Il ne t'arrivera rien. » Il parlait tout autrement, il était devenu un étranger. Il visa le piano et tira au milieu du long flanc noir. La balle traversa le bois sec, délicat, et hurla sur les cordes. Une deuxième fit jaillir un désordre de notes. Les touches se mirent à tressauter à mesure que les coups se succédaient. Le claquement du pistolet, d'une acuité triomphante, s'enfonçait toujours plus furieusement dans un tumulte jaillissant, criard, déchirant, tonitruant et chantant. Lorsque le magasin fut vide, Ulrich le laissa tomber sur le tapis et ne s'en aperçut que lorsqu'il eut armé deux fois en vain. Il avait l'air d'un dément, blême, les cheveux sur le front; une idée l'avait envahi et emporté très loin de lui-même. Dans la maison, des portes battirent, on écoutait; avec ces impressions, la raison lui revint lentement.

Agathe n'avait pas levé la main, pas proféré le moindre son pour empêcher la destruction du coûteux instrument ou échapper au danger. Elle n'était pas du tout effrayée, et bien que l'entreprise de son frère pût lui paraître d'un fou, cette idée ne l'épouvanta point. Elle la prit comme une fin plaisante. Les étranges cris de douleur de l'instrument touché l'invitaient à s'imaginer qu'elle devait quitter la terre dans un essaim d'ailes battantes, d'oiseaux fantastiques.

Ulrich se ressaisit et lui demanda si elle lui en voulait; Agathe, les yeux rayonnants, lui répondit que non. Son visage reprit son expression habituelle. « Je ne sais pas, dit-il, pourquoi j'ai fait cela. Je n'ai pu résister à cette idée. »

Agathe, songeuse, essaya une ou deux cordes demeurées intactes.

« J'ai l'impression d'être un fou... » dit Ulrich. Prudemment, il glissa la main dans la chevelure de sa sœur, comme si les doigts y pouvaient trouver une protection contre eux-mêmes. Agathe la prit par le poignet et l'écarta. « Qu'est-ce qui t'a pris ? demanda-t-elle.

— Je ne sais », dit Ulrich, et il fit un geste inconscient des bras, comme s'il voulait repousser loin de lui l'embrassement de quelque chose de tenace.

Agathe dit : « Si tu recommençais, cela deviendrait un exercice de tir parfaitement banal. » Soudain elle se leva et éclata de rire. « Maintenant, tu vas être obligé de faire refaire le piano à neuf! Qu'est-ce que cela ne suppose pas : des commandes, des explications, des calculs! Pour cette raison seule, c'est un geste qu'on ne peut réitérer.

— J'ai dû le faire, expliqua Ulrich timidement. J'aurais aussi bien tiré dans un miroir juste après que tu t'y serais regardée.

— Et maintenant, tu es consterné de voir qu'on ne peut pas recommencer. Mais c'est justement cela qui était beau. » Elle glissa son bras sous le sien et s'approcha de lui. « Autrement, tu ne feras jamais rien dont tu ne saches d'avance ce qui en sortira! »

88. *Chez l'avocat.* (Ébauche.)

Leurs âmes étaient-elles deux colombes dans un monde d'autours et de hiboux ? Ulrich ne se serait jamais chargé de le prétendre, et c'est pourquoi il aimait à remarquer (en y trouvant même une sorte d'assurance) que les événements extérieurs n'avaient aucun égard aux ravissements et aux effrois de l'âme, mais obéissaient à leur logique propre. Depuis que les lettres d'Hagauer l'avaient forcé à demander conseil à un avocat, Hagauer lui aussi s'était adressé à quelqu'un; comme les deux conseils échangeaient maintenant des lettres, une « cause » était née, indépendamment de ses origines personnelles et tout équipée de pleins-pouvoirs supra-personnels. Cette cause obligea l'avocat d'Ulrich à demander à voir personnellement Agathe; lorsque celle-ci ne vint pas, à s'en étonner, et comme elle persistait à ne pas venir, à faire à Ulrich de graves représentations et une si noire peinture des conséquences que celui-ci fut obligé, bien contre son gré, de vaincre la résistance de sa sœur. Lorsqu'ils apparurent chez leur conseil, certaines voies étaient donc d'ores et déjà imposées au cours des choses. Ils avaient devant eux un homme habile et solide, guère plus âgé qu'eux-mêmes, qui, habitué à sourire et à conserver une sérénité courtoise même sur les lieux du jugement, même dans ses rapports avec ses commettants, partait du principe qu'il faut d'abord se faire soi-même une idée des choses et des gens et ne pas se laisser trop égarer par le client, sur qui on ne peut jamais tabler et qui a toujours tendance à vous faire perdre votre temps.

Agathe expliqua ensuite, d'ailleurs, qu'elle avait eu tout le temps l'impression d'être une « patiente juridique », et c'était vrai dans la mesure où toutes ses réponses aux questions préliminaires et principielles de l'avocat étaient destinées à fortifier celui-ci dans son jugement sceptique. La tâche de cet avocat était difficile. Une simple séparation de corps, facile à obtenir, ne suffisait pas à ses mandants, et les lois du pays excluaient le divorce, la véritable annulation du mariage catholique avec Hagauer : il aurait fallu passer par divers autres États, jouer de leurs relations juridiques, procéder à des naturalisations et à des expatriations compliquées, chemin qui conduirait certainement au but, mais non sans d'innombrables difficultés et d'imprévisibles détours. C'est pourquoi l'avocat d'Agathe s'était proposé de remplacer par un motif de divorce plus plausible la simple aversion dont elle parlait.

« Même une aversion insurmontable ne suffirait pas, n'avez-vous donc rien d'autre à reprocher à monsieur votre époux, chère madame ? » demanda-t-il.

Agathe répondit non, ni plus ni moins. Elle aurait eu beaucoup de choses à reprocher à Hagauer, mais elle rougit, elle pâlit, tout cela était aussi peu à sa place en ce bureau qu'elle-même. Elle en voulait à Ulrich.

L'avocat l'observait attentivement. « Traitements discourtois, mauvaise administration de la fortune, grossière négligence des devoirs conjugaux… qu'en pensez-vous, chère madame ? » Il essayait de lui donner des idées. « Bien entendu, la meilleure cause de divorce demeure toujours l'infidélité conjugale ! »

Agathe observa à son tour son interlocuteur et répondit d'une voix claire, tranquille, profonde : « Je n'ai aucune de ces raisons ! »

Peut-être aurait-elle dû sourire. Alors, l'homme qui était assis en face d'elle, correctement vêtu et néanmoins heureux de vivre eût été persuadé d'avoir devant soi une belle créature, étrangement fascinante. Mais la gravité d'Agathe ne lui laissa plus rien, et le cerveau de l'avocat sécha. Il se rappela, dans les dossiers qui comportaient non seulement les lettres de la partie adverse, mais aussi celles d'Hagauer à Ulrich, ces griefs méticuleusement substantifiés sur le fait que le désir de divorce était injustifié, un simple caprice, et il songea un instant qu'il eût préféré de beaucoup être le défenseur de ce mari d'apparence si pondérée et si raisonnable. Puis, il se souvint d'avoir lu aussi dans ces pages le mot de « psychopathe » : s'il l'écarta, ce ne fut pas tant pour Agathe que parce qu'il aurait pu l'empêcher de se charger de ce profitable travail. « Elle doit être nerveuse, de ces nerveuses qui sont capables de tout, comme ça arrive souvent ! » se dit-il. Alors, prudemment, il orienta son interrogatoire vers le point qui lui avait paru nécessiter plus qu'aucun autre, à l'examen de toute l'affaire, une explication. Dans la correspondance jointe aux dossiers se trouvaient (aussi bien dans les lettres d'Hagauer à Ulrich que, ce qui était plus grave, dans celles de l'avocat adverse) des allusions plus ou moins nettes mais convergentes, comme si ces messieurs étaient au courant d'irrégularités dans la succession, ou comme s'ils avaient l'intention de suspecter les relations qui s'étaient établies depuis entre le frère et la sœur : c'étaient là les résultats patents de la réflexion systématique, ponctuelle, du beau-frère d'Ulrich. On pouvait comprendre que le frère et la sœur en fussent à réfléchir s'il ne valait pas mieux modifier leur décision avant de s'être engagés trop avant dans une histoire qui comportait pour eux toutes sortes de risques. Le nouveau conseiller d'Agathe réussit à introduire dans le débat ces allusions sans équivoque en s'adressant à Ulrich, qu'il connaissait mieux, à la façon courtoise d'un homme qui ne peut épargner à un autre la répétition d'une importunité superflue. Mais, du même coup, il s'adressait également à Agathe et laissait entendre (bien qu'il ne s'agît évidemment que d'une formalité) qu'elle aussi, en sa qualité de mandante, devait, à propos de ces objections qui pèseraient d'autant plus lourd qu'on pouvait les énoncer brutalement, lui donner une assurance sur laquelle il pourrait fonder son action ultérieure.

Or, Agathe n'avait pas lu les lettres de Hagauer, et elle n'avait pas informé Ulrich de ce qu'elle avait entrepris dans le temps solitaire qui avait suivi la « prétendue falsification du testament » (telle était la prudence avec laquelle Ulrich se parlait à lui-même à ce moment-là!). Il y eut donc un moment d'embarras qui fit un effet assez singulier. Ulrich chercha à y mettre fin par un geste qui devait démontrer d'une manière tranquillement supérieure que le vœu de l'avocat était superflu puisqu'exaucé d'avance, mais sa sœur troubla ce plan en demandant en même temps à l'avocat, avec une tranquille curiosité, ce que son mari croyait savoir. L'avocat laissa errer son regard de l'un à l'autre. « Bien entendu, ma sœur vous donnera dans les formes l'assurance que vous souhaitez, dit Ulrich rapidement et avec autant d'indifférence que possible. Je l'ai informée très exactement de la teneur des lettres, mais, pour des raisons tout à fait personnelles, elle ne les a lues qu'en partie. » Cette fois, Agathe qui avait remarqué sa bévue, sourit à temps et confirma les dires d'Ulrich. « J'étais trop bouleversée », affirma-t-elle calmement.

L'avocat réfléchit un instant. Il songea que cet incident pouvait fort bien être interprété comme une confirmation malencontreuse de l'affirmation de la partie adverse selon laquelle Agathe subissait la funeste influence de son frère. Bien entendu, il n'y croyait pas, mais il éprouvait quelque antipathie pour Ulrich. Cela le décida à répondre avec la plus grande courtoisie à Agathe : « Je vous demande mille fois pardon, chère madame, mais mon métier me force d'insister sur l'obligation où vous êtes de prendre connaissance vous-même de cette affaire. » Ce disant, il lui tendit le dossier d'un geste légèrement contraignant.

Agathe hésita.

Ulrich dit : « Tu dois en prendre connaissance, pour la forme. »

L'avocat sourit poliment et ajouta : « Veuillez me pardonner, ce n'est pas seulement pour la forme! »

Agathe jeta à deux reprises un coup d'œil dans ces papiers, grimaça et referma le dossier.

L'avocat se montra satisfait. « Ces allusions sont sans importance, assura-t-il. Je le supposais aussi. Mon collègue n'aurait pas dû céder à la mauvaise humeur de son client. Néanmoins, il serait désagréable que pendant la procédure civile intervînt brusquement une dénonciation du Parquet. Il faudrait pouvoir répliquer aussitôt par une reconvention en diffamation, ou quelque chose d'analogue... » Apparemment sans qu'il le voulût, son discours revenait du mode irréel au mode possible, et il sembla à Ulrich qu'une question continuait à se cacher sous ces assurances.

« Ce serait extrêmement désagréable, naturellement », répondit-il sèchement en se proposant d'interroger, outre ce célèbre avocat de divorces, un véritable avocat de droit pénal, quelqu'un avec qui on pourrait parler plus franchement pour connaître toutes les possibilités dissimulées dans cette funeste histoire. Mais il ne savait comment entrer en contact avec un homme de ce genre. « Pour des individus propres, il est toujours désagréable de lutter malproprement, ajouta-t-il. Mais peut-on faire autre chose qu'attendre ? »

L'avocat feignit de réfléchir un moment encore, sourit et dit, tout en s'excusant, qu'il conseillait vivement d'en revenir à sa première proposition et d'imputer à l'adversaire une rupture de la fidélité conjugale. La longueur de la séparation permettait d'être sûr de la confirmation du grief, il ne manquait pas de maisons qui s'occupaient de ces choses avec discrétion en toute garantie. Dans une lutte où il ne fallait pas laisser à la partie adverse le temps de développer ses intrigues, le grand avantage serait que ce moyen classique de divorce permettrait d'atteindre irrésistiblement et très rapidement le but

Ulrich parut le comprendre aussi.

Mais Agathe, à qui le contact des avocats avait fait perdre toute son assurance, refusa. S'était-elle imaginé qu'on commandait un divorce chez l'avocat comme une tourte chez le pâtissier en précisant qu'il vous la livre à la maison, était-ce qu'elle en voulait à Ulrich de l'avoir mise dans une situation où elle se sentait à nouveau responsable de tous les ennuis infligés au pauvre Hagauer, ou ne voulait-elle pas voir s'écrouler son univers dans la prolongation de pareilles conversations, toujours est-il qu'elle refusa avec véhémence.

Elle voyait aussi dans cette proposition de la paresse de la part de l'avocat : peut-être se serait-elle laissé convaincre. Mais Ulrich ne le tenta pas : souriant, il excusa sa sœur en disant qu'elle ne voulait plus rien savoir de son mari, même par l'intermédiaire d'un détective. L'avocat, brusquement, soupira avec élégance : il devait mettre un point final à leur entretien. Il affirma qu'ils atteindraient leur but quand même, et tendit à Agathe, pour qu'elle les signât, les lettres de procuration.

— — —

Comme ils redescendaient l'escalier, Ulrich glissa son bras sous celui d'Agathe et, dans l'instant où cela se produisit, ils s'arrêtèrent, involontairement.

« Nous avons passé une heure dans le réel ! » dit-il.

Agathe le regarda. La souffrance fermait l'arrière-plan de ses yeux clairs comme un mur de pierre.

« Es-tu très découragée ? demanda-t-il doucement.

— C'est une humiliation telle que nous devrions nous y dérober ! répondit-elle lentement.

— C'est encore à savoir, fit Ulrich.

— Une véritable humiliation, comme on tombe la bouche dans la poussière ! Quelque chose que nous avions oublié d'imaginer ces derniers temps ! répéta Agathe d'une voix basse et violente.

— Je veux dire qu'il faudrait savoir si nous pouvons nous dérober à cette humiliation, répliqua Ulrich. Peut-être de plus graves nous menacent-elles. Je dois t'avouer qu'aujourd'hui, j'ai eu l'impression que notre situation était assez mauvaise. Suppose que nous cédions : nous pourrions peut-être encore prévenir une erreur, corriger rapidement, voiler. Mais cela dépendrait de lui de l'accepter ou pas, et il ne renoncera pas à toi, il ne déposera pas les armes, maintenant qu'il a des soupçons, avant que tu te soies rendue à lui sans conditions. Rien que par goût de l'ordre, dit Ulrich comme Agathe semblait ne pas vouloir attendre la fin de ses propos. Naturellement, nous pouvons accepter la proposition de notre avocat ou un projet analogue et essayer de le mater, mais qu'y gagnerons-nous ? Un danger accru, car l'adversaire se sentira libéré de tout scrupule par notre attaque, et pour tout résultat : outre le divorce, celui d'avoir lésé volontairement un être qui nous est profondément indifférent.

— Et la faute de l'existence ? objecta Agathe passionnément tout en essayant de se forcer à plaisanter. N'as-tu pas dit souvent que la seule femme demeurée pure est celle qui fait décapiter ses amants ?

— Ai-je dit cela ? Alors, on peut faire sauter le globe terrestre ! dit tranquillement Ulrich. Si on voulait supprimer tous les témoins de ses fautes ! » Et, pensif, il ajouta : « Tu continues à méconnaître le degré de grossièreté, la gravité de la situation où nous nous trouvons : d'une manière ou de l'autre, nous sommes menacés d'anéantissement et nous n'avons le choix qu'entre le rester et...

— Nous tuer ! dit Agathe avec une brièveté décidée.

— Que vas-tu dire là ! Et entre les murs de cet escalier ! Espérons que personne n'a entendu ! » Il était irrité et regardait prudemment autour de lui. « On n'est même pas certain, comme chacun sait, que la mort vaille mieux que la prison. Mais nous pouvons nous dérober au choix en fuyant. »

Agathe le regarda, et ses yeux, à cet instant, évoquèrent involontairement ceux d'un enfant qui vient de faire du tapage et qu'on a pris dans ses bras.

« Sur une île du Pacifique, dit Ulrich en souriant. Peut-être une île de l'Adriatique suffirait-elle, où un bateau, une fois la semaine, nous apporterait le nécessaire. »

Quand ils atteignirent le seuil et reçurent le choc de la rue d'été, ils vacillèrent. Un feu blanchâtre où bougeaient des ombres claires semblait les attendre. Les gens, les bêtes, le cadre de la rue et eux-mêmes perdirent dans ce brûlant rayonnement un peu de leur sujétion physique. Agathe avait dit : « Tu ne le voulais jamais! Sans doute suis-je trop peu pour toi ? » Ulrich repartit : « Nous n'en parlerons pas de cette manière! C'est plus difficile que de se décider à renoncer au monde! En effet, quand nous aurons fui, ici, dans la vie réelle qui nous fut imposée, tout s'aggravera, il n'y aura guère de renversement possible, bien que nous ne sachions même pas si là où nous voulons aller, il y a un sol où les hommes puissent se tenir debout autrement qu'en rêve. Si je m'entête à réfléchir, ce n'est pas que je doute de toi ou de moi, je doute de ce qui est possible! »

— — —

(Quand ils reviennent, tout est en ordre : c'est la vie qui se protège automatiquement contre les catastrophes. Ils ont fait un voyage, tout simplement, les avocats continuent à hésiter, et ainsi de suite...)

89. *Hermaphrodite.* (Ancienne ébauche et étude.)

Le parapluie bleu du ciel était ouvert sur le parapluie vert des pins; le parapluie vert des pins était ouvert au-dessus des troncs de corail rouge; au pied d'un tronc de corail, Clarisse était assise, elle sentait dans son dos les grandes écailles de l'écorce, comme d'un tatou. Meingast était debout un peu à l'écart dans le pré. Le vent jouait autour de sa maigreur comme autour des grilles d'une tour d'acier. Clarisse pensait : si on pouvait y coller son oreille, on entendrait ses articulations chanter. Le cœur de Clarisse éprouvait ce sentiment : *Je suis son frère cadet.*

Les luttes avec Walter, ces tentatives d'étreintes auxquelles il fallait qu'elle s'arrachât (dont il fallait qu'elle s'extraie à coups de ciseau de sculpteur, comme elle disait, bien qu'elle ne fût pas de pierre) avaient laissé en elle une fièvre qui passait parfois sur sa peau comme une bande de loups, elle ne savait pas où ça faisait irruption et où ça disparaissait. Mais, telle qu'elle était assise là, les genoux remontés, écoutant Meingast qui parlait des ligues d'hommes, ses petites culottes raides sur ses cuisses, sous la robe légère, comme des culottes de garçon, elle se sentait calmée.

« Une ligue d'hommes, disait Meingast, c'est *l'amour en armes* qu'on ne trouve plus nulle part aujourd'hui. On ne connaît plus que l'amour des femmes. Une ligue d'hommes exige la fidélité, l'obéissance, la solidarité : un pour tous, tous pour un. On a fait des vertus viriles une caricature du devoir militaire, mais chez les Grecs c'était encore Eros vivant. L'érotisme viril n'est pas limité au sexe : sa forme originale est la guerre, la ligue, l'union des forces, la victoire sur la crainte de la mort !... » Il était debout et parlait en l'air.

« Quand un homme aime une femme, il commence à s'embourgeoiser, ajouta Clarisse avec conviction. Dis-moi, dans une époque comme la nôtre, a-t-on encore le droit de désirer un enfant ?

— Que parles-tu d'enfants ? protesta Meingast. Et pourtant si : seuls les enfants... Tu dois désirer un enfant. L'Eros bourgeois, le seul qu'on connaisse aujourd'hui, trouve dans l'enfant l'unique possibilité de conduire à la souffrance et au sacrifice. L'accouchement est un des derniers grands exploits. Une sorte de réhabilitation. »

Clarisse, lentement, secoua la tête. « Si encore c'était un enfant de toi ! dit-elle en souriant.

— Moi ? Tu me surprends. D'ailleurs je retourne en Suisse dans quelques jours. J'ai fini mon livre.

— Je viendrai avec toi, dit Clarisse.

— C'est exclu ! Mes amis m'attendent. Il y aura des tâches difficiles. Nous courons même toutes sortes de dangers et devons serrer les rangs comme une phalange. » Meingast le dit avec un sourire calme et réfléchi, tourné vers l'intérieur. « Ce n'est pas une affaire de femmes !

— Je ne suis pas une femme ! » s'écria Clarisse en sautant sur ses pieds. Ne me disais-tu pas *petit gars* lorsque j'avais quinze ans ? »

Le philosophe sourit. Clarisse — — — s'approcha de lui. « Je veux partir avec toi, *sortir !* dit-elle.

— L'amour peut se manifester dans chacune des relations suivantes, répondit le philosophe : du serviteur au maître, de l'ami à l'ami, de l'enfant aux parents, de la femme au mari, de l'âme à Dieu. »

Clarisse lui posa la main sur le bras; dans une prière muette, maladroitement, mais avec la force touchante de la fidélité canine.

Meingast se pencha vers elle et lui murmura quelque chose à l'oreille.

Clarisse répondit dans un rauque chuchotement : « Je ne suis pas une femme, Meingast! *Je suis l'Hermaphrodite!*

— Toi ? » Meingast ne fit aucun effort pour cacher un certain dédain.

« Je partirai avec toi. Tu verras. Je te le montrerai dès la première nuit. Nous ne serons pas un, c'est toi qui seras deux. Je puis sortir de moi. Tu auras deux corps. »

Meingast secoua la tête. « Une certaine ventilation de l'affirmation de la personne dans la dualité des corps : cela, une femme peut le faire. Mais elle ne se résout jamais dans une communauté supérieure... » (Pour la réponse de Meingast, compléter... : Meingast esquisse ce que la femme peut faire. Elle ne procure pas le redoublement de l'action vivante. On peut aimer une femme comme ses propres entrailles, mais non comme un accroissement du courage, de la force et ainsi de suite.)

« Tu ne me comprends pas! dit Clarisse. J'ai la force de me métamorphoser en hermaphrodite. Dans votre ligue d'hommes, je vous serai très utile. Tu entends que je parle très calmement, mais fais attention à ce que je dis : regarde ces arbres et le ciel rond par dessus. Ta respiration continue, ton cœur continue, la santé travaille dans tes viscères. Mais plus tu les contemples longtemps, plus le spectacle t'aspire hors de toi-même. Ton corps reste seul à sa place. Le monde t'aspire, je te dis. *Tes yeux te changent en femme.* Si toute ton affectivité pouvait s'élever ainsi jusque là-haut, tu serais mort au monde, et ton corps s'anéantirait.

« Ai-je raison ? Mais il y a d'autres jours. Alors, tous tes muscles et toutes tes pensées font pression. Alors, je suis un homme. Je me tiens ici debout et je lève le bras, le ciel se précipite dans mon bras. Comme si je déchirais un drap, je te dis. Je n'ai pas la folie des grandeurs. Mon bras m'emporte loin de l'endroit où je suis. Que je danse, que je lutte, que je pleure ou que je chante : seuls mes mouvements, mon chant, mes larmes demeurent, le monde et moi avons explosé.

« Me crois-tu maintenant, si je te dis que ma place est dans votre ligue ? »

Meingast avait écouté Clarisse avec une expression de trouble et presque d'anxiété. Il se pencha et l'embrassa sur le front. Ses paroles ravirent Clarisse. « Je ne te connaissais pas ! dit-il. N'empêche que ça ne va pas. L'amour d'une femme me rend stérile. »

Ce disant, il regagna lentement la maison par le chemin le plus court, à travers champ, levant très haut les pieds en marchant. Clarisse savait qu'il allait partir. Elle voulait attendre, lui épargner les adieux. Elle était sûre qu'il lui fallait du temps pour achever son projet, et qu'une lettre l'appellerait bientôt. Ses lèvres continuaient encore à laisser échapper des murmures comme deux petites sœurs qui parlent entre elles d'un événement extraordinaire : elle les en empêcha en les fermant.

— — —

Complément à « Hermaphrodite » : L'histoire avec Ulrich, à côté, lui paraît pâle, vide, littéraire en quelque sorte... pour la première fois comme jadis, quand les jeunes filles avaient leurs petits secrets. Finalement tu sais ce que c'est que d'être mariée, tu sais comment est Walter. (Chacune de ces phrases lui apparaît comme plus haut.) Je suis quelquefois homme. Je n'ai jamais *fondu* dans les bras d'un homme : je frappe ! je le traverse ! — Je n'appartiens à personne, je suis si forte que je puis être l'amie de plusieurs hommes à la fois. Une femme aime comme un grand chaudron qui monopolise tout le feu. Clarisse dit d'elle-même : ne pas aimer comme une femme, mais comme un courageux petit fox un grand chien contre lequel il est impuissant. Ou comme un brave chien son maître... Je suis écuyer, je te désarme, simplement je te désarme un peu plus. Ne pouvoir bouger un membre par excès de puissance. C'est ainsi que tu aimes les garçons. Les jeunes gens. Moi aussi je fais partie des gens, pourquoi ne serais-je qu'une femme ?

Néanmoins, étant hermaphrodite, n'est-elle pas femme aussi ? Peut-être le dépeindre ainsi : comme quand un homme se représente cela très beau.

Je vais mon chemin, j'ai mes tâches; mais tu m'ouvres la

robe et — — — tu fais sortir de moi mon impuissance. Je m'appuie contre toi, heureuse de ce que tu me fais, et je ne puis résister. Et je vais plus loin, un ruban noir à mon heaume.

Nous luttons la main dans la main et nous sommes comme le bain après la bataille.

Concrètement : J'ai le caractère et les obligations d'un homme. Je ne veux pas d'enfant (cette fois) et pas d'amour, mais le profond phénomène du plaisir, de la purification (rédemption) par la faiblesse. Moi pour toi comme toi pour moi, encore que serviteur et maître.

? J'appuierai une jambe contre la tienne et l'autre je l'enroulerai autour de ta hanche, et tes yeux se recouvriront d'un voile. Je serai insolente et j'oublierai mon angoisse (mon respect, ma crainte) devant toi.

La femme éprouve des sensations féminines devant un homme supérieur, et des sensations viriles devant l'inférieur. Ainsi naît une sorte d'hermaphroditisme, une étreinte psychique à trois.

90. *Peter et Agathe.* (Ancienne ébauche.)

Quand Agathe pénétra la fois suivante dans l'appartement du professeur Lindner, celui-ci semblait l'avoir fui peu avant. L'ordre imperturbable des chambres et antichambres était dérangé : il y fallait peu de chose à vrai dire, quelques objets qui n'étaient pas à leur place suffisaient à donner une impression de bouleversement. A peine Agathe s'était-elle assise pour attendre Lindner que Peter se précipitait dans la chambre, ignorant de son arrivée. Il avait l'air de vouloir tout détruire autour de lui, et son visage était gonflé comme si des larmes se rassemblaient sous sa peau rouge, toutes prêtes à éclater.

« Peter ! demanda Agathe stupéfaite. Qu'avez-vous ? »

Il voulut passer devant elle, mais s'arrêta brusquement et lui tira la langue avec un air de dégoût si comique qu'elle ne put s'empêcher de rire.

Agathe avait un faible pour Peter. Elle comprenait que ce

n'était pas un plaisir pour un jeune homme d'être le fils du professeur Lindner, et quand elle songeait que Peter lui en voulait peut-être en pensant qu'elle était la future femme de son père, son attitude hostile trouvait en elle une secrète approbation. C'était un peu, pour elle, un allié ennemi. Peut-être simplement parce qu'il lui rappelait sa propre jeunesse de pensionnaire pieuse. Il n'avait encore pris racine nulle part; il cherchait Agathe, il cherchait à grandir; il croissait, intérieurement, avec les mêmes souffrances et les mêmes irrégularités qu'extérieurement. Elle comprenait si bien cela. Qu'étaient la sagesse, la foi, les miracles et les principes pour un être jeune encore, entièrement clos, que la vie n'avait pas ouvert pour qu'il pût accueillir tout cela ? Elle éprouvait pour lui une bizarre sympathie : pour ce qu'il y avait de sauvage et de récalcitrant, de juvénile et sans doute aussi de mauvais dans sa mentalité. Elle aurait partagé volontiers ses jeux : du moins cette puérile pensée lui venait-elle ici, dans ce décor, et elle remarqua avec tristesse qu'il la traitait ordinairement comme une vieille.

« Peter ? Peter ? Qu'avez-vous ? dit-il en l'imitant. Il saura bien vous le raconter, à vous, l'âme sœur! »

Agathe rit de plus belle et prit Peter par la main.

« Cela vous plaît, sans doute ? poursuivit Peter insolemment. Cela vous plaît que je gueule ? Quel âge avez-vous somme toute ? Vous ne devez pas être tellement plus vieille que moi : mais il vous traite comme le sublime Platon! »

Il s'était dégagé et la toisait comme s'il cherchait quel profit en tirer.

« Que vous a-t-il donc fait ? demanda Agathe.

— Quoi ? Il m'a puni! Je ne me gêne pas devant vous, vous voyez! La prochaine fois il me baissera la culotte et c'est vous qui me tiendrez!

— Fi! Peter! dit Agathe sans malice. Vous a-t-il vraiment battu ?

— Battu ? Peter ? Cela vous plairait, sans doute!

— Vous devriez avoir honte, Peter!

— Pas du tout. Pourquoi ne me dites-vous pas Monsieur Peter ? D'ailleurs, à quoi pensez-vous : regardez! » Il étendit la jambe et fit le tour de sa cuisse fortifiée par le football. « Jugez vous-même : je pourrais l'assommer d'une main, il n'a pas dans ses deux jambes la force que j'ai dans un bras.

Ce n'est pas moi, c'est vous qui devriez avoir honte, au lieu de papoter de morale avec lui! Voulez-vous savoir ce qu'il m'a fait?

— Non, Peter, ce n'est pas ainsi que vous devez me parler.

— Et pourquoi pas?

— Parce que votre père veut votre bien. Et parce que — — — » Mais Agathe ne put aller plus loin; le prêche ne lui réussissait pas, bien que le jeune homme fût dans son tort : elle ne put se retenir de rire à nouveau. « Eh bien! que vous a-t-il donc fait?

— Il m'a retiré mon argent de poche!

— Attends! » dit Agathe. Sans plus réfléchir, elle sortit un billet de banque et le tendit à Peter. Elle-même ne savait pas pourquoi elle le faisait; peut-être pensait-elle qu'il fallait éliminer la colère de Peter avant de pouvoir agir sur lui, peut-être éprouvait-elle simplement du plaisir à contrarier l'éducation lindnérienne. Avec la même soudaineté, elle avait tutoyé Peter. Peter la considéra avec stupeur. A l'arrière-plan de ses yeux à la sournoise beauté s'éveilla quelque chose de tout nouveau. « Le deuxième commandement, poursuivit-il sans scrupule avec un ricanement cynique, a lui aussi été transgressé : le commandement du silence! Le connaissez-vous? Par le silence, l'homme apprend à soustraire ses propos à toutes les excitations internes et externes et à en faire les serviteurs de sa réflexion la plus profonde!

— Sans doute avez-vous tenu des propos déplacés!

— C'est cela! L'homme commence à répondre aux interventions et aux assauts du dehors au moyen des organes de la voix... dit-il en citant son père. C'est pourquoi il m'a gâté mes jours de congé, aujourd'hui et demain, en m'obligeant à garder la chambre, il observe le plus grand silence à mon égard et me défend d'échanger un seul mot avec quiconque dans la maison. Le troisième commandement, dit Peter railleur, c'est la domination de l'instinct alimentaire...

— Mais Peter, dit Agathe égayée, il serait temps que vous me disiez ce que vous avez fait! »

Cette conversation où il pouvait railler son père devant sa future mère avait remis Peter d'excellente humeur. « Ce n'est pas si simple, Agathe, dit-il insolemment. Il y a quelque chose, sachez-le, que le vieux craint autant que le diable l'eau-bénite, ce sont les plaisanteries. Les chatouillements de la plaisanterie et de l'humour, dit-il, naissent d'une imagination oisive et de la méchanceté. Je suis toujours forcé de les ravaler. C'est une bénédiction pour le caractère. Car, si nous examinons la plaisanterie de plus près...

— Suffit! dit Agathe impérative. Sur quoi avez-vous fait des plaisanteries illicites ?

— Sur vous! » dit Peter en plongeant ses yeux dans ceux d'Agathe comme pour la provoquer. Au même moment, il tressaillit : on sonnait, et tous deux reconnurent à sa façon de s'annoncer le professeur Lindner. Avant qu'Agathe eût pu le blâmer, Peter enfonça avec une douloureuse violence ses ongles dans la main de la jeune femme et bondit hors de la chambre.

([*Remarque*] : Agathe annonce à Peter son départ avec Ulrich.)

91. *Crise et décision.* (Ancienne ébauche et étude.)

Agathe avait trouvé une épingle à cheveux. Après la visite de Bonadea qu'Ulrich lui avait cachée. Elle était assise sur le divan, parlait avec son frère, les mains de chaque côté d'elle-même appuyées sur les coussins avec une tranquille assurance : soudain, elle sentit entre ses doigts le petit objet de fer. Ses mains en furent troublées avant même qu'elle l'eût retirée. Elle regarda l'épingle qui venait d'une femme inconnue, et le sang lui monta aux joues.

A vrai dire, on eût pu rire un peu de voir Agathe tomber immédiatement sur la bonne solution, comme n'importe quelle femme jalouse. Bien qu'il eût été facile d'expliquer autrement la trouvaille, Ulrich ne l'essaya pas. Lui aussi avait rougi.

Enfin Agathe se ressaisit, mais son sourire était défait.

Ulrich lui avoua à demi-mot l'attaque de Bonadea.

Elle l'écouta avec nervosité. « Je ne suis pas jalouse, je n'en ai aucun droit. Mais... »

Elle essaya de trouver ce *mais* : la preuve devait cacher la violence avec laquelle elle s'irritait de voir une autre femme lui prendre Ulrich.

Les femmes sont obstinément naïves quand elles parlent des « besoins » des hommes. Elles se sont laissé persuader que ce sont des puissances irrésistibles, une sorte de souffrance malpropre et néanmoins grandiose; elles paraissent ignorer qu'elles-mêmes, après une continence assez prolongée, deviennent aussi folles que les hommes, et que les hommes, après un certain temps de transition, s'habituent aussi aisément qu'elles au renoncement. La différence est plus morale que physiologique, elle tient à l'habitude qu'on a de s'accorder ou de se refuser la satisfaction de ses désirs. Mais, pour beaucoup de femmes qui pensent avoir des raisons de ne pas obéir à leur convoitise, l'idée que l'homme ne peut se dominer sans danger pour lui-même est un prétexte bienvenu pour prendre dans leurs bras l'homme-enfant éprouvé. A son tour, Agathe (à qui l'interdiction d'obéir, vis-à-vis de son frère, à la voix pourtant sans équivoque de son cœur, imposait le rôle d'une femme un peu frigide) utilisait inconsciemment cette ruse.

« Je crois te comprendre, dit-elle, mais... tu m'as fait mal. »

Quand Ulrich voulut lui demander pardon et essaya de lui caresser les cheveux ou les épaules, elle dit : « Je suis stupide... », frémit légèrement et se dégagea.

« Si tu me lisais un poème, dit-elle pour essayer de s'expliquer, et que je ne pusse m'empêcher de jeter en même temps un coup d'œil au journal, tu serais déçu aussi. C'est exactement ainsi que ça m'a fait mal. A cause de toi! »

Ulrich ne dit mot. La répugnance à faire revivre sa faiblesse en l'expliquant lui fermait la bouche.

« Naturellement, je n'ai pas le droit de te donner des ordres, répéta Agathe. Qu'est-ce que je te donne ? Mais pourquoi donc t'abaisses-tu à ce genre de femme ? Je pourrais m'imaginer que tu aimes une femme que j'admire. Je ne sais comment m'expliquer, mais il me semble que les caresses que l'on donne à un être ne doivent pas être enlevées à tous les autres. »

Elle sentait en même temps que c'était ce qu'elle souhaiterait si elle devait abandonner ce rêve et avoir de nouveau un homme. « Intérieurement, plus de deux êtres peuvent s'étreindre, et tout ce qui est extérieur n'est que... » Elle s'arrêta, mais soudain une comparaison lui vint : « Il me semble que celui qui étreint le corps n'est que le papillon qui relie deux fleurs... »

La comparaison lui parut un peu trop poétique. Tandis

qu'elle l'énonçait, elle sentit très nettement, chaudement, ce que ressentent d'ordinaire les femmes : qu'elle devait lui donner quelque chose et le dédommager — —

Ulrich secoua la tête. « J'ai commis une faute grave, dit-il gravement. Mais ce n'était pas comme tu te l'imagines. Ce que tu dis est très beau. Attribuer cette béatitude consécutive à une excitation automatique, cette subite métamorphose, cet enthousiasme d'origine épidermique à l'homme qui n'en est que l'instrument, lui accorder, par l'idolâtrie ou la haine, une place particulière, c'est au fond aussi primitif que d'en vouloir à la balle qui vous tue. Mais j'ai trop peu de foi pour m'imaginer qu'on puisse trouver de pareils êtres. » (Il lui tient la main — c'est comme s'ils étaient emportés infiniment loin.)

Alors, quand la main d'Ulrich chercha sur Agathe son pardon, celle-ci prit son frère dans ses bras et l'embrassa. Involontairement, dans son bouleversement, comme une sœur qui console et sans pouvoir se dominer, pour la première fois elle ouvrit ses lèvres sur les siennes avec l'entière violence féminine qui fend jusqu'au cœur le fruit de l'amour.

— — —

Finalement ils restèrent un moment assis, se tenant les mains, n'osant ni faire, ni dire quoi que ce fût. Il faisait maintenant tout à fait sombre. Agathe sentit la tentation de se dévêtir sans prononcer un mot. Peut-être l'obscurité soufflait-elle aussi à Ulrich de ramper vers elle ou de faire un geste analogue. Tous deux se défendaient contre cette force de la sexualité qui aboutit à des actes standardisés (ou l'équivalent). Si elle ne l'avait pas fait, alors… tout aurait passé… Mais Agathe se demandait : Pourquoi ne se passe-t-il rien ? (Pourquoi… pas ? — — — en quelque sorte : pourquoi n'essaie-t-il pas ?)

Quand elle vit qu'il ne se passait rien, Agathe dit à son frère : et si tu allumais ?

Ulrich hésita. Puis, par crainte, il alluma.

Il apparut alors qu'il avait oublié une affaire dont il devait s'occuper lui-même. Qu'il dût s'en occuper était plausible, cela durerait tout au plus trois quarts d'heure, Agathe elle-même le persuada de le faire. Il avait promis une réponse à quelqu'un d'important, et ça ne pouvait pas se régler par téléphone. Ainsi la vie naturelle s'insinuait jusque dans ces instants : après qu'ils se furent séparés, la tristesse les envahit tous deux.

Ulrich fut triste au point qu'il faillit revenir sur ses pas : il continua pourtant. Agathe, en revanche, fut triste comme elle ne l'avait jamais été de sa vie. Contrairement à tout le reste, cette tristesse lui parut peu naturelle : elle s'effraya, elle ressentit même une stupeur curieuse. L'anormal était une particularité singulière. Dans la mesure où cette tristesse laissait place à quoi que ce fût d'autre : comme un reflet sur ses bords. En outre, la grande tristesse n'est pas noire, mais vert-sombre ou bleu-sombre, avec la douceur du velours : elle est moins un anéantissement qu'une qualité positive rarement éprouvée. Ce profond bonheur dans la tristesse qu'Agathe aussitôt perçut a probablement son origine dans le fait... qu'à la suprématie absolue de n'importe quel sentiment se trouve lié le bonheur de se voir délivré de toutes les contradictions, de toutes les irrésolutions, non pas d'une manière pédante, froide, impersonnelle comme le fait la raison, mais avec générosité. Dans cette âme où le courage comme le découragement ont grandi loge la vertu de générosité. Sans avoir à réfléchir un seul instant, Agathe se rappela où elle cachait son poison et se leva pour aller le chercher. La possibilité de mettre fin aux ambivalences de la vie libère la joie qu'elle recèle. La tristesse d'Agathe atteignit par une évolution à peine compréhensible à la sérénité tandis qu'elle versait le poison, comme il était ordonné, dans un verre d'eau (lorsqu'elle posa le poison devant soi sur la table. Elle alla chercher un verre et une carafe d'eau et les posa à côté). Très naturellement, son avenir se divisait en deux possibilités : se tuer ou atteindre le Règne millénaire : puisque la seconde avait échoué, il ne restait plus que la première. (Cette tristesse était comme un fossé profond aux parois lisses qui la menait de ci de là, tandis qu'elle entendait en haut, invisible et inaccessible, Ulrich s'entretenir avec d'autres gens. — La décision de suicide n'a-t-elle pas que cet aspect, n'est-elle pas l'adieu à la vie passée ?)

Vint la séparation. Agathe était beaucoup trop jeune pour pouvoir dire adieu à la vie sans un peu de pathétique; pour la bien comprendre, il ne faut pas dissimuler non plus que sa résolution, affectivement, n'était pas absolument ferme : son désespoir n'était pas sans issue, ce n'était pas l'effondrement au bout de toutes les tentatives, il y avait encore pour elle, même s'il apparaissait pour le moment obscurci (hors d'état) un second chemin. Ses adieux à la vie, au commencement, furent animés comme le départ pour un voyage. Pour la première fois tous les personnages qu'elle avait croisés lui apparurent comme quelque chose de parfaitement en ordre, du moment qu'elle n'avait plus rien à faire avec eux.

— — —

Qu'elle agisse mal, en criminelle, en psychopathe : dans un autre monde ce serait bien. Elle marchait parmi des esprits d'une autre race...

Il lui parut beau et paisible de regarder sa vie. D'ailleurs, des générations entières s'en vont en un tournemain. Elle n'était pas la seule à n'avoir su que faire de sa beauté. Elle pensa à l'an 2000, elle aurait bien aimé savoir comment ça serait. Puis elle se rappela des visages du XVIe siècle qu'elle avait dû voir dans quelque collection de tableaux. Des visages remarquables, au front puissant, aux traits plus vigoureux qu'on ne les voit aujourd'hui. On comprenait que tous ces hommes eussent joué un rôle. Mais il y fallait des partenaires : une profession, une tâche, une vie exaltante. Cette ambition de jouer un rôle lui était absolument étrangère. Elle n'avait jamais rien voulu devenir de ce qu'on pouvait devenir. Le monde des hommes lui était toujours demeuré étranger. Elle avait méprisé le monde des femmes. Parfois elle avait partagé avec d'autres la curiosité de son corps, les désirs de sa chair, comme on boit ou on mange. Cela s'était toujours produit sans engagement profond, et sa vie ainsi, partie du désert de la chambre d'enfants, n'avait abouti qu'à de vagues événements sans limites. Tout s'achevait dans l'impuissance. (Le voyage, ensuite, commence dans l'épuisement comme après une attaque : elle accueille toutes choses avec reconnaissance.)

A vrai dire, cette impuissance avait tout de même un noyau : Dieu n'a pas créé seulement cette vie... ce monde est un des nombreux mondes possibles... Ce qu'il y a de meilleur en nous, c'est une (masse) semblable à un souffle, à un oiseau quittant éternellement la branche... Dans son aversion pour l'autorité du monde s'était toujours dissimulée une vision. Plus qu'une vision même : elle l'avait presque touchée du doigt : On revient à soi quand — — — se perd. Cet étincellement sombre est plus qu'une allusion... Mais recommencer lui semblait de peu de sens. Sans doute toutes ces expériences s'harmonisaient-elles, mais elles n'étaient pas seulement... naguère. Elles avaient quelque chose de [schématique ?] *et...* de réel.

Il ne lui était pas donné de voir Dieu avec netteté, pas plus que quoi que ce fût!

Sans Dieu, il ne demeurait d'elle que ce qu'elle avait fait de mal. Elle s'était salie sans profit et se dégoûtait. De même, tout ce qu'elle venait de répéter ne lui était devenu clair qu'en la présence d'Ulrich : alors seulement ç'avait été davantage qu'une simple illusion des nerfs. Sans le vouloir, elle ressentit une gratitude brûlante pour son frère. A cet instant, elle l'aima follement.

Puis une idée lui vint : tout ce qu'il avait dit, tout ce qu'il pourrait dire encore, il l'avait dévalué!

Il fallait en finir avant qu'il revînt. Elle regarda l'heure. Quelle chose délicate que cette petite aiguille. Elle faisait avancer le temps. Elle eut une impression étrange... peur de la mort... quelque chose de sourd, de tourmentant, de repoussant. Mais l'idée que cela devait se produire (elle ne savait absolument pas comment elle lui était venue)... une force d'attraction terrifiante. Elle ne trouva plus beaucoup de réflexion en elle-même... impossibilité [?]... seule l'idée... tuer, et celle-ci simplement sous la forme de cette phrase... le vide.

Elle voulut mettre ses affaires en ordre : elle n'en avait point. Je ne lègue à personne... même pas à Ulrich... elle se fit pitié. Le sang au poignet coulait comme des larmes.

Ulrich avait de la chance quand il luttait, travaillait! Tel qu'il est, c'est quelqu'un de merveilleux!

Mais l'autorité souveraine de sa décision l'apaisait. Elle aussi avait donc un projet. Celui qui peut faire cela... Elle sentit avec quelle merveilleuse solitude elle était née.

Quand elle eut versé la poudre dans le verre, il n'y eut plus de possibilité de revenir en arrière, car elle avait mis en jeu son talisman (comme l'abeille qui ne peut piquer qu'une fois).

Tout à coup, elle entendit les pas d'Ulrich qui revenait plus tôt que prévu. Elle aurait pu rapidement avaler le contenu du verre. Mais quand elle l'entendit, elle voulut le revoir encore une fois. Ensuite, elle aurait pu bondir et... avaler le poison. Elle aurait pu prononcer une parole autoritaire et quitter la vie ainsi. Mais elle le regarda d'un air défait, et il remarqua son visage bouleversé. Il vit le verre; il ne posa pas de questions. Il comprit; l'étincelle de la fièvre vola immédiatement sur lui. Il prit le verre et dit : « Y en a-t-il assez pour deux ? » Agathe le lui arracha — en s'écriant ...: « Nous ne nous tuerons pas avant d'avoir tout essayé! » Il la prit dans ses bras.

Ou bien : pas un mot, une action, un événement! Il s'effondre, ou l'équivalent. Épouvanté par ce qu'il a fait.

Plutôt : L'aversion d'Ulrich pour la défection. Le suicide. Mais en fin de compte : on ne peut rien réparer, on peut seulement améliorer. C'est pourquoi le remords [?] est passionné. Chez les deux. Tout à coup, l'un des deux a cette idée et se met à rire.

J'ai décidé. Année d'épreuve... me tuer...

La foi ne doit pas être vieille d'une heure...

Telle est la résolution, mise en œuvre dès lors précipitamment. Mais cela signifierait aussi, plus ou moins, voyage vers Dieu. — — —

— — *Motifs* de la décision — — : C'est notre destin : Peut-être aimons-nous ce qui est interdit. Mais nous ne nous tuerons pas avant d'avoir fait une tentative extrême. Le monde est fugace, fluide : fais ce que veux! Nous sommes debout, impuissants, en face d'un monde parfaitement imparfait. Les autres ont simplement déplacé imperceptiblement tout ce qui est en nous. Ils restent sains, des idéalistes, nous sommes au bord du crime.

Solitude : les croyants disputent avec Dieu, les incroyants, alors, apprennent enfin à le connaître. Il n'y a là-derrière aucune nécessité. Ce monde n'est qu'un essai entre beaucoup. Dieu offre des solutions partielles, ce sont les hommes créateurs, ils se contredisent, le monde constitue à partir de là un total relatif qui ne correspond à aucune solution. C'est dans cette forme du monde que je suis coulé comme du bronze liquide : c'est pourquoi je ne suis jamais tout à fait ce que je pense et ce que je fais : une figure à l'essai dans une forme à l'essai de la totalité. On ne doit pas écouter les mauvais maîtres qui ont établi comme pour l'éternité, selon le plan de Dieu, une seule de ses vies, il faut se fier à soi-même avec humilité et courage. Agir sans réfléchir, car un homme ne va jamais si loin que lorsqu'il ne sait pas où il va. (C'est l'influence d'Agathe! — — Narrativement : Ulrich y réfléchit peut-être pendant un silence, de sorte qu'il n'y a pas de réflexions à la fin.)

Il flotte là-dessus un souvenir de la morale de *Stella* [1] — —

1. Le drame de Gœthe. *N.d.T.*

Décrire cela davantage comme une humeur, un état, que comme une pensée. S'ils avaient fait alors ce qu'ils ressentaient, tout aurait été terminé en une heure, mais ainsi… Tristesse de la vie. Ne pas pouvoir se défendre, parce que… et ainsi de suite. Le poison en tant que soutien. Elle est certaine que ce monde dans lequel elle s'éprouve imparfaite n'est pas le seul. — — —

Sur quoi se fonde la décision ? Sur quoi la tentative de suicide d'Agathe ?… Agathe demande : qu'adviendra-t-il ? et Ulrich donne des réponses… Au fond, Ulrich devrait répondre (dans le sens de l'indifférence du domaine religieux à l'égard de la morale comme l'entend Schleiermacher) que l' « autre état » ne donne pas de recettes pour la vie pratique. Tu peux te marier, vivre comme tu veux et ainsi de suite. Les utopies non plus n'ont pas abouti à un résultat praticable. C'est aussi, à peu près, la race du génie à l'intérieur de celle de la bêtise… C'est aussi : contre la solution totale et les systèmes. Contre le sens communautaire. Aventure du refus de la vie. Mais sans qu'il faille entrer dans le détail de la théorie.

Après l'explosion, il avoue : « autre état » (pressentiment) et Dieu, encore que douteux. Sa véritable justification est sa crainte devant la douceur-des-trois-sœurs, et c'est aussi pourquoi ils décident de partir — — — Agathe exige une décision dans le sens de la jeunesse. Ulrich : j'ai décidé. Année du suicide. Agathe : le mysticisme qui ne pouvait se rattacher à la religion s'attache à Ulrich.

Décision dans ce sens : être l'instrument d'une fin inconnue.

Agathe : Au fond il n'y a pas de bien et de mal, mais seulement la foi ou le doute. Tournons le dos à tout cela. S'abandonner, sans foi, au pressentiment… Ulrich se refuse à croire, mais obéit au pressentiment.

Dépression d'Agathe : un des arguments principaux : l'avocat lui a proposé de se déclarer malade. Elle a fait le testament à cause d'Ulrich et maintenant tout menace de retomber sur elle, sans que… A l'égard de Lindner aussi, elle n'a manifesté que de la méchanceté. Elle est pour l'action (jeunesse), mais on constate aussi ceci : Tout ce qu'on peut lui objecter à partir des autres comme à partir de Dieu et de l' « autre état » lui est indifférent, elle veut vivre avec Ulrich, elle se trouve très mauvaise, mais elle le veut quand même, et si ça ne réussit pas, il ne restera plus que le mal, justement, et la fin.

Sur l'accablement d'Agathe : L'homme qui tend à Dieu, selon Adler, est celui qui est privé de sens communautaire — selon Schleiermacher celui qui est indifférent à la morale, donc le méchant. La femme aussi est criminelle. Elle n'éprouve de sympathie véritable pour personne, en dehors d'Ulrich. Je dois t'aimer parce que je ne peux pas aimer les autres. Dieu et l'antisocial. Dès le début, son amour pour Ulrich a mobilisé sa haine, son hostilité à l'égard du monde.

92. *Moosbrugger à l'asile. Une partie de cartes.*

Il s'était écoulé environ — — — depuis la visite de Clarisse à l'asile. Le jour où elle devait voir Moosbrugger était proche et on avait l'impression qu'elle lui accordait autant d'importance qu'à la rencontre de deux souverains.

« Au lieu de tes sentiments, apporte-lui plutôt une saucisse et des cigarettes », plaisanta Siegmund à sa manière.

Walter se fâcha contre son beau-frère et défendit soudain Clarisse. « Quand, ayant joué du piano, elle s'est exaltée jusqu'à la passion, qu'elle a des larmes dans les yeux, n'a-t-elle pas parfaitement raison de se refuser à monter dans le tram, à gagner la clinique et à se comporter là-bas comme si ce n'était *que* de la musique et non de vraies larmes ? » Mais il refusa de l'accompagner.

Siegmund craignait la supériorité de Walter et se contenta d'un grognement aimable.

Clarisse dit : « Il n'a jamais vu de femme, seulement des succédanés. »

Lorsqu'ils gagnèrent la station du tramway, Siegmund dit : « N'oublie pas que ce n'est qu'un fou ! » Pour toute réponse, Clarisse lui enfonça ses ongles dans la main : elle regardait droit devant elle, rayonnante.

Le Dr. Friedenthal, cette fois, n'eut pas à la faire sortir du bâtiment principal et administratif; ils longèrent simplement des corridors, salués de blanc par des gardiens et des aides, puis deux pièces sans malades, mais installées en vue d'en accueillir. Puis ils pénétrèrent dans une troisième grande salle au milieu de laquelle quatre hommes étaient assis autour d'une table. Le Dr. Friedenthal s'écarta d'un mouvement à peine souligné, et quand Clarisse leva les yeux, la vaste et calme stature de Moosbrugger envahit son regard.

— — —

Ce que Clarisse aperçut était à vrai dire suffisamment étrange : une partie de cartes. Moosbrugger était assis à la table dans un costume de fatigue, sombre, avec trois hommes dont l'un portait la blouse blanche du médecin, l'autre un costume de ville et le troisième la soutane un peu élimée du prêtre. En dehors de ces quatre hommes, de la table et des chaises de bois, il n'y avait dans la pièce que trois hautes fenêtres qui donnaient sur le parc. Les quatre hommes levèrent les yeux quand Clarisse s'approcha, et Friedenthal fit les présentations. Clarisse fit la connaissance d'un jeune assistant de la clinique, de son aumônier et d'un médecin venu en visiteur dont elle apprit que c'était un des spécialistes qui, lors du procès, avaient garanti la santé mentale de Moosbrugger. Les quatre hommes jouaient aux cartes à trois, de sorte qu'il y avait toujours un mort pour observer les autres. Sur l'instant, cette vision d'une paisible partie bourgeoise stupéfia Clarisse. Elle s'était attendue à un spectacle terrible, ne fût-ce que d'être conduite une fois de plus à travers d'innombrables salles à moitié vides pour s'entendre dire mystérieusement à la fin que Moosbrugger était invisible; après tout ce qu'elle avait vécu dans les semaines précédentes et particulièrement en ce dernier jour, elle ne sentait plus qu'une curieuse oppression. Elle ne comprit pas que cette partie de cartes avait été concertée par le Dr. Friedenthal et les autres pour qu'on pût observer Moosbrugger sans en avoir l'air : elle eut l'impression que des diables jouaient bassement avec une âme, et se crut dans les déserts glacés de l'enfer. A son grand effroi, Moosbrugger se leva, galant et raide, et s'approcha d'elle. Friedenthal le présenta aussi, Moosbrugger prit dans sa patte la petite main inquiète et fit une courbette muette, rapide, comme un grand jeune homme.

Là-dessus, Friedenthal pria ces messieurs de continuer à jouer, expliquant que Madame était venue de Chicago pour étudier les installations de la clinique et se convaincre que ses hôtes y étaient mieux traités que nulle part ailleurs.

« Le fond est pique, pas carreau, monsieur Moosbrugger! »

dit le médecin de l'établissement qui avait observé son protégé d'un air songeur. En fait, Moosbrugger avait été charmé que Friedenthal, en présence d'étrangers, l'eût traité comme un hôte de la clinique et non comme un malade : il l'apprécia, se trompa dans son jeu, mais encaissa le reproche de son adversaire avec un sourire magnanime. D'ordinaire, il jouait avec une attention de rapace. Ambitieux comme il était, il n'acceptait pas d'être battu par ses savants adversaires autrement que par malchance. Cette fois, il se permit encore de compter un instant ses points en anglais (il le pouvait jusqu'à trente), car il avait compris que Clarisse venait d'Amérique. Un peu plus tard, il déposa ses cartes, appuya ses poings sur le rebord de la table et étira son énorme dos si largement que le bois de la chaise craqua : il entreprit une longue histoire de captivité. « Vous pouvez m'en croire, messieurs... » commença-t-il, car il avait de l'expérience : quand on veut faire de l'impression sur les femmes, on doit feindre de ne pas même s'apercevoir de leur présence, au moins au commencement : ça lui avait toujours valu de grands succès.

Le jeune médecin de l'établissement accompagnait d'un sourire le fanfaron récit de Moosbrugger; sur le visage du prêtre, la peine le disputait à la gaieté, et le médecin visiteur qui avait failli conduire Moosbrugger à la potence l'encourageait de temps en temps par des interventions mordantes. Le géant, dans sa façon si parfaitement convenable de parader, avait gagné leur sympathie à tous : ce qu'il disait se tenait debout, bien que ce ne fût pas toujours au bon endroit, et l'ecclésiastique, en particulier, se sentait un faible pour lui. Quand il se rappelait les crimes bestiaux dont cet agneau était capable, épouvanté, il se signait mentalement, comme s'il se surprenait cédant à une blâmable négligence; il s'inclinait devant l'insondabilité divine et se disait qu'il valait mieux remettre un cas si compliqué à la volonté du Seigneur. L'ecclésiastique n'ignorait pas que cette volonté se servait des deux médecins en train de jouer comme de deux leviers contraires dont on ne sait encore lequel sera le plus puissant.

Il y avait entre les deux médecins une joyeuse rivalité. Quand Moosbrugger perdait un instant le fil de son récit, le Dr. Pfeiffer, l'aîné et le visiteur, l'interrompait en disant : « Assez bavardé, Moosbrugger, passons aux cartes, sinon monsieur l'Assistant aura terminé trop vite son diagnostic! » Moosbrugger aussitôt s'empressait : « Si monsieur le Docteur veut jouer, allons-y! » Clarisse écoutait avec stupéfaction. Mais le cadet des médecins souriait, insensible. C'était un secret de polichinelle qu'il s'efforçait d'établir une preuve inattaquable de l'irresponsabilité de Moosbrugger. C'était un homme blond, d'aspect banal et pas du tout sentimental, et les traces de quelques duels d'étudiants n'avaient pas précisément spiritualisé son visage. Mais l'assurance de la jeunesse l'obligeait à défendre l'opinion médicale, sur le problème de la culpabilité et de la responsabilité de Moosbrugger, avec une ardeur qui effaçait sa médiocrité habituelle. Il n'aurait pu dire exactement en quoi consistait cette opinion médicale. Sinon qu'elle était différente. Pour elle, par exemple, une ivresse banale est une authentique maladie mentale qui se guérit toute seule; le fait que Moosbrugger était en partie un criminel sadique, en partie un brave homme, était interprété par elle comme une lutte d'instincts où il était naturel que l'instinct le plus fort ou le plus persévérant l'emportât à tout coup. Si d'autres tenaient à parler de volonté libre, de bonnes ou de mauvaises dispositions morales, c'était leur affaire. « Qui donne? » demanda-t-il.

Il apparut que c'était à lui de mélanger et de distribuer les cartes. Tandis qu'il s'en acquittait, le Dr. Pfeiffer se tourna vers Clarisse et lui demanda quelle espèce d'intérêt l'amenait. Le Dr. Friedenthal leva la main pour la prévenir et dit : « Pour l'amour de Dieu, ne lui parlez pas thérapeutique, il n'est pas de mot, dans la langue allemande, que ce médecin goûte moins! » C'était la vérité, et cela offrait l'avantage de donner à la visiteuse injustifiée l'apparence d'un médecin sans que Friedenthal fût obligé de l'affirmer expressément. Il sourit avec satisfaction. Le Dr. Pfeiffer accueillit la taquinerie avec une grimace flattée. C'était un petit homme d'un certain âge, avec un crâne aplati du haut et creux par derrière sur lequel poussaient des touffes de poils et de cheveux mal soignés; ses ongles étaient huilés par la cigarette et le cigare et montraient à leur extrémité une mince ligne noire, bien qu'ils fussent taillés très court, à la mode des médecins. On le voyait bien maintenant que les joueurs avaient ramassé les cartes et les classaient soigneusement. « Je passe! » déclara Moosbrugger. « Je joue! » dit le Dr. Pfeiffer. « Bien! » répondit le jeune médecin; cette fois, c'était le prêtre qui regardait. La partie était morne et se déroulait sans ardeur.

Clarisse, qui était debout à côté de Friedenthal, légèrement à l'écart, se dissimula derrière lui, approcha la bouche de son oreille et chuchota, en montrant du regard Moosbrugger : « Il n'a jamais eu que des succédanés de femmes!

— Chut! Pour l'amour du ciel!... » murmura Friedenthal d'un ton suppliant. Puis, pour pallier l'imprudence, il s'approcha de la table et dit à haute voix : « Qui gagne ? — Je perds! déclara Pfeiffer. Moosbrugger a été assez sournois pour passer! Notre jeune collègue n'accepte aucun conseil de ma bouche : il m'est impossible de le convaincre que c'est une erreur fatale des médecins de croire que les criminels malades ont leur place dans les asiles. » Moosbrugger grimaça. Pfeiffer plaisantait et poursuivit le bavardage commencé avec Friedenthal; la partie, d'ailleurs, était perdue. « Vous-même devriez dire à l'occasion à ce jeune médecin, dit-il ironiquement, que c'est une utopie de vouloir guérir par des moyens médicaux les individus mauvais! De plus, c'est un non-sens : non seulement le mal est dans le monde, mais il est indispensable à la survie de celui-ci. Nous avons besoin d'individus mauvais, nous n'avons pas le droit de les déclarer tous malades...

— Vous ne ferez plus une levée... » dit calmement le jeune médecin en montrant ses dernières cartes. Cette fois-ci, l'ecclésiastique, qui avait suivi la partie, eut un sourire. Clarisse crut avoir compris quelque chose. Une chaleur l'envahit. Mais Pfeiffer était hideux à voir. « C'est une utopie et un non-sens », dit-il sur un ton de plaisanterie. Clarisse s'y perdait. Sans doute n'était-ce toujours que ces diables jouant bassement avec une âme. Pfeiffer s'était allumé un nouveau cigare, et Moosbrugger distribuait les cartes. Pour la première fois, il regarda dans la direction de Clarisse, puis on lui demanda ce qu'il répondait aux annonces des autres.

Pendant cette partie, ce fut l'assistant qui ne joua pas. Il semblait avoir attendu ce moment et condenser très lentement ses pensées en paroles. « Pour un biologiste, dit-il, il n'est rien qui n'ait sa raison dans quelque loi naturelle. Ainsi, quand un homme commet un crime sans mobile extérieur raisonnable, il faut qu'il en ait un intérieur. C'est ce mobile que je dois chercher. Mais, pour le Dr. Pfeiffer, ce n'est pas assez fin. » Il n'en dit pas plus; il avait rougi et semblait envahi par une irritation cordiale. L'aumônier et le Dr. Friedenthal se mirent à rire, Moosbrugger les imita et jeta un regard extrêmement rapide vers Clarisse. Clarisse dit soudain : « On peut aussi avoir des mobiles raisonnables extraordinaires! » L'assistant la regarda. Pfeiffer confirma : « Notre collègue a parfaitement raison. D'ailleurs, vous avouez déjà une nature de criminel en supposant qu'il existe aux crimes des mobiles raisonnables! — Absurde! s'écria le cadet. Vous savez parfaitement ce que je veux dire. » Puis il s'adressa de nouveau à Clarisse : « Je parle en médecin. J'ai horreur de ces jeux de mots, même s'ils sont à leur place en philosophie ou ailleurs! »

On savait que chaque fois qu'on lui confiait la préparation d'une expertise médicale, il s'irritait des concessions qu'il était obligé de faire aux modes de penser non médicaux, et des questions artificielles auxquelles il devait répondre. La justice n'est pas une notion biologique, pas plus que les notions qui en dérivent; à la culpabilité, à la libre volonté, à l'usage de la raison, au dérangement de l'esprit et à tant de facteurs analogues qui décident du destin d'un grand nombre d'hommes, le médecin associe de tout autres représentations que le juriste. Comme le juriste ne veut pas s'en priver, pour on ne sait quelles raisons, ni abdiquer devant lui, ce qui est plus compréhensible, il n'est pas rare que les médecins, devant le tribunal, se comportent comme de petits frères auxquels une grande sœur ne permet pas de parler comme il leur est naturel, tout en comptant absolument que la vérité sortira de la bouche des enfants. Ce n'est donc pas par sensiblerie, mais par ambition pure et simple et par une ardeur intransigeante pour sa spécialité que le jeune chercheur balafré s'efforçait de soustraire les objets de ses expertises à la raison des tribunaux, et comme cela n'avait quelques chances de réussir que s'ils se laissaient classer dans quelque maladie très précise et très connue, il recueillait chez Moosbrugger tous les signes qui pouvaient l'y aider. Le Dr. Pfeiffer faisait exactement l'inverse, bien qu'il ne vînt qu'occasionnellement à la clinique pour prendre des nouvelles de Moosbrugger, comme un sportif qui a déjà joué son match s'installe à la tribune pour regarder les autres. Pfeiffer passait pour un grand, mais peut-être bizarre connaisseur de la folie criminelle. Comme médecin, il n'exerçait guère que par complaisance et en tenant des propos irrévérencieux sur la valeur de sa science; il vivait essentiellement des revenus modestes, mais réguliers de son activité d'expert : sa compréhension pour les tâches de la justice l'avait fait apprécier énormément par les juristes. C'était un si grand connaisseur qu'il pouvait, par pure science, renier sa science et même dédaigner le savoir humain en général; peut-être ne le faisait-il que parce qu'il pouvait ainsi s'abandonner sans scrupule à ses tendances personnelles qui étaient de traiter tous les criminels dont la santé mentale était mise en question comme une balle qu'il fallait être assez adroit pour faire passer par les trous de la science afin qu'elle atteignît le but, c'est-à-dire la condamnation. On racontait mille histoires à son propos, et Friedenthal, qui craignait sans doute que la conversation traditionnelle entre les deux rivaux n'aboutît à une explication qu'il valait mieux éviter ce jour-là, se hâta de prendre la parole en s'adressant lui aussi, après le jeune médecin, à Clarisse pour lui expliquer ce que celui-ci entendait par « jeux de mots ». « Selon notre estimable invité, le Dr. Pfeiffer, personne n'est capable de juger la culpabilité de personne, dit-il avec un sourire et un regard conciliateurs. Nous autres médecins ne le pouvons pas parce que la culpabilité, la responsabilité etc., ne sont pas des notions médicales, et les juges ne le peuvent pas parce qu'il est impossible de juger de ces problèmes si l'on ignore les relations capitales entre le corps et l'esprit. La religion est seule à réclamer sans équivoque la responsabilité personnelle de tout péché devant Dieu, de sorte que ces problèmes finissent toujours par se ramener à des questions de conviction... » En prononçant ces derniers mots, il avait tourné son sourire vers le prêtre en espérant que cette malice donnerait à la conversation une tournure moins périlleuse. Le prêtre rougit un peu et sourit à son tour avec embarras; Moosbrugger exprima par un grognement sans équivoque que l'idée de relever du jugement de Dieu plutôt que de la psychiatrie lui agréait parfaitement. Mais Clarisse dit tout à coup : « Peut-être le malade est-il ici parce qu'il représente quelqu'un d'autre. »

Elle dit cela si rapidement, d'une manière si inattendue, que le propos se perdit; quelques regards étonnés l'effleurèrent. Son visage n'avait plus de couleurs hors deux taches rouges, et la conversation reprit son cours.

« Ce n'est pas tout à fait cela! » dit Pfeiffer en réponse

aux propos de Friedenthal, et il déposa ses cartes. « Tâchons de voir une bonne fois ce que signifient ces mots : *Je parle en médecin*, qui ont tant de prix pour notre collègue : on nous envoie un *cas*, un cas trouvé dans la vie, à la clinique : nous le confrontons avec ce que nous savons, et le reste, c'est-à-dire tout simplement ce que nous ne savons pas, notre ignorance, c'est le délinquant qui en supporte la responsabilité. Est-ce cela, oui ou non ? »

Friedenthal haussa diplomatiquement les épaules et ne dit rien.

« C'est cela, répéta Pfeiffer. En dépit de la pompe de la justice et de la science, en dépit de toutes nos coupes de cheveux en quatre, en dépit de nos perruques soignées, l'ensemble se ramène toujours finalement à ceci, que le juge dit : *Je n'aurais pas fait cela* et que nous ajoutons, nous autres psychiatres : *Nos malades ne se seraient pas comportés comme cela non plus!* Mais ce n'est pas parce que nos notions sont si confuses que la société doit en subir les conséquences. Que la volonté de l'individu soit libre ou non, la volonté de la société, elle, est libre en tout ce qu'elle considère comme bon et mauvais. Pour ma part, je ne désire pas être bon dans le sens de mes sentiments privés, mais dans le sens de la société! » Il ralluma son cigare éteint et lissa sa barbe autour de sa bouche humide.

Moosbrugger lissa à son tour sa moustache et, avec ses cartes réunies en paquet, battit la mesure sur la table.

« Eh bien! continuons-nous à jouer, ou non ? demanda patiemment l'assistant.

— Bien sûr que nous continuons », répliqua Pfeiffer en reprenant ses cartes. Son regard croisa celui de Moosbrugger. « D'ailleurs, Moosbrugger et moi sommes du même avis, poursuivit-il en considérant son jeu d'un air soucieux. Comment était-ce donc, Moosbrugger ? Monsieur le Conseiller ne vous a-t-il pas demandé à plusieurs reprises, au tribunal, pourquoi vous aviez mis vos habits du dimanche et pourquoi vous étiez allé au café ?...

— Et pourquoi je m'étais fait raser », précisa Moosbrugger qui, à tout moment, était prêt à parler de son procès comme d'une affaire d'État.

« Vous vous étiez fait raser tranquillement, répéta Pfeiffer. Lui ne l'aurait pas fait, vous a-t-il dit en manière de reproche. C'est bien cela. » Il se tourna vers les autres. « Nous faisons exactement la même chose quand nous disons : nos malades n'auraient pas fait ça. Peut-on prouver grand'chose de la sorte ? »

Ses paroles n'étaient plus qu'un grognement aimable, un écho de ses protestations passionnées d'un instant auparavant, car le jeu avait repris sa ronde.

Sur le visage de Moosbrugger, on put distinguer longtemps encore un sourire protecteur qui ne s'effaça que dans l'ardeur du jeu, comme les plis d'une étoffe un peu raide s'amollissent à l'usage. Clarisse n'avait donc pas entièrement tort quand elle croyait voir des diables luttant pour la possession d'une âme, mais la bonne humeur régnante lui faisait illusion, et ce qui la troublait le plus, c'était le comportement de Moosbrugger. Visiblement, il n'éprouvait pas grande sympathie pour le jeune médecin qui essayait de l'aider, ne supportait ses efforts qu'à contre-cœur et s'agitait dès qu'il les devinait. Peut-être n'agissait-il pas autrement que n'importe quel homme simple qui juge indiscret que l'on s'occupe trop instamment de lui. Pourtant, il était ravi chaque fois que le Dr. Pfeiffer parlait. Sans doute n'était-ce pas du ravissement qu'il exprimait chaque fois, car un tel sentiment ne pouvait apparaître sur une figure aussi digne et aussi retenue que celle que se composait Moosbrugger, et une grande partie des propos des médecins lui demeurait incompréhensible : mais, s'il fallait absolument qu'on parlât, alors, que ce fût à la façon du Dr. Pfeiffer! Telle était indubitablement, dans l'ensemble, son opinion. Le heurt des deux médecins l'avait ragaillardi, il recommença à compter ses levées à haute voix et en anglais, et de temps en temps, il glissait dans la conversation ou dans le silence cette remarque, curieusement répétée : « Quand il faut, il faut! » Même le bon prêtre, qui en avait vu de toutes les couleurs, hochait la tête de temps en temps. Mais la plaisanterie sur la justice terrestre ne lui avait pas déplu, et il se réjouissait de voir les représentants de la science profane dans l'impossibilité de s'entendre. Il ne se rappelait plus comment le droit canon réglait les questions dont on parlait, mais il se disait avec douceur : « Laissons-les faire, c'est Dieu qui aura le dernier mot » : cette conviction lui épargnant de prendre part au débat, il gagna la partie.

Ainsi s'était établie entre ces quatre hommes l'entente la plus cordiale. Sans doute la tête de Moosbrugger en était-elle l'enjeu, mais cela n'est pas gênant tant que chacun est absorbé entièrement par ce qu'il doit faire avant : les hommes qui forgent, qui aiguisent ou qui vendent les couteaux ne pensent pas perpétuellement à ce qui peut en advenir. De plus, Moosbrugger, le seul des quatre à savoir personnellement et directement ce qu'était le meurtre d'un homme et le seul qui en fût menacé, pensait que ce n'était pas la pire chose qui pût arriver à un gentleman. La vie n'est pas le premier des biens, dit Schiller : Moosbrugger le tenait du Dr. Pfeiffer, et cela lui avait beaucoup plu. De même que lui, selon les appels ou l'orientation à quoi sa nature était soumise, pouvait être touchant ou bestial, les autres étaient des amis ou des bourreaux selon deux domaines absolument différents, presque entièrement dépourvus de contacts. Mais cela préoccupait beaucoup Clarisse. Tout de suite elle avait remarqué que quelque chose de clandestin se déroulait sous le couvert de la jovialité; elle n'en avait eu d'abord qu'une vague idée; troublée par la teneur des propos échangés, elle ne comprenait que maintenant, mais maintenant non seulement elle comprenait, elle voyait sous ses yeux, avec l'intensité d'un avertissement et dans toute l'étrangeté de la chose, que ces hommes observaient Moosbrugger à la dérobée. Moosbrugger, qui ne se doutait de rien, observait à son tour Clarisse. De temps en temps, il l'approchait des yeux en cachette et cherchait à surprendre, à saisir le regard de la jeune femme. La visite de cette belle personne, venue de si loin (seules la maigreur et la petitesse de Clarisse le défrisaient un peu) le flattait en dépit de toutes les autres marques de respect dont il avait été l'objet. Quand il voyait le curieux regard de Clarisse posé sur lui, il ne doutait pas un instant que sa virilité barbue ne lui eût inspiré de l'amour; parfois, un sourire s'esquissait sous sa moustache pour confirmer cette victoire : cette supériorité, exercée jusque là sur des servantes, faisait sur Clarisse un effet singulier. Une impuissance inexprimable lui serrait le cœur. Elle avait l'impression que Moosbrugger était dans un piège, et sa propre chair lui semblait un hameçon qu'on lui tendait tandis que les chasseurs étaient aux aguets tout autour.

Soudain, avec résolution, elle posa sa main sur le bras de Friedenthal et lui dit qu'elle en avait assez vu, qu'elle se sentait fatiguée.

93. *Clarisse et Friedenthal.*

« Que vouliez-vous dire exactement en affirmant qu'il n'avait jamais eu que des succédanés de femmes ? demanda Friedenthal quand ils eurent quitté la salle.

— Rien ! » répliqua Clarisse, encore troublée par ce qu'elle avait vu, avec un geste de refus.

Friedenthal s'attrista et pensa qu'il devait justifier l'étrange spectacle. « Au fond, bien entendu, nous sommes tous irresponsables », soupira-t-il. Clarisse répondit : « Lui moins que personne ! »

Friedenthal sourit de la « plaisanterie ». « Étiez-vous très surprise ? demanda-t-il d'un air étonné. En tous cas, certains traits du personnage ressortaient admirablement. »

Clarisse s'arrêta. « Vous ne devez pas permettre cela ! » dit-elle résolument.

Son compagnon se mit à rire et s'efforça de faire jouer son esprit. « Que voulez-vous ! s'écria-t-il. Pour le médecin, tout est médecine, pour l'homme de loi, tout est loi ! Finalement, la jurisprudence part de la notion de *contrainte* qui relève de la vie saine, mais peut aussi s'appliquer le plus souvent, sans hésitations, aux malades. De même, la notion de *maladie* avec toutes ses conséquences, dont nous partons, nous autres médecins, est appliquable à la santé. On ne pourra jamais arriver à un accord !

— Mais cela n'existe pas ! s'écria Clarisse.

— Si, ça existe ! protesta doucement le médecin. Les sciences humaines se sont développées à des époques différentes et à des fins différentes, qui n'ont rien à voir ensemble. C'est pourquoi nous avons du même objet les notions les plus contradictoires. Elles se trouvent unies, tout au plus, dans le dictionnaire. Et je parie que non seulement l'aumônier et moi, mais aussi vous et par exemple votre frère, votre mari et moi, de chaque mot que nous y trouverions nous ne connaîtrions qu'un aspect, aspect qui de plus ne serait pas le même pour tous ! Le monde n'a pas réussi à faire mieux ! » Friedenthal s'était penché vers Clarisse qui était debout dans l'embrasure d'une fenêtre, et il appuya les bras contre la croisée. Ses paroles avaient un accent de sincérité. C'était un douteur. L'incertitude de sa science lui avait révélé l'incertitude de tout savoir. Il aurait aimé devenir une personnalité et devinait, à ses meilleures heures, que le paralysant désordre de toutes les choses qui relèvent, peuvent relever un jour ou ne relèveront jamais d'une vérité, ne permettait plus que la vaine stérilité de la subjectivité pure. Il soupira et ajouta : « Parfois, j'ai l'impression que les fenêtres de cette maison ne sont que des verres grossissants!... »

Clarisse dit gravement : « Ne pourrions-nous pas aller chez vous un instant encore ? Je ne puis pas parler ici. » Deux flèches jaillirent de sous le bouclier des paupières. Friedenthal détacha lentement sa main de la fenêtre et son regard des yeux de Clarisse. Puis, il détacha aussi ses pensées de leur abattement avoué et dit, tandis qu'ils longeaient le corridor carrelé : « Ce Pfeiffer est une curieuse figure. Il vit sans amis ni maîtresses, mais il possède la plus grande collection qu'on puisse voir d'images, de souvenirs, de compte-rendus de procès, enfin de tout ce qui se rapporte aux condamnations à mort de ces vingt ou trente dernières années. Je l'ai vue une fois. Curieux. Des tiroirs pleins de ses *victimes* : des visages, polis ou bruts, marqués par le crime ou tout à fait banals, d'hommes et de femmes vous sourient du fond d'un journal jauni ou d'une photographie pâlie, ou considèrent leur avenir inconnu. Puis des morceaux de vêtements, des bouts de corde, de vraies *cordes à gibet*, des cannes, des flacons de poison... Connaissez-vous ce musée de Zermatt où l'on a rassemblé tout ce qu'on a retrouvé des alpinistes perdus en montagne ? Cela fait une impression analogue. Pfeiffer éprouve visiblement une certaine tendresse pour cette collection. On le remarque aussi quand il parle des *victimes* qu'il a contribué à faire assassiner légalement (ou appelez ça comme vous voudrez). Un bon observateur noterait peut-être là une sorte de rivalité, un triomphe cérébral, un plaisir sexuel... Tout cela, bien entendu, dans les limites de ce qui est permis, de ce que la science autorise. Mais on peut bien dire que la fréquentation du danger rend dangereux...

— Il les chasse ? demanda Clarisse haletante.

— Oui, on peut presque dire que c'est un chasseur qui aime son gibier. »

Clarisse se figea : elle était bouleversée. Friedenthal l'avait reconduite par un chemin partiellement différent et, sur ses derniers mots, avait ouvert la porte d'une salle qu'ils devaient traverser et qui paraissait lui réserver le plus admirable spectacle qu'elle eût jamais vu. C'était une grande salle, et elle crut regarder un parterre de fleurs vivantes. Ils traversaient la salle des femmes hystériques. Elles étaient debout, isolées ou par petits groupes, ou bien étendues dans leurs lits. Elles semblaient porter toutes des vêtements blancs comme des fleurs et des cheveux dénoués, noirs comme la nuit. Clarisse ne pouvait retenir aucun détail, l'ensemble avait une beauté indicible, une sorte d'animation dramatique. « Ce sont des sœurs! » tel fut le sentiment, à la fois riche et intense, de Clarisse au moment où l'attention des malades reflua vers eux deux en vagues irrégulières. Clarisse eut le sentiment que cet essaim de merveilleux oiseaux amoureux pourrait l'emporter plus haut que toutes les exaltations de la vie et de l'art. Son compagnon ne progressait avec elle que lentement, car toutes sortes d'humbles amoureuses s'approchaient de lui et lui barraient le chemin avec une puissance dans la douceur érotique que Clarisse n'avait jamais connue. Friedenthal leur adressait des paroles apaisantes ou sévères et les écartait gentiment. Cependant, dans les lits, d'autres femmes étaient couchées, avec des vestes blanches et les cheveux comme une masse sombre sur les oreillers, des femmes qui, sous la mince couverture, jouaient du ventre et des jambes le drame de l'amour. Figures de péché. Accouplées avec un complice qui demeurait invisible mais dont la présence n'en était pas moins sensible, contre qui elles tendaient les bras dans un mouvement hyperbolique de défense, un partenaire qui soulevait exagérément les vagues de leur poitrine, à qui la bouche se dérobait dans un effort surhumain, vers qui le ventre s'arquait dans un surhumain désir, tandis que les yeux, pendant ce spectacle obscène, brillaient innocemment avec la beauté morte et fascinante de grandes fleurs sombres.

Clarisse était encore bouleversée par la vision de ce parterre d'amour et de douleurs, par son parfum maladif et enivrant, par son miroitement et l'impossibilité où ils avaient été de s'arrêter en le traversant, lorsqu'elle se retrouva assise dans la chambre de Friedenthal qui l'observait avec un sourire infatigable. Revenant de son absence presque physique et reprenant ses esprits, Clarisse s'accrocha à quelque chose qu'elle énonça d'une voix rauque, presque mécanique : « Déclarez-le irresponsable ! »

Friedenthal la regarda avec étonnement. « Chère madame, demanda-t-il sur un ton de plaisanterie, quel intérêt y avez-vous donc ? »

Clarisse eut peur, parce qu'elle ne savait que répondre. Mais comme elle restait court, elle dit soudain, simplement : « Parce qu'il n'y peut rien ! »

Le Dr. Friedenthal, cette fois, l'observa plus attentivement : « Comment pouvez-vous en être si sûre ? »

Clarisse affronta avec autorité le regard du médecin et répondit orgueilleusement, comme si elle doutait qu'il fût digne d'une telle révélation : « S'il est ici, c'est uniquement parce qu'il représente quelqu'un d'autre ! » Elle haussa les épaules d'un air d'agacement, se leva brusquement et regarda par la fenêtre. Mais quand, au bout d'un instant, elle s'aperçut qu'elle n'en obtenait aucun résultat, elle se retourna et baissa le ton. « Vous ne pouvez pas me comprendre : il me rappelle quelqu'un ! » dit-elle en affaiblissant la vérité. Elle ne voulait pas en dire trop et se contint.

« Ce n'est pas là une raison très scientifique ! répliqua Friedenthal d'une voix traînante.

— Je pensais que vous le feriez parce que je vous le demandais ! dit-elle très simplement.

— Vous prenez les choses trop légèrement ! » repartit le médecin d'un ton de blâme. Il se renfonça dans son fauteuil d'un air faustien et poursuivit en jetant un coup d'œil sur son studio : « Vous êtes-vous demandé si, en souhaitant à cet homme l'internement plutôt que le châtiment, vous travailliez vraiment pour son bien ? Le séjour dans ces murs n'est pas un plaisir... » Il secoua mélancoliquement la tête.

La visiteuse répliqua d'une voix claire : « Il faut d'abord éloigner de lui le bourreau !

— Voyez-vous, dit Friedenthal, à mon avis Moosbrugger est sans doute un épileptique. Mais il présente aussi quelques symptômes de paraphrénie systématique et peut-être de démence paranoïde. A tous points de vue, c'est un cas-limite. Ses crises, dans lesquelles des hallucinations angoissantes et des visions jouent certainement un rôle, peuvent durer quelques minutes ou des semaines, mais souvent elles débouchent imperceptiblement sur une parfaite lucidité, de même que la lucidité peut parfois les précéder immédiatement; en outre, même au paroxysme de la crise, la conscience n'est jamais entièrement abolie, elle n'est que plus ou moins diminuée. On pourrait donc faire quelque chose pour lui, mais le cas n'est nullement tel qu'un médecin soit *contraint* d'exclure sa responsabilité!

— Ferez-vous donc quelque chose pour lui ? demanda Clarisse insistante.

— Je ne sais, répondit Friedenthal en souriant.

— Vous le devez!

— Vous êtes bizarre, répliqua lentement Friedenthal. Mais... on pourrait faiblir.

— Vous ne doutez pas un instant que l'homme soit malade! affirma la jeune femme avec insistance.

— Non, bien entendu. Mais ce n'est pas de cela que je dois juger, dit le médecin en se défendant. Vous le savez : je dois juger s'il est exclu qu'il ait agi de sa libre volonté, si sa conscience, pendant l'acte, était abolie, s'il avait l'intelligence du caractère illicite de cet acte : questions purement métaphysiques que je ne poserais jamais ainsi en tant que médecin, mais à propos desquelles je n'en dois pas moins tenir compte du juge! »

Friedenthal chercha un autre moyen de faire abandonner à la jeune femme ses idées importunes : « Vous êtes-vous jamais représenté quelle bête féroce ce malade provisoirement calme pouvait devenir ?

— Peu nous importe en ce moment! répondit Clarisse en coupant court à cette tentative. Dans un cas de pneumonie, vous ne demandez pas si le malade que vous aidez à survivre est bon ou mauvais! Maintenant, vous devez simplement éviter de devenir vous-même le complice d'un meurtre! »

Friedenthal leva mélancoliquement les bras au ciel. « Vous êtes folle! s'écria-t-il avec une impolitesse attristée.

— Il faut en avoir le courage si l'on veut redresser le monde! Il faut qu'il y ait de temps en temps des hommes qui ne participent pas au mensonge général! » affirma Clarisse avec véhémence.

Il crut à une plaisanterie spirituelle qu'il n'avait pas comprise tout de suite. Dès le début, cette petite personne lui avait fait impression, d'autant plus qu'ébloui par le général von Stumm, il surestimait sa position sociale; de plus, aujourd'hui, beaucoup d'êtres jeunes font cette impression d'étrangeté. Il jugea qu'elle était quelqu'un d'exceptionnel, et se sentit inquiété, ému par son ardeur naïve comme par un rayonnement implacable et noble. A vrai dire, peut-être aurait-il dû s'apercevoir que ce rayonnement n'était pas seulement celui d'un diamant, mais aussi un peu celui d'un poêle surchauffé : quelque chose d'extrêmement inconfortable, à la fois brûlant et glacial. Discrètement, il observait la visiteuse : elle offrait indubitablement les symptômes d'une nervosité excessive. Mais qui n'en aurait offert de pareils aujourd'hui! Friedenthal ne ressentait rien d'exceptionnel (car dans les représentations incertaines de ce qui est réellement important, la confusion a la même chance de l'emporter que l'escroc dans une société douteuse) et, bien qu'il fût un excellent observateur, il s'était toujours tranquillisé, quels que fussent les propos de Clarisse. En fin de compte, on peut considérer chaque homme comme un échantillon diminué d'un aliéné : c'est une affaire de théorie de le considérer tantôt du point de vue psychologique, tantôt du point de vue chimique. Comme, depuis les derniers mots de Clarisse, le silence s'était établi, Friedenthal chercha à rétablir le contact en s'efforçant du même coup de la distraire de ses exigences gênantes. « Les femmes chez qui nous sommes passés vous ont-elles plu ? demanda-t-il.

— Oh! c'était merveilleux! » s'écria Clarisse. Elle était immobile devant lui, toute dureté s'était brusquement effacée de son visage. « Je ne sais comment vous dire, ajouta-t-elle doucement. Cette salle était comme un immense verre grossissant au-dessus des triomphes et des souffrances de la femme! »

Friedenthal sourit, satisfait. « Vous voyez! dit-il. Vous reconnaîtrez maintenant que l'attrait qu'exerce la maladie ne m'est pas inconnu. Mais je dois fixer des limites, une séparation. En revanche, je voulais demander, chère madame, si vous avez jamais songé que l'amour, lui aussi, était un trouble mental. Je ne sais s'il existe un seul être humain qui ne dissimule dans sa vie amoureuse la plus intime, la plus loyale, quelque chose qu'il ne montre qu'à son complice, des folies, des faiblesses : disons sans crainte une perversité, un délire. Dans la vie publique, il faut sévir là-contre, mais dans la vie intérieure on ne peut pas toujours se défendre avec la même sévérité contre des forces de cet ordre. Les neurologues (finalement la thérapeutique est aussi un art) obtiendront leurs plus beaux succès quand ils auront avec la matière de leur travail un certain rapport de sympathie. » Il avait pris la main de sa visiteuse, et Clarisse lui abandonna l'extrémité de ses doigts qu'elle sentit reposer dans ceux du médecin avec la même molle impuissance que s'ils étaient tombés d'elle comme des feuilles fanées. Elle se retrouva soudain pleinement femme, avec une tendre acceptation à l'égard des prières de l'homme, et elle avait oublié ce qu'elle avait vécu le matin. Un soupir silencieux ouvrit ses lèvres. Il lui parut qu'elle n'avait jamais éprouvé une pareille émotion, ou alors dans un très lointain passé : évidemment, en cet instant, Friedenthal, qui était loin de lui plaire extraordinairement, bénéficiait de la magie de son royaume. Mais elle se ressaisit et dit avec dureté : « Qu'avez-vous donc décidé ?

— Il faut que je commence ma tournée, répondit le médecin, mais j'aimerais bien vous revoir : pas ici. Ne pouvons-nous nous rencontrer ailleurs ?

— Peut-être! répondit Clarisse. Quand vous aurez exaucé mon vœu! »

Ses lèvres s'amincirent, le sang se retira de sa peau, ses joues ressemblèrent du même coup à deux petites balles de cuir, il y avait dans ses yeux comme une pression excessive. Friedenthal se sentit exploité tout à coup. Chose curieuse, quand un être humain ne voit plus dans un autre qu'un moyen en vue d'une fin, il prend d'autant plus aisément l'apparence inabordable d'un aliéné qu'il lui semble plus naturel d'être pris au sérieux. « Toutes les heures, ici, nous assistons aux souffrances des âmes, mais nous devons nous tenir à l'intérieur de certaines limites! » dit Friedenthal. Il devenait prudent.

Clarisse dit : « Bon, vous ne voulez pas. Je vous fais une autre proposition. » Elle était debout, toute petite, devant lui, les jambes écartées, les mains au dos, le considérant d'un sourire insistant, moqueur par embarras : « Je voudrais devenir infirmière ici! »

Le médecin se leva et la pria d'en parler avec son frère Siegmund, qui lui exposerait le grand nombre de conditions nécessaires auxquelles elle ne répondait pas. Comme il parlait, la raillerie comprimée sous les paupières de Clarisse disparut de ses yeux qui s'emplirent de larmes. « Alors, dit-elle d'une voix presque étouffée par l'agitation, je souhaite d'être acceptée ici comme malade! J'ai une mission! » Comme elle craignait de compromettre son affaire si elle regardait le médecin, elle avait le regard légèrement détourné et dirigé vers le haut, peut-être même errait-il aussi par instants de tous côtés. Un frémissement brûlant courut sur sa peau qui fleurit en rouge. Sa beauté, son besoin de tendresse apparurent, mais c'était trop tard : exaspéré par son insistance, le médecin avait retrouvé son sang-froid et choisi la réserve. Il ne voulut pas la questionner plus avant, car il lui semblait qu'il valait mieux ne pas en savoir trop, tant par égard pour Ulrich et le général qui l'avaient amenée que parce que lui-même lui avait accordé depuis des passe-droits peut-être excessifs. Ce n'est donc que par vieille habitude de médecin que sa voix, dès cet instant, se fit encore plus douce et plus insistante, tandis qu'il exprimait à Clarisse son regret de ne pouvoir satisfaire à son second désir et lui conseillait de le confier aussi à son frère. Il ajouta même qu'il ne pourrait, avant qu'elle l'eût fait, autoriser la poursuite de ses visites à la clinique, quelque privation que cela représentât pour lui-même.

Clarisse n'opposa aucune résistance à ces propos. Elle n'avait rien attendu de mieux de Friedenthal. « C'est un parfait fonctionnaire de la médecine », se dit-elle, et cela lui facilita le départ. Elle tendit la main au médecin sans aucune gêne, ses yeux avaient un rire malicieux. Elle n'était absolument pas découragée et, descendant les escaliers, elle examinait déjà de nouvelles possibilités.

94. *Le voyage au paradis.* (Ancienne ébauche.)

Il y avait en bas une mince bande de rivage avec un peu de sable. Des bateaux tirés sur le sable, pareils, vus d'en haut, à des taches de cire à cacheter, bleues et vertes. Quand on regardait mieux, des bidons d'huile, des filets, des hommes au pantalon retroussé sur des jambes brunes; une odeur de poissons et d'ail; des petites maisons rapiécées, branlantes. Cette activité dans le sable chaud était aussi lointaine, aussi minuscule qu'une vie d'insectes. Elle était encadrée de part et d'autre par des rochers, tels des piliers de pierre auxquels la baie eût été accrochée; plus loin, aussi loin qu'atteignait le regard, le rivage abrupt plongeait, avec mille détails compliqués, dans cette mer méridionale. Quand on descendait le long des rochers avec prudence, on pouvait s'avancer à une certaine distance, sur des débris de falaise écroulée, dans la mer qui emplissait d'eau chaude et d'étranges compagnons animaux des bassins et des abreuvoirs entre les écueils.

C'était, ce paysage, comme si un vacarme énorme se fût détaché et envolé très loin d'Ulrich et d'Agathe. Flammes blanches vacillantes, presque absorbés et effacés par l'air brûlant, ils étaient debout dans la mer. C'était quelque part en Istrie ou sur la côte orientale de l'Italie ou au bord de la mer thyrrhénienne. Eux-mêmes le savaient à peine. Ils avaient pris toutes sortes de trains; il leur semblait avoir voyagé dans tous les sens de manière à ne plus pouvoir retrouver leur chemin.

Le souvenir d'Ancône se détachait parmi d'autres. On aurait pu s'attendre qu'il signifiât un crime, ou une journée fatale : ce n'était pas le cas. Mal de mer. Ils étaient arrivés éreintés, impatients de dormir. Ils arrivèrent tôt le matin et demandèrent des chambres. Ils mangèrent des sabayons dans leur lit et burent du café noir dont le poids fut comme ravi au ciel par la mousse des jaunes d'œuf battus. Ils se reposèrent, ils rêvèrent. Quand ils étaient endormis, il leur semblait que les rideaux blancs devant la fenêtre se soulevaient et s'abaissaient dans un flux ensorcelant d'air salubre : c'était leur respiration. Quand ils s'éveillaient, ils voyaient par l'entrebaillement des rideaux la mer d'un bleu de bronze; les voiles rouges et jaunes des barques qui entraient dans le port ou en ressortaient étaient aiguës comme des coups de sifflet.

De ce monde nouveau, ils ne comprenaient rien, tout était comme les éléments d'un poème.

Ils étaient partis sans passeport et une légère crainte d'être découverts et punis leur tenait compagnie. Quand ils étaient descendus à l'auberge, on les avait pris pour un jeune couple et on leur avait offert cette belle chambre avec *letto matrimoniale* qu'on ne voit plus en Allemagne. Ils n'avaient pas osé la refuser.

(Après les souffrances du corps la nostalgie du bonheur

primitif... Comparé à l'extraordinaire tension précédente ce n'était rien. Et après coup c'était dans chaque détail un bonheur de conspiration. Au moment où les résistances vacillaient, fondaient, Ulrich avait dit : le plus raisonnable est de ne pas résister. Nous devons avoir cela derrière nous, afin que cette tension n'altère pas ce que nous avons devant nous.

Ils partirent.

Ils étaient restés trois jours.

Il faut qu'il y ait cela aussi : un ravissement réciproque toujours recommencé. Ils parcourent la gamme de l'expérience sexuelle avec variations.)

Quand on était dans la chambre, on remarquait à droite de la porte, haut placée tout près d'un angle du plafond, à un endroit tout à fait incompréhensible, une fenêtre ovale de la grandeur et de la forme d'un hublot : elle était vitrée d'un verre de couleur opaque, inquiétante comme un œil d'espion, mais encadrée d'une légère guirlande de roses peintes.

Lorsqu'ils descendirent dans la rue pour la première fois : (L'épuisement de la jouissance excessive dans le corps, la moelle vidée. Honte et bonheur.)

Bourdonnement de gens. Comme une bande de moineaux fouillant le sable avec gaieté. Regards curieux sans pudeur, se sentant chez eux. Dans le dos du frère et de la sœur qui pénétraient dans cette foule avec prudence, il y avait encore la chambre, il y avait la vigilance profonde qui vous tire du sommeil telle une risée, l'épuisement radieux dans lequel on ne peut plus se défendre contre rien, pas même contre soi, mais où l'on entend le monde au loin comme un bruit fade au seuil des très profonds corridors de l'oreille.

Plus loin. On dirait des nomades. En fait, les poussait l'inquiet souci de trouver un lieu où il fût digne de vivre et de mourir.

Il y avait beaucoup de choses belles qui vous flattaient, vous retenaient. Mais nulle part la voix intérieure ne disait : vous êtes arrivés.

Là, enfin. Un hasard décoloré les y avait amenés, ils ne remarquaient rien de particulier. Puis la voix s'annonça, un chuchotement, mais décidé. Peut-être, sans le savoir, étaient-ils las de ces voyages en tous sens.

Là où ils s'étaient fixés, une sorte de jardin naturel montait de l'étroit rivage entre les deux bras rocheux de la côte comme une couronne de fleurs et de buissons posée sur la poitrine, de petits chemins à rampe douce enroulés tout autour, jusqu'à un petit hôtel blanc caché sur la pente et désert en cette saison. Un peu plus haut il n'y avait plus que la pierre voilée, miroitante dans le soleil, des genêts jaunes et des chardons rouges sous les pas et, du sol au ciel, l'immense droite implacable de l'arête du plateau. On montait en fermant les yeux et tout à coup on les ouvrait : c'était soudain, tel un éventail qui s'ouvre dans un bruit de tonnerre, la mer immobile.

Le surhumain, c'est sans doute la grandeur de l'élan dans les contours, cette ample sûreté du trait ? Ou est-ce l'immense désert de cette couleur étrangère à la vie, le bleu sombre ? Ou le fait que nulle part la cloche du ciel n'est posée si directement au-dessus de la vie ? Ou est-ce l'air et l'eau, auxquels on ne pense jamais ? Ce sont de braves et ternes commissionnaires, d'habitude. Ici, chez eux, ils se dressaient soudain, inapprochables, comme un couple royal.

(Conversation à table, avec les garçons autour :) les légendes de presque tous les peuples de l'antiquité rapportent que l'homme est né de l'eau, que l'âme est un souffle d'air. Chose curieuse : la science a établi que le corps humain consistait essentiellement en eau. On redevient petit. Descendus du train avec lequel ils avaient sillonné le réseau touffu des énergies européennes, accourus là tout frémissants encore de cette course, Ulrich et Agathe étaient debout devant le calme de la mer et du ciel comme ils l'eussent été des centaines de milliers d'années auparavant. Agathe eut les larmes aux yeux et Ulrich baissa la tête.

Enlacés, les mains unies, ils redescendirent dans le bleu du crépuscule vers leur nouvelle patrie. Dans la petite salle à manger le blanc des nappes étincelait, les verres étaient un éclat doux. Ulrich commanda des poissons, du vin et des fruits, il en discuta méticuleusement avec le maître d'hôtel : cela ne gênait point. Les noirs personnages glissaient autour d'eux ou restaient debout contre les cloisons. Les couverts et les dents travaillaient. Le frère et la sœur parlaient pour ne pas attirer l'attention. Ulrich entreprit d'évoquer l'impression qu'ils venaient d'avoir. Comme si les hommes d'il y a cent mille ans avaient vraiment eu une révélation immédiate, c'est bien cela. Quand on songe combien fut puissante l'expérience vécue qui préside à ces premiers mythes, et combien peu de choses depuis... Cela ne gênait point : tout ce qui se passait était comme couché dans le murmure d'une fontaine.

Ulrich regarda longuement sa sœur; elle n'était même pas belle, maintenant; cela non plus n'existait pas. Sur une île qu'on n'avait pas remarquée pendant le jour, une rangée de maisons était éclairée; c'était beau; mais très lointain, les yeux ne s'y attardent pas et reviennent à ce qui est devant eux.

(Ils ont réclamé deux chambres.)

La mer en été et la haute-montagne en automne sont les deux grandes épreuves de l'âme. Il y a dans leur silence une musique plus grande que toute autre chose de la terre; il y a un bienheureux tourment dans l'impossibilité de régler son pas sur elle, d'élargir le rythme des gestes et des paroles au point qu'ils s'insèrent en elle : les hommes ne peuvent s'accorder à la respiration des dieux.

Le lendemain matin, Ulrich et Agathe trouvèrent un endroit en haut des rochers, puis de nouveau en bas, une minuscule crique de sable blanc entre les falaises; lorsqu'ils y arrivèrent, telle une créature qui eût vécu là, qui les y eût attendus et les regardât s'approcher, le sentiment s'imposa que plus personne, en ce lieu, ne connaissait leur existence; ils avaient suivi un petit sentier naturel, le rivage tournait, ils constatèrent en effet que l'éclat blanc de l'hôtel avait disparu. C'était un étroit banc de rochers, éclairé par le soleil, avec du sable et des écueils. Ils se dévêtirent. Ils éprouvèrent le besoin d'être nus, désarmés, petits comme des enfants pour ployer le genou et étendre les bras devant la grandeur de la mer et de la solitude. Tous deux avaient honte, parce que ce sentiment était par trop attendu, par trop « naturiste », il devait en sortir autre chose... mais chacun essayait cependant, à part soi, en se cachant derrière les mouvements qu'il fallait bien faire pour se déshabiller et chercher un endroit où s'étendre.

Le silence les crucifia.

Ils sentirent que bientôt ils ne pourraient plus l'affronter, qu'ils devraient crier dans une démence d'oiseaux de mer.

C'est pourquoi ils furent soudain debout l'un à côté de l'autre, embrassés. La peau se colla à la peau : ce petit sentiment monta dans l'immense désert timidement comme une minuscule plante pleine de sève qui croît toute seule dans les pierres, et il les apaisa. Ils reployèrent l'arc de l'horizon comme une couronne autour de leurs hanches et regardèrent le ciel. Ils étaient debout maintenant comme sur un haut balcon, entrelacés et enlacés à l'indicible comme deux amants qui, l'instant d'après, se précipiteront dans le vide.

Ils se précipitèrent. Et le vide les porta. L'instant s'arrêta, sans baisser ni monter. Agathe et Ulrich ressentirent un bonheur dont ils ne savaient pas si c'était de la tristesse; seule la conviction d'être élus pour vivre l'exceptionnel les retint de pleurer.

Ils découvrirent bientôt que s'ils le désiraient, ils pouvaient très bien ne pas quitter l'hôtel. Une large porte vitrée menait de leur chambre à un petit balcon sur la mer. On pouvait rester debout dans l'encadrement de la porte sans être vus, les yeux tournés vers cet espace qui ne répondait jamais, à l'abri de l'enlacement. Une fraîcheur bleue où demeurait jusqu'après minuit la vivante chaleur du jour comme une fine poussière d'or, montait de la mer. Les corps, tandis que les âmes en eux restaient très droites, se trouvaient comme des animaux qui cherchent la chaleur. Alors, pour les corps, le miracle se produisit. Soudain Ulrich fut en Agathe ou Agathe en lui.

Agathe, effrayée, leva les yeux. Cherchant Ulrich hors d'elle, elle le trouva au centre de son cœur. Elle voyait bien sa personne dehors dans la nuit, enveloppée par la lueur des astres, mais ce n'était pas sa personne, seulement sa brillante et légère enveloppe; et elle voyait les astres et les ombres sans comprendre qu'ils étaient très loin. Son corps était léger et vif, il lui semblait flotter dans l'air. Un grand élan merveilleux avait saisi son cœur, avec une telle rapidité qu'elle croyait encore en sentir le heurt léger. A cet instant, le frère et la sœur se regardèrent avec stupeur.

Bien que chaque jour, depuis des semaines, les eût préparés à ce moment, ils craignirent une seconde d'avoir perdu la raison. Mais tout en eux était clair. Nulle vision. Plutôt une clarté démesurée. Pourtant, ils semblaient avoir perdu et renoncé non seulement l'intelligence, mais tous leurs autres pouvoirs : nulle pensée ne bougeait en eux, ils ne pouvaient prendre aucune décision, toutes les paroles s'étaient éloignées, la volonté était sans vie : tout ce qui bouge dans l'âme de l'homme était roulé sur soi-même et immobile comme les feuilles dans la brûlante accalmie. Pourtant, cette impuissance pareille à la mort ne pesait pas sur eux, c'était comme si on avait roulé loin d'eux la pierre du tombeau. Ce qu'on pouvait entendre dans la nuit sanglotait sans mesure ni bruit, ce qu'ils apercevaient était sans forme, sans qualification, et contenait pourtant la joie multiple de toutes les formes et de toutes les qualifications. Au fond, c'était merveilleusement simple : avec les forces limitatrices s'étaient perdues toutes les limites, et comme ils ne percevaient plus aucune séparation d'aucune sorte, ni en eux ni dans les choses, ils ne formaient plus qu'un seul être.

Ils regardèrent avec prudence autour d'eux. C'était presque une souffrance. Ils étaient tout à fait égarés, loin d'eux-mêmes, transportés dans un espace où ils se perdaient. Ils voyaient sans lumière et entendaient sans aucun son. Leur âme était aussi démesurément tendue qu'une main qui perd toute sa force, on aurait dit que leur langue était tranchée. Mais cette souffrance était douce comme une merveilleuse et vivante clarté.

Ensuite ils s'aperçurent que les forces limitatrices en eux ne s'étaient nullement perdues, mais plutôt retournées, et avec elles toutes les limites. Ils notèrent que loin d'être devenus muets, ils parlaient, mais sans choisir les mots : c'étaient les mots qui les choisissaient. Nulle pensée ne bougeait en eux, mais le monde entier était plein de pensées merveilleuses. Ils présumèrent qu'eux-mêmes, et les choses également, n'étaient plus des corps fermés en lutte les uns contre les autres, mais des formes ouvertes et liées. Le regard, qui de toute leur vie n'avait poursuivi que les petits dessins que les choses et les hommes projettent sur l'immense fond du monde s'était tout à coup retourné, et l'immense fond jouait avec les créatures de la vie comme un océan avec des allumettes.

Agathe se laissa aller, à demi évanouie, sur la poitrine d'Ulrich. En cet instant, elle se sentit étreinte par son frère d'une manière si ample, si calme, si pure qu'il n'existait rien de semblable au monde. Leurs corps ne bougeaient pas et n'étaient pas changés : pourtant, un bonheur sensuel dont ils n'avaient jamais connu l'équivalent les envahissait. Un agrément étrange, tout à fait surnaturel. Ce n'était ni une pensée ni une imagination ! Où qu'ils se touchassent, fût-ce aux hanches, aux mains ou dans les cheveux, ils pénétraient l'un dans l'autre.

Tous deux furent convaincus, à ce moment-là, qu'ils n'étaient plus soumis aux séparations humaines. Ils avaient dépassé le stade du désir qui dépense son énergie en un acte et une brève exaltation ; l'accomplissement ne leur venait pas seulement en certains endroits de leur corps, mais partout, comme un feu ne baisse pas quand un autre feu s'y allume. Ils avaient sombré dans ce feu envahissant, omniprésent ; ils étaient à flotter dedans comme dans un océan de plaisir, à y voler comme dans un firmament de délices.

Agathe pleurait de bonheur. Quand ils bougeaient, le souvenir qu'ils étaient deux tombait comme un grain d'encens dans le doux feu de l'amour et s'y dissolvait : ces instants où ils n'étaient pas un étaient peut-être les plus beaux.

Car ils sentaient sur cette heure, plus fortement que sur toute autre, un souffle de tristesse et de caducité, comme des ombres ou des fantômes, une frustration, une férocité, la tension anxieuse de forces vagues contre la crainte d'être à nouveau métamorphosés. Enfin, quand ils sentirent comme une détente de leur état, ils se séparèrent sans rien dire, au comble de l'épuisement.

Le lendemain matin, Ulrich et Agathe s'étaient séparés sans rien fixer, et ne se virent pas de tout le jour. Ils ne pouvaient faire autrement : le sentiment de la nuit n'était point tari et les portait encore ; tous deux éprouvaient le besoin d'être seuls pour se retrouver eux-mêmes, sans remarquer que c'était en contradiction avec l'expérience qui venait de les subjuguer. Involontairement, ils allèrent errer chacun dans une direction opposée, s'arrêtèrent à des moments différents, cherchèrent un endroit face à la mer pour se reposer, et pensèrent l'un à l'autre.

On peut trouver étrange que leur amour ressentît aussitôt ce besoin de séparation, mais il était si grand qu'ils s'en défiaient et voulaient lui imposer cette épreuve.

Maintenant, on peut rêver. Être couché à l'ombre d'un buisson, et les abeilles bourdonnent ; ou contempler la chaleur tissant sa toile, l'air mince, le vide vivant. Les sens s'assoupissent, et dans le corps se rallument les souvenirs comme les astres après le coucher du soleil. De nouveau le corps est caressé, baisé, et la ligne de séparation magique qui distingue d'ordinaire les plus puissants souvenirs de la réalité est franchie par ceux-ci, légers (comme des rêves). Ils écartent le temps et l'espace comme un rideau et unissent les amants non seulement en pensées, mais physiquement : simplement, ce ne sont pas leurs corps pesants, mais ces corps transformés de l'intérieur, faits tout entiers de tendre mobilité. C'est seulement quand on songe que pendant cette union plus complète et plus heureuse que l'union physique, on ne sait pas du tout ce que l'autre vient de faire et ce qu'il va faire un instant après, c'est seulement alors que le mystère atteint sa plus grande profondeur. Ulrich supposait qu'Agathe était restée à l'hôtel. Il la voyait sur la petite place blanche devant la maison parlant avec le directeur. C'était faux. Peut-être était-elle avec le jeune professeur allemand qui venait d'arriver et s'était présenté à eux, ou parlait-elle avec Luisina, la femme de chambre aux beaux yeux, riant de ses réponses un peu libres. Agathe riait peut-être!... Cela déchirait l'état d'Ulrich; un sourire était juste assez lourd pour vous porter!... Quand Ulrich se retourna, Agathe fut vraiment là, tout à coup. Vraiment ? Elle était venue par les rochers, en faisant un grand détour, sa robe flottait dans le vent, elle jetait une ombre intense sur le sol brûlant et riait à Ulrich. Bienheureuse réalité réelle! Cela faisait mal, comme quand les yeux qui ont regardé fixement au loin doivent se réadapter rapidement aux objets proches.

Agathe s'assit à côté de lui. Un écureuil était tout près : petite flamme de vie bondissante qui montait silencieusement à côté de leur conversation. Ulrich l'avait remarqué depuis un moment, mais quand Agathe, qui craignait les petits animaux, l'aperçut, elle eut peur et, avec un rire gêné, voulut éloigner l'animal en jetant une pierre. Pour se donner du courage, elle courut derrière lui, battit des mains et le chassa.

Ulrich, qui avait regardé fixement la petite bête comme un flamboyant miroir magique, se dit : que nous nous soyons montrés si différents en ce moment est aussi triste que d'être nés en même temps (?) et de devoir mourir à des dates différentes. De l'œil et de l'oreille, il suivait Agathe, ce corps étranger. Mais, soudain, il se retrouva tout au fond de ce corps, au niveau de l'expérience dont Agathe l'avait chassé.

Sans qu'il pût s'en faire une idée claire, dans cette clarté flamboyante sur les pierres où tout se métamorphosait, le bonheur en tristesse et la tristesse en bonheur, ce pénible instant revêtit brusquement la secrète volupté de l'hermaphrodite qui se retrouve séparé en deux êtres autonomes dont aucun de ceux qui les touchent ne perce le secret. Il est merveilleux malgré tout, songea le frère d'Agathe, qu'elle soit différente de moi, qu'elle puisse faire des choses que je ne comprends pas et qui pourtant m'appartiennent, en vertu de notre mystérieuse sympathie. (C'est là, au fond, une relation humaine d'ordre non point sexuel, mais tout à fait général). Des rêves lui revinrent à l'esprit dont d'ordinaire il ne se souvenait jamais, qui devaient pourtant l'avoir souvent préoccupé. Quelquefois, en rêve, il avait rencontré la sœur d'une maîtresse, bien que celle-ci n'eût pas de sœur, et cette personne à la fois familière et étrangère irradiait tout le bonheur de la possession et tout le bonheur du désir. Ou il entendait une voix douce qui parlait, ou il voyait seulement une robe flotter qui appartenait sans aucun doute à une inconnue, mais sans aucun doute cette inconnue était sa maîtresse. Comme s'il n'y avait plus entre les êtres qu'une inclination immatérielle, absolument libre. Tout d'un coup, Ulrich eut peur et crut comprendre dans un accès de lucidité que là était précisément le mystère de l'amour : dans le fait qu'on ne forme pas un seul être. (Cela relève des principes de l'amour profane! Donc, somme toute, c'est déjà un jeu contre lui-même.)

« Comme c'est merveilleux, Agathe, dit Ulrich, que tu puisses faire des choses que je ne comprends pas.

— Oui, répondit-elle, le monde est plein de ces choses-là. Quand je traversais ce haut-plateau, j'ai senti que je pouvais aller désormais dans toutes les directions.

— Mais pourquoi es-tu venue vers moi ? »

Agathe se tut.

« Il est beau d'être différent alors qu'on était né semblable, poursuivit Ulrich. Mais c'était justement cela qui me faisait peur! » Il lui raconta les rêves dont il s'était souvenu, elle les connaissait aussi.

« Mais pourquoi as-tu peur ? demanda Agathe.

— A cause d'une idée qui m'est venue, et que voici : si le sens de ces rêves (et il se pourrait bien qu'ils représentent un dernier souvenir de cela) est que notre désir n'est pas de ne faire plus qu'un seul être, mais au contraire d'échapper à notre prison, à notre unité, de nous unir pour devenir deux, mais de préférence encore douze, mille, un grand nombre d'êtres, de nous dérober à nous-mêmes comme en rêve, de boire la vie brassée à cent degrés, d'être ravis à nous-mêmes ou comme on voudra, car il m'est difficile de trouver la formule juste, alors le monde contient autant de volupté que d'étrangeté, ce n'est pas un nuage d'opium, il contient autant de tendresse que d'activité, il est plutôt une ivresse sanguinaire, un orgasme de bataille, et la seule erreur que nous puissions commettre serait d'avoir désappris la volupté (ou le contact voluptueux) de l'étrangeté et de nous imaginer faire une chose bien extraordinaire en divisant l'ouragan de l'amour en petits ruisselets coulant de ci de là d'un être à un autre... — — — »

Il avait bondi sur ses pieds.

« Mais comment faudrait-il se comporter ? » demanda Agathe pensive avec simplicité. — Il souffrit tout de même de ce qu'elle eût pu s'approprier aussitôt son idée, cette idée qu'il aimait et maudissait à la fois. — « On devrait pouvoir donner sans reprendre, poursuivit-elle. Être tel que l'amour ne diminue pas quand on le partage. C'est alors possible. Ne pas considérer l'amour comme un trésor, dit-elle en riant, ainsi que le fait le langage courant! »

Ulrich ramassait des pierres grosses comme la tête et les jetait dans la mer, au loin, qui giclait un peu. Il y avait longtemps qu'il n'avait plus fait travailler ses muscles.

« Mais encore ? dit Agathe. Ce dont tu parles, n'est-ce pas simplement ce qu'on peut lire assez souvent dans les livres, le désir de boire à grands traits le plaisir du monde ? — — Vouloir être mille fois, parce qu'une fois ne suffit pas ? » Elle parodiait un peu, comprenant soudain qu'elle n'aimait pas cette idée.

« Non! s'écria Ulrich en réponse. Ce n'est jamais ce que les autres en disent! » Il jeta la grosse pierre qu'il avait dans les mains avec tant de violence sur le sol que le calcaire tendre s'y brisa. « Nous nous sommes oubliés, dit-il tendrement en prenant Agathe par le bras pour l'emmener. Même divisés en mille morceaux, il y aurait toujours un frère et une sœur. D'ailleurs, ce n'était qu'une idée parmi d'autres. »

Cependant vinrent des journées où seule bougeait la surface. Sur les rochers étincelants d'humidité dans la mer, une créature muette, un poisson, comme une fleur dans l'eau. Agathe bondissait de roche en roche pour le suivre jusqu'à ce qu'il plongeât, s'enfonçât comme une flèche dans l'obscur et disparût. — Eh bien ? — pensait Ulrich. Agathe était debout sur les écueils, sur le rivage; une mélodie de gestes s'interrompait, une autre devait enchaîner : comment se retournera-t-elle, sourira-t-elle à la rive ? C'était beau. Comme toute perfection. Agathe était parfaite pour le charme du mouvement; toutes les improvisations de l'orchestre de sa beauté, lorsqu'il jouait comme privé de chef, étaient séduisantes.

Pourtant toute beauté accomplie (un animal, un portrait, une femme) n'est que le dernier élément d'un cercle : un arrondi est parachevé, on le voit bien, mais on aimerait connaître le cercle. Quand c'est un cercle de vie connu, par exemple celui d'un grand homme, un cheval de race ou une belle femme n'est alors que l'agrafe qui ferme la ceinture et semble un instant maintenir toute l'apparition. C'est ainsi qu'on peut s'abîmer dans la contemplation d'un beau percheron parce que se reflète en lui comme dans un miroir toute la beauté pataude du champ et des paysans. Mais quand il n'y a rien derrière ? Rien de plus que derrière les rayons du soleil dansant sur les pierres ? Quand cette infinité de l'eau et du ciel est impitoyablement ouverte ? Alors, on a presque le sentiment que la beauté est quelque chose de secrètement négatif, quelque chose d'imparfait et d'imperceptible, un bonheur sans but, privé de sens. Mais à quoi sert-elle, si elle existe en dehors de tout ? Alors la beauté est un tourment, un agacement qui pousse à rire et à pleurer, à se rouler dans le sable, la flèche d'Apollon au flanc. (Haine contre la beauté. Le sens du désir sexuel violent : la détruire.)

La clarté de ces jours était comme une fumée brouillant la limpidité des nuits.

Agathe avait un peu moins d'imagination qu'Ulrich. Parce qu'elle avait réfléchi moins que lui, son émotivité n'était pas aussi mobile que celle de son frère, elle brûlait toute droite comme une flamme s'élevant du sol où elle se tenait. Le caractère romanesque de leur fuite, une certaine appréhension d'être découverts, enfin l'abri de cette corbeille de fleurs entre les parois de carst, la mer et le ciel lui inspiraient parfois une gaieté puérile, turbulente. Alors, elle traitait son étrange expérience comme une aventure; comme un espace interdit dans son cœur que l'on épie par-dessus la haie, ou dans lequel on pénètre avec des battements de cœur, le cou brûlant et les semelles lourdes où colle encore le poids grossier de la terre mouillée, à cause du chemin parcouru en secret.

Elle avait parfois une façon joueuse de se laisser toucher, avec les yeux mi-ouverts, mi-clos; de revenir; une tendresse insatiable. Ulrich l'observait à la dérobée, voyait pour la première fois, ou pour la première fois avec émotion, ce jeu de l'amour et du corps qui fait les délices de l'amant et accable comme une force de la nature. Il y avait aussi des heures où elle ne le regardait pas, froide, presque méchante à son égard, parce qu'elle était trop émue; c'était dans son corps comme un homme dans une barque qui n'ose pas faire un mouvement. Ou bien des contre-coups : d'abord comme un barrage, puis, sans prétexte apparent, un débordement. Se laisser bercer par ces inspirations était passionnant, merveilleux, elles abrégeaient les heures, mais elles obligeaient à adapter la vue aux objets les plus proches, à faire de petites observations. Ulrich se défendait là-contre. C'était un reste de terre qui flottait dans le feu fluide et le troublait, une tentation d'explications, comme le fait qu'Agathe n'avait jamais bien compris le rapport de l'amour et de la sexualité. Comme chez la plupart des gens, toute la puissance du sexe s'était d'abord associée à une petite étincelle de sympathie, lorsqu'elle avait épousé Hagauer qui ne lui était pas encore antipathique. Au lieu d'être prise avec un être, ou mieux en compagnie d'un être, dans une tempête presque aussi impersonnelle que les éléments, et ne remarquer qu'après, avec une indicible surprise, que les jambes de cet être ne sont pas habillées comme les siennes, que l'âme rêve de changer de cachette...

Mais ces pensées aussi étaient comme un chant mal harmonisé. Ulrich ne permettait pas à cette manière de comprendre de s'imposer. Comprendre un être qu'on aime, ce n'est pas l'espionner : il faut que ce soit un don dans une surabondance d'inspirations heureuses. On ne doit reconnaître que ce qui enrichit. On dispense des qualités avec l'assurance absolue d'un accord déterminé à l'avance, de l'impossibilité d'aucune séparation.

(Surtout quand la générosité éthique est excitée par cela. Il ne s'agit pas de voir ou de ne pas voir les faiblesses, c'est un grand mouvement dans lequel elles flottent sans avoir d'importance.)

Il y avait entre les roches et les genêts une vieille colonne (tombée au temps de Venise, de la Grèce ou de Rome) ; chaque rainure du fût ou du chapiteau approfondie par le burin aigu comme un rayon de l'ombre de midi. Être étendus à côté, c'était les plus grandes heures de l'amour.

Deux paires d'yeux regardaient au loin. Il n'y avait rien que midi, la colonne, ces deux paires d'yeux. Si le regard de deux yeux voit *une* image, *un* monde, pourquoi n'en irait-il pas de même de deux paires d'yeux ?

Quand deux paires d'yeux s'abîment dans une contemplation mutuelle, chaque être va à la rencontre de l'autre sur le pont du regard, il ne reste plus qu'un sentiment privé de corps. Quand deux paires d'yeux, au cours d'une heure mystérieuse, considèrent un objet et s'unissent en lui (chaque objet flotte très bas dans un sentiment, et les objets ne sont stables que lorsque ce sol est dur), le monde figé commence à bouger doucement et continuellement. Il se lève et s'abaisse au rythme inquiet du sang. Les jumeaux se regardèrent. Dans la pleine lumière, on ne pouvait voir s'ils respiraient encore ou s'ils étaient couchés là comme des pierres depuis des siècles. La colonne de pierre était-elle toujours couchée ou s'était-elle érigée sans bruit pour flotter dans la lumière ?

Entre la manière dont nous considérons les êtres humains et celle dont nous examinons les objets, il y a une différence significative. La mimique de quelqu'un à qui l'on parle devient quelque chose d'extrêmement inquiétant quand on ne la considère plus comme un long échange de signaux entre deux âmes, mais comme un simple phénomène extérieur. Pour les objets, nous sommes accoutumés à les voir tout à fait muets et immobiles, et quand leur rapport avec nous paraît s'animer, nous pensons avoir affaire à une angoissante vision. Pourtant, c'est nous-mêmes qui les considérons de telle manière qu'aux petites modifications de leur physionomie ne répond nulle modification de notre sentiment; pour changer cela, il suffit que nous ne considérions plus le monde du point de vue intellectuel et que ce ne soient plus les instruments de nos cinq sens, mais nos sentiments moraux qui soient touchés par lui. Dans de tels instants, où un spectacle nous enrichit et nous comble, l'émotion devient si forte que plus rien ne semble réel qu'un état de flottement qui, de l'autre côté des yeux, se condense en objets, et de ce côté en pensées et en sentiments, sans que ces deux aspects puissent être distingués. Ce qui comble l'âme est ressorti; ce qui n'en a plus la force s'est dissous sous nos yeux.

Dans ce flamboyant silence parmi les pierres régnait une terreur panique. Le monde semblait n'être plus que la face extérieure d'un certain comportement intérieur et pouvoir être confondu avec celui-ci. Mais le monde et le moi n'étaient point solides; c'étaient des échafaudages bâtis sur des profondeurs mouvantes, s'aidant mutuellement à sortir de l'informe. Agathe disait à voix basse à Ulrich : « Es-tu toi-même ou ne l'es-tu point ? Je n'en sais rien. J'en suis ignorante comme je suis de moi-même ignorante. » (C'était la terreur; le monde dépendait d'elle, et elle ne savait pas qui elle était.)

Ulrich ne disait rien.

Agathe poursuivait : « Je suis amoureuse, mais je ne sais de qui. Je ne suis ni fidèle, ni infidèle : que suis-je donc ? J'ai le cœur plein d'amour et vide d'amour tout ensemble... » Elle murmurait. Une terreur lucide comme midi semblait enserrer son cœur.

Toujours la grande épreuve était la mer. Toujours, quand ils montaient l'étroit coteau aux innombrables chemins, au laurier innombrable, aux genêts, aux figuiers, aux innombrables abeilles, et débouchaient au sommet sur le haut et vaste plateau, c'était comme quand, après que l'orchestre s'est accordé, retentit la première grande note du morceau. Comment fallait-il se comporter pour supporter cela longtemps ? Ulrich proposa de dresser une tente en ce lieu. Mais il n'y pensait pas sérieusement : il l'aurait craint. Il n'y avait plus de rivaux en cet endroit, on était seul. Le choc (que l'on éprouve tant que l'on doit résister, conformément à la routine, aux exigences d'autrui et de sa propre conscience) qu'un homme imaginatif éprouve à s'arracher au quotidien avait perdu de son pouvoir, il était absorbé par le dernier combat pour la décision. La mer était comme une maîtresse et une rivale impitoyable; chaque minute était un examen de conscience anéantissant. Devant cet espace qui absorbait tout obstacle, Ulrich et Agathe craignaient de sombrer ensemble dans l'impuissance.

Cette énorme étendue était... un peu ennuyeuse. Ou : était insupportable, à moins de devenir un peu ennuyeuse. Cette responsabilité à l'occasion du moindre geste était, ils devaient se l'avouer, un peu vide, quand on la comparait avec la gaieté des heures où ils ne s'imposaient pas d'exigences pareilles et où les corps jouaient avec l'âme comme de beaux jeunes animaux avec une boule de bois qui roule de tous côtés

Un jour, Ulrich dit : « C'est vaste et pastoral : cela fait penser à un pasteur! » Ils rirent. — Puis ils s'effrayèrent de l'ironie qu'ils avaient ainsi dirigée contre eux-mêmes.

L'hôtel avait un petit clocher : au milieu du toit. A une heure, la cloche sonnait midi. Ils commencèrent à attendre cette sonnerie comme la délivrance d'une heure d'école. Les notes claires tranchaient le silence comme un couteau bien aiguisé touche une peau qui frissonnait en l'attendant, et s'apaise à son contact. « Comme c'est beau, dit Ulrich un jour qu'ils redescendaient, d'être poussé par la nécessité. Comme on pousse les oies avec un bâton par derrière, ou comme on attire les poules avec le grain. Quand tout ne se produit pas par le moyen d'un mystère... — — » L'air tremblant, d'un bleu presque blanc, frissonnait réellement comme de la chair de poule quand on y fixait longuement ses regards. Des souvenirs commencèrent à tourmenter Ulrich d'une manière bizarre. Soudain, il eut sous les yeux chaque statue, chaque détail architectural de quelque cité débordante en trésors de cet ordre, et qu'il avait visitée des années auparavant; Nuremberg lui apparaissait ou Amiens, bien que ces villes ne l'eussent jamais fasciné. Ou bien un gros livre rouge qu'il devait avoir vu des années avant dans une vitrine ne quittait plus son champ de vision; ou encore un mince garçon bruni (peut-être simplement le pendant imaginaire d'Agathe, mais on aurait dit qu'il l'avait rencontré réellement quelque part sans qu'il se rappelât où), occupait ses pensées; ou bien, c'étaient des idées qui lui étaient venues jadis et qu'il avait depuis longtemps oubliées : choses silencieuses, peu claires, oubliées à bon droit, qui tournoyaient dans le silencieux midi et envahissaient l'immense espace déshérité.

L'impatience qui dès le début avait été mêlée à toute beauté commença à faire rage dans le cœur d'Ulrich.

On pouvait le voir assis sur une pierre, oublié du monde, plongé dans la contemplation, torturé par cette impatience frénétique. Il était allé jusqu'au bout, il avait tout accueilli en soi et courait le danger de se mettre à parler tout haut dans sa solitude, pour tout se raconter une fois de plus. « Oui, on est assis là, disaient ses pensées, et tout ce qu'on pourrait faire encore serait de se raconter ce qu'on voit. Les pierres ont un vert de pierre tout à fait particulier, et leur reflet dans l'eau miroite... Tout à fait exact. Tout à fait comme on le dit. Et les pierres ont des formes de carton... Mais tout cela ne sert à rien et je voudrais partir. Tant c'est beau! »

Alors il se souvenait : chez soi, quelquefois après des années, quelquefois par un pur hasard, quand on ne sait plus du tout comment étaient les choses, une lumière tombe soudain de derrière vous, de ce passé, et le cœur agit comme en rêve. Il eut la nostalgie du passé.

« C'est bien simple, dit-il à Agathe, et tout le monde le sait, sauf nous. L'imagination n'est excitée que par ce qu'on ne possède plus, ou pas encore : le corps veut avoir, mais l'âme pas. Je comprends maintenant les énormes efforts que l'homme fait dans ce dessein. Qu'il est sot, de la part de ce type, le touriste d'art, de comparer telle fleur à une pierre précieuse et telle pierre à une fleur : n'était que c'est l'intelligence même de les métamorphoser pour un instant en autre chose! Que tous nos idéaux seraient sots, puisque chacun d'eux, si on le prend au sérieux, en contredit un autre : tu ne tueras point, tu périras donc ? Tu ne convoiteras point le bien de ton prochain, donc tu vivras pauvre ?... si leur sens ne résidait pas précisément dans leur caractère inaccessible, qui enflamme l'âme! Et quelle chance pour la religion que l'on ne puisse ni voir, ni saisir Dieu! Mais quel monde est-ce là ? Une froide bande sombre entre le feu du Pas-encore et celui du Jamais-plus!

— Un monde à faire peur ! dit Agathe. Tu as raison. » Elle dit cela très gravement, et il y avait dans ses yeux une réelle amertume (angoisse).

« Et s'il en est ainsi ? dit Ulrich en riant. Pour la première fois de ma vie, je pense que nous devrions avoir terriblement peur du vertige si le ciel ne nous donnait l'illusion d'une limite du monde qui n'existe pas. Évidemment, tout ce qui est absolu, vrai, cent pour cent, est contre-nature.

— Même entre deux êtres, tu veux parler de nous deux ?

— J'ai parfaitement compris maintenant ce que sont les chimériques : les mets sans sel sont insupportables, mais le sel en grandes quantités, sans mets, est un poison : les chimériques sont des gens qui ne voudraient vivre que de sel. Est-ce juste ? »

Agathe haussa les épaules.

« Regarde notre femme de chambre, une petite sotte pleine de gaieté qui sent le savon de ménage. Je l'ai observée un moment il n'y a pas longtemps, quand elle faisait la chambre : je la trouvais aussi jolie qu'un ciel lavé de frais. »

Cet aveu apaisa Ulrich, mais un petit ver de dégoût rampa sur les lèvres d'Agathe. Ulrich le répéta, il ne voulait pas que la grande sonorité de la cloche sombre couvrît cette petite dissonance. « C'est une dissonance, n'est-ce pas ? L'âme ne recule devant aucune ruse qui la maintient féconde. Elle meurt d'amour plusieurs fois successivement. Mais... » et il dit alors quelque chose dont il croyait que c'était une consolation, même un nouvel amour : « ... si tout est si triste et illusoire, et que l'on ne puisse plus croire à rien : n'est-ce pas alors que nous avons vraiment besoin l'un de l'autre ? La chanson de la petite sœur, dit-il en souriant, une douce musique pensive, qui ne couvre aucun autre bruit ; une musique d'accompagnement ; un amour de l'absence d'amour qui tend doucement les mains... ? » (Un amour sans érotisme, frais, silencieux et gris ?)

Agathe se tut. Quelque chose s'était éteint. Elle était très profondément lasse. Son cœur lui avait été enlevé d'un coup, une intolérable angoisse devant le vide interne, devant son indignité et son désenchantement la tourmentait. Tel est l'état d'âme des extasiés quand Dieu s'éloigne d'eux et ne répond plus à leurs appels passionnés.

Le touriste d'art, comme ils l'appelaient, était un privat-docent qui venait de quelque cité italienne, avec la peau en filet à papillon et l'esprit en boîte à botanique de l'historien d'art ambitieux. Il s'était arrêté ici pour se détendre quelques jours avant de rentrer et mettre de l'ordre dans ses documents. Comme ils étaient les seuls pensionnaires, dès le premier jour il se présenta au frère et à la sœur, on parlait un peu après les repas ou quand on se croisait dans le voisinage de l'hôtel, et on ne pouvait nier que cet homme, bien qu'Ulrich se moquât de lui, procurait à de certains moments une détente bienvenue.

Il était tout à fait persuadé d'être un homme et un érudit d'une certaine importance, et dès la première rencontre, lorsqu'il eut appris que le couple n'était pas en voyage de noces, il entreprit de faire à Agathe une cour assidue. Il lui disait : Vous ressemblez à la belle... sur le tableau de ... et toutes les femmes dont le dessin des cheveux sur le front rappelle les plis de la robe ont telle qualité... Agathe, quand elle voulait raconter cela à Ulrich, avait déjà oublié les noms; mais autant que d'éprouver la ferme pression d'un masseur, il est agréable de voir un homme qui sait ce que vous êtes, alors que vous vous sentiez défaite au point de vous distinguer à peine du silence de midi.

Ce touriste d'art disait : « Les femmes sont là pour nous faire rêver; elles sont une ruse de la nature pour féconder l'esprit des hommes. » Il s'illumina, heureux de son paradoxe qui inversait le sens de la fécondation. Ulrich répliqua : « Il y a néanmoins des différences dans cette sorte de rêves! »

Cet homme affirmait qu'en étreignant une « femme vraiment grande », on devait pouvoir penser à la Création de Michel-Ange. « On tire sur soi la couverture sixtinienne et on se retrouve nu dessous, sauf les bas bleus! » dit Ulrich railleur. Non, il reconnaissait que la réalisation demandait du tact, mais en principe, ces hommes-là devaient pouvoir devenir « deux fois plus grands » que les autres. « En fin de compte, le but de toute vie morale est d'associer toutes nos actions avec ce que nous portons de plus noble en nous! » Théoriquement, c'était difficile à réfuter, bien que ce fût pratiquement assez risible.

« J'ai découvert, disait l'historien d'art, qu'il existe et qu'il a toujours existé au cours de l'histoire deux espècesd' hommes. Je les nomme les statiques et les dynamiques. Si vous préférez, les impériaux et les faustiens. Les statiques peuvent ressentir un bonheur présent. De toutes façons, un équilibre les caractérise. Ce qu'ils ont fait et ce qu'ils vont faire s'engrène dans ce qu'ils sont en train de faire, s'harmonise avec, possède une forme, comme un tableau ou une mélodie ; possède en quelque sorte une deuxième dimension, sorte de surface brillant à tout moment. Le Pape par exemple, ou le Dalaï-Lama : il est absolument impossible de les imaginer faisant quelque chose qui n'entre pas dans le cadre de ce qu'ils représentent. Les dynamiques, au contraire, sont ceux qui se dégagent toujours, qui ne regardent qu'en avant ou en arrière, qui se déroulent, les êtres insensibles avec leurs tâches, insatiables, pressants, malheureux..., qui l'emportent toujours sur les statiques, afin que l'histoire du monde ne s'arrête point. » — — — pour tout dire, il laissait deviner qu'il avait des dispositions dans les deux directions.

« Dites-moi ! demandait Ulrich avec une apparence de sérieux, les dynamiques ne sont-ils pas aussi ceux qui paraissent, en amour, ne rien éprouver, soit parce qu'ils ont déjà aimé en imagination, soit parce qu'ils n'aimeront que ce qui leur aura échappé ? Ne pourrait-on prétendre cela ?

— Tout à fait exact ! dit le privat-docent.

— Ce sont des rêveurs immoraux, ces hommes qui ne peuvent jamais trouver une place entre l'avenir et le passé...

— Non, je n'irais pas jusque là...

— Si, si. Ils sont capables de commettre des actes follement bons ou follement criminels, parce que le présent n'a aucune importance à leurs yeux. » (Au fond il devrait dire : c'est l'impatience qui les incite à des actes insensés.)

L'historien d'art se trouva embarrassé pour répondre et pensa qu'Ulrich ne le comprenait pas.

L'inquiétude grandissait. L'été devenait brûlant. Le soleil couvait comme un incendie jusqu'au ras de la terre. Les éléments envahissaient l'existence au point de ne presque plus laisser de place à l'humain.

Un jour, vers le soir, comme l'air brûlant montrait déjà de légers plis de froid, le frère et la sœur se promenaient sur les falaises. Des buissons de genêts jaunes jaillissaient de l'ardeur des pierres et atteignaient directement leur âme. Les montagnes étaient grises comme des dos d'âne, avec jeté dessus le voile vert de l'herbe du carst; le brûlant vert sombre du laurier. Quand le regard harassé s'y arrêtait, il plongeait dans des profondeurs de plus en plus fraîches. D'innombrables abeilles bourdonnaient : cela se fondait en une profonde note métallique qui jetait de petites flèches quand un brusque tournant les amenait près de l'oreille. La ligne à l'arête polie, abrupte des montagnes qui s'approchaient en trois vagues était héroïque, démesurée.

« Héroïque ? disait Ulrich. Ou ne serait-ce que ce que nous avons toujours haï parce que tout le monde le juge héroïque ? Ce paysage peint et gravé d'innombrables fois, ce paysage grec, romain, nazaréen, classique, ce paysage vertueux, professoral, idéaliste ? Peut-être ne nous impose-t-il finalement que parce que nous le voyons maintenant dans sa réalité ? De même qu'on méprise un homme influent tout en se sentant flatté de le connaître ? »

Mais les rares choses auxquelles l'espace appartenait ici se respectaient, restaient à distance les unes des autres et ne surchargeaient pas la nature d'impressions diverses comme en Allemagne. La raillerie n'était d'aucun secours; comme il n'arrive qu'en haute montagne, là où le terrestre s'amenuise à mesure, ce paysage n'était plus le décor des habitations humaines, mais un morceau de ciel aux plis duquel étaient encore accrochées quelques variétés d'insectes.

Et de l'autre côté (de cette humilité) il y avait la mer. La grande bien-aimée à la queue de paon. La bien-aimée au miroir ovale. L'œil ouvert de la bien-aimée. La bien-aimée devenue déesse. L'exigence implacable. L'œil souffrait encore et devait se détourner, frappé par les lances de lumière que la mer répercutait. Bientôt le soleil sera plus bas. Il n'y aura plus qu'un lac entouré d'argent fluide. Alors, il *faudra* regarder la mer. La contempler. Agathe et Ulrich redoutaient cet instant. Que faire pour affronter cette rivale immense, qui vous regarde, cette concurrente jalouse ? Comment s'aimer ? S'agenouiller ? Comme ils l'avaient fait le premier jour ? Étendre les bras ? Crier ? Peut-on s'étreindre ? Ce serait aussi ridicule que d'insulter quelqu'un alors qu'à côté sonnent toutes les cloches de la cathédrale! De nouveau, le vide terrible les emprisonnait de toutes parts.

Agathe secoua la tête. Il faut être un peu borné pour trouver belle la nature. Être quelqu'un comme l'autre là en bas qui préfère parler à écouter qui lui est supérieur. Il faut qu'elle vous rappelle des devoirs d'école et de mauvais poèmes et qu'on puisse au premier coup d'œil la transformer en chromo. Sinon on s'effondre. Il faut être plus bête qu'elle pour lui tenir tête, il faut bavarder pour ne pas perdre la parole.

Par chance, sa peau ne supportait pas l'extrême chaleur. Elle transpirait. C'était une diversion et une excuse; ils se sentaient déchargés de leur tâche.

Mais, tandis qu'ils regagnaient l'hôtel, Agathe s'aperçut qu'elle était heureuse d'être sûre de rencontrer là-bas le voyageur. Ulrich avait raison, sans doute, mais il y avait une grande consolation dans la compagnie caquetante, collante de cet homme. (Idée : se disculper en . . . . avec ce type banal qui le veut.)

Vinrent des moments terribles, l'après-midi, dans la chambre. Entre la tente déroulée, rayée de rouge et la balustrade de pierre du balcon s'étendait un ruban d'un bleu brûlant, large comme la main. La chaleur lisse, la clarté violemment assourdie avaient chassé de la chambre tout ce qui n'était pas solide. Ulrich et Agathe n'avaient rien pris à lire : tel avait été leur plan; ils avaient laissé derrière eux tout ce qui était pensée, état normal (fût-ce le plus perspicace), lien avec la vie ordinaire. Maintenant, leurs âmes étaient couchées là comme des tuiles tannées par le soleil, d'où la dernière goutte d'eau s'est évaporée. Cette existence contemplative dans la nature leur avait imposé une dépendance inattendue à l'égard des éléments les plus primitifs.

Enfin vint un jour de pluie. Le vent claquait. Le temps, fraîchement, devint plus long. Ils se redressèrent comme des plantes. Ils s'embrassèrent. Les paroles qu'ils se dirent les restaurèrent. Ils furent heureux de nouveau. Attendre à tout instant l'instant suivant n'est qu'une habitude, si on établit un barrage, le temps déborde comme un lac artificiel. Les heures s'écoulaient sans doute, mais en largeur plutôt qu'en longueur. Le soir vient, mais le temps n'a pas passé.

Vint un second jour de pluie; un troisième. Ce qui était apparu comme une nouvelle progression finit par retomber. Le moindre recours, l'idée que ce mauvais temps est une fatalité personnelle, un destin extraordinaire, et la pièce s'emplit d'une étrange lumière d'eau, elle est comme creusée dans un dé d'argent sombre. Mais quand tout recours manque : de quoi parler ? On peut encore se sourire à travers une grande distance; s'étreindre, s'affaiblir jusqu'à une fatigue semblable à la mort qui sépare les épuisés telle une plaine infinie. On peut se dire, à travers cette distance : je t'aime, ou : tu es belle, ou : je préfèrerais mourir avec toi que vivre sans toi, ou : quel miracle qu'un souffle nous ait réunis, toi et moi, deux êtres aussi séparés que nous l'étions. On peut pleurer de nervosité, quand l'ennui, tout doucement, commence à ronger cela aussi...

Puissance terrible de la répétition, terrible divinité! Attrait du vide qui vous entraîne toujours plus bas comme l'entonnoir d'un tourbillon dont les parois s'écartent. Embrasse-moi, et je mordrai légèrement tes lèvres, toujours plus fort et toujours plus sauvagement, toujours plus ivre, plus sanguinaire, épiant l'appel à la pitié, descendant le gouffre de la souffrance, jusqu'à ce qu'enfin nous soyons agrippés à la paroi verticale, terrifiés l'un par l'autre. Alors viennent à notre secours les halètements de la respiration qui menace d'abandonner le corps, l'éclat des yeux s'éteint, le regard dévie, le masque de la mort envahit le visage. Multiples délices mutuelles, stupeur tournoyant au cœur de l'extase. Vol ramassé en quelques minutes dans le ciel de la béatitude et de la mort, s'achevant, puis recommencé, les corps vibrent comme des cloches hurlantes. Pourtant, on le sait bien à la fin : ce n'était que la chute profonde, pécheresse, dans un monde où la répétition vous mène un peu plus bas de degré en degré. Agathe gémit : « Tu me quitteras! » (Ulrich cherche des paroles enthousiastes, et ainsi de suite.) « Non! Ma douce! ma conjurée! — Non, proteste Agathe doucement, tout cela me laisse insensible... »

Quand ce fut dit, Ulrich se glaça et renonça à ses efforts. « Si nous avions cru en Dieu, poursuivit Agathe, nous aurions compris le langage des montagnes et des fleurs.

— Tu penses à Lindner ? demanda Ulrich tout de suite jaloux.

— Non. Je pensais à l'historien d'art. Son fil ne se rompt jamais. » Agathe sourit douloureusement, avec lassitude. Elle était étendue sur le lit. Ulrich avait ouvert la porte du balcon avec violence, le vent jeta des paquets d'eau dans la chambre.

« C'est égal, dit-il d'une voix rauque. Pense à qui tu voudras. Nous devons chercher un troisième. Qui nous regarde, nous envie ou nous fasse des reproches. » Il resta debout devant elle et dit lentement : « Entre deux êtres isolés il n'y a pas d'amour possible! » Agathe se redressa sur son coude, étendue là les yeux agrandis, comme si elle attendait la mort. « Nous avons obéi à une impulsion contraire à l'ordre, répéta Ulrich. Un amour peut naître par défi, il ne peut être fait de défi. Il faut qu'il soit inséré dans une société. Il n'est pas un contenu de vie. Mais une négation, une exception faite à tous les contenus de vie. Or, il faut à une exception quelque chose dont elle soit l'exception. On ne peut pas vivre d'une négation pure.

— Ferme la porte », dit Agathe. Puis elle se leva et mit de l'ordre dans ses vêtements. « Nous allons donc partir ? »

Ulrich haussa les épaules. « De toutes façons, tout est fini.

— As-tu oublié à quelles conditions nous sommes venus ici ?

— Nous voulions trouver la porte du paradis! répondit Ulrich honteux.

— Et nous tuer, dit Agathe, si nous ne réussissions pas!

— Le veux-tu ? » demanda Ulrich en la regardant calmement.

Agathe aurait pu dire oui, peut-être. Elle ne comprit pas pourquoi il lui parut plus sincère de secouer lentement la tête et de dire non.

« Même cette résolution, nous l'avons perdue », constata Ulrich.

Elle se leva, désespérée. Elle parla les mains aux tempes, écoutant ses propres paroles : « J'attendais... J'étais déjà presque trop mûre, ridicule... Parce que je continuais à attendre en dépit de ma vie. Je ne pouvais ni nommer ni décrire cela. C'était comme une mélodie sans notes, un tableau sans forme. Je savais que cela viendrait un jour vers moi de l'extérieur, que ce serait ce qui m'aime, ce grâce à quoi il ne m'arriverait plus de mal, ni dans la vie, ni dans la mort... »

Ulrich qui s'était tourné vers elle intervint en la parodiant, avec une vilenie dont il se tourmentait lui-même : « C'est une nostalgie, un manque : la forme est là, seule manque la matière. Puis survient un employé de banque ou un professeur, et ce petit animal emplit lentement le vide qui était tendu comme un ciel crépusculaire. Dans la vie, mon amour, tout mouvement vient du mal, de la brutalité : le bien endort. C'est une goutte de parfum : mais chaque heure est ce même trou, cet enfant bâillant de la mort, qu'il faut boucher à force de cailloux. Tu as dit : Si nous pouvions croire en Dieu! Mais une patience suffit, une partie d'échecs, un livre. L'homme, aujourd'hui, est parvenu à se consoler aussi bien de cette manière. Il suffit que ce soit quelque chose qui fasse succéder une planche à l'autre pour vous faire passer sur l'abîme vide.

— Ne nous aimons-nous donc plus ? s'écria Agathe.

— Il ne faut pas oublier, répondit Ulrich, à quel point ce sentiment dépend de ce qui l'entoure. Il se nourrit de ce qu'on se représente une vie commune, c'est-à-dire une ligne droite à travers la foule des autres. Il se nourrit aussi de la bonne conscience, tous les autres sont si heureux de voir combien ces deux-là s'aiment, ou même de la mauvaise conscience... Que nous est-il arrivé ? Il ne faut pas nous faire d'illusions : je n'étais pas un fou quand je voulais chercher le Paradis. Je pouvais le déterminer, comme on devine une planète invisible à certains de ses effets. Et que s'est-il passé ? Il s'est dissous, transformé en une illusion d'optique de l'âme et en un mécanisme physiologique réitérable. Comme chez tout le monde!

— C'est vrai, dit Agathe, nous avons vécu la plupart du temps de ce que tu appelles le mal : de l'inquiétude, de petites distractions, de la faim et du rassasiement du corps.

— Pourtant, répondit Ulrich comme dans une vision extrêmement douloureuse, quand ce sera oublié, tu attendras de nouveau. Des jours viendront où derrière d'innombrables portes quelqu'un roulera du tambour. Des roulements assourdis, obsédants, toujours recommencés. Des jours où ce sera comme si tu attendais dans un bordel le craquement de l'escalier : sera-ce un caporal ou un employé de banque que le destin t'envoie ? Pour maintenir ta vie en mouvement. Et tu resteras ma sœur quand même.

— Mais qu'adviendra-t-il de nous ? » Agathe ne voyait plus rien devant soi.

« Il faudra que tu te maries ou que tu prennes un amant — — — C'est ce que je voulais dire avant.

— Ne sommes-nous donc plus un seul être ? demanda-t-elle tristement.

— L'être unifié est double.

— Mais si c'est toi que j'aime ? s'écria Agathe.

— Nous devons vivre. L'un sans l'autre, l'un pour l'autre. Veux-tu l'historien d'art ? » Ulrich dit cela froidement, avec un grand effort. Agathe refusa de l'épaule. « Je te remercie », dit Ulrich. Il chercha à prendre la main pendante d'Agathe, à la caresser. « Moi non plus je ne suis pas tellement, tellement convaincu… » (Encore une fois c'est presque la grande communion. Mais il semble à Agathe qu'Ulrich manque de courage.)

Ils se turent un moment. Agathe ouvrit et referma des tiroirs, commença à faire les bagages. La tempête secouait les portes. Puis Agathe se retourna et calmement, toute changée, demanda à son frère : « Peux-tu te représenter que demain ou après-demain nous soyons revenus à la maison, que nous retrouvions les chambres comme nous les avons laissées, que nous commencions à faire des visites ?… »

Ulrich ne remarqua pas avec quelle répugnance Agathe se cabrait contre cette idée. Lui non plus ne pouvait se représenter tout cela. Mais il sentait on ne sait quelle tension nouvelle, même si ce devait être un devoir plein de tristesse. A ce moment-là, il ne fut pas assez attentif à Agathe.

95. *Après la visite à Moosbrugger* (Extrait d'une ancienne ébauche.)

Meingast n'écrivait pas, l'issue de la ligue virile restait barrée à Clarisse. Parfois elle l'oubliait à cause des événements nouveaux. Meingast l'avait fuie, elle était probablement trop forte pour lui. C'était comme quand des éclairs s'entrecroisent ! Walter était attiré par elle, toujours tenté d'étouffer en elle son talent, si violemment qu'elle le repoussât. Elle avait au pli de la hanche un médaillon noir et les malades le devinaient, peut-être ces gens peuvent-ils voir à travers les vêtements, ils jubilaient quand elle s'approchait d'eux. Les faits s'harmonisaient dans un désordre troublant. Elle devait examiner comment retourner à la clinique pour défier Friedenthal qui le lui avait interdit. Elle comprenait que ce serait difficile. « Passer le mur du parc ? » pensait-elle : l'idée de pénétrer tel un guerrier dans le domaine interdit lui plaisait beaucoup, mais comme la clinique était en pleine ville, pour ne pas être vu, on ne pouvait s'y risquer que de nuit, et comment Clarisse se retrouverait-elle ensuite dans le parc, au milieu de tous ces pavillons fermés ? Elle avait peur. Bien qu'elle sût que la chose fût exclue, elle était épouvantée à l'idée de tomber entre les mains d'un fou sous les arbres noirs, d'être violée ou étranglée par lui. Elle avait toujours dans les oreilles le cri des frénétiques : lors de sa dernière visite, avant qu'elle fût revenue à la vie raisonnable en passant devant les belles malades. Elle revoyait souvent en pensée cet homme nu debout au milieu d'une cellule tout à fait vide où il n'y avait qu'un lit bas et une tinette scellés au sol. Il avait des cheveux blonds et les poils du pubis brun clair. Il n'avait fait attention ni à l'ouverture de la porte, ni aux gens qui le regardaient; il était debout, les jambes écartées, la tête penchée comme un bélier, il y avait une bave épaisse dans sa barbe et, comme un pendule, il exécutait toujours le même mouvement, une demi-rotation du torse en avant, saccadée, toujours dans le même sens, son bras formant avec le corps un angle droit, et la seule chose qui changeait était qu'à chacun de ces mouvements un autre doigt jaillissait de son poing fermé. Cela s'accompagnait de cris aigus, haletants, que faisait jaillir au dehors l'extrême tension imposée au corps par cette danse. Le Dr. Friedenthal lui avait expliqué que cela durait des heures, et lui avait fait voir d'autres cellules, provisoirement calmes. Ce spectacle avait été plus effrayant encore si possible. C'était la même pièce de béton nu ne contenant qu'un seul malade dont on attendait la crise, et l'un d'eux était encore en costume de ville, on lui avait enlevé simplement son col et sa cravate. C'était un avocat avec une belle barbe et des cheveux soigneusement peignés; il était assis là, considérant les visiteurs, comme s'il se préparait à se rendre au tribunal et qu'une raison quelconque lui imposant une attente l'avait fait s'asseoir sur ce banc de pierre. Cet homme avait particulièrement effrayé Clarisse à cause de son apparence tout à fait normale; mais, disait le Dr. Friedenthal, il n'y avait guère que quelques jours qu'au cours de sa première crise il avait assassiné sa femme. Ainsi, presque tous les habitants éphémères de cette division étaient des assassins. Clarisse se demandait pourquoi elle avait peur d'eux quand ces malades étaient précisément les mieux gardés de tous ? Elle avait peur d'eux parce qu'elle ne les comprenait pas. Dans son souvenir, il y en avait encore quelques autres qui lui faisaient la même impression. « Mais ce n'est pas une raison pour que je doive leur tomber dessus si je traverse le parc de nuit ? » se disait-elle.

C'était comme ça. Il était à peu près constant qu'elle risquait d'en rencontrer : c'était une idée à quoi on ne pouvait rien. Chaque fois que Clarisse se voyait franchissant les murs puis s'avançant entre les arbres espacés et sombres, il se produisait tôt ou tard une horrible rencontre. Il y avait là un fait avec lequel il fallait compter, et il était raisonnable de se demander ce qu'il signifiait. Même un homme aussi posé que le célèbre vieil écrivain américain Ralph Waldo Emerson qu'elle avait lu toute jeune fille parce que ses amis le disaient merveilleux, affirme que l'attirance du semblable par son semblable est une loi générale dans la nature et chez les humains. Clarisse se souvenait vaguement d'une phrase qui disait que tout ce qui arrive à un homme le cherche en quelque façon, de sorte que la cause et l'effet ne se succèdent qu'en apparence, étant en réalité les deux aspects d'une même chose : l'intelligence est nuisible, du fait que ses mesures de précaution contre le danger vous mettent au pouvoir du danger. Puisque Clarisse s'en souvenait, elle n'avait qu'à en faire l'application à elle-même. S'il était établi qu'elle ne cessait de rencontrer des assassins, même si ce n'était encore que d'une manière mystérieusement mentale, c'est qu'elle attirait ces assassins. Et si le semblable attire son semblable, elle portait donc en elle l'âme d'un assassin. Se représente-t-on ce que c'est que de voir tout à coup des pensées si extravagantes trouver sous leurs pieds un terrain solide ?

96. *Clarisse va voir Walter à l'atelier.* (Ébauche.)

Elle trouve Walter à l'atelier : pièce nue, frissonnante. Il n'est qu'à demi habillé, avec une robe de chambre par-dessus.

Les pinceaux sont secs, il est assis devant des esquisses. En fait, il devrait déjà être à son bureau.

Il est irrité de ce que Meingast soit parti sans prendre congé, que Clarisse soit en proie à une mystérieuse agitation. Lui : au fond il voulait... tant que Meingast est chez lui...

Sur le seuil déjà, Clarisse le hèle : Viens, viens! Nous allons chez le Dr. Friedenthal et nous lui demanderons qu'il nous confie Moosbrugger!

Walter ne peut détacher ses regards de Clarisse.

« Pas de questions! » dit Clarisse impérative.

Walter, à ce moment-là, pouvait-il encore douter que Clarisse eût l'esprit dérangé? La réponse dépend beaucoup des circonstances. Clarisse avait à ce moment-là une beauté véhémente. Dans ses yeux vivait un feu absolument analogue au feu d'une volonté saine. C'est ainsi que Walter fut réenvahi par ce que lui avait dit d'elle son frère Siegmund, ce qu'il lui avait répété encore peu auparavant, comme Walter le questionnait de nouveau. Siegmund avait dit : elle est hyper-nerveuse, tu devrais lui montrer ta poigne une bonne fois.

Pour le moment, c'était Clarisse qui attaquait : elle ne cessait de sautiller autour de Walter en répétant : « Viens, viens, viens! Ne te fais donc pas tellement prier! »

Ses paroles semblaient voleter aux oreilles de Walter, elles le troublaient. On aurait pu dire qu'il baissait les oreilles et enfonçait ses pieds dans le sol comme le fait un cheval, un âne, un veau, avec cet entêtement qui est la force de volonté des faibles. Mais chez lui, cela se traduisit ainsi : tu vas lui montrer que tu es le maître!

« Viens toujours, disait Clarisse, tu comprendras pourquoi ensuite!

— Non, s'écria Walter, je veux d'abord que tu me dises ce que tu projettes.

— Ce que je projette? Quelque chose d'étrange... » Cependant, elle avait commencé à rassembler dans la pièce contiguë ce dont elle avait besoin pour sortir; elle enleva ses chaussures de jardin, les garda un instant dans la main puis les jeta dans un soudain élan parmi les pots de couleur et les pots à pinceaux de son mari. Quelque chose tomba, quelque chose roula, quelque chose vibra. Clarisse en observa l'effet sur Walter et éclata de rire. Walter eut le sang à la tête; il n'avait pas envie de la battre, mais il eut honte de n'avoir pas cette envie. Clarisse continuait à rire et dit : « Tu passes ta vie accroupi parmi ces pots sans rien faire de bon. Je te montrerai comment on s'y prend. Je t'ai dit que je mettrais au jour ton génie. Je te rendrai inquiet, intolérant, téméraire! » Soudain elle se calma et dit gravement : « C'est étrange de se comparer aux fous, mais c'est l'excuse du génie! Crois-tu donc que nous arriverons à quelque chose en continuant de ce train ? Parmi ces pots si gentiment ronds ? Et la musique après le dîner ? Pourquoi donc tous les dieux et tous les êtres divins ont-ils été antisociaux ?

— Antisociaux ? demanda Walter surpris.

— Si tu veux plus de précision : innocemment antisociaux. Car ils n'étaient ni des assassins ni des voleurs. Mais l'humilité, la pauvreté volontaire, la chasteté sont aussi l'expression d'une mentalité antisociale. Comment auraient-ils pu, sinon, enseigner aux hommes le moyen d'améliorer le monde, en même temps qu'ils niaient le monde pour eux-mêmes ? »

Telle était la nature de Walter qu'il fut capable, en dépit de son étonnement du début, de trouver cette affirmation pertinente. Elle lui rappela la question : « Peux-tu te représenter Jésus en directeur de mines ? » Une question à laquelle il eût été si simple et si naturel de répondre par un non si l'on n'avait pu remplacer directeur de mines par employé aux Monuments historiques, si l'on n'avait alors senti frémir en soi une étincelle ridiculement brûlante d'ambition. Évidemment, il n'y avait pas seulement une contradiction, mais une profonde incompatibilité, l'opposition de deux systèmes du monde, entre le souci de la vie bourgeoise et le souci du divin; mais Walter, en dépit de son goût depuis longtemps établi pour la vie bourgeoise, voulait les deux, ou refusait, ce qui était plus grave, de renoncer à aucun des deux. Clarisse, elle, possédait ce qu'il avait défini un jour par la formule « appeler Dieu », la décision résolue, implacable. C'est ainsi qu'après qu'elle eut parlé, il eut l'impression, comme elle l'avait dit, d'être pris jusqu'aux genoux dans la vie qu'il se créait comme dans un billot de bois fendu, alors qu'elle jonglait devant lui, l'inquiète, l'intolérante, la téméraire, celle qui l'entraînait dans ses expériences. L'homme aux dons multiples qu'il était savait que le génie tenait moins au don qu'à la volonté. A l'être en train de se figer qu'il devinait en lui, le génie paraissait apparenté à ce qui fermente, à ce qui n'a pas achevé sa fermentation, la simple écume, peut-être. En Clarisse, il reconnaissait avec envie l'improbable, la variation de l'espèce, frémissant autour d'une valeur moyenne, la créature qui marche avec la foule, mais en avant d'elle et en même temps égarée, ainsi que la notion de génie le suppose. Clarisse était le seul être chez qui il aimât cela, qui l'y rattachât encore, et comme le lien de Clarisse avec le génie était celui de la maladie, l'angoisse de Walter pour elle était aussi une angoisse pour lui-même. C'est ainsi que de son approbation des paroles qui devaient le convaincre et justifier les intentions de Clarisse, et du charme qu'elle exerçait sur lui, naquit d'une manière apparemment naturelle et inconsciente de la contradiction, le désir de ne pas écouter la jeune femme, de lui faire voir qu'il était un « homme », comme Siegmund, le médecin, le frère, le lui avait conseillé.

Aussi Walter dit-il assez rudement, après une brève pause : « Sois donc raisonnable, maintenant, Clarisse, laisse ces bavardages et viens ici ! » Cependant, Clarisse s'était dépouillée de ses vêtements et se disposait à faire couler un bain froid. Dans sa petite culotte courte, avec ses bras si maigres, elle avait l'air d'un garçon. Elle sentit la douteuse chaleur du corps de Walter derrière elle et comprit aussitôt à quoi il voulait en venir. Elle se retourna et étendit la main dans la direction de Walter. Walter l'empoigna. D'une main, il lui emprisonna le bras, de l'autre il s'efforça de la prendre aux reins et de l'attirer à lui. Clarisse se débattit contre l'étreinte, et comme cela ne servait à rien, elle appuya sa main libre sur le visage de Walter, sur sa bouche et son nez. Le sang lui monta au visage, trembla dans ses yeux, tandis qu'il luttait avec Clarisse et s'efforçait de ne pas lui laisser voir que sa prise lui faisait mal. Quand il menaça d'étouffer, il fut obligé de repousser la main de Clarisse avec violence. Prompte comme l'éclair, Clarisse revint à l'attaque, et cette fois, ses ongles creusèrent deux sillons sanglants dans la peau. Elle était libre.

Ils se retrouvèrent debout face à face. Aucun des deux ne voulait parler. Clarisse s'effraya de sa brutalité, mais elle était hors d'elle. Une intervention d'en-haut l'avait mise hors d'elle-même ; elle était tout entière tournée vers l'extérieur, un buisson d'épines. Elle était en extase. Aucune des pensées qui l'avaient occupée pendant des semaines n'était plus en elle,

elle avait même oublié la dernière et ce qu'elle projetait. Toute sa personne était partie, à l'exception de ce dont elle avait besoin pour se défendre. Elle se sentait immensément puissante. A cet instant, Walter s'efforça de l'attraper de nouveau, et cette fois de toute sa force. Il était pris de rage et rien ne lui faisait plus peur au monde que retrouver la raison. Clarisse chercha à le frapper. Elle se retrouva tout de suite prête à griffer, à mordre, à lui appuyer le genou sur le ventre, le coude sur la bouche; il n'y avait même pas de fureur ou d'aversion en elle, encore moins de la réflexion, mais, bien qu'elle se sentît capable de tuer Walter dans ce combat, c'était plutôt une sorte de sauvage amour qu'elle ressentait pour lui. Elle aurait aimé baigner dans son sang. C'était ce qu'elle faisait, d'ailleurs, avec ses ongles, et avec les brefs coups d'œil stupéfaits qui suivaient les efforts de Walter, les petits canaux rouges se formant sur son visage et sur ses mains. Walter se répandit en injures. Il l'injuria. Des paroles grossières, sans aucun rapport avec sa nature, lui venaient aux lèvres. Sa virilité pure, non diluée, sentait l'eau-de-vie, et le besoin de propos grossiers, blessants, se révélait soudain aussi premier que le besoin de tendresse. Sans doute ne s'y manifestait-il qu'un dépit à l'égard de l'ambition intellectuelle qui l'avait humilié et tourmenté toute sa vie, et qui finissait par se retourner contre lui en Clarisse. Naturellement, il n'avait pas le temps de penser cela. Il sentait néanmoins avec force que s'il était en passe de briser sa résistance, ce n'était pas seulement parce que Siegmund le lui avait conseillé, mais pour le plaisir de briser et de casser. Curieusement, il pensa aux mouvements d'un flamant, d'une beauté un peu ridicule. « On verra bien ce qu'il en reste si un bouledogue lui saute dessus! » se dit-il en pensant à l'esprit du flamant; mais, à mi-voix, il siffla entre ses dents : « quelle oie! »

Clarisse, elle, était toute à cette idée : « Il ne faut pas qu'il obtienne ce qu'il veut! » Elle sentait ses forces continuer à grandir. Ses vêtements se déchirèrent, Walter arrachait les lambeaux, elle serra le cou qu'elle trouva devant elle. Elle se battait entre les bras de son mari, à demi nue, visqueuse comme un poisson qui se débat. Walter, qui n'était pas assez vigoureux pour la maîtriser calmement, la secouait de côté et d'autre et s'efforçait de bloquer ses assauts en lui faisant mal. Elle avait perdu son soulier et le suivait, pied nu. Ils tombèrent. Ils semblaient avoir oublié tous deux le but de leur lutte et son origine sexuelle, ils ne luttaient plus que pour faire triompher leur volonté. Dans cette extrême concentration, cette crispation de leur personne, ils disparaissaient complètement. Comme dans une lumière aveuglante, leurs perceptions et leurs pensées prenaient peu à peu un aspect tout à fait indéterminé. Ils étaient presque émerveillés d'exister encore (de voir que leurs personnes étaient encore là).

Clarisse, en particulier, était dans une fièvre telle qu'elle se sentait invulnérable aux souffrances qu'on lui imposait; quand elle revenait à elle, cela l'enivrait de la conviction que les mêmes esprits qui l'avaient illuminée dans les derniers temps l'aidaient et combattaient à son côté. Elle fut d'autant plus épouvantée quand il lui fallut constater qu'elle s'épuisait peu à peu. Walter était plus fort et plus lourd qu'elle; ses muscles s'engourdirent, se détendirent. Il y eut des pauses pendant lesquelles le poids de son mari l'écrasait au sol au point qu'elle ne pouvait plus bouger, et les alternances de gestes de défense et d'attaques sauvages contre les parties sensibles du corps et du visage (qui lui permettaient de reprendre haleine) firent place de plus en plus souvent à l'impuissance, aux palpitations, à l'étouffement. Ainsi arriva ce que Walter attendait : la nature l'emporta, le corps de Clarisse trahit son esprit, renonça à défendre sa volonté. Elle eut l'impression qu'elle entendait en elle-même les coqs crier sur le Mont des Oliviers : c'était atroce, Dieu abandonnait son univers, il se préparait quelque chose à quoi elle ne voulait pas songer. Déjà Walter avait honte, par moments. Puis le remords le frappa comme un rayon de lumière. Il eut aussi l'impression que Clarisse grimaçait affreusement. Mais il était allé trop loin pour reculer. Sous prétexte que la violence qu'il commettait était son droit d'époux, il continua à s'étourdir. Soudain Clarisse cria. Voyant sa volonté lui échapper, elle s'efforça de jeter un long cri aigu, monotone, et dans ce dernier essai désespéré de défense, elle eut l'impression que grâce à ce cri et à l'ultime reste de volonté, elle échapperait peut-être à son corps. Mais elle n'avait plus beaucoup de souffle. Le cri ne dura pas longtemps et n'attira personne. Elle était abandonnée. Walter fut effrayé par ce cri, puis accrut furieusement ses efforts. Elle ne sentait rien. Elle le méprisait. Enfin, elle imagina un dernier expédient : elle compta aussi fort et aussi vite qu'elle put « Un, deux, trois, quatre, cinq, un, deux, trois, quatre, cinq » et ainsi de suite. C'était effrayant pour Walter, mais cela ne le retint pas.

Lorsqu'ils se relevèrent, bouleversés, elle dit : « Attends! je me vengerai! »

— — —

A l'instant même où cette horrible scène s'acheva, Walter fut envahi par la honte. Clarisse était assise dans un coin, nue comme elle était, le visage sombre, et ne répondait rien à son mari qui lui demandait pardon. Il devait se rhabiller; du sang et des larmes coulaient dans le savon à barbe. Il devait partir en hâte. Il sentait qu'il ne pouvait laisser dans cet état la bien-aimée de toute sa vie. Il essaya au moins de la pousser à s'habiller. Clarisse répliqua qu'elle pouvait aussi bien rester assise ainsi jusqu'à la fin des temps. Alors, dans son désespoir et son désarroi, toute sa vie d'homme céda, il se jeta à genoux et la supplia, les mains levées, de lui pardonner, comme il avait supplié naguère contre les coups; il ne savait plus que faire d'autre.

« Je raconterai tout à Ulrich (aux autres)! » dit Clarisse à demi réconciliée. Walter l'implora d'oublier. Il y avait dans son indignité quelque chose qui vous réconciliait avec lui; il aimait Clarisse, la honte était comme une blessure d'où coulait un sang brûlant, réel. Mais Clarisse ne lui pardonnait pas. Elle ne pouvait pas plus lui pardonner que ne le peut un empereur qui porte la responsabilité d'un empire : ces gens-là sont plus que des personnes privées. Elle le fit jurer qu'il ne la toucherait plus avant qu'elle ne le lui permît. Walter était attendu pour une séance; il jura en hâte, la montre au cœur. Clarisse lui demanda encore d'aller chercher Ulrich; elle lui dit qu'elle se tairait, mais qu'elle avait besoin de la présence apaisante d'un intime.

97. *Walter chez Ulrich.* (Ancienne ébauche.)

Walter, profitant d'un moment de liberté, prit une voiture pour arriver aussi vite que possible chez Ulrich.

Ulrich était chez lui. Sa vie lui était un désert. Il ne savait pas où était Agathe. Depuis qu'elle s'était séparée de lui, il n'en avait aucune nouvelle. Le souci de ce qu'elle devenait le torturait. Tout la lui rappelait. Il y avait si peu de temps qu'il l'avait retenue de faire un geste inconsidéré! Néanmoins, il ne pensait pas qu'elle recommencerait sans lui avoir parlé une dernière fois. Peut-être justement à cause de cela : car l'ivresse (une ivresse réelle, un ensorcellement!) était passée. Leur tentative de donner à leurs relations la forme décidée avait échoué irrémédiablement. De vastes étendues de sentiments et d'imaginations qui, avant, avaient donné à de nombreux objets, comme un ciel opalescent, l'éclat d'une mystérieuse origine, étaient maintenant ravagées. L'esprit d'Ulrich s'était desséché comme un terrain sous lequel la couche humide dont vivait toute verdure avait disparu. Si ce qu'il avait été contraint de vouloir était absurde (et le relâchement de son esprit quand il y pensait ne permettait aucun doute!), le meilleur de sa vie avait toujours été absurde. Le miroitement de la pensée, l'haleine de témérité, ces tendres messages d'une patrie meilleure qui passent comme des souffles d'une chose à l'autre du monde. Il ne restait plus qu'à devenir raisonnable, il fallait qu'il fît violence à sa nature et lui imposât probablement non seulement une dure école, mais encore une école ennuyeuse dès le début. Il ne voulait pas être né pour l'oisiveté, mais il le risquait s'il ne se mettait pas bientôt à tirer au clair les conséquences de cet échec. Quand il les examinait, tout son être se révoltait contre elles, et quand son être se révoltait, il rêvait d'Agathe : sans emphase, mais comme on souhaite un compagnon de souffrances, quand il est votre seul ami.

Walter s'informa avec une politesse distraite de l'absence d'Ulrich; Ulrich, embarrassé, attendait qu'il lui parlât d'Agathe, mais par chance Walter n'y pensa point. Dans les derniers temps, il avait compris qu'il était démentiel de douter de l'amour d'une femme qu'on aimait soi-même, commença-t-il. Même si on était dupé, il s'agissait seulement que la duperie fût féconde, en sorte que la vie intérieure de tous ceux qui la subissaient fût élevée d'un degré. Les sensations purement négatives étaient toutes inféconds; d'autre part, il n'était rien, où l'on ne pût trouver le germe de la fécondité, pourvu qu'on écartât les enveloppes de la communauté. Par exemple : souvent, il avait eu tort d'être jaloux d'Ulrich.

« Étais-tu réellement jaloux de moi ? demanda Ulrich.

— Oui », reconnut Walter. Un instant, deux dents se découvrirent sous les lèvres, comme pour une inconsciente mais ridicule menace. « Naturellement, je l'entendais toujours du point de vue intellectuel. Clarisse se sent une sorte de parenté avec ton corps. Tu comprends; ce n'est ni ton corps qui attire son corps, ni ton esprit son esprit, mais ton corps son esprit. Tu avoueras que ce n'est pas simple et qu'il ne m'était pas toujours aisé de savoir comment me comporter avec toi.

— Et Meingast ?

— Meingast est parti, dit Walter, mais c'était autre chose. Moi-même, j'admire Meingast. Il n'a pas son égal aujourd'hui, tout bien considéré. Il me serait tout à fait impossible d'empêcher Clarisse de l'aimer.

— Tu le pourrais fort bien, au contraire. Tu devrais commencer par lui dire que Meingast est un radoteur...

— Cesse donc! C'est de ton amitié, non de querelle, que j'ai besoin aujourd'hui!

— Tu n'en pourrais pas moins dire à Clarisse, en ce cas, qu'un grand homme n'a pas pour tâche de tirer les épingles de chaque mariage, comme un aimant géant : il faut donc qu'il y ait du côté du mariage quelque chose qui ne puisse être modifié par la supériorité d'un tel tiers. Tu es conservateur, tu pourras comprendre cela. D'ailleurs, c'est une question passionnante. Songe un peu : aujourd'hui, n'importe quel poète, musicien, philosophe, guide, chef trouve des gens pour le considérer comme une sommité. La conséquence naturelle serait, en particulier pour les femmes, plus émotives, qu'elles s'attachent à lui de tout leur être. Le philosophe, le poète de chevet! Ces expressions peuvent prétendre à être prises à la lettre : quel chevet plus reposant y aurait-il pour l'âme et le corps ? Mais il n'est pas moins certain qu'il n'en va pas ainsi. Aujourd'hui, seules les femmes hystériques courent après les grands esprits. Quelle peut en être la cause ? »

Walter ne répondit pas sans répugnance. « Tu disais toi-même qu'il y avait d'autres raisons pour la vie en commun. Les enfants, le besoin d'une situation stable. Et puis, il y a une convenance d'un être à l'autre qui est plus que la convenance de leurs opinions!

— Ce sont des phrases! La convenance dont tu parles

revient à accorder moins de confiance encore aux opinions qu'à une vie à laquelle on s'est habitué et qui ne s'est pas révélée trop insupportable. C'est une chance qu'on ne se fie pas entièrement aux gens qu'on admire. Évidemment, la confusion des êtres, dans laquelle il y en a toujours un d'affaibli par l'autre, est devenue un moyen de conserver la vie. Les sympathies tiennent grâce à un petit reste d'antipathie à l'égard des tiers. Finalement, bien entendu, ce n'est pas autre chose que l'âme du Pharisien qui, dès qu'elle s'est installée dans un corps, s'imagine que tous les autres corps ont des défauts cachés !

— Je disais simplement, s'écria Walter irrité, que si Clarisse aimait réellement Meingast, je ne pourrais pas l'en empêcher !

— Et pourquoi ne lui permets-tu pas de m'aimer ? demanda Ulrich en riant. Parce que tu ne m'aimes pas. Et tu ne m'aimes pas parce que je t'ai rossé une ou deux fois dans notre jeunesse. Comme si je n'en avais pas trouvé de plus forts que moi qui m'ont rossé à leur tour ! C'est si absurde, si étroit, si borné ! Je ne te le reproche pas : nous avons tous cette faiblesse, nous ne pouvons nous dégager, bien plus, ces stupides hasards sont le matériau de notre bâtisse intérieure, alors que ce que nous apprenons, nos connaissances ne sont que l'air qui souffle autour. Qui est le plus fort : toi ou moi ? Monsieur l'ingénieur Noir ou Monsieur l'historien d'art Blanc ? Un champion de lutte ou un coureur de cent mètres ? Je crois que cette question, aujourd'hui, a beaucoup perdu de son importance. Tous, pris isolément, nous ne sommes rien. Pour parler ton langage : nous sommes des instrumentistes réunis avec le pressentiment qu'ils vont jouer un morceau merveilleux dont la partition n'a pas encore été découverte. Que se passerait-il donc si Clarisse s'éprenait de moi ? Qu'on ne puisse aimer qu'un seul être est un préjugé juridique dont le foisonnement nous étouffe. Elle continuerait à t'aimer, et même de la façon qui te conviendrait le mieux, parce qu'elle ne serait plus dépitée de te voir privé de certaines qualités auxquelles elle accorde du prix. La seule condition serait que tu me traites réellement en ami. C'est-à-dire que tu ne serais pas obligé de me comprendre (je ne comprends pas non plus moi-même les cellules de mon cerveau, bien qu'il y ait entre nous un lien plus étroit que la compréhension !) et tu aurais le droit de t'opposer à moi dans toutes tes pensées et tous tes sentiments, mais seulement d'une certaine manière : car il y a des contradictions qui sont des continuations, celles qui sont en nous, par exemple : nous nous aimons elles comprises. »

Walter avait l'impression qu'on avait vidé un seau dans un escalier, les propos d'Ulrich se répandaient et finiraient bien par tarir. Entre temps, il arpentait la pièce. Pourtant, il ne put attendre plus longtemps. Il s'arrêta et dit : « Je suis obligé de t'interrompre. Je ne veux ni te contredire, ni t'approuver. D'ailleurs, je ne sais pas pourquoi tu parles ainsi : j'ai l'impression de propos en l'air. Or, nous avons tous deux la trentaine, tout n'est plus en suspens comme quand nous avions dix-neuf ans, on est quelque chose, on possède quelque chose, et tout ce que tu racontes est terriblement secondaire. Le terrible, c'est que j'ai dû promettre à Clarisse que je t'enverrais la voir aujourd'hui encore. Promets-moi de lui tenir des propos moins déraisonnables !

— Pour cela, il faudrait d'abord que je te promette d'y aller. Et je n'en ai pas la moindre envie ! Excuse-moi ; moi non plus je ne me sens pas bien.

— Mais il faut que tu me rendes ce service ! Peu t'importe à toi, tu peux supporter cela. Depuis quelque temps, Clarisse est dans un état inquiétant. Par-dessus le marché, j'ai commis une grosse faute, c'est dégoûtant, je t'assure, on est comme une bête, quelquefois. J'ai peur pour elle ! » Le souvenir l'envahit instantanément. Il eut les larmes aux yeux et regarda Ulrich à travers ses larmes, l'air furieux. Celui-ci le tranquillisa et lui promit de venir.

« Vas-y tout de suite, dit Walter suppliant. J'ai dû la quitter dans un état d'excitation terrible. » En hâte, il raconta à Ulrich que le départ inattendu de Meingast (auquel lui-même n'avait pas été insensible) avait visiblement bouleversé Clarisse : depuis ce moment, elle avait beaucoup changé. « Tu la connais, dit Walter qui avait toujours devant les yeux un voile de larmes. Elle se refuse absolument à laisser faire ce qu'elle juge injuste : pour elle, le laisser-faire dont notre civilisation porte tant de marques est un péché mortel ! » ... Puis, à voix plus basse, il ajouta que Clarisse, après le départ de Meingast, lui avait avoué avoir souvent souffert, pendant le séjour de celui-ci, d'une sorte d'obsession : elle ne cessait de penser que l'extraordinaire évolution vers la grandeur que Meingast avait subie depuis le jour où il les avait quittés, petite frappe assez banale, s'expliquait par le fait qu'il prenait sur lui-même et transcendait les péchés de tous les hommes, de ses amis, de ceux qui avaient affaire avec lui, de même que ceux, comme il était visible, de Clarisse et de Walter.

Ulrich avait dû considérer son ami d'enfance d'un air involontairement interrogatif, car Walter ajouta aussitôt une justification. L'idée avait l'air bizarre, assura-t-il, mais n'était pas si excessive. Tout homme grandissait en prenant sur soi et en corrigeant les fautes d'autrui. Simplement, Clarisse montrait une véhémence particulièrement intense dans le traitement de ces problèmes, une grande intransigeance dans leur expression. « Mais, si tu la connaissais comme je la connais, tu reconnaîtrais qu'il y a derrière toutes ses bizarreries une incomparable sensibilité aux plus graves problèmes de l'existence! » L'amour le rendait aveugle : Clarisse, à ses yeux, était transparente jusqu'au fond, jusqu'à ce fond où réside ce qu'on pense, alors que toutes les différences entre l'intelligence et la bêtise, la maladie ou la santé, occupent la couche moins profonde des actions et des paroles.

98. *Scène dans la forêt. Ulrich et Clarisse.* (Ancienne ébauche.)

Après la scène avec son mari, Clarisse s'était lavée entièrement et avait quitté la maison en courant. Elle voulait se tapir derrière la ligne bleue de la forêt. Tandis qu'elle courait demeurait autour d'elle le brillant, le scintillant, le giclant de l'eau blanche, comme une cuirasse bardée d'épines tournées vers l'extérieur. Une sorte d'exacerbation du besoin de propreté la poursuivait. Lorsqu'elle approcha de la forêt, elle regarda en arrière, les petites fenêtres sombres de sa maison, ouvertes comme des narines, et du même coup bien des choses furent emportées. Le parfum des plantes brûlait dans le soleil du matin; des herbes la chatouillaient; le piquant, l'âpre, le brûlant, l'implacable de la nature lui faisaient du bien. Elle se sentit délivrée de la prison de son histoire personnelle. Elle put penser. Il était apparu à l'évidence que Walter sombrait dans l'attrait qu'elle exerçait sur lui. Il ne pouvait guère tomber plus bas qu'aujourd'hui.

C'était donc son tour de faire le sacrifice! Mais qu'était-ce que ce sacrifice? Ce sont des mots comme ceux des poèmes. Le mot sacrifice lui apparaissait de la même manière qu'il lui était apparu qu'elle portait en elle l'âme d'un assassin; après la scène avec son mari, elle devait admettre qu'elle abritait aussi l'âme d'un satyre, d'un bouc. Qui se ressemble s'assemble. Mais celui qui le comprend doit se sacrifier : telle est l'implacable loi de la grandeur. Clarisse commençait à comprendre; mais, en même temps qu'elle comprenait qu'elle abritait l'âme d'un bouc, l'effroi qui avait roulé en elle comme un bloc de glace se mit à fondre, et l'excitation physique que l'âme avait contenue se mit à couler dans ses membres. Ce fut une étrange sensation. Le contact des taillis pénétrait profondément dans les nerfs, à travers la peau. Le gonflement de la mousse sous ses semelles, le bavardage des oiseaux se firent sensuels et recouvrirent l'âme du monde comme de la chair d'un fruit. « Quand vous me reconnaîtrez, vous me renierez! songea Clarisse. Vous me renierez quand je serai à l'asile, et parce que je serai à l'asile!... » Dès qu'elle eut pensé cela, il apparut que Walter était obligé de la renier réellement, c'était le seul moyen pour lui de se libérer d'elle. Une grande tristesse l'envahit à cette idée. « Tous me renieront, se dit-elle encore. C'est seulement quand vous m'aurez tous reniée que vous serez majeurs. Et c'est seulement quand vous serez tous majeurs que je reviendrai vers vous! » ajouta-t-elle. C'étaient comme des débuts de poèmes merveilleux dont le deuxième vers se perdait déjà dans un excès de fièvre et de beauté. Elle appela cela le Chant du Golgotha. Ce travail extraordinaire était accompagné d'une tension telle qu'elle semblait devoir éclater en sanglots incessamment. Ce qui surprenait le plus Clarisse, dans cette tempête de liberté, c'était un état de sujétion extraordinaire. « Si j'avais ne fût-ce qu'un brin de superstition au lieu de cette santé de fer, pensa-t-elle, je me ferais peur à moi-même! » Tantôt ses pensées étaient telles qu'on aurait dit que Clarisse n'était qu'un instrument sur lequel jouait une créature inconnue d'essence supérieure, son corps de lumière, qui lui répondait avant même qu'elle l'eût interrogé, bâtissant des pensées qui se dressaient devant elle comme des contours de cités, au point qu'elle était saisie de stupeur. Tantôt, elles étaient telles que Clarisse semblait être tout à fait vide, une chose légère comme une plume qui s'efforçait à grand'peine de ralentir sa marche : chaque objet sur lequel se posait son regard, chaque souvenir que le rayon de la mémoire illuminait l'entraînait en hâte vers l'objet et le souvenir suivants, de sorte que les pensées de Clarisse, parfois, semblaient courir à côté d'elle : ce fut comme une compétition effrénée avec son corps, jusqu'à ce que la jeune femme, ravie de bonheur, dût s'arrêter et se jeter épuisée dans les myrtilles.

Elle avait trouvé une clairière (ce n'est pas là un acte simple, mais une trouvaille, une découverte!) où le soleil pénétrait; tandis qu'elle sentait sous elle la chaleur de la terre, elle s'étendit comme sur une croix et les rayons du soleil s'enfoncèrent comme des clous dans ses paumes tournées vers le ciel.

A l'appartement, elle avait laissé un mot pour Ulrich disant simplement qu'elle l'attendait dans la forêt. (Ulrich, tout de même, doit trouver cela un peu bizarre.)

Après sa conversation avec Walter, Ulrich s'était mis en route et avait trouvé le mot. Il supposa simplement que Clarisse s'était cachée quelque part et s'annoncerait quand il pénétrerait dans la forêt. Oppressé par la touffeur du matin, il avançait (avec déplaisir) sur le chemin qu'ils avaient l'habitude de prendre pour se rendre dans la forêt; ne trouvant pas Clarisse, il s'enfonça plus avant au hasard. De tous les propos de Walter, ce qui lui avait fait le plus d'impression était que Clarisse continuait à se préoccuper de Moosbrugger. Pour lui, Moosbrugger aurait pu être mort et pendu depuis longtemps, car il y avait des semaines qu'il n'avait pas songé à lui, et c'était assez étrange tout de même quand on pensait que l'image de cet être à l'imagination grossière avait été peu de temps auparavant un véritable centre dans sa vie. « Vraiment, se dit-il, l'homme prétendu normal n'a pas moins d'incohérence dans les sentiments qu'un fou ». La chaleur détendait son col, ouvrait les pores de son visage, imprégnait la peau amollie. L'idée de devoir retrouver Clarisse n'avait rien d'agréable. Que pouvait-il lui dire ? Elle avait toujours été de ces gens qu'on dit fous sans le prendre au sérieux : si elle le devenait réellement, le plus simple serait qu'elle fût du même coup affreuse, repoussante; mais si elle ne lui répugnait pas ?

Non. Ulrich admit qu'elle lui répugnerait forcément. L'esprit dégénéré est affreux. C'est ainsi qu'il faillit buter sur elle, brusquement : tous deux avaient suivi sans le vouloir un large sentier qui prolongeait le chemin qui les avait amenés à l'orée du bois. Clarisse, étendue multicolore dans les hautes herbes et cachée aux regards d'Ulrich, l'avait vu venir. Vite, elle avait rampé dans sa direction et était restée assise à l'endroit où il devait passer. Le visage d'Ulrich qui se croyait inobservé et n'avait qu'un rapport végétatif avec les obstacles qu'il franchissait, à cause de ses mouvements multiples, inconscients et décidés, fit à Clarisse une étrange impression. Ulrich, surpris, ne s'arrêta qu'au moment où il l'aperçut presque couchée sous lui, les yeux levés vers lui avec un sourire. Elle n'était pas affreuse le moins du monde.

« Nous devons libérer Moosbrugger, déclara Clarisse quand Ulrich lui eut demandé d'expliquer les idées auxquelles Walter avait fait allusion. Si on ne peut faire autrement, il faudra l'aider à s'évader! Je suis sûre que tu m'aideras! »

Ulrich secoua la tête.

« Alors viens! fit Clarisse. Nous nous enfoncerons dans la forêt jusqu'à ce que nous soyons tout à fait seuls. » Elle avait bondi sur ses pieds. La volonté absurdement envahissante qui sortait de cette petite créature était comme les ronces dans la vapeur du soleil, avec le bourdonnement de mille insectes inconnus : inhumaine, mais agréable. « Mais tu t'es échauffé! s'écria Clarisse. Tu vas prendre froid, sous ces arbres! » Elle prit un foulard sur son corps chaud et le lui jeta prestement sur la tête; puis elle grimpa sur Ulrich, disparut sous le foulard et l'embrassa comme une petite fille turbulente, avant qu'il pût la repousser. Clarisse trébucha et fut s'asseoir. Ulrich grogna, menaçant : « Je ne t'ai pas pardonné le temps où tu étais amoureuse de ce brouillon de Meingast et où je ne comptais plus pour toi! — Allons donc! répondit Clarisse. Tu n'y comprends rien. Meingast est homosexuel. Tu ne m'as pas comprise du tout!

— Et qu'est-ce que cette histoire de rédemption ? demanda sévèrement Ulrich. C'est à cause de lui que ça a pris ces proportions, n'est-ce pas ?

— Oh! ça, je te l'expliquerai, viens! » répondit Clarisse.

Ulrich raconta ce que Walter lui avait déjà dit.

« Bon. Mais ce n'est pas l'essentiel. L'essentiel, c'est l'ours.

— L'ours ?

— Oui, le museau pointu avec ses dents qui déchirent tout. J'éveille l'ours en vous! » Clarisse montra d'un geste ce qu'elle voulait dire, avec un sourire innocent. « Mais Clarisse! — Naturellement! répondit-elle. Tu me renies parce que je suis loyale! Walter lui-même croit que chaque homme a un animal qui lui ressemble. Il faut l'en délivrer. Nietzsche avait l'aigle, Walter et Moosbrugger ont l'ours.

— Et moi ? demanda Ulrich curieux.

— Justement, je ne le sais pas encore.

— Et toi ?

— Je suis un bouc avec des ailes d'aigle. » (Quand Clarisse parle de la sorte, elle fait penser à un totem.)

Ils errèrent ainsi dans la forêt, mangèrent des baies; la chaleur et la faim les desséchèrent comme bois de violon. Parfois Clarisse cassait une petite branche sèche et la tendait à Ulrich; il ne savait pas s'il devait la jeter ou la garder dans la main : comme chez les enfants, quand ils agissent ainsi, il y avait, derrière, autre chose qui échappait aux concepts. Puis Clarisse s'arrêta dans les taillis, et les lumières de ses yeux brillèrent. Elle déclara : « Moosbrugger a commis un meurtre sexuel, n'est-ce pas ? Qu'est-ce à dire ? En lui, le plaisir sexuel s'est dissocié de l'humain! Mais n'est-ce pas la même chose chez Walter ? Chez toi ? Moosbrugger a dû payer pour ça : ne faut-il pas l'aider ? Qu'en penses-tu, toi ? » Du pied des arbres venait une odeur d'obscurité, de champignons, de décomposition, d'en haut celle des branches de pins éclairées par le soleil.

« Feras-tu cela pour moi ? » demanda Clarisse.

Ulrich dit non de nouveau et demanda à Clarisse de rentrer.

Elle marchait en serpentant à côté de lui, la tête basse. Ils étaient parvenus assez loin. « Nous avons faim », dit Clarisse en sortant un morceau de pain rassis qu'elle avait dans sa poche. Elle en donna à Ulrich. C'était un sentiment étrangement agréable et désagréable à la fois, qui apaisait la faim et aiguisait la soif. « Le moulin du Temps moud très sec, dit poétiquement Clarisse, tu entends tomber un grain après l'autre. »

Ulrich eut l'impression que parmi toutes ces absurdités déplaisantes, sans trop réfléchir, il se sentait mieux qu'il ne l'avait été depuis longtemps.

Clarisse tenta de nouveau de le gagner. Elle voulait agir

elle-même. Elle avait un plan, disait-elle. Il lui fallait seulement un peu d'argent. Et Ulrich devrait parler une fois à sa place avec Moosbrugger, parce qu'elle n'avait plus le droit de se rendre à la clinique.

Ulrich le promit. Ce romantisme de brigands remplissait le vide du temps. Il fit toutes réserves sur les conséquences. Clarisse se mit à rire.

Comme ils étaient sur le chemin du retour, le hasard voulut qu'ils rattrapassent un homme qui conduisait un ours apprivoisé. Ulrich en plaisanta, mais Clarisse le prit très gravement, parut chercher protection contre le corps de son ami, le visage soudain absorbé. Lorsqu'ils dépassèrent le forain, Clarisse s'écria brusquement à voix haute : « Je dompte tous les ours ! » Cela sonna comme une plaisanterie déplacée. En même temps, elle avança la main vers la gueule de l'ours pour le saisir par la muselière, et Ulrich eut du mal à l'éloigner à temps de la bête effrayée, qui grondait.

99. *Carrière d'un homme d'action.*

Malgré son âge certain, le directeur Léon Fischel eût aimé demander à tout le monde : Connaissez-vous Léone ? Mais il savait que ça ne se faisait pas. Il gardait donc son secret. Qui était Léone ? Léone était cette personne qu'Ulrich avait baptisée Léontine parce qu'elle le faisait penser à une grande peau de lion qui se fût bourrée de pâtisseries. Elle se produisait dans de petites boîtes de nuit et chantait des romances bourgeoises avec un très grand sens du convenable. Elle continuait à boire et à manger trop. C'était sa façon d'être distinguée. Quand elle lisait sur un menu *Polmone alla Torlogna*, elle prononçait cela comme un autre aurait dit en passant qu'il avait parlé avec le prince du même nom. Quand son estomac se soulevait (de cette façon légèrement désagréable qui est encore fort loin du vomissement) parce qu'elle avait trop mangé et trop bu, elle croyait avoir atteint une haute situation sociale. Ç'avait été une triste période pour Ulrich. Pendant de longues nuits, il avait eu l'impression de s'être glissé dans une cage et d'être assis dans un des angles, tandis que dans l'angle opposé, ténébreux, était accroupie une bête inconnue qui le considérait comme son maître et seigneur. Bientôt, il s'était libéré de Léone fort décemment en lui permettant de séjourner quelques mois encore dans la capitale dont elle avait peine à quitter les plaisirs; sans le savoir, il avait ainsi fondé son bonheur. Léone était la créature la plus dépourvue de talent qui eût jamais encombré une scène, mais la langue allemande possède une association d'épithètes, *bête et vorace*, dont la popularité fit le bonheur de Léontine. Bien entendu, le hasard joua aussi son rôle : le mérite objectif, à lui seul, n'entraîne nulle part de progrès réels. Peut-être Ulrich avait-il contribué d'ailleurs même à ce hasard : Arnheim, en touriste consciencieux, ayant manifesté le désir de voir aussi quelques « boîtes », Ulrich l'avait emmené un jour en compagnie de Tuzzi au spectacle de Léone, et il avait osé prendre avec lui Léon Fischel qui, à cette époque, voulait absolument faire la connaissance d'Arnheim, histoire d'exaspérer sa femme. La soirée n'avait pas été exceptionnellement drôle, mais Ulrich devait avoir donné quelques explications sur Léone, et le sous-secrétaire Tuzzi, à qui elles plaisaient, avait dû en faire usage aux Affaires étrangères : chacun sait que, dans la diplomatie et la politique, les anecdotes sont précieuses. Bref, la sensationnelle voracité de Léone excita l'appétit de savoir de quelques jeunes nobles; quand il apparut que cette femme était encore bête et belle, sa réputation fut établie. La plaisanterie du jour, qui dura bien quelques semaines, fut de nourrir Léone comme on nourrit les phoques à la Ménagerie impériale; celle-ci obtint même, de la sorte, un nouvel engagement avantageux. Peut-être Léone n'était-elle pas plus bête, mais seulement plus vorace que ses nouveaux amis. On lui versait du champagne non pas dans la bouche, mais dans la poitrine, on lui répandait du caviar dans les cheveux, on lui jetait des tranches de viande ou des poissons pour qu'elle les attrapât : finalement, elle réussissait quand même à en absorber la plus grande part, et elle avait la satisfaction de partager les plaisirs de la meilleure société du pays. Mais ce qui ne cessait de fortifier sa réputation de bêtise, c'était sa lenteur en tout ce qui ne concernait pas le manger ou le boire. Lui jetait-on une parole grossière ou brutale, elle levait des yeux doux et interrogatifs dans lesquels la vision disparaissait aussi lentement qu'un lapin dans les profondeurs d'un serpent à la déglutition méticuleuse. Essayait-on de la frapper, elle se défendait aussi gauchement que quelqu'un qui hésite à dépenser ses forces pour une bagatelle. Elle n'était pas différente en amour : le plaisir lui demeurait parfaitement indifférent, sauf une petite étincelle de volupté, si l'on peut dire, qui apparaissait et disparaissait à un moment donné de l'opération, telle une mouche, dans sa sérénité imperturbée. Des esprits plus prompts jugent bêtes ces réactions-là, et Léone n'en aurait jamais disputé, bien qu'elle les trouvât plutôt distinguées, quant à elle; de plus, elle avait vite compris l'accroissement d'admiration que lui valait la réputation d'être bête et vorace. Car *bête et vorace* est une de ces associations verbales qu'on aime beaucoup à énoncer bien qu'on n'ait que rarement l'occasion dans sa vie de les voir incarnées en quelqu'un; quand cela se produit, on se sent comme flatté, distingué, on est le type qui a réussi à dénicher ce phénomène. Qu'on imagine la fierté d'un homme qui parviendrait, par exemple, à posséder une hirondelle qui ne fait pas le printemps. On éprouve une émotion analogue quand on croit avoir trouvé une personne en qui s'incarnent le beau, le bon et le vrai. C'est sur des raisons semblables que reposait le succès de Léone, à son insu naturellement. Malheureusement, la bonne société est inconstante; au bout de quelques semaines déjà il faut à son esprit de nouveaux stimulants : Léone fut bientôt en danger de retomber dans l'ombre. Mais, avant même qu'elle s'en doutât, avant qu'elle eût eu le temps de s'en effrayer, son sauveur apparut en la personne de Léon Fischel.

Dès la première soirée avec Ulrich et Arnheim, Léone avait fait une forte impression sur le directeur Fischel, qui retourna plusieurs fois l'admirer. C'était un libre-penseur, et l'harmonie du visage de la chanteuse lui rappelait des portraits de reines. A part soi, il la qualifiait de « noble beauté » pour s'excuser de s'offrir si souvent une place au premier rang de l'établissement de luxe où Léone se produisait alors, dépense qui était en contradiction absolue avec ses opinions sur les règles d'économie auxquelles doit se soumettre un fonctionnaire commercial, ainsi qu'il se qualifiait lui-même amèrement. Savoir que cette belle créature avait des relations avec des nobles lui plaisait et le tranquillisait en lui montrant qu'il n'avait rien à espérer; même le coûteux appétit de Léone, dont il se souvenait d'avoir entendu parler par Ulrich, y gagnait la distinction de tout ce qui est inaccessible. Ainsi, quand il la considérait à travers ses jumelles, lui apparaissait-elle dans sa sereine beauté comme cela même dont il rêvait chaque fois qu'il rentrait du bureau avec la perspective d'y trouver Clémentine, son épouse. On peut presque dire qu'elle fut son idéal, jusqu'au jour où elle devint sa réalité. A cette époque, de grands changements s'opéraient en Léon Fischel. Pour le dire en peu de mots, l'honnête fondé de pouvoirs et directeur en titre qui semblait ne jamais devoir devenir, pour le plus grand chagrin de son épouse, directeur en fait, commençait à se muer en spéculateur acharné : la faute n'en était pas à Léone, mais à Clémentine elle-même, car Léon Fischel était las de ne trouver chez lui que du dépit. Il serait resté toute sa vie un honnête fonctionnaire de banque si son épouse avait daigné lever les yeux sur lui, si sa fille Gerda avait reconnu sa valeur. Depuis des années, c'était le contraire qui se produisait. Léon Fischel aimait voir dans la vie une organisation rationnelle, et en parler un peu chaque jour; mais un homme qui travaille dans l'économie nationale n'a pas beaucoup de loisir pour cela, et la contradiction, pour lui, est pire qu'une attaque à main armée. Ceci posé, on peut dire que Fischel, depuis des années, était lentement assassiné par ces deux femmes. Qu'un autre essaie donc de voir ce que c'est que d'être perpétuellement contredit et désavoué par son entourage. Une femme, dès qu'on reste quelque temps sans lui dire qu'elle est belle, perd sa beauté, et un esprit qui n'obtient aucun succès se dessèche, dans la mesure où il ne dégénère pas en provocations véhémentes, ce pour quoi Fischel manquait de temps. C'est alors que la tentation le visita sous la forme d'une société de commerce. Il s'agissait d'une spéculation : on ne lui demandait pas une grosse participation financière, mais plutôt les lumières que sa situation lui donnait sur certaines opérations. Il gagna d'un coup et sans peine, sinon très élégamment, une certaine somme d'argent, risqua une deuxième fois et gagna plus encore. Jusqu'alors, les revenus fischéliens avaient suffi à assurer les besoins et rendu possibles certaines réserves que des séjours aux eaux et d'autres dépenses extraordinaires avaient pourtant vite fait d'épuiser. Pour la première fois depuis son mariage, Léon Fischel retrouva le fascinant et tiède confort de l'homme qui gagne plus qu'il ne dépense. Mais ce n'était pas là l'essentiel. Ce qui décida de son destin et le transforma lui-même en peu de temps, ce fut la découverte de sa force et du bien-être serein qui s'installe en vous quand vous commencez à en faire usage. Le temps où il n'avait pas spéculé, bien qu'il se confondît avec toute son existence précédente, lui fit l'effet d'une émasculation. Comment, puisqu'il était banquier, avait-il été assez lâche pour n'en pas profiter ? Ses principes furent oubliés d'un coup. D'après ces principes, l'argent était une puissance rationnelle destinée à féconder le monde par le mécanisme de l'offre et de la demande, et à le préserver des excès. Un jour, dans un moment de méditation, Léon Fischel avait modifié ainsi Schiller : « La puissance de l'argent est bienfaisante quand elle préserve l'homme, quand elle le dompte ». Peut-être était-ce même cela que Schiller avait voulu dire en fin de compte, et le métier d'employé de banque semblait à Fischel comparable à la garde sacrée du feu. Jamais il n'aurait admis qu'on pût mettre soi-même la main au feu et jouer avec lui, bien qu'il n'ignorât pas que les grands patrons le fissent : les grands patrons ne lui apparaissaient pas comme des spéculateurs, mais comme des puissants qui avaient du marché financier une connaissance telle que, pour éviter de voir l'argent y affluer tout seul, ils auraient dû coudre leurs poches. C'était le subalterne né. Mais en apparence seulement; en effet seul son idéalisme avait fait de lui un sous-ordre : tout idéalisme terrestre a pour but de détourner les convoitises vers en haut et de les affaiblir d'une manière agréable aux puissants. Fischel se sentit roulé. Il avait cru sincèrement au sublime, à la progressive rentabilité intellectuelle du monde; il était resté pauvre, sa femme avait cessé de le respecter, il avait dû tolérer qu'un blanc-bec d'antisémite s'emparât de sa propre fille. Quand il essayait de se défendre, on le traitait avec douceur comme un malade ou quelqu'un qu'une mésaventure a fait échouer en prison! Aussi y avait-il longtemps que Fischel se préparait à tourner le dos à ses principes; les événements qui venaient de se produire dans sa vie n'avaient fait que leur donner l'ultime coup de pied. Fischel ne se souciait pas de gagner, il ne se jetait pas sur l'argent, mais sur une nouvelle idée qui devait être le salut de sa vie : la passion dévastatrice du vieillard pour l'éternelle jeunesse et l'éternelle immoralité de l'argent s'était allumée en lui.

Dès l'instant où Fischel fit des affaires illicites, les remarques aigres-douces de sa femme le laissèrent froid. A la question de savoir si, dans une bonne famille, on peut mettre ou non des cure-dents sur la table, question qui avait fait s'opposer au moins une fois la semaine deux philosophies inconciliables, il répondit en renonçant généreusement à la présence du cure-dents sur la table de famille et en évitant celle-ci de plus en plus souvent sous prétexte de conversations d'affaires. Même la mentalité matérialiste que lui avait value si souvent le matin, à la table du déjeuner, après les pénibles événements de la nuit, le mépris glacé de son épouse, paraissait ne plus l'entacher, et Clémentine, qu'il méprisait, mais à laquelle il accordait plus souvent de petites attentions pour endormir ses soupçons, commençait à laisser flotter quelquefois sur sa chair refroidie le léger souffle de la tendresse ancienne. Bien entendu, le changement d'attitude de son mari aurait dû précisément éveiller sa méfiance, mais Léon, en dépit de son âge, était encore un débutant, et Clémentine n'eût jamais cru possible ce qui se produisait : crédule, elle admettait que les attentions et les absences de son époux correspondaient à une activité commerciale accrue et à des indemnités qui le mettaient de belle humeur.

Mais Léon, dès qu'il avait eu de l'argent, avait marché droit sur Léone. Au début, inconsciente comme elle était, Léone le traita d'horriblement haut, bien que son succès auprès des autres commençât déjà à décliner. Mais sa bêtise ne lui porta pas moins chance dans cette nouvelle application : Léon, un homme d'expérience, comprenait bien que, dans ce domaine, ses connaissances étaient encore insuffisantes, et les premières expériences l'intimidaient. Les chemises de soie roses et vertes de Léone lui parurent incomparablement plus élégantes que les solides parures de sa femme. Son indifférence physique n'était pas une nouveauté pour lui. Qu'elle fût une maîtresse salariée ne le dégoûtait pas, au contraire, il était flatté de succéder à tant d'amants de haute naissance, et cela se confondait dans sa conscience avec la passion de Léone pour les friandises. A cela s'ajouta le fait que la beauté de Léone avait quelque chose de démodé : elle lui rappelait les portraits de femmes qu'il avait contemplés adolescent avec la trouble ardeur des premières émotions, et quand le corps rassasié de Léone se désentortillait de ses vêtements, il croyait faire son entrée dans le pays des rêves. En un mot, il était aussi heureux qu'un homme peut l'être, car un homme n'est jamais aussi heureux que lorsqu'il réussit à se comporter comme il l'avait souhaité dans son adolescence, et cela fit de Fischel un époux et un père plus aimables qu'ils ne l'avaient été jusque là. Mais, à l'égard de lui-même, cela le contraignit aussi à un changement d'attitude qu'on pourrait définir par une plus grande scrupulosité. Lorsqu'un homme, après des années de fidélité, prend ses dispositions pour un premier adultère, c'est comme quand un vieux bateau est peint et gréé de neuf. Que de détails à noter et à corriger, des orteils négligés à la cravate dont on ne tolérera plus de dissimuler l'usure par l'habileté du nœud ! Il n'y a plus de place pour les chemises rapiécées et les chaussettes ravaudées qui sont l'image de la fidélité : un homme qui s'égare est toujours impeccable et surveillé.

D'ailleurs, quand ses nouvelles qualités furent devenues naturelles à Léon Fischel, l'éclat dont Léone l'avait ébloui s'atténua légèrement. Les mots Léon et Léone ne furent plus un rayon de joie dans l'âme de Fischel, mais un élément dans la garde-robe d'un homme élégant. Fischel se chargea des finances de Léone en revoyant le compte de ses revenus de l'année précédente et en lui prouvant qu'elle avait mal géré ses affaires, qu'elle ferait une lamentable faillite si elle n'apprenait pas à temps à vivre plus modestement. Léone accepta cela assez longtemps parce que son indolence reculait devant un changement et que Fischel, au moins, ne touchait pas à ses goûts gastronomiques, sorte de patrimoine ; mais, pour la première fois, elle eut vaguement l'impression d'une déchéance. Fischel, lui, consacra son argent à de nouvelles tâches. « Gerda ! disait-il à sa récalcitrante fille. Grâce à mes efforts, si tu veux te marier, tu disposes de tout l'argent que tu voudras ! Tu peux choisir n'importe qui ! » Mais Gerda, qui ne voulait pas répondre à la gentillesse de son père par une attaque à propos de Hans, se contentait de répliquer chaque fois : « Merci, papa ! On n'est pas obligé de se marier ! » Quand Léon songeait que Léone l'attendait le soir même et qu'il devrait trouver une échappatoire, il lui était plus facile de contenir une exclamation sur la folie du monde. De la sorte, il lui semblait que Gerda était devenue plus gentille, plus tolérante, qu'elle n'était pas tout à fait aussi exaspérante que naguère.

100. *La carrière d'un homme d'action.* (Suite.)

La mauvaise conscience avait amené Ulrich chez Gerda : depuis cette triste scène entre eux il n'avait pas eu de ses nouvelles et ne savait comment elle s'en était sortie. A sa vive surprise, il trouva chez les Fischel papa Léon : maman Clémentine était sortie avec Gerda. Léon Fischel ne laissa pas Ulrich repartir : quand il avait reconnu sa voix, il était accouru en personne dans l'antichambre. Ulrich devina des changements. Le directeur Fischel semblait avoir changé de tailleur : ses revenus devaient être plus gros et ses idéaux plus petits. D'ordinaire, il restait toujours à la banque plus longtemps; il ne travaillait jamais chez lui, depuis que l'air y était devenu si hostile. Aujourd'hui, au contraire, il semblait être resté assis à son bureau, bien que ce « métier bruissant du temps » fût resté inutilisé pendant des années : il y avait une liasse de lettres sur le tapis vert et le téléphone nickelé qui ne servait d'ordinaire qu'aux dames était de travers, comme si on venait de s'en servir. Quand Ulrich eut pris place, Fischel fit tourner dans sa direction son siège mobile et nettoya ses lorgnons à l'aide d'un mouchoir qu'il sortit de la poche intérieure de son veston : naguère, il eût certainement blâmé cette coquetterie en affirmant que Gœthe s'était contenté de porter ses mouchoirs dans ses poches de pantalon, que le fait fût ou non avéré.

« Il y a longtemps qu'on ne vous avait vu, dit le directeur Fischel.

— Oui, dit Ulrich.

— Vous avez fait un gros héritage ?

— Oh! dit Ulrich. Suffisant.

— Oui, chacun a ses soucis.

— Mais vous avez l'air en pleine forme ? Vous avez rajeuni, je crois bien.

— Merci, le métier, ça allait toujours. Mais voyez-vous... » (Il indiqua du doigt, mélancoliquement, la liasse de lettres posée sur la table) «... vous connaissez Hans Sepp, n'est-ce pas ?

— Naturellement. Vous m'avez mis dans la confidence.

— C'est juste! dit Fischel.

— Ce sont sans doute des lettres d'amour? »

Le téléphone sonna. Fischel remit son lorgnon qu'il avait enlevé pour parler, tira un feuillet couvert de notes de son veston et dit : « Achetez! » Puis la voix à l'autre bout du fil parla un long moment sans qu'on pût l'entendre. De temps en temps, Fischel regardait du côté d'Ulrich par dessus ses verres, il lui dit même une fois : « Excusez-moi! » Puis il cria dans l'appareil : « Non, merci : la deuxième affaire ne m'intéresse pas! Parler? Oui, nous pourrons en reparler », et il raccrocha en s'autorisant une brève songerie satisfaite.

« Tenez! dit Fischel. C'était quelqu'un d'Amsterdam : beaucoup trop cher! Il y a trois semaines, la chose ne valait pas la moitié, et dans trois semaines elle ne vaudra pas la moitié non plus de ce qu'elle coûte maintenant. Entre temps, il y aurait une affaire à faire! Mais le risque est grand!

— Aussi avez-vous refusé, fit Ulrich.

— Rien n'est encore fait. Mais le risque est grand!... Pourtant, laissez-moi vous le dire, on bâtit là en marbre, pierre sur pierre! Peut-on bâtir sur les opinions, l'amour, les idéaux d'un homme? » Il songeait à sa femme et à Gerda. Comme c'était différent au début! Le téléphone sonna de nouveau, mais cette fois c'était une erreur.

« Je vous ai connu appréciant davantage de fermes valeurs morales qu'un marché ferme, dit Ulrich. Que de fois ne m'avez-vous pas reproché de ne pouvoir vous suivre?

— Hélas! répondit Fischel, les idéaux sont comme l'air, qui se modifie sans qu'on puisse savoir comment : même toutes fenêtres fermées! Il y a vingt-cinq ans, est-ce qu'on avait la moindre idée de l'antisémitisme? Non! on ne connaissait que les grands points de vue de l'humanité! Vous êtes trop jeune. J'ai encore assisté à quelques grands débats au Parlement. Comme cela s'évanouit! Il n'y a de sûr que ce qu'on peut traduire en chiffres! Croyez-moi, il serait bien plus raisonnable d'abandonner le monde au libre jeu de l'offre et de la demande que de l'équiper de cuirassés, de baïonnettes, de diplomates qui ne connaissent rien aux affaires et de prétendus idéaux nationaux! »

Ulrich l'interrompit en objectant que c'étaient précisément

les banques et l'industrie lourde qui, par leurs exigences, poussaient les peuples à armer.

« Et pourquoi ne le feraient-elles pas ? repartit Fischel. Si le monde est ce qu'il est et circule en plein jour en costume de folie, ne doivent-elles pas en tenir compte ? Et si l'armée se révèle bonne pour les tractations douanières et la répression des grèves ? Voyez-vous, l'argent a sa raison propre, il n'y a pas moyen de plaisanter là-dessus. D'ailleurs, *à propos* [1], avez-vous du nouveau sur les gisements arnheimiens ? » De nouveau le téléphone avait sonné ; mais, la main sur l'appareil, Fischel attendit la réponse d'Ulrich. La conversation fut brève, Fischel ne perdit pas le fil de l'autre ; comme Ulrich ne savait rien de nouveau sur Arnheim, Fischel répéta que l'argent avait sa raison propre. « Écoutez-moi bien, ajouta-t-il. Si je faisais offrir 500 marks à Hans Sepp pour qu'il se retire dans quelque université de sa très chère Allemagne, il refuserait avec indignation. Si je lui en offrais 1 000, de même. Mais si je lui en faisais offrir dix mille... mais je ne le ferai de ma vie, même si j'avais assez d'argent ! » On aurait presque dit que le directeur Fischel, d'effroi à l'idée d'une pareille somme, ne savait plus où il en était ; mais il réfléchit, et reprit : « C'est une chose qu'on ne peut pas faire, justement parce que l'argent a sa raison à soi. Il ne reste pas chez quelqu'un qui fait des dépenses absurdes : il le fuit, il le transforme en dissipateur. Le fait que les dix mille marks se refusent à être offerts à Hans Sepp prouve que ce Hans Sepp n'est pas réel, n'a aucune valeur, qu'il n'est qu'un pantin que le Seigneur m'a envoyé pour me tourmenter. »

De nouveau, Fischel fut interrompu. Cette fois par d'assez longues communications. Ulrich fut frappé qu'il traitât ses affaires chez lui et non au bureau. Fischel donna trois ordres d'achat et un de vente. Entre temps, il avait le loisir de penser à sa femme. Si je lui offrais de l'argent pour qu'elle accepte le divorce, le ferait-elle ? se demanda-t-il. Une certitude intérieure lui répondit : « Non » Léon Fischel doubla la somme en pensées : « Encore moins ! » dit la voix intérieure. Fischel la quadrupla. « Non, par principe ! » songea-t-il. D'une haleine, il augmenta la somme au-delà de toute possibilité de résistance humaine, puis s'arrêta, irrité. Il dut promptement

1. En français dans le texte. *N. d. T.*

réadapter son esprit à des sommes plus modestes, ce fut dans sa tête comme quand on sent ses pupilles se rétrécir sous l'effet d'un changement de lumière. Il n'avait pas perdu de vue un seul instant ses affaires et ne fit pas le moindre impair.

« Me direz-vous enfin, dit Ulrich qui s'impatientait déjà, ce que c'est que ces lettres que vous vouliez me montrer? On dirait des lettres d'amour. Avez-vous surpris Gerda en train d'en écrire?

— Je voulais que vous voyiez ces lettres. Vous les lirez. Je voulais simplement savoir ce que vous en dites, vous. » Fischel tendit à Ulrich toute la liasse et se carra dans son fauteuil pour se livrer à quelque autre réflexion, le regard, à travers les lorgons, perdu au plafond.

Ulrich jeta un coup d'œil sur les lettres; il en choisit une et se mit à lire lentement. Le directeur Fischel dit : « Dites-moi, cher ami, je crois que vous avez connu cette chanteuse, Léontine ou Léone, qui ressemble à feu l'impératrice Élisabeth : Dieu me pardonne, cette femme a vraiment un appétit léonin! »

Ulrich leva les yeux en fronçant les sourcils; la lettre lui avait plu, l'interruption le gênait.

« Vous n'avez pas besoin de répondre, dit Fischel, c'était une question en l'air. Et ne soyez pas gêné. C'est une royale créature. J'ai fait sa connaissance il y a quelque temps grâce à un ami : nous avons découvert que vous étiez liés. Elle mange beaucoup. Et pourquoi pas? Qui n'a plaisir à manger? » Fischel éclata de rire.

Ulrich replongea ses regards dans la lettre sans répondre. Fischel contempla de nouveau rêveusement le firmament de la pièce.

La lettre disait : « Être bien-aimé! Humaine déesse! Nous sommes condamnés à vivre dans un siècle éteint. Personne n'a le courage de croire à la réalité du mythe. Tu dois te rendre compte que tu es atteinte toi aussi. Tu n'as pas le courage d'assumer ta nature divine. La crainte des hommes te retient. Tu as raison de tenir la banale ardeur des hommes pour grossière; pis que cela, pour une dérisoire rechute des êtres de l'avenir que nous sommes dans de purs atavismes! Tu as raison aussi de dire que l'amour pour un être, pour un animal ou un objet est le commencement d'une prise de possession! Et nous savons bien que la possession est le commencement de la déspiritualisation! Pourtant tu devrais faire une distinction : être l'objet d'un sentiment, peut-être même déjà d'une sensation, c'est, selon moi, « être mien ». Je ne sens que ce qui est mien : je n'entends pas ce qui ne m'est pas destiné! S'il n'en était pas ainsi, nous serions des intellectuels. Que nous devions posséder avec les yeux, les oreilles, le souffle et les pensées, quand nous aimons, c'est peut-être l'inéluctable tragique de notre condition. Mais songe un peu : je sens que je ne suis pas, tant que je ne suis que moi-même, Moi-même. Je ne me découvre que dans les choses en dehors de moi. Cela aussi est une vérité. J'aime une fleur, un être, parce que sans eux je n'étais rien. Ce qu'il y a de grand dans l'expérience du « Mien », c'est de se sentir tout entier fondre comme un petit tas de neige sous les rayons du soleil, s'élever comme un souffle léger qui se défait! Ce qu'il y a de plus beau dans le « Mien », c'est l'extirpation de la possession de moi-même! Le pur sens du « Mien » est que je ne possède rien, mais que je suis possédé par l'univers. Tous les ruisseaux coulent des cimes dans les vallées, et toi aussi, mon âme, tu ne seras pas mienne avant d'être devenue une goutte dans l'océan du monde, un membre de la communauté, de la fraternité universelle! Ce mystère n'a rien de commun avec le prix ridicule que l'on accorde à l'amour individuel. En dépit des ardeurs de cette époque, il faut avoir le courage de la ferveur, du véritable feu intérieur! La vertu rend l'action vertueuse : ce ne sont pas les actions qui font la vertu! Essaie donc! L'Au-delà se révèle par bonds, et nous ne serons pas enlevés d'un bond dans la région de l'Inconditionnel. Mais des instants viendront où nous autres, dans notre éloignement des êtres, connaîtrons les moments également solitaires de la Grâce! Ne jette pas la sensualité et l'au-delà de la sensualité dans le pot du passé! Aie le courage d'être déesse! Voilà qui est allemand!... »

« Eh bien ? » dit Fischel.

Ulrich avait rougi. Il trouvait cette lettre agaçante et bouleversante. Ces jeunes gens n'avaient-ils donc aucune crainte de l'excessif, de l'impossible, de la parole sans provision ? Les mots entraînent les mots, et un noyau de vérité se recouvrait de leur étrange tissu. « Voilà donc ce que Gerda devient... » pensa-t-il. Mais dans cette pensée s'en cachait une deuxième, inexprimée, pleine de honte, qui disait à peu près : « N'es-tu pas trop craintif, toi, devant l'excessif et l'impossible ? »

« Eh bien ? répéta Fischel.

— Toutes les lettres sont-elles de ce style ? demanda Ulrich en les lui rendant.

— Comment saurais-je laquelle vous avez lue ? répondit Fischel. Elles sont toutes comme ça !

— Alors, elles sont très belles.

— Je m'y attendais ! éclata Fischel. C'est pour cela que je vous les ai montrées ! C'est ma femme qui a fait cette trouvaille. Mais dans ces problèmes spirituels, personne n'attend de moi un conseil judicieux. Donc, elles sont belles ! Dites-le à ma femme !

— Je préférerais en parler avec Gerda : bien entendu, il y a aussi beaucoup de sottises dans cette lettre.

— De sottises ? C'est peu dire ! Mais parlez ! Dites à Gerda que je ne comprends pas un mot à ce jargon, mais que je serais prêt à offrir cinq mille marks... non ! ne dites rien ! Dites-lui seulement que je l'aime quand même et que je suis prêt à lui pardonner ! »

Le téléphone ramena Fischel à ses affaires. Lui qui n'avait été toute sa vie qu'un employé modèle s'était mis depuis quelque temps à opérer en Bourse pour son propre compte : avec de petites sommes seulement, ses modestes économies et quelques titres de son épouse Clémentine. Il ne pouvait lui en parler, mais il avait le droit d'être content des résultats : c'était comme une compensation à l'atmosphère décourageante de son foyer.

101. *Ulrich à une soirée musicale.*

Ulrich revit Clarisse chez des amis à elle, dans un atelier de peintre où des gens s'étaient réunis pour faire de la musique. Clarisse passait inaperçue dans ce milieu, c'était plutôt Ulrich qui faisait figure d'original. Il était venu contre son gré et se sentait récalcitrant parmi tous ces gens qui écoutaient pliés en deux, en extase. Ces passages de l'aimable, du tendre et du doux au sombre, à l'héroïque et à l'orageux que la musique accomplit plusieurs fois en un quart d'heure (les musiciens ne le remarquent pas, parce que le processus, pour eux, se confond avec la musique, c'est-à-dire avec la perfection même!), paraissaient à Ulrich (qui n'était nullement persuadé en cet instant que la musique fût bien indispensable) aussi mal fondés que l'agitation d'une assemblée prise de vin qui passe à tous moments du larmoiement aux coups. Il ne voulait pas, sans doute, analyser l'âme d'un grand musicien, ni la juger, mais ce qu'on tient d'ordinaire pour la grande musique ne lui paraissait guère différent d'une caisse bourrée de tous les contenus de l'âme, ornée de belles ciselures au dehors, mais dont on a tiré tous les tiroirs de sorte qu'on en voit le désordre intérieur. Il n'arrivait pas à comprendre que la musique fût une fusion de l'âme et de la forme, parce qu'il voyait trop bien que l'âme de la musique (excepté la très rare musique absolument pure) n'était pas autre chose que l'âme de Pierre et de Paul, donnée en prêt et privée de raison.

Pourtant, comme les autres, il s'était pris la tête dans les mains; il ne savait pas si c'était parce qu'il pensait à Walter ou pour se protéger un peu les oreilles. En fait, il ne se bouchait pas complètement les oreilles, et il ne pensait pas seulement à Walter. Il ne voulait qu'être seul. Il ne pensait pas souvent aux autres; probablement parce qu'il pensait rarement à lui-même comme à une « personne ». D'ordinaire, il agissait en pensant que ce que l'on sent, veut, imagine, pense et crée peut être selon les circonstances un enrichissement de la vie; mais ce que l'on *est* ne représente jamais, quelles que soient les circonstances, qu'une production accessoire de ce travail. Les musiciens sont très souvent de l'avis opposé. Sans doute produisent-ils une chose à laquelle ils donnent le nom impersonnel de musique, mais cette chose n'est constituée pour la plus grande part, ou du moins celle qui leur importe le plus, que d'eux-mêmes, de leurs sensations, de leurs sentiments et de l'expérience partagée. Il y a plus d'être et moins de pérennité dans leur musique, à quoi rien ne ressemble plus, parmi les activités intellectuelles, que celle de l'acteur. Cette exaltation dont il était obligé d'être le témoin excitait l'aversion d'Ulrich, il était comme une chouette dans un cercle d'oiseaux chanteurs.

Naturellement, Walter était tout le contraire de lui. Il pensait beaucoup et passionnément à lui-même. Tout ce qui lui arrivait, il le prenait au sérieux. Parce que ça lui arrivait :

comme si c'était une élection capable de métamorphoser une chose. A tout moment il était une personne, un être complet, et parce qu'il l'était, il ne devenait rien. Tous l'avaient trouvé fascinant, lui avaient porté bonheur et l'avaient invité à rester avec eux, et le résultat final était que Walter était devenu archiviste ou conservateur, s'était embourbé, n'avait plus la force de changer, vitupérait tout le monde, était malheureux avec satisfaction et se rendait ponctuellement à son bureau. Et, pendant qu'il était à son bureau, quelque chose pouvait se passer entre Ulrich et Clarisse qui, s'il l'apprenait, bouleverserait sa personne autant que si l'océan de l'histoire universelle lui refluait dessus; alors qu'Ulrich en était beaucoup moins impressionné. Dès qu'elle était arrivée (Walter n'était pas venu), Clarisse s'était assise à côté d'Ulrich. Le dos courbé, les genoux relevés, dans l'ombre, car on n'avait pas allumé encore, dès les premières mesures elle avait posé sa main ouverte sur celle d'Ulrich comme s'ils eussent été étroitement liés. Ulrich s'était prudemment dégagé, et ç'avait été une raison de plus pour se prendre la tête à deux mains. Mais Clarisse, voyant ce qu'il voulait faire, et l'apercevant de biais à côté d'elle, aussi recueilli que les autres, s'était doucement appuyée contre lui, et il y avait déjà une demi-heure qu'elle était assise ainsi. Ulrich non plus n'était pas heureux.

Il savait qu'il ne cessait de commettre l'erreur contraire à celle de Walter. Cette erreur entraînait une dissolution privée de centre; l'homme se perdait dans un espace irradiant; il cessait d'être un objet avec toutes ses limitations, aussi précieuses qu'arbitraires; au plus haut degré, il atteignait une telle indifférence à l'égard de soi-même que l'humain, par rapport au surhumain, n'avait plus d'importance, comme le petit morceau de liège auquel est fixé un aimant qui l'entraîne en tous sens dans un champ de forces. C'est ce qui lui était arrivé dernièrement avec Agathe. Et maintenant (non, c'était un blasphème de faire ce rapprochement)... mais même entre Clarisse et lui maintenant il y avait « quelque chose », un mouvement, il était entré dans un champ de forces où Clarisse et lui étaient dirigés l'un vers l'autre par des courants qui se souciaient peu qu'ils eussent ou non une inclination mutuelle.

Tandis que Clarisse était appuyée contre lui, Ulrich songeait à Walter. Il le voyait devant lui sous une certaine forme, comme il lui arrivait souvent de le voir à part soi. Walter était étendu à l'orée d'un bois, portait une culotte courte et des chaussettes noires qui n'allaient pas du tout avec; dans ces chaussettes, il n'y avait pas des jambes d'hommes, ni les musclées, ni les maigres, mais des jambes de jeune fille, d'une jeune fille pas très belle avec des jambes douces, pas jolies. Il avait croisé les mains sous la nuque, contemplait le paysage au-dessus duquel rouleraient un jour ses immortels ouvrages, et il donnait l'impression qu'on le dérangerait en lui adressant la parole. Ulrich aimait beaucoup cette vision. Walter, dans sa jeunesse, était bien comme ça. Ulrich songeait : ce qui nous a séparés, ce n'est pas la musique (car il pouvait fort bien concevoir une musique au-dessus des personnes et des choses, s'élevant chaque fois sans retour comme une fumée qui se perd dans le ciel), c'est la différence d'attitude à l'égard de la musique, c'est cette vision que j'aime parce qu'elle a subsisté alors que Walter l'aime certainement pour une raison opposée, parce qu'elle a absorbé tout ce qu'il aurait pu devenir jusqu'au moment où il est devenu ce qu'il est. « Au fond, pensa-t-il, ce n'est qu'un signe des temps. Aujourd'hui, le socialisme s'efforce de faire du cher Moi privé une illusion sans valeur qu'il faudrait remplacer par des causes et des devoirs sociaux. Mais les sciences naturelles l'avaient précédé depuis longtemps en transformant les chers objets privés en processus aussi impersonnels que la chaleur, la lumière, le poids, et ainsi de suite. L'objet, tel qu'il importe à l'homme privé sous la forme d'une pierre qui lui tombe sur la tête (ou qu'il peut porter au doigt sertie dans de l'or), ou d'une fleur dont il respire le parfum, n'intéresse pas le moins du monde les nouvelles générations : elles le traitent comme un hasard ou une « chose en soi », c'est-à-dire quelque chose qui n'est pas là tout en étant là, une forme tout à fait folle et spectrale de la personnalité de l'objet. Sans doute peut-on prédire que cela changera, comme un homme qui passe ses journées à opérer sur des millions prend un jour dans sa main, avec stupeur, une pièce d'un mark, mais alors l'objet et la personnalité se seront modifiés. Entre temps, se perpétuera une coexistence assez comique. Moralement, par exemple, on voit l'homme à peu près comme les physiciens voyaient les corps il y a trois cents ans : ils « tombent » parce qu'ils ont la « qualité » de craindre la hauteur, ou s'échauffent, parce qu'il y a en eux un fluide caché : les moralistes continuent à attribuer aux hommes de tels fluides, de telles qualités, bonnes ou mauvaises. En psychologie, en revanche, on en vient déjà à réduire les êtres à des associations typiques de comportement typiques. En sociologie c'est la même chose. En musique, au contraire, l'homme redevient un tout.

On alluma soudain. La musique oscilla encore un peu. Dans les dernières notes, comme une branche qu'un oiseau vient de quitter, on cligna des yeux, et le silence qui précède les conversations générales s'établit. Clarisse s'était écartée d'Ulrich juste à temps, mais quand de nouveaux groupes se furent reformés, elle l'attira dans un coin pour lui parler.

« Quel est le contraire absolu de *laisser faire ?* » lui demanda-t-elle. Comme Ulrich ne répondait pas, elle donna elle-même la réponse : « *S'imprimer !* » La petite figure était debout devant lui, les mains au dos, toute élasticité. Elle tentait de s'accrocher au regard d'Ulrich, car les mots qu'elle devait chercher maintenant étaient si difficiles à trouver qu'ils faisaient vaciller son petit corps. « Se graver dans le monde! je te le dis. J'ai compris cela quand nous étions assis côte à côte. Les impressions ne sont rien du tout : elles t'impriment! Ou elles ne sont qu'un tas de vers de terre. Mais quand comprends-tu un morceau de musique ? Quand tu le refais de l'intérieur! Quand comprends-tu un être humain ? Quant tu te rends semblable à lui. Vois-tu, » dit-elle en décrivant de la main un angle aigu qui rappela à Ulrich, sans qu'il l'eût voulu, un phallus, « toute notre vie est expression! Dans l'art, dans la politique, dans l'amour nous cherchons la forme active, l'angle aigu, je t'ai déjà dit que c'était celui du museau d'ours! Non, je n'ai pas voulu dire que les impressions ne fussent rien du tout : elles sont la moitié... » L'effort qu'elle faisait pour se faire comprendre d'Ulrich la bouleversait.

A ce moment, la musique recommença, il n'y avait eu qu'un bref entracte, et Ulrich se détourna de Clarisse. A travers la grande verrière de l'atelier il regarda le soir. L'œil devait commencer par se réadapter à l'obscurité. Alors des nuages bleus apparurent traversant le ciel. On voyait monter d'en bas l'extrémité des branches d'un arbre. Des maisons se dressaient, le dos tourné vers en haut. « Comment feraient-elles autrement ? » pensa Ulrich en souriant, et pourtant il y a des minutes où tout semble renversé. Ulrich pensa à

Agathe et fut envahi d'une indicible tristesse. Ce nouveau petit être à son côté s'avançait avec une vitesse anormale. Ce n'était pas une évolution normale, il s'en rendait clairement compte. Il jugeait Clarisse folle. Il ne pouvait être question d'amour. Mais, tandis que la musique dans son dos lui apparaissait comme un cirque, l'idée lui plaisait de courir à côté d'un cheval trottant en rond et sur le dos duquel était Clarisse debout, criant comme font les acrobates, la cravache levée.

102. *Gerda.*

Quelques jours après la soirée de musique à l'atelier, Gerda apparut vers le soir chez Ulrich après s'être annoncée fiévreusement par téléphone. Avec une véhémence bizarre, elle enleva son chapeau et le jeta sur une chaise. Comme Ulrich lui demandait ce qui se passait, elle répondit : « Tout a éclaté!

— Hans est-il parti ?

— Papa est nettoyé! » Gerda rit nerveusement de cette expression vulgaire. Ulrich se souvint d'avoir été surpris par certaines conversations téléphoniques que le directeur Fischel menait de chez lui lors de leur dernière rencontre, mais ce souvenir n'était pas assez fort pour qu'il pût prendre tout à fait au sérieux l'exclamation de Gerda.

« Papa jouait, vous vous imaginez! poursuivit la jeune fille excitée, hésitant entre la gaieté et le désespoir. Nous pensions tous que c'était un brave employé de banque sans grand avenir, mais il est apparu hier soir qu'il ne cessait de se livrer clandestinement aux plus scabreuses spéculations! Vous auriez dû voir la scène! » Gerda se jeta sur la chaise à côté de son chapeau et croisa hardiment les jambes. « Quand il est rentré, on aurait dit qu'on l'avait sorti de l'eau comme un noyé! Maman s'est précipitée sur lui avec du bicarbonate et de la camomille, pensant qu'il se sentait mal. C'était onze heures et demi, nous avions déjà dormi un moment. Il a avoué qu'il devait payer de grosses sommes dans l'espace de trois jours et qu'il ne savait où les prendre. Maman, magnifique, lui a offert sa dot. Maman est toujours magnifique : qu'est-ce que c'était que quelques couronnes pour un spéculateur! Mais papa a avoué par-dessus le marché qu'il avait perdu depuis longtemps la petite fortune de maman. Que vous dire ? Maman criait comme un chien écrasé. Elle n'avait que sa chemise de nuit et ses pantoufles. Papa était écroulé dans un fauteuil et gémissait. Bien entendu, si l'affaire s'ébruite, sa situation est perdue. Je vous le dis, c'était lamentable!

— Voulez-vous que je parle à votre père ? dit Ulrich. Je ne comprends pas grand'chose à ces affaires. Croyez-vous qu'il faille craindre un geste inconsidéré ? »

Gerda haussa les épaules. « Aujourd'hui, il essaie de persuader un de ses honnêtes complices de l'aider! » Elle s'assombrit soudain. « J'espère que vous ne croyez pas que je sois venue pour ça ? Maman a émigré chez son frère : elle voulait m'emmener, mais je n'ai pas voulu, je me suis sauvée. » Elle avait retrouvé sa gaieté. « Savez-vous qu'il y a une petite femme là-derrière, une chanteuse de cabaret ou quelque chose de ce genre ? Maman l'a découvert aussi, ça l'a achevée. Vive papa, n'est-ce pas ? Qui l'aurait cru ? D'ailleurs, je ne pense pas qu'il veuille se tuer, poursuivit-elle. En effet, quand l'histoire de la femme s'est découverte, aujourd'hui, dans le courant de la journée, il a dit des choses tout à fait extraordinaires : qu'il préférait aller en prison puis gagner son pain en plaçant des livres pornographiques à être plus longtemps M. le directeur Fischel et famille!

— Ce qui m'importe le plus, à moi, dit Ulrich, c'est ce que vous allez faire.

— Je m'installe chez des amis, dit Gerda dédaigneusement. Ne vous faites donc aucun souci!

— Chez Hans Sepp et ses disciples! s'écria Ulrich sur un ton réprobateur.

— Là, personne ne me fera de mal! »

Gerda considéra l'appartement d'Ulrich. Comme une ombre sort des murs, le souvenir de ce qui s'était passé là lui revint. Telle qu'elle était maintenant, pauvre jeune fille ne disposant que des quelques couronnes qu'elle avait prises dans le secrétaire de sa mère en partant, elle se sentait merveilleusement libre et légère. Elle se faisait pitié. Elle avait envie de pleurer sur elle-même, comme sur un personnage tragique. On aurait bien pu lui donner un peu de bonté, pensait-elle, mais elle n'espérait guère qu'Ulrich la prendrait dans ses bras pour la consoler. Pourtant, s'il l'avait fait, elle n'aurait pas été aussi lâche que la première fois.

Mais Ulrich dit : « Je crois que vous ne voulez pas que je vous aide, Gerda : vous êtes beaucoup trop fière de votre nouvelle aventure. Tout ce que je puis dire, c'est que je crains qu'elle ne finisse mal. Mettez-vous bien dans la tête, je vous en prie, que vous pourrez toujours disposer de moi sans aucun scrupule, en cas de besoin. » Il prononça ces mots en hésitant et en réfléchissant, car il aurait pu aussi bien en dire d'autres, plus affectueux. Gerda s'était levée, arrangeait son chapeau devant le miroir et souriait à Ulrich. Elle l'aurait volontiers embrassé pour se séparer de lui, mais peut-être n'y aurait-il plus eu de séparation; et le fleuve de larmes qui coulait invisible au fond de ses yeux l'emportait comme une musique tendre et tragique qu'il ne fallait pas interrompre, vers une nouvelle vie dont elle ne se faisait encore qu'une idée tout à fait vague.

103. *Clarisse séduit Ulrich.* (Ancienne ébauche.)

La femme de ménage était déjà partie, Walter était en plein travail de bureau et Ulrich, sans justifier entièrement à ses propres yeux la signification de ce choix, élisait maintenant ces heures-là pour ses visites. Pourtant, rien ne se passa jusqu'à un certain dimanche. Ce jour-là, Walter avait reçu une invitation qui le retiendrait en ville jusqu'au soir; une demi-heure avant son départ, après le déjeuner, Ulrich était arrivé sans se douter de rien, de mauvaise humeur : la perspective d'un après-midi en compagnie de son ami l'attirait si peu qu'il ne s'était mis en route que par habitude. Mais, quand Walter se prépara à partir, Ulrich y vit comme un signal. Clarisse avait eu la même pensée. Tous deux le savaient.

Clarisse dit qu'elle voulait lui jouer quelque chose. Elle commença. De la fenêtre, Ulrich fit signe à Walter qui lui rendit son salut. Gardant les yeux tournés vers la chambre, il se pencha de plus en plus dans la direction de celui qui s'en allait. Clarisse s'interrompit brusquement, s'approcha à son tour de la fenêtre. On ne voyait plus Walter. Clarisse recommença à jouer. Ulrich, maintenant, lui tournait le dos, comme s'il ne se souciait pas d'elle, appuyé à la fenêtre. Clarisse cessa de nouveau de jouer, courut dans le vestibule. Ulrich l'entendit mettre le verrou à la porte. Lorsqu'elle revint, il se retourna lentement; ne dit rien; hésita. Elle joua encore. Il s'approcha d'elle et lui mit la main sur l'épaule. D'un mouvement de l'épaule, elle repoussa la main sans tourner la tête. « Cochon! » dit-elle en continuant à jouer. « Bizarre! pensa-t-il. Flairerait-elle la violence ? » L'idée qui l'obsédait de la saisir aux épaules et de l'arracher à son tabouret de piano lui paraissait aussi comique que de tirer sur une dent branlante. Cela l'oppressa. Il gagna le centre de la pièce. Il aiguisa son attention et chercha des prétextes. Mais, avant même qu'aucune idée lui fût venue, sa bouche dit : « Clarisse! » Ce mot s'était contracté dans sa gorge, s'en était détaché en gargouillant, comme une créature inconnue. Clarisse se leva, docile, et fut à son côté. Elle avait les yeux grands ouverts. Il comprit seulement à ce moment que Clarisse cherchait à provoquer artificiellement, peut-être sans le savoir, la fièvre d'un monstrueux sacrifice. Comme Clarisse était debout à côté de lui, la décision devait se produire incessamment, mais la violence de ces pressions se saisit d'Ulrich; ses jambes ne le portaient plus, il fut incapable de rien dire et se jeta sur le divan.

Au même moment, Clarisse se jeta sur sa poitrine. Ses bras s'enroulèrent autour du cou et de la tête d'Ulrich. Elle semblait tirer sur ses bras sans réussir pourtant à leur interdire cette étreinte. Un souffle brûlant sortait de sa bouche et lui jetait au visage, comme des flammes, des paroles incompréhensibles. Elle avait des larmes dans les yeux. Alors tout ce qui constituait Ulrich d'ordinaire s'effondra. [?]. Lui aussi jeta une parole dépourvue de sens, mais devant leurs yeux à tous deux les veines vacillaient comme une grille, leurs âmes se jetèrent l'une sur l'autre tels des taureaux, et il y avait dans cet emportement le sentiment d'une décision morale considérable. Dès lors, ni l'un ni l'autre ne continrent plus leurs paroles, leur visage, leurs mains. Leurs visages, qui n'étaient plus que de la chair, s'écrasèrent l'un contre l'autre, humides de larmes et de sueur; tous les mots de l'amour qu'il fallait rattraper se précipitèrent dehors comme si l'on renversait sens dessus dessous le contenu d'un mariage, les mots lascifs, aguerris qui ne viennent qu'à la fin d'une intimité, arrivant les premiers, directement, excitants et effrayants tout ensemble. Ulrich s'était un peu redressé : tout était si visqueux (des visages aux mots) qu'ils glissèrent l'un dans l'autre sans plus exhaler aucun son.

— — —

Clarisse arracha son chapeau de la patère et se précipita dehors. Lui avec elle. Sans un mot. Où allaient-ils? Cette question occupait seule le cerveau d'Ulrich, vidé par cette tempête.

Clarisse courait frénétiquement à travers chemins, prairies, haies et forêt. Elle n'était pas de ces femmes qui s'ouvrent avec douceur : après la chute, elle devenait dure, méchante. Ils aboutirent enfin au Jardin d'acclimatation voisin de la forêt, dans un endroit situé très à l'écart. Il y avait là un petit pavillon rococo. Vide. Là, elle l'affronta de nouveau. Cette fois avec mille paroles et aveux. Excitée par l'impatience du désir et la crainte que des gens pussent passer tout près. C'était effrayant. Cette fois, le remords durcit et glaça Ulrich. Il abandonna [Clarisse]. Peu lui importait comment elle rentrerait, il s'enfuit.

— — —

Quand Ulrich, plus tard, regagna la maison, il y trouva Walter. Clarisse était encore agressive et feignit un doux accord conjugal. D'un unique regard boudeur, elle fit comprendre à Ulrich qu'ils étaient liés néanmoins. Il ne remarqua que plus tard l'étrange expression qu'avaient eue les yeux de Clarisse à deux reprises cette après-midi-là : frénétique, démente.

104. *Ulrich prépare l'enlèvement de Moosbrugger.* (Extrait d'une ancienne ébauche.)

Dans son excitation, Ulrich avait accepté de libérer Moosbrugger. Il obéit à cette idée, parce que les choses étaient allées très loin déjà. Il n'y croyait pas et prenait ses dispositions, persuadé que l'exécution du projet demeurait exclue.

— — —

Il trouva Moosbrugger trônant confortablement au milieu

des Sournois. Il y avait quelque chose d'héroïque autour de cet homme, le vain combat d'un géant. L'admiration qu'il semblait rencontrer et dont il jouissait avec une naïveté risible, il la méritait d'une certaine manière. Dans les pires ravages de la démence subsiste une personne qui lutte pour sa tenue. C'était comme une chanson de geste dans une époque occupée à de tout autres chansons, mais conservant encore les anciennes par une admiration de pure habitude. Violence désarmée, admirée, comme une massue entre les piliers de l'esprit. On pouvait se moquer de cet homme tout en comprenant l'aspect bouleversant de son comique. (Le trouble de son esprit était lié à celui de l'époque.)

« Avez-vous un ami ? lui demanda Ulrich en profitant d'un moment où on ne le surveillait pas. Je veux dire, Moosbrugger, n'avez-vous personne... » Moosbrugger dit qu'il en aurait bien un, mais que...

... Ce qui portait Ulrich, c'était l'automatisme qui accompagne tous les actes téméraires. Il ne fut nullement surpris quand il pénétra dans un appartement qui ressemblait à tous les autres appartements de cet immeuble de banlieue et trouva travaillant dans la cuisine une jeune femme qui devait ressembler à toutes les autres ménagères du quartier. Même la méfiance avec laquelle on le reçut ne différait pas de la méfiance habituelle à ces milieux. Il dut dire quelques mots à peine entré et ces politesses européennes traditionnelles l'entraînèrent aussitôt dans un univers impersonnel. Il n'y avait pas le moindre relent de crime dans ce décor. C'était une jeune femme solide, et sa poitrine bougeait sous la blouse comme un lapin sous un drap.

— — —

Ulrich eut de la chance et rencontra Karl Bigiste [?] dès sa première tentative. De nouveau, c'était le jeu automatique de ses membres et de ses pensées qui l'entraînait. Cette fois pourtant, Ulrich fit attention et poursuivit avec curiosité non pas tant ses propres actes que les événements qui lui arrivaient. Il éprouvait le même sentiment que lorsqu'on l'avait arrêté. De l'instant où l'intérêt de Clarisse l'avait effleuré prudemment comme l'extrémité d'un fil jusqu'au moment présent où l'évolution des faits se tressait en une grosse corde, les choses avaient suivi leur chemin à elles, l'une entraînant l'autre selon une nécessité où Ulrich lui-même n'était qu'entraîné.

Il lui sembla extraordinairement bizarre que la carrière de la plupart des hommes fût justement celle des choses, qui lui semblait à lui si déconcertante, alors que les autres trouvent tout naturel de se laisser porter par les occasions pour être hissés finalement au niveau d'une existence solide. Ulrich sentait aussi que bientôt il ne pourrait plus revenir en arrière, mais sa curiosité en était piquée, comme quand on remarque brusquement le mouvement incessant de sa propre respiration.

Il fit une autre remarque. Quand il s'imaginait les dégâts que provoquerait son projet, et le fait qu'il ne serait bientôt plus en son pouvoir d'en éviter le commencement de réalisation, avec cette mauvaise action dont il sentait le poids sur sa conscience comme si elle était déjà commise, le monde dans lequel il marchait paraissait transformé. Comme quand on a une vision dans le cœur. Vision de Dieu ou d'une grande découverte ou d'un grand bonheur. Même le ciel constellé est un phénomène social, une création de l'imagination de notre race d'hommes : quand on sort de son domaine, il se modifie.

« Moosbrugger, se dit Ulrich, va recommencer à faire des malheurs, si je l'aide à retrouver sa liberté. Il est hors de doute qu'il cèdera tôt ou tard à ses dispositions maladives, et c'est moi qui serai responsable. » Mais lorsqu'il essayait, pour se contenir, de se faire de graves reproches, ils sonnaient faux. Un peu comme on feindrait de voir très nettement dans le brouillard. En fait, les souffrances de ces victimes n'étaient pas certaines. S'il avait eu devant lui ces êtres en train de souffrir, il aurait probablement éprouvé une compassion intense, car il savait vibrer, et vibrer avec les autres. Mais tant que le pouvoir de suggestion de l'expérience sensible faisait défaut, que tout n'était qu'un jeu de l'imagination, ces êtres restaient des éléments d'une humanité qu'Ulrich aurait préféré voir abolie ou au moins profondément modifiée, et nulle compassion n'atténuait la force de cette aversion. Il y a des gens que cela épouvante : ils sont sous l'influence d'une très forte suggestion morale ou sociale, ils prétendent pousser des cris dès qu'ils observent la plus lointaine injustice et sont indignés par la méchanceté et la froideur qui règnent dans le monde. Ils montrent des sentiments violents, mais dans la plupart des cas ceux-ci leur sont imposés par leurs idées et par leurs principes, c'est une suggestion à perpétuité qui, comme toutes les suggestions, comporte quelque chose de mécanique et d'automatique sans rapport avec le monde des sentiments vivants. A l'opposé, l'homme qui vit naïvement est dur ou indifférent à l'égard de tout ce qui ne le touche pas de près; non seulement il montre, sous une forme passive, lorsqu'il lit dans le journal du matin les accidents et les catastrophes de la veille, l'indifférence d'un génocide, mais il n'hésite pas à souhaiter très activement, aux êtres qui lui sont indifférents et qui l'irritent, les mêmes malheurs. Certains phénomènes permettent de supposer que la civilisation qui progresse en se fondant sur l'œuvre commune fortifie aussi les sentiments opposés à ceux qu'on opprime et qu'on incarcère. Telles étaient les pensées d'Ulrich tandis qu'il marchait. Les victimes de Moosbrugger étaient abstraites, c'étaient des menacés comme les milliers d'êtres qui sont exposés aux dangers des usines, des chemins de fer et des automobiles.

Quand il jetait ainsi les yeux autour de lui, tout en se rendant chez monsieur B[igiste], il croyait constater que la vie créée par nos soins n'est possible que dans la mesure où l'on néglige la sollicitude obligatoire à l'égard de notre prochain le plus lointain. Sinon, nous ne devrions pas placer dans les rues de ces machines qui les tuent, ni même les laisser aller dans la rue, comme le font d'ailleurs pour leurs enfants les parents prudents. En fait, nous vivons avec un pourcentage annuellement prévisible de meurtres que nous préférons commettre plutôt que de changer de mode de vie ou de dévier de la ligne d'évolution que nous espérons maintenir. Ulrich fut frappé soudain par la présence, là aussi, d'une division générale du travail : l'affaire de certains groupes d'hommes est de réparer les dommages que l'inlassable activité des autres entraîne; mais jamais nous ne contiendrions une énergie en lui imposant une limite de l'intérieur. Finalement, il existe encore des organismes tout à fait déterminés comme les Parlements, les Rois et autres institutions analogues, dont le seul rôle est de préserver un équilibre. Ulrich en conclut qu'il importait fort peu qu'il aidât Moosbrugger à s'évader : il y avait assez d'autres hommes dont le métier était de prévenir les dommages qui en résulteraient; s'ils faisaient leur devoir, ils y réussiraient, et son acte personnel ne serait plus qu'une légère irrégularité. Qu'il ne pût néanmoins, en tant qu'individu, laisser aller les choses aussi loin, cette interdiction supplémentaire, morale, personnelle, n'était dans ce contexte qu'un coefficient de sécurité doublé : le sachant, il pouvait le négliger.

La vision qui se formait à partir de ces pensées, d'un autre ordre des choses, plus loyal, plus technique, moins prolixe, accompagnait Ulrich tandis que l'aventure l'attirait et qu'il était las de l'existence en suspens de l'homme d'aujourd'hui. (Éventuellement : il n'avait pas la chance d'avoir de l'influence, d'être accueilli par un monde défini. Comme Thomas Mann ou le brave bourgeois contemporain. Il ne se battait pas davantage pour une cause.) Ainsi, le trajet qu'il suivait n'était pas sans analogie avec le bond, bien connu d'Ulrich, qu'on peut faire d'un plongeoir de dix mètres. En tombant, on voit son image dans un miroir d'eau qui se rapproche à une vitesse croissante, on peut corriger de petites erreurs de position, mais dans l'ensemble, on ne peut plus rien changer à ce qui se produit.

— — —

Ulrich, quand il eut trouvé le petit café qu'on lui avait indiqué, fit tout comme — — — — — — on le lui avait ordonné — — — —

— — —

Pendant que cette histoire suivait son cours, Ulrich s'en fut deux fois chez Clarisse.

La première fois il passa une soirée avec Walter et elle dans la petite maison des vignes qu'ils avaient louée. Le couple jouait du piano quand Ulrich arriva; il s'assit dans le jardin et écouta... Soudain il se dit : pourquoi ne suis-je pas jaloux ? Il se représente Walter et le hait; mais ce n'est pas une haine authentique; au fond, l'aversion s'adressait aussi à Clarisse qui partageait cette existence et devait donc bien (de quelque façon) être faite pour elle. En cet instant, il aurait aimé hurler comme un chien... et il sentit que Clarisse et lui avaient simplement succombé à une occasion.

Quand ce fut passé, il se trouva dans cet état légèrement fiévreux qui précède quelquefois les découvertes capitales pour une vie. Il n'avait pas entendu... Clarisse vint le chercher... une pression de mains comme des grappes de raisin.

« Connais-tu aussi ces moments où il semble qu'on soit parfaitement transparent ? »

Les yeux de Clarisse... électrisés.

« Non, dit-il, je ne tiens pas à me voir. Que verrait-on, d'ailleurs ? » Clarisse : « il faut trouver son but. » Ulrich :

« pas trace : tout au plus le paysage. Tandis qu'à l'atelier! Notre vie est un tissu de contradictions sans décision. Je prendrai un long congé — — »

Ulrich sentit à nouveau le diable mince à son côté. Ils n'avaient pas vu que la lumière, dans le salon, s'éteignait. Ils ne savaient pas combien de temps ils étaient restés dehors, entendirent soudain les pas de Walter et s'avancèrent à sa rencontre avec un peu de provocation.

Puis, rentrés à la maison, dans la conversation, Ulrich exposa pour Walter, le mari trompé, le problème de Moosbrugger du point de vue qui était également recevable pour son adultère : tout ce que nous faisons n'est que comparaison. (C'est-à-dire, relève de l'analogie. Si moi, Ulrich, je prends parti pour Moosbrugger, il faut considérer cela comme partiel, et non total. De même quand je commets l'adultère avec Clarisse : je ne contracte pas mariage avec elle. Toute notre existence n'est qu'une analogie. Nous nous créons un système de principes, de dédommagements et ainsi de suite, qui couvre une partie du possible.

Walter au contraire — en homme moyen — est pour le solide, la pseudo-totalité.)

105. *Walter appelle Ulrich au téléphone. Clarisse malade.* (Ancienne ébauche.)

Avant sa seconde visite, Ulrich fut appelé au téléphone par Walter qui le suppliait de venir. Clarisse, disait-il, avait changé de manière inquiétante; il ne savait pas ce qui s'était passé entre Ulrich et elle, mais si Ulrich ne se souciait pas d'elle, ce serait un entêtement cruel. (Elle se plaignait d'un « silence effrayant » qui l'entourait.) Ulrich accourut.

Il trouva Clarisse dans un état d'excitation étrange qui ne pouvait pas ne pas frapper. Ce qui, chez elle, ressemblait au battement, au roulement d'un tambour invisible était toujours présent, mais c'était comme si on avait jeté dessus une étoffe noire. « Elle a lu le journal pendant le déjeuner, dit Walter, et il n'y avait vraiment rien de bien extraordinaire dedans :

une collision de chemins de fer en Amérique avec quelques morts, une autre en France, je ne sais quelle épidémie de typhus, l'assassinat quotidien, l'accident d'automobile hebdomadaire et quelques accidents de montagne. Mais on ne peut pas discuter avec elle; elle prétend ne pas pouvoir se délivrer de ces images. »

Clarisse considéra Ulrich comme si elle allait ne pas le reconnaître immédiatement. Mais Ulrich eut l'impression non seulement qu'elle savait parfaitement qu'il devait venir, mais encore qu'elle l'avait combiné. Non seulement elle l'avait reconnu dès qu'il était entré, mais son expression était encore toute creusée par une attente dans laquelle la présence d'Ulrich entrait comme une boule dans une coque. Pourtant, quelque chose semblait l'empêcher d'admettre qu'il était debout devant elle. Ulrich s'irrita de cette comédie.

Enfin, Clarisse sourit et lui tendit la main. Comme un chien malade donne la patte. Comme si elle avait arrangé quelque chose.

« Walter exagère, dit-elle. Mais je ne sais ce qui m'arrive. D'abord, j'ai lu cela tranquillement comme d'habitude... » Elle se mit à respirer violemment, irrégulièrement, il y eut comme un désarroi dans ses yeux. Walter s'approcha d'elle, posa son bras sur l'épaule de la jeune femme et l'attira vers lui pour la calmer. Elle se dégagea avec un mouvement de répugnance. « Mais n'avez-vous jamais remarqué cela ? reprit-elle avec violence. Il y a eu des catastrophes épouvantables. A chaque page la misère et la maladie! J'ai demandé à Walter d'aller voir les rédacteurs, mais il ne veut pas! »

Ulrich voulut répondre, mais il comprit avec une rapidité foudroyante que c'était une erreur. Il préféra parler brutalement : « Qu'est-ce que ça peut te faire ? »

Cette attaque grossière bloqua l'excitation de Clarisse.

« Peux-tu y faire quelque chose ? poursuivit Ulrich. Comment t'y prendras-tu ? »

Clarisse le regarda avec des yeux où les prunelles se révulsaient sans le vouloir, effrayées.

« Mais ne comprends-tu pas, dit-elle, que tu lis ça tous les jours sans rien faire ? Chaque matin, le journal t'accable d'une montagne de douleur, et tu ne le sens pas plus que si une mouche se posait sur ton front ? Est-ce que je deviens folle, ou êtes-vous des êtres banals ? » Elle saisit avec violence le journal qui était plié à la diable sur une table et se mit à lire : « Le touriste qui, ainsi que nous l'avions annoncé, a fait une chute mortelle dimanche au Hochtor est M. Max Prevenhuber, employé de bureau, trente-et-un ans. » Est-ce que tu ne peux pas comprendre ça ? Chaque mot est lourd de responsabilité. Dimanche. Chute mortelle. Employé de bureau : aurait-il pu faire cette chute un autre jour ? Serait-il allé en montagne un dimanche s'il n'avait été employé de bureau ? peut-être même, s'il ne s'était appelé Max ? Pourquoi personne ne l'a-t-il protégé ? Pourquoi personne ne protège-t-il les milliers d'autres qui périssent chaque jour parce que nous ne pensons pas à eux ?

— Tu es surmenée, Clarisse, dit Walter désespéré. J'irai chercher le docteur X., il t'empêchera de travailler ainsi. »

Clarisse se contenta d'un regard orgueilleux dans sa direction. « Ne sentez-vous donc pas les cadavres ? demanda-t-elle calmement. Je ne cesse de les sentir ! » Il y avait dans cette phrase, qu'elle énonça très simplement, un présent très réel, il en émanait une profonde émotion muette. Les deux hommes étaient debout, irrésolus. Finalement, Ulrich répondit doucement : « Il y a vraiment quelque chose qui t'a mis les nerfs en boule, Clarisse. Je ne dis pas que ce que tu affirmes soit faux. Mais un homme sain se verrouille là-contre. »

Clarisse leva un peu les mains avec tristesse. « Quand donc viendra de nouveau un rédempteur qui redresse ce qui est tordu et éclaire cet appauvrissement sans limites ?

— Jamais, répliqua Ulrich.

— Évidemment, c'est beaucoup plus difficile aujourd'hui », dit Clarisse presque sur un ton de prière. De nouveau, il eut le sentiment confus qu'en disant tout cela elle pensait à lui. Il expliqua longuement et durement que le besoin d'une solution simple des troubles d'une époque était une faiblesse, une illusion ridicule. (Comparer : Solutions partielles et solution totale.)

Walter avait peine à se contenir, mais il se tut, car il était visible que la mélancolie de Clarisse s'atténuait un peu, tandis qu'elle tenait ses regards fixés sur Ulrich. La ferme indifférence de celui-ci l'intimidait; les sentiments auxquels elle avait donné place non sans complaisance et sans cabotinage se resserraient au fond d'elle-même, se réduisaient à un point derrière ses yeux, elle le sentait. Mais le point ne s'effaçait pas.

Quand il partit, Ulrich comprit qu'elle n'avait pas cédé. Walter fit quelques pas avec lui. « Ça lui est déjà arrivé une fois, dit-il, pendant notre voyage de noces. » Ulrich se rappela. C'était à — — —, Clarisse, oppressée et enthousiaste, avait fui le pays étranger, mais s'était laissée retrouver un jour après. « En tous cas, tu devrais voir un médecin, dit Ulrich.

— Elle ne veut pas, mais je le ferai. Cette instabilité nerveuse est de famille. Il n'y en a pas un qui soit tout à fait normal.

— Mon Dieu, qui donc l'est tout à fait... » dit Ulrich en guise de consolation. Mais quand il se retrouva seul, il se secoua. Un trouble physiologique est aussi objectif et inhumain qu'un mur; Ulrich se sentit désagréablement indifférent. Clarisse était donc hystérique ? Un sentiment très désagréable s'associa à cette pensée : affaire à demi réglée ! De nouveau, ce mystère de Clarisse dans lequel il avait pénétré ne faisait plus que l'effleurer : « Une métaphore », se dit-il en crachant, contre son habitude. Les jours qui suivirent, il négligea même de prendre des nouvelles de Clarisse, tellement cette histoire lui était devenue désagréable.

— — —

Ulrich éprouva une satisfaction étrange, amère, à constater que pendant ce temps les événements avaient suivi leur cours irrésistible.

Au jour fixé par B[igiste] il arriva au rendez-vous, mais... (Contenu : la tentative d'évasion de Moosbrugger échoue, les soupçons se portent sur Ulrich. Il s'en sort à peu près comme l'autre fois, lors de son arrestation. Ensuite : l'aventure. Respect des coquins. Une réaction de la morale. L'esprit mollit comme le vent.)

106. *Le remords de Rachel.*

La petite Rachel souffrait tous les tourments du remords qui n'étaient relayés par rien que l'action lénifiante des larmes et le retour prudent de la tentation au bout d'un certain temps. Qu'on veuille bien se rappeler que la brûlante petite servante de Diotime, chassée de la maison paternelle à la suite d'un faux-pas et débarquée dans la lumière dorée de la vertu qui était devenue sa maîtresse, avait succombé, dans le plus faible d'une série d'instants de faiblesse croissante, aux assauts du jeune Maure. La chose faite, elle en fut très malheureuse. Mais le malheur avait tendance à se répéter aussi souvent que le permettaient les rares occasions offertes par la maison Tuzzi. Deux ou trois jours après chaque accident une étrange transformation se produisait, comparable à celle d'une fleur qui, malmenée par la pluie, redresse soudain sa petite tête. Comparable au beau temps qui, à l'angle le plus haut et le plus lointain du ciel, guigne à travers un jour de pluie; découvre de petites taches bleues amies; forme un lac bleu; devient un ciel bleu; se recouvre d'une légère vapeur qui manifeste le triomphe de la clarté d'un jour de bonheur; se rembrunit; laisse tomber un voile de vapeur après l'autre et finalement remonte de la terre au ciel, tremblant de touffeur, empli du frémissement et des cris des oiseaux, envahi par le feuillage découragé des arbres, par l'absurdité des tensions non encore soulagées qui font errer hommes et bêtes au hasard.

Le dernier jour avant le remords, la tête du Noir vibrait dans toute la maison comme une tête de chou, et la petite Rachel aurait désiré plus que tout, alors, grimper sur elle comme une chenille vorace. Mais, après, venait le remords. Comme si on avait tiré un coup de pistolet et réduit une miroitante boule de verre en sable vitrifiable. Le sable, Rachel le sentait entre ses dents, dans son nez, dans son cœur : rien que du sable. Le monde était sombre : non point sombre comme un Maure, mais salement sombre comme une porcherie. Rachel, qui avait déçu la confiance qu'on mettait en elle, se sentait complètement souillée. Dans la région du nombril, le chagrin faisait peser un gros taraud. Une terrible angoisse d'avoir un enfant aveuglait la tête. On pourrait continuer de la sorte, chaque membre isolément, dans le remords, faisait souffrir Rachel : l'essentiel pourtant n'était pas dans ces détails, c'était l'ensemble qui empoignait son être et le poussait devant soi comme le vent un tas de balayures. La conscience que rien au monde ne pouvait effacer la faute commise donnait à ce monde l'aspect d'un ouragan où il est impossible de rester debout. Le repos de la mort apparaissait à Rachel comme un sombre lit de plumes où se rouler eût été un plaisir. Elle était arrachée à son monde, livrée à un sentiment qui n'avait jamais eu son égal en intensité dans la maison de Diotime. Aucune pensée ne lui permettait de le circonvenir, pas plus que les consolations ne sont efficaces contre les rages de dents; en fait, le meilleur moyen lui semblait bien finalement d'arracher au monde la petite Rachel tout entière, comme une dent cariée.

Eût-elle été plus savante, elle aurait pu affirmer que le remords était une rupture d'équilibre fondamentale que l'on pouvait compenser de bien des façons. Mais le bon Dieu l'aidait avec un bon vieux remède de famille en lui redonnant, au bout de quelques jours, le goût du péché.

107. *Clarisse chez Rachel.*

A partir du jour où Rachel avait quitté le service de Diotime, les semaines s'écoulèrent dans une invraisemblance que quelqu'un d'autre qu'elle eût eu peine à accepter calmement. Mais Rachel avait été chassée de la maison paternelle comme pécheresse et avait abordé directement après cette chute au paradis de Diotime; quand Diotime l'avait jetée dehors, il s'était trouvé aussitôt un homme aussi merveilleusement distingué qu'Ulrich pour la sauver : n'avait-elle pas le droit de penser que la vie ressemblait à ses romans préférés ? Celui qui est destiné à être un héros, le destin ne cesse de le faire sauter en l'air au risque de lui rompre le cou, mais il est toujours là pour le rattraper dans ses bras vigoureux. Rachel avait une confiance aveugle en ce destin et somme toute, pendant tout ce temps, elle n'avait rien fait qu'attendre qu'il voulût bien, à une prochaine occasion, dévoiler ses projets. Elle n'était pas enceinte : l'histoire de Soliman semblait donc n'avoir été qu'un épisode. Elle mangeait dans un petit restaurant avec des cochers, des bonnes sans travail, des ouvriers occupés dans les environs et ces êtres indéfinissables et interchangeables qui passent dans les grandes villes. On lui gardait chaque jour la place qu'elle avait choisie à une certaine table; elle était mieux habillée que les autres femmes qui mangeaient dans cette gargote; la manière dont elle tenait son couteau et sa fourchette était exceptionnelle en ce lieu; Rachel y jouissait d'une considération secrète qu'elle remarquait fort bien, même si beaucoup s'efforçaient de la cacher; elle supposa qu'on la prenait pour une comtesse ou la maîtresse d'un prince que certaines raisons obligeaient à dissimuler provisoirement son identité. Il arrivait que des hommes portant des brillants douteux aux doigts et des cheveux cosmétiqués, lorsqu'ils apparaissaient au milieu des honnêtes pensionnaires, s'arrangeassent à s'asseoir à la table de Rachel : ils lui adressaient alors des compliments entortillés. Rachel savait les refuser avec aménité et dignité : bien que cela lui plût autant que le bourdonnement et le rampement des insectes dans une riche journée d'été, et celui des chenilles et des serpents, elle devinait qu'elle ne pouvait se laisser entraîner de ce côté, dans la liberté dont elle jouissait, sans courir quelques risques. Elle s'entretenait de préférence avec les gens plus âgés qui connaissaient déjà un peu la vie et lui parlaient de ses périls, de ses déceptions, de son cours. De la sorte, une science lui arrivait émiettée, comme la nourriture descend vers un poisson calmement posé au fond de son aquarium. Des choses romanesques se produisaient dans le monde. Il paraissait qu'on volait déjà plus vite que les oiseaux. Qu'on pouvait bâtir des maisons sans tuiles. Les anarchistes voulaient devenir empereurs. Une grande révolution était imminente : alors, les cochers seraient assis dans les voitures, et les riches attelés à la place des chevaux. Dans un pâté de maisons tout proche, une nuit, une femme avait couvert son mari de pétrole et y avait mis le feu : c'était à peine croyable! Déjà, en Amérique, on mettait à des gens qui avaient perdu la vue des yeux de verre à l'aide desquels ils pouvaient voir réellement : mais c'était encore très cher, une invention pour les milliardaires! Ces passionnantes nouvelles, Rachel pouvait les entendre, mais à petites doses, rien qu'en restant assise à sa table à manger. Puis, quand elle sortait dans la rue, ces monstruosités disparaissaient, tout retrouvait l'ordre habituel et l'aspect de la veille; mais, dans ces jours d'été, l'air ne cuisait-il pas, l'asphalte ne cédait-elle pas secrètement sous les pas sans que Rachel fût obligée de s'expliquer que le soleil l'avait fait fondre ? Sur les toits des églises, les saints tendaient les bras et levaient les yeux au ciel, vous forçant à admettre qu'il y avait partout des choses à voir. Les agents de la circulation s'épongeaient le front au milieu d'un tourbillon de voitures, des automobiles freinaient brusquement, en pleine vitesse, parce qu'une vieille femme traversait la rue sans faire attention, au risque d'être écrasée. Quand Rachel retrouvait sa petite chambre, elle sentait sa curiosité apaisée par cette légère nourriture, elle prenait son linge pour le raccommoder, elle arrangeait une robe ou lisait un roman (car elle avait découvert, non sans stupéfaction devant l'organisation du monde, l'institution des bibliothèques populaires), sa logeuse entrait et bavardait respectueusement avec elle, car Rachel avait de l'argent sans travailler et sans qu'on pût rien déceler de suspect dans sa conduite : ainsi, un jour était passé avant qu'on eût eu le temps de rien regretter et, plein jusqu'au bord de choses passionnantes, il déversait son contenu dans les rêves de la nuit.

A vrai dire, Ulrich avait oublié d'envoyer de l'argent à temps à Rachel ou de la faire venir chez lui. Déjà, elle avait dû commencer à grignoter les petites économies amassées chez Diotime. Mais elle ne se faisait aucun souci, Ulrich avait promis de la protéger, et aller chez lui pour le lui rappeler lui eût semblé parfaitement déplacé. Dans tous les contes qu'elle connaissait, il y avait quelque chose qu'on ne devait pas dire ou pas faire : ç'aurait été la même chose si elle s'était rendue chez Ulrich et lui avait dit qu'elle n'avait plus d'argent. On ne prétend pas du tout par là qu'elle eût expressément pensé cela, que sa vie lui parût fabuleuse ou qu'elle crût le moins du monde aux contes. Au contraire : c'est ainsi qu'était faite la réalité, elle ne l'avait jamais connue différente, encore qu'elle n'eût jamais été aussi belle que maintenant. Il y a simplement des gens à qui c'est permis et d'autres à qui c'est défendu : les uns tombent de palier en palier et finissent dans la pire misère, les autres deviennent riches, heureux et ont beaucoup d'enfants. Auquel des deux groupes Rachel appartenait, personne ne le lui avait jamais dit; aux deux êtres qui auraient pu lui expliquer la différence, elle n'avait jamais montré qu'elle rêvât, elle avait travaillé avec zèle, hormis ces deux faux-pas qui avaient eu de si grandes conséquences. Et un beau jour, réellement, la logeuse lui annonça qu'une dame élégante, pendant qu'elle était sortie pour manger, avait demandé de ses nouvelles et annoncé qu'elle reviendrait une heure plus tard. Rachel, anxieuse, décrivit Diotime; mais la dame qui était venue la voir, affirma la logeuse, n'était certainement pas grande ni forte, même si par forte on ne voulait pas dire grosse. De la dame qui était venue voir Rachel, on pouvait dire certainement qu'elle était plutôt petite et maigre.

La dame, en effet, était mince, petite, et revint au bout d'une demi-heure déjà. Elle dit « chère mademoiselle » à Rachel, donna le nom d'Ulrich et tira de son sac à main une bonne liasse de billets de banque bien serrés qu'elle remit à Rachel au nom de son ami. Puis, elle commença une difficile et passionnante histoire : de sa vie Rachel n'avait été pareillement fascinée par une conversation. Il y avait un homme, contait la dame, qui était persécuté par ses ennemis parce qu'il s'était sacrifié généreusement pour eux. Non pas généreusement, au fond : il *devait* le faire, c'était sa loi intérieure, chaque homme a un animal auquel il ressemble secrètement... « Vous, par exemple, mademoiselle, dit la dame, vous avez une gazelle ou une reine des serpents, on ne peut pas toujours le dire au premier coup d'œil. »

Si cette affirmation était venue de la cuisinière de Diotime, par exemple, elle n'aurait fait sur Rachel qu'une impression médiocre ou même défavorable; mais c'était dit par une femme qui répandait à chaque mot l'assurance de la « dame », ce don du commandement qui fait apparaître dans le moindre doute un manque de respect. Ainsi donc, pour Rachel, il était établi qu'une gazelle ou une reine des serpents avaient avec elle des relations qui, provisoirement, la dépassaient encore, mais qui pourraient sans doute lui être expliquées un jour, car ces affirmations ne sont pas exceptionnelles. Rachel se sentit comblée par cette nouveauté comme une bonbonnière qu'on ne peut pas encore ouvrir.

L'homme qui s'était sacrifié, poursuivit la dame, portait en lui un ours, c'est-à-dire l'âme d'un meurtrier, il avait pris sur lui le meurtre, tous les meurtres, ceux des enfants qu'on fait passer, le meurtre lâche que les hommes commettent sur leurs talents, le meurtre dans la rue, par les voitures, les vélos, les tramways. Clarisse demanda à Rachel (c'était évidemment Clarisse qui parlait) si elle avait déjà entendu parler de Moosbrugger. Rachel, bien qu'elle l'eût oublié plus tard, avait aimé et redouté Moosbrugger comme un chef de brigands à l'époque où il semait la panique dans les journaux et où il était souvent l'objet des conversations chez Diotime; elle demanda tout de suite si c'était de lui qu'il s'agissait.

Clarisse fit oui de la tête. « Il est innocent! »

Pour la première fois, Rachel entendait de la bouche d'une autorité ce qu'elle s'était dit si souvent naguère.

« Nous l'avons libéré, poursuivit Clarisse. Nous, les responsables, qui comprenons plus de choses que les autres. Mais nous devons le cacher. » Clarisse sourit, d'une façon si curieusement, si délicieusement affectueuse que le cœur de Rachel faillit tomber dans sa culotte, mais s'arrêta à mi-chemin, environ la région du ventre. « Où le cacher ? bégaya-t-elle toute pâle.

— La police le recherchera, expliqua Clarisse, il faut donc un endroit où personne n'aille supposer qu'il soit. Le mieux serait que vous le fassiez passer pour votre mari. Il porterait une jambe de bois, c'est facile à feindre, ou quoi que ce soit, et vous prendriez un petit magasin avec une pièce attenante pour que vous ayez l'air d'entretenir ainsi un mari invalide, incapable de quitter la maison. Toute l'affaire ne durerait que quelques semaines, et je pourrais vous donner pour cela plus d'argent qu'il ne vous en faudrait.

— Mais pourquoi ne le prenez-vous pas chez vous, madame ? osa demander Rachel.

— Mon mari n'est pas dans le secret et ne me le permettrait jamais, répondit Clarisse en ajoutant mensongèrement que la proposition qu'elle venait de faire émanait d'Ulrich.

— Mais j'ai peur de lui! s'écria Rachel.

— C'est entendu, fit Clarisse. Mais, chère mademoiselle, toute grandeur est terrible. Beaucoup de grands hommes ont été à l'asile d'aliénés. Il est inquiétant de se mettre au niveau d'un meurtrier : mais s'assimiler à l'inquiétant, c'est choisir la grandeur!

— Mais le voudra-t-il ? demanda Rachel. Me connaît-il ? Ne me fera-t-il rien ?

— Il sait que vous voulez le sauver. Pensez donc, il n'a jamais eu de toute sa vie que des succédanés de femmes : vous me comprenez. Il sera heureux qu'une vraie femme l'accueille, le protège : il ne vous effleurera pas du bout des doigts si vous ne le lui permettez pas! Je vous le garantis. Il sait que j'ai la force de le dompter si je le veux!

— Non et non! » Rachel ne put proférer que ce cri. De tout ce que Clarisse disait, elle ne percevait d'ailleurs que la forme de la voix et du langage, une amitié, une égalité fraternelle à quoi elle ne pouvait résister. Jamais une dame ne lui avait parlé ainsi, et pourtant il n'y avait rien là qui parût artificiel ou faux. Le visage de Clarisse était au même niveau que le sien et non dans les hauteurs comme celui de Diotime; elle voyait travailler ses traits, en particulier deux longs plis qui ne cessaient de se reformer, partant du nez et descendant vers la bouche. Visiblement, Clarisse luttait avec elle pour la solution.

« Songez donc, mademoiselle, dit Clarisse. Celui qui comprend doit se sacrifier. Vous avez compris tout de suite que Moosbrugger n'était un meurtrier qu'en apparence. Il faut donc que vous vous sacrifiiez. Vous devez lui arracher l'élément criminel : alors apparaîtra derrière ce qui correspond à votre propre nature! Seul ce qui se ressemble s'assemble : c'est l'implacable loi de la grandeur!

— Mais quand serait-ce ?

— Demain. Je viendrai vers le soir et je vous emmènerai. D'ici là tout est arrangé.

— Si quelqu'un venait loger avec nous, je le ferais, dit Rachel.

— Je viendrai vous voir tous les jours, dit Clarisse, et contrôler : l'appartement ne sera qu'une façade. Pourriez-vous être ingrate envers Ulrich quand il vous demande un service ? »

Ces mots emportèrent la décision. Clarisse avait employé le prénom, familièrement. Rachel, à cet instant, se vit indigne, dans sa lâcheté, de son bienfaiteur. L'image que notre âme nous donne de ce que nous devons faire est extrêmement trompeuse et capricieuse. Soudain, tout apparut à Rachel comme une farce, un jeu, une bagatelle. Elle aurait un magasin et une chambre; si elle voulait, elle pourrait verrouiller la porte de communication. Il y aurait deux sorties, comme aux chambres de théâtre. Toute la proposition n'était qu'une formalité, et hésiter était vraiment excessif de sa part, bien qu'elle eût une peur horrible de Moosbrugger. Elle devait surmonter sa lâcheté. Et qu'est-ce que la dame avait dit ? Tout ce qui correspondait à sa nature à elle apparaîtrait alors en lui... S'il n'était donc vraiment pas si terrible, elle obtiendrait, malgré tout, ce qu'elle avait si passionnément désiré naguère.

108. *Moosbrugger et Rachel.*

Du magasin avec pièce attenante et deux sorties, il ne fut plus question : Clarisse était apparue pour déclarer que des difficultés de dernière heure s'étaient opposées à la location; il fallait prendre ce qu'il y avait, le temps pressait, le destin dépendait peut-être d'un quart d'heure. Elle avait trouvé un autre logement. Rachel avait-elle déjà emballé et rassemblé ses affaires ? Le taxi attendait en bas. Malheureusement, ce n'était pas un beau logement. Surtout, il n'était pas meublé encore. Clarisse y avait fait installer rapidement l'indispensable. Il ne s'agissait plus que d'y cacher rapidement Moosbrugger. Tout le reste s'arrangerait le lendemain. Pour aujourd'hui, c'était du provisoire.

L'essentiel de ce rapport, Clarisse le fit déjà dans la voiture. Les mots tournoyaient. Rachel ne trouvait pas le temps de reprendre ses esprits. Le taximètre, à demi éclairé par une petite lampe, tournait sans arrêt; à chaque tour de roue Rachel entendait le déclic du compteur, comme d'un récipient fêlé qui se vide goutte à goutte. Dans l'obscurité du vieux taxi, Clarisse lui mit dans la main un paquet de billets, et Rachel eut du mal à les fourrer dans ses poches; la liasse se gonflait, quelques coupures s'envolèrent, il fallut les rattraper; Clarisse aida à les chercher en riant, et cela occupa tout le reste du long trajet.

La voiture s'arrêta dans une rue écartée devant la façade délabrée d'un vieux domaine : des bâtiments en profondeur, prolongés, derrière, par des ailes basses, avec des ateliers, des écuries, des poules, des enfants et de petits appartements de familles nombreuses qui donnent directement sur la cour ou, un étage plus haut, sur un couloir suspendu, une sorte de balcon qui relie le tout. Clarisse aida Rachel à transporter son bagage et parut vouloir éviter le propriétaire : elles se heurtèrent à des voitures qui se dressaient dans l'obscurité, à des outils jetés un peu partout et à la fontaine, mais elles arrivèrent, sans avoir été aperçues, à la nouvelle demeure de

Rachel. Clarisse avait une bougie dans sa poche, grâce à laquelle elle put trouver une grande lampe à pétrole dont elle s'était souvenue pour la dérober dans le grenier de ses parents. C'était une haute lampe bosselée qui comportait tous les progrès que l'éclairage au pétrole avait faits juste avant d'être évincé définitivement par l'électricité et qui, comme l'abat-jour manquait, emplit toute la chambre d'une lumière massive. Clarisse en était très fière, mais elle devait faire vite, car le taxi l'attendait au coin de la rue pour aller chercher Moosbrugger.

Rachel sentit les larmes lui monter aux yeux dès qu'elle se retrouva seule et se familiarisa avec son nouveau décor. La lumière blanche, épaisse, était presque la seule chose qu'il y eût dans la pièce, en dehors des parois crasseuses. Mais la peur avait rendu Rachel injuste : en regardant mieux, elle découvrit contre un mur un étroit lit de fer sur lequel il y avait quelque chose qui ressemblait à de la literie, dans un coin des couvertures étaient entassées en désordre, c'était sans doute le deuxième lit, des couvertures étaient accrochées aussi devant les fenêtres et devant la porte qui conduisait dehors, d'autres, devant une petite table toute simple, formaient une sorte de tapis sur lequel se dressait encore une chaise en bois blanc. Rachel s'y laissa tomber en soupirant et tira son argent pour le ranger. Elle eut peur une fois de plus, mais cette fois à cause de l'importance excessive de la somme que Clarisse lui avait remise sans aucune précaution dans l'ombre du taxi. Elle lissa les coupures et les cacha dans un petit sac qu'elle portait sur sa gorge. Si elle avait su qu'elle était assise à la table où Meingast avait écrit son grand ouvrage et que l'étroit lit de fer avait été le sien, elle eût peut-être compris une ou deux choses de plus. Elle se contenta de soupirer encore une fois, mais déjà plus rassurée sur l'avenir; elle découvrit enfin un vieux foyer, un réchaud à alcool et quelques ustensiles de cuisine, jusqu'au moment où Clarisse revint avec Moosbrugger.

Ce fut comme l'instant affreux où la demoiselle de réception du dentiste vient vous chercher dans la salle d'attente, ce que Rachel n'avait connu qu'une seule fois jusqu'alors; elle se leva docilement quand les deux arrivants entrèrent.

Moosbrugger se laissa conduire dans la chambre par Clarisse comme un grand artiste est introduit dans un salon où tout le monde l'attend. Il dédaigna Rachel et observa d'abord son nouveau domaine; enfin, comme il n'avait rien à redire, il jeta un regard sur la jeune fille et salua de la tête. Clarisse semblait n'avoir plus rien à lui dire : sa toute petite main posée sur le bras gigantesque du charpentier, elle le poussa vers la table en souriant. Elle souriait comme celui qui tient à sourire au moment où une entreprise téméraire l'oblige à tendre tous ses muscles, de sorte que les muscles délicats du visage sont obligés de se contracter au maximum pour se frayer un passage sous la pression de tous les autres. Clarisse garda cette expression quand elle posa sur la table un paquet de provisions et expliqua aux deux autres qu'elle ne pouvait rester une minute de plus, qu'elle devait rentrer chez elle en toute hâte. Elle promit de revenir le lendemain matin vers dix heures : tout ce qui manquait encore serait réglé d'ici là.

Ainsi Rachel se retrouva-t-elle seule avec l'homme qu'elle avait tant admiré. Elle couvrit la table d'une taie d'oreiller parce qu'il n'y avait pas de nappe et disposa la charcuterie que Clarisse avait apportée sur une grande assiette. Dans son embarras, ces devoirs l'aidèrent beaucoup. Puis, posant le manger sur la table, elle dit, dans un langage très châtié : « Sans doute aurez-vous très faim » : elle avait imaginé cette phrase entre-temps. Moosbrugger s'était levé et, d'un geste galant de sa grosse patte, lui offrit sa place : il apparut en effet qu'il n'y avait qu'une seule chaise. « Oh! merci! dit Rachel, je ne mange pas grand'chose, je m'assiérai là-bas! » Elle prit deux rondelles de charcuterie sur le plat que Moosbrugger lui tendait et s'assit avec sa portion sur le lit.

Moosbrugger avait tiré de sa poche un épouvantable couteau à cran d'arrêt dont il se servait pour manger. Pendant les quelques jours qu'avait duré son évasion, il avait mangé mal et irrégulièrement, et montra un robuste appétit. Rachel profita de l'occasion pour l'observer : plus exactement, elle fut obligée de le faire, car, dès qu'elle tournait les yeux vers la table, son regard était empli par la présence de l'homme, celle-ci le débordait de tous les côtés, et Rachel pouvait vraiment y promener son regard à son aise. D'un côté du torse à l'autre, du bord de la table à l'épaisse moustache ou du menton au sommet de l'énorme crâne, par exemple, le chemin était long, et on pouvait s'attarder dans la toison blond roux des poings robustes comme dans des taillis. Pour un instant, Rachel avait retrouvé toutes les pensées et une part des rêveries dont Moosbrugger avait été l'objet naguère. Avant tout, elle cherchait à bien se rendre compte de l'envie que nombre de femmes lui porteraient à la voir dans cette situation. Pour elle, Moosbrugger était un grand homme, un homme célèbre, correspondant tout à fait à la vérité, pour peu qu'on négligeât les distinctions de la gloire publique, qui existent, mais bien vagues et bien inexactes. Elle n'oubliait pas ce qu'il y avait de terrifiant dans cette gloire acquise par des actes sanglants, cruels et même perfides : elle tremblait d'angoisse tout en brûlant d'excitation. Mais, comme tous les êtres humains, elle admirait, dans la cruauté, la force, et comme tous les êtres naïfs elle supposait que cette force herculéenne, en contact avec elle, cesserait d'être dangereuse pour devenir bénéfique : ainsi, sa peur ne lui semblait plus qu'une vile habitude extérieure, tandis que son âme devenait plus courageuse à mesure qu'elle restait plus longtemps avec Moosbrugger. En fait, quiconque trouve une relation juste avec des criminels vit au milieu d'eux en aussi grande sécurité qu'ailleurs.

Moosbrugger n'avait pas voulu se laisser déranger par les regards d'une fillette au cours d'une occupation aussi importante que le manger. Le travail fait, il se renversa sur sa chaise, referma son couteau, essuya sa moustache et dit : « Eh bien! petite demoiselle, un verre de schnaps, maintenant, ne ferait... »

Rachel se dépêcha d'affirmer qu'il n'y avait pas de boissons alcooliques dans la maison et ajouta mensongèrement que Clarisse lui avait interdit d'en acheter.

Moosbrugger n'y avait pas accordé tant d'importance. Il n'était pas un buveur, il se gardait même de l'alcool dont il craignait les suites imprévisibles. Mais il n'en avait pas bu une goutte depuis des mois et, après cet abondant repas, il s'était dit qu'il ne serait pas désagréable d'essayer pour tromper l'ennui de cette soirée. Le refus l'irrita. Ces femmes le tenaient carrément prisonnier. Il n'en laissa rien paraître et se proposa de poursuivre la conversation dans les formes.

« Somme toute, jusqu'à nouvel ordre, nous voilà comme mari et femme, petite demoiselle! commença-t-il. Comment donc dois-je t'appeler ? » Il employait le tutoiement naturel aux gens simples; ce ne fut pas désagréable à Rachel, mais elle en resta non moins naturellement au voussoiement. « Je m'appelle Rachel, ou Rachèle, comme vous voudrez.

— Oh! là, là! Rachèle! tous mes respects! » Il répéta avec ravissement, à deux reprises, le prénom français. « Et Rachel était la plus belle fille de Laban, ajouta-t-il avec un rire galant.

— Racontez-moi comment vous avez triomphé des maçons! » demanda Rachel. Elle n'osait pas demander une histoire plus excitante.

Moosbrugger se détourna et alluma une cigarette. Il était blessé. Dans son milieu, une telle question de la part de quelqu'un qui le connaissait à peine passait pour une familiarité inadmissible. Il fuma plusieurs cigarettes à la suite. Il s'ennuyait. Il n'aimait pas les femmes insignifiantes, indiscrètes. Il avait sommeil. La prison et l'asile l'avaient habitué à se coucher tôt.

Rachel se fâcha de le voir fumer avec si peu d'égards. Certes, elle avait aussi le sentiment d'avoir fait une faute, mais elle ne savait laquelle.

Moosbrugger se leva, se dégourdit les jambes et bâilla.

« Voulez-vous aller vous coucher ? demanda Rachel.

— Que faire d'autre ? » fit Moosbrugger. Il regarda le lit; puis, songeant aux lois de la chevalerie, se tourna vers l'angle où étaient les couvertures.

« Dormez, vous, dans le lit. Vous avez besoin de repos, dit Rachel.

— Non, le lit est pour toi. » Il enleva sa veste. Rachel fut embarrassée quand il retira son pantalon. Mais il s'étendit aussitôt sur les couvertures, tel qu'il était, et en prit une pour se couvrir. Rachel attendit un moment, puis elle souffla la lampe et se déshabilla dans l'obscurité.

Dans la nuit, elle eut peur de nouveau; elle s'imagina que si elle s'endormait, elle pourrait bien ne plus se réveiller jamais. Puis elle s'endormit tout de même et s'éveilla quand le jour se levait. Dans le coin, Moosbrugger était couché sous la couverture, telle une grande montagne. Tout était encore silencieux dans la maison. Rachel en profita pour aller chercher de l'eau à la fontaine. Elle lava aussi ses souliers et ceux de Moosbrugger dans la cour. Quand elle se glissa sans bruit dans la chambre, Moosbrugger lui dit bonjour.

« Voulez-vous du café, du thé ou du chocolat ? » lui demanda-t-elle. Moosbrugger fut stupéfait. Il demanda du café, mais la décision ne fut vraiment pas aisée. Rachel, d'ailleurs, lui plaisait mieux de jour que la veille : il y avait en elle de la finesse et de l'élégance. Il se donna du mal pour s'habiller et ne se détourna de la cloison que lorsqu'il eut tout à fait fini.

« Étiez-vous fâché contre moi, hier soir ? demanda Rachel qui remarquait son entrain.

— Oh ! les femmes veulent toujours tout savoir, mais si tu veux, je te raconterai l'histoire des maçons. Tu verras comment sont les gens : tous les mêmes ! Et que faisais-tu jusqu'à maintenant ?

— J'étais dans une maison très bien, on m'y traitait comme la fille de la maison.

— Oh ! oh ! et pourquoi donc t'es-tu sauvée ?

— Oh ! dit Rachel nullement décidée à avouer la vérité. Vous savez, le maître était un diplomate très haut placé et il y a eu une histoire avec un prince nègre...

— Tu es enceinte, évidemment, dit Moosbrugger méfiant.

— Fi ! s'écria Rachel indignée. Vous n'avez pas le droit de me parler ainsi ! La jeune dame vous aurait-elle confié à mes soins ? »

Moosbrugger était ravi. Elle n'était pas la première venue, ça se voyait et s'entendait. Pensant aux femmes qu'il avait connues, il se disait : je n'ai jamais rien eu de si bien. « C'est bon, c'est bon ! fit-il. Je ne voulais pas t'offenser. L'histoire des maçons, ça s'est passé comme ça... »

Il la raconta avec dignité, dans tous les détails, avec toutes les intrigues et les tentatives de corruption auxquelles s'expose un homme comme lui devant un tribunal; comme elle avait parlé de la rencontre d'un prince nègre, il ne voulut pas rester en arrière et raconta encore son voyage à Constantinople.

« Est-ce vrai que les Turcs ont plusieurs femmes ? demanda Rachel.

— Seulement les riches. Mais les Turcs n'en valent pas davantage ! répondit Moosbrugger avec un sourire galant. Une femme suffit pour ruiner un homme !

— Avez-vous fait de mauvaises expériences avec les femmes ? » demanda Rachel, tandis que son sang battait comme la queue d'un chat aux aguets.

Moosbrugger la regarda d'un air interrogateur et se fit grave. « De toute ma vie, je n'ai fait que de mauvaises expériences. Si je voulais écrire ma vie, cela ouvrirait les yeux à bien des gens !

— Vous devriez le faire! dit Rachel enthousiasmée.

— Écrire est beaucoup trop fatigant pour moi! dit fièrement Moosbrugger en gonflant le torse. Mais tu es une personne instruite. Peut-être te raconterai-je encore ceci ou cela. Tu pourras l'écrire.

— Mais jamais je n'ai écrit de livre! » répliqua modestement Rachel. C'était comme si on lui avait proposé de prendre la place du sous-secrétaire Tuzzi. Et cet homme en face d'elle n'était pas un bavard : il avait prouvé qu'il pouvait répondre de ses paroles.

Ainsi passa le temps en conversations animées, et dix heures sonnèrent sans que Clarisse apparût.

Moosbrugger tira de sa poche sa grosse montre de nickel et constata qu'il était onze heures moins vingt-cinq.

Quand ils regardèrent de nouveau, il était onze heures moins sept.

« Elle ne viendra plus, je l'ai tout de suite deviné, dit Moosbrugger.

— Mais il faut bien qu'elle vienne! » dit Rachel.

La conversation languit. Ils s'étaient éveillés tôt et n'avaient pas quitté la chambre, la séquestration les fatiguait. Moosbrugger se leva et s'étira. Rachel, enfin, se déclara prête à s'occuper sans plus attendre du déjeuner. Mais, auparavant, Moosbrugger devait mettre la visière verte et attacher la jambe de bois, au cas où un inconnu viendrait en l'absence de Rachel. La jambe de bois et la visière étaient un legs de Clarisse. Il ne fut pas très aisé de faire passer dans le pantalon la jambe adaptée et attachée à la cuisse, avec le pilon de bois à partir du genou; Moosbrugger dut poser son bras sur les épaules de Rachel et, ce faisant, l'attira légèrement à lui.

Pendant un quart d'heure, il clopina en long et en large, seul dans la pièce : c'était horriblement ennuyeux. Puis Rachel fit la cuisine, mais elle ne pouvait pas faire grand'chose, et le repas non plus ne fut pas précisément allègre. Moosbrugger commençait à en avoir assez de cette retraite, mais il comprenait qu'il ne pourrait y renoncer avant longtemps. Il voulut dormir un peu, pour passer le temps, bâilla comme un lion et s'assit sur le lit pour détacher la maudite jambe qui lui faisait monter le sang à la tête. Rachel dut l'aider. Comme il lui mettait de nouveau le bras sur l'épaule, il pensa qu'après tout elle était sa femme pour ce temps-là. Sûrement, elle n'avait pas attendu de lui autre chose et avait dû se moquer de lui, la veille, quand il s'était couché sans plus. Quand la jambe de bois tomba à terre, avec le bras qu'il avait sur les épaules de Rachel, il étendit celle-ci sur le lit et la remonta un peu afin que sa tête reposât sur un oreiller. Rachel ne se défendit pas. La grande barbe de Moosbrugger se pencha sur sa bouche. Mais sa petite bouche alla à sa rencontre. Elle pénétra dans cette barbe comme dans une forêt et y chercha la bouche. Quand l'homme se poussa sur elle, Rachel eut presque le visage sous sa poitrine et dut détourner la tête pour pouvoir respirer : elle avait l'impression d'être recouverte d'une terre traversée de convulsions volcaniques. C'est l'imagination qui provoque les excitations physiques vraiment considérables : Rachel ne voyait pas simplement en Moosbrugger un héros sans pareil (la comparaison et la réflexion eussent tué l'imagination), mais *le* héros : c'est une notion moins précise, mais qui se fond avec le lieu et l'instant où il entre en scène ainsi qu'avec l'être qui l'admire. Là où il y a des héros, le monde est tendre et brûlant, l'unité de la création encore intacte. La chambre romanesque avec les draps devant les fenêtres ressembla tout à coup à la caverne d'un puissant brigand qui en eût fait sa retraite. Rachel sentait sa poitrine écrasée par un poids énorme; ce qu'il y avait de preste dans sa nature, à ce moment-là, fut emprisonné par une force toute-puissante et contraint à l'obéissance. Le haut de sa personne ne pouvait pas plus bouger que s'il était tombé sous les roues de fer d'un camion, et cette situation aurait été atroce si toute la liberté et l'autonomie dont était capable son corps ne s'était rassemblée dans les hanches, où un géant combattait avec des nuages qui, en dépit de leur impuissance, ne cessaient de l'enlacer à nouveau, aussi forts à leur manière que lui à la sienne. Un désir que Rachel n'avait jamais ressenti ni même pressenti de sa vie fit pression dans sa tête et finit par ouvrir toute sa personne : elle voulait accueillir et engendrer un héros. Ses lèvres restèrent ouvertes d'étonnement, ses membres immobiles où ils étaient, quand Moosbrugger se releva, et une sorte de voile d'un jaune bleuâtre, comme on en voit aux champignons quand on les brise, s'attarda encore longtemps sur ses yeux. Elle ne se leva que lorsqu'il fut temps d'allumer et de penser au dîner; jusque là, dans une sorte d'absence, elle avait attendu une suite qu'elle ne pouvait d'ailleurs se représenter et en quoi elle ne voyait nullement une répétition.

Pour Moosbrugger, en revanche, l'affaire était provisoirement réglée. On le sait, les hommes qui commettent à l'occasion des crimes sadiques sont rien moins que de généreux amants en temps ordinaire, puisque leurs crimes, dans la mesure où ils ne relèvent pas d'influences extérieures, n'expriment pas autre chose que l'irrégularité de leurs désirs. Tandis que Rachel était couchée, anéantie, sur le lit, Moosbrugger n'éprouvait qu'un immense ennui. Ce qui, avant qu'on y pensât, avait pu prêter un certain intérêt à leur cohabitation, était maintenant, à ses yeux, passé aussi.

Clarisse ne vint pas, elle ne vint pas non plus le lendemain; elle ne devait pas revenir.

Moosbrugger fumait des cigarettes et bâillait. Rachel, une ou deux fois, lui mit le bras autour du cou, lui passa la main dans les cheveux, mais il l'écarta d'un mouvement d'épaules. Il la prit sur ses genoux et aussitôt après la remit sur ses jambes, parce qu'il avait changé d'idée. Outre l'ennui, ce qu'il ressentait, c'était une humiliation. Ces femmes avaient été le chercher comme un gamin à la sortie de l'école pour le ramener à la maison : il avait souvent observé cela et pensé que de tels gosses ne feraient jamais rien de bon. Mais il comprenait qu'il devait céder provisoirement : il ne pouvait pas se risquer à sortir tant que le zèle de la police était encore frais, et aller voir des amis n'était pas à conseiller. Il se faisait apporter les journaux par Rachel et y cherchait ce qu'on disait de lui; néanmoins, cette fois, il n'était pas content de la presse, les journaux réglaient sa fuite en trois ou cinq lignes. Il savait que Rachel était aussi découragée que lui du fait que Clarisse ne se montrait pas; mais s'il ne voyait pas en Rachel la cause du mécontentement qui s'amassait en lui, il lui en faisait tout de même sentir les effets comme représentante de Clarisse. Rachel comprit l'erreur qu'elle commettait en continuant à refuser de lui apporter de l'alcool; mais si elle l'avait fait, ç'aurait été aussi une erreur. Moosbrugger, à ces refus, ne répondait rien, mais les humiliations auxquelles il était exposé formaient avec sa nostalgie du bistrot et la fadeur de l'ennui une pelote de tourments dont il lui semblait que le fuseau était cette maigre jeune fille qui ne cessait de s'agiter autour de lui toute la journée. Il ne parlait qu'en cas d'extrême nécessité et ne tenait aucun compte des tentatives de Rachel pour ramener la conversation au niveau du premier matin. Avec le tourment de ses propres soucis par là-dessus, Rachel était affreusement malheureuse.

La première scène éclata peu de jours après. Quand le dîner et un temps de bâillement furent passés, Moosbrugger attira à lui la petite bourse où Rachel puisait l'argent nécessaire à leurs besoins quotidiens et chercha à y pêcher une pièce avec ses gros doigts. Rachel, qui comprit aussitôt ce qu'il voulait faire mais n'avait pu lui arracher la bourse à temps, fit le tour de la table en courant et l'attrapa par le bras. « Non! cria-t-elle, il ne faut pas que vous alliez au café! On vous... » Elle n'acheva pas la phrase, car le bras de Moosbrugger l'écarta si violemment qu'elle perdit l'équilibre et eut grand'peine à ne pas tomber. Moosbrugger mit son chapeau sur la tête et quitta la chambre, plus inaccessible qu'une statue.

Rachel, désespérée, se demanda ce qu'il lui fallait faire. Elle décida d'engager le combat contre la sottise de Moosbrugger. Elle se reprocha de s'être laissée intimider par son changement d'attitude, et dans la solitude de la réflexion ce changement lui apparut compréhensible. Étant la plus faible, il lui était aisé d'être la plus fine, mais elle devait mettre tout en jeu pour faire comprendre à Moosbrugger qu'elle l'était vraiment, en particulier sur la question du bistrot; quand il le comprendrait, il se réconcilierait sans doute un peu avec sa situation. Rachel comprenait parfaitement que ce n'était pas une situation pour un héros. Mais, quand Moosbrugger revint, il était ivre. Une odeur affreuse emplit la chambre, son ombre dansait sur les murs. Rachel perdit pied, et sans qu'elle le voulût, ses paroles ne furent plus que des reproches acérés qui assaillaient cette ombre. Moosbrugger avait atterri sur le lit de Rachel et lui fit signe du doigt. « Non, plus jamais! » cria-t-elle. Moosbrugger tira de sa chemise une bouteille. Il avait quitté le café avant onze heures et déjà n'était plein de schnaps que pour un tiers; la mauvaise conscience faisait le deuxième tiers, et le dépit de s'être enfui le troisième. Rachel fit la sottise de se jeter sur lui pour lui enlever la bouteille. A cet instant, elle crut que sa tête éclatait, la lampe tournoya, son corps perdit tout lien avec le monde : Moosbrugger avait coupé son élan d'un grand coup de patte au visage. Quand Rachel revint à elle, elle était affalée assez loin de lui, quelque chose lui coulait entre les dents, sa lèvre supérieure et son nez semblaient être douloureusement collés ensemble. Elle vit Moosbrugger qui contemplait toujours la bouteille, puis, brutalement, il la jeta à terre, se leva et éteignit la lampe.

Que ce fût volontairement ou par le seul effet de son ivresse, Moosbrugger avait occupé le lit et Rachel se traîna en pleurant sur le tas de couvertures près duquel elle était tombée. La douleur sur son visage et dans son corps l'empêchait de dormir, mais elle n'osait pas allumer pour se faire des compresses. Elle avait froid, un sentiment de honte pareil à l'agitation vide du délire fiévreux emplissait sa tête et le schnaps qui s'était répandu sur le plancher en faisait monter une exhalaison répugnante, paralysante. Du mieux qu'elle put, toute la nuit, elle réfléchit à ce qu'elle devait faire. Il fallait qu'elle trouvât Clarisse, mais elle ignorait où celle-ci habitait. Elle songea à s'enfuir, puis elle se dit que laisser tomber Moosbrugger avant que Clarisse ne fût revenue serait tromper la confiance de celle-ci, d'autant plus qu'elle en avait reçu de l'argent. Elle songea aussi à aller voir Ulrich, mais elle eut honte de cette idée et l'ajourna. Jamais on ne l'avait battue, mais, la douleur mise à part, ce n'était pas si terrible : cela signifiait simplement qu'elle était plus faible que le géant qu'elle aimait, que ses exhortations n'allaient pas jusqu'aux oreilles de celui-ci, qu'il lui fallait être prudente. Elle voyait bien qu'il ne lui voulait pas vraiment du mal, et le plus désagréable était la crainte de voir la correction se renouveler : cette idée lui enlevait tout son courage et la mettait au désespoir.

Ainsi, le jour vint avant qu'elle eût rien décidé. Moosbrugger se leva, elle dut suivre son exemple en flageolant à cause de son vide interne. Un coup d'œil à la glace lui montra qu'elle avait le nez et la bouche fortement enflés au milieu d'un visage verdâtre, comme éteint. Cette nuit ensorcelée avait fait de Rachel une créature affreuse et quelconque. Ni elle ni Moosbrugger ne dirent mot. Moosbrugger avait la tête lourde, en dormant il avait respiré l'odeur du schnaps et il s'était éveillé en pensant qu'il n'avait pas assez bu. Quand il vit le visage maltraité de Rachel, il devina vaguement ce qui avait dû se passer la veille; l'obscur souvenir que Rachel s'était montrée provocante le retint de la questionner. En fait, il aurait bien aimé la questionner; mais il ne savait comment s'y prendre. Rachel, comme toute jeune fille amoureuse, attendait de lui un mot gentil; quand elle vit qu'il se laissait servir sans desserrer les lèvres, elle se fit de plus en plus insolente. Moosbrugger désirait par-dessus tout retourner au bistrot, mais il avait peur de cette petite fille qui lui ferait peut-être une nouvelle scène, et il ne pouvait tout de même pas la battre continuellement. Les yeux de Rachel, gonflés par les pleurs, lui répugnaient plus encore que la bouche enflée qui apparaissait lorsqu'elle humectait à nouveau la serviette dont elle la couvrait. Sans doute était-ce sa faute, il se le disait bien, mais retrouver ça devant lui dès le matin, c'était plus qu'il n'en pouvait supporter. Le dos gracile de Rachel, ses bras minces qu'elle montrait maintenant en se lavant, le diable les emporte! ne lui plaisaient point, il croyait voir des os de poulet.

Il résuma ces réflexions en pensant qu'il était dans une situation ridicule, mais qu'il devait la supporter aussi honorablement que possible. Il allait le soir au café, il avait décidé de courir le risque dans ce quartier où on ne le connaissait pas, Rachel n'osait plus lui refuser l'argent ni lui faire des reproches. Même pas quand il commença à jouer aux cartes et qu'il eut besoin de plus d'argent. Dans la gargote, on trouvait une société passable, et de cette façon, se disait Moosbrugger, à condition de beaucoup dormir pendant la journée, on pouvait tenir. Mais, le jour, Rachel ne dormait pas et le gênait comme une chauve-souris. Une ou deux fois il l'attrapa. Une ou deux fois, il essaya aussi de commencer une vie meilleure et de lui parler comme à la petite femme qu'elle était déjà. Il apparut que Rachel ne voulait plus. Ses réponses étaient monosyllabiques, évasives. Quand Moosbrugger ouvrait la bouche, elle se figeait sans même le vouloir. Elle aurait aimé causer avec lui, mais il avait déversé en elle un élément étranger, la violence, et la source d'où sort tout ce qui vaut la peine d'être dit était gelée. Il ne restait plus à Moosbrugger qu'à se retourner du côté du mur.

Il y avait pourtant un moment où elle parlait inévitablement, c'était quand Moosbrugger revenait du café. Quand il n'était pas ivre, il se taisait ou marmonnait des réponses indistinctes, et jusque dans son sommeil, Rachel le poursuivait de reproches sur sa légèreté d'esprit. S'il l'avait battue une fois, c'était dans la tension très désagréable dont il souffrait aussi longtemps qu'il avait eu la tentation de quitter la maison sans pouvoir encore s'y résoudre; maintenant que sur ce point l'équilibre s'était rétabli en lui, il se montrait gentil et courtois; Rachel, sentant qu'elle ne courait aucun danger, devenait de plus en plus hardie. Simplement, il restait absent chaque jour davantage, dans le désir de ne rentrer que lorsqu'elle serait endormie. Mais Rachel avait adopté un curieux genre de sommeil. Quand il quittait la maison, l'obscurité venue, elle s'endormait tout de suite; quand il revenait, elle s'éveillait et se mettait à le quereller aussi automatiquement que si ç'avait été le prolongement de son sommeil. Puis sa pauvre âme, condamnée à ne pouvoir résoudre le problème de sa situation par la réflexion et la pensée, se laissait emporter par les puissances ivres du sommeil.

« Une poulette comme ça! » pensait Moosbrugger, rongé par l'humiliation de voir ce maigre volatile jour après jour gratter le sol à ses côtés. Mais Rachel, comme si elle savait ce qu'il pensait d'elle sans qu'il l'eût jamais exprimé, dans une sorte d'accord somnambulique avec l'homme taciturne qui tâtonnait la nuit dans la pièce, éprouvait une envie irrésistible de caqueter et de le quereller. Quand Moosbrugger rentrait ivre, ce qui n'était pas rare, ses vacillements et ses trébuchements étaient comme d'un grand navire dansant sur les mêmes vagues que les petites phrases irritées de la jeune fille. Quand une phrase touchait de trop près, au fond de sa puissante ivresse, le charpentier Christian Moosbrugger, il essayait de frapper. Comme on l'a dit, ce ne fut plus jamais la fureur irréfléchie de la première fois où un mouvement de sa main avait failli assommer Rachel : il voulait seulement faire tenir tranquille cette enfant qui criait et qui lui résistait, et c'est avec une violence prudemment mesurée, comme un ivrogne évite de mettre le pied dans le ruisseau, que sa main frappait. Battue, Rachel faisait immédiatement silence. Une stupeur sans limites l'envahissait comme devant une réponse définitive et inattendue. Depuis qu'elle avait laissé derrière elle la maison paternelle, elle avait perdu tout sentiment religieux : sa carrière lui faisait voir dans la religion une affaire pour les gens du commun. Mais, quand elle avait été battue, c'était pour elle exactement comme si un Elohim ou plutôt un esprit malin s'était trouvé assis soudain sur un banc de jardin public parmi des citoyens décents. Elle s'approchait pour mieux voir une fois encore cet esprit malin, elle essayait de l'ébranler. Alors, elle ouvrait de nouveau la bouche et disait quelque chose dont elle savait que cela risquait d'irriter Moosbrugger et, non moins certainement, que cela le sauverait s'il l'écoutait. Moosbrugger la frappait sur la joue du dos de la main ou la poussait contre le mur. Rachel, bien que l'étonnement déjà la regagnât, trouvait encore une parole pointue et insistante comme une aiguille à tricoter. Là-dessus, naturellement, Moosbrugger était obligé d'être plus large. Et ce géant qui ne veut pas l'assommer la bat sauvagement sur le dos, sur le derrière, lui déchire la chemise, la jette par terre par les cheveux ou d'un coup de pied dans un coin de la pièce, mais tout cela avec dans la violence autant de circonspection que son ivresse le lui permet, pour ne pas rompre les os de la jeune fille. Et Rachel considère avec stupeur l'esprit malin de la force brutale qui annule toutes les paroles. Quand Moosbrugger la bat, elle devient parfaitement légère. Contre sa force, il n'est pas de volonté qui tienne. La volonté ne revient que lorsque la douleur a cessé. Tant que la douleur est là, Rachel crie, étonnée elle-même de hurler ainsi aux murs. Moosbrugger aimerait lui prendre la tête à deux mains, l'écraser à terre dans ses poings levés, seulement pour réduire enfin au silence cette maudite graine de femme!

Dans la journée qui suivait ces soirs-là, Rachel avait l'impression d'avoir elle-même trop bu. Sa raison lui disait qu'il fallait en finir. Elle se rendit chez Ulrich. On lui répondit qu'il était en voyage, que personne ne savait où il était ni même quand il reviendrait. En rentrant, elle crut remarquer que le monde entier était organisé pour les coups. Une idée qui lui passait par la tête. Les parents battaient les enfants. L'État les détenus. L'armée les soldats. Les riches les pauvres. Les cochers les chevaux. Les gens se promenaient tenant en laisse de grands chiens. On préférait intimider les autres à s'entendre avec eux. Ce qui lui était arrivé, c'était comme si elle avait plongé les mains non pas dans cette lessive très diluée qu'on emploie partout pour laver le linge, mais dans de la lessive pure. Il fallait qu'elle s'en sortît! La confusion régnait dans son esprit. Elle se proposa de fuir avec tout ce qu'elle possédait le soir, quand Moosbrugger sortait. Ce qui lui restait suffirait pour quelques semaines. Elle prit une mine candide en entrant dans l'appartement pour ne pas éveiller la méfiance de Moosbrugger. Mais, bien qu'il ne fût que six heures et qu'il fît encore grand jour, elle ne l'y trouva pas. Un soupçon immédiat entraîna l'inspection des lieux. Il ne restait presque plus rien de ses vêtements. La lampe et une partie des couvertures avaient disparu. Si des voleurs n'étaient pas venus en son absence, c'était Moosbrugger qui avait tout enlevé pour en faire de l'argent.

Rachel fit un ballot de ce qui lui restait. Puis, elle ne sut plus où aller, à cette heure, avec la nuit qui tombait. Elle décida de patienter une nuit encore et de tenir sa langue si Moosbrugger rentrait aussi ivre que le laissaient supposer ces préparatifs. Elle disparaîtrait sans laisser de traces le lendemain matin. Elle s'étendit sur le lit et, bien que Moosbrugger eût emporté aussi l'oreiller, ce fut la première fois qu'elle dormit paisiblement toute la nuit.

En dépit de ce sommeil profond, le matin, avant même d'ouvrir les yeux, elle sut aussitôt que Moosbrugger n'était pas revenu. Elle jeta les yeux autour d'elle et voulut en profiter pour filer rapidement. Mais elle était triste : elle craignait que Moosbrugger, dans son inconscience, ne tombât entre les mains de la police, et cela lui faisait pitié. A vrai dire, Moosbrugger avait des projets depuis longtemps déjà. Il avait fort bien noté que Rachel gardait l'argent sur sa poitrine, et il voulait le lui prendre. Mais il n'osait pas. Il avait peur de ces deux choses féminines entre lesquelles était l'argent; pourquoi, il l'ignorait. Peut-être parce qu'elles étaient si peu viriles. Il choisit donc l'autre plan. Le plus naturel. Ce plan exaltait Moosbrugger puis le laissait retomber. Le jour où il agréerait vraiment à Moosbrugger, celui-ci se procurerait ainsi son viatique et se laisserait emporter. Somme toute, il se plaisait dans la compagnie de Rachel. Elle avait ses bizarreries qui étaient pour lui comme un tourment assourdi; mais, quand il se mettait en fureur ou l'attrapait pour faire l'amour, il se déchargeait à nouveau d'une partie de son malaise; c'est pourquoi la cible de son projet ne sortait que lentement de terre. Dans une certaine mesure, il se sentait à l'abri auprès de Rachel : oui, c'était cela, une vie bien ordonnée, il sortait le soir, il buvait un peu trop, puis ils se querellaient. C'était comme si, chaque soir, on retirait la cartouche de l'arme. Leur chance à tous deux était qu'il ne battît Rachel, pour ainsi dire, que par morceaux. Cependant, du fait même que cette vie avec Rachel était si saine, elle laissait son imagination assez froide, et il continuait à dorloter en secret son projet de disparaître dans le vaste monde : cela commencerait par une vaste saoûlographie.

A neuf heures, Rachel alla chercher un journal pour voir s'il n'y avait pas de mauvaises nouvelles. Elle trouva tout de suite. Dans la nuit, une femme avait été assommée et affreusement déchiquetée par un ivrogne ou un dément, on avait arrêté l'assassin et son identification était imminente. Rachel sut que ce ne pouvait être que Moosbrugger. Les larmes lui vinrent aux yeux. Elle ne savait pourquoi, car elle se sentait contente et soulagée. Et s'il reprenait fantaisie à Clarisse de faire évader Moosbrugger, Rachel la dénoncerait à la police. Néanmoins, elle ne put s'empêcher de pleurer toute la journée, comme si un morceau d'elle-même allait être pendu aussi.

109. *M. Léon Fischel, directeur général.*

Un monsieur élégant fit arrêter sa voiture et appela Ulrich, qui eut peine à reconnaître dans le personnage plein d'assurance qui se penchait à la portière de la luxueuse machine le directeur Léon Fischel. « Une chance! s'écria Fischel. Il y a des semaines que ma secrétaire essaie en vain de vous atteindre. On répond toujours que vous êtes en voyage! » Il exagérait, mais l'autorité qu'il affichait donnait une impression d'authenticité.

Ulrich dit à mi-voix : « Je voyais votre situation tout autrement!

— Que vous avait-on dit de moi? demanda Fischel avec curiosité.

— Le meilleur et le pire, je crois bien. Pendant longtemps, je m'attendais à voir votre nom dans le journal.

— Absurde! Les femmes exagèrent toujours. Accompagnez-moi donc à la maison. Je vous raconterai tout. »

L'appartement avait changé, on y respirait l'atmosphère d'une direction générale, il n'y avait là plus trace de femme. Mais Fischel ne fit pas un récit exact. Il lui importait plus de raffermir sa réputation aux yeux d'Ulrich. Il considérait son départ de la banque comme un épisode. « Que voulez-vous, j'aurais pu y rester dix ans encore sans avancer! Je suis parti dans les meilleurs termes! » Il avait adopté une façon de parler si pleine d'assurance qu'Ulrich en profita pour lui en exprimer son étonnement. « N'étiez-vous pas ruiné, demanda-t-il, au point qu'on s'attendait que vous vous tiriez une balle dans la tête ou que vous passiez en justice ?

— Je ne me tirerais jamais une balle dans la tête, je m'empoisonnerais, précisa Léon. Jamais je ne ferai à personne le plaisir de mourir comme un aristo ou comme un sous-secrétaire! D'ailleurs, je n'ai pas eu besoin d'y songer. Savez-vous ce que c'est que la lourdeur du marché, ou une insolvabilité passagère ? Eh bien! On a fait là autour dans ma famille un bruit ridicule, et qu'on regrette fort aujourd'hui.

— D'ailleurs, vous ne m'avez jamais dit, s'écria en riant Ulrich à qui l'idée en était soudain venue, que vous étiez devenu l'ami de Léone! J'aurais eu quelque droit à savoir au moins cela!

— Vous imaginez-vous comment cette créature s'est comportée avec moi ? Une insolence! Votre éducation!

— J'ai toujours laissé Léone telle qu'elle était. Je suppose que sa bêtise naturelle la conduira dans quelques années au bordel...

— Erreur grossière! D'ailleurs j'ai plus de cœur que vous, cher ami, je me suis efforcé d'éveiller un atome de raison en Léone, ou, si vous voulez, quelque sens commercial dans l'utilisation de son corps. Le soir où mon insolvabilité a commencé à se faire sentir, je me suis rendu chez elle pour m'emprunter quelques centaines de couronnes dont je supposais que Léone les avait mises de côté. Vous auriez dû entendre cette fille me traiter de rat, de bandit, m'insulter jusque dans ma religion! Tout juste si elle ne m'a pas reproché de lui avoir pris son honneur! Mais sur l'avenir de Léone, vous vous trompez : savez-vous qui a été mon successeur immédiat ? »

Il se pencha vers Ulrich et lui souffla un nom à l'oreille, par respect plus que par nécessité. « Qu'en dites-vous ? Il faut reconnaître que c'est une superbe créature. »

Ulrich fut en effet surpris, le nom que Fischel lui avait glissé était celui d'Arnheim.

— — —

Ulrich prit des nouvelles de Gerda. Fischel exhala le souffle de son âme entre ses lèvres arrondies, son visage s'assombrit et trahit des soucis cachés. Il haussa les épaules et les laissa retomber avec lassitude. « Je me disais que vous sauriez peut-être où elle perchait.

— J'ai une hypothèse, dit Ulrich, mais je ne sais rien. Je suppose qu'elle aura pris un emploi.

— Un emploi ? De quoi ? De bonne d'enfants ? Rendez-vous compte, cette fille qui se fait employée alors qu'elle pourrait avoir tout le luxe possible! Hier encore, j'ai conclu pour une maison, grand standing, avec un appartement qui est un vrai palais à lui tout seul : non! non! non! »

Fischel se frappa le visage de ses deux poings, la souffrance que lui imposait sa fille était sincère, c'était du moins une souffrance sincère qu'elle l'empêchât de jouir complètement de son triomphe.

« Pourquoi ne vous adressez-vous pas à la police ? demanda Ulrich.

— Voyons! je ne peux pas crier mes histoires de famille sur les toits! Je voulais le faire, d'ailleurs, mais ma femme ne le veut pas. J'ai tout de suite rendu à ma femme ce que je lui avais fait perdre : je ne voulais pas que messieurs ses frères s'arrachent les yeux à mon sujet! Finalement, Gerda est autant sa fille que la mienne. Je ne veux rien faire là sans son accord. Elle passe la moitié de la journée dans ma voiture, s'usant les yeux à la chercher. Bien entendu c'est absurde, on ne peut s'y prendre ainsi. Mais que faire, quand on est marié ?

— Je croyais que vous étiez en train de divorcer ?

— Nous l'avons été. En paroles seulement. Pas devant les tribunaux. Les avocats venaient de passer à l'attaque quand ma situation s'est brusquement améliorée. Je ne sais quels sont nos rapports maintenant : je crois que Clémentine attend une explication. Bien entendu, elle habite toujours chez son frère.

— Mais pourquoi ne chargez-vous pas un détective de retrouver Gerda ? dit Ulrich dans une subite inspiration.

— On devrait, dit Fischel.

— La piste passe sûrement par Hans Sepp!

— Ma femme veut retourner un de ces jours chez Hans Sepp pour le cuisiner : il ne dit rien.

— Attendez! Hans doit être à l'armée, maintenant, vous

ne vous rappelez pas ? Grâce à je ne sais quels examens auxquels il ne se présenta pas d'ailleurs, il avait obtenu un sursis de six mois : il doit être parti il y a quinze jours. Je puis vous le dire avec précision parce que c'était très exceptionnel, d'ordinaire seuls les étudiants en médecine sont appelés à cette date. Votre femme ne le trouvera plus. En revanche, on pourrait faire en sorte que ses supérieurs lui fassent la vie dure. Vous comprenez, si on lui serre un peu la vis, là-bas, il finira bien par parler !

— Excellente idée, je vous remercie ! J'espère que ma femme comprendra. Comme je vous l'ai dit, je ne veux rien faire dans ce sens sans Clémentine : sinon, je serai de nouveau traité d'assassin !

— La liberté semble vous avoir rendu timide, mon cher Fischel ! » dit Ulrich qui n'avait pu s'empêcher de rire.

Fischel avait toujours été vite irrité par Ulrich ; d'autant plus maintenant qu'il était un homme important. « Vous surestimez la liberté, dit-il pour se défendre, et il semble que vous n'ayez jamais bien compris ma position. Le mariage est souvent un combat à qui sera le plus fort : c'est extrêmement pénible tant qu'il s'agit de pensées, de sentiments et de visions ! Dès qu'on a du succès, tout devient facile. J'ai l'impression que Clémentine elle-même commence à le comprendre. On peut rester des semaines à disputer de la justesse d'une conception. Mais, dès qu'on a du succès, c'est la conception d'un homme qui a pu sans doute se tromper, mais qui avait besoin de cette erreur d'ailleurs secondaire pour avoir du succès. C'est, en mettant les choses au pis, comme les marottes d'un grand artiste : qu'en fait-on ? On les aime, elles sont un petit secret... » Comme Ulrich riait aux éclats, Fischel ne voulut pas s'interrompre. « Je vous le dis précisément à vous ! Faites attention ! J'ai dit qu'avec les sentiments et les pensées, la contestation ne pouvait pas finir. Les sentiments et les pensées rendent mesquin, nerveux. C'est malheureusement ce qui nous est arrivé, à Clémentine et à moi. Aujourd'hui je n'ai plus le temps. Je ne sais même pas avec certitude si Clémentine souhaite me revenir ; je crois seulement qu'elle y songe : elle a regretté, tôt ou tard cela apparaîtra de soi-même, mais sûrement d'une façon beaucoup plus simple et beaucoup plus belle que si je pouvais me représenter précisément dès aujourd'hui ce qui arrivera. C'est comme dans les affaires : si l'on établissait trop minutieusement son programme, ce serait malsain, on n'arriverait jamais à rien! »

Fischel était presque à bout de souffle, mais il se sentait libre. Ulrich l'avait écouté gravement et ne le contredit point. « Je suis enchanté de voir les choses tourner ainsi, dit-il poliment. Madame votre épouse est une excellente personne, et s'il peut être profitable pour elle de tenir une grande maison, elle s'en acquittera sans doute à merveille.

— Justement. Il y a ça aussi. Nous pourrions bientôt fêter nos noces d'argent et, plaisanterie à part, quand l'argent est neuf, il faut au moins que le caractère, pour ainsi dire, soit vieux! Des noces d'argent, c'est presque aussi précieux qu'une grand'mère noble, ce que Clémentine a aussi, d'ailleurs! »

Ulrich se leva pour prendre congé, mais Fischel était lancé. « N'allez pas croire que Léone m'ait coupé les ailes! Je l'ai confiée au Dr. Arnheim sans aucune jalousie. Connaissez-vous la danseuse... ? » Il cita un nom inconnu et tira une petite photographie de son porte-feuille. « Comment le pourriez-vous, c'est vrai! on ne l'a pas vue beaucoup encore, des soirées privées, très chic, Beethoven et Debussy, vous savez, c'est l'esprit nouveau... Mais je voulais vous dire, vous qui êtes un sportif, est-ce que vous pouvez faire ça ... » Il s'approcha d'une table et accompagna ses paroles d'un écho des jambes et des bras. « Par exemple, elle se couche sur une table. Le haut du corps perpendiculaire au-dessus de la table, le visage avec l'oreille appuyée contre les bras joints au-dessus de la tête, et un délicieux sourire. En même temps, elle a les jambes tout à fait écartées, le long du bord de la table, de sorte qu'on dirait un grand T. Ou bien elle se met debout soudain sur les avant-bras et la paume des mains... comme ça... évidemment je ne peux pas le faire. Elle a un de ses pieds qui, passant par-dessus la tête, rejoint presque le sol, et l'autre contre une armoire. Je vous le dis, malgré tous vos exercices, vous n'en feriez pas le dixième! C'est la femme nouvelle. Elle est plus belle que nous, plus adroite que nous, et je crois que si je boxais avec elle, je serais bientôt à me tenir le ventre. La dernière chose qu'un homme sache mieux faire que la femme, aujourd'hui, c'est gagner de l'argent! »

110. *Politiquement suspect. Et d'autres éléments en cause.*

Hans Sepp dut apprendre à s'agenouiller dans la boue de la cour de caserne, à marcher au pas cadencé, à s'exercer au « Portez!... et Reposez armes! », jusqu'à ce que les bras lui en tombent. Le caporal qui le persécutait était un fils de paysan assez niais. Hans considérait, hébété, son jeune visage furibond qui n'exprimait pas seulement la colère, ce qui eût été compréhensible puisque cette recrue l'obligeait à des exercices supplémentaires, mais toute la méchanceté dont un homme est capable quand il se laisse aller. Quand Hans laissait errer son regard sur toute l'étendue de la cour (en soi déjà une cour de caserne a quelque chose d'inhumain, une régularité figée qui évoque le monde mort des cristaux), il aboutissait immanquablement à des silhouettes bleues, accroupies ou courant avec raideur, qui étaient peintes sur tous les murs afin qu'on les mît en joue : et ce but de la vie, être tué d'un coup de fusil, se manifestait aussi désespérément bien dans l'aspect abstrait de ces peintures. Dès son arrivée, Hans Sepp en avait été accablé. Sur les images peintes aux murs des casernes, l'homme n'a pas de visage, une simple surface claire en tient lieu. Il n'a pas non plus de corps que le peintre eût pu représenter dans l'une des positions que l'animal ou l'homme adoptent d'eux-mêmes selon le jeu de leurs besoins; il est réduit à un contour grossier, rempli en bleu sombre, qui fixe la position d'un homme courant avec un fusil à la main ou tirant à genoux pour une éternité où des choses aussi superflues que le dessin personnel n'existeront plus. Ce n'était nullement déraisonnable : le terme technique pour ces silhouettes était « cible vivante », et quand on considère l'homme comme une cible vivante, il apparaît évidemment comme tel, et toute glose est inutile. On pourrait en conclure qu'on ne devrait jamais le considérer comme une cible : mais pour l'amour de Dieu! s'il en prend l'aspect pour peu qu'on le voie ainsi, la tentation est terriblement grande! Effectivement, dans le désert des exercices punitifs, Hans se sentait attiré constamment par ces peintures démoniaques, comme si des diables le persécutaient. Le caporal hurlait qu'il cessât de bayer aux corneilles, qu'il devait regarder droit devant lui; ces paroles brutales l'aidaient à tenir Hans quasi physiquement à l'œil, et quand le regard de Hans revenait enfin tout droit sur le visage rouge du caporal, ce visage lui semblait humain et chaleureux.

Hans avait le sentiment ancestral d'être tombé aux mains d'une tribu inconnue et d'en être devenu l'esclave. Quand un officier apparaissait et que sa mince silhouette passait indifférente à l'autre bout de la cour, Hans Sepp croyait voir l'une des implacables divinités de cette tribu. On le traitait mal, avec une extrême sévérité. En même temps que lui, était arrivé à la caserne un dossier des autorités civiles qui le qualifiait de « politiquement suspect » : c'était ainsi qu'on nommait en Cacanie les ennemis de l'État. Il ne savait ni qui ni quoi lui avait valu cette réputation. En dehors de sa participation à la manifestation contre le comte Leinsdorf, il n'avait jamais rien entrepris contre l'État, et le comte Leinsdorf, finalement, n'était pas l'État. Hans Sepp, depuis qu'il était étudiant, n'avait jamais parlé que de la communauté germanique, des symboles et de la chasteté. Mais des éléments de ces discours avaient dû parvenir aux oreilles des autorités, et les oreilles des autorités sont comme un piano auquel on aurait enlevé sept cordes sur huit. Évidemment, on avait dû aider à cette réputation; ce qui est sûr, c'est qu'il arriva à l'armée avec la réputation d'être un ennemi de la guerre, de l'armée, de la religion, des Habsbourg et de l'Autriche, suspect d'être affilié à des organisations secrètes et d'avoir participé à des machinations germanophiles qui « visaient au bouleversement de l'ordre politique établi ».

Crimes, à vrai dire dont on aurait pu accuser, dans l'armée cacanienne, la plupart des officiers de réserve de quelque valeur. Presque tous les Allemands avaient le sentiment naturel d'être liés aux Allemands de l'Empire, et de n'en être provisoirement séparés que par l'indolence des événements historiques; et tous les Non-Allemands éprouvaient le même sentiment, avec les modifications indispensables bien entendu, sentiment dirigé contre la Cacanie. En ce pays, quand il ne se limitait pas aux fournisseurs de la Cour, le patriotisme était par excellence une manifestation d'opposition, trahissant soit l'esprit de contradiction, soit cette fade hostilité à la vie qui recherche toujours l'élégance, la noblesse : exception faite seulement du comte Leinsdorf et de ses amis, qui avaient cette noblesse dans le sang. Les officiers de l'active, eux non plus, n'étaient pas à l'abri des reproches qu'une autorité inconnue faisait à Hans Sepp. Ils étaient pour la plupart Allemands (et quand ils ne l'étaient pas, ils admiraient l'armée allemande) : comme les parlements cacaniens ne votaient pas pour les soldats et les cuirassés la moitié des crédits que votait le Reichstag, ils avaient tous le sentiment que tout n'était pas si blâmable dans les rêves de la Grande Allemagne. On leur avait appris dès l'enfance à être les piliers du patriotisme, de sorte que ce mot leur donnait secrètement la nausée. Enfin, ils avaient l'habitude de conduire leurs soldats à la procession du Saint-Sacrement et de faire exercer aux recrues, dans la cour de la caserne, le « A genoux pour la prière », mais entre eux, ils avaient surnommé l'aumônier le « Christ de munition » et ces païens avaient inventé pour leur aumônier en chef, un brave homme un peu rondelet, le sobriquet de « la Sphère céleste ».

Tout à fait entre eux, ils ne s'indignaient même pas de rencontrer des ennemis de l'armée, car, pour la plupart, à force de servir, ils l'étaient devenus à leur tour. Il y a même eu des pacifistes sous l'uniforme cacanien. Cela ne signifie pas du tout que plus tard, à la guerre, ils n'aient pas rempli leurs obligations avec autant d'enthousiasme que leurs camarades des autres armées : au contraire, on pense toujours autrement qu'on agit. (La guerre et la paix sont deux états absolument différents, on ne l'a pas encore compris assez clairement!)

Ce fait, d'une importance si grande pour l'état de la civilisation actuelle, voici comment on le comprend d'ordinaire : penser serait une belle habitude individuelle et bourgeoise, en dépit de laquelle, pour agir, on se rangerait à la coutume et à ce que tout le monde fait. Ce n'est pas tout à fait exact : il y a des gens dont la pensée manque totalement d'originalité et qui agissent d'une manière tout à fait personnelle, soit beaucoup plus agréable que leurs pensées, soit beaucoup plus vulgaire, en tous cas plus singulière. On est plus près de la vérité en ne s'arrêtant pas à l'opposition de l'action et de la pensée, en comprenant qu'on a affaire dès le début à deux sortes différentes de pensées. La pensée d'un homme cesse d'en être une quand un second individu pense quelque chose d'analogue et qu'il existe entre ces deux êtres un élément, ne serait-ce que de connaître leur existence réciproque, qui en fait un couple. (Les pensées qu'on a dans sa tête et celles qui sont déposées hors de vous.)

Alors déjà, la pensée n'est plus pure possibilité, elle comporte l'adjonction de considérations secondaires. Mais il se peut que ce soit là un sophisme ou une construction de l'esprit. Quoi qu'il en soit, le fait est que toute pensée vigoureuse entre dans le réel, pénètre une matière plastique à l'instar de n'importe quelle autre force et finalement se fige, sans perdre complètement son efficacité de pensée. Il y a partout, dans les écoles, les codes, le visage des maisons d'une ville ou des champs à la campagne, dans les rédactions des journaux, traversées par des courants de surface, dans les pantalons des hommes et les chapeaux des femmes, partout où l'homme exerce et subit des influences, des pensées enkystées ou dissoutes à différents degrés de fixation et de dosage. (Cela n'irait qu'en rapport avec les impressions inhabituelles que donne la grande ville.)

Bien entendu, c'est là une vérité banale, mais son extension ne nous est pas toujours présente à l'esprit : en fin de compte, il ne s'agit de rien de moins que d'une énorme troisième « moitié » du cerveau, tournée vers l'extérieur. Elle ne pense pas : elle émet des sentiments, des routines, des expériences, des limites et des directions, des influences inconscientes ou semi-conscientes au milieu desquelles la pensée personnelle n'est guère qu'une flamme de bougie dans l'obscurité de pierre d'un entrepôt géant. N'oublions pas, dans cet entrepôt, les pensées de réserve, qu'on conserve comme les uniformes en vue d'une guerre. Au moment où quelque chose d'inhabituel prend de l'importance, elles sortent de leur pétrification. Les cloches sonnent tous les jours, mais c'est seulement quand un incendie se déclare ou qu'un peuple est appelé aux armes qu'on comprend quelle espèce de sentiments tintait et grondait en elles. Tous les jours, les journalistes écrivent des phrases indifférentes qui leur servent à décrire conventionnellement des événements conventionnels : quand une révolution menace ou que quelque chose de nouveau se prépare, il apparaît soudain que les mots ne suffisent pas, qu'il faut aller chercher les plus vieux chapeaux du magasin et les plus vieux fantômes intellectuels pour saluer, ou effaroucher la nouveauté. Dans toute mobilisation générale, qu'elle soit guerrière ou pacifique, l'esprit se met en rang sans armes et décoré d'oublis.

C'est dans ce désaccord des principes personnels et des principes généraux, des idées vivantes et des idées de réserve que Hans était tombé. En d'autres circonstances, on se serait contenté de le trouver peu sympathique, mais le rapport officiel l'avait dégagé de la masse des individus privés pour en faire l'objet de la pensée officielle; ses chefs étaient avertis qu'ils devaient lui appliquer non pas leurs propres sentiments, grossiers et pourtant variables, mais ces sentiments d'une valeur générale qui les dégoûtaient ou les ennuyaient et pouvaient dégénérer à tout moment comme les actes d'un homme ivre ou d'un hystérique qui sent très bien qu'il est dans son ivresse comme dans une enveloppe trop grande pour lui.

N'allons pas croire cependant que Hans fût maltraité illicitement : au contraire, son traitement était parfaitement réglementaire, il lui manquait seulement cet atome de chaleur humaine (même pas de chaleur, mais de charbon, de combustible utilisable à la faveur de quelque occasion) qu'on trouve jusque dans les casernes. En l'absence de toute possibilité de bienveillance personnelle, les bâtiments géométriques, les murs monotones, les silhouettes bleues peintes dessus, les droites interminables des corridors avec les innombrables diagonales parallèles des fusils au râtelier, enfin les sonneries de trompette et les ordres qui compartimentaient la journée semblaient l'étincelante et froide cristallisation d'un esprit que Hans Sepp avait ignoré jusqu'alors, l'esprit de la généralité, de la communauté impersonnelle ou comme on voudra le nommer, esprit qui était à l'origine de ce bâtiment et de cette géométrie. (Peut-être évoquer un peu, aussi : du figement à l'abstraction.)

Le pire était que son esprit de contradiction avait été soufflé comme la flamme d'une bougie. Il aurait pu se prendre pour un missionnaire martyrisé par une tribu d'Indiens. Ou bien, il aurait pu chasser de son esprit le vacarme du monde et « se plonger dans les fleuves de l'au-delà ». Il aurait pu voir dans ses souffrances un symbole, et ainsi de suite. Mais, depuis qu'on lui avait posé sur le chef un calot de soldat, toutes ces pensées étaient impuissantes comme des ombres. Le monde subtil de l'esprit n'était plus qu'un fantôme qui ne pouvait entrer là où des milliers d'hommes cohabitaient. Hans sentait son esprit tarir et se dessécher.

Hans Sepp avait installé Gerda chez la mère d'un de ses amis. Il la voyait rarement, et le plus souvent la fatigue et le désespoir le rendaient morose. Gerda voulait devenir indépendante, elle ne voulait rien accepter de lui; mais elle ne comprenait pas les événements qu'il subissait. Quelquefois, elle avait pensé à aller le chercher à l'heure de sortie : comme s'il était encore lui-même et sortait d'un bureau quelconque. Les derniers temps, il l'évita. Il n'avait même plus la force d'en être humilié. Dans ses moments de liberté, qui tombaient toujours à des heures impossibles, il traînait avec les autres recrues, buvait de l'eau-de-vie et du café à la cantine et s'asseyait dans le flot trouble de leurs propos et de leurs plaisanteries comme dans un ruisseau sale, sans pouvoir se décider à se relever. Ce fut alors, pour la première fois, qu'il haït vraiment l'état militaire : il sentait qu'il cédait à son influence. « Mon âme n'est plus que la doublure d'une capote » se dit-il : mais, à sa grande surprise, il se sentit tenté de connaître les émotions nouvelles de ce travesti. Il arriva que même après le service il restât avec les autres et goutât aux divertissements tant soit peu grossiers de ces jeunes hommes à demi affranchis.

111. *Léon Fischel intervient auprès de Diotime.* (Ébauche.)

Qui donc avait valu à Hans Sepp l'étiquette « p.s. » ? Chose curieuse, c'était le comte Leinsdorf. Un beau jour, le comte Leinsdorf avait interrogé Ulrich sur ce jeune homme, et Ulrich le lui avait désigné comme un inoffensif rêveur. Mais, depuis quelque temps, le comte se méfiait d'Ulrich, et ses renseignements le confirmèrent dans sa conviction qu'il tenait en Hans Sepp l'un de ces éléments irresponsables qui avaient toujours empêché la Cacanie de progresser. Dans les derniers temps, le comte Leinsdorf avait manifesté quelque nervosité. Par le directeur général Fischel, il avait appris qu'un groupe bien défini de blancs-becs dont Hans Sepp formait le centre était à l'origine de la manifestation qui avait valu à Son Altesse plus de désagréments qu'on l'aurait supposé. Ce défilé politique avait fait « en haut lieu » une « impression défavorable ». Il avait été sans aucun doute parfaitement inoffensif. Quand on tient à empêcher ces choses-là, il suffit en tout temps d'une poignée d'agents de police; mais l'impression que font ces incidents est toujours plus effrayante qu'ils ne le méritent, et aucun homme politique sérieux ne peut la négliger. Le comte Leinsdorf avait eu d'importants entretiens à ce sujet avec son ami le préfet de police, entretiens demeurés d'ailleurs sans résultat. Quand le préfet, plus tard, apprit le nom de Hans Sepp, il se montra tout prêt, pour apaiser Son Altesse, à lancer ses hommes sur cette piste. Il était convaincu d'avance qu'un événement qui avait échappé jusqu'alors à sa police ne pouvait être grave, et il fut confirmé dans cette opinion par les enquêtes ordonnées à cet effet. Néanmoins, quand une autorité s'occupe d'une personne privée, celle-ci finit toujours par se révéler plus ou moins suspecte, en particulier quand on considère les exigences de précision et de certitude administrative des bureaux. Le préfet jugea donc indiqué, *in dubio*, de ne pas représenter à un homme comme le comte Leinsdorf qu'il s'était fourré une idée dans la tête; il valait mieux traiter le cas Hans Sepp selon la méthode habituelle : puisqu'on ne pouvait rien reprocher pour le moment au suspect, celui-ci le demeurerait jusqu'à plus ample explication. Du même coup, tacitement, cette plus ample explication était renvoyée « à la semaine des quat' jeudis », celle où tous les dossiers non classés ressortent des tombeaux des archives. Que Hans Sepp dût en subir les pénibles conséquences, c'était une question tout à fait impersonnelle qui ne faisait pas de difficultés. De temps en temps, il est bon de tirer du tombeau un dossier enterré sans avoir été classé, ne fût-ce que pour constater qu'il ne peut toujours pas l'être et fixer le jour où l'employé des archives devra le présenter à un employé du greffe. C'est une loi fondamentale de la bureaucratie. Quand il s'agit d'un dossier qui, sous prétexte que ses bases sont insuffisantes, ne sera jamais classé, il faut lui porter une attention particulière : il arrive que les fonctionnaires soient promus, déplacés, ou qu'ils meurent, et qu'un nouveau, à la vue du dossier, dans un excès de zèle, provoque, pour compléter les enquêtes faites des années auparavant, une nouvelle petite enquête qui ressuscite le dossier pendant quelques semaines pour s'achever en pièce annexe et disparaître avec lui. C'est à la suite d'un incident analogue que le dossier Hans Sepp avait commencé à circuler sans aucune intention particulière; comme Hans était à l'armée, son dossier dut aller au Ministère de la Justice, de là au Ministère de la Guerre, de là au Commandant de corps et ainsi de suite. On imaginera aisément que les différentes indications de réception ou d'expédition, les timbres de présentation, les ratifications, les annotations diverses telles que « Transmis au bureau compétent », « Pour rapport », « Inconnu dans notre service », finirent par lui donner un aspect très redoutable...

Entre temps, Gerda était accourue chez Ulrich, désespérée, affirmant qu'il fallait sauver Hans qui semblait incapable de supporter ses nouvelles conditions de vie et déjà complètement démoralisé. Elle n'avait pas encore réintégré le domicile familial, restait cachée, très fière d'avoir trouvé une ou deux leçons de piano qui lui permettaient d'ajouter quelques marks à l'argent que ses amies lui prêtaient. A cette époque, Léon Fischel faisait les plus grands efforts pour la regagner, et Ulrich accepta l'entremise. Après de longues tergiversations et de paternelles semonces d'Ulrich, Gerda se laissa extorquer la promesse d'envisager sans hostilité un retour éventuel à la maison paternelle si son papa se déclarait prêt, travaillait et aidait Ulrich à soulager le destin de Hans. Ulrich en parla avec le directeur général Fischel, et le directeur général Fischel, à ce moment-là, eût fait bien pis pour reconquérir sa fille. Il s'adressa au comte Leinsdorf. Le directeur général Léon Fischel était en relations d'affaires très actives avec Son Altesse. Son Altesse, après un moment de regret et de réflexion, le recommanda à Diotime qui avait alors des contacts étroits avec le Ministère de la Guerre; elle serait également mieux placée que lui du fait que toute l'affaire, en particulier la solution pas absolument régulière qu'on songeait à lui donner, relevait plutôt de la sensibilité et de la discrétion féminines. C'est ainsi que Léon Fischel rendit ses devoirs à Diotime.

Le comte Leinsdorf l'avait prévenue de la visite, et Fischel fut très impressionné. Il avait cru passée l'époque où l'esprit pouvait le contraindre à l'admiration. Mais il semblait que les belles femmes fussent particulièrement aptes à amollir sa récente rigueur. Sa première rechute avait été Léone. Léone avait un visage que les parents du directeur général eussent admiré, et il pensa à ce visage quand il vit Diotime, bien qu'elle n'offrît aucune ressemblance réelle. A cette époque, même le dessinateur ou le photographe le plus minable n'eût pas été satisfait avant de sentir dans sa chevelure ou son foulard le frôlement du génie. C'est pourquoi Léone n'avait pas été pour Léon simplement une beauté, mais un génie de beauté : tel était le charme particulier qui l'avait entraîné dans de si téméraires entreprises. « Dommage qu'elle ait eu une nature si vulgaire, pensa Fischel, ses hautes et fortes jambes étaient nettement plus belles que les jambes sèches de ces danseuses modernes. » Il ne put décider si c'étaient ces jambes sèches ou le mauvais caractère qui l'avaient fait penser à son épouse Clémentine; quoi qu'il en fût, il se rappela avec émotion les heureuses premières années de leur mariage. Alors, Clémentine et lui croyaient encore à la valeur du génie, et si l'on y réfléchissait avec bienveillance, ils n'avaient pas eu tellement tort. Considérée sous cet angle, la carrière de Léon Fischel ne présentait aucune solution de continuité : en fin de compte, l'idée qu'il existait des génies privilégiés était une possibilité de justifier des affaires risquées et peu scrupuleuses. Diotime avait le don, quand on était assis pour la première fois en face d'elle, d'éveiller ces vastes pensées. Le directeur général Fischel n'eut plus qu'à passer la main sur ses favoris et à redresser son lorgnon pour se lancer en soupirant dans son propos. Diotime ratifia ce soupir d'un maternel sourire, et avant même que Fischel eût été plus loin, cette femme, à juste titre renommée pour son extraordinaire intuition, lui dit : « On m'a informée du but de votre visite. Comme c'est triste! L'humanité actuelle souffre profondément de n'avoir plus de génies et, d'un autre côté, elle renie et persécute les jeunes talents qui pourraient le devenir! »

Fischel risqua une question : « Avez-vous appris, chère madame, ce qui arrivait à mon protégé ? C'est un révolté. Et alors ? Tous les grands hommes furent des révoltés dans leur jeunesse. D'ailleurs, je n'approuve nullement cette attitude. Il s'agit en outre, si vous me passez l'expression, d'un accouchement au forceps : il a eu la tête un peu malmenée, il est extraordinairement sensible, et je me suis dit que ce serait peut-être un moyen... »

Diotime haussa tristement les sourcils. « J'en ai parlé avec un des principaux fonctionnaires du Ministère de la Guerre. Malheureusement, monsieur le directeur général, je dois vous dire que votre désir se heurte à des difficultés presque insurmontables. »

Fischel leva les mains au ciel avec indignation et tristesse. « Enfin, on ne peut pas brimer un intellectuel contre toute intelligence! Chère madame! le garçon est plus ou moins un objecteur de conscience, ils finiront par me le fusiller!

— Comme vous avez raison! répondit Diotime. On ne devrait pas brimer un intellectuel contre toute intelligence! Vous exprimez là mon opinion personnelle. Mais comment le faire comprendre à un général ? »

Il y eut une pause. Fischel fut près de penser qu'il était temps de se retirer, mais au mouvement de ses pieds, Diotime lui mit la main sur le bras, permission muette de s'attarder encore. Elle paraissait réfléchir. Fischel se creusait la tête pour savoir comment l'aider à trouver une idée. Il lui aurait volontiers offert de l'argent pour le haut fonctionnaire du Ministère dont elle avait parlé; mais, à cette époque, une telle pensée était du délire. Fischel se sentit impuissant. « Un Midas! » songea-t-il soudain. Pourquoi, il le voyait mal, et il chercha à se remémorer cette vieille fable qui devait être d'ailleurs autre chose. A ce coup, ses verres de lunettes faillirent s'embuer d'émotion.

Diotime revint à cet instant. « Je pense, monsieur le directeur général, que je puis tout de même vous être de quelque secours. En tous cas, je serais ravie de le pouvoir. J'en reviens toujours là : on ne doit pas brimer un intellectuel contre toute intelligence! Évidemment, il vaut mieux ne pas parler au général de son espèce d'intelligence... »

Léon Fischel s'associa avec empressement à cette réserve.

« Le cas présente tout de même, si je puis dire, un aspect maternel, poursuivit Diotime, un aspect féminin, illogique : sur tant de milliers de soldats, peu importe un individu. Je tenterai de faire comprendre à un officier supérieur avec qui je suis liée d'amitié que Son Altesse, pour des raisons politiques, tiendrait à ce que ce jeune homme fût libéré : il faut toujours mettre *the right man at the right place*, et votre futur gendre ne peut être d'aucune utilité quelconque dans une caserne, alors que... Enfin, quelque chose comme ça. Malheureusement, messieurs les militaires sont extrêmement réticents à l'égard des exceptions. J'espère néanmoins que nous obtiendrons pour le jeune homme un sursis d'un certain temps, ce qui nous donnera tout loisir de songer à la suite. »

Léon Fischel, ravi, s'inclina sur la main de Diotime. Il avait acquis une confiance absolue en cette femme.

Cette visite ne fut pas sans influence, d'ailleurs, sur sa façon de penser. Pour des raisons bien compréhensibles, il était depuis quelque temps extrêmement matérialiste. Ses expériences lui avaient appris qu'un homme capable devait faire son affaire tout seul. Être indépendant; ne rien demander aux autres à moins d'avoir la contre-valeur souhaitée : c'est aussi un sentiment protestant comme seuls l'ont connu dans sa pureté les premiers colons de l'Amérique.

Léon Fischel aimait toujours à philosopher, bien qu'il en eût moins que jamais le temps. Ses affaires le mettaient quelquefois en relation avec le haut clergé. Il constata que l'erreur de toutes les religions était de n'enseigner que des vertus négatives, continence, désintéressement : cela leur enlève toute actualité et donne aux affaires qu'on est bien obligé de traiter quelque chose d'un péché secret. Il avait été saisi, en revanche, par la religion officielle de l'énergie, telle qu'il la voyait pratiquée en Allemagne à l'occasion de ses affaires. On aide volontiers un homme énergique, autrement dit, il trouve partout du crédit : c'était une formule positive sur laquelle on pouvait bâtir. Elle vous enseignait à être secourable sans compter sur aucune reconnaissance, comme l'exige la doctrine chrétienne; loin de comporter l'obligation douteuse de compter sur la noblesse d'âme d'autrui, elle utilisait l'égoïsme considéré comme la seule qualité solide de l'homme, ce qu'il est indubitablement. Or l'argent est un moyen génial de mesurer et de contrôler cette qualité fondamentale. Il est l'égoïsme organisé, mis en contact avec l'énergie. L'égoïsme organisé sur une grande échelle selon la capacité de gagner de l'argent. Organisation créatrice, fondée sur la bassesse. Nul empereur, nul roi n'a su dompter les passions comme l'argent. Fischel se demandait souvent quel demi-dieu humain avait pu inventer l'argent. Si tout avait été accessible à l'argent, si toute chose avait eu un prix (on en est hélas! fort éloigné), il n'eût pas été nécessaire de chercher d'autre morale que la prospérité du commerce. Telle était sa conviction bien ancrée.

Même au temps où il vénérait les grands idéaux de l'humanité, il lui avait toujours déplu qu'un autre en parlât. Quand quelqu'un vous parle carrément de vertu ou de beauté, cela semble aussi peu naturel, aussi affecté que d'entendre un Autrichien parler à l'imparfait. Ce sentiment était devenu plus intense encore. La vie de Fischel se ramenait à son travail, à sa volonté de puissance, à son activité, à des grandeurs objectives qu'il devait observer et exploiter. De plus en plus, les choses de l'esprit lui apparaissaient comme des nuages n'ayant aucun rapport avec le monde terrestre. Mais il n'était pas plus heureux. D'une certaine manière, il se sentait affaibli. Les plaisirs lui semblaient plus extérieurs que naguère. Il choisissait des excitants plus forts, mais ne réussissait qu'à se distraire davantage. Il se moquait de sa fille, mais, en cachette, il lui enviait ses idées.

Entendant Diotime parler si naturellement, si librement du sentiment maternel, de l'âme, de l'esprit, de la bonté, il s'était dit : ce serait une mère pour Gerda! (? libre pour toi). Il versait d'abondantes larmes intérieures à l'entendre si bien parler, à voir avec tant de contentement comment sortait de ces grands mots, avec la plus grande élégance, un petit cas de corruption : car enfin l'exaucement de son vœu n'était pas autre chose, quelques raisons qu'en pût avoir Diotime. Dans certains cas, quand il s'agit d'illégalité, l'idéalisme vaut presque mieux que le froid calcul : telle était la leçon que Fischel avait directement tirée de cette visite, et qu'il se proposait, sur le chemin du retour, de méditer plus longuement à l'occasion.

112. *Clarisse fatiguée renonce. Au sanatorium.* (Ancienne ébauche.)

Le médecin de famille; il conseille un séjour dans un sanatorium : cure de repos et suralimentation. Le manque de graisse n'est pas bon pour les nerfs, dit-il après avoir examiné le corps de Clarisse, un vrai corps de garçon maintenant.

A la surprise joyeuse de Walter, Clarisse ne fit aucune résistance. Elle a parcouru la première étape, il est bon qu'elle se repose et reprenne des forces. De plus elle se disait : « Je dois tout faire seule. » (Elle avait le sentiment qu'ils n'étaient tous que des moitiés : Walter, Ulrich, Meingast.) Elle sentait sa tête comme un sommet de montagne dans les nuages; elle avait une nostalgie de l'horizontale, s'étendre, se coucher, dans un air plus tonique que celui de la ville. Elle voyait flotter devant ses yeux de la verdure, des plantes en vrille, une lumière assourdie : un paysage comme une main pleine de force qui vous oblige à dormir.

— — s'était offert à la conduire : Walter ne pouvait pas quitter le bureau. Il souffrait comme si son cœur passait dans une machine à hacher en les voyant partir, tous deux.

En entrant au sana, Clarisse passa l'inspection comme un général. A son abattement se mêlait déjà le sentiment de sa mission, de sa divinité, elle examinait les installations et les médecins en se demandant s'ils seraient en mesure d'accomplir la métamorphose des idées universelles en — — — qui partiraient de ce lieu.

Le diagnostic était : surmenage et neurasthénie. Clarisse vivait dans le calme, entourée de soins attentifs. Les chocs successifs qui avaient ébranlé son organisme comme un voyage en chemin de fer cessèrent. Comme le sol redevenait plus ferme et plus élastique sous ses pieds, elle crut comprendre soudain qu'elle avait été malade; elle éprouva de la tendresse pour son corps sain (avant, manque d'appétit, diarrhée...) qui, à son tour, entourait son esprit de « soins attentifs », ainsi qu'elle put le constater, ravie par l'unité, la cohérence des événements. Du même coup, ce qui s'était passé dans les dernières semaines lui parut suspect.

Elle se procura de quoi écrire et se mit en tête de rédiger un récit de ses expériences.

Elle écrivit toute une journée du matin jusqu'au soir. Sans penser à prendre l'air ou à manger; elle fut frappée de voir les activités physiques s'effacer presque complètement, et seule une certaine crainte de l'organisation sévère du sanatorium la poussa à se rendre à la salle à manger. Quelque temps auparavant, elle avait lu un article sur François d'Assise; dans le cahier qu'elle inaugura, cet article réapparut sous forme de copie avec de minimes modifications personnelles, sans qu'elle en fût gênée. Aujourd'hui encore, on n'apprécie pas exactement l'originalité des productions de l'esprit. A chaque pensée, à chaque invention nouvelle, l'esprit héroïque traditionnel lutte pour la priorité, bien que l'histoire de ces disputes nous ait montré depuis longtemps que chaque idée nouvelle naît toujours dans plusieurs cerveaux à la fois; cet esprit, pour on ne sait quelle raison, préfère se représenter le génie comme une source à y voir un fleuve où beaucoup d'éléments ont débouché et qui en relie beaucoup d'autres, bien que les plus géniales pensées ne soient rien de plus que la modification d'autres pensées géniales, de modestes additions. C'est pourquoi, d'un côté, « nous n'avons plus de génies », parce que nous croyons voir trop distinctement l'origine et que nous nous refusons absolument à croire au caractère génial qui ne se compose que de pensées, de sentiments et autres éléments habituels que nous savons avoir rencontrés déjà ici ou là. D'autre part, nous exagérons l'originalité du génie (surtout là où l'épreuve des faits et du succès fait défaut, c'est-à-dire partout où il ne s'agit de rien de moins que de notre âme) d'une manière si absurde et si sotte que nous avons d'innombrables génies dont la tête n'est pas plus pleine qu'une page de journal, mais dont la présentation est originale et frappante. Celle-ci, associée à une croyance erronée en l'inévitable originalité du génie, brouillée avec le sentiment obscur qu'il n'y a rien derrière lui, culminant dans l'incapacité totale à tirer des éléments d'une époque ces figures de la vie intellectuelle qui ne sont pas plus que des essais tout en ayant le sérieux de l'objectivité, celle-ci relève de la mentalité négative qui règne aujourd'hui, faite de doute à l'égard de la possibilité du génie et d'adoration pour tous ses succédanés.

Clarisse, pour qui le génie était affaire de volonté, en dépit de toutes ses faiblesses, ne faisait partie ni des êtres trop voyants, ni des découragés. (C'est-à-dire : au lieu de vouloir être original, les gens devraient apprendre à *s'approprier !*) Elle recopiait avec une grande énergie ce qu'elle avait lu et ressentait le véritable sentiment d'originalité en s'appropriant cette matière qu'elle sentait mystérieusement se confondre avec son être le plus intime dans une sorte de combustion intense et flamboyante. « C'est ce hasard, écrivait-elle, tandis que je pensais déjà au départ, qui a fait se heurter ces souvenirs dans ma tête. Le fait que les Siennois (Pérouse ?), en l'an... aient porté une image de ... dans l'église de..., le fait que Dante dise quelle fontaine se trouve aujourd'hui encore sur la piazza... Et que Dante ait dit, de la piété de François d'Assise qui allait être canonisé peu après : elle s'éleva parmi nous comme un astre radieux. »

Quand elle ne se souvenait plus des noms ou des dates, elle mettait des points. Ce serait pour plus tard. Mais les mots « comme un astre radieux », elle les sentait dans son corps. On peut penser en passant que l'émotion que lui avait donnée cet article provenait du fait qu'elle désirait des temps meilleurs : non pas comme une évasion, mais comme, elle le sentait, une sorte de réponse.

« Ce François d'Assise, écrivait-elle, était le fils d'un riche citoyen de Sienne, un marchand d'étoffes, et il avait été un adolescent brillant. Pour des esprits d'aujourd'hui comme Ulrich, qui ont des contacts avec la science, son comportement postérieur (après l'éveil de sa religiosité) évoque certains états de manie, et on ne peut nier qu'ils aient raison. Mais ce qui, en 1913, est une maladie mentale, peut en 13... (folie circulaire, hystérie, non point, bien entendu, des maladies purement anatomiques, mais seulement celles qui sont mêlées de santé!!) n'avoir été qu'une « santé », comme on dit une hérédité, « chargée ». *Certaines maladies ne sont pas des phénomènes uniquement personnels, mais bien d'ordre social!* (Si l'homme sain est un phénomène social, le malade en est un aussi.) Elle avait souligné cette phrase. Elle ajouta quelques mots entre parenthèses : « (Hystérie. Freud. Ivresse. Ses formes changent selon la société. La psychologie des masses fournit des descriptions qui ne diffèrent guère des descriptions cliniques.) » Puis venait de nouveau une phrase soulignée : « *Il n'est pas exclu que ce qui ne conduit aujourd'hui qu'à la destruction intérieure retrouve un jour une valeur constructive.* »

L'idée lui vint soudain que Dante et François d'Assise n'avaient été qu'une seule et même personne. C'était une découverte extraordinaire, cependant elle ne la nota pas, se proposant d'examiner plus tard ce problème; l'instant d'après, son éclat s'était éteint. « L'essentiel, écrivit-elle encore, est qu'à cette époque un homme *qu'aujourd'hui nous fourrerions en sana avec la conscience pure* a pu vivre, prêcher et guider ses contemporains! Que les meilleurs de ses contemporains l'ont considéré comme l'honneur et la lumière de son époque! Qu'il fut un centre de civilisation. » Mais, en marge, elle écrivit : « *Tous les hommes ne sont-ils qu'un seul homme ?* » Puis, elle continua plus tranquillement : « Imaginer cette époque me fascine. Elle n'avait pas beaucoup d'intelligence. Elle ne vérifiait pas : elle croyait comme un enfant sage sans être troublée par l'invraisemblance. La religion était liée au patriotisme local : ce n'était pas ce seul Siennois qui montait au ciel, toute la ville y serait transportée un jour ou l'autre. On aimait le ciel à travers la ville. (La gaieté, la coquetterie, les vastes perspectives des petites villes italiennes!) Les séparatistes, en religion, étaient rares; on était fier de sa ville; la communauté était une expérience vécue. Le ciel appartenait à cette ville, comment aurait-il pu en aller autrement ? Les prêtres ne passaient pas pour des êtres particulièrement religieux, c'était une espèce de fonctionnaires : dans toutes les religions, Dieu était toujours un peu lointain, un peu vague, mais l'assurance que le Fils de Dieu était descendu sur la terre, qu'on possédait encore les écrits de ceux qui l'avaient vu de leurs yeux, donnait à l'expérience une vivacité, une présence, une netteté extraordinaires, dont les prêtres étaient l'attestation. Des officiers de Dieu.

« Qu'un homme, dans un tel milieu, soit frôlé par Dieu comme saint François, ce n'est là qu'un apaisement de plus qui ne trouble pas la bourgeoise sérénité de l'expérience. Puisque chacun croyait, quelques-uns pouvaient le faire à leur façon : ainsi la richesse spirituelle devenait une simple assurance légitime. Dans une somme, il y a plus de forces qui naissent de l'opposition que de l'entente...

« (Sentiment de solitude dans l'océan de l'esprit, sollicité dans toutes les directions.) »

Des rides profondes se gravèrent sur le front de Clarisse. Elle pensa à Nietzsche, l'ennemi de la religion : de difficiles conciliations l'attendaient encore. « Je ne prétends pas connaître l'histoire gigantesque de ces sentiments, se dit-elle, mais une chose est sûre : aujourd'hui, l'expérience religieuse n'est plus le fait d'une communauté, mais de quelques individus. (Memento : l'expérience des masses liée à Meingast.) C'est probablement pourquoi elle est malade. »

Elle cessa d'écrire et arpenta longuement la chambre, frottant ses mains l'une contre l'autre ou l'index sur son front avec agitation. Ce n'était pas par découragement qu'elle fuyait dans des époques passées, éloignées, mais il était évident qu'elle, Clarisse, marchant de long en large dans cette chambre, était liée à la Sienne d'autrefois. (Émotion! Sonneries de cloches. Des processions passent avec des bannières et des costumes superbes. Elle marchait au milieu. Quand elle s'arrêtait, la foule ne s'arrêtait pas, mais cela ne faisait rien... Ce rapport avec le passé qui fait défaut à Ulrich.) Des réflexions des derniers jours s'y mêlèrent, d'une certaine façon elle n'était pas seulement destinée, mais déjà occupée à assumer la mission qui se renouvelait de siècle en siècle comme Dieu dans l'hostie. Elle ne pensait pas à Dieu : chose curieuse, c'était la seule idée qui ne lui vînt pas, comme si Sa place n'était pas là. Peut-être l'aurait-Il gênée, tout le reste étant vivant, intense, comme si elle allait devoir prendre le train le lendemain pour partir. Devant les fenêtres, de grandes masses de feuillage vert lui faisaient signe : des arbres en boule; toute la pièce baignait dans une verdure humide. Cette couleur « dont son âme était pleine » ainsi qu'elle le dit plus tard, dominante de ses pensées, joua en elle un grand rôle. (La lumière verte signifie [c'est la différence entre autrefois et aujourd'hui, la singularité de sa position dans la rêverie] son voyage.)

113. *En route pour Sienne!* (Ancienne ébauche.)

Quand elle eut relu ses notes, le lendemain, elle les repoussa. Elle prit une nouvelle feuille de papier et traça une croix en son milieu. Elle fut à peine surprise de voir cette feuille nue, ainsi divisée, se mettre aussitôt à vivre. Il suffisait de la regarder pour découvrir aussitôt, avec son aide, une foule de confirmations remarquables. Tout ce qui est en haut tend à descendre, tout ce qui est en bas à monter : loi fondamentale de l'existence! En haut à gauche, Clarisse inscrivit le mot homme, en bas à droite le mot femme. Non seulement ils tendent à cette situation, mais aujourd'hui, la femme se virilise et l'homme se féminise... « Aujourd'hui, il n'y a plus d'hommes! » se dit Clarisse. Quand la croix magique le lui eut confirmé, elle chercha du nouveau. La pluie tombe, la fumée monte; elle ajouta aussitôt que les larmes viennent d'en haut (et les rêves d'en bas), du fond d'une grande âme, mais qu'elles descendent : la croix ne lui disait-elle pas tout ce qu'elle avait appris dans un combat de plusieurs semaines contre sa pitié pour Walter ? Elle s'imaginait faire quelque chose d'analogue à l'art moderne... Elle poursuivit fiévreusement l'expérience. Il est des êtres d'angle dont la vie, quoi qu'il arrive, va d'en haut en haut ou demeure dans « l'horizontale inférieure » : ce sont les hommes du niveau, ils ne changent pas le monde. Il y a aussi des êtres de la diagonale, mais elle ne s'y arrêta pas, car déjà l'attirait la découverte des êtres doubles : ils montent et descendent, leur corps descend, leur âme monte! Ce sont les êtres qui correspondent aux verticales montantes et descendantes. Ils passent de la douleur à la force. Ou de la clarté à l'obscurité. Deux couches leur servent de demeure. Sans aucun doute, elle était de ces êtres-là. Elle revécut intensément l'atmosphère de son entrée au sanatorium, la veille, avec cette immédiate « nostalgie de l'horizontal »; une inexprimable tristesse, « aussi tendre que le fil de la pluie », la tirait vers en bas. Elle alluma; bien que ce fût encore le matin, des coins de lumière pâles, rougeâtres, s'enfoncèrent dans la verte clarté des feuillages. Elle frémit de solitude. Il lui sembla que ces coins de lumière rougeâtres formaient une croix au centre de la pièce, et elle vint se placer dessous. A cet instant, elle reconnut avec netteté qu'elle était elle-même un « être double », et le soulagement que procure la netteté lui fit du bien.

Elle courait cependant grand danger de tomber malade. On l'avait amenée ici où elle devait tomber malade. Elle ne se dissimulait pas qu'en fait, elle était au bord d'une grave maladie. La faute en était à la sensiblerie de Walter qui l'avait conduite ici. Elle n'aurait pas dû lui obéir, mais quoi! c'était fait. Elle se dit : je deviendrai folle. Elle le répéta. Un murmure à voix haute. Sous la croix. C'était autre chose que de jouer avec ce mot redoutable.

Mais la maladie mentale n'était pas simplement une chute dans les ténèbres. Les aliénés lui semblaient des êtres installés au bord de la santé; un rien suffisait pour qu'ils fussent emportés. Il leur faut d'énormes efforts, à quoi les travaux des hommes sains ne se peuvent comparer, pour s'élever. Des êtres d'exception, Clarisse le sentait. Parler de maladie est une erreur contre quoi elle avait le devoir de se défendre, au nom d'une morale supérieure.

Elle devait fuir sans délai. A cet instant flotta autour d'elle une existence pleine de visions, d'hallucinations, d'anges et de créatures plus puissantes encore qu'elle ne pouvait s'expliquer. « Il faut être assez sain pour sa maladie, se dit-elle avec un sourire rusé, il y a des névroses de santé. » Elle entendit de la musique italienne, évoquant à son esprit la cruelle gaieté du sud. Une voix s'éleva en elle : « En route pour Sienne! »

A ce moment, elle eut de sa situation une vue tout à fait

claire et sereine. Elle était au carrefour. Être double. En elle se heurtaient les deux rois ennemis, le Christ et Nietzsche. L'un était le roi couronné du monde, l'autre le roi sans couronne de ceux qui ne croient en aucun roi. Mais tous deux ne l'étaient qu'à moitié. Le Christ était mort sur la croix et Nietzsche à l'asile d'aliénés. Ils étaient morts de n'être pas allé jusqu'au bout. Mais ces grands ennemis, ensemble, formaient un tout! L'être double! Le corps d'une femme les contraignait en les unissant. Ces frémissements où se manifestaient à la fois l'hostilité aux hommes et la contrainte exercée sur eux n'allaient-ils pas faire éclater le petit corps de Clarisse ? De la sueur tremblait sous ses cheveux, ses lèvres restaient ouvertes. Pouvait-elle encore s'occuper de Walter et de la souffrance qu'elle devait lui donner, « dans une innocente cruauté » ? Violemment, elle serra les lèvres. Pour l'amour de Dieu, son Père, il ne lui était pas permis en ce moment de rien faire à moitié. « La folie, se dit-elle en manière de conclusion, c'est simplement faire sans compromis et sans mesure ce que les autres font avec mesure et à moitié. » Elle avait de l'argent, car elle n'avait pas réglé encore la note du sanatorium. Elle prétendit qu'elle voulait surprendre son mari, qui, parti pour lui rendre visite, devait être dans les environs, et s'absenter une nuit. Un fort pourboire réduisit au silence les scrupules de l'infirmière.

114. *Clarisse à Rome.* (Ancienne ébauche.)

Clarisse s'éveilla entre Florence et Rome. Elle nota qu'elle avait modifié son projet de voyage à Sienne. Le long de la voie se dressaient de petits arbres faits d'étoupe verte comme l'herbe. Puis, la plaine fut interrompue par une colline ronde plantée d'arbres ronds. Clarisse, satisfaite, se dit que les contours du paysage, considérés sans parti-pris, étaient plus laids que dans son pays. Mais un air de marche inconnu, qu'elle reconnaissait d'autant mieux, leur prêtait comme une tension. Il lui semblait que, si elle faisait un effort, elle devrait pouvoir entendre une mélodie guerrière; mais le train dans sa rapidité l'anéantissait. En revanche, elle suivit des yeux deux paysannes sur un chemin aussi étroit et aussi rectiligne entre les champs qu'un sillon planté d'arbres fruitiers ; un coq et sept poules trottinaient devant les femmes, comme le font ailleurs les petits chiens. Clarisse y vit un fait important dont elle pourrait peut-être faire usage plus tard. Les cahots du train, pendant trente-six heures, l'avaient ébranlée et épuisée.

Mais des bourgades, maintenant, commençaient à défiler, et Clarisse redevint attentive. C'étaient de petites villes étalées sur une colline comme un amas de vieux morceaux de cuivre usés et sales, mais qui avaient gardé le feu mystérieux de ce métal. Clarisse, sans se préoccuper des autres voyageurs, refit le grand geste généreux qui les avait éparpillés là.

Ou bien c'étaient de petites villes taillées à coups de ciseau et de spatule dans un bloc d'argile brun vert. De petites villes réduites à un entrecroisement d'horizontales et de verticales vigoureuses. « Il faut le travailler, l'élaborer ! » pensa Clarisse en se frottant les doigts l'un contre l'autre. Elle fut heureuse que le paysage toscan, paisible, laborieux, cultivé, commençât par essayer de vous tromper : elle ne s'y était pas laissé prendre !

Soudain, les ruines d'un château circulaire se dressèrent devant le ciel et les nuages, et quelques minutes plus tard le cœur de Clarisse se mit à battre violemment. Maintenant, des villages croulaient comme des forteresses, comme des formations de basalte. La maudite bonhomie du paysage nordique avait définitivement cessé. Une forte vieille, affreuse, un drapeau rouge à la main, des fleurs rouges sur une blouse rouge et un foulard de tête également rouge, était accrochée au-dessus d'un passage à niveau. Clarisse se pencha à la fenêtre, l'affreuse femme rouge la ravissait, ses doigts lui criaient des paroles que sa bouche, à cause de la vitesse du train, ne pouvait former.

Cependant, Clarisse ne put tenir longtemps à Rome. Déjà la place de la gare, avec ses palmiers, ses éventaires et la proximité des grands hôtels la rebuta.

Elle n'en gagna pas moins le centre de la ville et descendit dans un petit hôtel. Entre-temps, l'impression s'était modifiée. Le ciel du soir était orange jusque dans les hauteurs : devant, les arbres étaient de plumes noires. L'air du quartier Ludovisi, ce mélange unique, délicieusement léger et fort, d'air marin et d'air alpin, la ragaillardit. Elle respira l'imminence d'une vigueur nouvelle. (Prophétie du fascisme.) Elle commença à voir la fière splendeur des jardins particuliers dont les terrasses surplombaient les têtes des vulgaires passants sur des murs de cinq à huit mètres de haut, ainsi que les immenses portes, les hautes fenêtres qui distinguaient ici même les immeubles locatifs. Derrière le mur d'un parc un âne poussa un braiment. « Même les ânes braient autrement que chez nous! pensa Clarisse. Ils ne font pas hi-han, ils font *ja* (oui) ! » C'était une sonorité de trompette, métallique, prolongée. Elle crut comprendre au premier coup d'œil qu'il n'y avait pas de petits bourgeois dans cette ville. (Ou s'il y en a, une force tourbillonnante les menace.) Tout respirait, tandis qu'elle s'approchait du centre, la force, la hâte et le bruit. Des voitures surgissaient à l'improviste au coin des rues et traversaient les places selon d'imprévisibles circuits; des cyclistes innombrables se mêlaient gaiement à leur flot, au risque de leur vie; des tramways bondés pendaient des grappes de jeunes gens qui voulaient monter et s'agrippaient dans les positions les plus inattendues et les plus téméraires. Clarisse sentit que cette ville correspondait à son tempérament, c'était la première fois que cela lui arrivait. La nuit, elle ne put dormir, parce qu'il y avait sous ses fenêtres, dans l'étroite ruelle, les tables d'un petit bar : les clients chantèrent des romances jusqu'au matin en hurlant à chaque couplet un refrain gaiement dissonant. Clarisse en fut électrisée. Bien que ce fût encore relativement tôt dans l'année, il faisait déjà très chaud, et Clarisse souffrit de diarrhée : état délicieux, léger comme moelle de sureau, excitation ailée et lasse.

Clarisse subordonna toutes les impressions que lui donna Rome à la brûlante, à la hardie couleur rouge. Elle se rappelait son séjour au sana : elle avait quitté un vert aqueux, un vert présent, la couleur de la forêt allemande, pour ce rouge qui avait été dans son imagination le rouge des processions. Pour être exact, il faut dire que Clarisse ne se souvenait nullement des événements qui l'avaient conduite à ce voyage : elle avait seulement le sentiment d'avoir fui une humeur verte pour une humeur brûlante et rouge. Il était malheureusement tout à fait impossible à Clarisse de comprendre qu'elle souffrait d'idées délirantes. Aujourd'hui, les humeurs vertes trouvent des compositeurs pour les mettre en musique, il y a des peintres des sons, les poèmes créent des espaces, les pensées sont dansées : associations vagues qui sont à la mode parce que la pensée a perdu son crédit. Elles comportent environ un huitième de sens et sept huitièmes de non-sens, de sorte que Clarisse avait le droit de se trouver très raisonnable et très prudente. Ainsi donc, attentive et calme, elle allait d'une humeur verte à une humeur rouge.

Or, un jour qu'elle errait de palais en palais, elle découvrit le merveilleux portrait rouge que Velasquez a fait d'Innocent X: ce fut en elle comme un éclair. Elle ne douta plus que ce rouge, cette ardente couleur de la vie, ne fût aussi la couleur de ce christianisme qui, selon Nietzsche, a fait boire à l'Éros antique un philtre empoisonné. La couleur de l'ascèse et de la condamnation des sens. « O mes bien-aimés! songea Clarisse, vous ne m'attraperez pas! » Son cœur battait autant que si elle avait aperçu au tout dernier moment un grand danger. Elle avait découvert le double visage de cette ville. C'était la ville du pape; elle se souvint que Nietzsche avait essayé d'y vivre et avait dû la fuir. Elle se rendit à la maison où il avait habité. Elle ne remarqua rien. La maison était « spirituellement fermée ». Elle rentra chez elle en souriant, avec le sentiment de déjouer à chaque pas elle les ruses de Rome. C'était une ville double. Le sombre pessimisme du christianisme y couvait dans le rouge cardinalice, et c'était ici que dans le sang rouge de Nietzsche s'était instillé le noir de la folie. Mais ces pensées n'avaient pas tellement d'importance pour Clarisse : l'essentiel était l'ambiguïté souriante de tout ce qu'elle voyait. Elle passait devant des palais, des fouilles, des musées; elle en avait encore vu très peu, ses impressions n'étaient pas retombées au niveau de la réalité, elle admettait que les plus grandes merveilles du monde étaient exposées là côte à côte, mais comme un appât : il fallait beaucoup de prudence pour détacher cette beauté de l'hameçon. Et toute la beauté de la jeunesse [?] tient à ce que les choses autour desquelles tournent les êtres ont un côté qu'on est seul à connaître.

D'une manière ou d'une autre, l'idée s'était ancrée en Clarisse qu'elle était chargée de reprendre la mission dans laquelle Nietzsche avait échoué ici, et de la commencer dans le nord. Le soir était venu. De la fenêtre de sa petite chambre elle jeta encore un coup d'œil; dans le bar en dessous les premiers clients commençaient à faire du tapage, et quand on penchait le corps un peu plus (au-dessus de leurs têtes, comme une gargouille nordique) et tournait la tête, on pouvait apercevoir la forme arrondie d'une église grise qui se dressait comme une tiare ouvragée sur le gris encore plus sombre de la nuit.

Avec ce qui lui restait d'argent, elle prit un billet qui la ramena dans l'une des petites cités qu'elle avait longées pour venir. A la gare, un sentiment sans ambiguïté lui dit que ce n'était pas là. Elle repartit par le train suivant. Clarisse voyagea trois jours et quatre nuits. Au quatrième jour, elle atteignit le bord de la mer et trouva le premier endroit qui la retint. Sans argent, elle gagna l'hôtel. Cette absence d'argent fut soudaine et bizarre. Elle offrit ses services en un copieux discours aux gens de l'établissement qui l'écoutèrent poliment sans y rien comprendre. Puis, comme Walter ne devait rien savoir de son séjour, elle eut l'idée d'appeler Ulrich. Elle lui adressa un long télégramme en allemand.

115. *Comme quoi on trouve le suicide, ou l'homicide, jusque dans le domaine de l'homme d'action.*

Hans Sepp avait quitté la caserne et ne s'était plus présenté à l'appel, bien qu'on l'eût renvoyé de l'infirmerie à la troupe. Il savait que son retour serait lié aux plus intolérables conséquences : des châtiments comme à une bête et, ce qui est pire encore, car le châtiment est solitaire, le visage obtus du capitaine et l'obligation de lui parler, de lui répondre. Hans savait qu'il était décidé à ne pas y retourner. Pour la première fois brûlait à nouveau en lui le feu sacré du défi, étincelait en lui le sens paralysant de la pureté, le refus de toute compromission avec l'impur. Il était d'autant plus pénible de se rappeler qu'il en avait perdu le droit. Hans jugeait sa maladie incurable, persuadé d'être souillé pour le reste de ses jours. Il avait formé le projet de se tuer; il avait quitté la caserne pour rendre impossible tout retour à la vie. L'idée qu'il allait se tuer dans quelques heures était la seule chose qui pût, sinon lui rendre le respect de soi-même, au moins lui en tenir lieu dans une certaine mesure.

Pour n'être pas immédiatement reconnu au cas où on le chercherait, il avait mis des habits civils. Il traversa la ville à pied, se sentant incapable de recourir à un moyen de transport quelconque, il avait un long trajet à faire, puisqu'il lui était apparu inévitable pour on ne sait quelles raisons, de se tuer en pleine nature. Il aurait pu aussi bien le faire avant, en pleine ville; il est probable que certains rites ne sont là que pour retarder un peu la chose, et pour Hans ce rite était un dernier regard au paysage. Mais Hans n'était pas de ceux qui, dans un état comme le sien, se posent de pareilles questions. Il avait devant les yeux ce fameux voile sombre qui se forme quand l'humidité de l'âme atteint un certain degré sans que les larmes coulent, et les bruits du monde sonnaient mou. Les voitures qui passaient, la foule, les façades tendues le long des rues semblaient un relief en cuvette. Les larmes que Hans Sepp ne pouvait verser, à cause des autres ou pour quelque raison que ce fût, descendaient dans son âme comme dans un puits obscur et terriblement profond jusque sur sa propre tombe où il se sentait déjà couché : à peu près comme s'il avait été en même temps sur le bord, célébrant son propre deuil. Il y a dans tout cela une grande puissance de rassérènement, et quand Hans eut atteint la périphérie de la ville, là où passaient les voies de chemin de fer sur lesquelles il voulait se jeter dès qu'un train s'annoncerait, son deuil s'était déjà associé et entendu avec tant de choses que Hans se sentit étrangement bien. La voie au bord de laquelle il se trouvait semblait assez peu fréquentée : Hans fut obligé de se dire que, s'il se serait évidemment jeté aussitôt sous le train au cas où il en aurait passé un au même moment, en revanche, dans l'ignorance où il était des horaires, il ne pouvait simplement se coucher sur les voies et attendre. Il s'assit sur le talus parsemé de rares fleurs qui dominait une tranchée où la voie faisait un arc de cercle, et d'où il pouvait voir des deux côtés. Un train passa, mais il se donna du temps. Il observa le monstrueux accroissement de vitesse qui se produit quand le train semble foncer comme un boulet en s'approchant, et écouta le vacarme des roues pour essayer d'imaginer comment le train suivant l'écraserait. En opposition avec l'impression visuelle, ces cliquetis et ces braillements parurent durer extraordinairement longtemps, et Hans en fut glacé.

Pourquoi il voulait que ce fût un train qui mît fin à ses

jours n'était pas absolument clair. Se pendre a quelque chose de vaguement grimaçant. Se jeter par la fenêtre est bon pour les femmes. Du poison, il n'en avait pas. Pour se couper les veines du poignet, il lui aurait fallu une baignoire. C'est en excluant ainsi une possibilité après l'autre qu'il refit méthodiquement, logiquement, le chemin qu'il avait franchi d'un seul élan aveugle. Il est vrai qu'il avait négligé la mort par les armes à feu : il s'en apercevait maintenant. Mais Hans ne possédait pas de pistolet, ne savait pas s'en servir, et il ne voulait pas partager ses derniers instants avec son fusil militaire. S'il quittait la vie, il ne fallait pas qu'il fût embarrassé de petits malheurs. Cela lui rappela qu'il devait préparer son âme. Il avait péché, il s'était souillé : voilà ce qu'il ne fallait pas oublier. Dans sa situation, un autre eût peut-être mis son espoir dans les thérapeutiques existantes : mais si la guérison était possible, le salut était irrémédiablement perdu. Sans même le vouloir, Hans tira de sa veste son petit agenda et un crayon; mais, avant qu'il eût pu noter son idée, il se souvint que ça n'avait plus aucun sens désormais. Désemparé, il garda l'agenda et le crayon dans ses mains. Toute sa réflexion était concentrée sur cette phrase : il avait perdu la pureté et le salut. On aurait pu en parler longuement. Dire par exemple que le christianisme, influencé par le judaïsme, permettait d'effacer le péché par le remords et la pénitence, alors que la conception germanique, intransigeante, de la pureté n'admettait ni tractation ni marchandage. La pureté est perdue une fois pour toutes comme le pucelage : là résidait justement la grandeur de la conception et de l'exigence. Où trouverait-on encore pareille grandeur ? Nulle part. Hans était convaincu que le monde faisait une grande perte en le perdant. Réellement, la dimension et le poids d'un chemin de fer étaient presque l'unique possibilité de traduire la dimension et le poids de son drame. Un autre train passa encore. Sans doute cette merveille technique était-elle dérisoire à côté de l'architecture cosmogonique des Égyptiens et des Assyriens : néanmoins, le monde moderne avait presque réussi à y retrouver une expression gothique qui dépassait, ou cherchait à dépasser les données matérielles. Hans leva la main et, comme en dehors de sa volonté, fit signe aux voyageurs qui lui rendirent son salut et pressèrent leurs têtes aux portières telles les grappes humaines sur les vieilles sculptures naïves. Cela lui fit du bien. Mais le bien-être, la tristesse et tout ce qui lui venait à l'esprit n'étaient que fumée : quand celle-ci se dissipait, il retrouvait intacte la phrase qui le proclamait impur et exclu du salut. Rien ne pouvait se rattacher durablement à cette phrase, l'idée refusait de se développer. Si Hans avait été chez lui assis à sa table avec une plume et du papier, peut-être en serait-il allé autrement. Il reconnut à cela même qu'il n'était là que pour mettre fin à ses jours.

Il cassa son crayon et déchira son agenda en mille morceaux. C'était un grand pas de fait. Il descendit dans la tranchée, s'assit dans l'herbe au bord du ballast et jeta les débris de son monde spirituel devant le train suivant. Le train les dispersa. Hans ne trouva plus trace du crayon, et les papillons de papier clair, roués et aspirés, retombèrent des deux côtés du remblai sur une centaine de pas. Hans calcula qu'il était environ douze fois plus gros que cet agenda. Puis il se prit la tête dans les mains et songea au dernier adieu. Celui-ci, résumant toute sa pensée, devait s'adresser à Gerda. Hans voulait lui pardonner et, sans lui laisser aucun mot d'écrit, mourir sur ses lèvres avec cette synthèse de toutes ses pensées. Mais, bien que toutes sortes de pensées apparussent et disparussent dans sa tête, son corps restait tout à fait vide. Il semblait que dans le fond de cette étroite tranchée il ne pût rien sentir, qu'il dût se retrouver en haut pour pouvoir une dernière fois étreindre Gerda en esprit. Mais il lui parut absurde, et rebutant, de grimper de nouveau au haut du talus. Peu à peu le vide s'accrut dans son corps et se changea en faim. Voilà pour mon esprit le début de la destruction, se dit-il. Depuis qu'il était malade, il craignait constamment de devenir fou. Il avait laissé passer plusieurs trains et se trouvait assis au fond de cette étroite tranchée de chemin de fer, dans ce monde d'idiotie, sans penser à rien. Il devait être déjà tard dans l'après-midi. Alors Hans Sepp, comme si quelque chose en lui s'était retourné, prit conscience que c'était là le dernier stade, à quoi ne pourrait succéder que l'acte lui-même. Il sentit sur tout son corps une impression répugnante de démangeaison imaginaire. Il tira son couteau de poche et se nettoya les ongles : c'était une mauvaise habitude qu'il croyait très distinguée et très propre : il en aurait pleuré. Il se leva en hésitant. Toute son âme s'était retirée de lui. Il avait peur, mais il n'était plus maître de lui-même, le maître était la décision irrévocable qui régnait seule dans un vide obscur. Hans regarda à droite et à gauche. On pourrait dire qu'il était déjà mort quand il épia ainsi des deux côtés l'arrivée d'un train : seule cette attente aux aguets vivait encore en lui avec quelques sensations qui y flottaient comme des mottes de terre herbue dans une inondation : il n'avait plus rien à tirer de lui-même. Il observa encore que sa tête commandait aux jambes de bondir avant que le train n'approchât; les jambes s'en soucièrent peu, elles bondirent n'importe quand, au dernier moment, et le corps de Hans fut entraîné dans le courant d'air. Il se sentit encore basculer, tomber sur de grands couteaux tranchants. Puis son monde vola en éclats.

116. *L'île de la santé.* (Ancienne ébauche.)

Si Clarisse appela Ulrich, ce ne fut pas parce qu'elle avait besoin d'argent ou qu'elle voulait cacher son séjour à Walter. Il y avait en elle la pensée d'Ulrich, le désir de le saisir, de le toucher des rayons de l'émotion au-delà des montagnes et des plus grandes distances. Clarisse en était arrivée à la conviction qu'elle aimait Ulrich. Ce n'était pas aussi simple que ce peut l'être quelquefois. La scène terrible qu'ils avaient eue et qui l'avait si profondément bouleversée, et tout ce qui avait précédé, elle se l'expliquait en pensant qu'Ulrich était alors prématuré : maintenant seulement, il avait trouvé sa place dans le système de ses imaginations (et l'amour, c'est cela même); les forces de l'ensemble coulaient toutes étrangement dans sa direction. Où son nom retentissait, la terre fondait. Quand Clarisse le prononçait, sa langue était comme un rayon de soleil dans une pluie tiède. Clarisse inspecta sa nouvelle résidence. C'était une petite île assez proche de la terre ferme avec un vieux fort à demi abandonné et un immense banc de sable s'enfonçant profondément dans la mer devant cette île, formant ainsi, avec ses arbres et ses buissons, une seconde grande île qui appartenait tout entière à Clarisse quand celle-ci s'y faisait transporter. On semblait avoir douté de sa stabilité, car s'il y avait bien une vieille cabane où remiser les filets et les autres ustensiles de pêche, elle aussi était abandonnée et délabrée, et on ne pouvait déceler d'autres signes d'habitation ou de lotissement. Le vent, les vagues, le sable blanc, les herbes aiguës et d'innombrables petites bêtes y cohabitaient sans contrainte : l'accord de l'eau, de la terre et du ciel sonnait aussi fort et aussi creux que le choc du fer sur le fer.

Là-derrière, l'île habitée avait de hauts remparts couverts d'herbe; des canons qui n'effrayaient pas mais ressemblaient, sous leurs bâches de toile à voile, à des bêtes préhistoriques; des fossés auprès desquels vivaient d'horribles gros rats; et au milieu des rats circulant en plein jour, une petite auberge cubique, avec un toit pyramidal, sous des arbres buissonneux. C'est là que Clarisse avait loué une chambre pour Ulrich et elle. La baraque était en même temps la cantine du fort, et tout le jour des soldats bleu-sombre avec des galons jaunes sur les manches montaient la garde aux alentours. Loin de donner l'impression de la vie humaine, cela oppressait et vidait le cœur comme une image de déportation ou de quelque autre exil. Et les hommes qui faisaient les cent pas, un fusil sur l'épaule, devant les canons bâchés fortifiaient encore cette impression : qui donc les avait postés là ? Où, à quelle distance infinie, était le cerveau de cette démence, qui se traduisait par cet automatisme sans gaieté, pédant, catatonique ?

C'était l'île rêvée pour Ulrich et Clarisse. Ulrich la baptisa « l'île de la santé », parce que sur elle, sur cet arrière-plan sombre, toute invention de la démence paraissait claire. Il avait reçu le télégramme de nuit, comme il traversait le jardin pour rentrer chez lui. Il l'avait ouvert et déchiffré à la lueur d'une lampe contre le mur blanc de la maison, parce qu'il croyait qu'il était d'Agathe. On était déjà fin mai. Mais la nuit de mai était comme une nuit de mars attardée. Les étoiles étaient pointues, comme hissées dans les hauteurs, crêpées de froid sur la tente obscure et infiniment lointaine du ciel. Les phrases du télégramme étaient longues et confuses, mais l'excitation leur imposait la cohérence d'un rythme. Quand Clarisse tournait le dos au centre militarisé de son île, la solitude était devant elle comme le désert où se retirent les saints. Une émotion toute puissante, figée, avide et cruelle était liée à cette idée de retraite, comme une dernière purification, une ultime épreuve sur le chemin de la grandeur. L'adultère dont elle s'était rendue coupable devait trouver son accomplissement dans cette île, comme sur une croix : le sable vide, vierge de pas humains, au-delà des vagues, lui semblait une croix sur laquelle il lui faudrait s'étendre. Il y avait un peu de tout cela dans la dépêche. Ulrich devina que Clarisse, cette fois, était vraiment entrée dans le grand désordre, et cela lui convint.

Dans la petite auberge, ils habitaient une chambre qui avait à peine les meubles indispensables, mais au centre du plafond était suspendu un lustre en verre de Venise, et aux murs de grands miroirs aux larges cadres de verre à fleurs peintes. Le matin, ils passaient sur l'île de la santé qui flottait dans l'air comme un mirage et, quand ils y étaient, ils considéraient derrière eux l'île habitée, semblable, avec ses canons, ses meurtrières, ses crêtes de remparts, ses baraques et ses arbres à une parole ronde et pleine, jetée à l'écart, sans rapport avec aucun contexte.

Ils découvrirent bientôt partout des écriteaux qui précisaient qu'il était interdit de peindre et de dessiner sur le territoire de l'île. On retrouve ces interdictions dans toutes les zones militaires du monde, mais Clarisse dit : « Comme ce serait extraordinaire qu'il y eût un lieu sur terre où les écriteaux diraient : Défense de prier! Comme ils mentent quand ils prétendent savoir ce qu'est l'art! » Ulrich, après une pause pendant laquelle l'effleurèrent d'étranges idées, répondit : « On pourrait concevoir un homme devenu espion à force d'amertume sacrée, et qui trahirait tous les plans de ces fortifications. » Cette interdiction de peindre et de dessiner leur donna une autre idée, qui fut d'abord comme une vengeance. Clarisse dormait peu. Elle se levait aux premières lueurs de l'aube et passait sur l'autre île. Quand Ulrich s'éveillait, elle était partie. Il n'en trouvait plus trace. Elle pouvait être étendue dans un repli du sable ou derrière une petite dune. A peine avait-il fait quelques pas qu'il tombait sur une trace. C'était deux pierres et une plume posée dessus. Cela signifiait : je désire te voir, viens vers moi aussi vite que les oiseaux volent, mais tu ne me trouveras point. Quelques pas plus loin, il y avait sur le chemin un caillou rond choisi avec soin; cela voulait dire : je suis dure, forte et saine. Un morceau de charbon dans le sable blanc signifiait : aujourd'hui je suis noire, trouble et triste. Quand Ulrich trouvait Clarisse, elle ne lui en disait rien. Mais cela se reproduisait souvent, et il apprit peu à peu à comprendre ce langage inventé. Il y avait beaucoup d'autres signes. Une graine de poivrier voulait dire : je suis chaude, brûlante, je t'attends. Deux grosses pierres se tournant le dos : je t'en veux. Une branche fourchue à laquelle était nouée un bout de ruban, dans un buisson : bien qu'un long trajet nous sépare, je tourne mon visage vers toi et je t'attire à moi. (Je suis couchée dans le sable et je t'attire à moi.)

Puis vinrent les dessins dans le sable (voir plus tard le modelage à l'asile). Les flèches et des cercles, un cœur brûlant, un cheval bondissant, tous si esquissés d'ordinaire que seuls les initiés les pouvaient interpréter, composant un langage concentré où s'amassaient les battements de cœur. Ils traçaient ces signes dans le sable, les gravaient sur les poutres de la cabane ou la surface polie d'un caillou, les oubliaient, les retrouvaient plusieurs jours après, brûlants de bonheur.

« On a trouvé à Pompéi, dit Ulrich, l'image d'une femme que les vapeurs en quoi s'était dissous son corps en un fragment de seconde quand le terrible fleuve de feu l'enveloppa, avaient coulée comme une statue dans la lave pétrifiante. Cette femme presque nue, dont la chemise était remontée sur le dos quand, surprise dans sa fuite, elle était tombée sur le visage et sur ses bras jetés en avant, alors que son petit chignon, quoique en désordre, était resté bien accroché sur sa nuque, cette femme n'était ni belle, ni laide, ni opulente, ni famélique; si l'épouvante ne l'avait pas désarticulée, elle n'avait pas non plus été surprise sans appréhension. C'est pour toutes ces raisons, justement, que cette femme sortie du lit il y a des siècles et jetée sur le ventre est restée vivante au point qu'on s'attendrait à tout moment à la voir se relever et recommencer à fuir. » Clarisse comprenait Ulrich à demi-mot. (Mais chez Clarisse ce n'est pas si compliqué, plus naïf, une sorte de pastorale.) Quand elle gravait dans le sable ses sentiments et ses pensées à l'aide d'un quelconque signe qui en était chargé comme une barque supportant à peine l'abondance du fret, quand le vent soufflait dessus toute une journée, que des traces de bêtes passaient dessus ou qu'une averse le criblait de petite vérole et brouillait le tracé précis comme les soucis de la vie brouillent un visage, mais surtout quand on avait tout oublié et qu'un hasard vous faisait retomber sur ce signe, sur vous-même, soudain, la seconde d'avant plein à craquer de sentiments et de pensées et maintenant enfoui, effacé, minuscule, méconnaissable, enraciné pourtant entre la droite et la gauche, subsistant, durant sans effroi au milieu des plantes et des bêtes, devenu monde, devenu terre : alors... ? Il est difficile de dire ce que c'était, l'île était envahie de Clarisses : elles dormaient dans le sable, elles volaient dans l'air sur les ailes de la lumière, elles chantaient par le gosier des oiseaux, il y avait une volupté à se toucher partout soi-même, à se rencontrer partout, une sensibilité inexprimable, un vertige émanait des yeux de cette femme et contaminait Ulrich comme le spectacle de la volupté d'un être allume chez l'autre un comble de volupté. « Dieu seul sait, pensait Ulrich, ce qui entraîne les amants à graver le secret de leurs initiales dans l'écorce des arbres avec laquelle il grandit; qui a inventé les sceaux et les armes; la magie des portraits qui semblent vous regarder du fond des cadres; pour s'achever enfin dans les empreintes des plaques photographiques où le mystère est presque mort du fait que la réalité est presque rejointe. »

Ce n'était pas tout. Il y avait aussi l'équivoque. Quelque chose était une pierre et voulait dire Ulrich. Mais Clarisse savait que c'était davantage qu'Ulrich, que c'était une pierre, c'est-à-dire tout ce qui ressemblait à la pierre chez Ulrich, tout ce qu'il avait de lourd, tout ce qui l'oppressait elle-même, et la connaissance du monde qu'on obtenait une fois qu'on avait compris que les pierres étaient comme Ulrich. (Exactement comme quand on dit : c'est bien Max, mais c'est un génie!) Ou bien, une branche fourchue, un trou dans le sable signifiaient : Clarisse est ici, et du même coup : c'est une sorcière, elle ouvre son cœur. Un grand nombre de sentiments d'ordinaire distincts se pressaient autour d'un tel signe, on ne savait jamais précisément lesquels, mais peu à peu Ulrich observait à son tour dans ses sensations cette incertitude du monde. On voyait se détacher les étranges associations d'idées de Clarisse, et il parvenait presque à les comprendre.

117. *L'île de la santé. L'incertitude.* (Ancienne ébauche.)

Clarisse, pendant un temps, vit des choses qu'on ne voit pas d'ordinaire. Ulrich pouvait parfaitement l'expliquer. C'était peut-être de la folie. Mais un forestier qui se promène voit un autre monde qu'un botaniste ou un assassin. (On voit beaucoup de choses invisibles.) Une femme voit l'étoffe d'une robe où le peintre découvre une mer de couleurs fluides. Je vois à travers la fenêtre si un chapeau est dur ou mou. Quand je considère la rue, je vois aussi s'il fait chaud ou froid dehors, si les gens sont gais, tristes, malades ou en santé; de même le goût d'un fruit est souvent déjà au bout des doigts qui le palpent. Ulrich se rappelait : quand on regarde quelque chose à l'envers, par exemple dans le viseur d'un petit appareil photographique, on découvre des choses insoupçonnées. Un balancement d'arbres ou de buissons ou de têtes qui paraissaient immobiles à l'œil nu. Ou bien on prend conscience du sautillement de la démarche humaine. L'agitation perpétuelle des objets vous surprend. De même, il y a dans le champ de vision des images doubles inaperçues, puisqu'un œil voit un peu autre chose que l'autre; des poses se défont comme de très fins brouillards de couleur devant des instantanés; le cerveau modèle, complète, informe la prétendue réalité; l'oreille laisse passer mille bruits de notre propre corps, la peau, les articulations, les muscles, le Moi le plus intime diffusent un mécanisme de sensations innombrables qui exécutent sourdement, muettement, aveuglément, la danse souterraine du prétendu état de veille. Ulrich se souvint qu'une fois, il avait été pris par une tempête de neige, pas à très haute altitude, mais assez tôt dans l'année. Il avait été à la rencontre d'amis qui devaient descendre par un certain itinéraire, et il s'étonnait de ne pas les avoir rencontrés encore quand le temps changea brusquement, le ciel se couvrit, une violente tempête se déchaîna, jetant sur le solitaire, comme si elle en voulait à sa vie, de denses nuages de cristaux de neige effilés. Bien qu'Ulrich eût atteint au bout de quelques minutes seulement l'abri d'un chalet abandonné, le vent et les congères l'avaient percé jusqu'aux os, et le froid glacial, le pénible combat contre la tempête et la lourdeur de la neige eurent bientôt fait de l'épuiser. Quand le mauvais temps s'éloigna aussi vite qu'il était survenu, il reprit cependant sa route, n'étant pas homme à se laisser effrayer pour si peu; du moins sa conscience était-elle restée calme et à l'abri de toute surestimation du danger surmonté, il se sentait même en excellente forme. Il devait avoir été très secoué pourtant, car il entendit soudain ses amis et les appela gaiement. Personne ne répondit. Il appela une fois encore à voix haute (car il est facile de perdre son chemin dans la neige et de se manquer) et courut aussi vite qu'il le pouvait dans la direction supposée : la neige était profonde, il ne l'avait pas prévu et était monté sans skis ni raquettes. Au bout de vingt-cinq pas environ, enfonçant à chaque pas jusqu'aux hanches, la fatigue l'obligea à s'arrêter; à ce moment, il entendit de nouveau les voix, une conversation animée et si proche qu'il était invraisemblable qu'il ne parvînt pas à voir ceux qui parlaient. Pourtant, il n'y avait là que la neige molle, gris clair. Ulrich rassembla ses esprits, et la conversation se fit plus nette. J'ai des hallucinations, se dit-il. Il appela pourtant de nouveau : en vain. Il commença à avoir peur de lui-même et s'imposa toutes les épreuves qui lui vinrent à l'esprit : parler à haute voix de façon cohérente, faire de petits calculs de tête ou exécuter avec les bras et les doigts des mouvements complexes dont la réalisation exige une parfaite maîtrise de soi. Toutes réussirent sans que le phénomène cessât. Il entendit des conversations complètes, à plusieurs voix bien sonnantes, et d'une surprenante logique. Alors il se mit à rire, jugea l'expérience intéressante et entreprit de l'observer. Cela non plus ne dissipa point le phénomène, qui ne cessa que lorsque Ulrich se fut retourné et fut descendu de quelques centaines de mètres, alors que ses amis n'avaient jamais pris ce chemin pour rentrer et qu'il n'y avait âme qui vive dans les parages. Tant la limite entre le délire et la santé est incertaine et mobile. Il n'était donc pas surpris de voir Clarisse s'éveiller en tremblant au milieu de la nuit et affirmer qu'elle entendait une voix. Quand il l'interrogeait, il apparaissait que ce n'était ni une voix humaine ni un cri d'animal, mais la « voix de quelque chose » (Moosbrugger! peut-être : Ulrich peut penser qu'elle est simplement hystérique et qu'elle imite ce qu'elle a entendu raconter de Moosbrugger). Ensuite, lui aussi entendait un bruit qu'on ne pouvait rapporter à rien de réel, et l'instant d'après, tandis que Clarisse tremblait de plus en plus violemment et ouvrait des yeux d'oiseau de nuit, quelque chose d'invisible semblait glisser à travers la chambre, frôler le miroir au cadre de verre, avec une immatérialité pesante, et en Ulrich lui-même fusait comme une panique, non pas *une* angoisse, mais un faisceau d'angoisses, un monde d'angoisses, au point qu'il lui fallait mettre en œuvre toute sa raison pour résister et apaiser Clarisse.

Mais il n'aimait pas mettre en œuvre sa raison. Dans l'incertitude où entrait le monde dans l'entourage de Clarisse, on pouvait se sentir étrangement heureux. Les dessins dans le sable, les figures de galets, de plumes et de branches prenaient un sens même pour lui, comme si, dans cette île de la santé, quelque chose devait s'accomplir que sa vie avait quelquefois effleuré. (Glisser ici : le rôle des expériences humaines qui se répandent non par transmission permanente, mais par contagion. Une expérience sociale d'humanité à deux.) Le fondement de la vie humaine lui semblait être une immense angoisse de quelque chose, et précisément de l'indéterminé. Il était étendu dans le sable blanc entre le bleu de l'air et celui de l'eau, sur le petit plateau de sable brûlant de l'île entre les froides profondeurs de la mer et du ciel. (Il était couché comme dans la neige. Si, à l'époque, la tourmente l'avait emporté, ça se serait passé peut-être de la même façon.) Derrière les collines couvertes de chardons, Clarisse jouait avec turbulence comme un enfant. Ulrich n'avait pas peur. Il voyait la vie d'en haut. Cette île s'était envolée avec lui. Il comprenait son histoire. Des centaines d'ordres humains sont apparus et disparus : des dieux antiques aux épingles à cheveux, de la psychologie au gramophone chacun fut une obscure unité, l'obscure assurance d'être le dernier ordre, l'ascendant, et chacun au bout de quelques centaines ou de quelques milliers d'années est mystérieusement retombé, redevenu décombres et chantier (l'informe!)... De quoi s'agit-il, sinon d'un effort pour grimper hors du néant, chaque fois dans une autre direction ? (Et nul espoir d'y déceler au moins des cycles!) De quoi s'agit-il, sinon d'une de ces dunes de sable que le vent déforme, puis que son propre poids recompose un instant, et qu'enfin le vent emporte ? Qu'est-ce donc que nos actes, sinon une terreur nerveuse de n'être rien : à commencer par les divertissements qui n'en sont pas, qui ne sont que du vacarme, un caquetage encourageant pour tuer le temps parce qu'une obscure certitude nous dit qu'il finira par nous tuer, pour aboutir aux inventions enchérissant l'une sur l'autre, aux absurdes montagnes d'argent qui tuent l'esprit (qu'on soit écrasé ou porté par elles), aux modes anxieusement changeantes de l'esprit, aux vêtements sans cesse modifiés, au meurtre, à l'assassinat, à la guerre, en quoi se décharge une profonde méfiance à l'égard de ce qui dure et du créé : qu'est-ce que tout cela, sinon l'agitation d'un homme empêtré jusqu'aux genoux dans une tombe dont il essaie de se dégager mais à laquelle il n'échappera jamais, d'un être qui ne se dérobe jamais entièrement au néant, qui, se précipitant avec angoisse dans toutes sortes de figures, n'en demeure pas moins, en quelque point secret de lui-même à peine deviné, caducité et néant ?

Ulrich se souvint de l'homme qu'il avait observé avec Clarisse et Meingast dans le cercle vert du réverbère. Ici, dans l'île de la santé, cette caricature d'homme, cet exhibitionniste, cette créature désespérée qui, chaque fois qu'une femme passait, rampait hors de l'ombre pour voler du plaisir, n'était pas essentiellement différente des autres hommes. Qu'était-ce donc que la musique trop sensible de Walter ou les idées politiques de Meingast sur la volonté du grand nombre, sinon de l'exhibitionnisme solitaire ? (Ici, confrontation avec l'héroïsme d'Ulrich.) Qu'est-ce même que le succès d'un homme d'État au centre de l'activité humaine, sinon une besogne abrutissante avec l'apparence de la satisfaction ? Dans l'amour, dans l'art, dans l'avidité, dans la politique, dans le travail et dans le jeu, nous cherchons à exprimer notre douloureux secret (cette citation d'Emerson est provisoirement littérale encore !) : l'homme ne s'appartient qu'à demi à lui-même, l'autre moitié est expression. Dans la détresse de leur âme, tous les hommes aspirent à l'expression. Le chien arrose la pierre d'une part de lui-même et renifle ses excréments : laisser des traces dans le monde, s'ériger un monument dans le monde, un acte qui sera célébré encore dans cent ans, tel est le sens de tout héroïsme. J'ai fait quelque chose : c'est une trace, une image, peu ressemblante peut-être, mais impérissable. J'ai fait quelque chose : une part de la matière s'est attachée à moi. Même le simple fait de prononcer une parole signifie déjà une possibilité de plus de s'approprier le monde. Même bavarder de quelque chose, comme Walter, a ce sens-là. Ulrich éclata de rire en pensant que Walter méditerait désespérément cette pensée, s'il était là : ah ! je ne serais pas en peine de te répondre !... C'est le sentiment fondamental de la bourgeoisie, qui devient toujours moins loquace et toujours plus sûr de lui avec le temps. Mais Ulrich, dans l'île de la santé, en venait à récuser toute l'ambition de sa vie. Les théories elles-mêmes sont-elles autre chose que du bavardage ? Des paroles. A la fin de telles heures,

Ulrich ne pouvait plus penser qu'à Agathe, à la sœur lointaine, inséparable, dont il ne savait pas ce qu'elle faisait. Il se rappelait avec mélancolie ce qu'elle aimait tant répéter : « Que puis-je donc faire pour mon âme qui est en moi comme une énigme sans solution ? Qui laisse à l'homme visible tout arbitraire, parce qu'elle ne peut en aucune façon le dominer ? »

Cependant, Clarisse continuait à jouer aux signes; quelquefois, il la voyait sautiller comme une étoffe flottante au-dessus de la dune. « Ici, affirmait-elle, nous jouons notre histoire, sur la scène lumineuse de cette île. » Au fond, elle ne faisait qu'exagérer cette obligation de s'inscrire dans l'incertain. Naguère, quand Clarisse et Walter allaient encore à l'opéra, ils avaient dit souvent : « Qu'est-ce que l'art ? Si nous pouvions jouer notre histoire! » C'était ce qu'elle faisait maintenant. Tous les amants devraient le faire. Tous les amants ont le sentiment de vivre une expérience extraordinaire, d'être des élus, mais il faudrait qu'ils fussent obligés de la jouer devant un grand orchestre et une salle obscure (de vrais amants sur la scène et non des salariés) : il en naîtrait non seulement un nouveau théâtre, mais une nouvelle forme d'amour qui se répandrait, qui illuminerait les gestes humains comme une fine ramure au lieu de se tapir comme aujourd'hui dans l'obscurité d'un enfant. C'était ce que disait Clarisse. Surtout pas d'enfant! Au lieu d'accomplir quelque chose, les hommes font des enfants! Parfois, elle appelait les petits souvenirs qu'elle déposait pour Ulrich dans le sable ses enfants clandestins ou elle donnait ce nom aux impressions qu'elle recevait, parce qu'elles fondaient en elle comme un fruit. (Question de Clarisse à Ulrich : tu ne veux pas d'enfant. Cela me plaît. Les criminels.) Entre elle et les choses s'établissait un échange de signes, une intelligence permanente, une complicité, une correspondance supérieure, un feu vivant. Quelquefois cela s'exaltait au point que Clarisse croyait être arrachée hors de son corps mince et volait comme un voile au-dessus de l'île, sans répit, jusqu'à ce que ses regards s'arrêtassent sur un petit caillou ou un coquillage et qu'un étonnement crédule la fascinât : elle était toujours restée en cet endroit, tranquillement étendue dans le sable comme une trace, tandis qu'une seconde Clarisse avait volé au-dessus de l'île telle une sorcière.

De temps en temps, sa personne ne lui semblait plus qu'un

obstacle inséré artificiellement dans les échanges vivants entre le monde qui agissait sur elle et le monde sur lequel elle agissait. Aux moments de paroxysme, cette personne semblait se déchirer et s'abolir. (Comparer : scène au piano. Beethoven, citation de Nietzsche. Déjà alors, Clarisse prenait le déchirement au sérieux.) Peu importait que ce corps et cette « âme accrochée à la peau » fussent infidèles à Walter : à certaines heures, la frigide Clarisse se transformait en un vampire insatiable, comme si un obstacle était tombé et qu'elle pût s'abandonner pour la première fois à cette jouissance jusqu'alors interdite. Elle semblait parfois en disposition de sucer jusqu'à la dernière goutte du sang d'Ulrich : « il y a encore un démon qu'il faut que je chasse de ton corps! » disait-elle. Il avait une veste de sport rouge, elle l'obligeait parfois à la mettre en pleine nuit, et elle n'arrêtait pas avant qu'il n'eût blêmi sous le hâle. Sa passion pour lui et ses sentiments en général n'allaient pas profond, Ulrich le voyait nettement, mais quelquefois, passant comme devant la profondeur, ils s'enfonçaient directement dans ce qui n'a pas de fond.

Clarisse elle-même ne se fiait pas entièrement à Ulrich. Il ne comprenait pas toute la grandeur de son aventure. Pendant ces journées, naturellement, elle avait sondé et compris tout ce qui lui était resté fermé jusqu'alors. Auparavant, elle avait connu de dures épreuves, la chute de la cime presque atteinte de la témérité aux bas-fonds de l'oppression. Il semble que l'homme puisse être chassé du monde réel ordinaire que nous connaissons tous par des opérations qui ne se passent pas en lui, qui sont supraterrestres ou souterraines, et qui peuvent aussi l'exalter à l'infini. Dans l'île, Clarisse le décrivait ainsi à Ulrich : un beau jour, tout, autour d'elle, était intensifié : les couleurs, les parfums, les lignes droites ou courbes, les bruits, ses sentiments ou ses pensées et ceux qu'elle éveillait chez les autres. Que ce qui se produisait fût causal, nécessaire, mécanique, psychologique, il y avait en plus, pour l'animer, un élan secret; cela pouvait s'être produit exactement de la même façon la veille, il y avait néanmoins aujourd'hui une indescriptible et radieuse différence. (Dans une telle surabondance de lumière, le plus sombre et le plus douloureux ne fait pas l'effet d'un contraire, mais d'un élément conditionné, provoqué, d'une couleur *nécessaire*. — Le développement, l'ampleur dans le rythme des pensées devient un besoin.) « Ah!

pensa aussitôt Clarisse, me voilà délivrée de la nécessité, de l'interdépendance des choses! » Les choses ne dépendaient plus que de son cœur. Ou mieux, c'était une activité continuelle de sa personne et des choses, qui pressaient l'une sur l'autre ou cédaient l'une à l'autre comme si elles s'étaient trouvées des deux côtés de la même membrane élastique. Clarisse découvrit que c'était un voile d'émotion dont elle sortait, et de l'autre côté étaient les choses. Un peu plus tard, elle en eut la plus terrible confirmation : elle continuait à avoir une vue très nette de tout ce qui arrivait, mais cela n'avait plus aucun rapport avec elle. Ses propres sentiments lui apparurent étrangers, comme si un autre les éprouvait, ou comme s'ils rôdaient dans le monde. C'était comme si les choses et elle ne se convenaient plus. Elle ne trouvait plus dans le monde ni un appui, ni le minimum nécessaire de satisfaction et de contentement de soi; elle ne pouvait plus équilibrer par les mouvements de son cœur les événements du dehors et sentait, dans une indicible détresse, que le monde l'expulsait continuellement, qu'elle ne pourrait plus échapper au suicide (ou peut-être à la folie). Elle était toujours exclue de la nécessité habituelle et soumise à une loi mystérieuse; c'est alors qu'elle découvrit au tout dernier moment avant la catastrophe la loi que personne n'avait aperçue avant elle :

Nous (c'est-à-dire les hommes qui n'ont pas la pénétration de Clarisse) nous imaginons que le monde est univoque, quel que soit l'état des choses extérieures et des événements intérieurs. Ce que nous appelons un sentiment est une affaire personnelle qui nous donne du contentement ou du déplaisir, mais ne modifie rien au monde. Clarisse comprit en revanche que les sentiments changeaient le monde. Non point en ce sens qu'il devient rouge sous nos yeux quand nous nous mettons en colère (mais en ce sens aussi, d'ailleurs; l'erreur est seulement de voir là une exception, de ne pas comprendre qu'on touche à une loi profonde et générale!) Plutôt en ce sens-ci : les choses flottent dans le sentiment comme les nénuphars, sur l'eau, ne sont pas seulement des feuilles, des fleurs, du vert et du blanc, mais encore « une douce présence ». Ils sont même si paisibles d'ordinaire qu'on ne remarque pas l'ensemble. Le sentiment doit être paisible pour que le monde soit ordonné et qu'y règnent seuls des rapports raisonnables. Mais supposé, par exemple, qu'un être souffre d'une humiliation très grave, quasi meurtrière, il arrive que la honte, en lui, fasse place au plaisir de l'humiliation, à un sentiment serein et sacré du monde; ce sentiment-là n'est nullement un sentiment comme les autres, pas davantage une réflexion et la consolation de penser par exemple que l'humilité est une vertu, c'est l'être tout entier qui monte ou qui descend sur un autre plan, qui « descend dans les hauteurs »; toutes choses alors se modifient en accord avec ce mouvement, on pourrait dire qu'elles restent les mêmes, mais qu'elles se trouvent dans un autre espace, ou qu'une signification différente colore autrement le tout. Dans ces moments-là, on comprend qu'il existe, outre le monde pour tous, le monde solide, intelligible et accessible à la raison, un deuxième monde mouvant, singulier, visionnaire, irrationnel qui n'est recouvert par l'autre qu'en apparence : monde que nous ne portons pas simplement dans notre cœur ou dans notre tête comme le croient les gens, mais qui existe en dehors de nous avec autant de réalité que l'autre. C'est un étrange mystère, et, comme tout mystère, dès qu'on essaie de l'exprimer, il a vite fait de se confondre avec l'extrême banalité. Clarisse elle-même (quand elle avait trompé Walter, et bien que cela ne pût se passer autrement, de sorte qu'elle refusait tout remords) avait vécu le brusque noircissement du monde : ce n'était pas une couleur réelle, mais une couleur indescriptible; et plus tard, cette « couleur philosophique » du monde, ainsi que Clarisse la nomma, fut une sorte de terre brûlée.

Le jour où elle comprit que ses nouvelles découvertes étaient la suite de ses recherches sur le génie, Clarisse fut très heureuse. Qu'est-ce donc qui distingue en effet le génie de l'homme sain ordinaire, sinon que la secrète participation du sentiment aux événements est, chez l'un constante et inconsciente, chez l'autre soumise à de continuelles crises. D'ailleurs, Ulrich aussi disait qu'il existait beaucoup de mondes possibles. Les hommes raisonnables, logiques s'adaptent au monde, mais les forts s'adaptent le monde. Tant que la « couleur philosophique » du monde — — — demeurait fixe, l'équilibre du monde montrait lui aussi une certaine fixité. Cette fixité invisible pouvait même passer pour un signe de santé et un élément indispensable à la vie ordinaire, de même que le corps n'a pas la possibilité de sentir tous les organes qui aident à son équilibre propre. Il existe d'autre part un équilibre malsain, instable, qui chavire à la moindre occasion et sombre au niveau inférieur. Tels sont les aliénés, pensa Clarisse à qui ils faisaient peur. Mais au plus haut niveau, les conquérants humains sont ceux dont l'équilibre, pour être aussi menacé, n'en est pas moins robuste et qui, toujours rompu, réinvente toujours de nouvelles formes d'équilibre.

C'est un jeu inquiétant, et jamais Clarisse n'avait eu plus qu'alors le sentiment de vivre sur un étroit espace entre l'anéantissement et la santé. Mais celui qui a suivi jusqu'ici l'évolution de la pensée de Clarisse comprendra aussitôt qu'elle avait dépisté aussi, de la sorte, le « mystère de la rédemption ». Celui-ci avait pris dans sa vie la forme d'une mission à remplir : libérer en elle-même, en Walter, en ceux qui les entouraient, le génie que toutes sortes de circonstances entravaient dans son développement. Il est aisé de voir que cette libération se produit quand on cède à la pression que le monde exerce sur chaque génie, quand on est plongé dans l'obscurité, mais que, de l'autre côté, on fait renaître le monde dans une couleur nouvelle. Telle était, chez Clarisse, la signification de la couleur psychique rouge sombre, tonalité indescriptible, transparente, dans laquelle l'air, le sable et les plantes étaient baignés, de sorte qu'elle se déplaçait partout comme dans une chambre de lumière rouge.

Elle l'appela un jour la « chambre du révélateur », surprise elle-même par l'analogie avec la pièce où dans l'excitation et la contention d'esprit, au milieu de vapeurs acides, on se penche sur les figures délicates, à peine reconnaissables encore, qui apparaissent sur la plaque. Sa mission était de vivre la rédemption avant tous les autres, et elle voyait en Ulrich l'apôtre qu'elle enverrait dans le monde et qui libérerait d'abord Walter et Meingast. Dès lors, son évolution ne cessa de s'accélérer.

Le heurt de ces idées confuses et désordonnées qu'Ulrich ressentait quotidiennement, le mouvement de ces pensées dans une direction absurde et pourtant praticable avaient fini par l'entraîner dans leur tourbillon, et la seule chose qui distinguât sa vie de celle des fous était la conscience qu'il avait d'une situation à laquelle un simple effort de sa part pouvait mettre fin. Mais il fut longtemps sans le faire. Alors qu'au milieu des gens raisonnables et des hommes actifs il avait toujours eu l'impression d'être un hôte, au moins pour une part de son être, aussi déplacé, aussi absurde que le serait un poème qu'on se mettrait subitement à déclamer en pleine assemblée générale d'actionnaires, dans ce néant de certitude il sentait une sécurité accrue et, avec cette part-là de son être, il vivait parmi les figures de la folie non point en l'air, mais comme sur la terre la plus ferme. En vérité, le bonheur n'est pas un état raisonnable qui dépende une fois pour toutes d'une conduite déterminée ou de la possession de certaines choses, mais une disposition nerveuse qui change tout ou rien en bonheur; en ce sens Clarisse était dans le vrai. (En fait, dans les choses indifférentes, nous sommes très souvent soumis à la contagion, par exemple dans les manières, les habitudes de langage, le bâillement. — Et l'attrait précisément des mauvaises habitudes ? Probablement, comme le tic, une façon de tourner l'angoisse.) La beauté, la bonté, la génialité d'une femme, le feu qu'elle allume et qu'elle entretient : nul verdict juridique ne peut l'établir, c'est un délire à deux. (Éventuellement : fidélité et foi, convaincre, persuader, admettre, tenir pour vrai et ainsi de suite. — La vie repose sur des actes qui seraient folie s'ils ne se vérifiaient. — Mais si Clarisse se vérifie ? Ulrich était tenté par ce mode *fonctionnel* de pensée.) On aurait le droit d'affirmer, se disait Ulrich, que tout notre être (que nous ne pouvons justifier au fond, mais que nous acceptons complaisamment dans son ensemble comme dieu, à partir de quoi nous déduisons aisément les détails) n'est pas autre chose que le délire d'un grand nombre; mais si l'ordre est raison, n'importe quel acte simple est déjà le germe d'une folie, pour peu que nous le considérions en dehors de tout ordre établi. En effet, qu'est-ce que les faits ont à faire avec notre esprit ? (Qu'on se représente seulement notre situation. Des éons d'années suivent à une vitesse folle la même orbite autour du soleil. Et nous hochons la tête pour un enfant qui réussit à courir un quart d'heure autour d'un fauteuil.) L'esprit s'oriente sur les faits, mais eux sont là, responsables de personne comme les cimes des montagnes, les nuages ou le nez au milieu de la figure : celui de la belle Diotime, on aurait aimé parfois l'écraser entre deux doigts, et celui de Clarisse reniflait, attentif, comme un chien d'arrêt, en vous communiquant l'agitation de l'Invisible.

Mais, bientôt, Ulrich ne put plus suivre l'ordre particulier de Clarisse. A l'endroit où on se trouve, on grave un signe dans une pierre : on pouvait comprendre que c'était de l'art, autant que les plus grands chefs-d'œuvre. Clarisse ne voulait pas posséder Ulrich, mais (par un bond à chaque fois nouveau) vivre avec lui. « Je ne re-garde pas, disait-elle, je re-donne... » Ses pensées miroitaient, les choses miroitaient. Quand on va constamment comme elle au devant de nouvelles catastrophes, on ne rassemble pas ses pensées pour se bâtir soi-même comme un glacial bonhomme de neige : les pensées de Clarisse grandissaient « à l'air libre ». On s'affaiblit en dispersant toutes choses, on s'encourage à une étrange croissance. Clarisse se mit à traduire sa vie en poèmes : sur l'île de la santé, Ulrich trouva la chose naturelle. Mais il y a dans nos poèmes une logique trop rigide, les mots sont des notions consumées, la syntaxe vous tend une canne comme à un aveugle, le sens n'arrive pas à se dégager d'un sol déjà piétiné par tout le monde, l'âme réveillée ne peut supporter cette cuirasse. Clarisse découvrit qu'il fallait choisir des mots qui ne fussent pas des notions; comme il semblait qu'il n'y en eût pas, elle opta pour le composé. Quand elle disait « moi », jamais ce mot ne pouvait partir en fusée comme elle le ressentait, alors que « rouge-moi » s'envolait sans que rien pût le retenir. Il n'était pas moins précieux de dégager les mots de relations grammaticales par trop appauvries. Clarisse, par exemple, proposait trois mots à Ulrich et lui demandait de les lire dans l'ordre qu'il voulait. Si c'était « Dieu », « rouge » et « marche », Ulrich lisait « Dieu marche rouge » ou « Dieu, rouge, marche » : ou bien son cerveau les accueillait aussitôt sous forme de phrase, ou bien il les séparait par des tirets pour indiquer qu'il ne le faisait pas. Clarisse appelait ces combinaisons la chimie des mots, et inventait des mesures de rétorsion. Sa ressource préférée était de recourir aux points d'exclamation et aux soulignements. « Dieu!!! rouge!! marche! » Ces piliers forment barrage, derrière quoi le mot s'enfle et prend tout son sens. Elle soulignait aussi les mots de une à dix fois, et les feuillets qu'elle couvrait ainsi ressemblaient quelquefois à une mystérieuse partition. Un autre moyen, auquel elle recourait cependant moins volontiers, était la répétition : le poids du mot répété l'emportait sur la force de la liaison syntaxique, et le mot se mettait à descendre à l'infini. « Dieu marche vert vert vert vert. » Calculer le nombre des répétitions afin qu'il traduisît exactement ce qu'on voulait dire était un problème d'une difficulté inouïe.

Un jour, Ulrich arriva avec un recueil de poèmes de Gœthe qu'il avait par hasard avec lui et proposa à Clarisse de tirer d'un certain nombre de poèmes un certain nombre de mots isolés, de les grouper et de voir ce qui en résulterait. Ils obtinrent ce genre de poèmes :

— — — — — —
— — — — — —

On ne peut nier que de tels ouvrages n'aient un charme obscur et confus, un feu couvert, volcanique, comme si l'on regardait dans le ventre de la terre. Quelques années plus tard, d'ailleurs, le jeu de Clarisse était devenu une mode fascinante chez les esprits les moins atteints.

Clarisse en tirait d'étranges conséquences. Les poètes dérobaient au volcan de la folie des étincelles : jadis, dans les temps primitifs, et plus tard, chaque fois qu'était réapparu un génie. Ces combinaisons verbales non encore limitées par des significations trop précises, couvant à la manière du feu, avaient été plantées dans le terreau de la langue courante, elles en étaient la secrète fécondité. « Celle-ci, on le sait, provient de son origine volcanique. Mais il s'ensuit, concluait Clarisse, que l'esprit doit sans cesse retomber aux mains des éléments primitifs pour que la vie demeure féconde. » Ainsi était imposée à Clarisse la responsabilité d'une immense irresponsabilité. Elle savait qu'elle était parfaitement inculte, mais elle éprouvait maintenant un héroïque irrespect pour tout ce qui avait été créé avant elle.

Jusque là, Ulrich pouvait suivre les jeux de Clarisse. L'irrespect naturel à la jeunesse l'aidait à imaginer dans les décombres de l'esprit les formes nouvelles qu'on pourrait en extraire : phénomène qui s'est produit à plusieurs reprises parmi nous, aussi bien vers 1900 quand on aimait les allusions et les impressions qu'après 1910 où l'art n'obéissait plus qu'à l'attrait des éléments constructifs les plus simples et cherchait à exprimer les secrets du monde visible en établissant une sorte d'alphabet optique.

Mais la déchéance de Clarisse allait trop vite pour qu'Ulrich pût suivre. Un jour, Clarisse arriva avec une nouvelle découverte. Elle commença en partant des poèmes qui arrachent des mots à la nature pour la stériliser lentement : « La vie dérobe des forces à la nature sans espoir de retour puisqu'elle les transforme en un état nouveau appelé *conscience*, qui est irréversible. » (Léon Tolstoï : « La conscience est le pire malheur moral qui puisse arriver à un homme. » — Fédor Dostoïewski : « Toute conscience est une maladie ». Cité dans le *Journal* de Gorki.) C'était évident et Clarisse s'étonnait que personne ne l'eût remarqué avant elle. La morale empêchait donc les hommes de voir certaines choses. « Toutes les excitations physiques, chimiques et autres qui m'atteignent, expliquait-elle, je les transforme en conscience : jamais on n'a réussi l'opération inverse, sinon ma seule volonté suffirait pour soulever cette pierre. La conscience ne cesse donc de déséquilibrer le système des forces naturelles. Elle est la cause de notre agitation superficielle et futile, la *rédemption* exige qu'on l'abolisse. »

Tout de suite après, Clarisse fit une autre découverte. C'étaient les extraordinaires forêts géantes, bouillonnantes, englouties, du carbonifère qui se libéraient aujourd'hui sous forme psychique, sous l'influence du soleil, et c'était l'exploitation de l'énergie alors engloutie qui produisait la grande énergie spirituelle de notre époque. (Elle dit : jusqu'à maintenant ce n'était qu'un jeu, il faut maintenant que ça devienne sérieux : c'est alors qu'Ulrich s'inquiète.)

C'était le soir, Ulrich et elle étaient allés se promener dans l'obscurité pour prendre le frais; des centaines de grenouilles tambourinaient dans un petit étang, les grillons crissaient, de sorte que la nuit était fiévreuse comme un village nègre qui se prépare à la danse. Clarisse exigea d'Ulrich qu'il entrât dans l'étang avec elle et se tuât pour que leur conscience redevînt peu à peu boue, charbon, énergie pure.

C'était un peu beaucoup. Si les idées de Clarisse continuaient dans cette direction, Ulrich était exposé à ce qu'elle lui coupât le cou une de ces prochaines nuits. (Tue-le! — Un chapitre encore : elle essaie vraiment!)

Il télégraphia à Walter de venir d'urgence, parce que sa tentative pour calmer Clarisse avait échoué et qu'il ne pouvait en assumer la responsabilité plus longtemps.

118. *Walter et Ulrich règlent leurs comptes.* (Études.)

[*Plan postérieur pour les chapitres de « L'île de la santé » : l'aventure Clarisse-Ulrich sur l'île suit immédiatement, alors, le « Voyage au paradis » d'Ulrich et d'Agathe. On peut lire déjà dans le manuscrit du « Voyage », à la fin : « Suite : le lendemain de cette malheureuse conversation, Clarisse arriva. » Cette note fut ajoutée postérieurement. L'esquisse qui résume le nouveau plan sous les titres « Ile I » et « Ile II » part de là. Selon les « études » générales sur Clarisse, une « nouvelle hiérarchie » était prévue pour l'ensemble des derniers chapitres la concernant. On n'en possède pas d'études séparées*[1].]

Regroupement Clarisse — 19.x.1930 : Amener Clarisse au premier plan. Faire un roman Clarisse-Meingast-Moosbrugger. Éventuellement : transformer les scènes Ulrich-Agathe et Ulrich-Clarisse en scènes Ulrich-Agathe-Clarisse. Cela correspondrait à l'importance que Clarisse a déjà dans le vol. I. Mais cela exige que Clarisse devienne vraiment dans le vol. II une figure centrale, qu'une relation très ferme soit établie entre ce qui était jusqu'à maintenant « seulement pathologique » et le normal. Résultat de la relecture : ce récit de l'évolution de Clarisse est bien beau, mais en quoi nous concerne-t-il, et en quoi l'ensemble ?

Réponse : Ce qui bouillonne en Clarisse, ce sont des éléments de l'époque. ... il faut donc compléter pour aboutir à une « paranoesis », à une compréhension parasystématique des idées délirantes de Clarisse. Peut-être le contraire serait-il plus juste : toutes ces idées sont en elle, mais aucune n'est élaborée complètement, logiquement. Seules certaines sont élaborées (schizophrénie!). Le malade n'est pas un poète!

Toutes les idées de Clarisse ont leur pendant raisonnable : il ne faut donc pas les développer en l'air, mais les décrire très rationnellement. (Un point culminant : l'asile d'aliénés considéré comme quasi normal.) Le grand destin personnel

1. Note de l'éditeur allemand. Cf. la postface.

de Clarisse serait alors : elle fait d'héroïques efforts pour garder la maîtrise, mais sa pauvre tête est trop faible (comme chez chacun de nous) — —

En feuilletant les chapitres Clarisse réalisés : Pour des raisons de structure interne et externe, [« Clarisse va voir Walter à l'atelier »] doit venir après le voyage Agathe-Ulrich; le reste peut aller avant. (Mais [« Clarisse va voir Walter... »] est la continuation immédiate de [« Après la visite à Moosbrugger »] ?) — L'exécution de Moosbrugger forme une césure dans le développement. (La scène, ou le récit de la scène, manque.) Autre césure dans le développement : le départ de Meingast.

21.x. : La césure correspondant au voyage Ulrich-Agathe se situe après [« Clarisse et le Dr. Friedenthal »] (Désir d'être reçue à la clinique.)

22.x. : Pas de forme, pas de but : c'est l'homme d'aujourd'hui. Somme toute il s'agit moins de détacher Clarisse du fond que de l'endiguer!

Étude pour Clarisse, à partir de la dernière partie — 9.1.36 — *Point de départ :* ... Pendant et à la fin du voyage Ulrich-Agathe : description d'une manie avec ce qu'elle a de « grandiose ». L'état de lumière! — Autrement dit, c'est la description d'un héroïsme extatique, l'héroïsme sous forme de folie. Ce matériel est identique pour une bonne part à celui utilisé pour Ulrich et Agathe, sauf qu'il faut ici le vivre comme une sorte de cure et l'interpréter selon la nature de Clarisse. De la sorte, c'est vraiment le pendant du voyage [au paradis] et des chapitres qui le préparent, auxquels il fait suite avec un certain déphasage. Comme les représentations ne sont que des interprétations des états, il faut les adapter à ces affects. D'où une nouvelle hiérarchie...

10.1.36 *:* Il faut subordonner strictement Clarisse au problème général et en particulier à celui d'Ulrich et Agathe, sinon elle prend trop de place. Il faut s'en tenir à la description d'une manie, pendant actif de l'expérience contemplative du frère et de la sœur...

Ile I : Clarisse arrive quand Ulrich et Agathe sont encore nsemble. Elle reste à l'hôtel de un à trois jours, pendant lesquels elle cherche et trouve son île. Pendant ce temps elle raconte l'histoire Moosbrugger. Invite Ulrich dans l'île (ou Agathe et Ulrich), et Ulrich y va. Passe une demi-journée avec elle. Sa cabane, etc.

Cela ne va probablement pas jusqu'à — —, mais prépare seulement Clarisse. C'est ainsi qu'il faut convertir le matériau de l'ancienne scène.

Ile II : Par exemple : Agathe a laissé quelques mots sur un billet. Teneur ?

Walter arrive peu après (vers le soir). Ulrich involontairement : As-tu rencontré Agathe ? Non. Mais l'idée qu'Agathe ait été encore là récemment apaise la jalousie de Walter. Il a un peu grossi.

Ulrich le conduit vers Clarisse. Clarisse est assise quelque part sur la rive. Ulrich ne s'est pas soucié d'elle. Walter se sent une parenté profonde avec la malade, l'abandonnée. Ils entrent dans la cabane de pêcheurs. Il semble qu'on y ait habité à trois. Ils s'y installent à trois. Walter n'en dit rien; fait comme si ça allait de soi, « pour la surveillance ».

Comment Clarisse le prend-elle ? — Cela dépend de ce qui a précédé (*Ile I*), qui est encore indéterminé.

Une idée : elle se confesse. Si quelque chose s'est passé entre Ulrich et elle, cela. Mais plus probablement (à cause de la présence d'Agathe) — — ramener cela à des allusions, à une demi-séduction d'Ulrich par Clarisse. Donc, rien ne s'est passé, et d'ailleurs la scène est plus forte si elle confesse des actes imaginaires et qu'Ulrich écoute. Point culminant possible : brusquement, ou par degrés, sa violente excitation sexuelle devient le sentiment mystique de l'union transfigurée avec Dieu, qui échappe presque à la représentation.

Walter ne croit pas, d'ailleurs Ulrich lui fait un signe, mais il y a là un élément croyable, comme un mensonge fait purement par hasard.

Pour laisser Clarisse se déshabiller, ils sortent devant la porte, puis vers la rive. Walter dit, parce qu'il est jaloux : il est absurde de douter de la fidélité d'un être. Il y a des situations où l'on est à bon droit dans l'incertitude. Dans la pénombre, il regarde Ulrich de côté. Mais il faut avoir le courage de s'illusionner. C'est comme quand une balle doit s'enkyster. Quelque chose de grand peut naître de cette illusion qu'on garde en soi. Ce n'est pas seulement la fidélité du couple qui compte, mais d'autres valeurs.

Il ne dit pas : grandeur, mais il le pensait. Il se faisait l'effet de quelqu'un de grand, de viril surtout, parce qu'il ne faisait pas de scène et ne forçait pas le secret d'Ulrich. D'une certaine façon, il était reconnaissant au destin pour cette grande épreuve. Ensuite, par transition, ou les deux éléments mêlés :

Ils s'assoient au bord de la mélancolique mer crépusculaire. Elle a été l'étoile de ma vie ! dit Walter. Mais Ulrich, entendant le mot fidélité, frémit. Il n'est pas aussi grandiose que Walter.

Walter part du thème « étoile de ma vie » et le développe. Maintenant elle s'enfonce dans la nuit, qu'arrivera-t-il (qu'adviendra-t-il de moi) ? A cet instant, il a retrouvé la grandiloquence de leur jeunesse. Il sort de lui-même : Je suis à un moment critique. Tu ne peux te figurer mes luttes, mes souffrances de cette année. Finalement, toute ma vie a été un combat. On s'est battu comme un fou (jour et nuit l'épée à la main). Mais cela avait-il un but ? Je crois être parvenu à être vraiment celui que je voulais être : cela a-t-il un sens ? Crois-tu que nous puissions rien réaliser, aujourd'hui, de ce dont nous rêvions jeunes ?

Ulrich était assis là, dans un tricot de pêcheur bleu marine, il avait maigri, la largeur de ses épaules ressortait d'autant mieux, ainsi que la force musculeuse de ses bras qu'il avait enroulés autour de ses genoux, et devant cette camaraderie vespérale il n'aurait eu qu'une envie : hurler comme un chien. Il répondit sombrement : Ne me parle pas de tes victoires. Tu as été vaincu et finalement tu te rendras sans vergogne. Tu as maintenant trente ans, à quarante on est liquidé. A cinquante on trouve la vie satisfaisante, on a tous les tourments derrière soi. Seuls réussissent ceux qui rampent et qui s'adaptent. Voilà toute la sagesse de la vie ! La meilleure part est pour ceux qui sont vaincus ! Et rien n'est pire que la solitude.

Il était abattu. Sa grossièreté n'empêcha pas Walter de le remarquer.

Tonalité générale : un homme fort et un homme faible... Walter raconte qu'il a fait la connaissance d'un Conseiller ministériel qui habite près de chez lui, qu'il peut espérer une carrière au ministère (Il a trouvé un dernier admirateur. Le

Conseiller lui raconte qu'il l'observait depuis longtemps et ainsi de suite).

Ulrich est désespéré. Qu'il se soit occupé de Clarisse n'a été de sa part qu'une faiblesse. Elle aurait passé, peut-être en un jour déjà, et tout aurait été possible encore. Mais il sent qu'Agathe a choisi la décision juste et prévenu l'inévitable.

Le billet d'Agathe commence : Mon... Elle n'a pas terminé la formule. Teneur peut-être : île du Pacifique. Involontairement rattaché à l'île.

Ulrich avait envie de tordre le cou à Walter. Mais il y a des îles plus solitaires où on ne peut le faire sans être quand même découvert. Cette tendance à la violence et à la brutalité s'écoule dans la lente douceur des derniers jours comme la nature elle-même.

Walter le prie de l'aider à conduire Clarisse au sanatorium. Ulrich refuse avec brusquerie. Il veut passer encore une journée seul à l'endroit où Agathe et lui... Laisse Walter télégraphier à Siegmund, mais ne porte pas lui-même le télégramme à l'hôtel : Walter doit le faire, ou ils envoient un commissionnaire.

Pour l'ensemble : chercher encore le reproche central de Walter à Ulrich.

Ce que Walter dit des sensations négatives peut éveiller le souvenir d'Ulrich et l'irriter. Puis Walter parle de la jalousie. Cela se rattache à ce qui vient de se passer, mais c'est aussi, rétrospectivement, un règlement de comptes. Pourquoi ne permets-tu pas à Clarisse de m'aimer ? Parce que tu ne peux me souffrir ! C'est une forme que peut prendre le règlement de comptes. Mais celui-ci ? Il faut poser la question : de quoi et pourquoi est-on jaloux ? Dans le ton, cela tranche avec la scène projetée. Mais cela permettrait deux développements : 1° Ulrich s'inquiète de l'avenir d'Agathe. La jalousie le tourmentera encore longtemps, et ce qu'il dit, c'est ce qu'il se prédit, au fond, dans une lucidité supérieure. Mais cette idée trouve son accomplissement dans la sphère de « l'autre état », elle est donc, sur l'instant, douloureusement mi-vraie et prohibée. 2° La jalousie, c'est aussi l'aversion des hommes et des nations les uns pour les autres. Ulrich y oppose une réflexion qui doit conduire à la conciliation. A peu près dans ce sens : la concurrence remplaçant la jalousie pour les sots hasards qui nous constituent. Point culminant : nous ne sommes rien, tous tant que nous sommes! — Telle serait à peu près l'humeur finale, celle qu'il apporte à son retour dans la vie.

Examiner cela à la lumière des problèmes principaux.

20.1.1936. En tirer deux questions :

1° En quoi consiste le règlement de comptes Walter-Ulrich ?

2° La conversation sur la jalousie doit-elle avoir une signification générale (pour l'ensemble) ?

concerne 1° L'idée essentielle du règlement de comptes était sans doute finalement que Walter représente à Ulrich ses faiblesses : donc, malgré son ressentiment, il doit parler objectivement. Il se partage cette tâche avec le général [von Stumm] dans sa dernière phase. Un peu avec Arnheim, aussi.

Qu'est-ce qui est en question là ? Il y a eu auparavant l'expérience avec Agathe, qui ne peut être l'affaire du premier venu. Et les utopies. Donc, objection maligne : tu es profondément infécond! D'où ton apparente audace (comme il a été dit déjà dans le vol. I). En toute vérité, cela signifie : tu renonces à la réalisation de tes idées (moi je veux avoir des idées qu'on puisse réaliser). Penser pour faire, faire pour penser. Si l'occasion t'en est donnée, tu anéantiras des êtres humains sans hésitation. Tu dévalues la réalité pour te donner l'impression d'être un grand homme. Ulrich sait aussi, maintenant, que tout ce qui peut l'émouvoir est utopie. *L'une de ses justifications* est : la race du génie. Mais il faut y être disposé; et de plus : un génie sans œuvre est problématique et risque de n'être qu'imagination pure. Il faudrait donc poser la question de l'œuvre, la question : *se tuer, ou écrire.* Walter peut dire : tu es fier de tes quelques essais, et pourtant... L'œuvre présuppose la certitude d'une amélioration possible. Mais Ulrich (voyage vers Dieu!) est loin de l'avoir, il faudrait d'abord qu'il la retrouve. Finalement, c'était un individualiste extrême, convaincu que tout est toujours bousillé. Il y aurait *une deuxième justification :* le théoricien. (Un homme sans qualités est un théoricien.) Il faut des théoriciens. Des chercheurs. Des expérimentateurs. Des hommes sans attaches. A qui le oui et le non ne soient pas indispensables. Des hommes des solutions partielles. Il n'est pas un seul grand homme à qui on puisse confier le gouvernement du monde. Ulrich est un physicien, non un technicien. Il se trompait. La fonction des grands hommes est autre : ils n'agissent sur la vie qu'à travers mille entremises diverses. En tant que grands hommes, ils sont aussi, sans doute, des modèles de vie : ils supposent une vaste coordination et hiérarchie des qualités (le principe de l'homme sans qualités se heurte donc ici à une limitation décisive) : mais leur enseignement n'est pas exemplaire, il oriente... Ici se place donc, par exemple : la solution partielle est à prendre aussi en ce sens que les époques acceptent des convictions, mais tant que celles-ci ne sont pas tout à fait comme il faut, elles ne restent pas. En particulier : il y a des époques qui favorisent le type du théoricien, et d'autres qui agissent, qui sont persuadées, qui créent de nouvelles conditions et finissent d'ordinaire par tout ruiner. Une époque anti-théorique est imminente. A cela Walter répliquera naturellement : es-tu donc un grand homme ? Cela ramène à la première question : l'œuvre. (Souvenir : Agathe n'a pas besoin d'œuvre. Chez Ulrich il y en avait toujours une à l'arrière-plan. Mais il serait grotesque maintenant de s'asseoir à sa table et d'écrire. Il en attend vraiment trop peu.)

C'est provisoirement tout.

Concerne 2° résolu déjà par le manque de place, en ce sens que cette question ne peut être traitée, ou doit être seulement effleurée en passant.

119. *Léon Fischel, directeur général. Rencontre dans le train.*

... parcourant le train, Ulrich remarqua un visage de connaissance, s'arrêta et découvrit que c'était Léon Fischel, assis seul dans un compartiment et feuilletant une liasse de minces feuillets qu'il tenait à la main. Ulrich avait un tel besoin de retrouver la vie quotidienne qu'il salua son ancien ami, qu'il n'avait pas revu depuis des mois, avec une sorte de joie.

Fischel lui demanda d'où il venait.

« Du sud, répondit vaguement Ulrich.

— Il y a longtemps qu'on ne vous a vu, dit Fischel préoccupé. Vous avez eu des ennuis, non ?

— Dans quelle mesure ?

— Oh!... je pense à votre situation à l'Action.

— Mes relations avec elle n'ont jamais été telles qu'on pût parler de situation, répliqua Ulrich un peu irrité.

— Vous avez disparu un beau jour, dit Fischel. Personne ne savait où vous étiez. J'en ai conclu que vous aviez des ennuis.

— A part cette erreur, vous étiez parfaitement bien informé : comment ? demanda Ulrich en riant.

— Je vous ai cherché partout. Temps difficiles, sales histoires, mon cher, répondit Fischel en soupirant. Le général ne savait pas où vous étiez, votre cousine l'ignorait aussi, et, à ce qu'on m'a dit, vous n'aviez pas fait suivre votre courrier. Avez-vous reçu une lettre de Gerda ?

— Reçu, non. Je la trouverai peut-être chez moi. Que se passe-t-il avec Gerda ? »

Le directeur Fischel ne répondit pas : le contrôleur était passé, il lui fit signe d'entrer pour lui remettre quelques télégrammes avec prière de les expédier au prochain arrêt.

Alors seulement, Ulrich remarqua que Fischel voyageait en première classe, ce qui, de sa part, était surprenant.

« Depuis quand fréquentez-vous ma cousine et le général ? » demanda-t-il.

Fischel le regarda d'un air songeur. Visiblement, il n'avait pas compris tout de suite la question. « Oui, oui... dit-il ensuite. Je crois que vous n'étiez pas encore parti. Votre cousine m'a consulté sur une question d'affaires, et c'est par elle que je suis entré en relation avec le général à qui je voulais demander un service pour Hans Sepp. Vous savez que Hans s'est suicidé? »

Ulrich sursauta.

« On en a même parlé dans quelques journaux, précisa Fischel. Il venait de commencer son service militaire, il s'est suicidé quelques semaines après.

— Et pourquoi donc ?

— Dieu seul le sait! A parler franchement, il aurait pu se suicider avant déjà. Il aurait pu le faire n'importe quand. C'était un toqué. Mais, finalement, je l'aimais bien. Vous me croirez si vous voulez, même son antisémitisme et ses sorties contre les directeurs de banque me plaisaient.

— Y a-t-il eu quelque chose entre Gerda et lui ?

— La faillite, dit Fischel. Mais ce n'est pas tout. Écoutez un peu. Vous me manquiez. Je vous cherchais. Quand je parle avec vous, je n'ai pas le sentiment d'avoir affaire à un homme raisonnable, plutôt à un philosophe. Ce que vous dites (permettez à un vieil ami de le noter) n'a jamais ni queue ni tête, mais c'est toujours plein de cœur! Eh bien! que dites-vous du suicide de Hans?

— Était-ce pour cela que vous me cherchiez?

— Non. Pour affaires, et à cause du général et d'Arnheim, dont vous êtes l'ami. Tel que vous me voyez, je ne suis plus à la Lloyd, je suis devenu mon propre maître : une grande chose, je vous le dis! J'ai eu de gros ennuis, mais maintenant, Dieu merci, je me porte à merveille...

— Vous appelez ennuis, si je ne me trompe, le fait de perdre sa situation?

— Oui, j'ai Dieu merci perdu ma situation à la Lloydbank : sinon, je serais encore fondé de pouvoirs avec le titre de directeur, et je le resterais jusqu'à ce qu'on me mette à la retraite. Lorsque j'ai dû y renoncer, ma femme a demandé le divorce...

— Vous m'en direz tant! Voilà en effet des nouvelles!...

— Ts! fit Léon Fischel. Nous n'habitons plus notre ancien appartement. Pour le divorce, ma femme est allée chez son frère. » Il sortit une carte de visite : « Voici mon adresse. J'espère que vous viendrez me voir bientôt. » Sur la carte, Ulrich put lire « Directeur général » et quelques-uns de ces titres équivoques comme « Import-Export », « Société trans-européenne de transports et transferts », et une adresse élégante. « Vous ne pouvez imaginer comme la réussite est aisée! déclara Fischel. Pour peu qu'on soit soulagé de ces gros poids que sont la famille, la situation, l'aristocratie du côté de l'épouse et le respect des grands esprits de l'humanité! En quelques semaines, je suis devenu un homme influent. Et un homme riche. Peut-être me retrouverai-je à zéro après-demain, mais peut-être serai-je encore plus riche!

— Qu'est-ce que vous êtes exactement?

— On ne peut l'expliquer comme ça, tout de go, à un non-initié. Je fais des affaires. Des affaires sur les marchandises, sur les valeurs, des affaires politiques, des affaires artistiques. Dans toute affaire, l'essentiel est de s'en retirer à temps : alors, on ne peut jamais perdre... » Comme jadis, Léon Fischel semblait trouver du plaisir à orner son activité de « philosophie ». Ulrich l'écouta avec curiosité, puis il dit :

« Avec tout ça, j'aimerais bien savoir ce que Gerda a dit du suicide de Hans.

— Elle prétend que c'est moi qui l'ai tué! A part ça, il y avait déjà longtemps qu'ils s'étaient perdus de vue... »

120. *Garden-party.*

Le même soir, Ulrich devait aller à une garden-party. Il pouvait difficilement refuser; il l'aurait fait pourtant si sa mauvaise humeur même ne l'y avait attiré. Mais il arriva tard. La plupart des invités avaient déjà ôté leur masque. Entre les arbres du vieux parc brûlaient des flambeaux qu'on avait plantés dans les pelouses comme des piques enflammées ou fixés sur les troncs à l'aide de crochets. Des tables gigantesques, recouvertes de nappes blanches, étaient dressées. Un flamboiement vacillant faisait rougeoyer l'écorce des arbres, le toit de feuillages flottant sans bruit au-dessus des têtes et les visages d'une foule de personnages qui, à quelque distance, semblaient n'être plus que des taches rouges et noires. La consigne semblait avoir été, chez les dames, de venir en habit d'homme : Madame Maja Sommer en soldat Marie-Thérèse, von Hartbach, la femme-peintre, en petit Tyrolien à culotte courte, et Madame Clara Kahn, la femme du célèbre médecin, bien entendu dans un costume à la Beardsley. Ulrich observa que même parmi les plus jeunes représentantes de la haute noblesse, beaucoup avaient choisi un déguisement d'homme ou d'adolescent : il y avait des jockeys, des liftiers, des Dianes semi-masculines, des Hamlets féminins et des Turcs rebondis. La mode récente de la jupe-culotte, bien que personne ne l'eût suivie, semblait avoir influencé les imaginations. Pour une époque où les femmes n'appartenaient au monde, tout au plus, que du sol à mi-mollet et, de là au cou, exclusivement à leur mari ou à leur amant, pour une fête où l'on pouvait espérer des membres de la Maison impériale, c'était un événement inouï, une révolution (fût-elle de pur caprice) et le signe avant-coureur d'une vulgarité que les dames les plus âgées et les plus fortes avaient le privilège, déjà, de prévoir, les autres se bornant à constater l'impudence. Ulrich crut pouvoir se permettre de saluer, bien qu'il lui fût presque inconnu, le vieux prince autour duquel se trouvait rassemblé constamment un cercle d'invités. Il chercha Tuzzi à qui il avait un service à demander et, comme il ne le trouvait nulle part, il supposa que l'infatigable personnage était déjà rentré chez lui. Alors, il s'éloigna lentement du centre du mouvement et gagna l'orée d'un groupe d'arbres d'où l'on avait vue sur le château au-delà d'une immense pelouse. On avait éclairé le vieil et majestueux édifice à l'aide d'espèces de rampes, de longues files de petites ampoules électriques qui suivaient les corniches et les pilastres et semblaient tirer les formes architecturales du moule de l'ombre, comme si le vieux maître qui les avait conçues s'était trouvé parmi les invités, un tout petit peu ivre sous son chapeau de papier couleur de soie blanche. En bas, on pouvait voir les domestiques circuler par les sombres ouvertures des portes, et plus haut l'affreux ciel nocturne, gris rouge, de la grande ville, s'arrondissait comme un parapluie sous l'autre ciel, pur et sombre, qu'on apercevait avec ses étoiles quand on levait les yeux. Ce qu'Ulrich fit, et il se sentit comme ivre à la fois de répugnance et de joie. Lorsqu'il laissa retomber son regard, il découvrit près de lui une silhouette qui avait échappé jusqu'alors à son attention.

C'était celle d'une grande femme en costume de colonel napoléonien; elle avait gardé son masque. A ce trait, Ulrich reconnut aussitôt Diotime. Elle feignait de ne pas le voir, absorbée dans la contemplation du château illuminé.

Il l'interpella : « Bonsoir, cousine! Non, n'essayez pas de nier, je vous reconnais sans crainte d'erreur au fait que vous êtes la seule à avoir gardé le masque.

— Comment l'entendez-vous ? demanda le masque.

— C'est simple : vous avez honte. Expliquez-moi pourquoi toutes ces dames sont venues en pantalon ? »

Diotime eut un violent haussement d'épaules. « Le projet en a circulé de bouche à oreille. Mon Dieu! je le comprenais bien : les anciennes idées sont si rebattues! Mais je vous avouerai que je me sens contrariée : l'idée était vulgaire, on se croirait tombé dans une redoute de théâtre!

— C'est l'ensemble qui est insoutenable, fit Ulrich. Ces fêtes ne peuvent plus réussir : le temps en est passé.

— Hélas!... » dit Diotime distraite. Le château illuminé lui apparaissait comme dans un rêve.

« Mon colonel m'ordonne-t-il une conception plus juste de

la chose ? demanda Ulrich en jetant sur le corps de Diotime un regard provocant.

— Ah! cher ami, ne m'appelez pas colonel! »

Il y avait dans sa voix une nuance nouvelle. Ulrich s'approcha. Elle avait enlevé son masque. Il remarqua deux larmes qui coulaient lentement sur ses joues. Ce grand officier en pleurs était très comique, mais très beau. Ulrich lui prit la main et demanda à mi-voix ce qui n'allait pas. Diotime ne put répondre : un sanglot qu'elle s'efforçait de réprimer faisait frémir la claire lueur de sa blanche culotte de cheval sous le manteau ouvert. Ils restèrent ainsi debout dans la demi-clarté de la lumière qui se noyait dans les pelouses.

« Nous ne pouvons pas parler ici, murmura Ulrich, suivez-moi ailleurs. Je vous emmène, si vous le permettez, chez moi. »

Diotime chercha à retirer sa main de celle d'Ulrich; comme elle n'y parvenait pas, elle l'y laissa. A ce mouvement, Ulrich sentit, et il pouvait à peine y croire, que son heure auprès de cette femme avait sonné. Il prit Diotime respectueusement par la taille et, en la soutenant délicatement, pénétra plus profondément dans l'ombre, puis fit un détour pour atteindre la sortie.

Avant qu'ils fussent revenus dans la lumière, Diotime avait séché ses larmes et maîtrisé, extérieurement du moins, son émoi.

« Vous ne vous êtes jamais aperçu, Ulrich, dit-elle d'une voix profonde, que je vous aimais depuis longtemps, comme un frère. Je n'ai personne avec qui je puisse causer. »

Comme il y avait des gens tout près, Ulrich murmura : « Venez, nous parlerons. »

Dans la voiture, pourtant, il ne dit pas un mot, et Diotime, s'enveloppant anxieusement de son manteau, se tint dans l'angle opposé au sien. Elle était résolue à lui dire sa souffrance, et une résolution de Diotime était toujours une chose sérieuse. Bien qu'elle n'eût passé de sa vie une nuit auprès d'un autre homme que le sous-secrétaire Tuzzi, elle suivait Ulrich, parce qu'elle s'était proposé, avant de le rencontrer, de lui parler au cas où il viendrait, et parce qu'elle avait un grand désir triste de parler. Il faut reconnaître qu'à ce moment-là, dans l'excitation de la réalisation, cette ferme décision n'avait pas sur elle, physiquement, un effet très heureux : elle lui pesait sur l'estomac comme un plat trop lourd quand l'émotion paralyse tous les acides qui pourraient le digérer, et Diotime sentait sur son front et sur sa nuque la sueur des malaises. Seule l'impression que lui fit l'arrivée chez Ulrich put la distraire : le petit parc, où les ampoules fixées au tronc des arbres dessinèrent comme une ruelle quand ils le traversèrent, la ravit, le hall avec ses ramures de cerf et son petit escalier baroque évoqua pour son imagination des cors de chasse, des meutes et des cavaliers; ces impressions étant encore fortifiées par la nuit, et leurs faiblesses dissimulées, elle ne put s'empêcher d'admirer ce cousin qui n'avait jamais fait grand cas de ces richesses et semblait préférer s'en moquer doucement.

Ulrich éclata de rire et prépara des boissons chaudes. « Vu de plus près, vous savez, c'est un enfantillage assez sot, dit-il. Mais nous ne sommes pas là pour parler de moi. Racontez-moi ce qui vous est arrivé! »

Diotime, pour la première fois de sa vie, ne pouvait pas prononcer un mot; assise là dans son uniforme de colonel, elle avait l'impression d'être éclairée par toutes les lampes qu'Ulrich avait allumées. Elle en était troublée.

« Ainsi, Arnheim s'est mal conduit ? » dit Ulrich pour lui venir en aide.

Diotime approuva de la tête. Puis elle commença : Arnheim était libre de faire ce qu'il voulait. Il n'y avait jamais rien eu entre eux qui pût, au sens ordinaire de la chose, lui imposer des devoirs ou lui donner des droits.

« Pourtant, si mes observations sont exactes, il y avait entre vous le fait que vous vouliez divorcer et l'épouser, non ? jeta Ulrich.

— Oh! l'épouser... dit le colonel. Nous nous serions peut-être mariés s'il s'était mieux conduit. Cela peut venir, comme un ruban qu'on noue sans serrer, non comme un anneau qui vous emprisonne!

— Et qu'a donc fait Arnheim ? Vous pensez à son aventure avec Léone ?

— Vous connaissez cette personne ?

— Vaguement.

— Est-elle belle ?

— Peut-être peut-on le dire, oui.

— A-t-elle du charme ? De l'esprit ? Quel genre d'esprit ?

— Mais, chère cousine, elle n'a pas d'esprit du tout! »

Diotime croisa les jambes et accepta une cigarette : elle avait un peu repris courage.

« C'est par protestation que vous êtes allée à la fête dans ce costume ? demanda Ulrich. Ai-je raison ? Sinon, rien n'aurait pu vous y contraindre. Vous avez été attirée par une sorte de surhomme en vous, après la défection des hommes : je ne peux m'exprimer mieux.

— Mais mon cher... » commença Diotime, et soudain les larmes, derrière la fumée de la cigarette, recommencèrent à couler sur son visage. « J'étais l'aînée de cinq filles. Toute ma jeunesse, je l'ai passée à jouer à la maman : nous n'avons pas eu de mère, j'ai toujours dû répondre à toutes les questions, tout savoir mieux que les autres. J'ai épousé le sous-secrétaire Tuzzi parce qu'il était beaucoup plus âgé que moi et commençait déjà à perdre ses cheveux : je voulais avoir enfin un homme à qui je pusse me soumettre, et dont la main dispensât sur ma tête la grâce ou la disgrâce. Je ne suis pas *peu féminine*. Je ne suis pas la femme fière que vous connaissez. Je vous confesse que j'ai connu dans les bras de Tuzzi, pendant les premières années, les mêmes joies qu'une petite fille que la mort rend à Dieu le Père. Mais, depuis des années, je ne peux plus que le mépriser. Il est plat et terre-à-terre. Il ne voit ni ne comprend rien à tout le reste. Vous représentez-vous ce que cela signifie ? »

Diotime, brusquement, s'était levée. Son manteau était resté sur la chaise. Les cheveux lui encadraient les joues comme à une nonne; sa main gauche tantôt s'appuyait comme une main d'homme sur la poignée du sabre, tantôt passait fémininement dans ses cheveux; son bras droit avait de grands gestes d'orateur; elle avançait une jambe ou bien les tenait étroitement serrées, et le ventre rond dans la culotte blanche, chose curieusement comique, ne présentait pas la moindre de ces irrégularités qui trahissent l'homme. Alors seulement, Ulrich remarqua que Diotime était légèrement ivre. Pendant la soirée, dans son humeur morose, elle avait bu coup sur coup plusieurs verres de boissons fortes; maintenant qu'Ulrich lui avait offert également de l'alcool, son ivresse semblait vernie à neuf. Cette ivresse, d'ailleurs, n'était que juste assez forte pour balayer les inhibitions et les imaginations dont elle était faite d'ordinaire, pour ne mettre à nu que ce qu'on pourrait appeler sa nature naturelle, et cela même pas entièrement : en effet, comme Diotime en venait à parler d'Arnheim, elle commença par évoquer son âme.

Elle avait donné toute son âme à cet homme. Ulrich pensait-il qu'un Autrichien, dans ces questions-là, eût des sentiments plus délicats, plus raffinés ?

« Non.

— Et tout de même, peut-être... » Arnheim était sans doute un homme important. Mais il avait honteusement renoncé. Honteusement! « Je lui ai tout donné, il m'a exploitée et maintenant je n'ai plus rien! »

C'était clair : le jeu de l'amour avec Arnheim, ce jeu surnaturel, tout en allusions, qui, physiquement, n'avait sans doute pas dépassé le baiser mais, idéalement, avait dû être un extraordinaire duo d'âmes, ce jeu, dans sa durée de quelques semaines, purifié finalement par la rupture de Diotime et de son mari, avait à tel point attisé en elle le feu naturel qu'il fallait, soit dit sauf respect, l'éteindre immédiatement d'un coup de pied sous le chaudron si l'on voulait éviter la crise de nerfs. C'était ce que Diotime, consciemment ou non, attendait d'Ulrich. Elle s'était assise sur un divan, son sabre était couché en travers de ses genoux et il y avait sur ses yeux le brouillard soufré des débuts d'ivresse quand elle dit à Ulrich : « Écoutez-moi, Ulrich : vous êtes le seul homme devant qui je n'aie pas honte. Parce que vous êtes tellement mauvais, tellement plus mauvais que moi... »

Ulrich était désespéré. Les circonstances lui rappelaient une scène avec Gerda dans le même endroit quelques semaines plus tôt, une scène qui avait été le résultat final d'une pareille surexcitation. Mais Diotime n'était pas une jeune fille qu'excitent des étreintes défendues. Ses grosses lèvres étaient entr'-ouvertes, son corps humide et haletant comme la terre retournée des jardins, et ses yeux sous le voile du désir comme des portails ouverts sur une allée obscure. Mais Ulrich ne pensait nullement à Gerda : il voyait Agathe devant lui, et il aurait aimé hurler de jalousie à la vue de cette femme incapable de résister plus longtemps, bien que lui-même sentît sa propre résistance faiblir de seconde en seconde. Déjà son attente lui peignait les yeux qui s'éteignent, qui perdent leur éclat comme ils le font seulement dans l'amour et dans la mort, les lèvres qui s'ouvrent, impuissantes, pour laisser passer le dernier souffle, et il ne pouvait plus attendre de sentir se rompre l'être qu'il avait devant lui, de le regarder se tordre dans la pourriture, comme le capucin qui descend dans les catacombes.

Probablement ses pensées allaient-elles alors déjà dans une direction dont il espérait le salut, car il se défendait de toutes ses forces contre sa propre débâcle. Il serrait les poings et, vus de Diotime, ses regards semblaient vouloir la terroriser. Elle, à ce moment-là, n'éprouvait plus que de l'angoisse et de la reconnaissance pour son cousin. Alors, il eut une idée grimaçante, ou qu'il déchiffra dans le visage grimaçant qu'il regardait fixement : « Vous ignorez totalement à quel point je suis mauvais. Je ne peux pas vous aimer : pour pouvoir vous aimer, il faudrait que je vous batte! »

Diotime le regarda dans les yeux, effrayée. Ulrich espérait blesser sa fierté, sa vanité, sa raison; mais peut-être n'exprimait-il en fin de compte que les sentiments naturels de rancune qui s'étaient accumulés en lui à l'égard de cette femme.

Il continua : « Depuis des mois, je ne pense qu'à vous frapper jusqu'à ce que vous gémissiez comme un petit enfant! » Mais, à ce moment déjà, il l'avait saisie aux épaules, près du cou. L'effroi des sacrifiés grandit sur le visage de Diotime. On y voyait frémir encore des velléités de dire quelque chose, de faire une remarque réfléchie qui sauvât la situation. Dans ses cuisses frémissaient des velléites de se lever, vite renoncées. Ulrich avait empoigné le gros sabre du colonel et l'avait sorti à moitié du fourreau. Pour l'amour de Dieu! pensa-t-il, si rien ne s'interpose, je vais lui en donner sur la tête jusqu'à ce qu'il ne reste plus trace de sa maudite vie! Il ne remarquait pas qu'un changement décisif, cependant, se produisait chez le colonel de l'Empire. Diotime exhala un profond soupir, comme si la femme qu'elle avait été depuis ses douze ans sortait tout entière de sa poitrine, puis elle se pencha de côté, pour laisser Ulrich déverser son plaisir à son gré au-dessus du sien.

N'eût été son visage, Ulrich, à ce moment, aurait éclaté de rire. Mais ce visage était aussi indescriptible que la démence, aussi contagieux. Il jeta le sabre et lui donna deux solides claques. Elle s'était attendue à autre chose, mais l'ébranlement physique n'en agit pas moins. Quelque chose se mit en mouvement, comme il arrive aux montres quand on les traite brutalement, et même au cours habituel que les événements prirent ensuite, resta mêlé un quelque chose d'inhabituel, comme un cri, un râle du cœur.

Des gestes, des propos d'enfant remontés de très loin s'y mêlèrent, et les quelques heures qui restaient jusqu'au matin s'écoulèrent dans un état de rêve obscur, enfantin, bienheureux, qui délivra Diotime de son caractère et la reporta au temps où l'on ne réfléchit pas, où tout est encore plein de bonté. Quand le jour parut aux vitres, elle était couchée sur les genoux, son uniforme dispersé sur le sol, elle avait les cheveux dans la figure et les joues couvertes de salive. Elle ne put se rappeler comment elle en était arrivée là, et sa raison qui se réveillait à mesure que son égarement se dissipait, en ressentit une véritable épouvante. Ulrich demeura invisible.

121. *Le Grec.* (Ancienne ébauche.)

Il avait été décidé de ramener Clarisse dans un autre sanatorium : elle se laissa faire sans résistance et presque sans mot dire. Elle se sentait fortement déçue par Ulrich et comprenait qu'elle devait retourner dans une maison de santé, « pour parcourir le cycle une seconde fois » : c'était si difficile qu'elle-même ne pouvait y parvenir du premier coup.

Elle s'accommoda du nouvel établissement avec l'aisance de celui qui retourne dans un hôtel dont il est un vieil habitué. Walter resta quatre jours auprès d'elle. Il sentait quel bienfait c'était qu'Ulrich ne fût pas venu, qu'il pût être seul à dominer Clarisse, mais il ne se l'avouait pas. Son attitude envers Ulrich devait être sublime et il croyait y avoir réussi; mais, maintenant que c'était passé, un sentiment très désagréable lui disait que, tout ce temps, il n'avait cessé de craindre Ulrich. Son corps exigeait une compensation virile. Il ne s'embarrassa d'aucun égard pour Clarisse et se persuada qu'elle n'était pas malade, qu'elle ne se rétablirait jamais mieux que si psychiquement, outre les soins donnés à son corps, on la traitait comme une femme ordinaire. Il savait pourtant qu'il ne faisait que se le persuader. Il souffrait. Il se dégoûtait. La première nuit, il s'était attiré une petite blessure qui lui faisait mal : par les souffrances physiques, la terreur que sa brutalité inspirait à Clarisse, il croyait la fustiger et se fustiger lui-même. Puis son congé s'acheva. Il n'eut pas l'idée de déserter le bureau. Il dut empaqueter son âme montre en main.

Clarisse se soumit à une cure de suralimentation qu'on lui avait prescrite parce qu'on attribuait sa surexcitation nerveuse au délabrement de son corps. Elle était maigre et hérissée comme un chien qui a passé des semaines à rôder. L'alimentation inhabituelle dont elle commençait à ressentir les effets fit impression sur elle. Elle supporta Walter avec la même douceur que la cure qui lui imposait des corps étrangers et l'obligeait à ingérer des substances grossières. Elle acceptait tout avec mélancolie, pour acquérir à ses propres yeux un brevet de santé. « Je ne vis que sur mon seul crédit, pensait-elle, personne ne croit en moi. Peut-être l'idée que je vis n'est-elle qu'un préjugé ? » Tant que Walter fut là, le fait de s'emplir de matière et d'ingérer du lest humain, comme elle disait, lui fut un apaisement.

Mais, le jour où Walter partit, il y eut le Grec. Il séjournait au sana, peut-être depuis plus longtemps que Clarisse, mais ce fut ce jour-là qu'elle le vit. Il disait à une dame, comme Clarisse passait : « Un homme qui a voyagé autant que moi ne peut absolument pas aimer une femme ». Il était même possible qu'il eût dit : « Un homme qui revient d'aussi loin que moi... » Clarisse comprit aussitôt que la rencontre de cet homme était un présage. Le soir même elle lui écrivit une lettre, qui disait : Je suis la seule femme que vous aimerez. Elle en donnait longuement les raisons. « Vous avez une stature d'homme, écrivait-elle, mais une figure et des mains de femme. Vous avez un *nez de vautour*, c'est-à-dire un nez aquilin débarrassé de tout superflu de force : c'est plus beau qu'un nez aquilin. Vous avez de grandes orbites sombres et profondes : de douloureuses cavernes à vices. Vous connaissez le monde, ce qu'il y a au-dessous et au-dessus du monde. J'ai remarqué tout de suite que vous vouliez m'hypnotiser, bien que votre regard soit las et craintif. Vous avez deviné que j'étais votre destin.

« Ce n'est pas parce que je suis malade que je suis ici. Mais parce que je choisis d'instinct les bons moyens. Mon sang circule avec lenteur. Personne ne m'a jamais vue fiévreuse. Il est strictement impossible de constater la moindre dégénérescence locale; nulle souffrance gastrique organique, quelle que soit l'extrême faiblesse du système, due à l'épuisement général. Quoi que puisse vous dire notre médecin, si je suis malade dans le détail, je suis un ensemble sain. La preuve : cette énergie dans la recherche de l'isolement et du dégagement absolus qui m'a conduite ici. J'ai deviné, avec une sûreté absolue, ce qui est nécessaire en ce moment : un être typiquement malade ne peut guérir, moins encore se guérir soi-même. Prenez garde à moi. J'ai deviné du même coup avec une sûreté absolue ce qui vous est nécessaire.

« Vous êtes le grand Hermaphrodite que tout le monde attendait. Les dieux vous ont accordé à parts égales le masculin et le féminin. Vous délivrerez le monde radieux de l'obscure et indicible scission de l'amour. Comme je vous ai compris, quand vous vous êtes exclamé qu'aucune femme ne pouvait vous retenir! Mais je suis, moi, le grand Hermaphrodite féminin. A qui nul homme ne pourrait suffire. Solitaire je porte en moi la scission. Celle que vous ne possédez qu'en esprit, sous la forme d'une nostalgie que nous devons surmonter. Avec un bouclier noir. Venez. C'est une conjoncture divine qui nous a conduits ici. Nous ne devons pas nous dérober à notre destin et laisser le monde attendre pendant d'autres siècles... »

Le Grec lui rapporta la lettre le lendemain. Par discrétion, il tint à le faire personnellement. Il dit qu'il ne voulait lui donner aucune occasion de lui écrire de pareils messages. Son refus était ferme et courtois. Son visage, de beau ténébreux, hypnotiseur, viril, eût été aussitôt, dans quelque rassemblement humain que ce fût, le centre du tableau. Mais ses mains étaient de faibles mains de femme, la peau du crâne sous l'épaisse chevelure soignée, bleu-noir, frémissait parfois involontairement, et ses yeux, tandis qu'il considérait Clarisse, vacillaient un peu. Effectivement, sous l'influence de la cure et de l'atmosphère nouvelle, Clarisse avait changé, physiquement, en quelques jours : elle était plus grosse et plus grossière, et ses mains laborieuses de pianiste, que l'excitation faisait se crisper comme des serres, suscitèrent chez le Levantin un véritable effroi : il ne pouvait en détacher ses regards, il avait envie de s'enfuir et ne pouvait faire un mouvement.

Clarisse lui répéta qu'il ne pouvait se dérober à son destin, et avança la main vers lui. Il vit l'épouvantable main approcher et ne put faire un geste. Ce ne fut que lorsque la bouche de Clarisse, passant devant ses yeux, glissa vers la sienne, qu'il trouva la force de bondir et de s'enfuir. Clarisse l'accrocha par le pantalon et chercha à l'enlacer. Il eut un léger soupir de dégoût et d'angoisse et atteignit la porte.

Clarisse était ravie. Elle gardait le sentiment que cet homme était d'une pureté extraordinairement rare, proprement démoniaque : même les inconvenances qu'elle s'était permises furent colorées par ce sentiment. Sa respiration se fit très ample; la satisfaction d'avoir obéi au commandement de sa voix intérieure au-delà des ultimes égards gonflait sa poitrine comme des plumes de métal. Pendant vingt-quatres heures, elle oublia complètement ce qui l'avait amenée là, sa mission et ses souffrances. Son cœur ne tirait plus de flèches vers le ciel, elles revenaient l'une après l'autre sur lui et le transperçaient. Clarisse subit fièrement les terribles souffrances du désir. Pendant vingt-quatre heures. Cette jeune femme frigide qui, aussi longtemps qu'elle avait été en santé, n'avait pas connu l'ivresse sexuelle, la ressentit jusqu'au martyre, déchaînée avec une telle violence dans son corps qu'il ne pouvait rester en repos un seul instant, ballotté par une atroce faim de tous ses nerfs; cependant, devant cette violence, son esprit constatait avec bonheur que la puissance illimitée de la concupiscence dont elle devait délivrer le monde était entrée en elle. La douceur de ce tourment, son agitation impuissante, le besoin de se jeter au-devant de cet homme en pleurant de reconnaissance, le bonheur auquel elle ne pouvait se refuser prouvaient la force du démon avec lequel elle avait accepté de combattre. Cette aliénée qui n'avait pas aimé encore le faisait maintenant comme une femme saine avec tout ce qui était resté intact en elle, mais avec une violence désespérée, comme si ce sentiment cherchait à se dégager avec le plus de force possible des ombres qui l'environnaient et modifiaient irrésistiblement sa signification.

Comme toutes les femmes, elle attendit que revînt celui qui l'avait repoussée. Vingt-quatre heures s'écoulèrent, puis le Grec, presque à la même heure que la veille, frappa à la porte de Clarisse. Une force qu'il ne pouvait s'expliquer ramenait cet homme sans volonté, à la sensibilité féminine, dans la situation où l'attaque brutale s'était déclenchée contre lui sans aboutir. Il arriva, caché derrière des discours bien étudiés, irréprochablement soigné dans sa mise et sa chevelure, fortifié à ses propres yeux par l'idée qu'il fallait goûter jusqu'au bout le contact de cette intéressante créature : mais, quand il regarda Clarisse, ses prunelles tremblaient comme les seins d'une jeune fille la première fois qu'on les touche. Clarisse ne fit pas de cérémonies. Elle lui répéta qu'il ne devait pas se dérober, que Dieu aussi avait souffert sur le Mont des Oliviers, et elle l'assaillit. Les genoux du Grec tremblaient et ses mains se tendaient devant celles de Clarisse sans plus de force que des serviettes, pour se défendre. Clarisse l'enlaça de ses jambes et de ses bras et lui ferma la bouche de l'haleine soufrée et brûlante de la sienne. Au comble de l'inquiétude, le Grec se défendit en avouant qu'il était homosexuel. Le malheureux ne sut plus que faire lorsqu'elle lui répondit qu'elle devait l'aimer pour cette raison même.

C'était un de ces êtres mi malades, mi mondains, qui vont de sanatorium en sanatorium comme dans des hôtels où l'on fait des connaissances plus intéressantes que dans les vrais. Il parlait plusieurs langues, il avait lu les livres dont on parlait. Une élégance levantine, des cheveux noirs et l'œil mollement sombre lui valaient l'admiration de toutes les femmes qui recherchent en l'homme l'esprit et la fascination. Sa biographie était comme une loterie de tous les numéros des chambres d'hôtel où il avait été invité. Il n'avait jamais travaillé de sa vie, entretenu qu'il était par une riche famille de commerçants, et il avait accepté que son frère cadet, à la mort du père, reprît la direction des affaires. Il n'aimait pas les femmes, mais sa vanité faisait de lui leur proie, et il n'était pas assez résolu pour obéir à son goût pour les hommes ailleurs que dans les milieux de la prostitution urbaine où cela le dégoûtait. C'était au fond un grand et gros adolescent chez qui le goût pour tous les vices propres à cet âge incertain n'avait jamais été remplacé par autre chose, et s'était simplement installé à l'abri d'une paresse et d'une irrésolution mélancoliques.

Jamais une femme n'avait assailli ce malheureux comme venait de le faire Clarisse. Sans qu'il pût se raccrocher à quoi que ce fût de précis, elle s'adressait à sa vanité. « Grand Hermaphrodite », ne cessait-elle de répéter, tandis que ses yeux brillaient comme si elle avait dit Grand Empereur, un jeu aux yeux du Grec, enivrant néanmoins. « Étrange femme, disait-il. — Tu es le grand Hermaphrodite, disait-elle, qui ne peut aimer ni les femmes ni les hommes! C'est pourquoi tu es appelé à les délivrer du péché originel qui les affaiblit! »

Des trois hommes qui avaient joué un rôle dans la vie de Clarisse, Walter, Meingast et Ulrich, c'était Meingast, sans qu'elle l'eût jamais compris, qui avait exercé sur elle la plus grande influence : par son comportement, c'était lui qui excitait le plus puissamment l'ambition de la jeune femme (si l'on peut appeler ainsi le désir d'envol d'un esprit exilé dans la stérilité d'une existence médiocre). Ses ligues d'hommes, dont elle était exclue en tant que femme, cliquetant comme des archanges dans son imagination, avaient suggéré à Clarisse que l'homme fort et délivré (des souffrances du mariage et de l'amour) était homosexuel. « Dieu lui-même est homosexuel, dit-elle au Grec. Il pénètre dans le croyant, il le subjugue, l'emplit, l'affaiblit, lui fait violence, le traite comme une femme et exige de lui l'abandon, alors qu'il exclut les femmes de l'Église. Tout plein de son Dieu, le croyant passe à côté des femmes comme à côté d'éléments bizarres et mesquins qu'il ne remarque même pas. L'amour est infidélité à l'égard de Dieu, adultère, il prive l'esprit de sa dignité. Le délire de culpabilité et le délire de béatitude entraînent l'action de l'humanité dans le lit conjugal (dans le lit de l'adultère). Toi, mon roi féminin, tu prendras sur toi, avec moi, les péchés de l'humanité pour la délivrer en les commettant, bien que déjà nous en ayons pénétré la signification. »

« Elle est folle… folle… » murmurait le Grec. Cependant, il ne pouvait empêcher que les idées de Clarisse ne l'éclairassent en touchant un point de sa vie qui ne l'avait jamais été avec tant de gravité et de passion. Clarisse secouait son âme indolente comme un rêve déchaîné au plus profond des ténèbres, mais, ce faisant, elle le traitait comme un adolescent au moment de la puberté s'empare d'un cadet pour accomplir sur lui les absurdes sacrifices du premier culte amoureux. Sa dignité de personnage intéressant souffrait intensément du rôle qui lui était ainsi imposé : en même temps, ce rôle répondait à des rêveries profondément enfouies en lui, et les visites impitoyables de Clarisse le jetaient dans un état de tremblante sujétion. Il ne se sentait plus à l'abri nulle part, elle l'invitait à des promenades en voiture au cours desquelles elle l'assaillait derrière le dos du cocher, et sa plus grande angoisse était qu'elle le fît un jour en plein sanatorium devant tout le monde, sans qu'il pût se défendre. Il finit par trembler chaque fois qu'elle était près de lui, mais il se laissait faire n'importe quoi. « *Cette femme est folle* [1]… » Il ne cessait de répéter cette même

1. En français dans le texte. *N.d.T.*

phrase, en trois langues, comme une plainte, comme une prière pour demander protection.

Mais enfin (l'étrange et quasi transparente liaison avait été remarquée et il crut s'apercevoir que déjà on se moquait de lui), sa vanité l'arracha à cette main-mise. Quasi sanglotant de faiblesse, il rassembla toute son énergie pour rejeter cette femme loin de lui. Un jour qu'ils montaient dans le fiacre, il déclara, le visage détourné, que c'était la dernière fois. Au cours du trajet, il montra à Clarisse un agent de police en affirmant qu'il avait une liaison avec lui et que celui-ci ne tolérait plus ses rapports avec elle. Comme il l'eût fait d'un rocher, il enlaçait de ses regards cet homme massif, debout au milieu de la chaussée, la voiture qui continuait à rouler l'en dégagea, mais il se sentit fortifié par son mensonge comme si quelqu'un lui avait apporté son aide. Sur Clarisse, l'effet fut à l'inverse de ce qu'il attendait. Voir le bien-aimé de « son roi féminin » agit sur elle comme une matérialisation stupéfiante. Dans des poèmes, déjà, elle s'était qualifiée d'hermaphrodite; elle crut pouvoir reconnaître dans son corps, pour la première fois, des qualités hybrides. Elle put à peine attendre qu'ils fussent en pleine campagne. « C'est une divine constellation amoureuse », dit-elle. Le Grec avait peur du cocher et la repoussa. Il lui souffla au visage que c'était leur dernière promenade. Le cocher, sans se retourner, mais devinant apparemment ce qui se passait dans son dos, fouetta les chevaux. Soudain, un orage approcha de trois côtés à la fois et les surprit. L'air était lourd et chargé d'une tension inquiétante, des éclairs frémissaient et le tonnerre grondait. « Ce soir, j'attends la visite de mon ami, dit le Grec, tu ne peux pas venir! — Nous partirons cette nuit! répondit Clarisse. Pour Berlin, la ville des énormes énergies! » A ce moment, avec un craquement effarant, un éclair tomba non loin d'eux dans les champs, et les chevaux, prenant le mors aux dents, tirèrent sur les traits. « Non! » cria le Grec en se cachant involontairement près de Clarisse qui l'enlaça. « Je suis la sorcière thessalienne! » hurla-t-elle dans la tempête qui se déchaînait maintenant aux quatre coins de l'horizon. La foudre gronda, l'eau et la terre mêlées rejaillirent du sol, une panique ébranla les airs. Le Grec frémit comme une pauvre bête électrisée. Clarisse cria sa jubilation, l'étreignit de ses « bras de foudre » et fondit sur lui. Alors, il s'élança hors de la voiture.

Quand Clarisse revint au sana, longtemps après lui (elle avait obligé le cocher à rouler lentement dans l'orage, puis lentement encore lorsque le soleil reparut et que le cuir du fiacre, les champs et les chevaux commençaient à fumer, tandis qu'elle chantait de mystérieux airs), elle trouva dans sa chambre un billet du Grec où il lui répétait que l'agent de police était dans sa chambre; il lui interdisait de venir et lui annonçait son départ pour le lendemain matin. Au dîner, Clarisse apprit que ce départ était réel. Elle voulut courir chez le Grec, mais elle s'aperçut que toutes les femmes l'observaient. Dans les couloirs, l'agitation était constante. Chaque fois que Clarisse sortait la tête dans l'encadrement de la porte pour bondir jusque dans la chambre du Grec, des femmes survenaient. Ces sottes créatures jetaient à Clarisse des regards moqueurs, loin de comprendre que l'agent les bafouait toutes. (Ou bien : un inconnu ouvre la porte, furieux. Le Grec déjà parti ?) Soudain, pour une raison quelconque, Clarisse n'osa plus se diriger vers la porte du Grec la tête haute, l'air dégagé. Le calme se rétablit enfin et elle se glissa dans le corridor, sans chaussures. Elle gratta doucement à la porte, mais personne ne répondit, bien que de la lumière passât par le trou de la serrure. Clarisse colla ses lèvres contre le bois et murmura. A l'intérieur, le silence persistait : on l'écoutait, mais on ne daignait pas répondre. Le Grec était couché avec « l'agent de police » et la dédaignait. Alors, elle qui n'avait jamais aimé, l'indicible souffrance de la jalousie humiliée l'envahit. « Je ne suis pas digne de lui, murmura-t-elle, il me croit malade » et, murmurant encore, ses lèvres glissèrent le long du bois jusque dans la poussière. Une exaltation déchirante l'enveloppa, elle frappa à la porte avec un gémissement léger dans l'espoir de ramper vers lui et de lui baiser la main, elle ne comprit pas que c'était inutile.

Quand elle s'éveilla dans son lit et sonna la femme de chambre, elle apprit que le Grec était parti. Elle hocha la tête comme s'il en avait été convenu ainsi entre eux. « Je pars aussi, dit Clarisse. — Je dois l'annoncer au médecin, » dit la jeune fille. A peine celle-ci avait-elle quitté la chambre que Clarisse bondit hors du lit et jeta frénétiquement dans une valise ce qu'elle possédait : elle abandonna ce qui n'y entrait pas et le reste de ses bagages. La jeune fille croyait que le monsieur avait pris le train de Munich. Clarisse s'enfuit.

« L'erreur n'est pas aveuglement, murmurait-elle, mais lâcheté ! » « Il a compris sa mission, mais il a manqué de courage. » Tandis qu'elle se glissait hors de sa chambre, passait devant celle du Grec, elle retrouva la douleur et la honte de la nuit précédente. « Il m'a cru malade ! » Des larmes coulèrent sur ses joues. Elle rendit même justice à la prison à laquelle elle échappait, prenant congé avec sympathie des murs et des bancs devant la porte. Les gens, là-dedans, lui avaient voulu du bien, tout le bien qu'ils pouvaient lui faire. (Tous avaient été contre elle : même les malades.) « Ils veulent encore guérir, sourit Clarisse. Mais guérir, c'est détruire ! »

Quand elle se trouva assise dans l'express, fortifiée par son déchaînement bondissant, ses résolutions se précisèrent. Comment peut-on se tromper ? En ne voyant pas. Comment peut-on ne pas voir ce qui est à voir ? En n'osant pas voir. (De la même façon Ulrich reconnaît pourquoi il n'y a pas de progrès radical.) Clarisse découvrit, tel un vaste champ sans limites, la loi générale de l'évolution humaine : l'erreur est lâcheté. Le jour où les hommes auront cessé d'être lâches, la terre fera un bond en avant. Comme ce train fonçait sans répit avec elle. Elle savait qu'elle devait rattraper le Grec.

122. *Clarisse à Venise.* (Ancienne ébauche.)

Clarisse prit une couchette. Quand elle entra dans le wagon-lit, elle dit aussitôt au contrôleur : « Il doit y avoir ici trois messieurs, voulez-vous chercher, il faut absolument que je leur parle ! » Il lui semblait que tous ses compagnons de voyage subissaient sa puissante influence et obéissaient à ses ordres. Même les garçons au wagon-restaurant. Néanmoins, le contrôleur fut obligé de reconnaître qu'il n'avait pas trouvé le Grec, Walter et Ulrich. Là-dessus, se contemplant dans le miroir, elle voyait, avec une très grande netteté, tantôt une diablesse blanche, tantôt une Madone sanglante.

Quand elle descendit du train le lendemain matin, à Munich, elle se rendit dans un excellent hôtel, prit une chambre, fuma toute la journée, but du cognac et du café noir, écrivit des lettres et des télégrammes. Une circonstance quelconque lui avait fait supposer que le Grec était parti pour Venise, et elle distribua ses instructions pour lui, pour les hôtels, les ambassades et les bureaux. Elle déploya une énorme activité. « Dépêchez-vous! » disait-elle aux boys en rouge qui galopèrent pour elle toute la journée. On aurait dit un incendie, quand les pompiers accourent à grand bruit, quand les sirènes hurlent, ou une mobilisation, quand les chevaux piaffent et que défilent dans les rues, comme en rêve, de longs cortèges de visages casqués et résolus, tandis que l'air est plein de fleurs qu'on jette et de lourde passion grisâtre.

Le soir, elle partit à son tour pour Venise.

Là, elle descendit dans une pension fréquentée surtout par des Allemands et où elle avait logé pendant son voyage de noces : on se rappela vaguement la jeune femme. La même vie qu'à Munich commença avec l'abus d'alcool et d'alcaloïdes, mais elle n'envoyait plus ni télégrammes, ni commissionnaires. Dès l'instant où elle était arrivée à Venise, peut-être parce qu'elle n'avait pas trouvé à la gare les délégués des autorités pour lui apporter des nouvelles, Clarisse eut la certitude que le Grec avait passé par les mailles du filet et s'était enfui dans son pays. Il s'agissait maintenant de freiner la tempête et de se préparer sans hâte excessive, avec de très strictes précautions, à l'ultime assaut. Il était constant que Clarisse cinglerait vers la Grèce, mais il fallait d'abord qu'elle domptât son désir effréné de cet homme, désir qui l'avait déjà entraînée presque trop loin. En dehors du café et du cognac, elle ne mangeait rien, se mettait toute nue et se verrouillait dans sa chambre où elle ne permettait même pas aux domestiques d'accéder. La faim et quelque chose d'autre qu'elle ne parvenait pas à saisir la jetèrent dans un état de confusion analogue à la fièvre qui dura plusieurs jours, pendant lesquels l'impatience de l'excitation sexuelle s'apaisa peu à peu en une vibration générale à laquelle se mêlèrent toutes sortes d'hallucinations. L'abus des excitants avait miné son corps, elle le sentit qui commençait à s'effondrer sous elle. Diarrhée continuelle. Un trou apparut dans une dent et l'irrita de jour comme de nuit; une affreuse petite verrue se forma sur sa main. (Ajouter ici les autres remarques sur l'effet du café, du thé, etc.) Mais cela même la poussa à tendre d'autant plus violemment son esprit, comme il arrive aux coureurs près du but, quand il n'y a plus que la volonté pour faire mouvoir les jambes. Elle s'était procuré des pinceaux et de la couleur; avec le dossier de la chaise, le bord du lit et une planche à repasser trouvée devant la porte de sa chambre, elle bâtit un échafaudage qu'elle poussa contre le mur; puis elle se mit à couvrir de grandes esquisses les parois de sa chambre. C'était l'histoire de sa vie qu'elle crucifiait sur le mur nu. Clarisse, tant il y avait de grandeur dans cette opération de purification intérieure, était persuadée que l'humanité, cent ans plus tard, viendrait en pèlerinage voir les extraordinaires chefs-d'œuvre dont cette grande âme avait couvert les murs de sa cellule.

Peut-être étaient-ce vraiment de grandes œuvres pour qui eût pu démêler les trésors de correspondances qui s'y étaient noués. (Observé en dehors du roman : la grandeur n'est-elle jamais dans le contenu ? Dans une sorte d'ordre ?) Clarisse créait dans un sentiment de tension extraordinaire. Elle se sentait planer très haut. Elle avait dépassé l'expression articulée de la vie, celle qui crée des mots et des formes qui ne sont que des compromis pour tout le monde, elle revivait la première et magique rencontre avec soi, le délire du premier étonnement devant le mot et l'image, ces dons des dieux. Ce qu'elle créait était grimaçant, désordonné et pauvre, effréné et pourtant raide, vu de l'extérieur. Mais vu de l'intérieur, c'était, pour la première fois, l'expression de son être tout entier : sans intention, sans réflexion, presque en dehors de la volonté; cela devenait une seconde chose, durable, plus grande, c'était la transsubstantiation d'un être humain en un fragment d'éternité : enfin s'accomplissait la nostalgie de Clarisse. Elle chantait en peignant. Elle chantait : « Je descends de dieux de lumière! » (Comparer : laisser des traces de soi...)

Quand on pénétra dans sa chambre, des yeux sans compréhension observèrent ces murs avec stupeur comme des regards de bêtes ennemies. Clarisse avait pris un billet de bateau; d'une couverture de lit et d'un drap roulé en forme de turban elle s'était arrangé un costume impérial qu'elle voulait emporter à bord. Puis l'idée lui était venue qu'un être qui suit les voies sacrées ne peut avoir d'argent sur lui sans sombrer dans une ridicule inconséquence, elle avait donc distribué ses bijoux et son argent à des gondoliers hilares. Quand, sur la place St-Marc, elle voulut tenir un discours devant le peuple assemblé pour son départ, un monsieur l'interpella et la ramena avec ménagement à l'hôtel. Cet homme ayant commis l'imprudence de la recommander à la protection de ses hôtes, tout le monde entra dans sa chambre, la *padrona* poussa de grands cris à cause des dommages causés, donna l'ordre de mettre la main sur les biens de Clarisse, éclata en jurons quand on vit qu'elle n'avait plus rien, et le personnel ricana. Une atroce cruauté observait fixement Clarisse de tous les côtés, cette antique haine de la matière morte dont les divers éléments se disputent leur place dès que la compréhension et la sympathie ne les lient plus. Clarisse prit son turban et son manteau sans mot dire pour quitter ce pays et monter à bord. Mais, sur les marches du canal, la petite femme de chambre brun-noir, toujours souriante, la rattrapa et la pria d'attendre, parce qu'un monsieur souhaitait avoir l'honneur de lui montrer encore une curiosité avant son départ. Clarisse s'arrêta sans mot dire : elle était lasse, elle n'avait plus la force de partir. Quand la gondole arriva avec le monsieur et deux inconnus, elle regarda gravement la jeune fille dans ses yeux aimables, et pensa un mot terrible : Iscariote. (Elle n'eut pas le temps de réfléchir à cet événement bouleversant.) Dans la gondole, elle observa avec sérénité et gravité le monsieur inconnu, avec l'impression très nette qu'il avait peur d'elle. Cela l'apaisa. Ils arrivèrent devant le Colleone : le monsieur lui parla pour la première fois. « Si nous entrions ? dit-il en montrant un bâtiment jouxtant l'église, il y a là quelque chose de particulièrement admirable. » Clarisse pressentit le piège que lui tendait le représentant de la Sécurité publique. Mais ce soupçon n'avait pas de valeur pour elle, pas de sens causal, pour ainsi dire. « Je suis malade et fatiguée, se dit-elle. Il veut m'attirer dans un hôpital. Ce n'est pas raisonnable de ma part de le suivre. Mais ma folie tient simplement à ce que je n'entre pas dans l'ordre général, à ce que ma causalité n'est pas la sienne : ce n'est que le dérangement d'une fonction accessoire qu'ils surestiment. Leur attitude est un pur manque d'esthétisme. (Selon leurs rapports de causalité, mes actes et mon comportement sont d'une malade : ils ne voient pas le reste.) »

Quand elle entra dans le bâtiment, elle distribua le reste de ses bijoux et son drap aux infirmières qui vinrent au-devant d'elle : elles l'empoignèrent et l'attachèrent à un lit. Clarisse se mit à pleurer, les infirmières soupirèrent : « *Poveretta !* »

123. *Après l'internement. Clarisse en Prométhée effondré.* (Ancienne ébauche et étude.)

Cette fois-là, ce fut Walter qui vint la chercher et la ramena. Il la confia à la clinique du Dr. Fried.[enthal ?]. Quand il en prit livraison, le médecin de service se contenta de la regarder et la fit transporter dans le quartier des Agités.

Le premier cri de fou lui imposa aussitôt l'idée de la transmigration des âmes : l'idée de la résurrection, du Nirvâna accessible n'en étaient pas loin.

« Maman! Maman! » ainsi criait une jeune fille couverte d'atroces blessures. Clarisse eut la nostalgie de sa mère à cause des nombreux péchés qu'elle lui avait laissés en la quittant. Ses parents étaient maintenant à table pour le petit déjeuner, il y avait des fleurs dans la chambre : Clarisse avait assumé tous leurs péchés, ils se sentaient bien : leur transmigration commençait.

La première visite de Clarisse fut pour le bain, car le transport l'avait agitée. C'était une pièce rectangulaire (avec un sol carrelé et un grand bassin, complètement rempli d'eau, des marches y conduisaient de la porte). Deux corps étiques fixèrent sur elle des regards nostalgiques, appelant la délivrance à grands cris. C'étaient ses meilleurs amis, Ulrich et Walter, dans leur corps de péché.

Dans la nuit, le pape coucha près d'elle. Sous la forme d'une femme. « L'Église est ténèbres, se dit Clarisse, elle éprouve la nostalgie de la femme ». Il y avait une faible lueur dans la salle, les malades dormaient, le pape tâta la couverture de Clarisse et chercha à se glisser dans son lit. Il désirait sa femme, Clarisse en fut heureuse. « Les ténèbres désirent la rédemption » murmura-t-elle, tout en cédant aux caresses du pape. Le péché du christianisme fut effacé. Puis le roi Louis de Bavière fut couché en face d'elle, et ainsi de suite. Ce fut une nuit de crucifixion. Clarisse voyait sa dissolution approcher; elle se sentait pure de toute faute, son âme flottait claire et lumineuse, tandis que les visions rampaient jusqu'à son lit et s'en éloignaient comme des poèmes, sans qu'elle pût saisir ou retenir leurs figures. Le lendemain matin, l'âme de Nietzsche incarnée dans le médecin-chef lui offrit un spectacle superbe. Il était beau, grave et bon, sa barbe broussailleuse grisonnait, ses yeux semblaient vous regarder du fond d'un autre monde, il fit un signe de tête à Clarisse. Elle comprit que c'était lui qui lui avait ordonné durant la nuit d'effacer le péché du christianisme. Une brûlante ambition s'épanouit en Clarisse comme dans l'âme d'une écolière.

Dans les quinze jours qui suivirent, elle vécut la deuxième partie de *Faust*. Trois personnages représentaient l'Antiquité, le Moyen âge et les Temps modernes. Clarisse les foula aux pieds. Cela se passait dans la salle d'eau. Cela dura trois jours. Des criaillements emplissaient l'espace clos. Dans les vapeurs, les brouillards tropicaux du bain, des femmes nues rampaient, comme des crocodiles ou des écrevisses géantes. Des visages visqueux criaient tout près de ses yeux. Des bras en ciseaux se tendaient vers elle. Des jambes s'enroulaient autour de son cou. Clarisse criait et voletait au-dessus des corps, enfonçant les ongles de ses orteils dans la chair humide et polie, elle tombait, étouffée sous les ventres et les genoux, mordait des seins, griffait jusqu'au sang des joues flasques, réussissait à remonter, plongeait puis ressortait de l'eau, enfin précipitait son visage dans le sein divinement humide d'une grande femme et hurlait un chant « sur la conque de la Tritonne » (le chant du guide [1]), jusqu'à ce que sa voix s'enrouât.

Il ne faut pas croire que la folie soit dépourvue de sens : elle offre simplement l'optique trouble, confuse, multiplicatrice de l'air au-dessus de ce bain, et Clarisse voyait bien, parfois, qu'elle vivait sous les lois d'un autre monde, sans doute, mais d'un monde qui n'était pas sans lois. Peut-être la pensée qui dominait expressément toutes ces âmes n'était-elle rien que le désir d'échapper au lieu de l'interdiction et de la contrainte, un rêve inarticulé du corps en révolte contre sa tête empoisonnée. Tandis que Clarisse, dans ce nœud d'êtres visqueux, piétinait les moins agiles, il y avait dans ses pensées, comme l'air blanc au-delà des fenêtres, un « Nirvâna sans péché », le rêve d'une gloire sans douleur et sans crispa-

1. *Führergesang*. *N.d.T.*

tion. Elle frappait de la tête, comme une bête bourdonnante, contre le mur qu'élevaient autour d'elle les corps malades, voletant au hasard, jetée d'une inspiration dans l'autre, tandis que flottait derrière sa tête comme une auréole d'or, qu'elle ne pouvait voir ni imaginer, mais qui était là quand même, la conviction qu'un difficile problème de morale lui était soumis, qu'elle était le Messie et le Surhomme en une seule personne, qu'elle trouverait le repos quand elle aurait délivré les autres, et qu'elle ne pouvait les sauver qu'en les terrassant. Pendant trois jours et trois nuits elle obéit à la volonté implacable de la communauté des fous, se laissa tirailler et griffer jusqu'au sang, se jeta sur les carreaux du sol comme sur une croix symbolique, proféra des paroles décousues, rauques, incompréhensibles et répondit à ces mêmes paroles par des actes, comme si elle ne se contentait pas de les comprendre, mais voulait encore mettre sa vie en jeu pour obtenir la communication. Les fous ne posaient pas de questions, ils n'avaient que faire d'un sens qui mît les mots en phrases et les phrases dans la cave du cerveau, ils se reconnaissaient entre eux et se distinguaient des infirmiers ou de tout étranger comme des animaux; leurs pensées formaient une ligne confuse, mais commune, comme quand une foule se révolte : personne ne comprend ni ne connaît son voisin, il n'y a que des commencements et des fins de pensées, mais les tensions et les chocs subis par le corps commun inconscient créent l'union de tous. Au bout de ces trois jours et de ces trois nuits, Clarisse sombra dans l'épuisement, sa voix n'allait pas au-delà du chuchotement, sa « surpuissance » avait vaincu, elle se calma.

On la mit au lit, et elle resta couchée quelques jours dans un complet épuisement, coupé de crises d'agitation informe et bourrelante. Un « disciple », une blonde au teint rose de vingt-et-un ans en qui elle avait vu dès le premier jour un libérateur, lui valut enfin sa première rédemption. Elle s'approcha de son lit, lui dit quelque chose, Clarisse comprit qu'elle reprenait la mission à son tour. Clarisse apprit plus tard que la blonde au teint rose était restée à sa place jour et nuit dans la salle d'eau à chasser le démon de son chant. Mais Clarisse, elle, demeura dans la grande salle, soigna les malades et « épia leurs péchés ». Les phrases qui constituaient ses relations avec ses pénitents étaient comme des poupées, de petites phrases en bois, minables, et Dieu seul sait ce qu'ils voulaient dire en y recourant. Mais si des enfants, jouant avec des poupées, devaient vouloir dire quelque chose de précis, jamais ne réussirait le coup de baguette qui fait d'un morceau de bois informe un être plus bouleversant que ne le seront jamais plus tard les plus passionnées maîtresses. Enfin, un beau jour, une femme ordinaire qui, naguère, avait frappé Clarisse dans le dos à coups de poings, l'interpella et dit : « Cette nuit, tu rassembleras tes disciples et tu fêteras la cène. Quels plats le seigneur exige-t-il ? Dis-le, afin qu'ils soient préparés à ton intention. Quant à nous, nous nous retirerons et nous ne paraîtrons plus à tes yeux ! » En même temps, une autre, qui souffrait de paralysie, baisa passionnément la main de Clarisse : ses yeux étaient transfigurés par l'imminence de la mort comme un astre dont le rayonnement surpasse dans la nuit tous les autres. Clarisse sentit : il n'est pas étonnant que j'aie cru devoir remplir une mission, mais en dépit de ce sentiment déjà plus lucide, elle doutait de ce qu'il lui fallait faire. Par chance, ce même jour, elle fut transférée dans le quartier tranquille.

— — —

Quartier tranquille :

Dans le quartier tranquille, son instinct de conservation se réveille intact.

Son univers mental :

Liquidation de la maladie.

Ses pensées deviennent plus claires et plus banales. Un ciel ennuyeux qui se découvre.

Il ne reste plus qu'une profonde tristesse.

Plus guère de différence avec les mixtures d'idées d'un intellectuel moyen.

Éventuellement : Ulrich montre le « Journal » à un type de ce genre. Celui-ci ne fait qu'une objection : c'est un homme d'une autre génération, pas de la nôtre.

Rendre les choses, probablement, en raccourci :

Son élan est brisé. Comme pour un homme qui a raté l'œuvre de sa vie. Mais elle se prend pour « l'une des figures les plus mystérieuses ». Rechutes (injures). Nostalgie de la maternité, de Walter. — — — Symbolisme accru. Premier degré, elle forme encore des figures, son sens des couleurs et des formes très aigu, elle se sent solidaire des malades. Mais ses pensées sont d'une symétrie ennuyeuse. Elle forme des chiffres à partir des excréments. Elle essaie de toutes les manières (comme le fait quelqu'un qui n'a ni génie, ni connaissances) d'échapper au rétrécissement. Elle critique les médecins.

Walter renonce. Crépuscule de la santé.

— — —

Walter lui fait dire — — — — qu'il veut se séparer d'elle. Dès ce moment elle lui est toute dévouée. Walter aime Lily, une des deux sœurs. « Elle est féminine », dit-il pour résumer le problème. — — Fille d'officier, ce qui lui impose. On ne peut songer au mariage — — — Mais il veut divorcer.

— — — lorsqu'elle commence à entrevoir vaguement sa situation, la première chose, c'est sa ferme résolution de quitter la clinique aussi vite que possible. A tel point qu'elle néglige de faire attention à ce qui distingue son état, ce qui lui aurait permis de l'éviter plus tard : du moins cette idée la fera-t-elle souffrir ensuite.

Sur le conseil des médecins, elle s'occupe beaucoup d'elle-même, elle écrit. Elle comprend bien pourquoi les médecins tiennent tant à la réconcilier avec Walter. C'est lui qui doit la ramener à la raison. Mais comme il veut divorcer, cela prend la forme des idées selon lesquelles elle doit se sacrifier pour sa mission.

— — —

Autrement, la vie en commun comme avant. On parle de sa maladie comme on parlerait d'un rhume. Ou bien, Walter prétend que la peinture moderne est inférieure à celle de la Renaissance, et on le prouve à l'aide d'exemples vus récemment. On se dispute à propos de Klages. Walter s'enthousiasme pour Stifter, mais cela non sans souvenirs de jeunesse à l'arrière-plan et l'opposition, peut-être inconsciente, de cette grandeur simple à l'art malade et dégénéré.

Clarisse lui fait terriblement pitié. Il ne sait encore comment se comporter à son endroit. C'est probablement la crise suivante qui lui apporte la solution. Même alors, bien que Lily le presse, le courage lui manque. Il avoue tout à Clarisse. La tête dans son sein. Elle pleure de joie. Mais elle a honte. Pour la première fois peut-être, elle sent son insuffisance. Pendant la journée Walter rencontre Lily, le soir il rentre chez lui et passe la soirée avec Clarisse. Ils font de la musique, tout est absolument comme d'habitude, le ton dont ils se parlent n'a pas changé le moins du monde.

Clarisse ne se rappelle plus que vaguement ses crises. Finaement — — — elle entre dans la solitude.

124. *Le retour de Gerda.* (Ébauche.)

Gerda était revenue. Dans l'instant, après la mort de Hans, elle n'avait plus aucun but au monde. Mais si Fischel s'était attendu à retrouver sa fille abattue, il se trompait. Entra chez lui une jeune dame qui portait la broche des infirmières de la Croix-Rouge et avait visiblement de vastes projets. « Je partirai comme infirmière, dit Gerda.

— Pas tout de suite, pas tout de suite, mon enfant! répondit le directeur général résigné. Il faut attendre, personne ne sait comment les choses vont tourner.

— Comment tourneraient-elles ? J'ai déjà vu les jeunes hommes sur les lieux de rassemblement. Ils chantent. Leurs femmes ou leurs fiancées les accompagnent. Personne ne sait comment ils reviendront. Mais quand on traverse la ville et regarde les gens dans les yeux, même ceux qui ne partent pas encore pour le front, c'est comme un grand mariage. »

Fischel, par dessus ses lunettes, jeta à sa fille un regard soucieux. « Je te souhaite un autre mariage, Dieu nous vienne en aide! Une firme hollandaise me propose un bateau de margarine, dans le port de Rotterdam, comprends-tu ce que ça signifie ? Cinq couronnes de différence par tonne depuis hier! Si je ne télégraphie pas, demain, il y en aura peut-être sept. Les prix montent. Ces jeunes gens, s'ils rentrent du front avec leurs deux yeux, en auront bien besoin pour retrouver leur argent!

— Oh! dit Gerda, on parle de renchérissement, mais au début c'était toujours comme ça. Maman aussi est tout à fait folle.

— Allons donc! dit Fischel. Tu as déjà parlé à maman, que fait-elle ?

— En ce moment, elle est à la cuisine », Gerda indiqua d'un mouvement de tête la cloison derrière laquelle était le chemin de la cuisine. « Elle fait des réserves de conserves de légumes, comme une folle. Avant, comme tout le monde, elle a acheté de l'argent blanc. Et elle a annoncé à la fille de cuisine qu'elle allait réduire sérieusement le personnel, puisque de toutes façons le valet de chambre allait être mobilisé. »

Fischel hocha la tête avec satisfaction. « Elle est pour la guerre. Elle espère que la brutalité va disparaître et que les hommes seront purifiés. Mais comme c'est aussi une femme intelligente, elle prend ses précautions. » Fischel dit cela mi-tendrement, mi-railleusement.

« Allons! papa, s'écria Gerda. Si je voulais ce que tu veux, j'aurais épousé monsieur Glanz, de nouveau tu ne me comprends pas. Ce n'est pas parce que ma première expérience a été mauvaise que je me laisserai exclure! Tu obtiendras que je puisse rejoindre un hôpital militaire. Quand les blessés arriveront du front, il faudra qu'ils trouvent des êtres réels, modernes, pas des bigotes! Tu n'imagines pas combien d'amour, combien de sentiments encore inconnus de nous sont visibles partout dans les rues! Nous avons vécu comme les bêtes que la mort supprime un beau jour : maintenant, tout change! C'est extraordinaire, je te dis! Tous sont frères, même la mort n'est plus un ennemi : on aime sa mort pour l'amour des autres; pour la première fois, on comprend la vie! »

Fischel avait observé sa fille avec attention, fierté et souci. Gerda avait encore maigri. Des lignes coupantes, évoquant la vieille fille, divisaient son visage en trois parties : les yeux, le nez et la bouche, le menton et le cou, trois parties attelées comme trois chevaux à une trop lourde charge quand Gerda voulait dire quelque chose : c'était tantôt l'une, tantôt l'autre qui tirait, jamais les trois ensemble, ce qui donnait au visage quelque chose de surmené et de poignant. « La voilà avec une nouvelle folie, pensa Fischel, une fois de plus elle ne retrouvera pas l'équilibre! » Il estima mentalement à une douzaine le nombre des prétendants de choix qui pouvaient entrer en ligne de compte depuis l'heureuse mort de Hans Sepp; mais, avec la maudite insécurité qui commençait, il était impossible de prévoir ce qui adviendrait d'eux le lendemain. La chevelure blonde de Gerda semblait ébouriffée, elle se négligeait; mais, de la sorte, ses cheveux ressemblaient plus à ceux de Fischel, ils avaient perdu le fier et soyeux brillant d'un blond sombre qui caractérisait les cheveux de la famille de sa mère. Dans le cœur de Fischel, le souvenir d'un vilain petit griffon ébouriffé et de lui-même, qui avait lutté pour s'élever et se trouvait de nouveau devant des obstacles dont personne ne pouvait évaluer l'importance, mais qu'il franchirait une fois de plus, se mêlant à la courageuse niaiserie de sa fille, recréa une intimité brûlante. Léon Fischel se redressa sur son siège et posa la main, pensivement, sur le plateau de son bureau. « Mon enfant ! dit-il. Quand je t'entends parler ainsi, tandis que les gens crient hourra et que les prix montent, j'éprouve un sentiment étrange. Tu dis que je ne peux rien deviner : je devine, sois-en sûre, mais je ne puis dire quoi. Ne crois pas que je ne me sente pas ému moi aussi. Assieds-toi, mon enfant ! »

Gerda ne voulait pas, elle était trop impatiente. Mais Fischel répéta son souhait avec force, si bien qu'elle obéit et s'assit à regret à l'extrême bord d'un siège. « C'est le premier jour que tu es rentrée, écoute-moi ! dit Fischel. Tu dis que je ne comprends rien à l'amour, aux tueries et autres choses semblables : ça se peut. Mais si vraiment, avec l'aide de Dieu, rien ne te rebute à l'hôpital, tu peux aussi essayer de me comprendre un peu avant que nous nous séparions. J'avais sept ans quand nous avons fait la guerre contre les Prussiens. Alors déjà, les cloches sonnèrent tous les jours pendant deux semaines, et nous priions Dieu, dans les églises, pour l'anéantissement des mêmes Prussiens avec lesquels nous sommes alliés aujourd'hui. Qu'en dis-tu ? Qu'en peut-on dire, d'ailleurs ? »

Gerda ne voulait pas répondre. Elle avait ce préjugé que les temps actuels n'étaient pas faits pour les vieillards prudents, mais pour les jeunes gens enthousiastes. Ce n'est qu'à contrecœur, parce que son père l'interrogeait si intensément du regard, qu'elle murmura une réponse quelconque. « C'est avec le temps qu'on apprend à se connaître ! » C'est à quoi se réduisit sa réponse sur les Prussiens.

Léon Fischel la releva vivement : « Non ! On ne se comprend pas mieux avec le temps : c'est juste le contraire, je te le dis ! Quand tu fais la connaissance d'un être qui te plaît, il peut te sembler que tu le comprends ; mais quand tu as eu affaire à lui pendant vingt-cinq ans, tu n'y comprends plus rien ! Tu penses, mettons, qu'il devrait t'être reconnaissant : c'est à ce moment précis qu'il t'insulte. Penses-tu qu'il va dire oui, il dit non ; penses-tu non, il pense oui. Ainsi peut-il être chaud ou froid, dur ou tendre comme il lui convient : mais penses-tu qu'il lui conviendrait jamais d'être comme tu le voudrais ? Pas plus qu'il ne convient à ce siège d'être un cheval sous prétexte que tu brûles de t'en aller! »

Gerda sourit faiblement à son père. Depuis qu'elle était revenue et qu'elle voyait la situation nouvelle, il lui faisait beaucoup d'impression, elle ne pouvait s'en empêcher. Il l'aimait, c'était indubitable, et cela lui faisait du bien.

« Mais que faisons-nous des choses auxquelles il ne plaît pas d'être comprises de nous ? » demanda-t-il. Puis il s'écria, prophétiquement : « Nous les mesurons, nous les soupesons, nous les analysons en pensée, nous dépensons toute notre subtilité à leur découvrir un élément permanent par quoi nous puissions les saisir, sur quoi nous puissions nous reposer et avec quoi nous puissions compter! Ce sont les lois naturelles, mon enfant, et là où nous les avons découvertes, nous pouvons classer les choses en séries, acheter et vendre comme il nous plaît. Maintenant, je te demande ce que peuvent faire les hommes quand ils ne se comprennent pas ? Il n'existe qu'un seul moyen! Quand tu excites ou quand tu brimes par la terreur les convoitises d'un homme, tu peux le mener où tu veux. Quiconque veut bâtir sur le roc doit recourir à la violence et à la convoitise. Alors, d'un coup, l'homme devient calculable, solide, sans équivoque, et les expériences que tu fais avec lui se répètent uniformément partout. Tu ne peux pas compter avec la bonté. Tu peux compter avec les qualités négatives. Dieu est merveilleux, mon enfant, il nous a donné nos qualités négatives pour nous permettre d'atteindre à l'ordre. »

(*Complément :* Glisser ici : Idéaliste malgré tout!)

« En ce cas, l'ordre du monde ne serait que de la bassesse disciplinée! s'exclama Gerda.

— Bravo! Peut-être en est-il ainsi ? Mais qui peut le savoir ? En tous cas, quand je mets ma baïonnette sur la poitrine d'un homme, ce n'est pas pour lui faire faire ce que *lui* trouve juste. Est-ce que tu lis les journaux ? Je reçois encore des journaux étrangers, bien que cela commence à être difficile. Là-bas comme ici, ils disent exactement les mêmes choses. Serrer la vis avec sang-froid. Recourir à la méthode forte et ne pas avoir peur de casser des carreaux. C'est ainsi qu'ils parlent, chez nous et au dehors. Si je ne me trompe, ils ont déjà institué la loi martiale, et si nous pénétrons dans la zone des opérations, nous serons sous la menace de la potence. Voilà la méthode forte. Je comprends qu'elle t'impressionne. Elle est hygiénique, exacte, hostile aux bavardages. Elle donne à la nation le pouvoir de faire de grandes choses en traitant comme un chien chacun de ses ressortissants! » Léon Fischel sourit.

D'un air résolu, mais affectueux, Gerda secoua lentement sa tête chiffonnée.

« Il faut que tu comprennes bien cela, dit Fischel insistant. L'alliance des industriels, quand elle soutenait financièrement un parti bourgeois hostile aux ouvriers, ou mon ancienne banque, quand elle faisait quelque opération financière à son avantage, n'ont jamais agi autrement. Finalement, il ne peut y avoir affaires que si je force un autre à risquer un pas dans ma direction sous l'indirecte menace d'une perte quelconque, ou si je lui donne l'impression qu'il va réussir une bonne affaire : la plupart du temps, alors, je le roule, et ce n'est qu'une autre forme de la violence que j'exerce sur lui. Mais que cette violence est fine et souple! Elle crée et elle s'adapte. L'argent donne à l'homme sa mesure. Il est de l'égoïsme organisé. C'est la plus extraordinaire organisation de l'égoïsme qui soit, une organisation positive, fondée sur une excellente idée de spéculation à la baisse! »

Gerda avait écouté son père, mais ses propres pensées bourdonnaient dans sa tête. Elle répondit : « Papa! je n'ai pas tout compris, pourtant tu as sûrement raison. Mais tu vois les choses, naturellement, en rationaliste, et pour moi c'est justement l'irrationnel (ce qui transcende tout calcul) qui me fascine dans ce qui se passe maintenant!

— Que veut dire irrationnel ? protesta le directeur général. Sans doute veux-tu dire illogique, imprévisible, désordonné, comme il arrive à nos rêves de l'être ? Tout ce que je puis te répondre, c'est que le commerce est comme la guerre : tu dois, et tu peux calculer. Mais en fin de compte, ce qui décide là aussi, c'est la volonté, le courage, la personnalité ou, comme tu dis, l'irrationnel. Non, mon enfant! conclut-il, l'argent est de l'égoïsme mis en relation avec l'activité. Vous tentez aujourd'hui une autre régulation de l'égoïsme. Elle n'est pas nouvelle, je la reconnais, elle n'est pas sans analogie avec l'autre. Mais attendons de voir ses effets! Le capitalisme est une organisation des forces humaines fondée sur la plus ou moins grande capacité de faire de l'argent, et il tient depuis des siècles. Tu verras apparaître à sa place, là où il sera évincé, le favoritisme, les protections et l'étourderie. Pour ma part, je veux bien que tu supprimes l'argent, tu ne supprimeras pas la suprématie de celui qui a les avantages en main. Tu mettras simplement un homme incapable de s'en servir à la place de celui qui le pouvait! Tu te trompes, si tu crois que l'argent est la cause de notre égoïsme : il n'en est que la conséquence.

— Je n'ai jamais cru cela, papa, dit modestement Gerda. Je dis seulement que ce qui se passe...

— Plus que cela, dit Fischel en l'interrompant, une conséquence tout à fait raisonnable!

— ... ce qui se passe maintenant, poursuivit Gerda, nous élève au-dessus de la raison. Comme un poème, comme l'amour élèvent au-dessus du commerce du monde.

— Tu es une âme profonde! » Fischel la serra dans ses bras et la laissa partir. L'ardeur juvénile de Gerda lui plaisait. « Elle est mon bonheur! » dit-il à part soi en la suivant tendrement des yeux. Une discussion avec quelqu'un qu'on aime et qu'on comprend vous fortifie. Il y avait longtemps qu'il n'avait pas philosophé ainsi : étrange époque! La conversation avec cette enfant avait permis à Fischel de voir plus clair en lui-même. Il voulait acheter. Non pas un bateau, mais au moins cinq bateaux. Il fit venir son secrétaire. « Nous ne pouvons pas faire ça nous-mêmes, lui dit-il, ça n'aurait pas bonne façon. Nous en chargerons des intermédiaires. » Mais, pour Léon Fischel, ce n'était pas l'essentiel. L'essentiel était qu'il ressentait à la fois une sorte de lien avec les événements, et un isolement accru. Malgré les hauts et les bas autour de soi, il avait mis de l'ordre en soi-même.

— — —

Gerda et la guerre : veut être infirmière. Peut-être va-t-elle aussi avec Ulrich voir le général [von Stumm] pour qu'il l'y aide. Sentiment de la jeune génération : la guerre est là pour nous, pour que nous puissions déployer de l'activité et acquérir de l'importance; une nouvelle époque commence. Parfois, les jeunes gens sont oppressés (Ulrich dit : à trente ans on est plus courageux qu'à vingt parce qu'on sait qu'il n'y a pas d'autre issue, ou quelque chose d'analogue), mais ils ont tort, ils sont lâches.

125. *Une parenthèse sur la Cacanie. Le foyer de la guerre mondiale est aussi le lieu de naissance du poète Feuermaul.* (Fragment.)

On peut admettre que la formule « le foyer de la guerre mondiale », depuis que la chose existe, a été utilisée fréquemment, sans qu'on sût jamais exactement où cette chose se situait. Des gens âgés qui ont encore des souvenirs personnels de cette époque pensent sans doute à Sarajewo, mais ils sentent bien que cette petite ville bosniaque n'a pu être que la bouche du poêle, par où le vent s'est engouffré. Les gens renseignés tourneront leur pensée vers les points névralgiques de la politique et les capitales européennes. De plus renseignés encore évoqueraient en outre les noms d'Essen, du Creusot, de Pilsen et des autres centres de l'industrie des armements. Les gens parfaitement renseignés ajouteraient sans doute un mot encore sur la géographie du pétrole, de la potasse et des autres richesses naturelles dont les livres ont beaucoup parlé. Il s'ensuivrait seulement que le foyer de la guerre mondiale ne fut pas un foyer banal, puisqu'il se situait à plusieurs endroits en même temps.

Peut-être répondra-t-on qu'il faut prendre ce mot au figuré. Mais cela est vrai de telle manière que notre embarras serait plus grand encore. Supposé en effet que foyer signifie à peu près, au figuré, ce que signifient au propre origine et cause, on n'ignore pas que l'origine de toutes les choses et de tous les événements est Dieu, ce qui, d'un autre côté, ne nous avance à rien. Chercher les causes et les origines, c'est comme chercher ses parents : on n'en a d'abord que deux, c'est incontestable; mais au niveau des grands-parents c'est déjà deux au carré, au niveau des arrière-grands-parents deux au cube, et ainsi de suite selon une progression indubitable dont le résultat singulier est qu'à l'origine des temps il aurait fallu une infinité d'hommes simplement pour en produire un seul d'aujourd'hui. Si flatteur que cela soit, si parfaitement que cela corresponde à l'importance dont chacun se sent revêtu, nos calculs sont aujourd'hui trop précis pour nous permettre de le croire. Il faut donc renoncer, le cœur lourd, à sa série d'ancêtres personnels et admettre qu'on descend communément, par groupes, « de quelque part ». Ce fait a plusieurs conséquences. L'une est que les hommes se sentent pour une part « frères » et pour une autre « étrangers » sans que la frontière en puisse être bien définie : ce qu'on appelle nation ou race n'est en effet qu'un résultat, et non une cause. Une autre conséquence, non moins importante, encore que moins visible, est que Monsieur Untel ne sait plus où il a sa cause : aussi a-t-il l'impression d'être un fil que l'aiguille infatigable de la vie ne cesse de faufiler et de défaufiler, parce qu'on a oublié de lui faire un nœud. Une troisième conséquence, qui ne fait qu'apparaître encore, est qu'on n'a pas encore calculé si, et dans quelle mesure monsieur Untel existe à deux ou plusieurs exemplaires : héréditairement, c'est dans le domaine du possible, mais on ne sait quelle probabilité existe pour quelqu'un de se rencontrer soi-même... Quoi qu'il en soit, le fait que ce n'est pas absolument exclu avec la nature actuelle de l'homme, est pour ainsi dire dans l'air, comme un poids indistinct...

— — —

Autrement dit : la chaîne des causes est une chaîne de tisserand, il lui faut une trame, et les causes ont vite fait de se fondre dans le tissu. En science, il y a longtemps qu'on a renoncé à la recherche des causes, ou du moins qu'on l'a repoussée à l'arrière-plan pour la remplacer par l'observation des fonctions. La recherche d'une cause est un usage ménager, comme les amours de la cuisinière sont cause que la soupe est trop salée. Appliquée à la guerre mondiale, cette recherche de la cause et du responsable a eu le résultat négatif hautement positif que la cause était partout et en chacun. Il apparaît ainsi qu'on peut dire aussi bien foyer que cause ou responsable de la guerre : mais il faut compléter ce mode d'observation par un autre. A cet effet, on peut essayer de commencer en se demandant pourquoi le poète Friedel Feuermaul était apparu brusquement dans l'Action parallèle, et même pourquoi il en avait non moins brusquement disparu pour longtemps (non sans laisser toutefois une modeste, mais décisive contribution à son histoire). Il faut répondre que cela était probablement nécessaire, qu'on n'aurait pu l'éviter en aucune manière (tout ce qui arrive ayant une raison suffisante), mais que les raisons de cette nécessité étaient parfaitement insignifiantes ou, plus exactement, n'eurent d'importance, et encore fort peu de temps, que pour Feuermaul lui-même, son amie Madame Drangsal et la rivale de celle-ci, Diotime. Raconter cela serait pure perte de temps. Si Feuermaul n'avait eu l'ambition de jouer un rôle au sein de l'Action, un autre serait venu à sa place, et si cet autre avait fait défaut, autre chose : dans l'entrelacs des événements, il existe un étroit espace intermédiaire où telle ou telle chose, avec les différences qui les séparent, peuvent avoir de l'influence sur la réussite; mais, à la longue, les choses se remplacent parfaitement les unes les autres, elles peuvent même remplacer les personnes à un très petit nombre près. Arnheim lui-même aurait pu être remplacé : non point peut-être pour Diotime, mais en tant que cause de ses changements et des effets que ceux-ci purent avoir. Cette conception, aujourd'hui devenue à peu près naturelle, peut sembler fataliste, elle ne l'est que dans la mesure où on la considère elle-même comme fatale. Les lois naturelles, avant qu'on les étudiât, semblaient elles aussi fatales; une fois qu'on les a eu étudiées, on est parvenu à les soumettre à une technique. (Ici : Feuermaul, comme tous les personnages du récit hors Ulrich et peut-être Léon Fischel, nie la valeur des procédés techniques et analogues.)

Tant que cela ne s'est pas produit, on peut donc dire que B…, lieu de naissance du poète Feuermaul, fut aussi le foyer de la guerre mondiale. La chose est loin d'être purement arbitraire : cela signifie simplement que certains phénomènes visibles dans le monde entier et relevant de ce foyer qui, étendu à tout le globe, était partout et nulle part, se concentraient à B… d'une manière telle qu'elle en manifestât le sens avant le temps. On pourrait remplacer B… par la Cacanie tout entière, mais en Cacanie, B… était un des centres privilégiés. Ces phénomènes se ramenaient au fait que les habitants de B… étaient absolument incapables de s'entendre, et que le poète Feuermaul, originaire de la dite ville, avait choisi pour fondement de son œuvre l'idée que l'homme était bon et qu'il suffisait de s'adresser à sa bonté innée. Ces deux choses reviennent au même.

— — —

Ce serait un mensonge de prétendre que même la plus petite

parcelle de ce qu'on vient de décrire fût présente alors en Feuermaul sous une forme actuelle, ou même l'eût jamais été sous une forme aussi circonstanciée. La vie est toujours plus circonstanciée que ses produits : voyez la vie des plantes, des montagnes de feuilles pour produire... un tout petit tas. Le produit, ce sont quelques particularités de l'attitude personnelle.

126. *Le menuisier. Pour remplacer éventuellement le chapitre biffé sur la jalousie.* (Ébauche.)

Période de mobilisation. Néanmoins, Agathe a fait venir un menuisier. Il peut avoir un peu moins de trente ans, il est grand et bâti comme un ferronnier, c'est-à-dire mince, sec, large d'épaules. De longues mains bien formées, pleines de force, des poignets robustes, nerveux. Le visage est ouvert et bon, la chevelure très naturelle, d'un blond sombre. L'overall lui va bien. Il parle patois, mais sans grossièreté.

Agathe avec lui dans une chambre voisine. Ulrich est sorti (absorbé dans ses pensées). Il ne se soucie plus de rien. Puis il est revenu sur ses pas, il a regagné la maison par une terrasse du jardin et a retrouvé sa chambre sans qu'Agathe s'en aperçoive.

Il écoute. L'expression des deux voix le frappe. Celle de l'homme explique quelque chose : avec facilité, tranquillité et une certaine supériorité. Ulrich ne devine pas quoi, mais par ce qu'il sait déjà et le bruit du bois, il devine qu'il s'agit du bureau à cylindre d'Agathe. On l'ouvre, on le referme. Le jeune maître exige l'approbation d'Agathe pour une réparation un peu plus importante qu'elle ne le souhaitait, elle y oppose d'hésitantes objections. Ulrich sait et comprend tout cela. Il doit être question d'un secret de l'ancien système de cylindre.

Soudain, cela se détache du réel. La conversation suivrait exactement le même cours s'il s'agissait d'un entretien d'amoureux. Le souci de convaincre, la légère supériorité, la nuance « c'est nécessaire » ou « ce ne sera pas grand'chose » dans la voix de l'homme. Comme s'il s'agissait d'une improvisation érotique. Puis la voix très aimée! Récalcitrante, intimidée, incertaine. Elle aimerait, elle ne veut pas. Elle cède, et s'accroche encore ici ou là. Elle dit à mi-voix : « Oui... mais... ». Elle sait depuis longtemps qu'elle cédera. Comme Ulrich l'aime, cette voix réservée, courageuse, cette femme qui craint toutes choses à l'égal de l'obscurité et qui fait pourtant toutes choses! Il ne pourrait prendre sur soi de faire irruption dans la chambre avec une arme, de se venger, ne fût-ce que de demander des comptes.

Puis il y a même sur les lèvres d'Agathe un soupir qui signifie qu'elle a cédé, et on perçoit le craquement du bois qui lui aussi suggère autre chose.

En dépit de la joie qu'il prend à Agathe comme en rêve, Ulrich part pour la guerre. Mais il est fort loin d'être convaincu.

127. *Étude pour la Séance finale et ce qui s'y rattache concernant Agathe-Ulrich.*

[*Avec* Le menuisier *s'achève la série des ébauches de chapitres. Cette brève esquisse, comme l'ébauche pour le* Retour de Gerda *annoncent immédiatement la fin prévue du roman : l'aboutissement dans la guerre. Nous n'avons, pour la succession des chapitres de la dernière partie, qu'un seul feuillet de notes. Selon ce feuillet, une Séance finale de l'Action parallèle était projetée en guise de chapitre final, juste après* Clarisse en Prométhée effondré. *S'y rattachait une dernière rencontre Ulrich-Agathe. L'étude sur ce thème est complétée par un groupe de remarques intitulé « Partie finale ». De brèves remarques marginales esquissent l'évolution des personnages.*]

De la rencontre avec Ulrich à la fin du voyage, Agathe se trouve dans une sorte d'état de fécondité : ce qu'elle dit, ce qu'elle crée, forme quelque chose. Elle n'a pas, ou elle l'a bientôt perdu, le sentiment que c'est la suite de son autre vie; plutôt l'impression d'une floraison unique. (Si on décrit cet état, « l'autre état » devient plus actuel, et on économise l'aspect théorique!) Quand c'est passé, elle s'avilit.

Galicie : elle doit avoir des liaisons, être fatiguée, pour ne pas recommencer à aimer son frère qui est en train de changer.

Après le voyage : l'avocat est celui qui la défend contre Hagauer. Elle s'est réconciliée avec Hagauer, mais elle veut toujours le divorce. Elle exerce sa stupide puissance sur les hommes. C'est le chemin de la Galicie.

Ulrich est entièrement d'accord, mais ne le supporte pas.

Au téléphone. Léon Fischel appelle — désintéressé — — Achetez des francs suisses, des dollars, des florins. Les marchandises, c'est trop compliqué.

Étonnement quand Walter appelle. Il a appris le retour du général.

Après l'appel de Fischel, Ulrich appelle le général pour savoir ce qu'il y a de vrai dans ces histoires de mobilisation. Éventuellement : Ulrich appelle sur la demande de Gerda. Imagine le général pris dans un tourbillon d'activité. Mais le général (rapport culturel et rapport Leinsdorf) a tous les loisirs imaginables. Ce qu'il commence par *ne pas* dire. Lui envoie un passeport.

La guerre viendra-t-elle, ou non ? [Ulrich] interroge le général. Discussion avec ce dernier. Le reste de ce qu'il faut savoir sur les personnages secondaires. Ulrich demande au général s'il a des nouvelles de Clarisse. Le visage de Stumm s'arrondit, geste des bras.

Lettre d'Hagauer. Ouverte en hésitant. Maintenant, on sait. Hagauer est là depuis des semaines. Conversation téléphonique. Apprend : Hagauer et le comte Leinsdorf.

Restent : Lindner, Peter, Agathe. — — — Chapitre de théories sur le monde, ironique, grâce à une discussion avec Schmeisser.

Revoit Agathe. L'infection est surmontée. Ce ne doit pas être un chapitre indépendant. Peut-être une simple rencontre avec Agathe qui accompagne Ulrich à la séance. Peter est revenu.

Ascension de Lindner (comte Leinsdorf) racontée par le général.

Triomphe Lindner-Hagauer sur Ulrich.

Début [de la séance finale] : Personne ne veut avoir chez soi la séance finale de l'Action parallèle. Enfin le comte Leinsdorf : elle doit être solennelle, pas une simple queue de poisson, il la prend chez lui (ou Arnheim à son hôtel ? Sur la demande de l'Ambassade d'Allemagne ?) La salle, de nouveau, et ainsi de suite, comme pour la dernière conférence [simples allusions à un plan de chapitre, pas d'esquisse]. Mais cette fois pas de secrétaires. Il prononce le discours de clôture. Auparavant, on se rassemble (cérémonieusement) dans une autre pièce. Cela permet (ou alors de brèves conversations de gens sortant rapidement) de faire défiler les autres personnages.

Sur ce point — — — : Scène de réconciliation Tuzzi-Diotime. Tuzzi : maintenant la raison triomphe. Veut-il attaquer le pacifisme ? Il veut dire : maintenant la situation se clarifie; peut-être : celle qui s'était cachée inconsciemment jusqu'alors derrière le masque du pacifisme. Et plus profondément : La raison relève du domaine du mal. La morale et la raison sont le contraire du bien. (Cela, ce pourrait être Ulrich qui le dit, une fois arrivé.)

Puis dominante : Nous sommes dans notre droit, d'après les règles de la raison et de la morale, nous sommes les attaqués : peut-être le discours du comte Leinsdorf. Tous : nous défendons notre bien (patrie, culture). Arnheim : le monde succombera peut-être ou connaîtra un long enfer. — Mais peut-être n'est-il plus là.

Qui [dit] ? : ce sont ses citoyens moraux, non les immoraux, qui entraîneront l'anéantissement du monde.

Ensuite, Agathe a attendu Ulrich :

Agathe : Nous continuons à vivre comme si de rien n'était.

Ulrich : Non. Suicide. Je pars pour la guerre.

Agathe : S'il t'arrive quelque chose : poison.

On voit soudain la mort porter son ombre. La mort personnelle, alors qu'on n'a rien pu faire, et en dépit de laquelle la vie continue à claudiquer et à déployer ses plaisirs. Dans l'atmosphère de la mobilisation, d'ailleurs, tout le monde croit renoncer pour longtemps aux plaisirs. Le résultat final, pour

Ulrich, n'est-il pas une sorte d'ascèse ? « L'autre état » a échoué, et le plaisir relève du mouvement des sentiments ? Ce serait donc, une fois de plus, le contraire de la vie saine. Un dernier écho des utopies.

Agathe : on n'est rien, la vie vous dépose à moitié terminé, puis on est aspiré de nouveau.

Les maisons — masse pareille à un souffle, un dépôt qui se forme sur les surfaces qui se présentent. La moindre impulsion, en dehors des attaches, déforme instantanément l'homme. L'homme, qui ne devient qu'à travers l'expression, se forme dans les formes de la société. Il est formé par les contre-coups de ce qu'il a créé. Si on les supprime, il reste l'indéterminé, l'informe. Les murs des rues émettent des idéologies.

Ulrich : la guerre, c'est la même chose que « l'autre état » : mais mêlée au mal (donc viable).

Arnheim 21-1-1936 : Ce qu'il y a dans le principe de la division du travail, de l'action indirecte : l'obligation absolue de saisir tous les moyens d'accroissement : caractérise l'industrie des armements et celle des plaisirs. Cela reparaît maintenant — — comme élément d'un tableau de la culture (exagération, incohérence) — — et constitue une part de la mélancolie d'Arnheim, qui s'exprime une dernière fois dans l'explication finale. En même temps : la firme Arnheim obtient une concession meilleure encore. Le comte Leinsdorf l'approuve entièrement, fait une profession de foi pro-germanique. Tuzzi sert d'intermédiaire : on est donc coude à coude, contre son gré. (En un certain sens : il faut utiliser tous les moyens d'accroissement.)

Pour souligner ce fait, il faut souvent évoquer de nouveau l'aversion première à l'égard de la Prusse. Peut-être le comte Leinsdorf dans son discours d'introduction à la dernière séance — (Lance un appel, commencement de l'effondrement), ou Diotime.

La machine politique fonctionne. Arnheim n'a pas prévu la guerre, mais son père oui. Celui-ci lui transmet un ordre. La machine qui fait la guerre oblige Arnheim à l'exécuter.

1) Il prévoit l'effondrement de l'illusion du roi-marchand, de l'humanisme capitaliste. Il dit : On fuit la paix.

2) L'offre d'Arnheim à Ulrich. Au cas où elle n'a pas été

rappelée plus tôt, dans la discussion chez Leinsdorf il ne peu y avoir qu'une brève rencontre entre Ulrich et Arnheim.

3) Arnheim rappelle à Diotime : je vous l'avais prédit : de grossiers intérêts matériels s'empareront de l'Action.

Diotime répond : Oh non! L'Action parallèle n'avait eu pour but que de délivrer l'âme du poids de la civilisation!

Arnheim à Ulrich : ... Que ferez-vous?

Ulrich : Je pars pour la guerre... (cf. plus haut.)

Arnheim : Vous devriez aller en Suisse, venir me voir. Je n'oserais pas dire cela à un Allemand!

Ulrich : ?

— — Note — — que les solutions partielles d'Ulrich (et ses autres formules) ne satisfont pas, que ce sont des pensées d'une époque paisible, etc. Ce serait sans doute (surtout lié à Dieu) une grande foi. Agathe, parce qu'elle refuse les événements, peut encore s'accrocher à quelque chose de semblable. Ulrich sent que l'homme tout entier a été précipité dans l'incertitude. Qu'il exige un oui ou un non. Comme ce dernier point apparaît le mieux ici, c'est sans doute ici qu'il faut placer l'ensemble du résumé.

Ulrich : J'ai eu tort, et ainsi de suite.

Agathe : Mais c'est justement toi qui as cherché la réponse indiscutable, entière! (En fait il a réclamé le maintien d'une vision inductive du monde.) Pour les maisons et le reste, il vient d'ailleurs de ramener l'incertitude à une formule.

Quelle est donc la réponse qui le pousse à partir pour la guerre? — — Dernier écho des utopies. Mais ce n'est pas encore tout.

Il faudrait ajouter : Le refus du monde n'a pas de but. Cela ressort déjà du fait qu'il a toujours pris pour but Dieu, quelque chose d'irréel et d'inaccessible.

Je me trouve absolument désarmé. Situation inextricable du théoricien. Au fond, on devrait se faire faux-monnayeur (espion) : quand on n'en a pas l'énergie (ou les dispositions), on part pour la guerre.

Penser aux procureurs et aux avocats, aux tempêtes parlementaires, etc. : grondements de chiens séparés par des grilles. Maintenant, on enlève les grilles.

Ils ont beau être émus, comme ils le sont avec des réserves et dans un esprit de spéculation, ils sont comme des lépreux.

Réponse : la grande race des esprits ordinaires et la petite race du génie.

Ulrich : J'ai toujours dit qu'il fallait une méthodologie [de ce qu'on ne sait pas], personne n'a cru que je le pensais sérieusement.

26-1-36 : La scène debout à la fenêtre, avec l'agitation populaire au-dessous, se répète. Arnheim, la première fois, lui avait demandé jusqu'à quel point il était sérieux en affirmant qu'il fallait vivre en limitant sa conscience du réel. Laisser la vie en suspens. L'insignifiance du réel et de l'histoire : l'importance de la création des types. Arnheim dit que ces pensées le touchent de près, mais qu'étant un homme obligé de prendre constamment de graves décisions, il les trouve aussi extravagantes. Conscience de l'essai : les chefs responsables ne devraient pas vouloir faire l'histoire, mais des procès-verbaux d'expérience. C'est le contraire qui se produit, et Ulrich marche à demi.

Qu'en est-il de la guerre et des massacres ?

Ulrich : vivre avec un sérieux perforé (prendre la vie au sérieux, mais comme avec des perforations.)... Déductivement, pas encore inductivement —

27-1-[36] : Là-dessus un paradoxe : la pensée déductive, logophile, contient au fond les restes d'un art de l'imaginaire. En un certain sens, elle est moins prosaïque que la pure constatation des faits. Son noyau le plus intime est fait d'imagination cartilaginifiée.

— — —

— — Arnheim remarque qu'Ulrich a vu du pays. Il est amaigri, son visage a changé. Dans l'intervalle, il a fait l'essai de ses conceptions (dont font aussi partie les utopies), et Arnheim peut répéter ses questions d'alors. De plus, la question des gisements et du pacifisme est maintenant réglée, le problème de Diotime a changé d'aspect — —

D'une étude pour la dernière partie — 6-1-36

Problème général : guerre.

« Toujours la même histoire » mène à la guerre. L'Action parallèle mène à la guerre !

La guerre, ou « comment naît un grand événement ».

Toutes les lignes aboutissent à la guerre. Chacun la salue à sa façon.

L'élément religieux dans la déclaration de guerre.

L'action, le sentiment et « l'autre état » n'y font plus qu'un.

— — Elle naît (comme le crime) de toutes les petites irrégularités que les hommes laissent passer chaque jour.

Ulrich reconnaît : Ou bien un travail convenable en commun (— — — — piété inductive), ou bien « l'autre état » : sinon, il faut que ça arrive de temps en temps.

Agathe dit (à plusieurs reprises) : Nous avons été les derniers romantiques de l'amour.

Ulrich éventuellement : Les besoins et la forme de vie du génie sont autres que ceux de la masse. Peut-être mieux : — — de *l'état* de génie et de *l'état* de masse.

Ne va pas en Suisse parce qu'il n'a confiance en aucune idée.

La collectivité a besoin d'une attitude d'esprit solide. Sa première tentative.

Ulrich à la fin : comprendre, travailler, être pieux sans illusion plus le résultat final de l'utopie de la mentalité inductive. Il le sent, mais ne se dérobe pas à la mobilisation.

Agathe : le monde des hommes ne l'a jamais concernée. Atroce son explosion dans la mobilisation.

Mise au pas. Rien n'importe plus à l'homme qu'une attitude d'esprit solide.

La guerre de religion permanente s'actualise enfin.

Enfin la vie devient essentielle, positive, il ne lui manque rien, on se prend au sérieux, la vie ne débouche pas dans le vide, on a une conviction, une foi — — : chacun peut en dire quelque chose. On peut aussi représenter cela ainsi : Léon Fischel, la voix de la raison, se fait sermonner.

Lindner : ce bain ferrugineux améliorera le monde. L'idée de l'hôpital en voie de réalisation : la guerre est à l'opposé de la *caritas* et pourtant en accord avec elle.

Victoire de la pensée militaire.

Enthousiasme de Bonadea devant ces foules de mâles.

La guerre, vieil adversaire de la contemplation. Ulrich le sent bien.

Une sorte de terreur religieuse.

On désavoue le solide.

Profonde hostilité contre tous ces hommes : on court pourtant avec eux, on embrasserait le premier venu.

La volonté individuelle sombre, une époque de relations polyvalentes apparaît devant les yeux de l'esprit.

Ulrich voit ce qu'est un moment de fascination qui ne se produisit jamais entièrement entre Agathe et lui. Derniers refuges : la sexualité et la guerre. La sexualité dure une nuit, la guerre à tout le moins, vraisemblablement, un mois, etc.

Arnheim : l'individu est mystifié.

Romantisme national, idoles et boucs émissaires. Les nations n'ont pas d'intentions. Des hommes bons peuvent former une nation cruelle. Les nations ont l'esprit irresponsable. Ou plus exactement : elles n'ont pas d'esprit du tout. Comparer avec les fous. Ils ne veulent pas. Mais ils agissent les uns contre les autres.

Une solution aussi : aimer l'homme et ne pas pouvoir l'aimer.

La cause : l'affirmation que l'homme est bon.

Croire à la bonté de l'homme et ne pouvoir s'entendre avec son semblable, c'est une seule et même chose. Suggestion. Rôle des affects. Besoin de délire.

Dans l'ensemble, les chapitres de la mobilisation, et Ulrich en particulier dans ces chapitres, dépendent de l'issue de l'utopie de la mentalité inductive, qui n'est pas encore établie. Cela revient probablement à ceci : lutter (spirituellement) et ne pas désespérer. Le pressentiment réduit à la foi, et sans doute le dieu inductif : indémontrable, mais croyable. Une aventure qui maintient les affects en mouvement. Une idée directrice. Cycle du sentiment sans mystique. Réalisation de Dieu. Pressentiment, « autre état » : peut-être un autre, mieux armé, reprendra-t-il cela. Comment on pourrait l'imposer aux gens : impossible de l'imaginer. Ou bien — — laisser faire le temps. Ou bien agir, c'est-à-dire pour Ulrich : écrire un livre, donc le suicide, donc la guerre.

De nouveau le problème premier : — — — Effondrement de la culture (et de l'idée de culture). Voilà en fait ce qu'a apporté l'été 14.

Il apparaît maintenant que là était la grande idée que l'Action parallèle cherchait; ce qui s'est produit, c'est une fuite aussi loin que possible de la culture — — Tous les États prétendent être là pour une vague mission spirituelle qu'ils appellent sommairement culture. Cela se révèle également, dans mon exposé, utopique. C'est cela en quoi on n'a plus confiance. — On peut en tirer : une dernière page de journal, une conversation avec Arnheim ou avec Diotime, même éventuellement avec Agathe.

Il faut aussi faire valoir que ces ultimes expressions du problème général passent après la solution politique, quelle qu'elle soit.

En un certain sens, tout le problème moral pratique est aussi celui des instincts. De leur déploiement sans résultat, du désordre dont ils sont les fauteurs : ils doivent être maîtrisés pour qu'il n'y ait plus ni crime, ni usure, etc. Mais dans la maîtrise il y a un problème inverse : la faiblesse des instincts, l'affadissement de la vie, dont la compensation est difficile à concevoir clairement.

Mais aussi : le commencement de l'effondrement de la Cacanie! — — L'Autriche, phénomène particulièrement net du monde moderne.

De toutes façons, n'ayant plus confiance en la culture, on fuit la paix. En ce cas, Peter [le fils de Lindner], l'inculte absolu, doit être considéré comme un présage de l'après-guerre.

128. *L'utopie de la mentalité inductive, ou de l'état social donné.* (Études.)

[*Du point de vue de la pensée, l'aboutissement prévu du roman était l'* « *utopie de la mentalité inductive* ». *Les notes pour la dernière partie en donnaient la dernière indication. Des notes semblables sont dispersées dans diverses autres études à des dates diverses. Deux* « *feuilles d'études* » *sans date esquissent le résumé final projeté. Elles portent la dénomination* « *Guerre et temps* », « *Guerre et morale* ».]

« *Feuille d'études : Guerre et morale* » *:* Une idée entre temps : Ulrich-Agathe, au fond, c'est un essai d'anarchisme dans l'amour. Avec, même là, un résultat négatif. Telle est la relation profonde de l'histoire d'amour avec la guerre. (Son rapport, aussi, avec le problème Moosbrugger). Que reste-t-il, à la fin ? Qu'il existe une sphère de l'idéal et une de la réalité ? Des images directrices et autres choses semblables ? Que c'est peu satisfaisant ! N'y a-t-il pas de réponse meilleure ?

« *Feuille d'études : Guerre et temps* » : Fin de l'individualisme. Peu importe à Ulrich. Il faudrait seulement sauver ce qui en vaut la peine.

A la fin, le système d'Ulrich est désavoué, mais celui du monde aussi.

Ulrich avait trouvé du secours dans l'idée que l'Europe était dégénérée. L'auteur : toute chose, et le développement intellectuel aussi bien, déchoit quand on ne lui voue pas des soins particuliers.

La confusion est telle que beaucoup d'hommes préfèrent croire à un mystère : le temps.

15-III-32 : A la fin, Ulrich est plus désireux de communauté, les possibilités données ayant échoué. — — Individualiste conscient de sa faiblesse.

En gros, une division entre avant et après le voyage : avant le voyage, Ulrich est essentiellement anti-social, négatif. Après l'effondrement de son « idée de réserve », il rebâtit à neuf. A étudier encore dans les détails.

Les utopies n'ont eu aucun résultat praticable. L' « autre état » ne donne pas de recettes pour la vie pratique.

Néanmoins, probablement, faire de l'idée de l'époque inductive l'essentiel.

L'utopie de l' « autre état » est relayée par celle de la mentalité inductive. — L'induction exige des hypothèses préalables, mais celles-ci ne doivent pas être utilisées sur le mode heuristique, ni être considérées comme modifiables [*immuables ? N. d. T.*]. Le défaut de la démocratie, c'était le défaut de toute base de déduction : c'était une induction qui ne correspondait pas à la situation intellectuelle de base. Dieu, l'approximation de Dieu par la pensée, fut un épisode.

15-II-36 [*38 ?*] : Utopie de la mentalité inductive : l'explication avec Walter [cf. : « Walter règle ses comptes avec Ulrich »] peut inciter Ulrich à rédiger.

« *Feuille d'études : Guerre et morale, et feuille d'études : Guerre et temps* » (*Suite*) : — — — *Symbole de l'ensemble :* Ulrich, homme du possible, s'assied sur le banc du réel, sa patrie, en pressentant qu'il se relèvera bientôt... *Pseudo-objectivation :* A l'homme du possible correspondent les « intentions non encore éveillées de Dieu ». — — — Dès le début, le rapport à Dieu est donc posé très simplement. Il y a donc en Ulrich une tendance religieuse. Il cherche le contact et commence (curieusement!) par soumettre à sa tendance rationaliste et systématisante le souci d'une représentation correspondante de Dieu!

Par conséquent, on a pour l'ensemble un *thème principal :* l'homme du possible affrontant le réel. *Cela donne trois utopies :* l'utopie de la mentalité inductive ou de l'état social donné. L'utopie de l'autre vie (non ratioïde, motivée, etc.) dans l'amour. Ou l'utopie de l'essayisme II. L'utopie de l' « autre état » dans sa pureté, débouchant ou se ramifiant en Dieu. [Deux et trois] = utopie du Règne millénaire, qui se scinde donc une fois encore. Ces utopies, de plus, ont un degré de réalité différent. Il faut noter en outre que l'utopie de la mentalité inductive inclut le mal, le métrique, etc., ce que ne fait pas l'utopie de l'amour. C'est sans doute leur différence fondamentale.

Bilan provisoire : — — De ces utopies, la pire est sans doute, en un certain sens, celle de la mentalité inductive! Telle serait, du point de vue littéraire, la position à adopter (qui justifie les deux autres utopies). Résumé provisoire probable : le chapitre du musée. Mais cette justification, ou la relation qui en dépend, ne trouve son accomplissement qu'avec la fin (la guerre). Le voyage vers le Règne millénaire place les deux autres utopies au premier plan et les liquide autant que faire se peut. De toutes manières, il y a de nombreuses références à la mentalité inductive dans les chapitres du général, de l'Action parallèle, de Lindner, Schmeisser et Meingast. Il n'est donc pas nécessaire de dominer jusque dans les détails cette utopie de l'induction dès les chapitres du journal, mais il faut la connaître dans ses grandes lignes.

Schéma pour le traitement de l'utopie inductive :

Distinction fondamentale :

1° Mentalité inductive pour quelques-uns;
2° Mentalité inductive pour le grand nombre.

1° Revient à la morale du génie selon Ulrich, étendue à l'humanité. Elle comporte une série de problèmes propres. Celui d'un critère suffisant, celui de sa possibilité, un problème d'ordre, la recherche de son point archimédique, etc.

2° On en a déjà donné : *a*) dans la peinture de l'époque, les difficultés qui opposent l'esprit et le réel; il faudrait les résumer et voir dans quelle mesure la mentalité inductive peut les aplanir. *b*) Ce qui, dans la description précédente de la mentalité inductive, vaut pour tous. *c*) Les éléments épars d'une psychologie, éventuellement d'une métaphysique sociale. A résumer également. *d*) examiner l'importance que prennent les problèmes de 1) appliqués à 2). *e*) donner d'abord, indépendamment de cela, une idée de 2).

b) *Prochain travail, donc : notes de base sur l'utopie de l'induction pour le grand nombre :* Le plus important n'est pas de produire l'esprit, mais de la nourriture, des vêtements, des abris, de l'ordre : cela est vrai, aujourd'hui encore, de l'humanité. Nous sommes toujours l'animal exposé, et exposé à ses propres coups. Il n'est pas moins important de produire les principes nécessaires à la nourriture, au vêtement, etc. Appelons cela — — — l'esprit de détresse. (Mais les chefs ne sont pas nés de l'esprit de détresse, ils se sont faits tout seuls.)

A ce dessein concouraient (et concourent encore, pour l'essentiel) les diverses formations réelles et idéales de l'histoire. Donc : la féodalité, le commerce, les églises entre autres. On peut se demander en passant si la guerre en faisait aussi partie. Il ne faut pas oublier que les idéaux et les idéologies concourent aussi à ce dessein. Aujourd'hui même est bien près de régner l'idée qu'ils ne sont là que pour ça : sur ce point, le matérialisme historique est d'accord avec la technique de propagande des nazis.

Cela a donné un curieux résultat. Au-delà de ce qu'exigent la détresse et la volonté, l'esprit élève ses exigences propres, et personne ne peut dire où elles commencent à être justifiées et où elles cessent de l'être.

En outre, les principes de la détresse vacillent. Des intérêts matériels opposés ont produit des idéologies opposées, c'est l'écartèlement qui gagne.

En outre, les forces au service de la détresse (ce sont la plupart du temps des forces égoïstes qui n'exigent l'altruisme, l'accord et les autres vertus sociales que de ceux qui leur sont soumis et qu'ils dirigent) tendent à dégénérer. Féodalisme, absolutisme, capitalisme. Quand elles ne dégénèrent pas, (comme peut-être l'absolutisme des princes au temps de Gœthe) elles aboutissent, au bout d'un certain temps (avec l'extinction de la force des instincts, de l'appétit historique) à l'extinction. ([Cf. :] La foi ne doit pas être vieille d'une heure. Désir d'un état capable de renouveler constamment les sentiments. La vie est une oscillation perpétuelle du désir au dégoût — — —, entre autres, en relation avec les questions apparemment déplacées d'Ulrich.)

Situation provisoire : Un autre monde. . . dominé par des discussions qui n'intéressent pas Ulrich. Il ne nie pas leur réalité. Bien que ces discussions, incontestablement, soient trop prépondérantes. Mais Ulrich possède un « noyau de feu » qu'il doit conserver. Ulrich à la fin de ses réflexions : [Cf. : « Pourquoi Ulrich est apolitique »] (« On devrait commencer à tous les bouts, on ne sait pas où. Sentiment d'abandon qui conduit à l'expérience de l'autre état. ») Une variation du prix du coton, une baisse du prix du blé, sur ce monde-là, a plus d'influence qu'une idée. Ulrich ne le conteste pas. Il est seulement contre la confusion. (Diotime, par exemple, le conteste, le méprise!) On pourrait distinguer les pensées (et les problèmes) de la détresse (leur supériorité tient au motif — — suivant : les plus belles idées sont impuissantes contre le froid ou un taureau déchaîné. L'impuissance des idées est peut-être aussi un motif pour Schmeisser), et celles de l'exigence maximum, du laboratoire, de la « création continuée » (pourrait-on dire) entre autres. Cela donne deux morales auxquelles toute action est soumise entièrement ou en partie. — —

Addition 1 : On pourrait dire : les problèmes de la détresse sont toujours négatifs : c'est artificiellement qu'ils deviennent positifs. On ne peut l'éviter, mais c'est une source de grands maux. (La distinction entre « Fais ceci! » et « Ne fais pas cela! » n'est pas absolue : la morale de la détresse comme la morale créatrice « énervante » connaît les deux commandements, encore que l'une soit peut-être plus faussement positive, mais avec des moments d'invention et de création.)

Addition 2 : L'instrument des problèmes de la détresse est l'entendement. Celui de la création : l'entendement et l'âme. La position de la raison correspond à celle de la culture. On pourrait dire aussi, à *celles* de la culture, mais seulement dans la mesure où la culture n'est pas considérée comme la fusion des deux domaines.

Addition 3 : Ce qui relève aussi de la morale pour le grand nombre : le fait de devoir être plus qu'on est.

Addition 4 : Ce dont le monde réel a le plus besoin : l'invention et la représentation du « bon mal ».

Addition 5 : L'utopie de la mentalité inductive est elle aussi liée à Dieu.

Addition 6 : En complément à cela, les remarques [suivantes] sur l'époque : — — Les États sont réellement tels que tenant compte des besoins nobles, et leur obéissant même, ils n'en interprètent pas moins les idées à la manière des personnes guidées par l'affectivité. (Par conséquent, Hitler ne serait qu'un cas très voyant.) Qu'est-ce qui joue alors le rôle de l'affect ? Sans doute les affects éveillés chez les hommes d'État par leur responsabilité. Un but, une ambition déterminent les sentiments, et ceux-ci l'argumentation. La responsabilité est donc à la fois un égoïsme national et l'égoïsme partisan et personnel du politicien dépendant de son peuple. Les États sont des êtres intellectuellement inférieurs.

Une question : comment peut-on perdre une guerre ? (Le général : Voilà un point où notre expérience est grande!) Jadis : comment un souverain absolu pouvait-il faire de si graves erreurs de calcul, ainsi qu'on l'a vu souvent ? Des informations inexactes, le manque de talent aussi, ont dû jouer un rôle. Pour l'essentiel, c'était toujours une impossibilité de revenir en arrière, et ce défaut bien humain d'assumer plus aisément un grand danger lointain qu'un petit risque immédiat. Plutôt que de céder une ville, on risquait une guerre qui pouvait vous coûter une province. Puis, la vantardise collective : plus grande que celle d'aucun individu, et on ne peut plus s'y dérober. Le patriotisme affectif au lieu de la raison : l'État n'est pas mené comme une affaire, mais comme un « fonds » éthique. (Mais ce sont bien là des affects virils!)

Sans aucun doute, il en est ainsi à bon droit. Ce qui frappe, c'est seulement que la nature morale de l'État est beaucoup moins développée que celle de l'individu. (Comparer : « Conversations avec Schmeisser » [et les études pour : « Pourquoi Ulrich est apolitique »]).

Une échappée : Évolution vers le monde collectif. Parallèlement, l'évolution de la loi naturelle à la dévaluation statistique de l'individu. L'expression « fin du libéralisme » trouve là une motivation plus profonde. Capital et culture renoncent. On peut dire peut-être que les concepts de l'individualisme classique ne convenaient plus aux nouvelles tâches des États. — — —

— — — combien Kant s'est trompé. Il croyait qu'on favoriserait la Paix éternelle en favorisant « l'esprit du commerce, incompatible avec la guerre », et il lui semblait parfaitement naturel de penser que « les citoyens, si on leur demandait de voter pour décider s'il y aurait ou non une guerre, hésiteraient beaucoup à risquer un jeu si dangereux... ». Gœthe l'aurait probablement approuvé, il ne faisait qu'exprimer somme toute l'esprit de la bourgeoisie : si nous avions eu à décider, nous aurions fait comme cela, et mieux. Il faut en déduire que chaque classe croit faire mieux que les autres. et se propose de faire ainsi. Comparer les promesses du socialisme. Mais on ne réalise pas les idées, etc. Il faut dire aussi, simplement, que toutes ces pensées sont trop abstraites, que le tissu de la réalité est beaucoup plus complexe! Mais il ne s'agit pas seulement de délayages et de déchets, puisque aujourd'hui l'esprit commercial et la démocratie passent pour particulièrement belliqueux. Quelles en sont les causes ? Après manger, on voit le monde autrement. Avec la possession du pouvoir, la classe et ses intentions changent. Il y a donc dans le pouvoir ce qui conduit à la guerre. (En fin de compte : l'association avec les Grandes Choses. — L'antidote serait l'ascèse. Mais le technicien n'est-il pas déjà un ascète ?) On peut aussi ajouter : la transformation se produit moins par l'effet du pouvoir que par celui de la « possession » du pouvoir. La même chose en amour après une possession prolongée. Il y a dans la convoitise quelque chose qui rend bon, fécond, et ainsi de suite. (Mais il y a aussi du ressentiment dans la convoitise. Dans la social-démocratie, par exemple, les deux aspects se manifestèrent ensemble.) La cause de la périodicité des guerres peut être indépendante du contenu de l'idéologie. Toute idéologie, même pacifiste, conduit à la guerre. La guerre est une fuite loin de la paix. Les idéologies et la vie devenues négatives. Le mal moteur du monde. Le vide de tous les ciels terrestres, etc. Mais le pouvoir pourrait être aussi une attraction positive. Par exemple : un peuple fait l'histoire parce qu'il produit des hommes de pouvoir. Ou bien : la production des hommes de pouvoir qui soumettent toutes choses à leurs desseins est un truc de l'humanité pour arriver à ses fins. Ainsi Nietzsche. La paix ne serait plus justifiée alors qu'à titre d'été du pouvoir, autrement une décadence. Les désavantages de cette conception s'ensuivent de l'association avec les Grandes Choses. Le pouvoir rend stérile. La paralysie du pouvoir est pire encore que celle d'aucun autre élan. Le pouvoir comme moteur de l'histoire est tout ce qu'il y a de moins économique. Brèves périodes florissantes, longues périodes de batailles. (Mais la culture s'est-elle jamais épanouie en dehors de brèves périodes ? C'est justement cela qu'il faut changer.) Les vertus de la puissance décrites essentiellement par Nietzsche font un effet positif : fierté, dureté, endurance, courage, indifférence, absence de jalousie, magnanimité, sérénité, etc. Ce sont aussi, la plupart du temps, les vertus de l'esprit. Voir le développement de l'esprit européen à partir de l'esprit guerrier. (Voir la démilitarisation de l'Europe dès le XVIe siècle.) A cet esprit (selon Nietzsche) fut ajouté l'élément étranger, toxique du christianisme. — D'où les questions suivantes : la sublimation est-elle possible ou a-t-elle besoin de renforts livrés périodiquement par le monde substantiel de la puissance ? Un équilibre est-il possible entre les deux constituants de l'esprit ? Donc une synthèse de la culture ? Puis-je m'imaginer quelque chose d'analogue ? Terminerai-je sur le caractère inévitable du « mal » ? Faudrait-il donc l'aimer ? Peut-être la conception statistique donne-t-elle une solution ? — — —

Addition 7 : Les problèmes de la détresse ne sont pas créateurs, l'esprit est un arbre en fleur qu'il faut tailler (telle est la conviction d'Ulrich. Si on ne le taille pas, c'est le Café du Commerce.) Ceci peut être la justification de l'idéologie de la puissance : mais la taille nécessaire ne pourrait-elle être assurée par un renouvellement de la morale ? Une réponse : il est probablement de la nature de l'esprit que ses limites doivent lui être fixées du dehors. Par exemple par les faits avec lesquels il doit être à l'unisson. Plus généralement par la « vérité », qui est comme un groupe de terroristes à l'intérieur de l'esprit, un très petit cercle fortement discipliné et d'un grand rayonnement. Mais le développement des sciences des faits est lui aussi déterminé par l'histoire et toutes sortes de hasards. En outre, là où à la place de l'entendement domine l' « esprit » au sens restreint, c'est-à-dire le complexe entendement-sentiment, ont cours les règles — — — sur la force de commutation des affects, et ainsi de suite.

Les possibilités de réorganisation auxquelles songe Ulrich sont :

1) Remplacer l'idéologie close par l'idéologie ouverte. Trois bonnes vraisemblances au lieu de la vérité, un système ouvert.

2) Donner pourtant à l'idéologie ouverte une loi supérieure : l'induction comme but.

3) Prendre l'esprit comme il est : quelque chose de jaillissant, de florissant, qui n'aboutit jamais à des résultats fixes. Cela conduit finalement à l'utopie de l'autre vie.

Supplément : A partir des chapitres du journal, l'utopie de la vie motivée et l'utopie de l' « autre état » vont vers leur liquidation. Reste en dernier (l'ordre de succession étant inversé) l'utopie de la mentalité inductive, donc de la vie réelle! C'est sur elle que s'achève le livre.

POSTFACE DU TRADUCTEUR

Dans les Journaux *de Robert Musil, p. 64-75, on peut lire, sous le titre :* Travaux préparatoires pour le roman, *des pages autobiographiques datées (par Martha Musil peut-être) 1903 ; Musil avait alors vingt-trois ans et n'était pas encore l'auteur remarqué des* Désarrois de l'élève Törless, *son premier livre, paru en 1906. Or, ces « travaux préparatoires » contiennent déjà en germe un des éléments de cet* Homme sans qualités *à la difficile poursuite duquel Musil travaillait encore le matin de sa mort, le 15 avril 1942.*

C'est dans les années vingt, néanmoins, que le projet vers lequel convergeaient, dirait-on, tous ses précédents travaux, a pris corps. Trois cahiers, datables les deux premiers 1919/20 et le dernier 1924/25, intitulés respectivement Espion, l'Espion *et* le Rédempteur *(parus dans* GW/Tb *5, p. 1944-2015), ont recueilli les premiers plans d'ensemble de ce qui deviendra* l'Homme sans qualités.

En 1926, dans un entretien avec O. M. Fontana (GW/Tb *7, p. 939*), *Musil expose le plan du livre qu'il élabore et qui s'intitulait alors* la Sœur jumelle. *En 1930, paraît le premier volume du* Mann ohne Eigenschaften, *auquel correspond ici le premier des deux volumes de la présente édition : en gros, l'histoire de l'Action parallèle, les six premiers mois de l'année de « congé » d'Ulrich.*

Deux ans plus tard, en 1932, paraissait un deuxième volume qui comportait les trente-huit premiers chapitres de la suite du roman (intitulée Vers le Règne millénaire ou les Criminels), *et qui s'arrêtait court. Ces deux volumes furent les seuls qui parurent du vivant de l'auteur ; il ne s'était pas résigné sans peine à laisser paraître le second ainsi tronqué. Mais il ne devait pas parvenir, dans les neuf ans qui lui restaient à vivre, à terminer son roman.*

En 1943, un an après la mort subite de l'écrivain exilé à Genève, sa veuve, Martha Musil, faisait imprimer à Lausanne, « à l'intention des amis de Musil pour qui je sais que la moindre de ses pensées, n'eût-elle pas atteint sa forme définitive, est précieuse », un « troisième » volume (en réalité un complément du second) comportant quarante chapitres inédits choisis par ses soins dans les papiers de son mari. On apprenait ainsi qu'il existait d'une part un ensemble de vingt chapitres sous forme de placards repris ensuite par l'auteur pour les retravailler, et d'autre part, une quantité de notes, d'ébauches et de variantes à partir desquelles le roman aurait dû trouver un jour sa forme définitive. Dans sa préface, Mme Musil précisait que seuls les chapitres 9-14 (ici, 47 et 51-55) étaient définitifs; le chapitre 14 (55) restait inachevé, la mort ayant surpris Musil alors qu'il y travaillait. Les chapitres 1-8 (39-46) devaient subir de légères retouches, alors que l'auteur souhaitait remanier complètement les chapitres 15-24 (ici, 67 et 69-77); en particulier, les chapitres en forme de journal sur la psychologie du sentiment. Quant aux seize autres chapitres que Mme Musil publiait dans cette édition posthume, il s'agissait de chapitres prévus pour la quatrième partie (Une manière de fin), *empruntés aux manuscrits.*

C'est en 1952 que parut chez Rowohlt l'édition en un volume de Der Mann ohne Eigenschaften, *due aux soins patients de M. Adolf Frisé. Aux quarante chapitres publiés par Mme Musil vinrent s'en ajouter cinquante autres empruntés également à la masse des manuscrits, ébauches et projets de chapitres rédigés souvent à des dates très différentes, et distingués par M. Frisé à l'aide des indications: « ébauche », « ancienne ébauche », « esquisse » et « étude ». Dès lors, il semblait possible de se faire une idée de ce qu'aurait pu être le roman jusqu'à sa conclusion. La présente traduction, réalisée entre 1953 et 1955 et parue en 1956, ne pouvait se fonder que sur cette édition.*

Mais cette première édition Frisé devait bientôt faire l'objet de très vives critiques et susciter une longue polémique qui, en fin de compte, en dépit de ses excès, n'aura pas été inutile. Ce n'est pas le lieu d'en retracer ici les péripéties; j'essaierai de m'en tenir à l'essentiel.

M. Robert Kaiser et sa femme, Eithne Wilkins, traducteurs de Musil en anglais qui avaient eu accès à l'ensemble des manuscrits laissés par l'écrivain, en vinrent à élaborer une théorie susceptible d'expliquer pourquoi Musil, après être venu à bout relativement aisément du volume I, c'est-à-dire, en gros, de l'histoire de l'Action parallèle (volet « critique » du roman), s'était heurté, à partir du volume II où il introduit la « sœur jumelle », l'aventure de la passion incestueuse entre Ulrich et Agathe (volet « mystique », si l'on veut, en simplifiant beaucoup), à des difficultés telles que l'œuvre devait finalement rester inachevée. Cette théorie, fondée sur l'importance en effet centrale de l'expérience de l' « autre état » dans la pensée de Musil, et sur les soins particuliers apportés par lui dans les derniers temps de sa vie aux chapitres, liés à cette expérience, du « jardin » (*notamment au chapitre 55,* Souffles d'un jour d'été), *conduisait à supposer que Musil, et du même coup son double fictif, Ulrich, avait réellement fini par vivre l'autre état, celui de la « mystique diurne », de l' « amour séraphi-*

que », comme l'aboutissement de sa recherche ; dès lors, on pouvait imaginer, avec quelque apparence de raison, Musil se détachant, à mesure qu'il vieillissait, des personnages de la première partie, de l'intrigue même, de l'harmonieuse construction imaginée un jour, en quatre parties, avec un volet « critique » et un volet « mystique », la quatrième partie (ou conclusion) devant permettre de regrouper tous les personnages lors d'une ultime séance de l'Action parallèle, en août 1914, un an exactement après l'accident de voiture sur quoi s'ouvre l'introduction.

Dès lors que l'on entrait dans ces vues (qui ne manquaient pas de pénétration mais avaient le défaut d'être trop dogmatiques), on devait également accepter la principale critique adressée par les Kaiser-Wilkins (et leurs « adeptes ») à l'édition Frisé de 1952 ; à savoir, d'avoir fait succéder *aux chapitres du « jardin », les plus tardifs et, il est vrai, particulièrement substantiels, un fragment bien antérieur du roman, le « Voyage au paradis » (ici, chapitre 94), c'est-à-dire le récit de la fuite d'Ulrich et d'Agathe dans une île de la Méditerranée où l'inceste accompli entraîne retombement, désespoir et rupture ; ce qui revenait, selon eux, à fausser gravement les nouvelles perspectives auxquelles ils jugeaient que Musil avait fini par accéder.*

Mais, depuis le moment où je rédigeais ma première postface, en 1956, la critique musilienne a surmonté ces polémiques pour aboutir à une vue plus objective et plus juste du problème, qui n'en restera pas moins toujours difficile. Si M. Frisé reconnaît lui-même aujourd'hui que toute reconstitution de la suite du roman à partir de l'énorme matériel enfin entièrement disponible aux chercheurs ne peut être qu'arbitraire, cela vaut aussi pour celle que les Kaiser-Wilkins lui avaient opposée. Rien, ni dans ce matériel, apparemment, ni dans les Journaux, *ni dans les* Lettres *qui viennent de paraître en Allemagne, ne permet de soutenir sérieusement que l'évolution intérieure de Musil après 1932 ait été dans leur sens. Rien non plus n'y vient étayer l'hypothèse optimiste de Mme Musil selon qui son mari, pour peu qu'il eût vécu assez longtemps, fût parvenu à achever son œuvre.*

Certes, les années avaient passé, extérieurement de plus en plus difficiles pour lui, avec l'entrée en scène de Hitler, puis l'Anschluss, et l'exil en Suisse. Certes, le Musil de soixante ans était un homme fatigué et déçu. Certes, le mouvement de l'histoire lui avait imposé de nouveaux problèmes, ou la révision de certaines positions antérieures. Mais on ne s'avance pas beaucoup en affirmant que, même dans des conditions infiniment plus favorables, il se fût heurté, dans son travail sur le volume II, à des difficultés à peu près pareilles, qui auraient abouti à un inachèvement analogue ; car l'essentiel de ces difficultés avait son origine en lui, au centre de lui-même, dans la division douloureuse et féconde de sa nature (par laquelle, au demeurant, il est si profondément moderne). A un « homme sans qualités », qui est aussi un « homme du possible », devait correspondre une œuvre ouverte où, à partir d'un certain moment, il n'était plus concevable, ni même souhaitable, en profondeur, d'imposer une forme rigide, d'écarter telle variante au profit de telle autre. Le roman devait, substantiellement, rester fragmentaire, inachevé, ou Musil se serait trahi.

C'est la conscience de ce fait qui a guidé M. Frisé dans l'établissement de la nouvelle édition du Mann ohne Eigenschaften, *à laquelle il a consacré des années de travail à proprement parler héroïques. Pour écarter toute tentation de reconstitution arbitraire, il a choisi de refondre la partie posthume en renversant la chronologie, c'est-à-dire en publiant d'abord, à la suite des trente-huit premiers chapitres du tome II édités du vivant de l'auteur, le groupe de ceux qui avaient été imprimés en placards, puis retirés ; ensuite, un choix très ample de chapitres, groupes de chapitres, ébauches, notes et plans, depuis ceux travaillés dans les dernières années genevoises, en remontant le temps, jusqu'aux premiers projets de 1920.*

Cette nouvelle édition a paru en 1978 seulement. J'entreprenais alors la tâche considérable de la traduction intégrale des Journaux, *parus eux-mêmes à fin 1976. L'établissement, hautement souhaitable, d'une nouvelle édition française de* l'Homme sans qualités, *est désormais à l'étude. Mais il faut tout de suite préciser que la traduction* intégrale *de la nouvelle édition allemande, qui serait de six à sept cents pages plus longue que notre édition en deux volumes, représenterait un travail d'autant plus énorme qu'il s'agirait souvent de variantes à collationner attentivement avant même de pouvoir les traduire et, pour une autre part, de notes brèves, hérissées de chiffres ou d'abréviations à déchiffrer et à commenter. L'établissement d'une édition française conforme aux principes de l'édition Frisé 1978, mais allégée, est envisageable ; mais il impliquerait lui aussi, pour le seul choix des textes à conserver, des mois d'un travail extrêmement délicat.*

Il est donc inévitable que, dans l'attente d'une solution, l'éditeur republie la traduction de la version 1952, le lecteur étant désormais honnêtement averti de ses défauts. Les mentions « ébauche » ou « étude » ajoutées à certains chapitres devraient aider à mettre en garde celui-ci contre l'illusion que la succession des chapitres à partir du trente-huitième soit conforme à un plan que Musil aurait ratifié encore à la fin de sa vie. C'était déjà, un peu maladroitement peut-être et incomplètement, un choix de « possibles » que présentait cette édition ; mais il faut lui reconnaître, par rapport à la nouvelle, l'avantage non entièrement méprisable d'une plus grande lisibilité.

Ph. Jaccottet, octobre 1981

TABLE DU TOME II

III. VERS LE RÈGNE MILLÉNAIRE OU LES CRIMINELS

1. La sœur oubliée 9
2. Confiance 15
3. Matin dans la maison mortuaire 26
4. « Ich hatt' einen Kameraden » 35
5. Les coupables 43
6. Où on laisse enfin le vieux Monsieur tranquille 51
7. Arrive une lettre de Clarisse 55
8. Famille à deux 59
9. Agathe, quand elle ne peut causer avec Ulrich 70
10. Suite de l'excursion à la Schwedenschanze 79
11. Conversations sacrées. Début 93
12. Conversations sacrées. Suite variée 102
13. Ulrich rentre chez lui et se voit informé par le général de tout ce qu'il a manqué 123
14. Du nouveau chez Walter et Clarisse. Un montreur et son public 133
15. Le testament 147
16. Où l'on revoit l'époux diplomatique de Diotime 158
17. Diotime a changé de lectures 166
18. Difficultés d'un moraliste dans la rédaction d'une lettre. 179
19. Sus à Moosbrugger ! 186
20. Où le comte Leinsdorf désespère de « Capital et Culture ». 199
21. Jette tout ce que tu possèdes au feu, jusqu'à tes souliers. 212
22. Où l'on passe de la critique de Koniatowski concernant le principe de Danielli au péché originel, et du péché originel au mystère affectif de la sœur 226
23. Bonadea ou la rechute 242
24. Agathe est réellement là 257
25. Les jumeaux siamois 265
26. Printemps au jardin potager 276
27. Le général Stumm ne tarde pas à découvrir Agathe et à la révéler au grand monde 299
28. Trop de gaieté 305
29. Le professeur Hagauer prend la plume 316

30. Ulrich et Agathe cherchent après coup une raison 325
31. Agathe, partie pour se suicider, fait une connaissance masculine 333
32. Entre temps, le général conduit Ulrich et Clarisse à l'asile d'aliénés 346
33. Les fous saluent Clarisse 351
34. Un grand événement se prépare. Le comte Leinsdorf et l'Inn 369
35. Un grand événement se prépare. Le conseiller gouvernemental Meseritscher 372
36. Un grand événement se prépare. Où l'on retrouve des connaissances 379
37. Une comparaison 392
38. Un grand événement se prépare. Mais on ne s'en est pas aperçu 401
39. Après la rencontre 425
40. Le « propre-à-tout » 430
41. Le frère et la sœur, le lendemain matin 438
42. Par l'échelle de Jacob dans une demeure inconnue . . . 443
43. Le propre-à-rien et le propre-à-tout. Mais aussi Agathe . . 448
44. Une explication violente 455
45. Début d'une série d'événements merveilleux 465
46. Rayons de lune en plein jour 472
47. Promenades dans la foule 481
48. Un esprit orienté vers la grandeur. Début d'une conversation sur ce thème 489
49. Le général von Stumm et la génialité 496
50. Le problème de la génialité. (*Fragment.*) 506
51. Aime ton prochain comme toi-même 510
52. Conversations sur l'amour 519
53. Des difficultés où l'on n'en cherche pas d'ordinaire 520
54. Comme quoi il n'est pas simple d'aimer 523
55. Souffles d'un jour d'été. (*Fragment.*) 533
56. La constellation du frère et de la sœur ou : Ni séparés, ni réunis 542
57. Édition spéciale d'une grille de jardin. (*Ébauche.*) . . . 555
58. Le soleil brille sur les justes et les injustes. (*Tiré d'une première ébauche pour* Édition spéciale d'une grille de jardin.) 562
59. Tentatives pour aimer un monstre. (*Variante pour le chapitre :* Édition spéciale d'une grille de jardin. *Tirée d'une ébauche.*) 567
60. Réflexion 573
61. Promenade matinale 578
62. Le général von Stumm et Clarisse 581

63. Armistice couronné de feuillage entre Walter et Clarisse. (*Ébauche.*) 591
64. Une feuille de papier. Journal d'Ulrich 602
65. Une note. Projet pour une utopie de la vie motivée . . . 607
66. Fin de la note. Pensées vivantes 611
67. Où le général von Stumm lâche une bombe. Congrès mondial de la paix 617
68. Description d'une ville cacanienne. (*Projet de variante pour :* Où le général von Stumm lâche une bombe.) 627
69. Agathe découvre le Journal d'Ulrich 639
70. De grands changements 648
71. Pour son plus grand déplaisir, Agathe tombe sur un abrégé historique de la psychologie des sentiments 656
72. Les dossiers D et L 666
73. Naïve description de la formation d'un sentiment 676
74. Sentiment et comportement. L'incertitude du sentiment . 684
75. Retour au réel. Ou : le Propre-à-tout chante 698
76. La réalité et l'extase 713
77. Ulrich et les deux mondes du sentiment 722
78. Conversation nocturne. (*Ébauche et étude.*) 730
79. Conversation avec Schmeisser. (*Ébauche.*) 734
80. « Pour » et « Dans ». (*Ancienne ébauche.*) 738
81. Pourquoi les hommes, à être bons, beaux et véridiques, préfèrent simplement vouloir l'être. (*Ébauche.*) 740
82. Schmeisser et Meingast. (*D'une ébauche.*) 745
83. Pourquoi Ulrich est apolitique. (*Études.*) 754
84. Agathe chez Lindner. (*Ébauche.*) 761
85. Le rêve. (*Ébauche.*) 771
86. Trop de douceur, ou les trois sœurs. (*Ébauche et étude.*) . . . 775
87. Le tir considéré comme un remède aux idées de suicide. (*Ancienne ébauche.*) 789
88. Chez l'avocat. (*Ébauche.*) 791
89. Hermaphrodite. (*Ancienne ébauche et étude.*) 797
90. Peter et Agathe. (*Ancienne ébauche.*) 801
91. Crise et décision. (*Ancienne ébauche et étude.*) 804
92. Moosbrugger à l'asile. Une partie de cartes 812
93. Clarisse et Friedenthal 822
94. Le voyage au paradis. (*Ancienne ébauche.*) 829
95. Après la visite à Moosbrugger. (*Extrait d'une ancienne ébauche.*) 854
96. Clarisse va voir Walter à l'atelier. (*Ébauche.*) 856
97. Walter chez Ulrich. (*Ancienne ébauche.*) 862
98. Scène dans la forêt. Ulrich et Clarisse. (*Ancienne ébauche.*) . 867
99. Carrière d'un homme d'action 872
100. La carrière d'un homme d'action. (*Suite.*) 879
101. Ulrich à une soirée musicale 884

102. Gerda 889
103. Clarisse séduit Ulrich. (*Ancienne ébauche.*) 891
104. Ulrich prépare l'enlèvement de Moosbrugger. (*Extrait d'une ancienne ébauche.*) 893
105. Walter appelle Ulrich au téléphone. Clarisse malade. (*Ancienne ébauche.*) 898
106. Le remords de Rachel 901
107. Clarisse chez Rachel 903
108. Moosbrugger et Rachel 909
109. M. Léon Fischel, directeur général 924
110. Politiquement suspect. Et d'autres éléments en cause . . 929
111. Léon Fischel intervient auprès de Diotime. (*Ébauche.*) . . 934
112. Clarisse fatiguée renonce. Au sanatorium. (*Ancienne ébauche.*). 940
113. En route pour Sienne! (*Ancienne ébauche.*) 945
114. Clarisse à Rome. (*Ancienne ébauche.*) 947
115. Comme quoi on trouve le suicide, ou l'homicide, jusque dans le domaine de l'homme d'action 951
116. L'île de la santé. (*Ancienne ébauche.*) 955
117. L'île de la santé. L'incertitude. (*Ancienne ébauche.*) . . . 959
118. Walter et Ulrich règlent leurs comptes. (*Étude.*) 973
119. Léon Fischel, directeur général. Rencontre dans le train. 979
120. Garden-party 982
121. Le Grec. (*Ancienne ébauche.*) 989
122. Clarisse à Venise. (*Ancienne ébauche.*) 997
123. Après l'internement. Clarisse en Prométhée effondré. (*Ancienne ébauche et étude.*) 1001
124. Le retour de Gerda. (*Ébauche.*) 1006
125. Une parenthèse sur la Cacanie. Le foyer de la guerre mondiale est aussi le lieu de naissance du poète Feuermaul. (*Fragment.*) 1012
126. Le menuisier. Pour remplacer éventuellement le chapitre biffé sur la jalousie. (*Ébauche.*) 1015
127. Étude pour la séance finale et ce qui s'y rattache concernant Agathe-Ulrich 1016
128. L'utopie de la mentalité inductive, ou de l'état social donné. (*Études.*) 1024

Postface du traducteur 1033

IMP. MAME A TOURS.
D. L. 1er TRIM. 1982. N° 6074 (8910).